Lambacher Schweizer

Mathematik für Gymnasien

Kursstufe

Baden-Württemberg

erarbeitet von

Hans Freudigmann

Manfred Baum
Martin Bellstedt
Dieter Brandt
Heidi Buck
Rolf Dürr
Dieter Greulich
Frieder Haug
Wolfgang Riemer
Rüdiger Sandmann
Reinhard Schmitt-Hartmann
Peter Zimmermann
Manfred Zinser

Ernst Klett Verlag
Stuttgart · Leipzig

Begleitmaterial:
Zu diesem Buch gibt es ergänzend:
– Lösungsheft (ISBN: 978-3-12-735303-7)

1. Auflage   1   12 11 10 9 | 2020 19 18 17

Die beiliegende CD-ROM ist eine Begleit-CD-ROM zum Schülerbuch. Sollte diese verloren gegangen sein, wenden Sie
sich bitte an unseren Kundenservice – im Internet unter www.klett.de oder per E-Mail an kundenservice@klett.de.

Autorinnen und Autoren: Manfred Baum, Martin Bellstedt, Dr. Dieter Brandt, Heidi Buck, Prof. Rolf Dürr,
Hans Freudigmann, Dieter Greulich, Dr. Frieder Haug, Wolfgang Riemer, Rüdiger Sandmann,
Reinhard Schmitt-Hartmann, Dr. Peter Zimmermann, Prof. Manfred Zinser

Redaktion: Dr. Marielle Cremer, Dagmar Faller, Eva Göhner
Herstellung: Simone Glauner

Umschlaggestaltung: SoldanKommunikation, Stuttgart
Umschlagfotos: Wasserstrudel: Getty Images (amana Images/Takeshi Daigo), München;
Wendeltreppe: Getty Images (Image Bank/Joao Paulo), München
Illustrationen: Uwe Alfer, Waldbreitbach
Satz: Imprint, Zusmarshausen; topset Computersatz, Nürtingen
Reproduktion: Meyle & Müller , Medienmanagement, Pforzheim
Druck: Himmer GmbH Druckerei, Augsburg

Printed in Germany
ISBN 978-3-12-735301-3

Inhaltsverzeichnis

☐ Zum selbst Erarbeiten geeignet

Inhaltsverzeichnis

☐ zum selbst Erarbeiten geeignet

Inhaltsverzeichnis

☐ Zum selbst Erarbeiten geeignet

Lernen mit dem Lambacher Schweizer

Liebe Schülerinnen und Schüler,

die Kursstufe des Lambacher Schweizer wird Sie in Mathematik die letzten zwei Jahre bis zum Abitur begleiten. Die Kapitel und Unterkapitel, sogenannte Lerneinheiten, sind immer gleich aufgebaut, damit Sie sich gut zurechtfinden können. Jedes Kapitel umfasst die Auftaktseite, mehrere Lerneinheiten, die Wiederholen-Vertiefen-Vernetzen-Aufgaben, Exkursionen, den Rückblick und die Prüfungsvorbereitung. Auf der **Auftaktseite** sehen Sie, worum es in diesem Kapitel geht und welche Vorkenntnisse Sie dafür haben müssen.

Alle drei Themengebiete, die im Abitur geprüft werden, Analysis, Analytische Geometrie und Stochastik, beginnen mit einer **Wiederholung** des Stoffes der 10. Klasse, der für das Abitur relevant ist.

Die **Lerneinheiten** beginnen mit einem offenen Einstieg, bevor im Lehrtext die neuen Inhalte erläutert werden. Der zentrale Lerninhalt ist im **Merkkasten** zusammengefasst. Anschließend folgen Beispielaufgaben. Wird hierfür ein **GTR** eingesetzt, dann sind die zugehörigen Screenshots abgebildet. Welche Eingaben Sie für die Verwendung des GTR machen müssen, finden Sie für die gängigsten GTR unter einem **Online-Link**, der auf der entsprechenden Buchseite angegeben ist. Bei den anschließenden Aufgaben bedeuten die **orangefarbenen Aufgabenziffern**, dass kein GTR verwendet werden soll.
Wenn Sie ein **CAS** benutzen, finden Sie hierfür auf der dem Schülerbuch beiliegenden CD-ROM Aufgaben, die explizit für CAS geeignet sind, und deren ausführliche Lösung. Auf die Aufgaben wird an passenden Stellen im Buch verwiesen.

In der Analytischen Geometrie gibt es zudem die Möglichkeit, mit dem **3D-Programm Vektoris** die geometrischen Sachverhalte zu veranschaulichen. Auch hierzu finden Sie Verweise an entsprechenden Stellen im Buch.

In der langfristigen Vorbereitung auf das Abitur ist es wichtig, immer wieder selbst zu prüfen, ob das Gelernte verstanden wurde. Aus diesem Grund gibt es in jeder Lerneinheit eine Aufgabenrubrik **Zeit zu überprüfen**. Hiermit können Sie alleine testen, ob Sie die grundlegenden Aufgaben zu dem neu gelernten Stoff lösen können. Die Lösungen dazu finden Sie im Anhang des Buches.

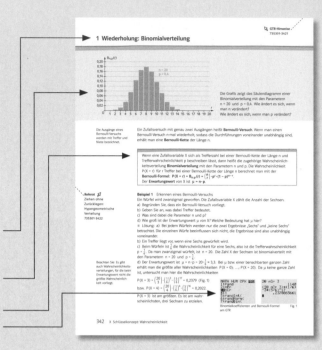

Symbolerklärungen

Online-Link ↗ 735301-XXX1	Unter www.klett.de finden Sie zusätzliche Materialien als Download. Bitte geben Sie die Nummer des Online-Links in das Suchfeld ein.
3	Aufgaben mit orangefarbenen Aufgabenziffern sollen ohne GTR bearbeitet werden.
Ⓢ CAS	Aufgaben für den Einsatz eines CAS
Ⓢ Vektoris 3D	Passende Dateien, die der Veranschaulichung dienen
৪	Aufgaben für Partnerarbeit

Auch die grundlegenden Inhalte aus vorausgegangenen Kapiteln und früheren Jahrgangsstufen können selbstkontrolliert getestet werden. Hierzu finden Sie die Aufgabenrubrik **Zeit zu wiederholen**. Die Lösungen dazu befinden sich ebenfalls im Anhang des Buches.

Auf den **Wiederholen-Vertiefen-Vernetzen**-Seiten finden Sie Aufgaben, die den Lernstoff verschiedener Lerneinheiten und manchmal auch der Kapitel miteinander verbinden.

Auf der **Rückblick**-Seite sind alle zentralen Inhalte des Kapitels zusammengefasst und an Beispielen veranschaulicht.

Am Ende des Kapitels können Sie eigenverantwortlich für die nächste Klausur oder schon fürs Abitur üben. In Vorbereitung auf das Abitur gibt es hier auf blau unterlegten Seiten: **Prüfungsvorbereitung ohne Hilfsmittel** und **Prüfungsvorbereitung mit Hilfsmitteln**.

Wenn Sie sich erfolgreich durch das Buch gearbeitet haben, können Sie sich am Ende an **Abituraufgaben**, d.h. Aufgaben, wie sie auch im Abitur gestellt werden – **mit und ohne Hilfsmittel** – noch einmal abschließend selbst testen.

Neben dieser konsequenten Vorbereitung auf das Abitur bietet Ihnen das Buch zahlreiche Möglichkeiten, sich ein noch breiteres mathematisches Wissen anzueigen. Die **Wahlthemen** und die **Exkursionen** bieten Material für eigenständige Lernleistungen. Aus dem gleichen Grund werden im Buch zudem Verweise auf mögliche Referatsthemen und weitere Exkursionsthemen mit Online-Link gegeben.

Wenn Sie die Mathematik der Oberstufe einmal ganz experimentell erarbeiten möchten, können Sie dies mit dem Sachthema GPS – Dem Navi auf der Spur im Anschluss an die Kapitel tun.

Auf der CD-Rom befinden sich zu den Kapiteln passende Aufgaben für den Einsatz eines Computer Algebra Systems (CAS), das Raumgeometriesystem Vektoris 3D und zu verschiedene Stellen passende Vektoris 3D-Dateien.

Wir wünschen Ihnen viele interessante Mathematikstunden mit der Kursstufe des Lambacher Schweizer und vor allem: Viel Erfolg beim Abitur!

Ihre Redaktion und das Autorenteam

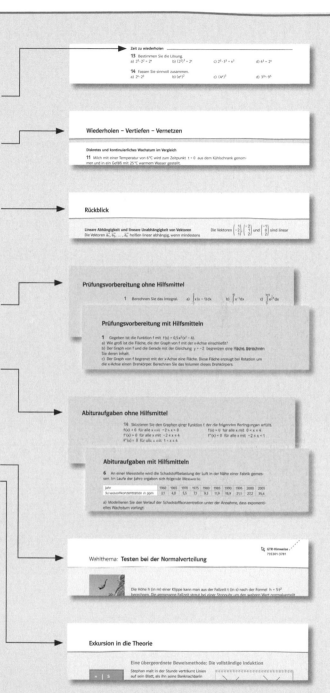

Mathematik – auf dem Weg zum Abitur

Die Kursstufe des Lambacher Schweizer enthält **alle abiturrelevanten Inhalte** aus Analysis, Analytischer Geometrie und Stochastik. Die für das Abitur relevanten Themen aus der 10. Klasse werden in den ersten Lerneinheiten dieser drei Themengebiete wiederholt.

Zur leichteren Orientierung ist die Kursstufe klassisch angeordnet: zunächst fünf Kapitel Analysis, dann vier Kapitel Analytische Geometrie und schließlich ein Kapitel Stochastik. Der Durchgang durch den **Lehrgang** ist aber **variabel**. So können die Themengebiete Analysis und Lineare Algebra wechselweise unterrichtet werden. Innerhalb der Themengebiete Analysis und Analytische Geometrie ist es allerdings notwendig, die vorgegebene Reihenfolge einzuhalten. Für die Stochastik muss die Integralrechnung bekannt sein, sie kann deshalb nach den ersten drei Analysis-Kapiteln unterrichtet werden. Zur Veranschaulichung dient die Übersicht:

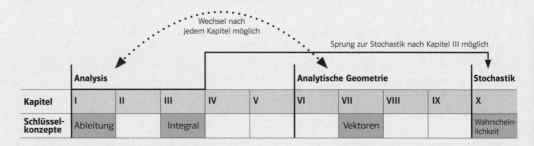

Das begriffliche Fundament der Mathematik in der Oberstufe fußt auf den mathematischen Ideen zur **Ableitung**, zum **Integral**, zu **Vektoren** und zur **Wahrscheinlichkeit**, weshalb die zugehörigen Kapitel I, III, VII und X mit **Schlüsselkonzept** bezeichnet wurden.

Alle zehn Kapitel enthalten stets über den Pflichtstoff hinaus ein vielseitiges optionales Angebot, sodass unterrichtliche Schwerpunkte selbst gewählt werden können.

Das achtjährige Gymnasium

Der Bildungsplan des G8 erfordert an einigen Stellen eine Umorientierung oder Reduzierung des bisherigen Lehrstoffs der Oberstufe. Trotz der Reduzierung ist stets auf fachlich korrekte Begriffsbildung und auf ausreichendes Übungsmaterial geachtet worden.

In der **Analysis** wurde der Gedanke der Ableitung bereits in Klasse 10 eingeführt. Sie wird wiederholt und verständnisorientiert vertieft. Es werden weitere Funktionstypen eingeführt, wobei der Schwerpunkt nicht auf der Klassifizierung der Funktionen liegt, sondern auf der sinnvollen Analyse ihrer Eigenschaften sowohl anschaulich am Graphen als auch algebraisch am Funktionsterm. Die in der Vergangenheit übliche Diskussion von Funktionen tritt zugunsten einer problemorientierten bzw. kontextorientierten Erörterung deutlich in den Hintergrund.

Das Kapitel zur Integralrechnung führt zügig auf den Hauptsatz, wobei über den Zusammenhang von momentaner Änderungsrate und Gesamtänderung der Hauptsatz inhaltlich gut nachvollzogen werden kann.

Folgen bilden im G8 keinen Schwerpunkt mehr und sind deshalb ins Kapitel über Wachstum integriert. Da sie keine inhaltliche Voraussetzung für die Lerneinheiten über die verschiedenen Wachstumsarten sind, kann die Tiefe des Unterrichtsgangs zu den Folgen selbst bestimmt werden.

Nachdem in der **Analytischen Geometrie** das Rechnen mit Vektoren bereits in Klasse 10 eingeführt worden ist, steht nun vor allem das Problemlösen mit Vektoren im Vordergrund. Neben den
traditionellen Aufgaben zur Bestimmung von Schnittgebilden, Abständen und Winkeln wurde
besonderes Gewicht auf neuartige Anwendungsaufgaben gelegt.
Beweisen in der Geometrie ist in einem eigenen Kapitel ausgearbeitet, um den Schülerinnen
und Schülern den Blickwechsel auf diese ganz andere Fragestellung zu erleichtern. Hier steht die
Idee, mithilfe von Vektoren systematisch Beweise der Geometrie auf algebraischem Wege führen
zu können, im Vordergrund.

Ganz wesentlich baut die **Stochastik** auf dem Gedanken der Binomialverteilung auf, die wiederholt und weiter ausgebaut wird. Die Frage nach allen Parametern sowie die Modellierung von
ganzzahligen Zufallsvariablen stehen hier im Vordergrund. Die Lerneinheit 6 ist der Hinführung
zur stetigen Verteilung und ihren Eigenschaften gewidmet. Dadurch wird ermöglicht, grundle-
gende Problemstellungen unabhängig von der Art der stetigen Verteilungen zu bearbeiten, die
in den folgenden Lerneinheiten vertieft werden. Es ist auch möglich, über den Leitgedanken der
Konturkurve von der Binomialverteilung direkt zur Normalverteilung als einem Beispiel stetiger
Verteilungen zu springen.

Ausdifferenzieren des Unterrichts – inhaltlich und methodisch

Jedes Kapitel bietet über die Pflichtthemen des Lehrplans hinaus ein vielseitiges Angebot zur
Differenzierung des Unterrichts, sowohl inhaltlich als auch methodisch. In den Lerneinheiten
Wahlthema sind Themen aufbereitet, die nicht zum Pflichtstoff gehören, aber traditionell zu den
Oberstufeninhalten zählten. In den *Exkursionen* werden weiterführende Themen aufbereitet, die
zur Erarbeitung **eigenständiger Lernleistungen** vergeben werden können. Die *Exkursionen in die
Theorie* arbeiten den theoretischen Hintergrund einschlägiger Themen auf und sind deshalb ins-
besondere auch zur **Binnendifferenzierung** geeignet.
Zur Themenvergabe für eigenständige Lernleistungen bieten sich ebenso die Online-Links im
Buch auf weitere *Exkursionen* und *Referatsvorschläge* an.
Zum selbst Erarbeiten geeignete Themen für Schülerinnen und Schüler sind im Inhaltsverzeich-
nis gekennzeichnet.
Mit dem **Lernzirkel** *GPS – Dem Navi auf der Spur* am Ende des Buches kann die Mathematik der
Oberstufe mit einem Navigationsgerät auch experimentell erarbeitet werden. Der Besitz eines
Navigationsgerätes ist nicht Voraussetzung für diesen Unterrichtsgang, da zahlreiche realistische
Daten, die mit einem GPS aufgezeichnet wurden, zur Verfügung stehen.

Medieneinsatz

Die Kursstufe des Lambacher Schweizer verfolgt die Leitsätze, einen umfassenden und vielsei-
tigen, aber stets auch sinnvollen Medieneinsatz anzuregen.
Der Einsatz des **GTR** wird durch Screenshots im Buch abgebildet. Ins Einzelne gehende Eingaben
wurden aus Gründen der Übersichtlichkeit nicht im Buch abgebildet. Sie werden stattdessen für
die gängigsten Rechner online angeboten.
Material zu den gängigsten **CAS**-Rechnern sowie für **Excel** befindet sich auf der dem Buch beiliegenden **CD**.
Für den anschaulichen Unterricht in der Analytischen Geometrie wurde das besonders schüler-
freundliche **3D-Geometrie-Programm Vektoris** entwickelt. Im Buch wird an zahlreichen Stellen
auf passgenaue Vektoris-Dateien verwiesen. Das Programm kann deshalb sowohl im Unterricht
als auch zum selbstständigen Arbeiten der Schülerinnen und Schüler eingesetzt werden.

Schlüsselkonzept: Ableitung

Verschiedene Problemstellungen lassen sich mithilfe eines funktionalen Zusammenhangs mathematisieren – zum Beispiel anhand des Funktionsgraphen. An zentraler Stelle steht dabei das mathematische Konzept der Ableitung.

Heißluftballon: Wann hat er seine größte Höhe erreicht?

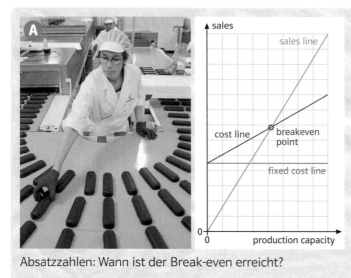

Absatzzahlen: Wann ist der Break-even erreicht?

Skisprungschanze: Welche Steigung herrscht am Absprungpunkt?

Das kennen Sie schon

– Differenzieren, ableiten
– Ableitungsregeln
– Grundzüge einer Funktionsuntersuchung

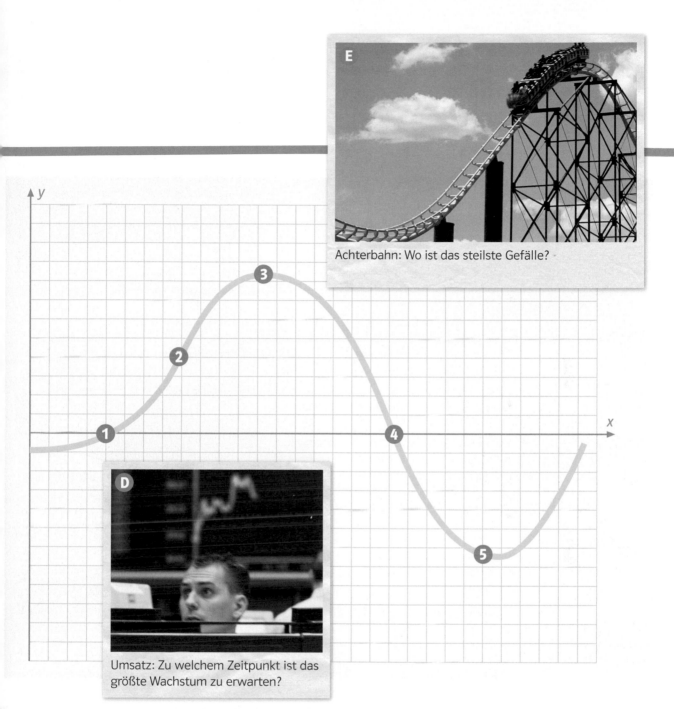

Achterbahn: Wo ist das steilste Gefälle?

Umsatz: Zu welchem Zeitpunkt ist das größte Wachstum zu erwarten?

Zahl und
Maß

Daten und
Zufall

Beziehung und
Änderung

Modell und
Simulation

Muster und
Struktur

Form und
Raum

In diesem Kapitel

– werden die Ableitung und das Bestimmen von Extremwerten wiederholt und vertieft.
– werden Wendepunkte erklärt.
– wird die allgemeine Tangentengleichung bestimmt und damit gerechnet.
– werden mathematische Inhalte in Anwendungssituationen interpretiert.

1 Wiederholung: Ableitung und Ableitungsfunktion

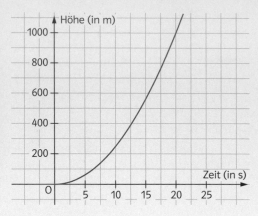

Der nebenstehende Graph zeigt die Höhe h einer Rakete über dem Erdboden in Abhängigkeit von der Zeit t seit dem Start.

a) Bestimmen Sie die mittlere Geschwindigkeit der Rakete in verschiedenen Zeitintervallen.

b) Erläutern Sie, wie Sie die momentane Geschwindigkeit zu einem vorgegebenen Zeitpunkt bestimmen könnten.

c) Wodurch unterscheiden sich mittlere und momentane Geschwindigkeit?

Die Bezeichnung x_0 steht für einen beliebig wählbaren, aber festen Wert.

Die Abhängigkeit einer Größe von einer anderen Größe kann oft mithilfe einer Funktion beschrieben werden. Dabei versteht man unter einer Funktion f eine Zuordnung, die jeder reellen Zahl x aus einer Definitionsmenge D_f genau eine reelle Zahl $f(x)$ zuordnet. Das Änderungsverhalten von f auf dem Intervall $[x_0; x_0 + h]$ wird durch die **mittlere Änderungsrate** $\frac{f(x_0 + h) - f(x_0)}{h}$ beschrieben. Dieser Term heißt auch **Differenzenquotient**.

Für $h < 0$ ist $I = [x_0 + h; x_0]$

Geometrisch bedeutet der Differenzenquotient im Intervall $I = [x_0; x_0 + h]$ für $h > 0$ die Steigung der Geraden durch die beiden Punkte $P(x_0 | f(x_0))$ und $Q(x_0 + h | f(x_0 + h))$. Strebt der Differenzenquotient an der Stelle x_0 für $h \to 0$ gegen einen Grenzwert, so wird dieser als **Ableitung** von f an der Stelle x_0 bezeichnet. In Anwendungskontexten spricht man von der **momentanen Änderungsrate**.

Man schreibt $f'(x_0) = \lim\limits_{h \to 0} \frac{f(x_0 + h) - f(x_0)}{h}$. f heißt dann an der Stelle x_0 **differenzierbar**.

$\lim\limits_{h \to 0} \frac{f(x_0 + h) - f(x_0)}{h} = f'(x_0)$.
Sprich: Limes für h gegen null von …
Limes (lat.): die Grenze

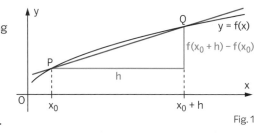

Fig. 1

Die **Ableitungsfunktion** f' ordnet jeder Stelle x_0, an der f differenzierbar ist, $f'(x_0)$ zu.

Die Steigung der Tangente im Punkt P kann man näherungsweise bestimmen, indem man eine Gerade so durch den Punkt P zeichnet, dass diese sich möglichst gut an den Graphen von f schmiegt.

Die Gerade durch den Punkt $P(x_0 | f(x_0))$ mit der Steigung $f'(x_0)$ wird **Tangente** an den Graphen von f im Punkt P genannt.

Man sagt, der Graph von f hat bei x_0 die Steigung $f'(x_0)$.

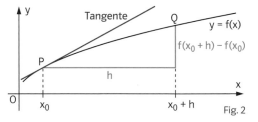

Fig. 2

Die Funktion f sei auf dem Intervall I definiert. Wenn der Differenzenquotient an der Stelle x_0 für $h \to 0$ gegen einen Grenzwert strebt, so ist f an der Stelle x_0 differenzierbar. Dieser Grenzwert heißt Ableitung $f'(x_0)$.

Es gilt: $f'(x_0) = \lim\limits_{h \to 0} \frac{f(x_0 + h) - f(x_0)}{h}$.

Ist f für alle $x \in I$ differenzierbar, so heißt die Funktion, die jeder Stelle aus I die Ableitung $f'(x)$ zuordnet, die Ableitungsfunktion von f.

Beispiel 1 Grafisches Ableiten, Graph von f' und Tangente mit dem GTR

a) Zeichnen Sie ohne Hilfe des GTR den Graphen der Funktion f mit $f(x) = x^3$ und die Tangente an f an der Stelle $x_0 = 1$. Bestimmen Sie grafisch $f'(1)$.

⊛ CAS
Änderungsraten
bestimmen

b) Ermitteln Sie die Steigung in weiteren Punkten des Graphen von f aus a) und skizzieren Sie damit den Graphen der Ableitungsfunktion f'.

c) Zeichnen Sie mit dem GTR die Graphen von f, von f' und die Tangente an f an der Stelle $x_0 = 1$. Wie lautet die Gleichung der Tangente an f im Punkt $P(1|f(1))$?

■ Lösung: a) Der Graph von f ist in Fig. 2 rot eingezeichnet. Als Steigung der Tangente (schwarz gezeichnet) in $P(1|1)$ liest man $m ≈ 3$ ab. Somit ist $f'(1) ≈ 3$.

b) *Weist der Graph von f eine waagerechte Tangente auf, so schneidet oder berührt an diesen Stellen der Graph von f' die x-Achse. In Intervallen mit negativer Steigung liegt der Graph von f' unterhalb der x-Achse, in Intervallen mit positiver Steigung oberhalb der x-Achse.*

Durch Einzeichnen der Tangenten und dem Ermitteln ihrer Steigungen in einigen Punkten kann der Graph von f' (in Blau) skizziert werden (Fig. 3).

c) Der GTR kann sowohl den Graphen von f, f' als auch die Tangente in $P(1|1)$ zeichnen (vgl. Fig. 1 und 4). Die Gleichung der Tangente im Punkt $P(1|1)$ lautet: $y = 3x - 2$.

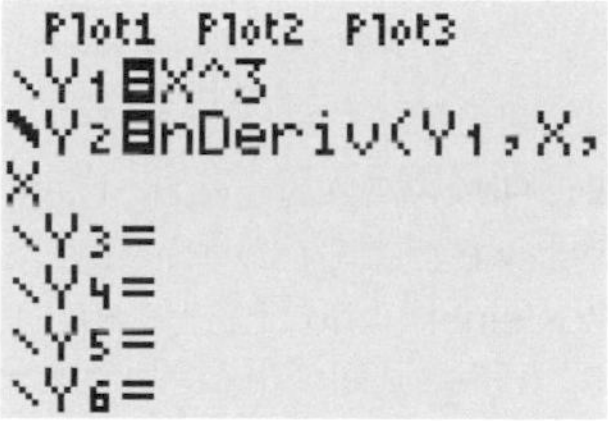

Die Angaben des GTR sind im Allgemeinen Näherungswerte.

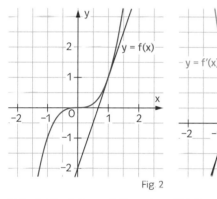

Fig. 2

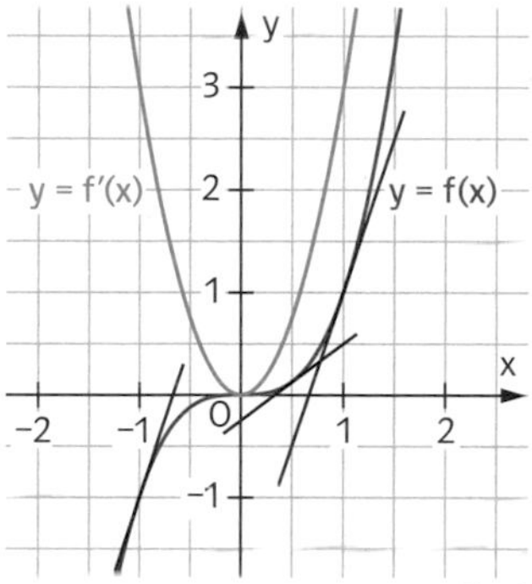

Fig. 3

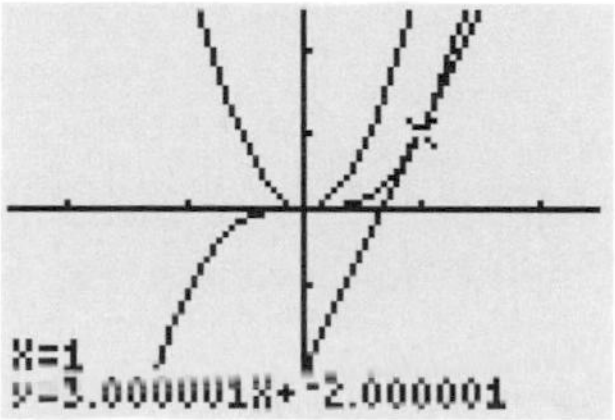

Fig. 1

Fig. 4

Beispiel 2 Interpretation einer Ableitung

Ein Unternehmenschef möchte wissen, wie die Herstellungskosten f (in €) von der Anzahl x der produzierten Geräte (in Verkaufseinheiten) abhängen.

a) Bestimmen Sie mithilfe des Graphen (Fig. 5)
$\frac{f(4) - f(1)}{4 - 1}$; $f'(1)$.

b) Interpretieren Sie die Aussage $f(4) = 3,8$ und $f'(4) ≈ 0,35$ und benennen Sie die zugehörigen Einheiten.

■ Lösung: a) Am Graphen kann man ablesen: $f(1) ≈ 2,4$; $f(4) ≈ 3,8$.

Somit ist $\frac{f(4) - f(1)}{4 - 1} ≈ 0,5$.

$f'(1)$ kann man durch Anlegen einer Tangente an f näherungsweise bestimmen: $f'(1) ≈ 0,7$.

b) Die Aussage $f(4) ≈ 3,8$ bedeutet, dass die Kosten zur Herstellung von vier Einheiten ungefähr 3,80 € betragen. Die Aussage $f'(4) ≈ 0,35$ besagt, dass wenn die Kosten pro Einheit weiterhin so groß sind wie bei $x = 4$, dann nehmen die Kosten für eine weitere Einheit um 0,35 € zu.

Die Einheit von $f(x)$ ist €, die von $f'(x)$ ist $\frac{€}{\text{Verkaufseinheit}}$.

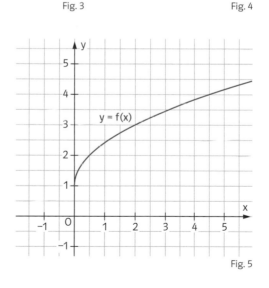

Fig. 5

Einheiten gibt es nur bei Größen. Mittlere und momentane Änderungsrate haben dann dieselbe Einheit.

Aufgaben

1 Bestimmen Sie mithilfe des Graphen von f (Fig. 1) folgende Zahlen. Erläutern Sie die geometrische Bedeutung.
a) $f(5)$ und $f(3)$
b) $f(5) - f(3)$
c) $\dfrac{f(5) - f(3)}{5 - 3}$
d) $f'(5)$

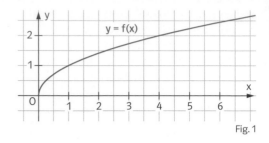

Fig. 1

2 a) $f(t)$ (t in Jahren, $f(t)$ in Millionen) beschreibt die Zahl der Einwohner in Deutschland seit dem Jahr 1995.
Interpretieren Sie $f(5) = 82{,}0$ und $\dfrac{f(6) - f(5{,}5)}{6 - 5{,}5} \approx -0{,}1$. Geben Sie jeweils die Einheit an.

b) $v(t)$ (t in Sekunden, $v(t)$ in Metern pro Sekunde) beschreibt die Geschwindigkeit eines Körpers ab dem Startzeitpunkt $t = 0$.
Interpretieren Sie $v(5) = 25$ und $v'(8) = 16$. Geben Sie jeweils die Einheit an.
Was bedeutet $v'(t)$?

3 Skizzieren Sie ohne Rechnung die Graphen der Funktion f und der Ableitungsfunktion f'.
a) $f(x) = x^2$ b) $f(x) = x^3 + 1$ c) $f(x) = \sin(x)$ d) $f(x) = \sqrt{x}$; $x > 0$

4 Eine Badewanne wird mit Wasser gefüllt. Nach dem Baden wird der Stöpsel gezogen und die Wanne läuft leer.
Skizzieren Sie für die Wassermenge in der Wanne in Abhängigkeit von der Zeit einen möglichen Graphen. Was lässt sich über die Ableitung der zugehörigen Funktion aussagen?

5 Ordnen Sie jedem Funktionsgraphen den Graphen der zugehörigen Ableitungsfunktion zu.

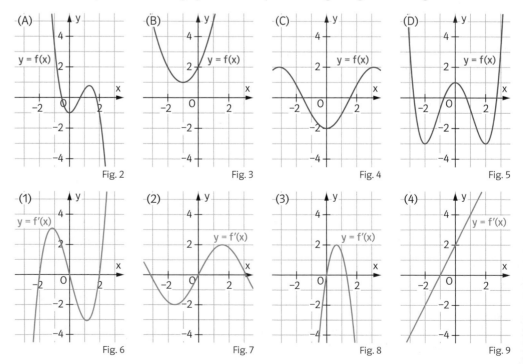

6 Für welchen der in Fig. 1 markierten x-Werte gilt:
a) f(x) ist am größten?
b) f(x) ist am kleinsten?
c) f'(x) ist am größten?
d) f'(x) ist am kleinsten?

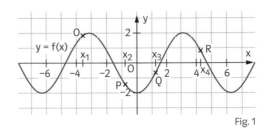

Fig. 1

Zeit zu überprüfen

7 Ein Herd wird zum Backen vorgeheizt, bis er eine vorgesehene Endtemperatur erreicht hat. Die Temperatur im Herd (in °C) in Abhängigkeit von der Zeit t (in Minuten) kann durch eine Funktion T beschrieben werden.

Die Temperatur nimmt beim Vorheizen zu, aber immer langsamer.

a) Skizzieren Sie einen möglichen Graphen von T.
b) Welches Vorzeichen hat T'?
c) Interpretieren Sie die Aussagen $T(5) = 80$ und $T'(10) = 2$.

8 Bestimmen Sie grafisch die Ableitung der Funktion f, indem Sie die jeweilige Steigung der Tangente an den Graphen in sinnvollen Punkten ermitteln. Führen Sie dies durch
a) für die Funktion f, deren Graph in Fig. 2 gegeben ist,
b) für f mit $f(x) = \sin(x)$.

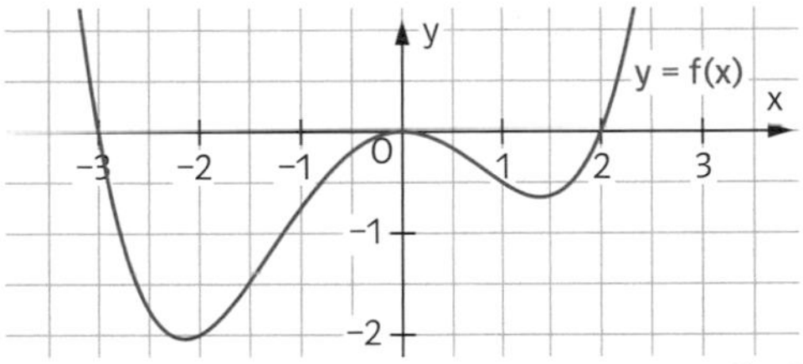

Fig. 2

9 Geben Sie den Term einer Funktion f an, für den gilt:
a) Der Graph von f hat überall eine positive Steigung.
b) Die Ableitung von f wird an genau einer Stelle 0.

10 Die Funktion f beschreibt, wie sich der Preis p eines Geräts auf die Absatzzahl f(p) auswirkt. Was bedeutet:

a) $f(200) = 3000$?   b) $f(220) - f(200) = -1000$?   c) $\frac{f(205) - f(200)}{205 - 200} \approx -50$?

11 Die Temperatur T (in °C) von Lebensmitteln, welche in einen kühlen Lagerraum gestellt werden, wird durch die Funktion T mit $T(t) = \frac{720}{t^2 + 2t + 25}$; $t \geq 0$ (t in Stunden) modelliert.
a) Bestimmen Sie die mittlere Änderungsrate während der ersten beiden Stunden. Interpretieren Sie Ihr Ergebnis.
b) Wie groß ist die momentane Änderungsrate zum Zeitpunkt $t = 2$? Interpretieren Sie auch dieses Ergebnis.

12 Bläst man einen kugelförmigen Luftballon mit konstantem Luftstrom auf, so wächst der Radius des Ballons zu Beginn schneller als am Ende. Die Funktion r(V) gibt ungefähr die Abhängigkeit des Radius (in Metern) vom Volumen (in Litern) an: $r(V) = \sqrt[3]{\frac{3V}{4}}$.

$V_{Kugel} = \frac{4}{3}\pi r^3$

a) Zeichnen Sie die Graphen von r und r' mithilfe des GTR.
b) Bestimmen Sie die mittlere Änderungsrate für r im Intervall [0,5; 1] und [1; 1,5]. Interpretieren Sie das Ergebnis.
c) Skizzieren Sie mithilfe des GTR die Tangente an der Stelle $V_0 = 1$ und lesen Sie daraus die momentane Änderungsrate an dieser Stelle ab.

2 Wiederholung der Ableitungsregeln und höhere Ableitungen

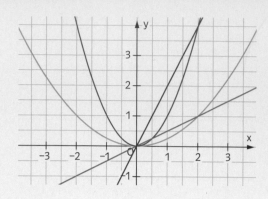

In der Abbildung sehen Sie die Graphen der Funktionen f und g mit $f(x) = x^2$ und $g(x) = \frac{1}{4}x^2$ sowie die Graphen der Ableitungsfunktionen f′ und g′. Ordnen Sie zu und begründen Sie.

Notieren Sie zwei beliebige Potenzfunktionen u und v.

Untersuchen Sie mithilfe des GTR die Ableitungen f′ der Funktion $f = u + v$. Gibt es einen Zusammenhang zwischen f′, u′ und v′?

Die Bestimmung einer Ableitung $f'(x_0)$ mithilfe der Definition ist aufwendig. Einfacher geht es mit Ableitungsregeln, die man mithilfe der Definition herleiten kann.

Ist die Ableitungsfunktion f′ einer Funktion f auch differenzierbar, so erhält man aus f′ durch Ableiten die zweite Ableitung f″, aus dieser gegebenenfalls f‴, $f^{(4)}$ usw. Man sagt, f ist zweimal, dreimal … differenzierbar und spricht von **höheren Ableitungen**.

Ableitungen der wichtigsten Funktionen:

f	f′
$c; c \in \mathbb{R}$	0
x^n	$n \cdot x^{n-1}$
$\sqrt{x} = x^{\frac{1}{2}}$	$\frac{1}{2\sqrt{x}} = \frac{1}{2}x^{-\frac{1}{2}}$
$\frac{1}{x} = x^{-1}$	$-\frac{1}{x^2} = -x^{-2}$
$\sin(x)$	$\cos(x)$
$\cos(x)$	$-\sin(x)$

Diese finden Sie auch in Ihrer Formelsammlung.

Potenzregel

Für eine Funktion f mit $\mathbf{f(x) = x^r}$ und $r \in \mathbb{R}$ gilt: $\mathbf{f'(x) = r \cdot x^{r-1}}$.

Faktorregel

Für eine Funktion f mit $\mathbf{f(x) = r \cdot g(x)}$; $r \in \mathbb{R}$, gilt: $\mathbf{f'(x) = r \cdot g'(x)}$.

Summenregel

Für eine Funktion f mit $\mathbf{f(x) = k(x) + h(x)}$ gilt: $\mathbf{f'(x) = k'(x) + h'(x)}$.

Höhere Ableitungen

Ist f′ wieder differenzierbar, so erhält man durch Ableiten von f′ die zweite Ableitungsfunktion f″, durch Ableiten daraus die dritte f‴ usw.

Grad 3:
kubische Funktion

▼Ableiten

Grad 2:
quadratische Funktion

▼Ableiten

Grad 1:
lineare Funktion

▼Ableiten

Grad 0:
konstante Funktion

▼

Grad 0: $f(x) = 0$

Fig. 1

Summen und Differenzen von Potenzfunktionen der Form $f(x) = a \cdot x^n$; $n \in \mathbb{N}$; $a \in \mathbb{R}$ heißen **ganzrationale Funktionen**, z. B. ist $f(x) = -3x^7 + 2x^5 + 1$ eine ganzrationale Funktion vom Grad sieben, weil sieben die höchste im Funktionsterm vorkommende Hochzahl der Variablen x ist.

Jede ganzrationale Funktion ist differenzierbar. Die Ableitungsfunktion ist wieder eine ganzrationale Funktion, deren Grad um eins kleiner ist als der Grad der Funktion. Hat die Funktion den Grad null, so hat auch die Ableitungsfunktion den Grad null.

Beispiel 1   Summen- und Faktorregel

Bestimmen Sie die erste Ableitung. Welche der Funktionen sind ganzrational?

a) $f(x) = -3x^2 + 5x^4 - 7x + 1$ b) $g(x) = -x^{-1} - x^{\frac{5}{4}} - 2x^2$ c) $h(x) = 3x^2 + \sin(x)$

■ Lösung: a) $f'(x) = 20x^3 - 6x - 7$; f ist eine ganzrationale Funktion vom Grad vier.

b) $g'(x) = x^{-2} - \frac{5}{4}x^{\frac{1}{4}} - 4x$; g ist keine ganzrationale Funktion, da negative und gebrochene Exponenten vorkommen.

c) $h'(x) = 6x + \cos(x)$; h ist keine ganzrationale Funktion, da die Sinusfunktion vorkommt.

Beispiel 2 Berechnung von Ableitungen

Bestimmen Sie die ersten beiden Ableitungen.

a) $f(x) = -\frac{2}{x^2} + \frac{1}{\sqrt{x}}$
b) $h(x) = \frac{x^4 - 2x^3 + 1}{x^2}$
c) $f_t(x) = 2tx^2 + 4t;\ t \in \mathbb{R}$

■ Lösung: *In dieser Form kann man die Funktionsterme in a) und b) mit den vorhandenen Regeln nicht ableiten, diese werden zunächst umgeformt:*

a) $f(x) = -\frac{2}{x^2} + \frac{1}{\sqrt{x}} = -2x^{-2} + x^{-\frac{1}{2}};\ f'(x) = 4x^{-3} - \frac{1}{2}x^{-\frac{3}{2}};\ f''(x) = -12x^{-4} + \frac{3}{4}x^{-\frac{5}{2}}$

b) $h(x) = \frac{x^4 - 2x^3 + 1}{x^2} = x^2 - 2x + x^{-2};\ h'(x) = 2x - 2 - 2x^{-3};\ h''(x) = 2 + 6x^{-4}$

c) $f_t'(x) = 4tx;\ f_t''(x) = 4t$

Beispiel 3 Gleiche Steigung zweier Graphen

An welchen Stellen haben die Graphen von f und g mit $f(x) = x^2 + 6x$ und $g(x) = x^3 + 2{,}5x^2$ die gleiche Steigung? Zeichnen Sie die Graphen und die Tangenten an den berechneten Stellen.

■ Lösung: *Die Graphen haben an den Stellen mit gleicher erster Ableitung die gleiche Steigung:*
$f'(x) = 2x + 6$ und $g'(x) = 3x^2 + 5x$. Aus $f'(x) = g'(x)$ folgt:
$2x + 6 = 3x^2 + 5x$, also $0 = 3x^2 + 3x - 6$. Die Gleichung hat die Lösungen $x_1 = -2$ und $x_2 = 1$.
Die Graphen haben an den Stellen $x_1 = -2$ und $x_2 = 1$ die gleiche Steigung (Fig. 1).

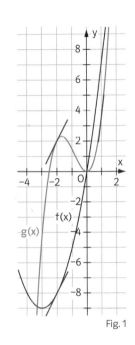

Fig. 1

Aufgaben

1 Bestimmen Sie die ersten beiden Ableitungen.
a) $f(x) = 4x^2 + 2x + 1$
b) $f(x) = x^3 - \cos(x)$
c) $f(x) = 2x + 1$
d) $f(x) = -x^{-2} + 2x$
e) $f(x) = 5$
f) $f_k(x) = k$

2 a) $f(x) = 3x^4 - 12x^3 + 2x - 1$
b) $f(x) = (3x + 2)^2$
c) $f(t) = t^4 + \frac{2}{t^3} - \frac{3}{2t^5}$
d) $g(x) = 2\cos(x) + x^{-3}$
e) $h(a) = \left(\frac{1}{a} + a\right) \cdot (a^2 + 1)$
f) $i(x) = \frac{6x^3 + 2x^2 + 4x}{2x}$

3 Leiten Sie ab und skizzieren Sie die Graphen der Funktion f, der ersten Ableitung f' und der zweiten Ableitung f". Kontrollieren Sie Ihr Ergebnis mit dem GTR.
a) $f(x) = x^2 + 1$
b) $f(x) = \cos(x) - 1$
c) $f(x) = \frac{1}{x}$
d) $f(x) = \frac{1}{x^2}$

4 In welchen Punkten hat der Graph der Funktion f mit $f(x) = 2x^2 + 2$
a) die Steigung $m = 4$, b) dieselbe Steigung wie der Graph von g mit $g(x) = x^3 - 4x - 1$?

Zeit zu überprüfen ─────────────

5 Bilden Sie die ersten beiden Ableitungen.
a) $f(x) = x^3 + 3x^2 - 17x + 1$
b) $f_t(x) = tx^3 + 3tx^2 - 17x + t$
c) $f(x) = x^{\frac{1}{4}} + 2$
d) $f(x) = \frac{2}{x} + 1$
e) $f(x) = \frac{x^2 + 1}{x^2}$
f) $f(x) = x^{\frac{1}{3}} + 2\sin(x)$

6 In welchen Punkten hat der Graph der Funktion f die Steigung m?
a) $f(x) = x^3 - 2x - 1;\ m = 1$
b) $f(x) = \cos(x);\ 0 < x < 2\pi;\ m = -1$

──────────────────────

7 Gegeben ist die Funktion f mit $f(x) = \frac{1}{3}x^3 - 3x^2 + 8x + 1$.
a) Bestimmen Sie $f'(4)$.
b) Bestimmen Sie die Punkte, in welchen der Graph von f die Steigung $m = 3$ hat.
c) Geben Sie alle x an, für die der Graph von f eine positive Steigung hat.

Probieren Sie zunächst an Beispielen!

8 Die Funktionen f und g mit $g(x) = f(x) + c$; $c \in \mathbb{R}$ haben die gleiche Ableitung. Wie liegen die Graphen der beiden Funktionen zueinander?

9 Sind folgende Aussagen richtig oder falsch? Begründen Sie.
a) Die Ableitung der Funktion f mit $f(x) = x^3 \cdot x^2$ ist $f'(x) = 3x^2 \cdot 2x$.
b) Der Graph der Ableitungsfunktion f' hat immer einen Schnittpunkt mit der x-Achse weniger als der Graph der Funktion f.
c) Die Potenzregel gilt auch für Funktionen f wie $f(x) = x^{-\frac{1}{3}}$.
d) Die Potenzregel gilt auch für Funktionen f wie $f(x) = 2^x$.
e) Zwei verschiedene Funktionen können nicht dieselbe Ableitungsfunktion haben.

10 Der schwarz gezeichnete Graph ist vorgegeben. Der rote Graph soll den Graphen der ersten Ableitung, der blaue Graph den der zweiten Ableitung darstellen. Untersuchen Sie, wo dies zutrifft bzw. nicht zutrifft.

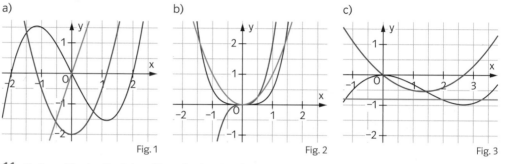

a) b) c)

Fig. 1   Fig. 2   Fig. 3

11 Ordnen Sie der Funktion f jeweils den Graphen der Ableitungsfunktion zu.
a) $f(x) = 2\sin(x) + 1$ b) $f(x) = \cos(x) - 1$ c) $f(x) = \cos(x) - \sin(x)$

Hier können Sie Ihr Ergebnis mit dem GTR überprüfen.

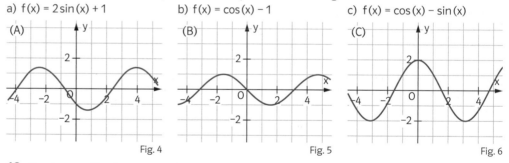

(A)   (B)   (C)

Fig. 4   Fig. 5   Fig. 6

12 Bestimmen Sie die erste und zweite Ableitung. Welche anschauliche Bedeutung haben die angegebenen Funktionen? Geben Sie, wenn es möglich ist, eine inhaltliche Interpretation der ersten Ableitung an.

a) $A(r) = \pi \cdot r^2$ b) $U(a) = 2 \cdot (a + b)$ c) $O(h) = 2\pi r^2 + 2\pi r h$ d) $V(r) = \frac{4}{3}\pi \cdot r^3$

e) $V(h) = \frac{1}{3}\pi \cdot r^2 h$ f) $O(r) = 2\pi r^2 + 2\pi r h$ g) $A(a) = \frac{1}{2}a^2$ h) $O(r) = \pi r(s + r)$

Zeit zu wiederholen _____

13 Bestimmen Sie die Lösung der Exponentialgleichung ohne GTR.
a) $10^x = 10\,000$ b) $2^x = 32$ c) $6^{2x} = 216$ d) $2^{2x} = 256$
e) $5 \cdot 5^{2x} = 625$ f) $10 + 10^x = 1010$ g) $10^x = 0,01$ h) $2^{x^2} = 16$

Wird nur „log" geschrieben, so ist der Logarithmus zur Basis 10 gemeint.

14 Schreiben Sie die folgenden Gleichungen als Exponentialgleichungen, und lösen Sie diese dann.
a) $x = \log(100)$ b) $x = \log(0,1)$ c) $\log(x) = 1000$ d) $x = \log(10^a)$ e) $x = 10^{\log(5)}$

3 Die Bedeutung der zweiten Ableitung

Die Grafik stellt die Umsatzzahlen eines Unternehmens in zwei verschiedenen Regionen dar. Obwohl der Umsatz in beiden Gebieten gesteigert werden konnte, ist die Konzernleitung nur mit einer der beiden Umsatzkurven zufrieden. Schreiben Sie einen kurzen Brief an die beiden Regionalleiter.

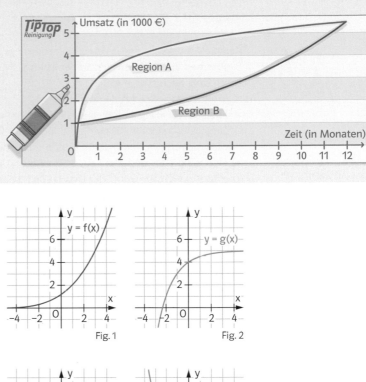

Die erste Ableitung lässt sich als momentane Änderungsrate oder geometrisch als Steigung interpretieren. Gibt es solche Interpretationen auch bei der zweiten Ableitung?

Streng monoton wachsende Funktionen können unterschiedliche Zunahmen aufweisen: gleichmäßige Zunahme, der Graph verläuft linear; immer stärkere Zunahme, der Graph von f ist eine **Linkskurve** (Fig. 1); oder immer schwächere Zunahme, der Graph von f ist eine **Rechtskurve** (Fig. 2). Sowohl Fig. 1 als auch Fig. 2 zeigen jeweils einen streng monoton wachsenden Graphen.

Vergleicht man die Graphen der zugehörigen Ableitungsfunktionen, so sind diese streng monoton wachsend (Fig. 3) oder streng monoton fallend (Fig. 4). Anhand dieser Eigenschaft kann man die Begriffe Links- und Rechtskurve definieren.

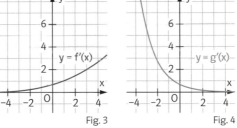

Definition: Die Funktion f sei auf einem Intervall I definiert und differenzierbar.
Wenn f′ auf I streng monoton wachsend ist, dann ist der Graph von f in I eine **Linkskurve**; wenn f′ auf I streng monoton fallend ist, dann ist der Graph von f in I eine **Rechtskurve**.

Fig.5

Krümmungsverhalten meint: Ist der Graph eine Links- oder eine Rechtskurve?

Nach dem Monotoniesatz gilt wiederum: Wenn $(f′)′(x) = f″(x) > 0$ in einem Intervall I ist, dann ist f′ streng monoton wachsend auf I. Mithilfe des Monotoniesatzes lässt sich das Krümmungsverhalten eines Graphen deshalb mit der zweiten Ableitung f″ bestimmen.

Satz: Die Funktion f sei auf einem Intervall I definiert und zweimal differenzierbar.
Wenn $f″(x) > 0$ auf I ist, dann ist der Graph von f in I eine Linkskurve.
Wenn $f″(x) < 0$ auf I ist, dann ist der Graph von f in I eine Rechtskurve.

Die Umkehrung des Satzes gilt nicht, wie das Gegenbeispiel zeigt:
Der Graph der Funktion $f(x) = x^4$ ist eine Linkskurve, da $f'(x) = 4x^3$ streng monoton wachsend ist, aber für $f''(x) = 12x^2$ gilt: $f''(0) = 0$.

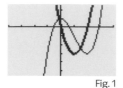

Fig. 1

Da sich die Monotonie nicht auf einen Punkt bezieht, kann man den Rand jeweils zum Intervall hinzunehmen.

Beispiel Intervalle mit Links- und Rechtskurve
Bestimmen Sie die Intervalle, auf welchen der Graph der Funktion f mit $f(x) = x^3 - 3x^2 + 1$ eine Links- bzw. Rechtskurve ist.
a) Entscheiden Sie mithilfe des GTR.   b) Entscheiden Sie rechnerisch ohne GTR.
■ Lösung: a) In Fig. 1 sieht man am Graphen von f bzw. f' (fett gedruckt):
f' fällt streng monoton bis zur Stelle $x = 1$; der Graph von f ist eine Rechtskurve für $x \leq 1$;
f' wächst streng monoton ab der Stelle $x = 1$; der Graph von f ist eine Linkskurve für $x \geq 1$.
b) $f'(x) = 3x^2 - 6x$ und $f''(x) = 6x - 6 = 6(x-1)$.
Es gilt: $f''(x) < 0$ für $x < 1$; der Graph von f ist eine Rechtskurve für $x \leq 1$;
$f''(x) > 0$ für $x > 1$; der Graph von f ist eine Linkskurve für $x \geq 1$.

Aufgaben

1 Zeigen Sie mithilfe der zweiten Ableitung,
a) dass der Graph von f mit $f(x) = x^2$ eine Linkskurve ist,
b) dass der Graph von g mit $g(x) = -4x^2$ eine Rechtskurve ist,
c) dass der Graph von h mit $h(x) = x^3 + 3x^2 + 1$ eine Linkskurve für $x > 1$ ist.

2 Fig. 2 zeigt den Graphen einer Funktion f.
a) Geben Sie mithilfe der Stellen x_1 bis x_7 die Intervalle an, in denen der Graph eine Links- bzw. eine Rechtskurve ist.
b) Es ist $f(x) = \frac{1}{12}x^4 - \frac{9}{8}x^2$. Überprüfen Sie Ihre Aussagen rechnerisch.

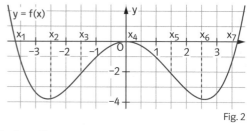

Fig. 2

3 Zeichnen Sie den Graphen einer Funktion f, für den gilt:
a) der Graph von f ist eine Linkskurve und f ist streng monoton wachsend,
b) der Graph von f ist eine Rechtskurve und f ist streng monoton wachsend.

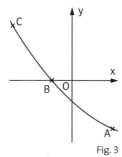

Fig. 3

Obwohl f' streng monoton wachsend ist, kann f trotzdem streng monoton fallen! Können Sie andere Funktionsgraphen mit dieser Eigenschaft skizzieren?

4 Gegeben ist der Graph einer Funktion f. Notieren Sie, ob $f(x)$, $f'(x)$ und $f''(x)$ in den markierten Punkten positiv, negativ oder null ist.

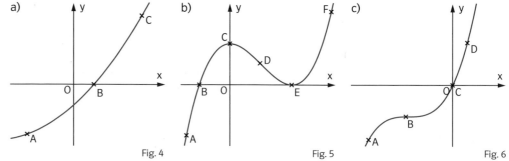

a)   b)   c)

Fig. 4   Fig. 5   Fig. 6

5 Geben Sie mithilfe der zweiten Ableitung jeweils die Intervalle an, in denen der Graph der Funktion f eine Links- bzw. Rechtskurve ist. Kontrollieren Sie Ihre Ergebnisse mit dem GTR.
a) $f(x) = \frac{1}{4}x^4 + 3x^2 - 2$ b) $f(x) = x^3 - 3x^2 - 9x - 5$ c) $f(x) = 2\sin(x)$ für $0 \leq x \leq \pi$

6 a) Skizzieren Sie die Graphen der Funktionen f und g mit $f(x) = (x + 1)^3 - 1$
und $g(x) = (x - 1)^4 + 2$. Beschreiben Sie das Krümmungsverhalten von f und g.
b) Gegeben ist der Graph der Funktion f in Fig. 1. Skizzieren Sie den Graphen der Ableitungsfunktion f′ sowie der zweiten Ableitungsfunktion f″ in Ihr Heft.

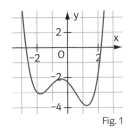

Fig. 1

7 In Fig. 2 ist der Graph der Funktion f gegeben. An welchen der markierten Stellen ist
a) f′(x) am größten bzw. am kleinsten,
b) f″(x) am größten bzw. am kleinsten,
c) f(x) am größten bzw. am kleinsten?

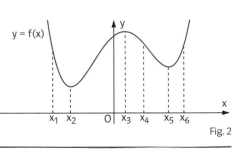

Fig. 2

Zeit zu überprüfen

8 a) In welchen Intervallen ist der Graph in Fig. 3 eine Linkskurve?
b) Es ist $f(x) = \frac{1}{3}x^3 - x^2 - x + 1\frac{2}{3}$. Überprüfen Sie rechnerisch auf Links- bzw. Rechtskurve.

9 In welchem Intervall ist der Graph von f eine Links-, in welchem eine Rechtskurve?
a) $f(x) = x^3$
b) $f(x) = (x - 2)^3 + 1$
c) $f(x) = x^4 - 6x^2 + x - 1$

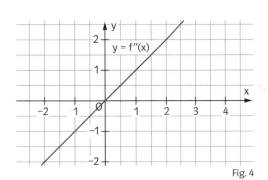

Fig. 3

○ CAS
Graph und
Ableitungsfunktion

10 Skizzieren Sie den Graphen einer Funktion f, sodass für alle x gilt: $f(x) > 0$; $f'(x) < 0$ und $f''(x) > 0$.

○ CAS
Physikalische
Anwendung

11 Gegeben ist der Graph der zweiten Ableitung f″ einer Funktion f (Fig. 4). Welche der folgenden Aussagen sind wahr? Begründen Sie Ihre Antwort.
a) f′ ist streng monoton wachsend.
b) $f'(x) \geq 0$ für alle x.
c) Der Graph von f ist für $x > 0$ eine Linkskurve.
d) Der Graph von f′ ist für $x > 0$ eine Linkskurve.

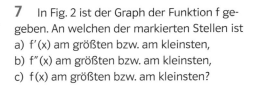

Fig. 4

○ CAS
Trigonometrische
Funktion

12 Die folgenden Aussagen sind alle falsch. Finden Sie geeignete Gegenbeispiele.
a) Wenn f′ streng monoton wachsend ist, dann ist auch f streng monoton wachsend.
b) Wenn der Graph von f eine Rechtskurve auf I ist, dann gilt für alle $x \in I$: $f''(x) < 0$.
c) Wenn $f'(x_0) = 0$ ist, dann gilt: $f''(x_0) > 0$ oder $f''(x_0) < 0$.

13 Eine Funktion f hat die folgenden Eigenschaften: f ist streng monoton wachsend, der Graph von f ist eine Rechtskurve, $f(5) = 2$ und $f'(5) = 0,5$.
a) Skizzieren Sie einen möglichen Graphen von f.
b) Wie viele Schnittpunkte mit der x-Achse hat der Graph von f maximal? Begründen Sie.
c) Formulieren Sie eine Aussage zur Anzahl der Minima bzw. Maxima der Funktion f.
d) Kann $f'(1) = 1$ gelten?

4 Kriterien für Extremstellen

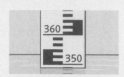

An welchem Tag könnte dieser Wasserstand gewesen sein?

Wasserstandshöhe Pegel Konstanz (in cm)

2007 1850-2006: <u>Maximum</u>, <u>Minimum</u>, <u>Mittel</u>

Der Pegel des Bodensees variiert. In Konstanz können der aktuelle Pegelstand und die Kurve des mittleren Wasserstandes (grün) abgelesen werden. Interpretieren Sie die Kurve des mittleren Wasserstandes im Hinblick auf größte und kleinste Werte. Wie hängen Krümmungsverhalten und Extremwerte zusammen?

Die x-Koordinate eines Hoch- oder Tiefpunkts nennt man **Extremstelle**, die y-Koordinate heißt **Extremwert**.

Notwendige Bedingung heißt, diese Bedingung muss immer erfüllt sein.

Hinreichende Bedingung heißt, diese Bedingung reicht aus, um die Extremstelle zu bestimmen, muss aber nicht immer erfüllt sein.

Ein Funktionswert $f(x_0)$ heißt **lokales Maximum**, wenn in einer Umgebung von x_0 nur Funktionswerte vorkommen, die kleiner oder gleich $f(x_0)$ sind. Der Punkt $H(x_0|f(x_0))$ heißt dann **Hochpunkt** des Graphen von f. Entsprechend spricht man von einem **lokalen Minimum** bzw. einem **Tiefpunkt**. Zur Bestimmung von Extremstellen ist bisher bekannt:

1. Notwendige Bedingung: Wenn f bei x_0 eine Extremstelle hat, dann ist $f'(x_0) = 0$.
2. Erste hinreichende Bedingung: Wenn $f'(x_0) = 0$ ist und f' an der Stelle x_0 einen Vorzeichenwechsel (**VZW**) von Minus nach Plus hat, dann hat f an der Stelle x_0 ein Minimum (Entsprechendes gilt für ein Maximum).

Die Anwendung dieses Kriteriums ist oft umständlich, weil man sich bei der Untersuchung nicht auf die Stelle x_0 beschränken kann. In Fig. 1 erkennt man: Ist $f'(x_0) = 0$ und der Graph von f in der Umgebung von x_0 eine Rechtskurve, so hat f an der Stelle x_0 ein lokales Maximum. Ist der Graph von f eine Linkskurve, so hat f an der Stelle x_2 ein lokales Minimum. Da das Krümmungsverhalten mittels der zweiten Ableitung bestimmt werden kann, hat man ein zweites Kriterium zur Bestimmung von Extremstellen gefunden.

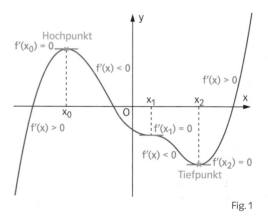

Fig. 1

Satz: Zweite hinreichende Bedingung zur Bestimmung von Extremstellen

Die Funktion f sei auf einem Intervall $I = [a; b]$ beliebig oft differenzierbar und $x_0 \in (a; b)$.
Wenn $f'(x_0) = 0$ und $f''(x_0) < 0$ ist, dann hat f an der Stelle x_0 ein lokales **Maximum** $f(x_0)$.
Wenn $f'(x_0) = 0$ und $f''(x_0) > 0$ ist, dann hat f an der Stelle x_0 ein lokales **Minimum** $f(x_0)$.

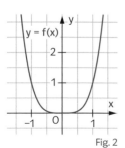

Fig. 2

$f(x) = x^4$
Zweite hinreichende Bedingung ist nicht erfüllt, erste hinreichende Bedingung ist erfüllt.

Bei der Bestimmung lokaler Extremstellen einer Funktion f kann man so vorgehen:

1. Man bestimmt f' und f''.
2. Man untersucht, für welche Stellen x_0 gilt: $f'(x_0) = 0$ gilt.
3. Gilt $f'(x_0) = 0$ und $f''(x_0) < 0$, so hat f an der Stelle x_0 ein lokales Maximum $f(x_0)$.
Gilt $f'(x_0) = 0$ und $f''(x_0) > 0$, so hat f an der Stelle x_0 ein lokales Minimum $f(x_0)$.
Gilt $f'(x_0) = 0$ und $f''(x_0) = 0$, so wendet man die erste hinreichende Bedingung an:
Hat f' in einer Umgebung von x_0 einen VZW von + nach −, so hat f an der Stelle x_0 ein lokales Maximum $f(x_0)$;
hat f' in einer Umgebung von x_0 einen VZW von − nach +, so hat f an der Stelle x_0 ein lokales Minimum $f(x_0)$.

Wenn bei einer Funktion f an einer Stelle x_0 keines der hinreichenden Kriterien erfüllt ist, kann nicht ohne weiteres geschlossen werden, dass keine Extremstelle vorliegt.
Dies zeigt die konstante Funktion f mit $f(x) = 1$ in Fig. 1. Hier ist kein hinreichendes Kriterium erfüllt, obwohl f an jeder Stelle x_0 eine Extremstelle hat.

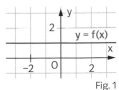
Fig. 1

Wie man im anderen Fall zeigen kann, dass bei einer Funktion bei nicht erfüllten hinreichenden Kriterien auch keine Extremstelle vorliegt, zeigt Fig. 2. Hier ist links und rechts von $x_0 = 4$ die Ableitung $f'(x) < 0$ ($x \neq 4$). Deshalb hat f an der Stelle x_0 keine Extremstelle.
Man sagt, der Punkt $S(x_0 \mid f(x_0))$ ist ein **Sattelpunkt**.

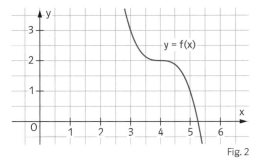
Fig. 2

Beispiel 1   Bestimmen aller Extremwerte
Untersuchen Sie die Funktion f mit $f(x) = -\frac{1}{8}x^4 - \frac{1}{3}x^3 + 1$ auf Extremwerte
a) ohne GTR,   b) mithilfe des GTR.

■ Lösung: a) $f'(x) = -\frac{1}{2}x^3 - x^2$; $f''(x) = -\frac{3}{2}x^2 - 2x$. $f'(x) = 0$ liefert $x^2\left(-\frac{1}{2}x - 1\right) = 0$; somit sind
$x_1 = -2$ und $x_2 = 0$ mögliche Extremstellen.
Untersuchung für $x_1 = -2$:
Es ist $f''(-2) = -2 < 0$; somit liegt bei $H(-2 \mid f(-2))$ bzw. $H\left(-2 \mid 1\frac{2}{3}\right)$ ein lokaler Hochpunkt vor.
Untersuchung für $x_2 = 0$:
Da $f''(0) = 0$ ist, wird f' auf Vorzeichenwechsel an der Stelle $x_2 = 0$ untersucht:

x nahe $x_2 = 0$ und $x < x_2$:   x nahe $x_2 = 0$ und $x > x_2$:
$x^2 > 0$; $-\frac{1}{2}x - 1 < 0$; also $x^2 \cdot \left(-\frac{1}{2}x - 1\right) < 0$. $x^2 > 0$; $-\frac{1}{2}x - 1 < 0$; also $x^2 \cdot \left(-\frac{1}{2}x - 1\right) < 0$.

Da $f'(x) < 0$ für $x < x_2$ und $x > x_2$, ist $P(0 \mid f(0))$ bzw. $P(0 \mid 1)$ kein Extremwert.
b) Da die Funktion f vom Grad vier ist, ist f' vom Grad drei und hat somit maximal drei Kandidaten für Extremstellen.
Der GTR zeigt den Graphen von f mit einem lokalen Maximum bei $x_1 = -2$ und einer Stelle $x_2 = 0$ mit waagerechter Tangente (kein Extremwert). Da für $x \to \pm\infty$ die Funktionswerte jeweils gegen $-\infty$ gehen, gibt es keine weiteren Extremstellen. Es gibt nur einen Hochpunkt bei $H(-2 \mid 1{,}67)$.

Die Rechnung liefert eine Gleichung für alle möglichen Extremwerte (die aber nicht immer lösbar ist); der GTR liefert nur Ergebnisse im sichtbaren Bereich und nur Näherungswerte.

Nur durch zusätzliche Überlegungen kann man beim GTR-Ergebnis sicher sein. So könnte zum Beispiel im Bereich $-0{,}2 < x < 0{,}5$ ein konstanter Abschnitt sein.

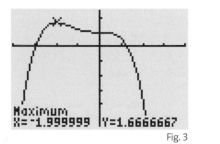
Maximum
X=-1.999999 Y=1.6666667
Fig. 3

Beispiel 2   Eigenschaften von Funktionen
In Fig. 4 sehen Sie den Graphen der Ableitungsfunktion f' einer differenzierbaren Funktion f. Welche der folgenden Aussagen über die Funktion f sind wahr, welche falsch? Begründen Sie Ihre Antwort.
a) Für $-2 < x < 2$ ist f monoton wachsend.
b) Für $-2 < x < 2$ gilt $f''(x) > 0$.
c) Der Graph von f ist symmetrisch zur y-Achse.
d) Der Graph von f hat im abgebildeten Bereich drei Extremstellen.

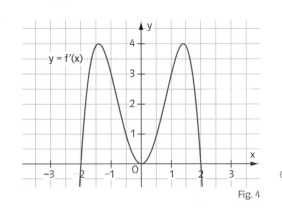
Fig. 4

◉ **CAS**
Varianten, ein Extremum zu bestimmen

■ Lösung: a) Wahr: Für $-2 < x < 2$ ist $f' \geq 0$, somit ist f monoton wachsend.

b) Falsch: Im Bereich $-2 < x < 2$ müsste dann der Graph von f' streng monoton wachsen.

c) Falsch: Da der Graph von f im Bereich $-2 < x < 2$ monoton wachsend ist, kann er nicht symmetrisch zur y-Achse sein.

d) Falsch: Nur die Stellen mit $f'(x) = 0$ sind Kandidaten für Extremstellen. An den Stellen $x_1 = -2$ und $x_3 = 2$ wechselt f' das Vorzeichen, es liegen Extremstellen vor. Bei $x_2 = 0$ gilt $f'(x_2) = 0$, links und rechts von x_2 ist f' aber positiv. Es liegt keine Extremstelle, sondern ein Sattelpunkt vor.

Aufgaben

1 Bestimmen Sie die Extremstellen der Funktion f.

a) $f(x) = x^3 - x^2 + 1$

b) $f(x) = \frac{1}{4}x^4$

c) $f(x) = \frac{1}{4}x^4 - 2x^2 - 2$

d) $f(x) = \frac{4}{5}x^5 - 2x^4$

e) $f(x) = \sin(x); \; x \in [0; 2\pi]$

f) $f(x) = \frac{1}{2}\sin(x) + 1; \; x \in [0; 2\pi]$

2 Bestimmen Sie die Hoch- und Tiefpunkte des zugehörigen Graphen von f mit dem GTR. Begründen Sie, dass dies alle Extremstellen der Funktion sind.

a) $f(x) = \frac{1}{3}x^4 - \frac{1}{3}x^3 - x^2$

b) $f(x) = 0{,}02x^5 - 0{,}2x^4$

c) $f(x) = (x - 2)^4$

d) $f(x) = \sqrt{3} \cdot x - 3x^2$

e) $f(x) = \frac{x^2}{4} - \frac{1}{x}$

f) $f(x) = \frac{2 + x}{x^2 + 2}$

3 Geben Sie mindestens eine Funktion an, die

a) ganzrational vom Grad zwei ist und genau ein lokales Minimum besitzt,

b) ganzrational vom Grad vier ist und genau ein lokales Maximum aufweist,

c) unendlich viele Minima hat,

d) keine Extremstellen besitzt.

4 Gegeben ist der Graph der Ableitungsfunktion f' einer Funktion f (Fig. 1). Welche der folgenden Aussagen sind wahr, welche falsch? Begründen Sie Ihre Antwort.

a) f hat im Bereich $-4 < x < 3$ zwei lokale Extremwerte.

b) f ist im Bereich $-3 < x < 3$ monoton fallend.

c) Der Graph von f hat an der Stelle $x = 1{,}5$ einen Punkt mit waagerechter Tangente, der weder Hoch- noch Tiefpunkt ist.

d) Der Graph von f ändert an der Stelle $x = 0$ sein Krümmungsverhalten.

e) f'' hat im sichtbaren Bereich genau eine Nullstelle.

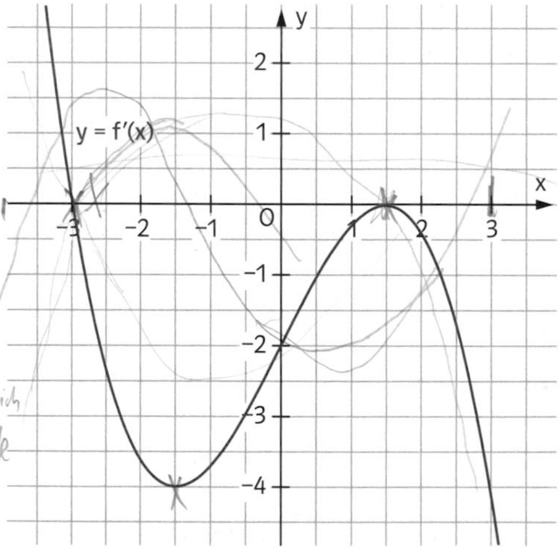

Fig. 1

5 Bestimmen Sie mit dem GTR alle Hoch- und Tiefpunkte des Graphen der Funktion f.

a) $f(x) = 0{,}04x^6 - 0{,}192x^5 - 0{,}18x^4 + 0{,}96x^3 - 0{,}48x^2 + 3{,}84$

b) $f(x) = \sin(x) + \cos(x); \; x \in [0; 2\pi]$

6 Welcher Punkt des Graphen der Funktion f kommt der x-Achse am nächsten?

a) $f(x) = \frac{1}{4}x^4 - x + 1$

b) $f(x) = \frac{1}{3}x^4 + \frac{1}{2}x^3 + 12x^2 + \frac{3}{4}$

c) $f(x) = \cos(x) + 4; \; x \in [0; 2\pi]$

7 Bestimmen Sie die Extremstellen der Funktion f.

a) $f(x) = 2x^3 - 3x^2 + 1$ b) $f(x) = 2x^3 - 9x^2 + 12x - 4$ c) $f(x) = (x - 2)^2$

8 Gegeben ist der Graph der Ableitungsfunktion f' einer Funktion f (Fig. 1).
a) Welche Aussagen können Sie über die
Funktion f hinsichtlich Monotonie und Extremstellen machen?
b) Skizzieren Sie den Graphen von f".

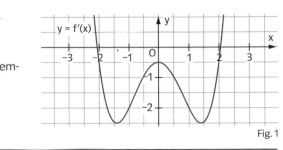

Fig. 1

9 Begründen Sie, dass für jede ganzrationale Funktion f gilt:
a) Ist f vom Grad zwei, so hat f genau eine Extremstelle.
b) Ist der Grad von f gerade, so hat f mindestens eine Extremstelle.
c) Wenn f drei verschiedene Extremstellen hat, so ist der Grad von f mindestens vier.
d) Eine ganzrationale Funktion f vom Grad n hat höchstens n − 1 Extremstellen.

10 Untersuchen Sie den Graphen von f mit $f(x) = 2x^4 - 3x^2 - 4x - 5$ auf Extrempunkte.
Welche Aussage können Sie über die Anzahl der Nullstellen von f machen?

11 Begründen oder widerlegen Sie:
a) Der Graph einer konstanten Funktion hat unendlich viele Tiefpunkte.
b) Der Graph einer ganzrationalen Funktion vom Grad drei hat Intervalle mit einer Linkskurve und
solche mit einer Rechtskurve.
c) Der Graph einer ganzrationalen Funktion vom Grad fünf hat immer vier Extrempunkte.
d) Der Graph einer Sinusfunktion hat immer unendlich viele Hochpunkte.

12 Die Population P einer Wildtierherde kann nach folgender Vorschrift modelliert werden:
$P(t) = 4000 + 500 \sin\left(2\pi t - \frac{\pi}{2}\right)$; t in Jahren seit 1. Januar.
a) Wie verändert sich die Population im Lauf eines Jahres? Zeichnen Sie einen Graphen.
b) Wann hat die Population ihre Bestandsspitze innerhalb eines Jahres? Wie viele Tiere gibt es
dann? Gibt es ein Bestandsminimum?
c) Wann hat die Population ihr größtes Wachstum, wann die größte Abnahme?

13 Die Herstellungskosten einer Produktionseinheit (100 Packungen) eines Arzneimittels pro
Tag werden durch die Funktion f mit $f(x) = \frac{1}{10}x^3 - 5x^2 + 200x + 50$ (x in Produktionseinheiten,
f(x) in Euro) dargestellt. Eine Packung wird für 19,95 € verkauft.
a) Stellen Sie die Gewinnfunktion pro Tag G(x) auf (x in Produktionseinheiten, G(x) in Euro).
b) Wie viele Produktionseinheiten muss die Firma pro Tag herstellen, um bei vollständigem
Verkauf den optimalen Gewinn zu erzielen?
c) Bei welchen Produktionsmengen macht die Firma trotz vollständigen Verkaufs einen Verlust?

14 Geben Sie je ein Beispiel für eine Funktion f an, die ein lokales Maximum $f(x_0)$ an der Stelle
$x_0 = 2$ hat, welches man
a) mit dem zweiten Kriterium nachweisen kann,
b) nicht mit dem zweiten Kriterium, aber dem VZW-Kriterium nachweisen kann,
c) weder mit dem zweiten noch dem VZW-Kriterium nachweisen kann.

5 Kriterien für Wendestellen

Fährt man die abgebildete Küstenstraße mit dem Motorrad entlang, so befindet man sich abwechselnd in einer Links- beziehungsweise Rechtskurve. Beschreiben Sie eine Fahrt entlang eines Streckenabschnitts. Kann man anhand des Streckenverlaufs voraussagen, wann das Motorrad nach links bzw. nach rechts oder gar nicht geneigt sein wird?

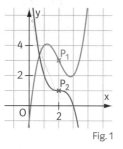

Fig. 1

Außer Null- und Extremstellen haben Funktionen oft weitere charakteristische Stellen, an denen sich z. B. das Krümmungsverhalten des Graphen ändert. Der blaue Graph wechselt bei P_1 von einer Rechts- in eine Linkskurve, der rote Graph bei P_2 von einer Links- in eine Rechtskurve (Fig. 1).

Definition: Die Funktion f sei auf einem Intervall I definiert, differenzierbar und x_0 sei eine innere Stelle im Intervall I.
Eine Stelle x_0, bei der der Graph von f von einer Linkskurve in eine Rechtskurve übergeht oder umgekehrt, heißt **Wendestelle** von f bei x_0.
Der zugehörige Punkt $W(x_0 | f(x_0))$ heißt **Wendepunkt**.

Nicht in allen Fällen kann man von einer Extremstelle von f' auf eine Wendestelle von f schließen – bei den in der Schule untersuchten Funktionen aber schon.

Die Graphen in Fig. 2 legen für die Stelle x_0 nahe:
Wendestellen von f entsprechen den Extremstellen von f'. Damit kann man die Kriterien für Extremstellen von f' zum Nachweis von Wendestellen von f nutzen.

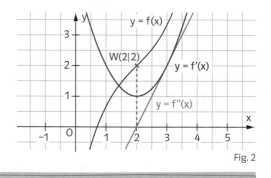

Fig. 2

Satz: Die Funktion f sei auf einem Intervall I beliebig oft differenzierbar und x_0 eine innere Stelle im Intervall I.
1. Wenn $f''(x_0) = 0$ und f'' in der Umgebung von x_0 einen Vorzeichenwechsel hat, dann hat f an der Stelle x_0 eine Wendestelle.
2. Wenn $f''(x_0) = 0$ und $f'''(x_0) \neq 0$ ist, dann hat f an der Stelle x_0 eine Wendestelle.

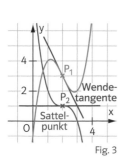

Fig. 3

Ein Wendepunkt mit waagerechter Tangente wie in P_2 (Fig. 3) heißt **Sattelpunkt**. Die Tangente im Wendepunkt wie in P_1 (Fig. 3) heißt **Wendetangente** und durchsetzt den Graphen von f.

Beispiel 1 Wendepunktbestimmung mit f'''

Gegeben ist die Funktion f mit $f(x) = x^3 + 3x^2 + x$.

a) Bestimmen Sie den Wendepunkt des Graphen von f ohne Verwendung des GTR. Skizzieren Sie den Graphen der Funktion.

b) Zeichnen Sie die Tangente an den Graphen von f im Wendepunkt.

■ Lösung: a) Es ist $f'(x) = 3x^2 + 6x + 1$; $f''(x) = 6x + 6$ und $f'''(x) = 6$.

Die Bedingung $f''(x) = 0$ liefert $x_1 = -1$.

Da $f'''(-1) = 6 \ (\neq 0)$, ist $x_1 = -1$ eine Wendestelle und $W(-1|f(-1))$ bzw. $W(-1|1)$ ein Wendepunkt (Skizze in Fig. 1).

b) Fig. 1: Steigung der Tangente $f'(-1) = -2$.

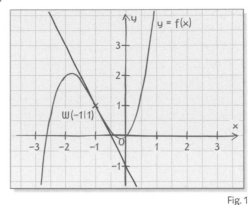

Fig. 1

Beispiel 2 Der Fall $f''(x_0) = 0$ und $f'''(x_0) = 0$

Untersuchen Sie, ob die Funktion f mit $f(x) = 3x^5 - 5x^4$ an der Stelle $x_0 = 0$ eine Wendestelle hat.

■ Lösung: Ableitungen: $f'(x) = 15x^4 - 20x^3$; $f''(x) = 60x^3 - 60x^2$ und $f'''(x) = 180x^2 - 120x$.

Da $f''(0) = 0$ und $f'''(0) = 0$, wird $f''(x) = 60x^2(x-1)$ auf Vorzeichenwechsel an der Stelle $x_0 = 0$ untersucht:

x nahe $x_0 = 0$ und $x < x_0$: $\qquad$ x nahe $x_0 = 0$ und $x > x_0$:

$60x^2 > 0$; $x - 1 < 0$; also $60x^2 \cdot (x-1) < 0$. $\qquad$ $60x^2 > 0$; $x - 1 < 0$; also $60x^2 \cdot (x-1) < 0$.

Da f'' auf beiden Seiten von $x_0 = 0$ negativ ist, ändert sich das Krümmungsverhalten von f nicht und an der Stelle $x_0 = 0$ liegt keine Wendestelle vor (vgl. Fig. 2).

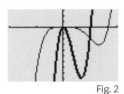

Fig. 2

Bei $x_1 = 1$ hat f eine Wendestelle.

◉ **CAS**
Nachweis Wendestelle

Beispiel 3 Bestimmung von Wendestellen mit dem GTR

Die Menge eines Medikaments im Blut eines Patienten wird durch die Funktion f mit

$f(t) = \dfrac{2t}{8 + t^3}$; $t \geq 0$ (t in Stunden nach der Verabreichung, f(t) in Milliliter) beschrieben.

a) Wie hoch ist die maximale Menge im Blut?

b) Wann findet der stärkste Abbau des Medikaments statt? Wie stark ist dann die momentane Abnahme?

■ Lösung: a) Der GTR liefert das Maximum an der Stelle $t \approx 1{,}59$. Die maximale Menge beträgt ca. 0,26 ml (Fig. 3).

b) *Gesucht ist eine Stelle, an der die Steigung minimal ist.* Der Graph der ersten Ableitung (Fig. 4, fett) hat ein lokales Minimum an der Stelle $x \approx 2{,}52$. Diese ist gleichzeitig Wendestelle von f. Der stärkste Abbau des Medikaments findet circa zweieinhalb Stunden nach der Verabreichung statt. Die Abnahmestärke entspricht der Steigung der Tangente im Wendepunkt: $f'(2{,}52) \approx -0{,}08$. Die momentane Abnahme beträgt dann $0{,}08 \frac{ml}{h}$.

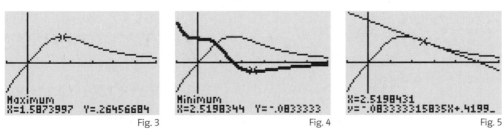

Fig. 3 $\qquad$ Fig. 4 $\qquad$ Fig. 5

Aufgaben

Reihenfolge bei der Untersuchung auf Wendestellen:
1. Suchen der Stellen x_0 mit $f''(x_0) = 0$.
2. Gilt darüber hinaus $f'''(x_0) \neq 0$ oder hat f'' an der Stelle x_0 einen VZW, so liegt bei x_0 eine Wendestelle vor.

1 Ermitteln Sie die Wendepunkte und geben Sie die Intervalle an, in denen der Graph von f eine Linkskurve bzw. eine Rechtskurve ist. Kontrollieren Sie Ihr Ergebnis mit dem GTR.

a) $f(x) = x^3 + 2$ b) $f(x) = 4 + 2x - x^2$ c) $f(x) = x^4 - 12x^2$

d) $f(x) = x^5 - x^4 + x^3$ e) $f(x) = \frac{1}{30}x^6 - \frac{1}{2}x^2$ f) $f(x) = x^3(2 + x)$

2 Geben Sie mithilfe des GTR die Wendepunkte des Graphen von f an. Bestimmen Sie die Steigung der Tangente im Wendepunkt und entscheiden Sie, ob ein Sattelpunkt vorliegt.

a) $f(x) = x^3 + 3x^2 + 3x$ b) $f(x) = x^4 - 4x^3 + \frac{9}{2}x^2 - 2$ c) $f(x) = \cos(x^2); \; x \in [0; 2{,}5]$

3 Im Folgenden sei $x \in [0; 2\pi]$. Ermitteln Sie die Wendepunkte und geben Sie die Intervalle an, in denen der Graph von f eine Linkskurve bzw. eine Rechtskurve ist.

a) $f(x) = \sin(x)$ b) $f(x) = 2\cos(x)$ c) $f(x) = x + \sin(x)$

4 Bestimmen Sie die Wendestellen der Funktion f.

a) $f(x) = x^5$ b) $f(x) = 3x^4 - 4x^3$ c) $f(x) = \frac{1}{60}x^6 - \frac{1}{10}x^5 + \frac{1}{6}x^4$

5 Gegeben ist der Graph der zweiten Ableitungsfunktion f'' einer Funktion f (Fig. 1). Welche der folgenden Aussagen sind wahr, welche falsch? Begründen Sie Ihre Antwort.
a) Der Graph von f ist im Bereich $-0{,}5 < x < 2$ eine Rechtskurve.
b) Der Graph von f hat an der Stelle $x = 2$ eine Wendestelle.
c) Der Graph von f hat an der Stelle $x = 0$ einen Sattelpunkt.
d) Der Graph von f ändert an der Stelle $x = 0{,}8$ sein Krümmungsverhalten.

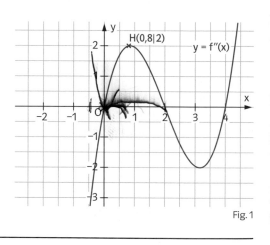

Fig. 1

Zeit zu überprüfen

6 Untersuchen Sie den Graphen der Funktion f auf Wendepunkte und geben Sie die Steigung der Wendetangente(n) an.

a) $f(x) = x^3$ b) $f(x) = -\frac{1}{2}x^4 + 2x^2$ c) $f(x) = x^5 - 3x^3 + x$

7 Gegeben ist der Graph der Ableitungsfunktion f' einer Funktion f (Fig. 2).
a) Welche Aussagen können Sie über die Funktion f hinsichtlich Extremstellen und Wendestellen machen?
b) Es ist $f(0) = -1$. Skizzieren Sie einen möglichen Graphen von f.

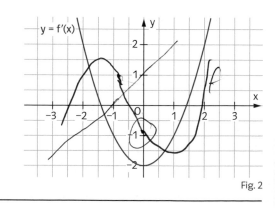

Fig. 2

8 Eine Tierpopulation in einem Reservat wächst häufig wie der Graph von f in Fig. 1.
a) Wann ist die Zunahme der Tierpopulation am größten?
b) Interpretieren Sie die Gerade $y = S$.
c) Argumentieren Sie mithilfe der zweiten Ableitung, wie sich das Wachstum der Population mit der Zeit verändert.

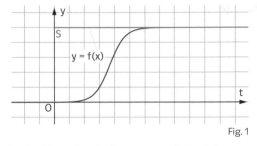

Fig. 1

9 Skizzieren Sie den Graphen einer Funktion f, die die folgenden Bedingungen erfüllt. Geben Sie einen möglichst passenden Funktionsterm an.
a) Der Graph von f ist rechtsgekrümmt und besitzt keinen Wendepunkt.
b) Der Graph von f hat genau einen Wendepunkt auf der x-Achse, links davon ist der Graph eine Rechtskurve, rechts davon eine Linkskurve.
c) Der Graph von f hat einen Wendepunkt im Ursprung und genau einen Hoch- und Tiefpunkt.
d) f′ und f″ haben nur negative Funktionswerte.

10 Auf der Hauptversammlung einer Aktiengesellschaft zeigt der Vorstand die Entwicklung des Firmenumsatzes des vergangenen Geschäftsjahres (Fig. 2).
a) Zu welchem Zeitpunkt war die größte Umsatzsteigerung, wann ungefähr der stärkste Umsatzrückgang?
b) Vorausgesetzt, der Graph ändert im Weiteren sein Krümmungsverhalten nicht, was können Sie über die Zukunft des Unternehmens sagen?

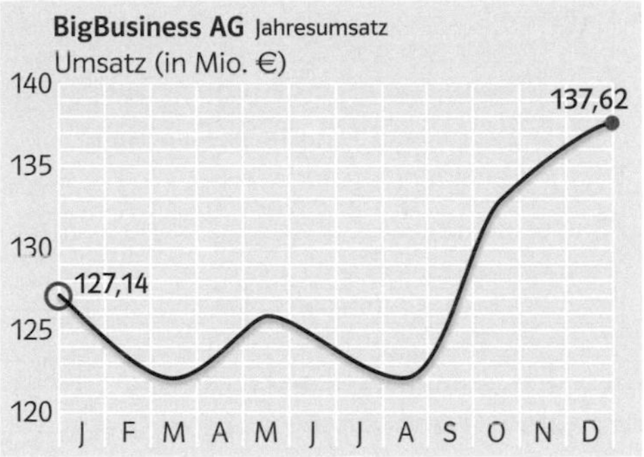

BigBusiness AG Jahresumsatz
Umsatz (in Mio. €)

137,62

127,14

J F M A M J J A S O N D

Fig. 2

11 Gegeben ist die Funktion f mit $f(x) = \frac{1}{6}x^3 - \frac{3}{4}x^2 + 2$.
a) Bestimmen Sie die Gleichung der Tangente im Wendepunkt des Graphen.
b) Welchen Flächeninhalt schließt diese Tangente mit den positiven Koordinatenachsen ein?

12 Welche Beziehung muss zwischen den Koeffizienten b und c bestehen, damit der Graph von f mit $f(x) = x^3 + bx^2 + cx + d$ einen Wendepunkt mit waagerechter Tangente hat?

13 Begründen oder widerlegen Sie.
a) Der Graph einer ganzrationalen Funktion zweiten Grades hat nie einen Wendepunkt.
b) Jede ganzrationale Funktion dritten Grades hat genau einen Wendepunkt.
c) Der Graph einer ganzrationalen Funktion n-ten Grades hat höchstens n Wendepunkte.
d) Bei ganzrationalen Funktionen liegt zwischen zwei Extrempunkten immer ein Wendepunkt.

14 Bestimmen Sie die Wendepunkte des Graphen von f_a in Abhängigkeit von a $(a \in \mathbb{R}^+)$.
a) $f_a(x) = x^3 - ax^2$ 　　　　　　　　　 b) $f_a(x) = x^4 - 2ax^2 + 1$

15 Die ankommenden Zuschauer pro Minute, also die momentane Ankunftsrate der Zuschauer, bei einem Regionalligaspiel soll modellhaft durch die Funktion Z mit $Z(t) = \frac{1}{2}t \cdot 3^{-0,1t+2}$ beschrieben werden. Dabei ist t die Zeit in Minuten seit 18:00 Uhr und f(t) die Anzahl der ankommenden Zuschauer pro Minute.
a) Wann kommen die meisten Zuschauer pro Minute an und wie viele sind das?
b) Wann ist die Abnahme der ankommenden Zuschauer am größten?

6 Probleme lösen im Umfeld der Tangente

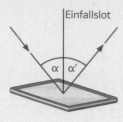

Einfallslot

Bei der Reflexion eines einfallenden Lichtstrahls an einem Spiegel gilt das Reflexionsgesetz, das in der Grafik veranschaulicht ist.
Versuchen Sie das Reflexionsgesetz zu formulieren.
Wie verläuft die Reflexion eines einfallenden Lichtstrahls an einer gekrümmten Spiegelfläche? Skizzieren Sie Ihre Überlegungen.

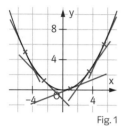

Fig. 1

Die Gleichung der Tangente in einem beliebigen Punkt des Graphen $P(u|f(u))$ einer Funktion f (vgl. Fig. 1) kann allgemein hergeleitet werden. Hiermit lässt sich dann auch die Gleichung der Tangente an den Graphen von einem Punkt Q aus bestimmen, der nicht auf dem Graphen liegt. Um die Gleichung der Tangente an den Graphen einer Funktion f in einem Punkt $P(u|f(u))$ des Graphen zu bestimmen, setzt man in die Tangentengleichung $t: y = f'(u) \cdot x + c$ die Koordinaten des Punktes P für die Variablen x und y ein. Man erhält $f(u) = f'(u) \cdot u + c$ und hiermit $c = f(u) - f'(u) \cdot u$. Eingesetzt und zusammengefasst erhält man den folgenden Satz.

> **Satz: Allgemeine Tangentengleichung**
> Sind die differenzierbare Funktion f und ein Punkt $P(u|f(u))$ mit $u \in D_f$ gegeben, so lautet die Gleichung der Tangente t an den Graphen von f im Punkt P:
> $t: y = f'(u) \cdot (x - u) + f(u)$.

Diese Tangentengleichung kann auch verwendet werden, wenn von einem Punkt Q, der nicht auf dem Graphen der Funktion f liegt, die Tangente an den Graphen bestimmt werden soll (vgl. Fig. 2). Ist f die Funktion mit $f(x) = \frac{1}{2}x^3$, so ist $y = f'(u) \cdot (x - u) + f(u) = \frac{3}{2}u^2(x - u) + \frac{1}{2}u^3$ die Gleichung der Tangente in $P(u|f(u))$. Setzt man hier für die Variablen x und y die Koordinaten von $Q(0|-1)$ ein, so erhält man $-1 = \frac{3}{2}u^2(0 - u) + \frac{1}{2}u^3$ bzw. $u^3 = 1$. Daraus folgt $u = 1$ und hiermit $t: y = \frac{3}{2}x - 1$ mit dem Berührpunkt $P(1|\frac{1}{2})$.

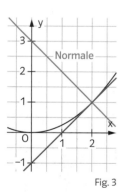

Normale

Fig. 3

Eine Herleitung finden Sie in Aufgabe 13.

Die Gerade, die senkrecht zur Tangente in P verläuft, heißt **Normale** und hat die Gleichung $n: y = -\frac{1}{f'(u)} \cdot (x - u) + f(u)$ mit $f'(u) \neq 0$ (Fig. 3).

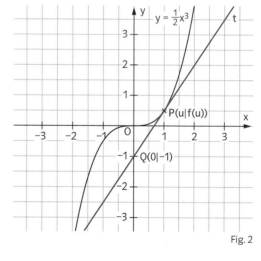

Fig. 2

Beispiel 1 Allgemeine Tangentengleichung und Normale
Gegeben ist die Funktion f mit $f(x) = -\frac{1}{4}x^2 + 4$.
a) Bestimmen Sie die Gleichung von Tangente und Normale im Punkt $R(1|f(1))$.
b) Bestimmen Sie die allgemeine Tangentengleichung an den Graphen von f im Punkt $P(u|f(u))$. Welche Tangenten an den Graphen von f schneiden die x-Achse im Punkt $Q(5|0)$?
■ Lösung: a) Mit $f'(1) = -\frac{1}{2}$ und $f(1) = 3,75$ erhält man in R als Gleichung der Tangente $t: y = -\frac{1}{2}(x - 1) + 3,75 = -\frac{1}{2}x + 4,25$.
Steigung der Normalen für $x = 1$: $m_n = -\frac{1}{f'(1)} = 2$. Die Gleichung der Normalen lautet $n: y = 2 \cdot (x - 1) + 3,75 = 2x + 1,75$.

b) Mit $f'(u) = -\frac{1}{2}u$ erhält man in P die Gleichung der Tangente

$$y = -\frac{1}{2}u(x-u) + \left(-\frac{1}{4}u^2 + 4\right) = -\frac{1}{2}ux + \frac{1}{4}u^2 + 4.$$

Einsetzen des Punktes $Q(5|0)$ liefert die quadratische Gleichung $\frac{1}{4}u^2 - \frac{5}{2}u + 4 = 0$ mit den

beiden Lösungen $u_1 = 2$ und $u_2 = 8$. Die Gleichungen der gesuchten Tangenten lauten

$t_1: y = -x + 5$ und $t_2: y = -4x + 20$ (vgl. Fig. 1).

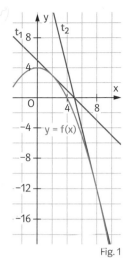

Fig. 1

Beispiel 2   Tangente im Wendepunkt (GTR)

Die Form einer Bucht kann in einem geeigneten Koordinatensystem durch die Funktion f mit $f(x) = \frac{2}{3}x^3 + 2x^2 - \frac{1}{3}$ näherungsweise beschrieben werden (Fig. 2). Ein Schiff fährt von West nach Ost entlang der gezeichneten Geraden. In welchem Punkt kann vom Schiff aus zum ersten Mal die gesamte Bucht eingesehen werden?

■ Lösung: *Man benötigt die Gleichung der Tangente im Wendepunkt des Graphen von f.*
$f'(x) = 2x^2 + 4x$; $f''(x) = 4x + 4$; $f'''(x) = 4$
$f''(x) = 0$ ergibt $4x + 4 = 0$ mit $x = -1$ und dem Wendepunkt $W(-1|1)$. Mit $f'(-1) = -2$ hat die Tangente in W die Gleichung $y = -2x - 1$. Der Schiffsweg hat die Gleichung $y = 3$. Im Schnittpunkt des Schiffswegs mit der Wendetangente $S(-2|3)$ wird zum ersten Mal die gesamte Bucht eingesehen.

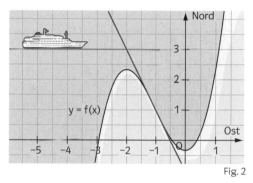

Fig. 2

Aufgaben

1   Bestimmen Sie die Gleichungen der Tangente und der Normalen an den Graphen der Funktion f an der Stelle u.

a) $f(x) = x^2$; $u = 2$ b) $f(x) - \frac{2}{x}$; $u = 4$ c) $f(x) = \sin(x)$; $u = 0$

2   Gegeben ist die Funktion f mit $f(x) = 0{,}5x^2$. Bestimmen Sie die Punkte des Graphen, dessen Tangenten durch den folgenden Punkt verlaufen.

a) $A(1|0)$ b) $B(-1|0)$ c) $C(0|-2)$ d) $D(3|2{,}5)$

3   In einem geeigneten Koordinatensystem lässt sich die Form einer Landzunge näherungsweise durch den Graphen der Funktion f mit $f(x) = x^2$ mit $D_f = [-3; 3]$ darstellen. Welchen Bereich des Ufers kann man von einem Segelboot, das sich in $S(3|5)$ befindet, sehen?

4   Es ist f mit $f(x) = x^3 - 3x$ gegeben. Im Punkt P wird die Tangente an den Graphen von f gezeichnet. Berechnen Sie den Punkt S, in dem die Tangente den Graphen ein zweites Mal schneidet.
a) $P(1|f(1))$ b) $P(0{,}5|f(0{,}5))$ c) $P(3|f(3))$

Landzunge in der Wismarer Bucht (Ostsee)

Zeit zu überprüfen ─────────────────────────

5   Bestimmen Sie die Gleichung der Tangente und der Normalen des Graphen von f im Punkt B.
a) $f(x) = x^2 - x$; $B(-2|6)$ b) $f(x) = \frac{4}{x} + 2$; $B(4|3)$

6   Gegeben ist die Funktion f mit $f(x) = 2x^2 - 3$. Bestimmen Sie, falls möglich, die Tangenten an den Graphen von f, die durch den Punkt A verlaufen.
a) $A(2|-3)$ b) $A\left(2|-\frac{9}{8}\right)$ c) $A(1|1)$

Für den Steigungs-
winkel α der Tangente im
Punkt $P(u\,|\,f(u))$ gilt:
$\tan(\alpha) = f'(u)$.

7 Gegeben ist die Funktion f mit $f(x) = -\frac{1}{2}x^2 + 2x - 2$.

a) Bestimmen Sie den Punkt auf dem Graphen von f, in dem die Tangente parallel zur Geraden mit der Gleichung $y = 2x - 3$ verläuft. Unter welchem Winkel schneidet diese Tangente die x-Achse?

b) Geben Sie die Punkte des Graphen an, deren Tangenten durch den Ursprung verlaufen.

c) Welche Tangenten gehen durch den Punkt $A(0\,|\,6)$? Geben Sie die zugehörigen Berührpunkte des Graphen an.

8 Gegeben ist die Funktion f mit $f(x) = -\frac{16}{3x^3} + x$. Bestimmen Sie die Gleichungen der Tangenten in den Punkten des Graphen von f, die parallel zur Geraden mit $y = 2x$ verlaufen.

9 Die Mittellinie der gezeichneten Rennstrecke wird durch $y = 4 - \frac{1}{2}x^2$ beschrieben. Bei spiegelglatter Fahrbahn rutscht ein Fahrzeug und landet im Punkt $Y(0\,|\,6)$ in den Strohballen (vgl. Fig. 1). Wo hat das Fahrzeug die Straße verlassen?

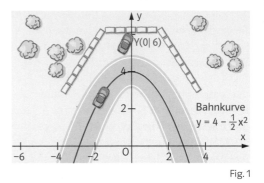

Fig. 1

10 Die Anzahl einer schnell aussterbenden Population wird durch die Funktion f mit $f(x) = \frac{200}{x+1}$ (x in Tagen, f(x) in 1000) näherungsweise modelliert.

a) Ab welchem Zeitpunkt beträgt die Anzahl weniger als 1000?

b) Ab dem 50. Tag soll das Aussterben durch eine lineare Funktion dargestellt werden. Welche lineare Fortsetzung bietet sich an, und wann ist nach dieser Modellierung die Population ausgestorben?

🖳 CAS
Tangente und
Normale berechnen

11 Durch den Graphen der Funktion f mit $f(x) = -0{,}002x^4 + 0{,}122x^2 - 1{,}8$ (x in Meter, f(x) in Meter) wird für $-5 \leq x \leq 5$ der Querschnitt eines Kanals dargestellt. Die sich nach beiden Seiten anschließende Landfläche liegt auf der Höhe $y = 0$.

In welchem Abstand vom Kanalrand darf eine aufrecht stehende Person (Augenhöhe 1,60 m) höchstens stehen, damit sie bei leerem Kanal die tiefste Stelle des Kanals sehen kann?

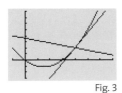

Fig. 2

12 Eine Gasleitung verläuft wie der Graph der Funktion g mit $g(x) = 0{,}2(x+1)^2 - 3$.
Der Ort $O(0\,|\,0)$ soll an die Gasleitung angeschlossen werden (vgl. Fig. 2).

a) Von einem Punkt $X(x_0\,|\,g(x_0))$ aus soll dafür ein geradlinig verlaufendes Anschlussstück nach O verlegt werden. Zeigen Sie, dass die Länge d dieser Leitung $d(x_0) = \sqrt{x_0^2 + (g(x_0))^2}$ ist.

b) Zeichnen Sie den Graphen der Funktion d und bestimmen Sie zeichnerisch oder mithilfe des GTR die Stelle x_0 so, dass die Gasleitung möglichst kurz wird.

c) Bestimmen Sie mithilfe der Normalen im Punkt $X(x_0\,|\,g(x_0))$ die kürzeste Gasleitung.

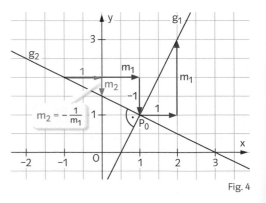

Fig. 3

Der GTR stellt die Tangente und Normale nur orthogonal dar, wenn die x- und y-Achse gleiche Einheiten besitzen.

13 In Fig. 4 sind die beiden zueinander senkrecht stehenden Geraden g_1 und g_2 eingezeichnet.

a) Begründen Sie anhand der Zeichnung, dass für die Steigungen m_1 und m_2 der beiden Geraden die Beziehung $m_1 \cdot m_2 = -1$ gilt.

b) Zeigen Sie, dass die Gleichung der Normalen n in einem Punkt $P(u\,|\,f(u))$ an den Graphen einer differenzierbaren Funktion f die Gleichung $n: y = -\frac{1}{f'(u)} \cdot (x - u) + f(u)$, $f'(u) \neq 0$ besitzt.

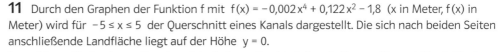

Fig. 4

7 Mathematische Fachbegriffe in Sachzusammenhängen

Der Begriff **Nullwachstum** ist ein gelegentlich in der Wirtschaft verwendeter Euphemismus und bedeutet die Abwesenheit von Wirtschaftswachstum. Das Kunstwort hat sich als modernes Synonym für (wirtschaftliche) Stagnation etabliert.

Negativwachstum ist ebenfalls ein Euphemismus für die noch stärkere Rezession. Es handelt sich somit um das Gegenteil von Wachstum. Es wird z. B. von einem negativen Wirtschaftswachstum gesprochen, was als Schönreden der Abnahme des Bruttoinlandsprodukts gewertet werden kann.

Nennen Sie andere Beispiele, in denen mathematische Begriffe in Anwendungssituationen verwendet werden.

Euphemismus bezeichnet Wörter oder Formulierungen, die einen Sachverhalt beschönigend, verhüllend oder verschleiernd darstellen.

Die sprachliche Schilderung einer Alltagssituation lässt sich in geeigneten Fällen mithilfe der Eigenschaften einer Funktion und ihrer Ableitungen direkt in eine mathematische Beschreibung übertragen. Den Begriffen aus der Alltagssprache müssen dabei die passenden mathematischen Begriffe zugeordnet werden.

Modelliert die zweimal differenzierbare Funktion f die Verkaufszahlen eines Produkts in Abhängigkeit von der Zeit t, so lassen sich unter anderem die folgenden Zusammenhänge herstellen:

Sprachlicher Ausdruck	Eigenschaften der Funktion f	Eigenschaften von f' bzw. f"
Die Verkaufszahlen steigen.	f ist streng monoton wachsend.	$f'(t) > 0$ (nur an einzelnen Stellen kann $f'(t) = 0$ gelten)
Die Verkaufszahlen erreichen ihren höchsten Wert zum Zeitpunkt t_0.	$f(t_0) \geq f(t)$ für alle t	$f'(t_0) = 0$ und $f''(t) < 0$ bzw. f' hat VZW bei t_0 von + nach −
Die Verkaufszahlen stagnieren ("Nullwachstum").	$f(t) = k$ mit $k \subset \mathbb{N}$	$f'(t) = 0$
Der Anstieg der Verkaufszahlen war zum Zeitpunkt t_0 maximal.	t_0 ist Wendestelle von f und f ist streng monoton steigend.	$f''(t_0) = 0$; f" hat VZW bei t_0 und $f'(t) > 0$
Der Anstieg der Verkaufszahlen fällt zunehmend niedriger aus.	Der Graph von f ist rechtsgekrümmt und f ist streng monoton steigend.	$f''(t) < 0$ und $f'(t) > 0$

Die Zuordnung zwischen Alltagsbegriffen und den mathematischen Beschreibungen werden nicht immer in der gleichen Weise vorgenommen (vgl. Aufgabe 11).

Ist der Umsatz eines Unternehmens für ein Jahr gegeben, so müssen bei der Bestimmung z. B. des Umsatzhochs bzw. -tiefs neben den lokalen Extremwerten im Inneren auch die Ränder des Definitionsbereichs untersucht werden, um globale Extrema zu ermitteln.

Ist der Umsatz U mit
$U(t) = 0,19 t^3 − 4,15 t^2 + 25 t + 150$ (t ∈ [0; 12]
in Monaten, U(t) in Millionen Euro) gegeben,
so erhält man mit dem GTR als relatives
Maximum den Wert $U(4,25) \approx 195,9$ und als
relatives Minimum den Wert $U(10,3) \approx 174,8$.
Vergleicht man mit den Funktionswerten an
den Rändern des Untersuchungszeitraums

```
                  ╪
Maximum
X=4.2559755   Y=195.87616
```
Fig. 1

Die zur Beschreibung einer realen Situation benutzte Funktion ist in einem Teilintervall von ℝ definiert und dort differenzierbar.

$U(0) \approx 150,0$ und $U(12) \approx 180,7$, so ist 195,9 auch das globale Maximum und damit das Umsatzhoch. Das globale Minimum ist 150,0 und liegt damit am linken Rand (vgl. Fig. 1).

Beispiel 1 Rohstoffpreis

Der Preis eines Rohstoffs pro Kilogramm betrug an der Börse zu Beginn eines Jahres 200 US-$. Danach sank der Preis deutlich und erreichte im März mit 120 US-$ seinen Jahrestiefststand. Nach einer Stagnationsphase begann im Mai der Preis stark anzuziehen. Der Preisanstieg erreichte im September sein Maximum, schwächte sich danach wieder ab, sodass der Jahreshöchstpreis im November mit 350 US-$ erreicht wurde. Am Jahresende notierte man einen Preis von 320 US-$. Skizzieren Sie einen Graphen, der die Preisentwicklung dieses Rohstoffs im Verlauf des Jahres darstellen könnte, und erläutern Sie.

Die Funktion f lässt sich nicht eindeutig angeben.

- Lösung: Einen möglichen Graphen zeigt Fig. 1. Es ist $f(0) = 200$ und $f(12) = 320$. Der Jahrestiefststand entspricht dem lokalen und globalen Minimum mit $f(3) = 120$. Eine Stagnationsphase wird durch weitgehend konstante Funktionswerte beschrieben. Der maximale Preisanstieg entspricht einer Wendestelle der Funktion mit positiver Steigung. Der Jahreshöchststand gibt das lokale und globale Maximum mit $f(11) = 350$ an.

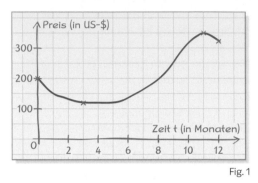

Fig. 1

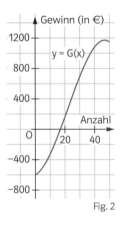

Fig. 2

Beispiel 2 Maximaler Gewinn, stärkster Anstieg

Bei einer Produktion von x Maschinen entstehen einem Unternehmen die Kosten K (in Euro) mit $K(x) = 0{,}03x^3 - 2x^2 + 50x + 600$ für $x \in [0; 50]$. Jede Maschine wird für 60 € verkauft.

a) Zeichnen Sie den Graphen der Funktion G, die den Gewinn des Unternehmens beschreibt.

b) Beschreiben Sie die Bedeutung der charakteristischen Punkte und berechnen Sie diese.

- Lösung: a) Für den Gewinn G gilt $G(x) = 60x - K(x) = -0{,}03x^3 + 2x^2 + 10x - 600$ (vgl. Fig. 2).

b) Das globale Maximum gibt den maximalen Gewinn an. Mit dem GTR erhält man $x_1 \approx 46{,}82$ mit $G(x_1) \approx 1173{,}4$ (in Euro). Der Gewinn nimmt an der linken Intervallgrenze $x_2 = 0$ sein globales Minimum mit $G(0) = -600$ an; damit beträgt der maximale Verlust 600 €.

An der Wendestelle steigt der Gewinn am stärksten an. Der Graph der ersten Ableitung G' hat ein lokales Maximum an der Stelle $x_3 \approx 22{,}2$. $W(22{,}2 \mid 279{,}4)$ ist der Wendepunkt von f.

Aufgaben

Referat ↗
Kosten- und
Umsatzfunktion
735301-0361

1 Die Funktion f beschreibt die Höhe einer Sonnenblume (in Meter) in Abhängigkeit von der Zeit t (in Wochen). Geben Sie zu den Alltagsbegriffen die mathematischen Beschreibungen an.

a) Nach zwei Wochen ist die Sonnenblume 0,3 m hoch.

b) Nach 20 Wochen wächst die Sonnenblume nicht mehr.

c) In den ersten fünf Wochen wächst die Sonnenblume um 0,6 m.

d) Die Wachstumsgeschwindigkeit ist nach acht Wochen am höchsten.

2 Zur Vorhersage des Wasserstandes eines Flusses misst man sechs Monate lang fortlaufend die Durchflussgeschwindigkeit f des Wassers an einer bestimmten Stelle und erhält hierfür $f(t) = 0{,}25t^3 - 3t^2 + 9t$ $\left(0 \leq t \leq 6; \text{ t in Monaten}; f(t) \text{ in } 10^6 \frac{m^3}{\text{Monat}}\right)$.

a) Zeichnen Sie den Graphen von f. Interpretieren Sie die Nullstellen der Funktion f. Warum ist hier $f(t) \geq 0$ sinnvoll?

b) Zu welchen Zeitpunkten ist die Durchflussgeschwindigkeit extremal?

c) Wann nimmt die Durchflussgeschwindigkeit besonders stark ab? Wann besonders stark zu?

d) Wie lässt sich die gesamte in den ersten sechs Monaten durchgeflossene Wassermenge anhand des Graphen von f veranschaulichen? Geben Sie einen Näherungswert an.

3 Die Entwicklung des Preises für eine Unze Gold (in US-Dollar) ist in Fig. 1 von 1990 bis Ende 2006 als Graph einer Funktion f dargestellt. Interpretieren Sie die folgenden Aussagen:
a) f nimmt ein Randextremum an.
b) Für t ≥ 12 ist f streng monoton wachsend.
c) Für 7 ≤ t ≤ 10 fällt f streng monoton.
d) Für 5 ≤ t ≤ 7 ist f fast konstant.
e) Die Funktion hat mehrere Wendestellen.
f) f″(t) > 0 für t ≥ 12.

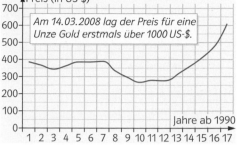

Am 14.03.2008 lag der Preis für eine Unze Gold erstmals über 1000 US-$.

Fig. 1

Das Porträt von Nelson Mandela wurde 2004 zum 10-jährigen Demokratiejubiläum in Südafrika in einer Unze Gold geprägt. (1 Unze = 1 oz ≈ 31,1 g)

4 Nach starken Regenfällen im Gebirge steigt der Wasserspiegel in einem Stausee an. Die in den ersten 24 Stunden nach den Regenfällen festgestellte Zuflussgeschwindigkeit lässt sich näherungsweise durch die Funktion f mit $f(t) = 0{,}25\,t^3 - 12\,t^2 + 144\,t$ $\left(t \text{ in Stunden, } f(t) \text{ in } \frac{m^3}{h}\right)$ beschreiben.
a) Berechnen Sie charakteristische Punkte des Graphen. Erläutern Sie Ihre Ergebnisse im Sachzusammenhang.
b) Bestimmen Sie den Zeitraum, in dem die Zuflussgeschwindigkeit mindestens die Hälfte des Maximalwerts beträgt.
c) Schätzen Sie ab, wie viel Wasser in den ersten 24 Stunden in den Stausee fließt.

Zeit zu überprüfen

5 Die Funktion f beschreibt die Geschwindigkeit eines Autos $\left(\text{in } \frac{m}{s}\right)$ in Abhängigkeit von der Zeit t (in s). Geben Sie jeweils die mathematischen Beschreibungen an.
a) In den ersten zehn Sekunden nimmt die Geschwindigkeit gleichmäßig von 0 auf $20\,\frac{m}{s}$ zu.
b) Nach 30 Sekunden wird für fünf Sekunden abgebremst.
c) Die stärkste Zunahme der Geschwindigkeit ist nach 15 Sekunden. Welche anschauliche Bedeutung hat die Zunahme der Geschwindigkeit, welche Einheit hat sie?

6 An einem Tag im Frühherbst wird die Oberflächentemperatur O eines Sees gemessen. Der Temperaturverlauf kann modelliert werden durch
$O(t) = -\frac{1}{300}(t^3 - 36\,t^2 + 324\,t - 5700)$; $t \in [0; 24]$ in Stunden, O(t) in Grad Celsius (°C).
a) Bestimmen Sie die höchste und tiefste Temperatur an diesem Tag.
b) Welche Bedeutung hat die Steigung der Wendetangente in diesem Zusammenhang?

7 Auszug aus dem Protokoll einer Hauptversammlung
„Nach einem guten Beginn des Jahres mit deutlich steigendem Gewinn wurde die Zunahme des Gewinns immer kleiner und dieser erreichte im März sein Maximum mit 220 Millionen Euro. Anschließend wurde der Gewinn kleiner, blieb aber immer über dem zu Jahresbeginn. Besonders stark war das Abfallen des Gewinns im Juni während der Sommerflaute; gleichzeitig stellte der Juni aber auch eine Trendwende hin zum Besseren dar. In den letzten Monaten des Jahres fiel der Anstieg des Gewinns zunehmend größer aus, sodass wir am Jahresende nicht nur wieder den maximalen Gewinn aus dem Monat März erreichten, sondern dies auch mit deutlich steigender Tendenz."
Skizzieren Sie einen Graphen, der die Entwicklung des Gewinns im Verlauf des Jahres darstellen könnte, und erläutern Sie ihn.

8 Die Wachstumsgeschwindigkeit w $\left(\text{in } \frac{m}{Jahr}\right)$ eines Nadelbaumes kann in Abhängigkeit vom Alter t (in Jahren) durch die Funktion $w(t) = \frac{500}{600 + (t - 40)^2}$ mit $0 \le t \le 100$ modelliert werden.

a) Zeichnen Sie mithilfe des GTR den Graphen der Funktion.

b) In welchem Jahr ist die Wachstumsgeschwindigkeit maximal?

c) Wie interpretieren Sie die Symmetrie des Graphen von w?

d) Zu welchem Zeitpunkt hat die Änderung der Wachstumsgeschwindigkeit einen Extrempunkt? Wie interpretieren Sie dies?

e) Ist es möglich, die Höhe des Nadelbaumes nach 80 Jahren zu bestimmen bzw. zu schätzen?

9 Fig. 1 zeigt den Schuldenstand des Bundes, der Länder und der Gemeinden.

S mit $S(t) = -0,08t^3 + 3,5t^2 + 10,6t + 237$

(t in Jahren ab 1980, S(t) in Milliarden Euro) beschreibt näherungsweise die Entwicklung dieser Schulden.

a) Welche Bedeutung hat die Ableitung S'?

b) In welchem Jahr war die Neuverschuldung besonders hoch?

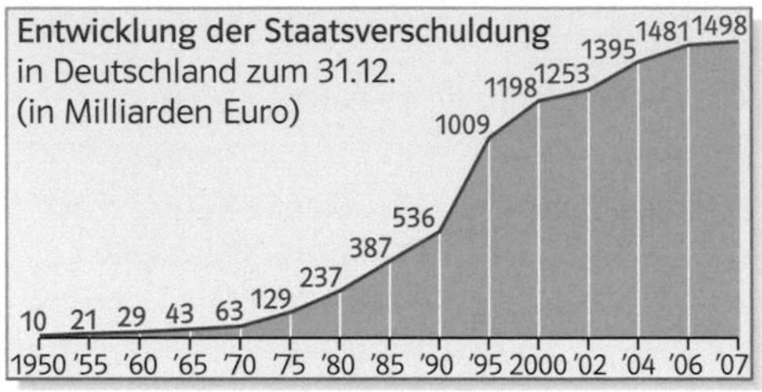

Fig. 1

c) Wann wird in diesem Modell erstmals eine Neu-Nullverschuldung erreicht?

d) Im Flensburger Tagblatt erschien im Jahr 2005 die Meldung: „Die Staatsschulden sinken." Welcher Fehler wurde begangen?

10 Die Gesamtkosten K bei der Produktion von x Bauteilen sind gegeben durch

$K(x) = 0,01x^3 - 0,6x^2 + 13x$ mit K(x) in Euro. Jedes Bauteil wird zum Preis von 7 € verkauft. Die Funktion U gibt den Umsatz des Unternehmens beim Verkauf von x Bauteilen an.

a) Zeichnen Sie den Graphen der Gesamtkosten und der Umsatzfunktion in ein gemeinsames Koordinatensystem ein. Lesen Sie den Bereich ab, in dem das Unternehmen Gewinn macht.

b) Bei welcher Produktionszahl ist der Gewinn am höchsten?

c) Durch ein Überangebot können die Bauteile jeweils nur noch für 4 € verkauft werden. Wie verändert sich die Situation des Unternehmens dadurch?

11 In den beiden Artikeln wird jeweils der häufig gebrauchte Begriff der „Trendwende" verwendet.

a) Erläutern Sie, in welcher unterschiedlichen mathematischen Bedeutung der Begriff der Trendwende jeweils verwendet wird.

b) Wie werden im alltäglichen Sprachgebrauch die Begriffe „Wendepunkt im Leben", „Wendemanöver" oder „Wendeplatte" verwendet?

Klimakollaps – Trendwende muss geschafft werden
Nur gigantische Investitionen und ein radikaler Politikwechsel können den Klimakollaps noch abwenden. Bis 2020 muss die Trendwende geschafft sein. Spätestens bis 2020 muss das fossile Zeitalter seinen Zenit überschritten haben – sprich, der Ausstoß von klimabeeinflussenden Gasen dürfte nicht mehr von Jahr zu Jahr steigen, sondern müsste substanziell abnehmen.

Musikindustrie sieht Trendwende
„Wir beginnen, den Boden des Eimers zu sehen. Wenn es gelingt, das Problem der Internetpiraterie weiter in den Griff zu bekommen, könnte es nach sieben harten Jahren 2008 vielleicht eine Trendwende geben", sagte der Vorsitzende des Bundesverbandes Musikindustrie.

12 Aus einem amerikanischen Schulbuch

In April 1991, The Economist carried an article, which said: Suddenly, everywhere, it is not the rate of change of things that matters, it is the rate of change of rates of change. Nobody cares much about inflation; only whether it is going up or down. Or rather, whether it is going up fast or down fast. "Inflation drops by disappointing two points," cries the billboard. Which roughly translated means that prices are still rising, but less than they were, though not quite as much less fast as everybody had hoped.

In the last sentence, there are three statements about prices. Rewrite these as statements about derivatives.

8 Extremwertprobleme mit Nebenbedingungen

Lässt sich der Umfang eines Rechtecks als Funktion einer einzigen Variablen darstellen, wenn

a) die Rechteckseiten im Verhältnis 2:3 stehen,
b) das Rechteck den Flächeninhalt 20 cm² hat,
c) die Diagonalen einen Winkel von 60° bilden,
d) die Rechteckdiagonale 5 cm lang ist?

Geben Sie, wenn möglich, ein Ergebnis an und erläutern Sie Ihr Vorgehen.

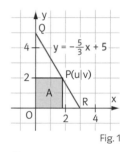

Bei der mathematischen Beschreibung einer Anwendungssituation können mehrere Variablen auftreten. Bei der Untersuchung auf Extremwerte muss man eine Funktion aufstellen, die nur von einer Variablen abhängt. Dies kann mithilfe zusätzlicher Bedingungen erreicht werden.

Aus einem dreieckigen Stück ORQ einer Glasscheibe soll ein rechteckiges Stück mit einem möglichst großen Flächeninhalt wie in Fig. 1 herausgeschnitten werden. Dazu muss derjenige Punkt P(u|v) auf der Strecke $\overline{QR}$ bestimmt werden, für den der Flächeninhalt des eingezeichneten Rechtecks A = u·v am größten ist. A hängt von den Variablen u und v ab, die aber nicht unabhängig voneinander sind, da P auf der Geraden y durch Q und R liegen muss.

Es gilt die sogenannte **Nebenbedingung** $v = -\frac{5}{3}u + 5$ für $0 \le u \le 3$.

Setzt man die Nebenbedingung in A = u·v ein, so gilt $A(u) = u \cdot \left(-\frac{5}{3}u + 5\right)$; $0 \le u \le 3$.

Die Funktion A mit $A(u) = u \cdot \left(-\frac{5}{3}u + 5\right) = -\frac{5}{3}u^2 + 5u$ für $0 \le u \le 3$ nennt man **Zielfunktion**.

Diese Funktion wird in ihrer Definitionsmenge auf Extremwerte untersucht.

Aus $A'(u) = -\frac{10}{3}u + 5 = 0$ erhält man $u = 1,5$ mit $A(1,5) = 3,75$ als relatives Maximum. Da der Graph von A eine nach unten geöffnete Parabel ist, ist dies auch das globale Maximum. Aus diesem Grund erübrigt sich hier die Untersuchung der Ränder.

Fig. 1

◎ CAS
Abgebrochene
Glasplatte

Strategie für das Lösen von Extremwertproblemen

1. Beschreiben der Größe, die extremal werden soll, durch eine Formel. Diese kann mehrere Variablen enthalten.
2. Aufsuchen von Nebenbedingungen, die Abhängigkeiten zwischen den Variablen enthalten.
3. Bestimmen der Zielfunktion, die nur noch von einer Variablen abhängt. Angeben des Definitionsbereichs der Zielfunktion.
4. Untersuchen der Zielfunktion auf Extremwerte unter Beachtung der Ränder des Definitionsbereichs. Formulieren des Ergebnisses.

Extremwertaufgaben waren bisher häufig nur mit dem GTR lösbar, jetzt sind sie es auch analytisch.

Zur Untersuchung muss die Zielfunktion in Abhängigkeit von einer Variablen dargestellt werden. Welche Variable zweckmäßig ist, zeigt dabei oft erst die Bearbeitung.

Beispiel 1 Rechteck mit maximalem Inhalt
Ein Sportstadion (Fig. 2) mit einer Laufbahn mit 400 m Länge soll so angelegt werden, dass die Fläche A des eingeschlossenen Rechtecks als Fußballfeld möglichst groß wird.

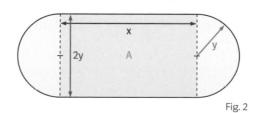

Fig. 2

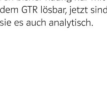

Anmerkung:
Maße eines Fußballfeldes:
Länge: 90 m bis 120 m
Breite: 45 m bis 90 m

■ Lösung: 1. Sind x und y die Längen (in m), so ist der Inhalt (in m²) des Rechtecks A = x · 2y.
2. Die Nebenbedingung lautet $2x + 2\pi y = 400$ bzw. $y = \frac{1}{\pi}(200 - x)$.
3. Einsetzen ergibt die Zielfunktion $A(x) = \frac{1}{\pi}(400x - 2x^2)$.
Damit $A \geq 0$ ist, muss der Definitionsbereich $D_A = [0; 200]$ sein.
4. Es ist $A'(x) = \frac{1}{\pi}(400 - 4x)$ und $A''(x) = -\frac{4}{\pi} < 0$. Da $A'(x) = 0$ nur für $x_0 = 100$ ist und
$A''(100) < 0$ ist, liegt bei $x_0 = 100$ ein lokales Maximum von A vor. Dies ist gleichzeitig das globale
Maximum, da der Graph von A eine nach unten geöffnete Parabel ist. Aus $x_0 = 100$ erhält man y
$= \frac{100}{\pi} \approx 31,83$.
Ergebnis: Der Flächeninhalt des Rechtecks innerhalb der 400-m-Bahn ist maximal für x = 100 m
und y = 31,83 m.

Beispiel 2   Dose mit minimaler Oberfläche (GTR)
Es sollen zylindrische Blechdosen mit Boden und Deckel mit einem Volumen von 1 Liter herge-
stellt werden. Dabei sollen der Radius und die Höhe der Dose so gewählt werden, dass die Ober-
fläche möglichst klein wird.
Stellen Sie die Zielfunktion auf und bestimmen Sie den gesuchten Extremwert mit dem GTR.
Zeigen Sie, dass dies der einzige Extremwert ist.
■ Lösung: Die Oberfläche setzt sich aus der rechteckigen Mantelfläche M und dem kreis-
förmigen Boden bzw. Deckel der Dose zusammen.
Ist r (in dm) der Radius und h (in dm) die Höhe der Dose, so gilt für die Oberfläche O (in dm²):
$O = 2\pi r h + 2\pi r^2$.
Aus der Nebenbedingung $V = \pi r^2 h = 1$ erhält man $h = \frac{1}{\pi r^2}$.
Einsetzen liefert die Zielfunktion O mit $O(r) = 2\pi r \cdot \frac{1}{\pi r^2} + 2\pi r^2 = \frac{2}{r} + 2\pi r^2$ mit r > 0.

Fig. 1

Die Dose mit minimaler
Oberfläche hat als
Querschnittsfläche ein
Quadrat.

*Die Untersuchung der Zielfunktion in Abhängigkeit von der Variablen h ist schwieriger. Deshalb
wird h eliminiert und die Zielfunktion mit r ausgedrückt.*
Der GTR liefert für das relative Minimum
r ≈ 0,54 (in dm) und für die minimale Oberfläche O ≈ 5,536 (in dm²).
$O'(r) = -\frac{2}{r^2} + 4\pi r = 0$ liefert $r_1 = \sqrt[3]{\frac{1}{2\pi}} \approx 0,542$.
Da O'(r) < 0 für $0 < r < r_1$ und O'(r) > 0 für
r > r_1, ist aufgrund des Monotoniesatzes die Funktion O für $0 < r < r_1$ streng monoton fallend und
für $r > r_1$ streng monoton wachsend. Damit besitzt O genau einen Extremwert.

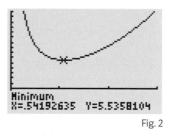

Fig. 2

Aufgaben

1   Gegeben sind die Funktionen f und g durch $f(x) = x^2 + 1$ und $g(x) = -(x - 2)^2 + 2$. Für welchen Wert $x \in [0; 2]$ wird die Differenz der Funktionswerte minimal?

2   Gegeben ist die Funktion f mit $f(x) = \frac{2}{x}$ und der Punkt $Q(u \,|\, f(u))$ auf dem Graphen von f.
Bestimmen Sie u so, dass der Abstand von Q zum Ursprung minimal wird.

Ⓢ **CAS**
Abstand
Punkt–Kurve

3   Aus einem Draht der Länge 50 cm soll ein Rechteck gebogen werden, das eine Fläche von
maximalem Inhalt umrandet. Wie sind Länge und Breite des Rechtecks zu wählen?

4   Ein rechteckiges Grundstück soll den Flächeninhalt 400 m² erhalten. Wie lang sind die Seiten
des Rechtecks zu wählen, damit der Umfang des Rechtecks minimal wird?

5 Wie müssen die Maße eines zylindrischen Wasserspeichers ohne Deckel mit dem Volumen 1000 l gewählt werden, damit der Blechverbrauch minimal ist?

6 Ein nach oben offener Karton mit quadratischer Grundfläche soll bei einer vorgegebenen Oberfläche von 100 cm² ein möglichst großes Volumen besitzen. Wie müssen die Maße des Kartons gewählt werden? Zeigen Sie, dass es keine weiteren Maxima gibt.

7 a) Aus einem rechteckigen Stück Pappe der Länge 16 cm und der Breite 10 cm werden an den Ecken Quadrate der Seitenlänge x ausgeschnitten und die überstehenden Teile zu einer nach oben offenen Schachtel hochgebogen (Fig. 1). Für welchen Wert von x wird das Volumen maximal?
b) Falten Sie aus einem DIN-A4-Blatt eine solche „optimale" Schachtel.

Fig. 1

CAS
Lagerhaltung

8 Der Querschnitt eines Eisenbahntunnels hat die Form eines Rechtecks mit aufgesetztem Halbkreis. Wie müssen die Maße gewählt werden, damit bei einer vorgegebenen Querschnittsfläche von 45 m² der Umfang am kleinsten wird?

9 Einem Viertelkreis mit dem Radius 5 cm wird ein rechtwinkliges Dreieck OPQ wie in Fig. 2 einbeschrieben. Für welchen Winkel α wird der Flächeninhalt des Dreiecks maximal?

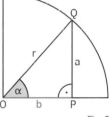

Fig. 2

Zeit zu überprüfen

10 Eine oben offene Kiste mit quadratischer Grundfläche soll so hergestellt werden, dass bei einem Volumen von 40 l die Oberfläche möglichst klein wird. Wie sind die Maße der Kiste zu wählen?

11 Es sollen zylindrische Kochtöpfe einfachster Bauart mit 2 l Volumen hergestellt werden. Wie sind der Durchmesser und die Höhe dieser Töpfe zu wählen, wenn die Länge der gesamten Schweißnaht, die am Bodenrand und längs einer Mantellinie verläuft, möglichst kurz werden soll?

Fig. 3

12 Eine Metallkugel mit dem Radius r = 6 cm soll in einer Dreherei so abgedreht werden, dass ein Zylinder mit einem möglichst großen Volumen entsteht. Wie sind der Radius und die Höhe zu wählen?

CAS
Volumen eines Kegels

13 Die starke Konkurrenz zwingt die Fluggesellschaft Travel Airline zum Handeln. Man entschließt sich zu Preissenkungen auf der Strecke Düsseldorf–Berlin, die zurzeit von 1050 Passagieren bei 15 Flügen täglich genutzt wird und der Fluggesellschaft dabei Tageseinnahmen von 210 000 € einbringt. Marktuntersuchungen ergaben, dass bei einer Preissenkung um je 25 € pro Person voraussichtlich jeweils 20 Passagiere pro Flug zusätzlich mitfliegen werden. Wie soll Travel Airline die Preise senken, um maximale Tageseinnahmen zu erzielen?

CAS
Volumen eines Zeltes

14 Eine Elektronikfirma verkauft monatlich 5000 Stück eines Bauteils zum Stückpreis von 25 €. Die Markforschungsabteilung dieser Firma stellte fest, dass sich der durchschnittliche monatliche Absatz bei jeder Stückpreissenkung von 1 € um jeweils 300 Stück erhöhen würde. Bei welchem Stückpreis sind die monatlichen Einnahmen am größten?

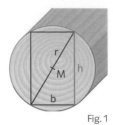

Fig. 1

15 Die Tragfähigkeit von Holzbalken ist proportional zur Balkenbreite b und zum Quadrat der Balkenhöhe h.
a) Aus einem zylindrischen Baumstamm mit dem Radius r = 50 cm soll ein Balken maximaler Tragfähigkeit herausgeschnitten werden. Wie sind Breite und Höhe zu wählen (Fig. 1)?
b) Wie genau ist die Zimmermannsregel (Fig. 3)?

16 Für den Bau einer kegelförmigen Tüte mit möglichst großem Fassungsvermögen wird aus einem quadratischen Karton mit 1 m Seitenlänge ein Kreisausschnitt geschnitten und zum Kegel geformt. Wie würden Sie den Karton ausschneiden? Geben Sie den Mittelpunktswinkel an.

Zimmermannsregel:
Zeichne auf eine kreisförmige Querschnittsfläche des Baumstammes einen Durchmesser; teile diesen in drei Teile; ziehe in jedem Teilpunkt die Senkrechte zum Durchmesser, so ergibt sich der gesuchte Balkenquerschnitt.

17 Nomaden bauen mithilfe von vier Stäben der Länge 2,40 m ein pyramidenförmiges Zelt mit quadratischem Grundriss auf. Wie entsteht ein Zelt mit größtmöglichem Rauminhalt?

18 Aus zwei 20 cm breiten Brettern soll eine V-förmige Rinne hergestellt werden. Bei welchem Abstand der oberen Bretterkanten ist das Fassungsvermögen der Rinne am größten?

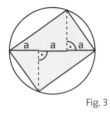

Fig. 3

19 Aus drei Brettern der Breite 0,5 m sollen Dachrinnenelemente der Länge 2 m hergestellt werden (vgl. Fig. 2).
a) Bestimmen Sie die Höhe h und die obere Breite a in Abhängigkeit vom Neigungswinkel α.
b) Zeigen Sie, dass sich der Flächeninhalt der Querschnittsfläche durch die Funktion A mit $A(\alpha) = 0{,}25 \cdot (1 + \cos(\alpha)) \cdot \sin(\alpha)$ darstellen lässt.
c) Für welches α hat das Dachrinnenelement maximales Fassungsvermögen?

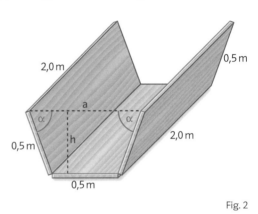

Fig. 2

Zeit zu wiederholen

20 Geben Sie die Winkel im Gradmaß an und bestimmen Sie den zugehörigen Sinuswert.
a) π b) $\frac{1}{2}\pi$ c) $\frac{1}{3}\pi$ d) $\frac{1}{4}\pi$

21 Bestimmen Sie jeweils den Sinus- und Kosinuswert und geben Sie die Winkel im Bogenmaß an.
a) 90°   b) 60°   c) 80°   d) 220°

22 Bestimmen Sie die fehlenden Größen.

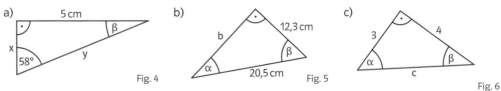

a) Fig. 4   b) Fig. 5   c) Fig. 6

23 Auf Verkehrszeichen für die Steigung bzw. für das Gefälle einer Straße werden Prozentangaben aufgedruckt. Zum Beispiel bedeutet eine Angabe von 12 % Steigung, dass pro 100 m in waagerechter Richtung die Höhe um 12 m zunimmt.
a) Unter welchem Winkel gegen die Horizontale steigt eine Straße an, an der ein Schild wie in Fig. 7 steht?
b) Die Straße steigt 2800 m lang gleichmäßig an. Wie groß ist der Höhenunterschied, den sie überwindet?
c) Wie lang ist dieses Straßenstück auf einer Karte im Maßstab 1 : 100 000?

Fig. 7

Wahlthema: **Stetigkeit und Differenzierbarkeit von Funktionen**

Skizzieren Sie zu jeder Teilaufgabe einen Graphen. Welche Unterschiede sehen Sie?
a) Der Temperaturverlauf eines Sommertags am Bodensee.
b) Diesel-Pkw mit Partikelfilter, die in der Schadstoffklasse Euro 4 sind, bezahlen pro angefangenen $100\,cm^3$ Hubraum jährlich 15,44 € Kfz-Steuer an das Finanzamt.
c) Jeder reellen Zahl x wird die größte ganze Zahl y mit $y \leq x$ zugeordnet.

In der Differenzialrechnung wurden an unterschiedlichen Stellen anschaulich naheliegende Eigenschaften von Funktionen verwendet, die im Folgenden näher beleuchtet werden sollen.

I. Gegeben ist eine Funktion f auf [a; b] mit $f(x_1) < 0$ und $f(x_2) > 0$ für $x_1, x_2 \in [a; b]$ und $x_1 < x_2$.
Anschauliche Vorstellung:

Es gibt mindestens eine Stelle
$z \in \,]x_1; x_2[$ mit $f(z) = 0$.

Beispiel: Gegenbeispiel:

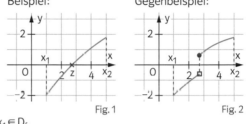

Fig. 1   Fig. 2

II. Gegeben ist eine Funktion f mit $f(x_1) > 0$ für $x_1 \in D_f$.
Anschauliche Vorstellung:

Es gibt eine Umgebung von x_1, in der alle
Funktionswerte ebenfalls positiv sind.

Beispiel: Gegenbeispiel:

Fig. 3   Fig. 4

III. Gegeben ist eine Funktion f, die auf dem abgeschlossenen Intervall [a; b] definiert ist.
Anschauliche Vorstellung:

Die Funktionswerte nehmen auf [a; b] sowohl
ein Maximum als auch ein Minimum an.

Beispiel: Gegenbeispiel:

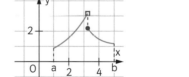

Fig. 5   Fig. 6

Der Begriff der Funktion ist so weit gefasst, dass man ihn durch die zusätzliche Bedingung der Stetigkeit einschränken muss, damit die obigen anschaulichen Vorstellungen erfüllt sind.

> Eine Funktion ist eine Vorschrift, die jeder reellen Zahl $x \in D$ genau eine reelle Zahl $f(x)$ zuordnet.

Definition: Stetigkeit einer Funktion
Gegeben ist auf dem Intervall [a; b] eine Funktion f. Die Funktion f ist **stetig** an der Stelle $x_0 \in [a; b]$, wenn der Grenzwert von $f(x)$ für $x \to x_0$ existiert und mit dem Funktionswert $f(x_0)$ übereinstimmt, wenn also gilt: $\lim\limits_{x \to x_0} f(x) = f(x_0)$.

Stetigkeit ist damit eine lokale Eigenschaft einer Funktion, das heißt, sie wird immer an einzelnen Stellen x_0 untersucht. Eine Funktion heißt stetig (auf D_f), wenn sie an jeder Stelle ihres Definitionsbereichs stetig ist.
Man kann zeigen, dass eine stetige Funktion die obigen Eigenschaften I. bis III. erfüllt.

> Ist f an einer Stelle nicht definiert, so kann f an dieser Stelle auch nicht auf Stetigkeit untersucht werden.

Untersucht man den Zusammenhang zwischen der Stetigkeit und der Differenzierbarkeit einer Funktion, so erkennt man am Differenzenquotienten $\frac{f(x) - f(x_0)}{x - x_0}$ Folgendes:

Für $x \to x_0$ strebt der Nenner gegen 0. Damit der Quotient trotzdem einen endlichen Grenzwert haben kann, muss notwendigerweise auch der Zähler den Grenzwert 0 besitzen. Dies bedeutet, dass $\lim_{x \to x_0} (f(x) - f(x_0)) = 0$ bzw. $\lim_{x \to x_0} f(x) = f(x_0)$, also folgt:

Satz: Zusammenhang zwischen Stetigkeit und Differenzierbarkeit
Ist eine Funktion f an einer Stelle x_0 differenzierbar, so ist f an der Stelle auch stetig.

Mit diesem Satz ergibt sich unmittelbar, dass z.B. alle ganzrationalen Funktionen stetig auf $\mathbb{R}$ sind.

Beispiel Stetigkeit und Differenzierbarkeit
Gegeben ist die Funktion f, die aus ganzrationalen Teilfunktionen zusammengesetzt ist. Ihren Graphen zeigt Fig. 1. An welchen Stellen ist die Funktion f stetig, an welchen sogar differenzierbar?

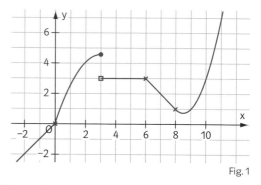
Fig. 1

■ Lösung: Die Funktion f muss nur an den Stellen $x = 0$; 3; 6 und 8 untersucht werden. f ist für $x = 0$ und $x = 6$ stetig, aber nicht differenzierbar. An der Stelle $x = 3$ hat der Graph einen Sprung, die Funktion ist damit nicht stetig, also auch nicht differenzierbar. Für $x = 8$ ist f differenzierbar, also auch stetig.

Aufgaben

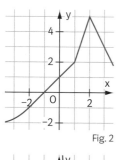
Fig. 2

1 In Fig. 2 und Fig. 3 sind die Graphen von Funktionen gegeben. Geben Sie an, an welchen Stellen die Funktionen stetig sind. An welchen sind sie sogar differenzierbar?

2 Welche der folgenden Aussagen ist richtig, welche falsch? Begründen Sie.
a) Eine Funktion, die an einer Stelle x_0 definiert ist, ist dort auch stetig.
b) Eine in x_0 stetige Funktion kann an dieser Stelle differenzierbar sein, muss es aber nicht.
c) Eine Funktion, die an der Stelle x_0 nicht definiert ist, kann dort stetig sein.
d) Ist eine Funktion in x_0 differenzierbar, so hat der Graph an dieser Stelle keinen Sprung.

3 Begründen Sie: Wenn sich der Temperaturverlauf entlang des Erdäquators stetig ändert, dann gibt es zwei auf dem Äquator gegenüberliegende Punkte mit gleicher Temperatur.
Tipp: Betrachten Sie die Temperaturdifferenz gegenüberliegender Punkte.

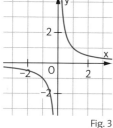
Fig. 3

4 Am ersten Tag geht ein Bergwanderer morgens um 8 Uhr los und erreicht den Berggipfel um 17 Uhr. Am zweiten Tag läuft er von 8 bis 17 Uhr den Berg auf demselben Weg wieder herunter. Gibt es auf dem Weg eine Stelle, an der er zur selben Tageszeit wie am Vortag wieder vorbeikommt?

5 Aus dem Mathematik-Chat www.matheboard.de: „Der Nullstellensatz sagt doch aus, dass eine Funktion in einem Intervall, die sowohl negative als auch positive Werte annimmt, mindestens eine Nullstelle besitzt. Jetzt ist es doch aber so, dass z.B. die Funktion $y = x^2$ eine doppelte Nullstelle besitzt, obwohl keine negativen y-Werte angenommen werden! Kann man das erklären?"

Wiederholen – Vertiefen – Vernetzen

1 Gegeben ist der Graph einer Funktion f. Skizzieren Sie die Graphen von f' und f".

a)   b)   c)

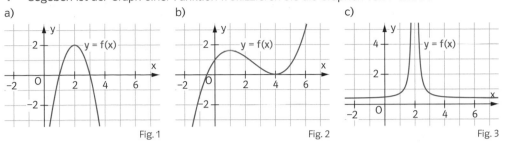

Fig. 1   Fig. 2   Fig. 3

Charakteristische Eigenschaften im Sachzusammenhang

2 Eine Segelregatta wird oftmals im Dreieckskurs gesegelt. In Fig. 4 ist S der Start- und Zielpunkt, P und Q sind die beiden Wendemarken; gesegelt wird in Pfeilrichtung. Ein Boot segelt von S nach P in einer halben Stunde, von P nach Q und Q nach S in jeweils einer Stunde. Auf diesen Strecken ist es immer mit konstanter Geschwindigkeit unterwegs.
a) Zeichnen Sie ein Weg-Zeit-Diagramm für diese Situation.
b) Welche Bedeutung hat hier die mittlere Änderungsrate? Berechnen Sie diese jeweils.

Fig. 4

3 In die Behälter von Fig. 5 fließt Wasser, wobei die Zuflussrate konstant ist.
a) Skizzieren Sie für jeden Behälter einen Graphen, der die Abhängigkeit der Höhe des Wasserspiegels von der Zeit beschreibt.
b) Welche inhaltliche Bedeutung hat in diesem Zusammenhang eine Wendestelle?

Behälter 1   Behälter 2

Fig. 5

4 Ein Fluss entspringt auf einer Höhe von 400 m über NN (Normalnull) und fließt nach 370 km ins offene Meer. Die Funktion h beschreibt die Höhe (in Metern) des Flussufers über NN in Abhängigkeit von der Entfernung x (in Kilometern) von der Quelle.
a) Skizzieren Sie verschiedene mögliche Graphen von h. Erläutern Sie die Bedeutung von h'.
b) Wie wirkt sich im Graphen ein Stausee, wie ein Wasserfall aus?
c) Was lässt sich über das Vorzeichen von h' aussagen? In welcher Einheit werden Funktionswerte von h' gemessen?

5 In einer Wetterstation wird die Aufzeichnung eines Niederschlagsmessers ausgewertet. Die Niederschlagsmenge, die auf 1 m² fällt, kann modelliert werden durch die Funktion N mit
$N(x) = \frac{1}{60}x^3 - \frac{1}{2}x^2 + 7x + 40$ mit $x \in [0; 24]$ in Stunden, $N(x)$ in $\frac{\text{Liter}}{\text{m}^2}$.

a) Wann hat es an diesem Tag geregnet? In welchem Zeitraum war der Niederschlag stark, wann schwach? Welche Niederschlagsmenge wurde im Lauf dieses Tages registriert?
b) Bestimmen Sie die Gleichung der Geraden durch den Anfangs- und Endpunkt der Niederschlagskurve und interpretieren Sie ihre Bedeutung in diesem Sachzusammenhang. Vergleichen Sie mit der momentanen Änderungsrate von N.
c) Welche Bedeutung haben die charakteristischen Punkte des Graphen in diesem Zusammenhang?

⊛ CAS
Optimaler Weg (1)

⊛ CAS
Optimaler Weg (2)

Wiederholen – Vertiefen – Vernetzen

Optimierung

⑩ CAS
Optimale Pipeline

6 Gegeben ist die Funktion f mit $f(x) = -\frac{1}{6}x^3 + x^2$ mit $x \in \mathbb{R}$.

a) Bestimmen Sie die charakteristischen Punkte des Graphen und zeichnen Sie ihn. An welcher Stelle hat der Graph die größte Steigung?

b) Bestimmen Sie die Gleichung der Wendetangente an den Graphen von f. Ermitteln Sie die Anzahl der Tangenten an den Graphen von f, die die Wendetangente senkrecht schneiden.

c) Die Parallele zur y-Achse durch den Punkt $Q(q \mid f(q))$ des Graphen von f schneidet die y-Achse im Punkt P. Für welche Koordinaten von Q wird der Flächeninhalt des Dreiecks OPQ maximal?

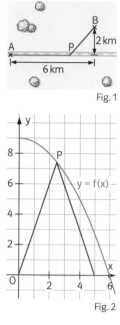

Fig. 1

7 Ein Mountainbiker will von A über P nach B (Fig. 1). Auf der geraden Straße zwischen A und P beträgt seine Geschwindigkeit $v = 30\frac{km}{h}$, im Gelände von P nach B kann er nur mit der halben Geschwindigkeit fahren. An welcher Stelle P soll der Mountainbiker ins Gelände abbiegen, damit die Fahrzeit minimal wird?

8 Gegeben ist die Funktion f mit $f(x) = 9 - 0,25x^2$ für $x \in [0; 6]$ (vgl. Fig. 2). Wählen Sie P so, dass das gleichschenklige Dreieck maximalen Flächeninhalt hat.

Ableitung als Grenzkosten

9 Eine Gemeinde nimmt Geld durch den Verkauf von Holz aus dem Gemeindewald ein.

a) Ein Sachverständiger berechnet für die gefällte Holzmenge x (in m³) die Gesamtkosten K mit $K(x) = 0,1x^2 + 30x + 5000$ mit $x \in [0; 600]$ in m³, K(x) in €. Bei einem Verkaufspreis von $90\frac{€}{m^3}$ berechnet er für die Gemeinde den maximalen Gewinn bei einem jährlichen Holzverkauf von 300 m³. Überprüfen Sie dies.

b) In Zukunft soll anhand einer Tabelle, die mithilfe der Funktion K erstellt wird, über den Holzverkauf entschieden werden. Überprüfen Sie die ersten drei Spalten der Tabelle.

c) Begründen Sie, dass die Ableitung der Kostenfunktion die Grenzkosten ergibt.

d) Erläutern Sie mithilfe der Grenzkostenfunktion die Werte in der vierten Tabellenspalte.

e) Begründen Sie, dass der maximale Gewinn sich ergibt, wenn die Grenzkosten gleich dem Verkaufspreis pro Kubikmeter sind.

Holzmenge (in m³)	Gesamtkosten (in €)	Durchschnittliche Kosten (in $\frac{€}{m^3}$)	Grenzkosten (in $\frac{€}{m^3}$)
200	15 000	75	
			80
300	23 000	77	
			100
400	33 000	83	
			120
500	45 000	90	
			140
600	59 000	98	

Fig. 2

Hier geben die **Grenzkosten** an, um welchen Betrag sich die Gesamtkosten erhöhen, wenn zusätzlich 1 m³ Holz verkauft wird.

⑩ CAS
Sicherheitsabstand

10 Ein Unternehmen stellt chirurgische Instrumente her. Dabei wird zur Kostenermittlung die Funktion K mit $K(x) = x^3 - 20x^2 + 150x + 200$ ($x \in [0; 25]$, K(x) in Euro) verwendet.

a) Stellen Sie den Graphen der Kostenfunktion in einem geeigneten Koordinatensystem dar.

b) Die Ableitung K' von K nennt man die Grenzkosten. Zeichnen Sie den Graphen von K' in das vorhandene Koordinatensystem. Welche anschauliche Bedeutung haben die Grenzkosten?

c) Geben Sie die Funktion D für die durchschnittlichen Herstellungskosten pro Stück an. Zeigen Sie, dass sich der Graph von D und K' im Tiefpunkt schneiden. Welche Bedeutung hat dies?

Zeit zu wiederholen

11 Skizzieren Sie die Graphen der folgenden Funktionen in einem geeigneten Intervall.

a) $f(x) = \sin(x)$ b) $g(x) = \cos(x)$ c) $h(x) = \sin(x) - 1$ d) $j(x) = \sin(x - \pi)$

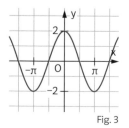

Fig. 3

12 Geben Sie für den Graphen in Fig. 3 Periode, Amplitude und eine Funktionsgleichung an.

Exkursion

„Licht läuft optimal"

Vermutlich standen Sie in einer fremden Stadt auch schon vor dem Problem, in möglichst kurzer Zeit einen anderen Ort erreichen zu müssen. Falls Sie kein mobiles GPS (Global Positioning System) besitzen, dürfte der folgende Lösungsansatz dem Ihren weitgehend ähnlich gewesen sein. Sie greifen zum Stadtplan (Fig. 1), suchen Start- und Zielpunkt und vergleichen zuerst verschiedene Wegstrecken hinsichtlich ihrer Länge. Berücksichtigen Sie zusätzlich noch „Fortbewegungswiderstände", wie z.B. Verkehrshindernisse, Staus usw., auf verschiedenen Abschnitten, so sind Sie mitten in einer Suche nach einem Extremwert – auf der Suche nach dem Weg mit der kürzesten Fahrzeit.

Fig. 1

Extremwertprobleme in der Natur

Ein Lichtstrahl, der schräg auf eine Wasserfläche fällt, wird in zwei Teile zerlegt. Ein Teil wird von der Oberfläche zurückgeworfen und heißt deshalb „reflektierter Strahl", der andere Teil dringt in das Wasser ein, ändert seine Ausbreitungsrichtung und wird „gebrochener Strahl" genannt (vgl. Fig. 2).
Die Gesetzmäßigkeit, nach der sich die Ausbreitungsrichtung des reflektierten Strahls bestimmen lässt, war bereits Euklid (etwa 300 v. Chr.) bekannt.

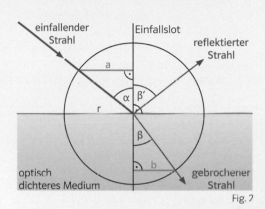

Fig. 2

Reflexionsgesetz
Der einfallende und der reflektierte Strahl liegen in einer Ebene und der Reflexionswinkel β' ist stets gleich dem Einfallswinkel α (Fig. 2).

Willebrordus Snellius
(1580–1626)

Das Snellius'sche Brechungsgesetz

Es dauerte schließlich bis ins Jahr 1618, als der niederländische Mathematiker und Physiker Willebrordus Snellius das Brechungsgesetz anhand durchgeführter Experimente entdeckte.
Beim Übergang des Lichtes von Luft in Wasser maß er für verschiedene Einfallswinkel α den zugehörigen Brechungswinkel β und stellte Folgendes fest: Trägt man in einem Einheitskreis jeweils die Winkel α und β zusammen mit ihren Gegenkatheten a und b ein, so erhält man für das Verhältnis der Gegenkatheten für jeden Einfallswinkel den gleichen Wert (vgl. Fig. 2).
Da die Gegenkatheten im Einheitskreis den Sinuswerten des zugehörigen Winkels entsprechen, erhält man als Ergebnis, dass $\frac{\sin(\alpha)}{\sin(\beta)}$ konstant ist.
Weiterführende Überlegungen zeigen, dass diese Konstante sich mit den Lichtgeschwindigkeiten in den beiden Stoffen berechnen lässt. Ist c_1 die Lichtgeschwindigkeit in der Luft und c_2 die im Wasser, so erhält man das

Brechungsgesetz: $\frac{\sin(\alpha)}{\sin(\beta)} = \frac{c_1}{c_2} = n$. n wird Brechungszahl genannt.

Das Verhältnis vom Sinus des Einfallswinkels zum Sinus des Brechungswinkels ist nur abhängig von den Lichtgeschwindigkeiten in beiden Stoffen, zwischen denen der Übergang stattfindet.

Lichtgeschwindigkeiten:
Vakuum: $c_0 = 300\,000\,\frac{km}{s}$
Luft: $c_1 = 299\,911\,\frac{km}{s}$
Wasser: $c_2 = 225\,000\,\frac{km}{s}$

Brechungszahl n für den Übergang von Luft in

Wasser	1,33
Eis	1,31
Diamant	2,42

Das Brechungsgesetz ist auch verantwortlich für Sinnestäuschungen beim Blick ins Wasser. Der Beobachter sieht in Fig. 3 die Pflanze bei Position b, obwohl sie sich bei Position a befindet. Das Gehirn geht ähnlich wie beim Blick in den Spiegel davon aus, dass sich das Licht geradlinig ausbreitet, und nicht davon, dass das Licht beim Übergang von Luft in Wasser gebrochen wird.

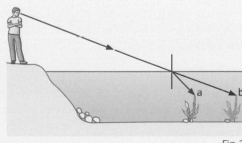

Fig. 3

Exkursion

Pierre de Fermat
(1607–1665)

Auf einem ganz anderen Weg leitete der französische Mathematiker und Jurist Pierre de Fermat das Brechungsgesetz her. Sein Ansatz war rein theoretischer Natur und beinhaltete die Berechnung des Extremwerts einer Funktion.

Er formulierte im Jahr 1657 das nach ihm benannte **Fermat'sche Prinzip**:

„Licht nimmt seinen Weg immer so, dass es ihn in der kürzesten Zeit zurücklegt."

In einem geeigneten Koordinatensystem ist $A(0|a)$ der Ausgangspunkt und $B(d|b)$ der Endpunkt des Lichtstrahls. Die x-Achse verläuft entlang der Wasseroberfläche (vgl. Fig. 1). Für einen Zusammenhang zwischen der zurückgelegten Strecke und der zugehörigen Laufzeit benötigt man die Lichtgeschwindigkeiten c_1 und c_2 in den beiden Medien. Die Gesamtlaufzeit $T(x)$, die der Lichtstrahl benötigt, um von A nach B zu gelangen, ergibt sich mithilfe des Satzes des Pythagoras:

$$T(x) = \frac{\overline{AX}}{c_1} + \frac{\overline{XB}}{c_2} = \frac{\sqrt{a^2 + x^2}}{c_1} + \frac{\sqrt{(d-x)^2 + (-b)^2}}{c_2} .$$

Die Minimalstelle dieser Funktion gibt die kürzeste Laufzeit des Lichtstrahls von A nach B an. Zur Berechnung bestimmt man die Ableitung der Funktion T mithilfe der Kettenregel (vgl. Kap. II):

$$T'(x) = \frac{2x}{c_1 \cdot 2\sqrt{a^2 + x^2}} + \frac{-2(d-x)}{c_2 \cdot 2\sqrt{(d-x)^2 + (-b)^2}} .$$

Aus $T'(x) = 0$ erhält man $\frac{x}{c_1 \cdot \overline{AX}} - \frac{d-x}{c_2 \cdot \overline{XB}} = 0$.

Berücksichtigt man, dass $\sin(\alpha_1) = \frac{x}{AX}$ und $\sin(\alpha_2) = \frac{d-x}{XB}$ ist, so gilt: $\frac{\sin(\alpha_1)}{c_1} = \frac{\sin(\alpha_2)}{c_2}$.

Da α und α_1 sowie β und α_2 jeweils Wechselwinkel an Parallelen sind, erhält man wieder das **Brechungsgesetz**:

$$\frac{\sin(\alpha)}{\sin(\beta)} = \frac{c_1}{c_2} .$$

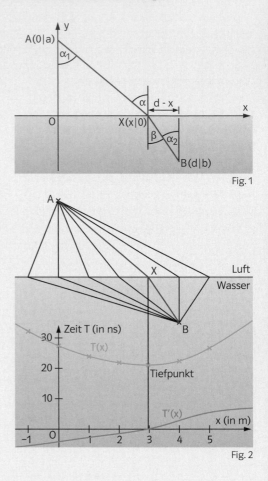

Fig. 1

Fig. 2

Dieses Fermat'sche Prinzip kann auch verwendet werden, um das Reflexionsgesetz nachzuweisen oder die Strahlengänge durch optische Linsen zu bestimmen.

Zum ersten Mal wurde hiermit in einer Naturwissenschaft ein Extremalprinzip zur Beschreibung eines physikalischen Phänomens verwendet. Der Erfolg dieser Betrachtungsweise hat in der Folgezeit viele Physiker inspiriert, diese Idee auch auf andere Bereiche zu übertragen. Eine Verallgemeinerung, das „Prinzip der stationären Wirkung", ist eines der fundamentalsten Prinzipien der Natur.

Fermat notierte neben seiner Vermutung: „Ich habe hierfür einen wahrhaft wunderbaren Beweis gefunden, doch ist der Rand hier zu schmal, um ihn zu fassen."

Der berühmteste mathematische Satz von Fermat ist die für mehr als 400 Jahre sogenannte „Fermat'sche Vermutung". Dieser Satz wurde erst im Jahr 1995 von Andrew Wiles und Richard Taylor bewiesen und heißt seither „Fermats letzter Satz" oder auch „Großer Fermat'scher Satz".

Exkursion in die Theorie

Monotonie, Extrem- und Wendestellen

Im Vorgehen zur Bestimmung von Eigenschaften einer differenzierbaren Funktion stand häufig die Anschauung im Vordergrund. Im Folgenden soll an ausgewählten Beispielen – ohne formale Beweise – untersucht werden, inwiefern die so gewonnenen Ergebnisse genaueren mathematischen Analysen standhalten.

Monotonie

Der Monotoniesatz lautet: Gilt für eine differenzierbare Funktion f in einem Intervall I, dass $f'(x) > 0$ für alle $x \in I$, dann ist f streng monoton wachsend in I.
Dieser Satz soll genauer untersucht werden.

1. Kann man auf strenge Monotonie von f schließen, wenn $f'(x) > 0$ für alle $x \in D_f$?

Als Beispiel soll das Monotonieverhalten der Funktion f mit $f(x) = -\frac{1}{x}$; $x \neq 0$ untersucht werden (vgl. Fig. 1). Einerseits zeigt der Graph von f, dass f nicht streng monoton steigend ist, andererseits ist $f'(x) = \frac{1}{x^2} > 0$ für alle $x \in D_f$.
Wie lässt sich dieser Widerspruch lösen?

Betrachtet man Intervalle I, in denen f definiert ist, z.B. $I = [-3; -1]$ oder $I = [1; 4]$, so erfüllt f alle Voraussetzungen des Monotoniesatzes und ist damit streng monoton wachsend in I.

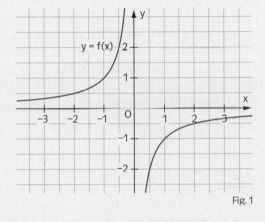

Fig. 1

Betrachtet man hingegen Intervalle, die die 0 enthalten, z.B. $[-2; 1]$, so ist f nicht im gesamten Intervall definiert; eine Voraussetzung des Monotoniesatzes ist also nicht erfüllt und es gilt nicht mehr für beliebige $x_1, x_2 \in [-2; 1]$ mit $x_1 < x_2$, dass immer $f(x_1) < f(x_2)$ ist.
Antwort: Man kann auf **strenge Monotonie** nur dann schließen, **wenn $f'(x) > 0$ ist für alle x aus einem Intervall I.**

2. Kann man auf strenge Monotonie von f schließen, wenn $f'(x_0) > 0$ an einer Stelle $x_0 \in D_f$ ist?

Dies würde bedeuten, dass aus $f'(x_0) > 0$ folgern würde, dass f in einer genügend kleinen Umgebung von x_0 streng monoton wachsend wäre.

Untersucht wird hierzu für $x_0 = 0$ die Funktion f mit $f(x) = \begin{cases} x + 2x^2 \sin\left(\frac{1}{x}\right) & \text{für } x \neq 0. \\ 0 & \text{für } x = 0. \end{cases}$

Den Graphen von f in unterschiedlichen Ausschnitten zeigen die Fig. 2 bis 4.

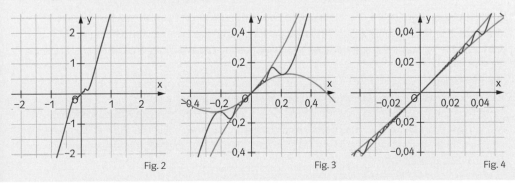

Fig. 2   Fig. 3   Fig. 4

Definition:
Eine Funktion f, die auf einem Intervall I definiert ist, heißt streng monoton wachsend, wenn für alle $x_1, x_2 \in I$ mit $x_1 < x_2$ folgt, dass $f(x_1) < f(x_2)$ ist.

Offensichtlich ist für alle $x < 0$ und für alle $x > 0$ die Funktion f streng monoton wachsend.

Exkursion in die Theorie

Die Differenzierbarkeit von f sowie die Tatsache, dass $f'(0) = 1$ ist, wird nicht formal bewiesen.

Fig. 2 auf Seite 49 zeigt, dass $|f(x)| \to \infty$ für $|x| \to \infty$. Betrachtet man die Umgebung des Ursprungs, so verläuft der Graph von f zwischen den Graphen von $y = x + 2x^2$ und $y = x - 2x^2$. Zudem zeigt er aber auch ein Oszillieren vergleichbar einer Sinusfunktion (Fig. 3 auf Seite 49). Dieses Oszillieren erfolgt in immer kleineren Abständen, je mehr man sich dem Ursprung nähert. Schließlich nähert sich der Graph von f oszillierend immer mehr dem Graphen von $y = x$ an (Fig. 4 auf Seite 49). Dies macht plausibel, dass für die Ableitung $f'(0) = 1$ gilt. Trotzdem ist aufgrund des Oszillierens die Funktion f in keiner Umgebung um den Ursprung streng monoton wachsend.

Antwort: Das Vorliegen von $f'(x_0) > 0$ **an einer Stelle x_0 genügt nicht**, dass f in einer **Umgebung von x_0 streng monoton wächst**.

Extremstellen

Beim Nachweis der lokalen Extremstellen einer differenzierbaren Funktion f im Inneren ihres Definitionsbereichs wird auf den Monotoniesatz zurückgegriffen:

1. Kriterium für innere Extremstellen: Ist $f'(x_0) = 0$ und wechselt f' beim Durchgang durch x_0 das Vorzeichen, dann besitzt f an der Stelle x_0 eine lokale Extremstelle.

Dieses Kriterium folgte unmittelbar aus der Anschauung (vgl. Fig. 1).

3. Ist dieses 1. Kriterium notwendig für das Vorliegen einer Extremstelle?

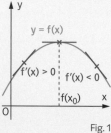

Fig. 1

Untersucht wird hierzu für $x_0 = 0$ die Funktion g mit $g(x) = \begin{cases} 2x^2 + x^2\sin\left(\frac{1}{x}\right) & \text{für } x \neq 0 \\ 0 & \text{für } x = 0. \end{cases}$

Die Differenzierbarkeit von g wird nicht nachgewiesen.

Es gilt: $g'(0) = 0$.

Der Graph von g verläuft parabelförmig zwischen den Graphen von $y = x^2$ und $y = 3x^2$ und oszilliert zwischen diesen Parabeln umso schneller, je mehr man sich dem Ursprung nähert (Fig. 2 und 3). In Fig. 4 ist zusätzlich zu erkennen, dass g an der Stelle $x_0 = 0$ ein lokales Minimum besitzt. Offensichtlich wechselt aber die Steigung und damit g' umso schneller seine Werte von positiv zu negativ, je mehr man sich dem Ursprung nähert. Es gibt also keine Umgebung links oder rechts von $x_0 = 0$, in der g' ein einheitliches Vorzeichen besitzt.

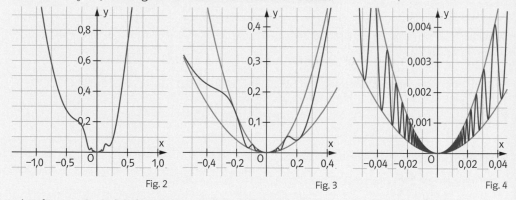

Fig. 2

Fig. 3

Fig. 4

g hat für $x_0 = 0$ ein lokales Minimum, ohne dass g' hier einen Vorzeichenwechsel besitzt.

Antwort: Das **1. Kriterium** für innere Extremstellen **reicht** zwar aus, um das Vorliegen einer **Extremstelle nachzuweisen**, es ist **aber nicht notwendig** für das Vorliegen einer Extremstelle.

Wendestellen

4. Sind Extremstellen der ersten Ableitung immer Wendestellen?

Untersucht man hierzu eine Funktion f, deren Ableitung die Funktion g (siehe oben) ist, also $f' = g$, so kann man nachweisen, dass dies nicht gilt.

Antwort: Jede Wendestelle von f ist lokale Extremstelle von f', aber nicht jede Extremstelle von f' ist auch Wendestelle von f.

Rückblick

Änderungsrate; Ableitung

Differenzenquotient einer Funktion f auf $[x_0; x_0 + h]$: $\frac{f(x_0 + h) - f(x_0)}{h}$.

Ableitung $f'(x_0) = \lim\limits_{h \to 0} \frac{f(x_0 + h) - f(x_0)}{h}$.

In Sachzusammenhängen wird die Ableitung auch als **momentane Änderungsrate** bezeichnet.

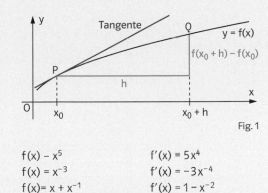

Fig. 1

Ableitungsregeln

Potenzregel:	$f(x) = x^r$ und $r \in \mathbb{R}$	$f'(x) = r \cdot x^{r-1}$
Summenregel:	$j(x) = f(x) + g(x)$	$j'(x) = f'(x) + g'(x)$
Faktorregel:	$h(x) = c \cdot f(x)$	$h'(x) = c \cdot f'(x)$

$f(x) = x^5$	$f'(x) = 5x^4$
$f(x) = x^{-3}$	$f'(x) = -3x^{-4}$
$f(x) = x + x^{-1}$	$f'(x) = 1 - x^{-2}$
$f(x) = \sqrt{x}$	$f'(x) = \frac{1}{2\sqrt{x}}$

Lokale und globale Extremstellen

1. f' und f'' werden bestimmt.
2. Es wird untersucht, für welche Stellen $f'(x_0) = 0$ gilt.
3. Gilt $f'(x_0) = 0$ und $f''(x_0) < 0$, so hat f an der Stelle x_0 ein lokales Maximum.

Gilt $f'(x_0) = 0$ und $f''(x_0) > 0$, so hat f an der Stelle x_0 ein lokales Minimum.

Gilt $f'(x_0) = 0$ und $f''(x_0) = 0$, so wendet man das VZW-Kriterium an: Hat f' in einer Umgebung von x_0 einen VZW von + nach –, so hat f an der Stelle x_0 ein lokales Maximum; hat f' in einer Umgebung von x_0 einen VZW von – nach +, so hat f an der Stelle x_0 ein lokales Minimum.

4. Randstellen werden extra untersucht.

Beispiel $f(x) = x^3 - 3x$

$f'(x) = 3x^2 - 3 = 3(x + 1)(x - 1)$; $f''(x) = 6x$

Aus $f'(x) = 0$ folgt: $x_1 = -1$; $x_2 = 1$.

$x_1 = -1$: $f''(-1) = -6 < 0$, also lokales Maximum mit $f(-1) = 2$.

$x_2 = 1$: $f''(1) = 6 > 0$, also lokales Minimum mit $f(1) = -2$.

Extrempunkte: $H(-1|2)$; $T(1|-2)$.

Für $x \to \infty$ gilt: $f(x) \to \infty$.

Für $x \to -\infty$ gilt: $f(x) \to -\infty$, es gibt keine weiteren Extremwerte.

Rechts- und Linkskurve

Ist f' streng monoton wachsend auf I, dann heißt der Graph von f auf I Linkskurve.

Ist f' streng monoton fallend auf I, dann heißt der Graph von f auf I Rechtskurve.

Wenn $f''(x) > 0$ in I ist, dann ist der Graph von f eine Linkskurve.

Wenn $f''(x) < 0$ in I ist, dann ist der Graph von f eine Rechtskurve.

$f'(x) = 3x^2 - 3$. Also ist f'(x) für $x > 0$ streng monoton wachsend. Der Graph von f ist eine Linkskurve.

$f''(x) = 6x < 0$ für $x < 0$; somit ist der Graph von f für $x < 0$ eine Rechtskurve.

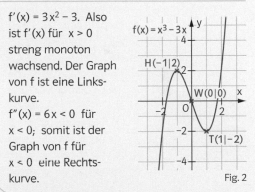

Fig. 2

Wendestellen

1. f', f'' und gegebenenfalls f''' werden bestimmt.
2. Es wird untersucht, für welche Stellen $f''(x_0) = 0$ gilt.
3. Gilt $f''(x_0) = 0$ und $f'''(x_0) \neq 0$.

Oder:

Gilt $f''(x_0) = 0$ und f'' hat in einer Umgebung von x_0 einen VZW, so hat f an der Stelle x_0 eine Wendestelle.

$f''(x) = 0$ liefert $x = 0$. Es ist $f'''(0) = 6 \neq 0$, somit ist $x_3 = 0$ Wendestelle.

Tangente

Die **Tangente** t an den Graphen von f in $P(u|f(u))$ ist die Gerade durch P mit der Steigung f'(u).

Sie kann bestimmt werden durch $y = f'(u) \cdot (x - u) + f(u)$.

$W(0|0)$; $f'(0) = -3$;

$t: y = -3 \cdot (x - 0) + 0 = -3x$.

Prüfungsvorbereitung ohne Hilfsmittel

1 Skizzieren Sie den Graphen von f. Bestimmen Sie die Extrem- und Wendepunkte.

a) $f(x) = x^2 - 1$ b) $f(x) = \frac{1}{x}$ c) $f(x) = 0{,}5\,x^3$ d) $f(x) = 2\sin(x); \ x \in [0; 2\pi]$

2 Bestimmen Sie die ersten beiden Ableitungen der Funktion f.

a) $f(x) = 3\,x^5 + 4\cos(x)$ b) $f(x) = 2\,x^4 + \sqrt{x} + 1$ c) $f(x) = \sqrt[3]{x} + 2\,x^{-1}$

3 Den Graphen der Ableitungsfunktion f′ einer Funktion f für $-3 \le x \le 6$ zeigt die Fig. 1. Entscheiden Sie in diesem Intervall bei jedem der folgenden Sätze, ob er richtig oder falsch ist, und begründen Sie Ihre Antwort.
a) Der Graph von f hat bei $x = -2$ einen Hochpunkt.
b) Der Graph von f hat für $-3 \le x \le 6$ genau zwei Wendepunkte.
c) Für die Funktionswerte an den Stellen 0 und 4 gilt $f(0) < f(4)$.
d) Für $x > 4$ ist der Graph von f streng monoton steigend.

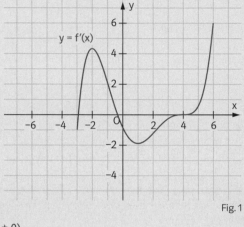

Fig. 1

4 Gegeben ist die Funktion f mit $f(x) = \frac{3}{x} + 3 \ (x \ne 0)$.
a) Bestimmen Sie die Gleichung der Tangente im Punkt $P(1\,|\,f(1))$.
b) In welchem Punkt S schneidet diese Tangente die x-Achse?

5 a) Zeigen Sie, dass der Graph der Funktion f mit $f(x) = x^4 - 4\,x^3$ im Ursprung einen Wendepunkt mit waagerechter Tangente besitzt.
b) Gegeben ist die Funktion g mit $g(x) = x^4 - 4\,x^3 + 2\,x$. Begründen Sie, dass ihr Graph ebenfalls den Wendepunkt $W(0\,|\,0)$ hat. Welche Steigung hat die Wendetangente im Ursprung?

Rechnen Sie in Aufgabe 6 mit $\pi \approx 3$.

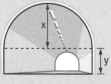

Fig. 2

6 Ein Tunnel hat die Form eines Rechtecks mit Halbkreis (Fig. 2). Die Querschnittsfläche sollte möglichst groß werden. Wegen der relativ teuren Auskleidung soll der Umfang nur $U = 28\,\text{m}$ betragen. Können Lkw mit einer Höhe von 4,1 m diesen Tunnel durchfahren?

7 Gegeben ist die Funktion f durch $f(x) = -\frac{1}{2}x^4 + 3\,x^2$.
a) Berechnen Sie Nullstellen und lokale Extremstellen von f und skizzieren Sie den Graphen.
b) Der Graph von f besitzt genau zwei Wendepunkte. Geben Sie die Gleichungen der Wendetangenten und den Schnittpunkt S der Wendetangenten an.

8 Skizzieren Sie einen möglichen Graphen der Funktion f mit den folgenden Eigenschaften. Welche weiteren charakteristischen Punkte besitzt der Graph von f?
a) f ist ganzrational vom Grad drei mit einem Minimum bei $x = 2$.
b) f ist ganzrational, der Graph ist symmetrisch zur y-Achse und besitzt drei Extrempunkte.

9 Sind die folgenden Aussagen zu einer Funktion f wahr oder falsch? Begründen Sie.
a) Wenn f in einem Intervall I streng monoton wächst, dann gilt $f''(x) > 0$ für alle $x \in I$.
b) Nur an Stellen mit $f'(x) = 0$ kann eine Funktion, die in einem Intervall $I = [a; b]$ differenzierbar ist, lokale Extremstellen besitzen.
c) Bei ganzrationalen Funktionen f mit der maximalen Definitionsmenge $\mathbb{R}$ sind die globalen Extremwerte immer unter den lokalen Extremwerten zu finden.

Prüfungsvorbereitung mit Hilfsmitteln

1 Bestimmen Sie die Gleichungen der Tangenten in den Wendepunkten.

a) $f(x) = x^3 - 6x^2 + 20$ b) $f(x) = \frac{1}{2}x^4 - x^3 + \frac{1}{2}$ c) $f(x) = x^5 - x + 1$

2 Gegeben ist die Funktion f durch $f(x) = x^2 - 2x - 6$. Welcher Punkt des Graphen von f hat den kleinsten Abstand vom Ursprung?

3 Gegeben ist die Funktion f. Wie muss $c \in \mathbb{R}$ gewählt werden, dass f keine, eine oder zwei Extremstellen besitzen kann? Sind immer alle drei Fälle möglich?

a) $f(x) = -x^3 + x^2 + cx$ b) $f(x) = -x^3 + cx^2 + x$

c) $f(x) = cx^3 + x^2 + x$ d) $f(x) = -x^3 + cx^2 + cx$

4 Von einer Glasscheibe der Länge 6 dm und Breite 4 dm ist eine Ecke abgebrochen, deren Rand näherungsweise durch f mit $f(x) = 4 - x^2$ beschrieben werden kann (Fig. 1). Wie würden Sie schneiden, wenn ein möglichst großes Rechteck, dessen eine Ecke auf dem abgebrochenen Rand liegt, aus dem Reststück entstehen soll?

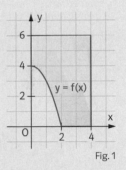

Fig. 1

5 Gegeben ist die Funktion f durch $f(x) = \frac{8x}{4x^2 + 1}$.

a) Zeichnen Sie den Graphen von f.

b) Zeigen Sie, dass es genau zwei Tangenten an den Graphen von f mit der Steigung 1 gibt.

c) Begründen Sie anhand des Graphen, dass es genau drei Tangenten an den Graphen von f gibt, die mit diesem keinen weiteren Punkt gemeinsam haben.

6 Gegeben ist die Funktion f durch $f(x) = \frac{1}{4}x^4$. Bestimmen Sie die Gleichung der Tangenten vom Punkt A (1|0) an den Graphen der Funktion f.

7 Fig. 2 zeigt den Querschnitt eines Kanals. Die y-Achse ist Symmetrieachse des Querschnitts. Eine der Böschungslinien kann durch die Funktion f mit $f(x) = \sqrt{x - 1}$ beschrieben werden. Eine Längeneinheit entspricht 1 m. Der Normalpegel beträgt 1,6 m, der maximale Pegel 2,0 m.

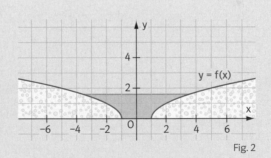

Fig. 2

a) Wie breit ist die Wasseroberfläche bei maximalem Pegel?

b) Von einem Punkt P (10|5) aus soll der Kanal überwacht werden. Untersuchen Sie, ob bei Normalpegel die gesamte Breite der Wasseroberfläche einsehbar ist.

c) Ein kritischer Pegel wird erreicht, wenn der Neigungswinkel der Böschungslinie gegenüber der Wasseroberfläche 165° überschreitet. Ermitteln Sie einen Näherungswert für diesen kritischen Pegel.

8 Ein Unternehmen produziert elektronische Großgeräte. Bei der Produktion von x Einheiten ergeben sich Kosten, die durch die Funktion K mit $K(x) = 2x^3 - 45x^2 + 380x + 70$ mit $x \in [0; 25]$; K(x) in 1000 € beschrieben werden können. Der Verkaufspreis für eine Mengeneinheit beträgt 150 000 €.

a) Zeigen Sie, dass K keine Extremstellen besitzt, und erläutern Sie, warum dies für eine Kostenfunktion typisch ist. Zeichnen Sie den Graphen der Kosten- und der Umsatzfunktion U in ein gemeinsames Koordinatensystem.

b) Bestimmen Sie anhand der Gewinnfunktion G mit $G(x) = U(x) - K(x)$ die Gewinnzone.

c) Die bisherige Produktion beträgt zehn Mengeneinheiten. Die Geschäftsleitung plant, die Produktion zu erhöhen. Ist dies sinnvoll? Welche Produktionsmenge würden Sie vorschlagen?

d) Wie ändert sich die Situation, wenn der Verkaufspreis auf 120 000 € sinkt?

Alte und neue Funktionen und ihre Ableitungen

Es gibt unendlich viele Funktionen, die man sich aus wenigen Grundfunktionen nach bestimmten Mustern entstanden denken kann.

Kennt man diese, so lassen sich daraus für die zusammengesetzten Funktionen Ableitungsregeln aufstellen.

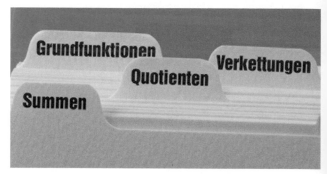

Die „Funktionenkartei": unendlich viele Kärtchen, endlich viele Register

$$f_t(x) = tx^3 - 3tx$$

$$f(x) = 2^x$$

$$f(x) = \frac{0{,}5 - 2x}{\cos(x)}$$

$$f_t(x) = -x^2 - tx$$

$$f(x) = \sqrt{x^2 - 1}$$

$$f(x) = \frac{1}{x}$$

$$f(x) = \frac{1}{3}e^{-3x}$$

$$f(x) = e^{7x}$$

$$f(x) = \frac{x}{e^x}$$

$$f(x) = \frac{1}{x^2} - 1$$

$$f(x) = x \cdot e^x$$

$$f(x) = \frac{x^2 + 1}{x - 2}$$

$$f(x) = \sin(2x + 1)$$

$$f(x) = 2\cos(1 - x)$$

$$f(x) = (2x - 3)^2$$

$$f(x) = 0{,}5^x - 2{,}5$$

$$f(x) = \frac{\sin(x)}{\cos(x)}$$

$$f(x) = \frac{e^{3x}}{x + 2}$$

$$f_t(x) = -x^2 - tx$$

Das kennen Sie schon

- Definition der Ableitung
- Ableitung von Grundfunktionen
- Ableitungsregeln, wie Summen- und Faktorregel

Länge eines Tages:
$$L(t) = 12 + 6{,}24 \sin\left(\tfrac{\pi}{6} t\right)$$

Form eines Tragseils
einer Hängebrücke:
$$f_c(x) = 2{,}5 \cdot (e^{cx} + e^{-cx})$$

Anzahl der erwarteten Besucher:
$$f(x) = 100 \cdot (x - 10) \cdot e^{-0{,}05x} + 10\,000$$

Zahl und
Maß

Modell und
Simulation

Daten und
Zufall

Muster und
Struktur

Beziehung und
Änderung

Form und
Raum

In diesem Kapitel

- werden Grundfunktionen zu neuen Funktionen zusammengesetzt.
- werden Funktionen in Grundfunktionen zerlegt.
- werden zusammengesetzte Funktionen abgeleitet.
- werden neue Funktionen eingeführt und untersucht.

1 Neue Funktionen aus alten Funktionen: Produkt, Quotient, Verkettung

Das vermutlich größte Thermometer der Welt steht in Baker im US-Bundesstaat Kalifornien, dem Tor zum Death Valley.
Es zeigt zum Zeitpunkt der Aufnahme eine Temperatur von 106° Fahrenheit an.

Für die Umrechnung einer Temperaturangabe von der Kelvin-Skala in die Celsius-Skala gilt die Vorschrift $c(k) = k - 273$.
Für die Umrechnung einer Temperaturangabe von der Celsius-Skala in die Fahrenheit-Skala gilt die Vorschrift $f(c) = 1{,}8c + 32$.
Damit kann man jede Temperaturangabe der Kelvin-Skala in zwei Schritten auch in Grad Fahrenheit umrechnen. Geht dies noch einfacher?

Aus zwei gegebenen Funktionen u und v kann man durch die vier Grundrechenarten Addition, Subtraktion, Multiplikation und Division neue Funktionen $u + v$; $u - v$; $u \cdot v$ und $\frac{u}{v}$ bilden.
Ist $u(x) = x^2 + 1$ und $v(x) = x - 2$, dann heißt die Funktion

$u + v$	mit $(u + v)(x) = u(x) + v(x) = x^2 + x - 1$	$(x \in \mathbb{R})$	**Summe** von u und v,
$u - v$	mit $(u - v)(x) = u(x) - v(x) = x^2 - x + 3$	$(x \in \mathbb{R})$	**Differenz** von u und v,
$u \cdot v$	mit $(u \cdot v)(x) = u(x) \cdot v(x) = (x^2 + 1) \cdot (x - 2)$	$(x \in \mathbb{R})$	**Produkt** von u und v,
$\frac{u}{v}$	mit $\left(\frac{u}{v}\right)(x) = \frac{u(x)}{v(x)} = \frac{x^2 + 1}{x - 2}$	$(x \in \mathbb{R} \setminus \{2\})$	**Quotient** von u und v.

Beim Quotienten muss $v(x) \neq 0$ sein.

Die Funktion f mit $f(x) = \sin(2x)$ lässt sich durch keine dieser vier Arten aus den Funktionen u mit $u(x) = \sin(x)$ und v mit $v(x) = 2x$ bilden. Man benötigt eine weitere Möglichkeit, aus vorhandenen Funktionen neue Funktionen zu erzeugen.
Dazu wendet man auf die Variable x zuerst die erste Zuordnungsvorschrift v „verdopple" an, danach auf das Zwischenergebnis $v(x)$ die zweite Vorschrift u „bilde den Sinus":

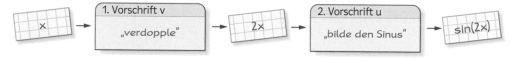

In der Funktion u wird die Variable x durch den Term $v(x)$ ersetzt. Die entstandene neue Funktion nennt man **Verkettung von u und v** und schreibt $u \circ v$ mit $u(v(x)) = \sin(2x)$.
v nennt man **innere Funktion** und u **äußere Funktion**. Wendet man auf die Variable x zuerst die Vorschrift u an und anschließend die Vorschrift v, so erhält man die Funktion $v \circ u$:

Es ist also $v \circ u$ mit $v(u(x)) = 2 \cdot \sin(x)$, dabei ist u die innere und v die äußere Funktion.
Die Funktionen $u \circ v$ und $v \circ u$ stimmen hier nicht überein.

Die Verkettung zweier Funktionen ist nicht kommutativ.

Für $u \circ v$ sagt man: „u nach v" oder „u verkettet mit v".

> **Definition:** Gegeben sind die Funktionen u und v.
> Die Funktion $u \circ v$ mit $(u \circ v)(x) = u(v(x))$ heißt Verkettung von u und v.
> Dabei wird im Funktionsterm der Funktion u jedes x durch $v(x)$ ersetzt.

Beispiel 1

a) Bilden Sie $u \circ v$ und $v \circ u$ für $u(x) = (1 - x)^2$ und $v(x) = 2x + 1$.

b) Bestimmen Sie für die Funktion f mit $f(x) = \frac{1}{(x + 3)^2}$ zwei Funktionen g und h mit $g \circ h = f$.

c) Schreiben Sie die Funktion k mit $k(x) = (3x + 1)^2$ als Summe, Produkt und als Verkettung zweier Funktionen.

■ **Lösung:** a) $u(v(x)) = (1 - v(x))^2 = (1 - (2x + 1))^2 = (-2x)^2 = 4x^2$. Somit ist $u(v(x)) = 4x^2$.
$v(u(x)) = 2u(x) + 1 = 2(1 - x)^2 + 1 = 2(1 - 2x + x^2) + 1 = 2x^2 - 4x + 3$.
Somit ist $v(u(x)) = 2x^2 - 4x + 3$.

b) 1. Möglichkeit: Mit $h(x) = x + 3$ und $g(x) = \frac{1}{x^2}$ ergibt sich $g(h(x)) = \frac{1}{(x + 3)^2}$.

2. Möglichkeit: Mit $h(x) = (x + 3)^2$ und $g(x) = \frac{1}{x}$ ergibt sich $g(h(x)) = \frac{1}{(x + 3)^2}$.

c) Summe: Es ist $k(x) = (3x + 1)^2 = 9x^2 + 6x + 1$. Mit $m(x) = 9x^2$ und $n(x) = 6x + 1$ ist $k(x) = m(x) + n(x)$.
Produkt: Es ist $k(x) = (3x + 1)^2 = (3x + 1) \cdot (3x + 1)$. Mit $p(x) = 3x + 1$ ist $k(x) = p(x) \cdot p(x)$.
Verkettung: Mit $q(x) = 3x + 1$ und $r(x) = x^2$ ist $k(x) = r(q(x))$.

> $u(v(x))$ bedeutet:
> In $u(x)$ wird für x der Term $v(x)$ eingesetzt.
> $v(u(x))$ bedeutet:
> In $v(x)$ wird für x der Term $u(x)$ eingesetzt.

Beispiel 2 Verkettung von Funktionen mit dem GTR

Gegeben sind die Funktionen u und v mit $u(x) = \sqrt{x}$ und $v(x) = x^2 - 1$.
Bei der Verkettung $Y_3 = u \circ v$ liefert der GTR folgende Anzeigen:

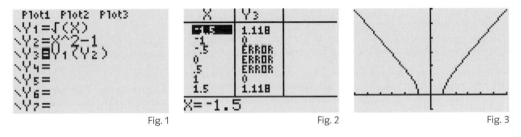

Fig. 1   Fig. 2   Fig. 3

a) Erläutern Sie, wie die Tabellenanzeige für $x = -1$ und $x = -0{,}5$ zustande kommt.

b) Erläutern Sie den Graphen von $u \circ v$ in Bezug auf die Definitionsmenge. Begründen Sie.

■ **Lösung:** a) Es ist $u(v(x)) = \sqrt{x^2 - 1}$. Damit erhält man $u(v(-1)) = \sqrt{(-1)^2 - 1} = 0$ und
$u(v(-0{,}5)) = \sqrt{(-0{,}5)^2 - 1} = \sqrt{-0{,}75}$. Da der Radikant negativ ist, kann die Wurzel nicht gezogen werden, das heißt, $u \circ v$ ist für $x = -0{,}5$ nicht definiert.

b) Für $-1 < x < 1$ gibt es keinen Graphen. Es ist $x^2 - 1 < 0$ für $-1 < x < 1$, also hat die Verkettung $u \circ v$ die Definitionsmenge $D = \mathbb{R} \setminus \{-1; 1\}$.

Aufgaben

1 Bilden Sie $u + v$; $u \cdot v$; $u \circ v$; $w \cdot v$ und $w \circ v$ für $u(x) = x^2$; $v(x) = x + 2$ und $w(x) = \sqrt{x}$.

2 a) Schreiben Sie die Funktion f mit $f(x) = (2x - 3)^2$ als eine Summe, ein Produkt bzw. eine Verkettung von zwei Funktionen.
b) Führen Sie dasselbe für die Funktion g mit $g(x) = 4\cos(3x)$ durch.

3 a) Bilden Sie $f(x) = u(v(x))$ und $g(x) = v(u(x))$ für $u(x) = x^2 + 1$ und $v(x) = \frac{1}{x - 1}$.
Zeichnen Sie die Graphen mit dem GTR.
b) Führen Sie die Verkettung mit dem GTR durch. Vergleichen Sie mit den Graphen aus Teilaufgabe a).

> Mit Zahlen fällt das Verketten am Anfang leichter.
> Bilden Sie $u(v(0))$, $v(u(0))$, $u(v(1))$, $v(u(1))$, $u(v(-2))$, $v(u(-2))$, wenn $u(x) = 1 - x$ und $v(x) = 2 + x^2$ ist.

4 Bilden Sie die Verkettungen $f(x) = u(v(x))$ und $g(x) = v(u(x))$.

a) $u(x) = 1 - x^2$; $v(x) = (1 - x)^2$ b) $u(x) = (x - 1)^2$; $v(x) = x + 1$ c) $u(x) = \sin(x)$; $v(x) = x + 1$

d) $u(x) = \sqrt{2x}$; $v(x) = x - 1$ e) $u(x) = \dfrac{1}{x + 1}$; $v(x) = \cos(x)$ f) $u(x) = 2 - x$; $v(x) = 1$

5 Es ist $f(x) = u(v(x))$. Vervollständigen Sie die Tabelle.

	$v(x)$	$u(x)$	$f(x)$
a)	x^3	$3x + 1$	
b)		x^2	$(x^2 + 1)^2$

	$v(x)$	$u(x)$	$f(x)$
c)	$x^2 - 4$		$\dfrac{1}{2(x^2 - 4)}$
d)		$2 \cdot \sqrt{x}$	$2\sqrt{3 - 0{,}5x}$

Ist der Funktionsterm $f(x)$ ein Wurzelterm, so ist die äußere Funktion eine Wurzelfunktion …

6 Die Funktion f kann als Verkettung $u \circ v$ aufgefasst werden. Nennen Sie Funktionen u und v.

a) $f(x) = \dfrac{1}{x^2 - 1}$ b) $f(x) = \dfrac{1}{x^2} - 1$ c) $f(x) = (\sin(x))^2$ d) $f(x) = \sin(x^2)$

e) $f(x) = \sqrt{x + 3}$ f) $f(x) = \sqrt{3x}$ g) $f(x) = 2^{x-3}$ h) $f(x) = 2^x - 3$

Zeit zu überprüfen

7 Gegeben sind die Funktionen u; v und w mit $u(x) = (x + 7)^3$; $v(x) = 2x$ und $w(x) = \sin(x^2 + 1)$.

a) Bilden Sie $u \circ v$; $v \circ u$; $u \cdot w$; $u \circ w$ und $w \circ v$.

b) Stellen Sie u als Verkettung, Produkt bzw. Summe von zwei geeigneten Funktionen dar.

8 a) Aus einem defekten Öltank läuft Öl aus. Dieses verursacht auf dem Boden einen runden Ölfleck, der sich ständig vergrößert. Geben Sie die verschmutzte Ölfläche in Abhängigkeit von der Zeit an, wenn sich der Radius pro Sekunde um 1,5 cm vergrößert.

b) Ein quadratisches Grundstück mit dem Flächeninhalt a (in m²) soll mit einem Zaun umgeben werden. Der Zaun kostet 80 € pro Meter. Geben Sie den Zaunpreis in Abhängigkeit von der Grundstücksfläche a an.

9 Gegeben sind die Graphen der Funktionen u und v (Fig. 1, Fig. 2).

a) Bestimmen Sie für $x_0 = 0$; 0,5; 1 näherungsweise $u(v(x_0))$ und $v(u(x_0))$.

b) Skizzieren Sie die Graphen der Funktionen $f = u \circ v$; $g = v \circ u$ und $k = u + v$.

c) Es ist $u(x) = -4(x - 0{,}5)^2 + 1$ und $v(x) = -x + 1$. Überprüfen Sie Ihre Skizzen aus Teilaufgabe b) mit dem GTR.

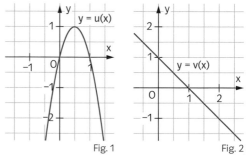

Fig. 1   Fig. 2

10 a) Bestimmen Sie eine Funktion u so, dass $f = u \circ v$ ist, falls $f(x) = (2x + 6)^3$ und $v(x) = 2x + 6$. Was verändert sich, wenn $v(x) = x + 3$ ist?

b) Stellen Sie die folgenden Funktionen auf zwei Weisen als Verkettung zweier Funktionen u und v dar: $f(x) = \dfrac{4}{(2x + 1)^2}$; $g(x) = (3x + 6)^2$; $h(x) = \sqrt{(x + 2)^3}$.

Was verändert sich, wenn $v(x) = c \cdot x$ ist?

11 Gegeben ist die Funktion v mit $v(x) = x - c$.

a) Bilden Sie $f \circ v$, wenn $f(x) = x^2$ ist. Skizzieren Sie die Graphen für $c = -1$ und $c = 1$.

b) Wählen Sie drei verschiedene Funktionen f. Bilden Sie $f \circ v$ und betrachten Sie die Graphen am GTR. Was fällt auf? Beschreiben Sie Ihre Beobachtung. Variieren Sie dabei auch c.

2 Kettenregel

Die Abbildung zeigt den Graphen der Funktion f mit $f(x) = (2x - 1)^4$ und den Graphen der zugehörigen Ableitungsfunktion f′ (rot gedruckt). Erstellen Sie diese Graphen und den Graphen der Funktion g mit $g(x) = 4(2x - 1)^3$ auf dem GTR. Verändern Sie mit dem GTR den Term g(x) so, dass der zugehörige Graph mit dem Graphen der Ableitungsfunktion f′ übereinstimmt.

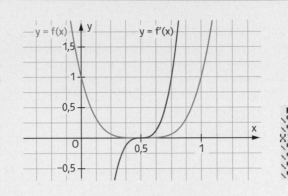

```
Plot1 Plot2 Plot3
\Y1冒(2X-1)^4
\Y2冒nDeriv(Y1,X,
X)
\Y3=
\Y4=
\Y5=
\Y6=
```

Für Summen und Differenzen von Funktionen kennt man bereits Ableitungsregeln.
Eine Verkettung wie $f(x) = \sin(3x)$ kann man mit den bekannten Ableitungsregeln nicht ableiten. Will man die Ableitung von f bestimmen, so muss man also den Differenzenquotienten von f untersuchen:

$$(*) \quad \frac{f(x_0 + h) - f(x_0)}{h} = \frac{\sin(3(x_0 + h)) - \sin(3x_0)}{h}.$$

Zunächst kennt man die Differenzenquotienten der äußeren Funktion u mit $u(x) = \sin(x)$ und der inneren Funktion v mit $v(x) = 3x$.

Es ist $\frac{u(v_0 + k) - u(v_0)}{k} = \frac{\sin(v_0 + k) - \sin(v_0)}{k}$ bzw. $\frac{v(x_0 + h) - v(x_0)}{h} = \frac{3 \cdot (x_0 + h) - 3x_0}{h} = 3$.

Wenn man die beiden bekannten Differenzenquotienten bei der Untersuchung von (*) verwenden will, muss man den Differenzenquotienten von f in (*) geschickt umformen, um ihn auf die Differenzenquotienten der äußeren und der inneren Funktion zurückzuführen. Dies gelingt, wenn man (*) mit 3 erweitert und anschließend geeignet umformt:

$$\frac{f(x_0 + h) - f(x_0)}{h} = \frac{\sin(3(x_0 + h)) - \sin(3x_0)}{h}$$

$$= \frac{\sin(3(x_0 + h)) - \sin(3x_0)}{h} \cdot \frac{3}{3} = \frac{\sin(3x_0 + 3h) - \sin(3x_0)}{3 \cdot h} \cdot 3$$

$$= \frac{\sin(v_0 + k) - \sin(v_0)}{k} \cdot 3 \quad \text{mit } v_0 = 3x_0 \text{ und } k = 3h.$$

Für $h \to 0$ geht auch $k \to 0$.
Somit ist $f'(x_0) = \lim\limits_{h \to 0} \frac{\sin(3(x_0 + h)) - \sin(3x_0)}{h} = \lim\limits_{k \to 0} \frac{\sin(v_0 + k) - \sin(v_0)}{k} \cdot 3$

$$= \cos(v_0) \cdot 3 = u'(v_0) \cdot v'(x_0).$$

Die Ableitung der Verkettung f ist hier gleich der Ableitung der äußeren Funktion u an der Stelle v_0, multipliziert mit der Ableitung der inneren Funktion v an der Stelle x_0.

Dieser Zusammenhang gilt allgemein, auch wenn die innere Funktion nicht linear ist.

Satz: Kettenregel
Ist $f = u \circ v$ eine Verkettung zweier differenzierbarer Funktionen u und v mit $f(x) = u(v(x))$, so ist auch f differenzierbar, und es gilt:
$f'(x) = u'(v(x)) \cdot v'(x)$.

Problem:
Der Differenzenquotient von f muss umgeformt werden.

Strategie:
1. Bekannte Differenzenquotienten notieren.
2. Differenzenquotient von f so umformen, dass bekannte Quotienten vorkommen.

Merkregel:
„äußere Ableitung"
mal
„innere Ableitung".

Beispiel Kettenregel

Leiten Sie ab und vereinfachen Sie das Ergebnis.

a) $f(x) = (5 - 3x)^4$ b) $f(x) = \dfrac{3}{2x^2 - 1}$ c) $f(x) = 3\sin(2x^3)$

▪ **Lösung:** a) f kann als Verkettung geschrieben werden:

Innere Funktion v mit $v(x) = 5 - 3x;$ Ableitung $v'(x) = -3.$

Äußere Funktion u mit $u(x) = x^4;$ Ableitung $u'(x) = 4x^3.$

Ableitung von f: $f'(x) = u'(v(x)) \cdot v'(x) = 4(5 - 3x)^3 \cdot (-3) = -12(5 - 3x)^3.$

b) Innere Funktion v mit $v(x) = 2x^2 - 1;$ Ableitung $v'(x) = 4x.$

Äußere Funktion u mit $u(x) = \dfrac{3}{x};$ Ableitung $u'(x) = \dfrac{-3}{x^2}.$

Ableitung von f: $f'(x) = u'(v(x)) \cdot v'(x) = -\dfrac{3}{(2x^2 - 1)^2} \cdot 4x = -\dfrac{12x}{(2x^2 - 1)^2}.$

c) $f'(x) = 3 \cdot \cos(2x^3) \cdot 6x^2 = 18x^2 \cdot \cos(2x^3)$

Aufgaben

1 Leiten Sie ab und vereinfachen Sie das Ergebnis.

a) $f(x) = (x + 2)^4$ b) $f(x) = (8x + 2)^3$ c) $f(x) = \left(\dfrac{1}{2} - 5x\right)^3$ d) $f(x) = \dfrac{1}{4}(x^2 - 5)^2$

e) $f(x) = (8x - 7)^{-1}$ f) $f(x) = (5 - x)^{-4}$ g) $f(x) = (15x - 3)^{-2}$ h) $f(x) = (15x - 3x^2)^{-2}$

◉ CAS

Innere Ableitung

2   a) $f(x) = \dfrac{1}{(x - 1)^2}$ b) $f(x) = \dfrac{1}{(3x - 1)^2}$ c) $f(x) = \dfrac{3}{(x - 1)^2}$ d) $f(x) = \dfrac{1}{3(x - 1)^2}$

e) $f(x) = \sin(2x)$ f) $f(x) = \sin(2x + \pi)$ g) $f(x) = 2\cos(1 - x)$ h) $f(x) = \sin(x^2)$

3   a) Ergänzen Sie.

$f(x) = 2\sin(4x);$ $f'(x) = \square\cos(4x);$ $g(x) = 0{,}5(1 - 3x)^4;$ $g'(x) = \square(1 - 3x)^{\triangle}$

b) Wo steckt der Fehler?

$f(x) = (5 - 2x)^4;$ $f'(x) = 4(5 - 2x)^3;$ $g(x) = 4\cos(1 - x);$ $g'(x) = -4\sin(1 - x)$

4 Leiten Sie ab und vereinfachen Sie das Ergebnis.

a) $f(x) = 0{,}25\sin(2x + \pi)$ b) $f(x) = \dfrac{2}{3}\sin(\pi - 3x)$ c) $f(x) = -\cos(x^2 + 1)$

d) $f(x) = \dfrac{1}{3}(\cos(x))^2$ e) $f(x) = \sqrt{3x}$ f) $f(x) = \sqrt{3 + x}$

g) $f(x) = \sqrt{7x - 5}$ h) $f(x) = \sqrt{7x^2 - 5}$ i) $f(x) = \dfrac{1}{\sin(x)}$

5 Gegeben ist die Funktion f mit $f(x) = \dfrac{1}{9}(3x + 2)^3.$

a) Welche Steigung hat der Graph im Punkt $P(2|f(2))$?

b) Besitzt der Graph Punkte mit waagerechter Tangente?

c) In welchen Punkten hat die Tangente an den Graphen die Steigung 1?

6 Es ist $f(x) = (0{,}5x - 1)^3$. Welcher der vier Graphen ist der Graph von f'?

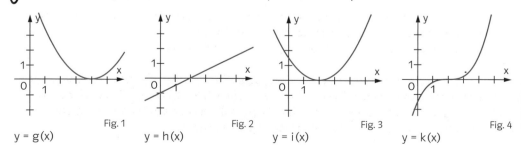

Fig. 1   Fig. 2   Fig. 3   Fig. 4

$y = g(x)$ $y = h(x)$ $y = i(x)$ $y = k(x)$

7 Leiten Sie ab und vereinfachen Sie das Ergebnis.

a) $f(x) = \left(\frac{1}{2}x + 5\right)^2$　　b) $f(x) = \frac{1}{2x - 3}$　　c) $f(x) = 3\cos(2x - 1)$　　d) $f(x) = \sqrt{1 - 2x}$

8 a) Welche Steigung hat der Graph von f mit $f(x) = (2x - 1)^3$ im Punkt $P(1|f(1))$?

b) In welchem Punkt hat der Graph von g mit $g(x) = \frac{1}{(x - 1)^2}$ die Steigung -2?

c) Hat der Graph von h mit $h(x) = \frac{1}{1 - x^2}$ Punkte mit waagerechter Tangente?

— schwer!

9 Gegeben sind die Graphen der beiden Funktionen u und v.

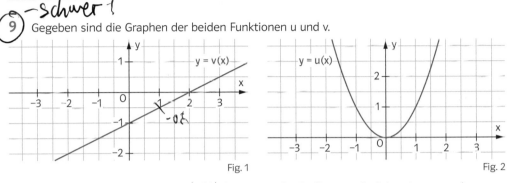

Fig. 1　　　　　　　Fig. 2

a) Die Ableitung von f mit $f(x) = u(v(x))$ kann an jeder Stelle x_0 grafisch bestimmt werden.

Es ist
$$f'(1) = u'(v(1)) \cdot v'(1)$$
$$= u'(-0,5) \cdot v'(1)$$
$$= -1 \cdot 0,5$$
$$= -0,5.$$

Erklären Sie den Gedankengang in Worten. Bestimmen Sie entsprechend $f'(0)$ und $f'(0,5)$.

b) Für $x \to +\infty$ geht $f'(x) \to +\infty$. Wie kann man das den beiden Graphen entnehmen?

c) Bestimmen Sie das Verhalten von $f'(x)$ für $x \to -\infty$.

10 Gegeben ist die Funktion f mit $f(x) = \frac{3}{1 + x^2}$; $x \in \mathbb{R}$.

a) Für welche $x \in \mathbb{R}$ ist f streng monoton abnehmend?

b) Untersuchen Sie die Funktion f auf Extremstellen.

c) Berechnen Sie $f'(1)$ und $f'(2)$. Skizzieren Sie den Graphen von f.

— schwer!

11 Leiten Sie ab und vereinfachen Sie das Ergebnis.

a) $f(x) = (ax^3 + 1)^2$　　b) $f(x) = \sin((ax)^2)$　　c) $f(x) = (\sin(ax))^2$　　d) $f(x) = \sin(ax^2)$

e) $f(x) = \frac{3a}{1 + x^2}$　　f) $f(x) = \sqrt{ax^2 - 3}$　　g) $f(a) = \sqrt{ax^2 - 3}$　　h) $g(x) = \sqrt{t^2x + 2t}$

Warum geht es hier auch ohne Kettenregel?
$f(x) = (3x + 5)^2$

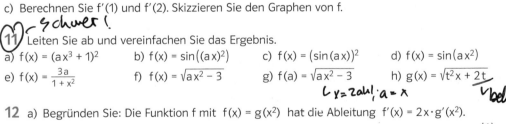

↳ $y = $ Zahl; $a = x$　　*↳ beliebige Zahl*

12 a) Begründen Sie: Die Funktion f mit $f(x) = g(x^2)$ hat die Ableitung $f'(x) = 2x \cdot g'(x^2)$.

b) Leiten Sie entsprechend wie in Teilaufgabe a) ab: $f_1(x) = g(3x)$; $f_2(x) = g(1 - x)$; $f_3(x) = g\left(\frac{1}{x}\right)$.

13 a) Der Graph von g wird um drei Einheiten nach rechts verschoben. Man erhält den Graphen von h. Beschreiben Sie h' geometrisch und rechnerisch.

b) Wie lautet $f'(x)$; $f''(x)$; $\dots$; $f^{(v)}(x)$ von $f(x) = \sin(3x)$? Wie lautet vermutlich $f^{(n)}(x)$?

— schwer!

14 Im Verlauf eines Jahres ändert sich die Tageslänge. Für die Stadt Stockholm kann sie modellhaft beschrieben werden durch eine Funktion L mit $L(t) = 12 + 6{,}24\sin\left(\frac{\pi}{6}t\right)$. Dabei ist t die Zeit in Monaten ab dem 21. März und L(t) die Tageslänge in Stunden. Wann ändert sich in Stockholm die Tageslänge am schnellsten? Wie groß ist die Tageslänge dann?

Die Tageslänge ist die Zeitdauer, während der die Sonne über dem Horizont steht.

3 Produktregel

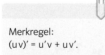

a) Die Funktion f mit $f(x) = x \cdot \sin(x)$ ist das Produkt der Funktionen u und v mit $u(x) = x$ und $v(x) = \sin(x)$. Zeigen Sie mithilfe des GTR, dass $f'(x)$ nicht mit $u'(x) \cdot v'(x)$ übereinstimmt.

b) Leiten Sie g mit $g(x) = x^5$ ab. Schreiben Sie g als Produkt zweier Funktionen w und z. Suchen Sie einen Zusammenhang zwischen w; z; w'; z' und g'.

Summen von Funktionen werden gliedweise abgeleitet. Für das Produkt zweier Funktionen gilt dies nicht, wie das Beispiel $f(x) = x^2 = x \cdot x$ zeigt. Es ist $f'(x) = 2x$; multipliziert man die Ableitungen der einzelnen Faktoren, so erhält man jedoch 1.

Will man die Ableitung eines Produkts $f = u \cdot v$ zweier Funktionen u und v bestimmen, deren Ableitung man kennt, so muss man den Differenzenquotienten von f auf die Differenzenquotienten von u und v zurückführen. Es ist

Problem:
Der Differenzenquotient von f muss umgeformt werden.
Idee:
1. Produkte interpretieren

$\boxed{u(x_0) \cdot v(x_0)}$

$\boxed{(u(x_0 + h) - u(x_0)) \cdot v(x_0)}$

$\boxed{u(x_0 + h) \cdot (v(x_0 + h) - v(x_0))}$

2. Differenzenquotienten von f so umformen, dass die bekannten Differenzenquotienten $\dfrac{u(x_0 + h) - u(x_0)}{h}$ und $\dfrac{v(x_0 + h) - v(x_0)}{h}$ vorkommen, da man deren Grenzwert kennt.

$$(*) \quad \frac{f(x_0 + h) - f(x_0)}{h} = \frac{u(x_0 + h) \cdot v(x_0 + h) - u(x_0) \cdot v(x_0)}{h}.$$

Deutet man die beiden Produkte im Zähler $u(x_0 + h) \cdot v(x_0 + h)$ und $u(x_0) \cdot v(x_0)$ als Flächeninhalte von Rechtecken mit den Seitenlängen $u(x_0 + h)$ und $v(x_0 + h)$ bzw. den Seitenlängen $u(x_0)$ und $v(x_0)$, so erhält man eine Idee für eine mögliche Umformung der Differenz $u(x_0 + h) \cdot v(x_0 + h) - u(x_0) \cdot v(x_0)$.

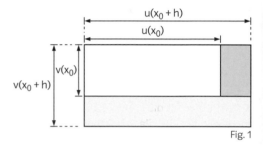

Fig. 1

Die Subtraktion der beiden Rechtecksflächen ergibt:
$u(x_0 + h) \cdot v(x_0 + h) - u(x_0) \cdot v(x_0) = (u(x_0 + h) - u(x_0)) \cdot v(x_0) + u(x_0 + h) \cdot (v(x_0 + h) - v(x_0))$.
Diese Umformung ist nicht nur anschaulich, sondern auch rechnerisch richtig, da lediglich das Produkt $u(x_0 + h) \cdot v(x_0)$ addiert und anschließend wieder subtrahiert wird.
Für den Differenzenquotienten (*) gilt damit:

$$\underbrace{\frac{f(x_0 + h) - f(x_0)}{h}}_{} = \underbrace{\frac{u(x_0 + h) - u(x_0)}{h}}_{} \cdot v(x_0) + u(x_0 + h) \cdot \underbrace{\frac{v(x_0 + h) - v(x_0)}{h}}_{}.$$

Für $h \to 0$ ist $f'(x_0) = \lim\limits_{h \to 0} \dfrac{f(x_0 + h) - f(x_0)}{h} = u'(x_0) \cdot v(x_0) + u(x_0) \cdot v'(x_0)$.

Merkregel:
$(uv)' = u'v + uv'$.

Satz: Produktregel
Sind die Funktionen u und v differenzierbar, so ist auch die Funktion $f = u \cdot v$ mit $f(x) = u(x) \cdot v(x)$ differenzierbar, und es gilt:
$$f'(x) = u'(x) \cdot v(x) + u(x) \cdot v'(x).$$

Beispiel 1 Produktregel
Bestimmen Sie die Ableitungen der Funktionen f und g mit $f(x) = (x^3 + 1) \cdot \cos(x)$ und $g(x) = 2\sqrt{x} \cdot (1 - x)$.

■ Lösung: f ist ein Produkt mit $u(x) = x^3 + 1$ und $v(x) = \cos(x)$, dabei ist $u'(x) = 3x^2$ und $v'(x) = -\sin(x)$.
$f'(x) = 3x^2 \cdot \cos(x) + (x^3 + 1) \cdot (-\sin(x)) = 3x^2 \cdot \cos(x) - (x^3 + 1) \cdot \sin(x)$.

g ist ein Produkt mit $u(x) = 2\sqrt{x}$ und $v(x) = 1 - x$, dabei ist $u'(x) = \frac{1}{\sqrt{x}}$ und $v'(x) = -1$.
$g'(x) = \frac{1}{\sqrt{x}} \cdot (1 - x) + 2\sqrt{x} \cdot (-1) = \frac{1 - x}{\sqrt{x}} - 2\sqrt{x}$.

Beispiel 2 Produktregel mit Kettenregel

Bestimmen Sie die Ableitung der Funktion f mit $f(x) = 5x \cdot (1-x)^2$.

■ Lösung: f ist ein Produkt mit $u(x) = 5x$ und $v(x) = (1-x)^2$, also $u'(x) = 5$ und $v'(x) = 2(1-x) \cdot (-1)$. Also ist $f'(x) = 5 \cdot (1-x)^2 + 5x \cdot (-2) \cdot (1-x) = 5 \cdot (1-x)^2 - 10x \cdot (1-x)$.

Aufgaben

1 Leiten Sie ab.

a) $f(x) = x \cdot \sin(x)$

b) $f(x) = 3x \cdot \cos(x)$

c) $f(x) = (3x+2) \cdot \sqrt{x}$

d) $f(x) = (2x-3) \cdot \sqrt{x}$

e) $f(x) = \sqrt{x} \cdot \cos(x)$

f) $f(x) = (5-3x) \cdot \sin(x)$

g) $f(x) = \frac{2}{x} \cdot \cos(x)$

h) $f(x) = \sin(x) \cdot \cos(x)$

i) $f(x) = x^2 \cdot \sin(x)$

j) $f(x) = \frac{1}{\sqrt{x}} \cdot \cos(x)$

k) $f(x) = \frac{\pi}{4} \cdot \sin(x) \cdot (2-x)$

l) $f(x) = \sqrt{3} \cdot \sqrt{x}$

Kontrollieren Sie zwischendurch einzelne Ableitungen mit dem GTR.

2 Leiten Sie mithilfe der Produkt- und der Kettenregel ab.

a) $f(x) = x \cdot \sin(3x)$

b) $f(x) = (3x+4)^2 \cdot \sin(x)$

c) $f(x) = x^{-1} \cdot (2x+3)$

d) $f(x) = (5-4x)^3 \cdot (1-4x)$

e) $f(x) = (5-4x)^3 \cdot x^{-2}$

f) $f(x) = 3x \cdot \cos(2x)$

g) $f(x) = 3x \cdot (\sin(x))^2$

h) $f(x) = (2x-1)^2 \cdot \sqrt{x}$

i) $f(x) = 0,5x^2 \cdot \sqrt{4-x}$

3 a) Wo steckt der Fehler? $f(x) = (2x-8) \cdot \sin(x)$; $f'(x) = 2 \cdot \cos(x)$

b) Ergänzen Sie: $g(x) = (2x-3) \cdot (8-x)^2$; $g'(x) = \square \cdot (8-x)^2 + (2x-3) \cdot \triangle$.

4 Gegeben ist die Funktion f mit $f(x) = (x-1) \cdot \sqrt{x}$.

a) Bestimmen Sie die Schnittpunkte des Graphen von f mit der x-Achse.

b) Welche Steigung hat die Tangente an den Graphen im Punkt $P(1|f(1))$?

c) In welchen Punkten hat der Graph von f waagerechte Tangenten?

d) Skizzieren Sie den Graphen von f und überprüfen Sie ihn mit dem GTR.

Zeit zu überprüfen

5 a) Leiten Sie ab:

$f(x) = (2x-3) \cdot \cos(x)$; $g(x) = x \cdot (1-x)^2$; $h(x) = (2x-3)^3 \cdot 3x$; $i(x) = \frac{1}{x} \cdot \sin(x)$.

b) In welchen Punkten hat der Graph von g waagerechte Tangenten?

c) Bestimmen Sie die Schnittpunkte des Graphen von h mit der x-Achse. Welche Steigung haben die Tangenten an den Graphen von h in diesen Punkten?

6 Bestimmen Sie $f'(x)$ und $f''(x)$ für $f(x) = x^2 \cdot g(x)$; $f(x) = x \cdot g'(x)$ bzw. $f(x) = g(x) \cdot g'(x)$.

7 Berechnen Sie die Ableitung mit und ohne Produktregel.

a) $f(x) = (5-x)^3$

b) $g(x) = 3x \cdot (0,5x+1)^2$

c) $h(x) = x \cdot \sqrt{1-x}$

d) $i(x) = (1-x) \cdot \sqrt{x}$

Welchen Rechenweg halten Sie jeweils für den günstigeren?

8 a) Hans hat beim Ableiten folgenden Term erhalten: $f'(x) = 2\sin(0,5x) + x \cdot \cos(0,5x)$. Welche Funktionen könnte er abgeleitet haben?

b) Für zwei Funktionen g und h ist $(g+h)' = g' + h'$. In einem Lehrbuch findet man bei der Produktregel die Anmerkung: $(g \cdot h)' \neq g' \cdot h'$. Gilt dies für alle Funktionen g und h?

c) Es ist $f_1(x) = (x-1)(x-2)$; $f_2(x) = (x-1)(x-2)(x-3)$ usw. Bilden Sie f_1'; f_2' usw. Beschreiben Sie den Zusammenhang zwischen den Ableitungen. Verallgemeinern Sie für n Faktoren.

9 Der Graph der Funktion f berührt die x-Achse im Punkt $P(2|0)$.

Zeigen Sie, dass der Graph von g mit $g(x) = x \cdot f(x)$ ebenfalls die x-Achse im Punkt P berührt.

Veranschaulichen Sie diesen Zusammenhang an einem Beispiel.

4 Quotientenregel

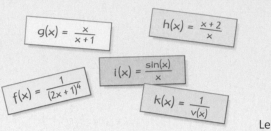

$$g(x) = \frac{x}{x+1}$$

$$h(x) = \frac{x+2}{x}$$

$$i(x) = \frac{\sin(x)}{x}$$

$$f(x) = \frac{1}{(2x+1)^4}$$

$$k(x) = \frac{1}{v(x)}$$

Leiten Sie die Quotienten ab.

Idee:
Mithilfe von bekannten Regeln neue Regeln herleiten.

Um Quotienten von Funktionen ableiten zu können, fasst man $f = \frac{u}{v}$ als Produkt zweier Funktionen auf mit $f(x) = \frac{u(x)}{v(x)} = u(x) \cdot \frac{1}{v(x)}$. Auf diese Weise kann man f nach bekannten Ableitungsregeln ableiten. Die Funktion k mit $k(x) = \frac{1}{v(x)} = v^{-1}(x)$ hat nach der Kettenregel die Ableitung $k'(x) = -1 \cdot v^{-2}(x) \cdot v'(x) = -\frac{v'(x)}{v^2(x)}$.

Mithilfe der Produktregel ergibt sich dann für $f(x) = u(x) \cdot \frac{1}{v(x)}$:

$$f'(x) = u'(x) \cdot \frac{1}{v(x)} + u(x) \cdot \left(-\frac{v'(x)}{v^2(x)}\right) = \frac{u'(x) \cdot v(x) - u(x) \cdot v'(x)}{v^2(x)}.$$

Merkregel:
$$\left(\frac{u}{v}\right)' = \frac{u' \cdot v - u \cdot v'}{v^2}.$$

CAS
Produkt- und Quotientenregel

Satz: Quotientenregel

Sind die Funktionen u und v differenzierbar, so ist auch die Funktion $f = \frac{u}{v}$ mit $f(x) = \frac{u(x)}{v(x)}$ differenzierbar, und es gilt:

$$f'(x) = \frac{u'(x) \cdot v(x) - u(x) \cdot v'(x)}{v^2(x)} \quad \text{mit } v(x) \neq 0.$$

Beispiel

Bestimmen Sie die Ableitung von f.

a) $f(x) = \frac{2x}{1-x}$

b) $f(x) = \frac{x-1}{(3-x)^2}$

■ Lösung: a) Mit $u(x) = 2x$ und $v(x) = 1 - x$ ist $u'(x) = 2$ und $v'(x) = -1$.
Zuerst u(x) und v(x) ableiten, dann Quotientenregel anwenden.

Mit der Quotientenregel gilt: $f'(x) = \frac{2(1-x) - 2x \cdot (-1)}{(1-x)^2} = \frac{2}{(1-x)^2}$.

Achtung:
Prüfen Sie, ob u oder v eine Verkettung ist!

b) Mit $u(x) = x - 1$ und $v(x) = (3-x)^2$ ist $u'(x) = 1$ und $v'(x) = 2(3-x) \cdot (-1) = -2(3-x)$.
Mit der Quotientenregel erhält man:

$$f'(x) = \frac{1 \cdot (3-x)^2 - (x-1)(-2)(3-x)}{(3-x)^4} = \frac{(3-x)^2 + 2(x-1)(3-x)}{(3-x)^4} = \frac{(3-x)((3-x) + 2(x-1))}{(3-x)^4}$$

$$= \frac{(3-x) + 2(x-1)}{(3-x)^3} = \frac{3-x+2x-2}{(3-x)^3} = \frac{x+1}{(3-x)^3}.$$

Aufgaben

Wo steckt der Fehler?
$$f(x) = \frac{3x}{2x+1}$$
$$f'(x) = \frac{3(2x+1) + 3x \cdot 2}{(2x+1)^2}$$

1 Leiten Sie ab und vereinfachen Sie.

a) $f(x) = \frac{5x}{x+1}$

b) $f(x) = \frac{2x}{1+3x}$

c) $f(x) = \frac{1-x}{x+2}$

d) $f(x) = \frac{\sin(x)}{2x-1}$

e) $f(x) = \frac{x+1}{x-1}$

f) $f(x) = \frac{x^2}{8-x}$

g) $f(x) = \frac{0{,}5 - 2x}{\cos(x)}$

h) $f(x) = \frac{\frac{1}{2}x^2}{1 - \sin(x)}$

2 a) $f(x) = \dfrac{1 - x^2}{3x + 5}$ b) $g(x) = \dfrac{\sqrt{x}}{x + 2}$ c) $h(x) = \dfrac{3\sin(x)}{6x - 1}$ d) $k(x) = \dfrac{\sin(x)}{\cos(x)}$

3 a) $l(x) = \dfrac{x^2 - 1}{(x + 4)^2}$ b) $m(x) = \dfrac{\sin(3x)}{x - 1}$ c) $n(x) = \dfrac{\cos(2x - 1)}{x^2}$ d) $p(x) = \dfrac{\sqrt{2x - 3}}{2x}$

4 Leiten Sie ohne Verwendung der Quotientenregel ab.

a) $f(x) = \dfrac{3}{5 - 2x}$ b) $f(x) = \dfrac{1}{(x^2 - 1)^3}$ c) $f(x) = \dfrac{x - 2x^2}{x^3}$ d) $f(x) = \dfrac{6x^2 + x - 3}{3x}$

Oft ist es nützlich, die Quotientenregel zu vermeiden.

5 a) An welcher Stelle hat die Ableitung der Funktion f mit $f(x) = \dfrac{x + 3}{2x}$ den Wert $-0{,}5$?

b) Geben Sie die Gleichung der Tangente im Punkt $P(1 \mid g(1))$ an für $g(x) = \dfrac{x}{x + 1}$.

c) An welchen Stellen stimmen die Funktionswerte der Ableitungen von h mit $h(x) = x^2$ und m mit $m(x) = -\dfrac{1}{x^2}$ überein? Was bedeutet dies geometrisch? Erläutern Sie anhand einer Skizze.

6 Berechnen Sie die Funktionswerte und die Ableitung der Funktion f mit $f(x) = \dfrac{4 - x}{2 - x}$ an den Stellen -2; 0; $1{,}5$; $2{,}5$; 6. Skizzieren Sie den Graphen von f mithilfe der berechneten Punkte und den zugehörigen Tangenten. Kontrollieren Sie mit dem GTR.

Zeit zu überprüfen ────────────────────────────

7 Leiten Sie ab: $f(x) = \dfrac{3x}{4x + 1}$; $g(x) = \dfrac{1}{(2 - x)^2}$; $h(x) = \dfrac{2x}{\sin(x)}$; $k(x) = \dfrac{2x^2 - 3x}{2x^4}$.

8 a) Wo hat der Graph von f mit $f(x) = \dfrac{0{,}5x^2}{x + 1}$ Punkte mit waagerechter Tangente?

b) Geben Sie eine Gleichung der Tangente im Punkt $P(2 \mid g(2))$ für $g(x) = \dfrac{2x}{x - 1}$ an.

c) Wo hat die Ableitung der Funktion h mit $h(x) = \dfrac{1 - x^2}{x}$ den Wert -5?

────────────────────────────

9 Die Funktion f mit $f(t) = \dfrac{2000t + 200}{t + 1}$; $t \geq 0$, beschreibt modellhaft die Entwicklung eines Tierbestands auf einer Insel (t: Zeit in Jahren seit Beobachtungsbeginn, f(t): Anzahl der Tiere). Bestimmen Sie die anfängliche momentane Änderungsrate m_0 des Bestands. Wann hat die momentane Änderungsrate auf 10 % von m_0 abgenommen?

Der Bestand wächst, obwohl die momentane Änderungsrate abnimmt. Kann das sein?

10 Die Konzentration eines Medikaments im Blut eines Patienten wird durch die Funktion K mit $K(t) = \dfrac{0{,}16t}{(t + 2)^2}$ beschrieben $\left(\text{t: Zeit in Stunden seit der Medikamenteneinnahme, } K(t) \text{ in } \dfrac{mg}{cm^3}\right)$.

a) Berechnen Sie die anfängliche momentane Änderungsrate der Konzentration und vergleichen Sie diese mit der mittleren Änderungsrate in den ersten sechs Minuten.

b) Zu welchem Zeitpunkt ist die Konzentration am höchsten? Wie groß ist die maximale Konzentration? Wann ist die Konzentration auf die Hälfte des Maximalwertes gesunken?

11 a) Gegeben sind die Funktionen f und g mit $f(x) = x^2 + 1$ und $g(x) = \dfrac{1}{x^2 + 1}$.

Zeigen Sie, dass beide Graphen im Punkt $P(0 \mid 1)$ eine waagerechte Tangente haben.

b) Zeigen Sie: Wenn der Graph einer Funktion h $(h(x) \neq 0)$ im Punkt $P(0 \mid 1)$ eine waagerechte Tangente hat, dann hat auch der Graph von k mit $k(x) = \dfrac{1}{h(x)}$ im Punkt $Q(0 \mid k(0))$ eine waagerechte Tangente.

c) Wahr oder falsch? Begründen Sie.

Wenn der Graph einer Funktion h $(h(x) \neq 0)$ im Punkt $P(0 \mid 1)$ eine waagerechte Tangente hat, dann hat auch der Graph der Funktion m mit $m(x) = \dfrac{x}{h(x)}$ im Punkt $Q(0 \mid m(0))$ eine waagerechte Tangente.

5 Die natürliche Exponentialfunktion und ihre Ableitung

GTR-Hinweise
735301-0661

CAS
Einführung
von e, Graphen
der Exponen-
tialfunktionen

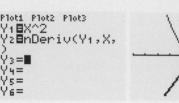

Gibt es Funktionen, die mit ihrer Ableitungsfunktion übereinstimmen? Untersuchen Sie
dazu verschiedene Funktionen (siehe links).
Skizzieren Sie, wie der Graph einer solchen
Funktion, die mit ihrer Ableitungsfunktion
übereinstimmt, verlaufen müsste.

Bisher sind die Ableitungen von Grundfunktionen wie Potenzfunktionen oder trigonometrischen
Funktionen bekannt. Für Exponentialfunktionen wie $f(x) = 2^x$ oder $f(x) = 2{,}5^x$ ist noch keine
Ableitung bekannt.

Untersucht man die Ableitung von f mit
$f(x) = 2^x$ mit dem GTR, so erkennt man, dass
hier f und f' proportional sind.
Der Proportionalitätsfaktor ist ungefähr
0,693 15 (siehe Tabelle).
Um dies zu begründen, muss man den Differenzenquotienten von f bestimmen:

x	f(x)	f'(x)	f'(x)/f(x)
0	1	0,693 15	0,693 15
1	2	1,3863	0,693 15
2	4	2,7726	0,693 15
3	8	5,5452	0,693 15
4	16	11,0904	0,693 15

$$\frac{f(x_0 + h) - f(x_0)}{h} = \frac{2^{x_0+h} - 2^{x_0}}{h} = \frac{2^{x_0} \cdot 2^h - 2^{x_0}}{h}$$

$$= 2^{x_0} \cdot \frac{2^h - 1}{h}.$$

Für die Ableitung von f ergibt sich somit

$$f'(x_0) = \lim_{h \to 0}\left(2^{x_0} \cdot \frac{2^h - 1}{h}\right) = 2^{x_0} \cdot \lim_{h \to 0}\frac{2^h - 1}{h} = f(x_0) \cdot \lim_{h \to 0}\frac{2^h - 1}{h}.$$

Wegen $f(0) = 2^0 = 1$ gilt: $f'(0) = \lim_{h \to 0}\frac{2^h - 1}{h}$. Also gilt $f'(x) = f'(0) \cdot f(x)$ und f und f' sind pro-
portional.
Für $g(x) = 3^x$ ergibt sich entsprechend $g'(x) = g'(0) \cdot g(x)$ mit $g'(0) \approx 1{,}0986$.
Für die Basis 2 ist der Proportionalitätsfaktor also kleiner als 1, für die Basis 3 ist er größer als 1.
Es ist zu vermuten, dass es zwischen 2 und 3 eine Basis a gibt, sodass für $f(x) = a^x$ der Proportionalitätsfaktor f'(0) genau 1 ist. Dann ist $f'(x) = f(x)$ und die Funktion f stimmt mit ihrer Ableitungsfunktion f' überein.
Man berechnet für verschiedene Basen a den Wert der Ableitung f'(0)
(siehe Fig. 1). Durch Probieren findet man heraus, dass sich für
a = 2,718 annähernd f'(0) = 1 ergibt. Dann stimmt f mit ihrer Ableitung annähernd überein.

Fig. 1

Eine weitere Möglichkeit,
die Zahl e als Grenzwert
zu erhalten, findet sich in
Kapitel V (Seite 181).

Definition: Die positive Zahl a, für die die Exponentialfunktion f mit $f(x) = a^x$ mit ihrer
Ableitungsfunktion f' übereinstimmt, heißt **Euler'sche Zahl e**. Es ist $e \approx 2{,}718\,28$. Die zuge-
hörige Exponentialfunktion f mit $\mathbf{f(x) = e^x}$ heißt **natürliche Exponentialfunktion**.
Für $f(x) = e^x$ gilt $f'(x) = e^x$.

Für zusammengesetzte Funktionen wie $f(x) = e^{4x}$ kann man die Ableitung mit der Kettenregel
bestimmen. Man betrachtet u mit $u(x) = e^x$ als äußere, v mit $v(x) = 4x$ als innere Funktion.
Dann ergibt sich $f'(x) = u'(v(x)) \cdot v'(x) = e^{4x} \cdot 4$.
Exponentialfunktionen mit anderer Basis als e können noch nicht abgeleitet werden.

In Fig. 1 ist der Graph der Funktion f mit $f(x) = e^x$ dargestellt. Da $f'(x) = e^x > 0$ ist, ist f auf ganz $\mathbb{R}$ streng monoton wachsend. Der Graph von f hat keine Hoch- und Tiefpunkte, denn die notwendige Bedingung $f'(x) = 0$ ist nicht erfüllbar.

Es ist auch $f''(x) = e^x$. Also hat der Graph von f auch keine Wendepunkte, denn die Bedingung $f''(x) = 0$ ist nicht erfüllbar.

Da $f''(x) = e^x > 0$ ist, ist der Graph von f auf ganz $\mathbb{R}$ eine Linkskurve.

Für $x \to -\infty$ nähern sich die Funktionswerte $f(x)$ der Zahl 0 an.

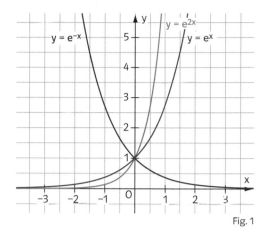
Fig. 1

Beispiel Ableitungen

Bestimmen Sie die Ableitung der Funktion f.

a) $f(x) = 5 \cdot e^{-2x}$ b) $f(x) = 3 x e^x$

■ Lösung: a) $f'(x) = 5 \cdot (-2) \cdot e^{-2x} = -10 \cdot e^{-2x}$ *(Kettenregel)*

b) $f'(x) = 3 e^x + 3 x e^x = (1 + x) 3 e^x$ *(Produktregel)*

Aufgaben

1 Bestimmen Sie die Ableitung.

a) $f(x) = 2 + e^x$ b) $f(x) = e^{2x}$ c) $f(x) = e^{7x}$ d) $f(x) = 2x + e^x$

e) $f(x) = 4 \cdot e^{3x}$ f) $f(x) = 0{,}5 \cdot e^{4x}$ g) $f(x) = 2 \cdot e^{x+1}$ h) $f(x) = \frac{1}{3} \cdot e^{-3x}$

i) $f(x) = x^2 + e^{0{,}5x}$ j) $f(x) = -0{,}4 \cdot e^{-5x}$ k) $f(x) = 3 e^{2x+1}$ l) $f(x) = 5 e^{-3x-2}$

2 a) Skizzieren Sie die Graphen der Funktionen f_1; f_2; f_3; f_4 mit $f_1(x) = e^x$; $f_2(x) = e^x + 1$; $f_3(x) = -e^x$ und $f_4(x) = e^{x-2}$.

b) Beschreiben Sie, wie die Graphen von f_2; f_3; f_4 aus dem Graphen der natürlichen Exponentialfunktion f_1 entstehen.

3 Leiten Sie ab.

a) $f(x) = x e^x$ b) $f(x) = \frac{e^x}{x}$ c) $f(x) = \frac{x}{e^x}$ d) $f(x) = (x + 1) e^x$

e) $f(x) = \frac{x}{e^{-0{,}5x}}$ f) $f(x) = \frac{e^x + 1}{x}$ g) $f(x) = \frac{e^x}{x - 1}$ h) $f(x) = \frac{e^{3x}}{x + 2}$

i) $f(x) = x^2 + x e^{0{,}1x}$ j) $f(x) = x \cdot e^{-2x+1}$ k) $f(x) = x^2 \cdot e^{ax}$ l) $f(x) = x \cdot e^{2x^2 + 1}$

4 a) Skizzieren Sie den Graphen der Funktionen f mit $f(x) = e^{2x}$.

b) Untersuchen Sie den Graphen von f aus Teilaufgabe a) auf Hoch-, Tief- und Wendepunkte.

c) Bestimmen Sie die Gleichungen der Tangenten an den Graphen von f aus a) in den Punkten $A(1 | e^2)$ und $B(0 | 1)$.

5 Für welche der folgenden Funktionen f stimmt f mit ihrer Ableitung f' überein? Finden Sie drei weitere Funktionen, für die das der Fall ist.

a) $f(x) = 3 e^x$ b) $f(x) = 2 e^{x+3}$ c) $f(x) = 1{,}5 e^{x+3} - 2 e^{x-2}$ d) $f(x) = 2 e^{-x}$

> Tangentengleichung im Punkt $P(u | f(u))$:
> $y = f'(u)(x - u) + f(u)$.

6 a) Bestimmen Sie die Gleichungen der Tangenten an den Graphen der natürlichen Exponentialfunktion in den Punkten $A(1 | e)$ und $B(-1 | e^{-1})$.

b) In welchen Punkten schneiden die Tangenten aus Teilaufgabe a) die x- und y-Achse?

7 Leiten Sie ab.

a) $f(x) = -2e^{3x}$

b) $f(x) = 3x + e^{-2x}$

c) $f(x) = xe^{0,3x}$

d) $f(x) = \dfrac{e^{4x}}{x-1}$

8 In welchem Punkt schneidet die Tangente, die den Graphen der natürlichen Exponential-funktion im Punkt $P(2\,|\,e^2)$ berührt, die x-Achse?

9 Bestimmen Sie die Extrempunkte des Graphen der Funktion f.

a) $f(x) = e^x + e^{-x}$

b) $f(x) = -x + e^x$

c) $f(x) = x \cdot e^x$

d) $f(x) = x^2 \cdot e^{0,5x}$

10 Bestimmen Sie für die Funktion f die erste, zweite und dritte Ableitung. Stellen Sie eine Vermutung für die n-te Ableitung auf.

a) $f(x) = e^{2x}$

b) $f(x) = e^{-x}$

c) $f(x) = xe^x$

d) $f(x) = \dfrac{x}{e^x}$

11 a) Erstellen Sie eine Wertetabelle für die Funktionen f und g mit $f(x) = e^x$ und $g(x) = e^{-x}$ ($-5 \le x \le 5$). Zeichnen Sie die Graphen von f und g.

b) Wie geht der Graph von g aus dem Graphen von f hervor? Begründen Sie Ihre Antwort.

12 Bestimmen Sie die Gleichung der Tangente an den Graphen von f mit $f(x) = 3xe^{-2x}$ im Punkt $P(1\,|\,f(1))$. Wie lautet die Gleichung der Normalen in diesem Punkt?

13 a) Bestimmen Sie die Gleichung einer Ursprungsgeraden, die eine Tangente an den Graphen der natürlichen Exponentialfunktion ist.

b) Bestimmen Sie die Punkte des Graphen der natürlichen Exponentialfunktion, in denen die Tangenten durch $P(1\,|\,1)$ verlaufen.

c) Von welchen Punkten der Ebene kann man eine Tangente an den Graphen der natürlichen Exponentialfunktion legen? Von welchen Punkten gibt es mehrere Tangenten?

14 a) In welchem Punkt schneidet die Tangente im Kurvenpunkt $P(u\,|\,v)$ des Graphen der natür-lichen Exponentialfunktion die x-Achse?

b) Beschreiben Sie mithilfe des Ergebnisses aus Teilaufgabe a), wie man die Tangente in einem beliebigen Kurvenpunkt $P(u\,|\,v)$ konstruieren kann.

c) In welchem Punkt schneidet die Normale in $P(u\,|\,v)$ die x-Achse?

15 Nach Eröffnung einer neuen Attraktion werden die erwarteten täglichen Besucher-zahlen eines Vergnügungsparks modellhaft durch f mit $f(x) = 100(x-10)e^{-0,05x} + 10\,000$ (x Anzahl der Tage nach Eröffnung der Attrak-tion) berechnet.

a) Beschreiben Sie den Verlauf der Besucher-zahlen und interpretieren Sie ihn.

b) Nach wie vielen Tagen rechnet man mit der höchsten Besucherzahl? Wie hoch ist sie?

c) Beweisen Sie, dass die tägliche Besucher-zahl, nachdem sie ihr Maximum erreicht hat, dauerhaft abnimmt.

d) Wann nimmt die tägliche Besucherzahl am stärksten ab, wann nimmt sie am stärksten zu?

e) Die Attraktion rentiert sich, wenn die tägliche Besucherzahl über 10100 liegt. Wie lang ist die Zeitspanne, in der das der Fall ist?

Zur Erinnerung:
Die Normale im Punkt $P(u\,|\,f(u))$ hat die Steigung $-\dfrac{1}{f'(u)}$.

CAS
Tangenten und Exponentialfunktion

6 Exponentialgleichungen und natürlicher Logarithmus

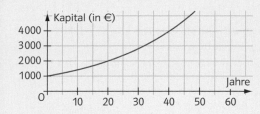

Maren hat 1000 € zum Zinssatz von 3,5 % angelegt, denn sie will ihr Kapital auf 1250 € erhöhen, um ein Rennrad zu kaufen. Der Bankangestellte versichert, dass ihr Kapital sich alle 20 Jahre verdoppeln wird.

In welchem Punkt schneidet der Graph der natürlichen Exponentialfunktion die Gerade mit der Gleichung $y = 6$? Diese Frage führt auf die **Exponentialgleichung** $e^x = 6$.
Der Abbildung (Fig. 1) entnimmt man $x \approx 1{,}8$.
Die Lösung x der Gleichung $e^x = 6$ nennt man den **natürlichen Logarithmus** von 6 und schreibt $x = \ln(6)$. Es gilt also $e^{\ln(6)} = 6$.

Nach dieser Definition ist $x = \ln(e^3)$ die Lösung der Gleichung $e^x = e^3$. Also ist $x = 3$. Es gilt somit $\ln(e^3) = 3$.

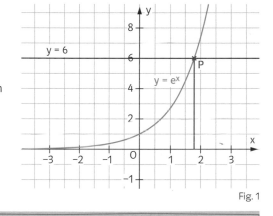

Fig. 1

Zur Erinnerung:
Die Lösung der Gleichung $10^x = 6$ ist der Logarithmus von 6 zur Basis 10, $x = \log(6)$.

Definition: Für eine positive Zahl b heißt die Lösung x der Exponentialgleichung $e^x = b$ der **natürliche Logarithmus von b**. Man schreibt **$x = \ln(b)$**. Es gilt $e^{\ln(b)} = b$ und $\ln(e^c) = c$.

Mit dem natürlichen Logarithmus kann man auch Exponentialgleichungen der Form $a^x = b$ $(a, b > 0)$ lösen. Dazu logarithmiert man beide Seiten der Gleichung. Es ergibt sich $\ln(a^x) = \ln(b)$. Aus dem Logarithmusgesetz $\ln(a^x) = x \cdot \ln(a)$ folgt $x \cdot \ln(a) = \ln(b)$.
Somit hat $a^x = b$ die Lösung $x = \frac{\ln(b)}{\ln(a)}$.

Zur Erinnerung:
Für den Logarithmus gilt $\log(a^x) = x \cdot \log(a)$.

Mit dem natürlichen Logarithmus kann man die Ableitung einer beliebigen Exponentialfunktion f mit $f(x) = a^x$ bestimmen. Dazu schreibt man die Potenzen um zu Potenzen zur Basis e: Aus $a = e^{\ln(a)}$ ergibt sich $f(x) = a^x = \left(e^{\ln(a)}\right)^x = e^{\ln(a) \cdot x}$.
Also gilt mit der Kettenregel $f'(x) = \ln(a) \cdot e^{\ln(a) \cdot x} = \ln(a) \cdot a^x$.
Zu Beginn von Lerneinheit 5 wurde für diese Funktionen $f'(x) = c \cdot f(x)$ hergeleitet. Jetzt erkennt man, dass der Proportionalitätsfaktor c gerade $\ln(a)$ ist. Im Spezialfall $f(x) = 2^x$ ist $c = \ln(2) = 0{,}69314718\ldots$ (vgl. Seite 66).

Beispiel 1 Ausdrücke mit Logarithmen

Vereinfachen Sie.　　　a) $\ln\left(\frac{1}{e}\right)$　　　　　b) $e^{-\ln(5)}$

■ Lösung: a) $\ln\left(\frac{1}{e}\right) = \ln(e^{-1}) = -1$　　　b) $e^{-\ln(5)} = \left(e^{\ln(5)}\right)^{-1} = 5^{-1} = \frac{1}{5}$

Logarithmengesetze
1. $\ln(u \cdot v) = \ln(u) + \ln(v)$
2. $\ln\left(\frac{u}{v}\right) = \ln(u) - \ln(v)$
3. $\ln(u^k) = k \cdot \ln(u)$

Beispiel 2 Exponentialgleichungen

Lösen Sie die Gleichung. Geben Sie die Lösung mithilfe des ln an und bestimmen Sie einen Näherungswert für die Lösung.

a) $e^x = \frac{1}{e}$ b) $e^{2x} = 5$ c) $3^x = 10$

■ Lösung: a) $x = \ln\left(\frac{1}{e}\right) = -1$ b) $2x = \ln(5)$, also $x = \frac{1}{2} \cdot \ln(5) \approx 0{,}805$

c) $\ln(3^x) = \ln(10)$, somit $x \cdot \ln(3) = \ln(10)$ bzw. $x = \frac{\ln(10)}{\ln(3)} \approx 2{,}10$

Beispiel 3 Näherungslösung mit dem GTR

Lösen Sie näherungsweise die Gleichung $x \cdot e^x = 5$ für $-2 \le x \le 2$.

■ Lösung: Die Schnittpunktsbestimmung von $y = x \cdot e^x$ mit $y = 5$ ergibt $x \approx 1{,}3267$ (vgl. Fig. 1).

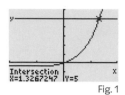
Intersection
X=1.3267247 Y=5
Fig. 1

Aufgaben

1 Vereinfachen Sie.

a) $\ln(e)$ b) $\ln(e^3)$ c) $\ln(1)$ d) $\ln(\sqrt{e})$ e) $\ln\left(\frac{1}{e^2}\right)$

f) $e^{\ln(4)}$ g) $3 \cdot \ln(e^2)$ h) $e^{2 \cdot \ln(3)}$ i) $e^{\frac{1}{2}\ln(9)}$ j) $\ln\left(e^{3,5} \cdot \sqrt{e}\right)$

2 Geben Sie die Lösung mithilfe des ln an und bestimmen Sie dann einen Näherungswert.

a) $e^x = 15$ b) $e^z = 2{,}4$ c) $e^{2x} = 7$ d) $3\,e^{4x} = 16{,}2$

e) $e^{2x-1} = 1$ f) $4 \cdot e^{-2x-3} = 6$ g) $2\,e^{3x+4} = \frac{2}{e}$ h) $e^{0,5x+2} = 4$

3 Die Bakterienanzahl (in Millionen) in einer Bakterienkultur wird modellhaft durch f mit $f(x) = e^{0,1x}$ (x in Tagen seit Beobachtungsbeginn) beschrieben.

a) Wann werden es vier Millionen Bakterien sein? Wann hat sich die Anzahl verdoppelt?

b) Wann hat der Bakterienbestand seit Beobachtungsbeginn um fünf Millionen zugenommen?

c) Nach wie vielen Tagen ist die momentane Änderungsrate der Bakterienanzahl 1 Million Bakterien pro Tag? Wann beträgt sie zwei Millionen Bakterien pro Tag?

4 Lösen Sie die Gleichung näherungsweise mithilfe des GTR für $-8 \le x \le +8$.

a) $x^2 e^x = 2{,}5$ b) $x + e^{0,5x} = 7$ c) $e^x - x = 4$ d) $4 \cdot e^{2x} = e^{3x} + 2$

5 Wo steckt der Fehler? Rechnen Sie richtig.

a) $e^{2 \cdot \ln(2)} = e^2 \cdot e^{\ln(2)} = 2\,e^2$ b) $\ln(2\,e^2) = \ln(2) \cdot \ln(e^2) = 2\ln(2)$

c) $f(x) = e^3 \cdot x;\ f'(x) = 3\,e^2 \cdot 1$ d) $f(x) = 3 \cdot e^{tx};\ f'(x) = 3\,t\,e^{tx-1}$

Zeit zu überprüfen ────────────────────────

6 Vereinfachen Sie.

a) $\ln(e^2)$ b) $e^{\ln(3)}$ c) $3 \cdot \ln(e^{-1})$ d) $\ln(e^{4,5} \cdot e^2)$

7 Lösen Sie die Gleichung. Geben Sie die Lösung mithilfe des ln an und bestimmen Sie einen Näherungswert für die Lösung.

a) $e^x = 12$ b) $e^x = e^3$ c) $e^{2x} = 4{,}5$ d) $2\,e^{\frac{1}{2}x-3} = 8$

Tipp:
Bei Aufgabe 8 kann die Substitution $u = e^x$ helfen.

8 Lösen Sie die Gleichung, geben Sie die Lösungen mithilfe des ln an und bestimmen Sie Näherungswerte für die Lösungen.

a) $e^{2x} - 6 \cdot e^x + 8 = 0$ b) $e^x - 2 - \frac{15}{e^x} = 0$ c) $e^{2x} + 12 \cdot e^x = 7$ d) $e^{2x} = -2 \cdot e^x$

e) $(x^2 - 6) \cdot (e^{2x} - 9) = 0$ f) $e^{2x} + 10 = 6{,}5\,e^x$ g) $(e^{2x} - 6) \cdot (5 - e^{3x}) = 0$ h) $2 \cdot e^x + 15 = 8 \cdot e^{-x}$

9 Die Höhe einer Kletterpflanze (in Metern) zur Zeit t (in Wochen seit Beobachtungsbeginn) wird näherungsweise durch die Funktion h mit $h(t) = 0,02 \cdot e^{kt}$ beschrieben.

a) Wie hoch ist die Pflanze zu Beobachtungsbeginn?

b) Nach sechs Wochen ist die Pflanze 40 cm hoch. Bestimmen Sie k.

c) Wie hoch ist die Pflanze nach neun Wochen?

d) Wann ist die Pflanze drei Meter hoch?

e) Wann wächst sie in einer Woche um 150 cm?

f) Wann ist die momentane Wachstumsrate $1\frac{m}{Woche}$?

g) Für $t \geq 9$ wird das Wachstum der Pflanze besser durch $k(t) = 3,5 - 8,2\,e^{-0,175\,t}$ beschrieben. Wann ist nach dieser Modellierung die Pflanze 3 m hoch? Wann wächst sie in einer Woche 20 cm?

10 Ein Stein sinkt in einen See. Für seine Sinkgeschwindigkeit gilt $v(t) = 2,5 \cdot (1 - e^{-0,1 \cdot t})$ $\left(\text{t in Sekunden nach Beobachtungsbeginn, v(t) in } \frac{m}{s}\right)$.

a) Welche Sinkgeschwindigkeit hat der Stein zu Beginn? Welche hat er nach zehn Sekunden?

b) Skizzieren Sie den Graphen von v.

c) Nach welcher Zeit sinkt der Stein mit der Geschwindigkeit $2\frac{m}{s}$?

d) Welche Endgeschwindigkeit erreicht der sinkende Stein?

e) Zeigen Sie, dass die Geschwindigkeit des Steins ständig zunimmt.

f) Um wie viel nimmt die Geschwindigkeit des Steins zwischen $t_1 = 2\,s$ und $t_2 = 5\,s$ zu?

g) Welche Beschleunigung erfährt der Stein nach zwei Sekunden?

h) Wann ist die Beschleunigung des Steins am größten?

⑩ CAS
Schnittpunktberech-
nung bei Exponential-
funktionen

11 Lösen Sie die Gleichung, geben Sie die Lösung mithilfe des ln an und bestimmen Sie einen Näherungswert für die Lösung.

a) $3^x = 5$

b) $2,5^x = 7$

c) $3 \cdot 5^{x-2} = 7,2$

d) $0,5^x - 2,5 = 0,5^{x+2}$

12 Berechnen Sie die Ableitung der Funktion f.

a) $f(x) = 2^x$

b) $f(x) = 2,5^x$

c) $f(x) = 4 \cdot 0,3^x$

d) $f(x) = 7^{3x+2} - 3$

13 Nach dem 1. Oktober 2002 nahm die Anzahl der im Internetlexikon Wikipedia erschienenen englischen Artikel näherungsweise gemäß der Funktion f mit $f(x) = 80\,000 \cdot e^{0,002 \cdot x}$ (x in Tagen) zu.

a) Wie viele Artikel gab es annähernd am 1. Januar 2003 bzw. am 1. Januar 2004?

b) Wann gäbe es eine Million Artikel, wann eine Milliarde, wenn dieses Wachstum so anhält?

c) In welcher Zeitspanne verdoppelt sich die Anzahl der erschienenen Artikel? Zeigen Sie, dass diese Verdopplungszeit immer gleich ist.

d) Um wie viel Prozent wächst die Anzahl der Artikel jährlich? Zeigen Sie, dass dieser Prozentsatz in jedem Jahr gleich ist.

e) Wie viele Artikel erschienen annähernd am 1. Oktober 2003? Berechnen Sie diese Anzahl auch mithilfe der Ableitung und vergleichen Sie.

f) Wann nimmt die Anzahl der Artikel pro Tag um 400 zu?

Zeit zu wiederholen ——————————————————————————

14 Berechnen Sie im Kopf.

a) $14,3 + 9,6$

b) $10 : 0,2$

c) $0,3 \cdot 0,2$

d) $0,6^2$

e) $0,032 \cdot 10^3$

f) $12,5 : 0,5$

g) $12,7 - 15,9 + 7,3$

h) $0,2^3 \cdot 10^2$

i) $(0,8 + 1,6) : 4$

j) $0,12 : 0,3$

k) $0,0041 \cdot 0,3$

l) $18,4 - 9,3 - 4,4$

7 Funktionenscharen

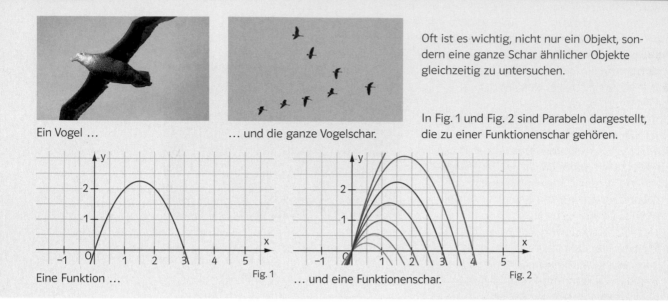

Ein Vogel ...

... und die ganze Vogelschar.

Oft ist es wichtig, nicht nur ein Objekt, sondern eine ganze Schar ähnlicher Objekte gleichzeitig zu untersuchen.

In Fig. 1 und Fig. 2 sind Parabeln dargestellt, die zu einer Funktionenschar gehören.

Eine Funktion ... Fig. 1

... und eine Funktionenschar. Fig. 2

Durch Erosion verändert sich die Höhe einer Steilküste ständig. Die Höhe h über dem Meeresspiegel hängt nicht nur vom Abstand x des Ortes vom Ufer, sondern auch von der Zeit t ab. Die Höhe h hängt also von zwei Variablen t und x ab. Modellrechnungen zeigen, dass bis zu einem Abstand von 6 m vom Ufer annähernd gilt: $h = \frac{100}{t+5} \cdot (7-x) \cdot e^{x-6}$ ($0 \le x \le 6$; x in m, t in Jahrhunderten seit 2000).
Es liegt nahe, den Küstenverlauf für verschiedene Jahrhunderte zu betrachten. Dazu muss man das Jahrhundert t festhalten und die Höhe in Abhängigkeit von x untersuchen. Die festgehaltene Größe t heißt **Parameter**, x ist die Funktionsvariable.

Betrachtet man die Höhe h an einem festen Ort x vom Ufer in Abhängigkeit von der Zeit, so ist t die Funktionsvariable und x der Parameter. Man erhält eine Funktion g_x, z.B. 6 m vom Ufer: $g_6(t) = \frac{100}{t+5}$.

Für jedes $t \ge 0$ ergibt sich eine Funktion f_t mit $f_t(x) = \frac{100}{t+5} \cdot (7-x) \cdot e^{x-6}$.

Zum Beispiel für $t = 3$:

$f_3(x) = \frac{100}{8} \cdot (7-x) \cdot e^{x-6}$.

In Fig. 3 sind die Graphen von f_t für $t = 0$; $t = 1$; $t = 2$ und $t = 3$ gemeinsam dargestellt.

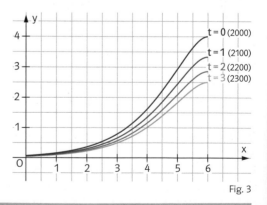

t = 0 (2000)
t = 1 (2100)
t = 2 (2200)
t = 3 (2300)

Fig. 3

Enthält ein Funktionsterm außer der Variablen x noch einen Parameter t, so gehört zu jedem t eine Funktion f_t, die jedem x den Funktionswert $f_t(x)$ zuordnet. Die Funktionen f_t bilden eine **Funktionenschar**.

Beim Ableiten einer Funktion f_t wird der Parameter wie eine Zahl behandelt. Somit gilt für
$f_t(x) = 3x + e^{tx}$: $f_t'(x) = 3 + te^{tx}$ und $f_t''(x) = t^2 \cdot e^{tx}$.

Beispiel Analysieren einer Funktionenschar

Gegeben ist für $a > 0$ die Funktionenschar f_a mit $f_a(x) = x^2 - a$.

a) Skizzieren Sie die Graphen der Schar für $a = 1; 2; 3; 4$.

b) Beschreiben Sie Gemeinsamkeiten und Unterschiede der Graphen. Was bewirkt eine Erhöhung des Parameters?

c) Berechnen Sie die Schnittpunkte der Graphen mit der x-Achse.

d) Berechnen Sie die Tiefpunkte.

■ Lösung: a) *Mit dem GTR kann man mehrere Graphen gleichzeitig darstellen (Fig. 1 und Fig. 2).*

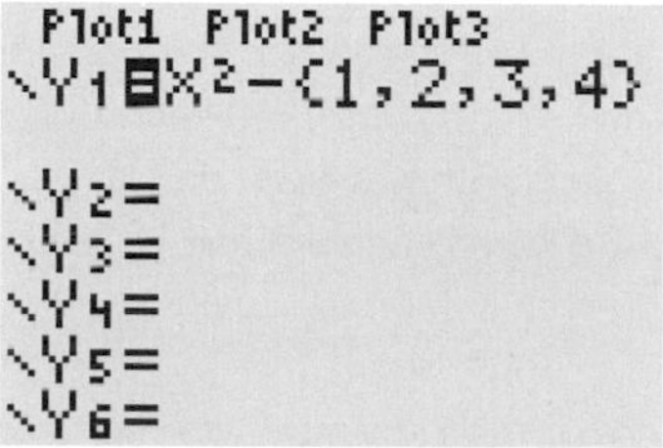

b) Gemeinsamkeiten der Graphen:

– Alle Graphen sind Parabeln.

– Sie haben genau einen Tiefpunkt auf der y-Achse.

– Die Graphen sind symmetrisch zur y-Achse.

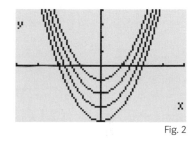

Fig. 1

Fig. 2

Unterschiede und Einfluss des Parameters:

– Die Schnittpunkte mit der x-Achse rücken mit wachsendem Parameter a weiter auseinander.

– Der Graph verschiebt sich parallel zur y-Achse nach unten.

c) $f_a(x) = x^2 - a = 0$ hat die Lösungen $x_{1,2} = \pm\sqrt{a}$. Die Schnittpunkte des Graphen von f_a mit der x-Achse sind: $N_1(\sqrt{a}\,|\,0)$ und $N_2(-\sqrt{a}\,|\,0)$.

d) $f_a'(x) = 2x = 0$ hat die Lösung $x = 0$. Da $f_a''(0) = 2 > 0$, hat f_a bei 0 einen Tiefpunkt. Wegen $f_a(0) = -a$ ist $T_a(0\,|-a)$ der Tiefpunkt des Graphen von f_a.

Aufgaben

1 Gegeben ist die Funktionenschar f_t ($t > 0$). Skizzieren Sie die Graphen der Schar für $t = 1; 2; 3; 4$. Beschreiben Sie Gemeinsamkeiten und Unterschiede der Graphen. Was bewirkt eine Erhöhung des Parameters?

a) $f_t(x) = t + e^x$

b) $f_t(x) = tx + 1$

c) $f_t(x) = x^2 + tx$

d) $f_t(x) = e^{x-t}$

e) $f_t(x) = \sin(x - t)$

f) $f_t(x) = t - e^{-x}$

g) $f_t(x) = tx^2 - 1$

h) $f_t(x) = (x + t)^3$

i) $f_t(x) = \sin(tx)$

2 Gegeben ist die Funktionenschar f_a ($a > 0$). Skizzieren Sie die Graphen für verschiedene Parameter a. Bestimmen Sie die Schnittpunkte der Graphen mit der x-Achse.

a) $f_a(x) = x^2 - ax$

b) $f_a(x) = a - e^{2x}$

c) $f_a(x) = x^3 - ax$

d) $f_a(x) = x^2 - 2ax + a^2$

e) $f_a(x) = \dfrac{x^2 - a^2}{x}$

f) $f_a(x) = e^{\frac{x}{a}} - a$

3 Gegeben ist die Funktionenschar f_t ($t > 0$). Welche Steigung hat der Graph von f_t an der Stelle 0? Für welchen Wert von t ist diese Steigung 1?

a) $f_t(x) = -x^2 + tx$

b) $f_t(x) = e^{tx} - 4$

c) $f_t(x) = tx^3 - 3tx$

d) $f_t(x) = \sin(tx) + 2$

e) $f_t(x) = te^{tx} - 8$

f) $f_t(x) = tx^4 - 4x^3 + t^2x$

4 Gegeben ist die Funktionenschar f_b ($b \in \mathbb{R}$) mit $f_b(x) = e^{bx}$.

a) Für welchen Wert von b verläuft der Graph von f_b durch $A(2\,|\,3)$?

b) Für welchen Wert von b hat der Graph von f_b an der Stelle 0 die Steigung 0,5?

5 Gegeben ist die Funktionenschar f_t mit $f_t(x) = x^3 - tx$ $(t > 0)$.
a) Skizzieren Sie die Graphen der Schar für verschiedene Parameter t in ein gemeinsames Koordinatensystem. Was bewirkt eine Erhöhung des Parameters?
b) Für welchen Wert von t verläuft der Graph von f_t durch $P(1|-3)$?
c) Welche Steigung hat der Graph von f_t im Ursprung?
d) Für welchen Wert von t hat der Graph von f_t an der Stelle 2 die Steigung 8?

6 Für die Anzahl (in 1000) der Ameisen in einem Ameisenhaufen gilt modellhaft zum Zeitpunkt t: $f_k(t) = 8 - 2e^{-kt}$ (t in Wochen nach Beobachtungsbeginn).
a) Wie viele Ameisen gab es zu Beobachtungsbeginn in diesem Ameisenhaufen?
b) Bestimmen Sie k, wenn es nach drei Wochen 7000 Ameisen gibt.
c) Bestimmen Sie k, wenn die momentane Änderungsrate zu Beobachtungsbeginn 250 Ameisen pro Woche ist.

⊚ CAS
Extremwertaufgabe
mit Parameter

7 Bestimmen Sie die Extrempunkte des Graphen von f_a ($a \in \mathbb{R}$). Für welche Werte von a hat der Graph von f_a Extrempunkte auf der x-Achse?

a) $f_a(x) = x^2 - ax + 4$ b) $f_a(x) = \dfrac{ax^3 + 2}{2x^2}$ c) $f_a(x) = 10(x - a)e^{-x}$

d) $f_a(x) = e^{2a-x} + x - 3a$ e) $f_a(x) = x^3 - 3a^2x + 2$ f) $f_a(x) = -ax - e^{-ax} + a$

8 Gegeben ist die Funktionenschar f_k (k > 0) mit $f_k(x) = x \cdot e^{-kx}$.
Bestimmen Sie den Extrempunkt und den Wendepunkt des Graphen von f_k.

9 Der Verlauf des Trageseils einer Hängebrücke kann durch eine Kettenlinie angenähert werden. Diese ist der Graph der Funktion f_c mit $f_c(x) = 2,5 \cdot (e^{cx} + e^{-cx})$; c > 0. Hierbei ist $f_c(x)$ die Höhe des Seils an der Stelle x über der Straße (alle Angaben in Metern). Die Masten der Brücke stehen symmetrisch zur y-Achse und haben den Abstand 200 m.
a) Skizzieren Sie die Kettenlinie für c = 0,01; 0,02; 0,03.
b) Beweisen Sie, dass sich der tiefste Punkt des Seils am Punkt $T(0|5)$ befindet.
c) In welcher Höhe über der Straße befinden sich beim Parameter c = 0,015 die Aufhängepunkte des Seils an den Masten?
d) Wie groß ist c, wenn die Aufhängepunkte des Seils 30 m über der Straße liegen?

⊚ CAS
Stromleitung

10 Zwei parallel aufeinander zulaufende Straßen sollen miteinander verbunden werden (vgl. Fig. 1). Wenn die eine Straße auf der x-Achse liegt und die andere auf der Geraden mit der Gleichung y = 50, so soll die Funktion f mit $f(x) = \frac{1}{b}(d - x^2)^2$ die neue Verbindungsstraße beschreiben.
a) Bestimmen Sie die Parameter b und d.
b) Mündet die Verbindungsstraße knickfrei in die beiden bestehenden Straßen?
c) Bestimmen Sie den Wendepunkt der Verbindungsstraße.
d) Welchen der beiden Parameter müsste man verändern, wenn die beiden parallelen Straßen statt 50 m einen anderen Abstand hätten?

⊚ CAS
Funktionenschar
mit Sinus

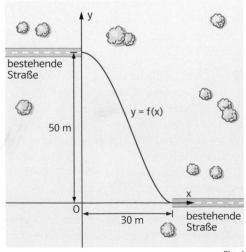

Fig. 1

11 Gegeben ist die Funktion f mit $f(x) = (5 - kx) \cdot \cos(bx)$.

Die Aufgaben auf dieser Seite kann man mit CAS exakt lösen.

a) Skizzieren Sie den Graphen von f für $k = 0{,}5$; $b = 5$ im Bereich $0 \leq x \leq 10$.

b) Welchen Einfluss hat eine Erhöhung der Parameter k bzw. b auf den Graphen?

c) Finden Sie mit dem GTR einen Wert von b, sodass f für $k = 0{,}2$ im Bereich $0 \leq x \leq 7$ genau drei Nullstellen hat. Untersuchen Sie, für welche Werte von b dies der Fall ist.

d) Es sei $k = 0{,}2$. Für welchen Wert von b hat die Tangente an den Graphen von f im ersten Schnittpunkt mit der x-Achse die Steigung -5?

12 Gegeben ist die Funktionenschar f_k mit $f_k(x) = x \cdot (x^2 - kx + 3k)$.

a) Skizzieren Sie den Graphen von f_k für verschiedene Parameter k zwischen -5 und 15.

b) Welche Vermutung über gemeinsame Punkte aller Kurven der Schar haben Sie? Beweisen Sie Ihre Vermutung.

c) Welche Vermutung über die Anzahl der Extrempunkte haben Sie? Beweisen Sie Ihre Vermutung.

13 Eine Firma verkauft Gummibärchenpackungen. Nach einer Marktbeobachtung werden bei einem Verkaufspreis von x ct pro Packung jährlich $\frac{1{,}6 \cdot 10^{13}}{x^4}$ Gummibärchenpackungen verkauft. Die Herstellungskosten betragen b ct pro Packung.

a) Geben Sie eine Funktion für den jährlichen Gewinn der Firma in Abhängigkeit vom Verkaufspreis an. Verwenden Sie dabei die Herstellungskosten als Parameter.

b) Skizzieren Sie den Graphen für die Gewinnfunktion für $b = 100$.

c) Bei welchen Verkaufspreisen pro Packung macht die Firma bei $b = 100$ Gewinn?

d) Bei welchem Verkaufspreis ist der Gewinn bei $b = 100$ maximal?

e) Zeichnen Sie für $b = 90$; $b = 100$ und $b = 110$ den Graphen der Gewinnfunktion. Wie viel Prozent muss jeweils der Verkaufspreis über den Herstellungskosten liegen, damit der Gewinn maximal wird?

f) Um wie viel Prozent steigt der maximale Gewinn, wenn die Herstellungskosten um 20 % gesenkt werden können?

14 Ein Seil für eine Bergseilbahn soll zwischen zwei Masten gespannt werden. Die Höhe (in Metern) des durchhängenden Seils über dem Meeresspiegel wird durch die Funktion f_c mit $f_c(x) = \frac{1+c}{1500^2}x^3 - cx + 500$ $(0 \leq x \leq 1500;\ c > -1)$ beschrieben.

a) Skizzieren Sie den Graphen von f_c für verschiedene Parameter c. Beschreiben Sie die Bedeutung des Parameters c.

b) Untersuchen Sie die gemeinsamen Punkte aller Kurven der Schar. In welcher Höhe über dem Meeresspiegel befinden sich folglich die Aufhängepunkte an den Masten?

c) Für welchen Parameter c würde das zugehörige Seil bis auf 400 m über dem Meeresspiegel durchhängen?

d) Wie viele Meter hängt das Seil für $c = 1$ bzw. $c = -0{,}5$ relativ zu einem straff zwischen den Masten gespannten Seil maximal durch? Für welchen Parameter c würde das Seil maximal 40 m durchhängen?

e) Die Vorschriften besagen, dass die prozentuale Steigung der Seilbahn nirgendwo größer als 400 % sein darf. Wie groß darf der Parameter c maximal sein?

Wiederholen – Vertiefen – Vernetzen

Graphen und Eigenschaften von Exponentialfunktionen und Funktionenscharen

1 Gegeben ist die Funktion f mit $f(x) = e^{-x}$. In Fig. 1 bis 4 sind die Graphen der Funktionen f_1; f_2; f_3; f_4 abgebildet mit $f_1(x) = f(x)$; $f_2(x) = f'(x)$; $f_3(x) = x \cdot f(x)$; $f_4(x) = \frac{1}{f(x)}$.
Ordnen Sie den dargestellten Graphen die richtige Funktion zu und begründen Sie Ihre Antwort.

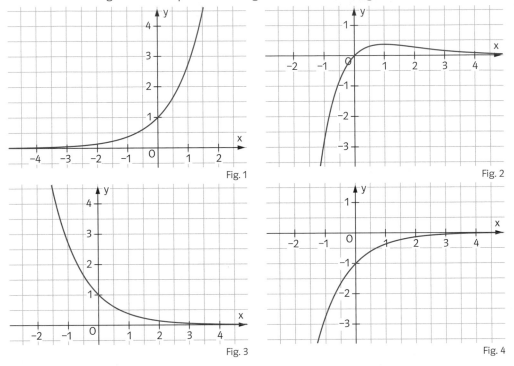

Fig. 1   Fig. 2

Fig. 3   Fig. 4

2 Gegeben sind die Funktionen f_t mit $f_t(x) = e^{tx} - 1$ $(t > 0)$.
a) Zeigen Sie, dass die Graphen von f_t genau einen gemeinsamen Punkt haben.
b) Für welchen Wert von t ist $f_t(2) = 5$?
c) Für welchen Wert von t schneidet der Graph von f_t' die y-Achse im Punkt $S(0|3)$?
d) Für welchen Wert von t stimmt f_t mit der Funktion g mit $g(x) = 8^x - 1$ überein?
e) Wo schneidet die Normale an den Graphen von f_1 in $P(1|f_1(1))$ die x-Achse?
f) Für welches t schneidet die Normale in $P(1|f_t(1))$ die x-Achse im Punkt $Q(2|0)$?
g) Zeigen Sie, dass f_t monoton wachsend und der Graph von f_t eine Linkskurve ist.

3 Gegeben ist die Funktionenschar f_m mit $f_m(x) = \frac{mx^2 - (m + 2)x + 2}{2x - 5}$.
a) Skizzieren Sie die Graphen für $m = 1$; 2 und 3. Welche charakteristischen gemeinsamen Eigenschaften können Sie den Graphen entnehmen?
b) Skizzieren Sie den Graphen für $m = 0,5$. Vergleichen Sie ihn mit den Graphen aus a). Zeigen Sie rechnerisch, dass dieser Graph keinen Punkt mit waagerechter Tangente hat.
c) Verändern Sie m. Suchen Sie mithilfe des GTR weitere Werte von m, sodass der zugehörige Graph keine waagerechte Tangente hat.

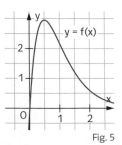

Fig. 5

4 Fig. 5 zeigt den Graphen einer Funktion f.
a) Welche der folgenden Aussagen ist richtig, welche falsch? Begründen Sie Ihre Antwort.
(A) f' hat für $0 < x < 3$ genau eine Nullstelle.   (B) f' hat für $0 < x < 3$ ein Maximum.
b) Skizzieren Sie den Graphen der Ableitungsfunktion f' für $0 < x < 3$.

Wiederholen – Vertiefen – Vernetzen

Exponentialfunktionen und andere Grundfunktionen

5 Die Höhe h (in Metern) eines Bungee-Springers über dem Boden beträgt zum Zeitpunkt t $h(t) = a \cdot e^{-0,1t} \cdot \cos(1,5t) + 20$ (t in Sekunden, a > 0). Der Bungee-Springer springt zum Zeitpunkt t = 0 ab.

Im Dezember 2006 war dem neuseeländischen Extremsportler A. J. Hackett im chinesischen Macau mit 233 Metern einer der höchsten Bungee-Sprünge von einem Gebäude gelungen.
Er erreichte 200 $\frac{km}{h}$.

a) Bestimmen Sie den Parameter a für die Absprunghöhe 40 m.

b) Skizzieren Sie den Graphen von h für a = 20.

c) Bestimmen Sie die maximale Fallgeschwindigkeit für a = 20.

d) Wie hoch ist der tiefste Punkt über dem Boden für a = 20?

e) Wie viele Auf- und Abbewegungen führt der Springer in den ersten 21 Sekunden aus? Untersuchen Sie, ob diese Anzahl von a abhängt.

f) In welcher Höhe über dem Boden kommt der Springer schließlich zur Ruhe?

g) Bei welcher Absprunghöhe erreicht der Springer fast den Boden?

6 Eine neue Achterbahn wird so geplant, dass nach einer Auffahrt eine steile Abfahrt folgt. Der zugehörige Graph wird modellhaft durch die Funktion f_t mit $f_t(x) = 100\,t^2 x^2 e^{-tx}$ beschrieben (t > 0). Hierbei starten die Wagen bei x = 0. $f_t(x)$ ist die Höhe (in Metern) der Bahn im Abstand x vom Start.

a) Skizzieren Sie die Bahnkurve für t = 0,1.

b) In welchen Abständen vom Start ist die Bahn 40 m hoch für t = 0,1?

c) Berechnen Sie für t = 0,1 den steilsten Anstieg und den steilsten Abfall („drop") der Bahn (in Prozent).

d) Bestimmen Sie für beliebiges t die Steigung der Bahn am Start.

e) Zeigen Sie, dass die höchste Bahnhöhe unabhängig von t ist, und bestimmen Sie diese Bahnhöhe.

f) Der maximale Neigungswinkel der Abfahrt soll 70° sein. Für welchen Parameter t wird dies erfüllt?

Ableitungen verstehen und begründen

7 a) Berechnen Sie die Ableitung der Funktionen g und h mit $g(x) = x \cdot \cos(x)$ und $h(x) = \sin(x) \cdot \cos(x)$.

b) Zeigen Sie, dass man die Produktregel für $u(x) \neq 0$ und $v(x) \neq 0$ in der Form schreiben kann:
$$\frac{(u \cdot v)'(x)}{(u \cdot v)(x)} = \frac{u'(x)}{u(x)} + \frac{v'(x)}{v(x)} \quad \text{oder kurz} \quad \frac{(u \cdot v)'}{u \cdot v} = \frac{u'}{u} + \frac{v'}{v}.$$

c) Berechnen Sie die Ableitung der Funktion f mit $f(x) = x \cdot \sin(x) \cdot \cos(x)$.

d) Leiten Sie eine Regel für die Ableitung des Produkts dreier Funktionen her.

e) Zeigen Sie, dass für ein Produkt $u \cdot v \cdot w$ aus drei Funktionen gilt: $\frac{(u \cdot v \cdot w)'}{u \cdot v \cdot w} = \frac{u'}{u} + \frac{v'}{v} + \frac{w'}{w}.$

⬏ Referat
Die
Kettenlinie
735301-0771

Wiederholen – Vertiefen – Vernetzen

8 Gegeben ist die Funktion f mit $f(x) = (v(x))^2$. Wenn man weiß, dass der Graph von v zwei Punkte mit waagerechter Tangente hat, was lässt sich dann über die Punkte mit waagerechter Tangente des Graphen von f aussagen?

◉ CAS
Beweis mit CAS

9 Beweisen oder widerlegen Sie die folgenden Behauptungen:
a) Hat der Graph von f die x-Achse als waagerechte Tangente, dann gilt dies für $x \neq 0$ auch für den Graphen von g mit $g(x) = \frac{f(x)}{x}$.
b) Wenn die Funktion g monoton fällt, so ist die Funktion $f = \frac{1}{g}$ monoton steigend.
c) Wenn die Funktion g auf dem Intervall I monoton fallend und differenzierbar ist und keine Nullstelle hat, so ist die Funktion $f = \frac{1}{g}$ auf I monoton steigend.

Zeit zu wiederholen

10 Von den vier in Fig. 1 bis 4 abgebildeten Graphen gehören zwei zu den Graphen der Ableitungsfunktionen der Funktionen, die in den beiden anderen Graphen dargestellt sind. Ordnen Sie die Graphen zu und begründen Sie Ihre Zuordnung.

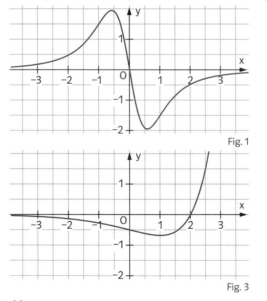

Fig. 1

Fig. 2

Fig. 3

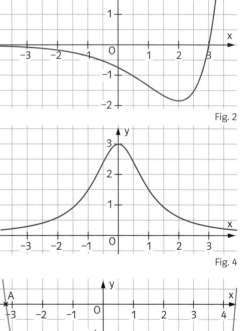

Fig. 4

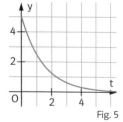

Fig. 5

11 Der Graph in Fig. 5 zeigt den Verlauf der Geschwindigkeit, mit der ein Hubschrauber seine Höhe (in 100 m) in Abhängigkeit von der Zeit t (in Minuten) ändert. Beschreiben und skizzieren Sie die Höhe des Hubschraubers in Abhängigkeit von der Zeit.

12 Fig. 6 zeigt den Graphen einer Funktion f.
a) Skizzieren Sie den Graphen der Ableitungsfunktion f′ von f.
b) Geben Sie an, in welchen der markierten Punkte f(x), f′(x) oder f″(x) positiv, null oder negativ ist.
c) Geben Sie die Intervalle an, in denen der Graph von f eine Links- bzw. Rechtskurve ist.

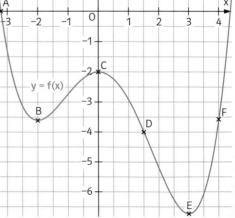

y = f(x)

Fig. 6

Exkursion

Parameterdarstellung von Kurven

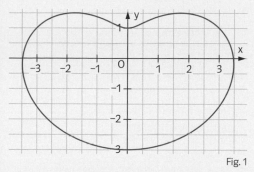
Fig. 1

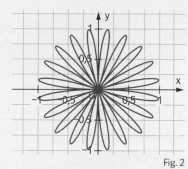
Fig. 2

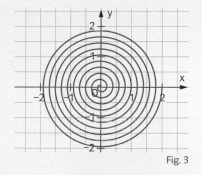
Fig. 3

Bei einer Funktion wird jedem x-Wert immer nur genau ein y-Wert zugeordnet. Dagegen gehören bei den oben dargestellten **Kurven** zu manchen x-Werten mehrere y-Werte.

Am Beispiel eines Kreises kann man klarmachen, wie man solche Kurven mit dem GTR zeichnen kann. Der Punkt P auf dem Kreis mit Radius 2 um den Ursprung hat in Abhängigkeit vom Winkel t die Koordinaten $(x(t)|y(t))$ mit $x(t) = 2 \cdot \cos(t)$, $y(t) = 2 \cdot \sin(t)$ (vgl. Fig. 4).

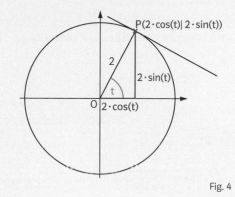
Fig. 4

Fig. 5

Fig. 6

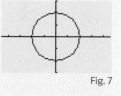
Fig. 7

Wenn nun der **Parameter** t von 0 bis 2π läuft, so durchläuft der Punkt $(x(t)|y(t))$ die Kreislinie.

Die Gleichungen $\begin{cases} x(t) = 2 \cdot \cos(t) \\ y(t) = 2 \cdot \sin(t) \end{cases}$; $0 \leq t \leq 2\pi$, nennt man daher eine **Parameterdarstellung** des

Kreises vom Radius 2.
In ähnlicher Weise kann man mit Parameterdarstellungen auch viele andere Kurven beschreiben.
Die Steigung der Tangente im Punkt $P(x(t_0)|y(t_0))$ kann aus den Ableitungen y' und x' bestimmt werden:

$$\lim_{t \to t_0} \frac{y(t) - y(t_0)}{x(t) - x(t_0)} = \lim_{t \to t_0} \left(\frac{y(t) - y(t_0)}{t - t_0} \cdot \frac{t - t_0}{x(t) - x(t_0)} \right) = \frac{y'(t_0)}{x'(t_0)}.$$

Stellt man den Grafikmodus des GTR von „Funktion" auf „Parameter", so kann man bei der Grafikeingabe sowohl die x-Koordinate als auch die y-Koordinate in Abhängigkeit von einem Parameter eingeben. Durch Eingabe der Parameterdarstellung kann man die Kurve zeichnen und beliebige Tangenten einzeichnen.

1 Zeichnen Sie die Kurve mit der angegebenen Parameterdarstellung mit dem GTR.

a) $\begin{cases} x(t) = 3 \cdot \cos(t) \\ y(t) = 3 \cdot \sin(t) \end{cases}$; $0 < t < \frac{\pi}{2}$

b) $\begin{cases} x(t) = \sin(8 \cdot t) \\ y(t) = \sin(10 \cdot t) \end{cases}$; $0 < t < 2\pi$

c) $\begin{cases} x(t) = 3 \cdot \cos(t) \\ y(t) = 5 \cdot \sin(t) \end{cases}$; $0 < t < 2\pi$

d) $\begin{cases} x(t) = \sin(2 \cdot t) \\ y(t) = \sin(3 \cdot t) \end{cases}$; $0 < t < 2\pi$

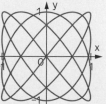
Fig. 8

Kurven mit der Parameterdarstellung
$\begin{cases} x(t) = \sin(n \cdot t) \\ y(t) = \sin(m \cdot t) \end{cases}$
heißen **Lissajous-Kurven** (vgl. Aufgabe 1b) und d)).

2 Die folgenden Kurven sind Kreisbögen oder Ellipsen. Zeichnen Sie sie mit dem GTR.

a)   b)   c)   d)

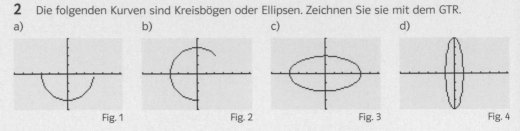

Fig. 1   Fig. 2   Fig. 3   Fig. 4

Die Kurve aus Aufgabe 3a) heißt archimedische Spirale, die Kurven aus 3b) und 3c) sind Rosenkurven, die Kurve aus 3d) nennt man eine logarithmische Spirale.

3 Zeichnen Sie die in der Parameterdarstellung gegebene Kurve mit dem GTR.

a) $\begin{cases} x(t) = t \cdot \cos(t) \\ y(t) = t \cdot \sin(t) \end{cases}$; $0 < t < 60$

b) $\begin{cases} x(t) = \sin(6 \cdot t) \cdot \cos(t) \\ y(t) = \sin(6 \cdot t) \cdot \sin(t) \end{cases}$; $0 < t < 2\pi$

c) $\begin{cases} x(t) = \sin(11 \cdot t) \cdot \cos(t) \\ y(t) = \sin(14 \cdot t) \cdot \sin(t) \end{cases}$; $0 < t < 2\pi$

d) $\begin{cases} x(t) = \ln(t) \cdot \cos(t) \\ y(t) = \ln(t) \cdot \sin(t) \end{cases}$; $1 < t < 150$

4 Zeichnen Sie mit dem GTR den ungefähren Verlauf der folgenden Kurven und geben Sie eine Parameterdarstellung an (vgl. Aufgabe 3).

a)   b)   c)

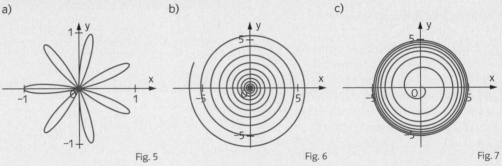

Fig. 5   Fig. 6   Fig. 7

5 Berechnen Sie bei den Kurven von Aufgabe 3 die Steigung der Tangente im Punkt zum Parameter $t = 5$, also im Punkt $P(x(5)|y(5))$. Überprüfen Sie mit dem GTR.

6 Welche Kurve legt beim Rollen ein Rückstrahler zurück, der an einer Fahrradspeiche befestigt ist? Man nennt diese Kurve Zykloide oder Radkurve.

a) Skizzieren Sie die Kurve, die ein Punkt auf dem Kreisrand beim Rollen beschreibt.

b) Zeigen Sie, dass $\begin{cases} x(t) = r \cdot (t - \sin(t)) \\ y(t) = r \cdot (1 - \cos(t)) \end{cases}$; $0 \le t$, eine Parameterdarstellung der Zykloide ist.

c) Stellen Sie eine Parameterdarstellung einer Zykloide für einen Punkt auf, der den Abstand b vom Mittelpunkt des rollenden Kreises (Radius r) hat.

d) Zeichnen Sie Zykloiden mit dem GTR. Unterscheiden Sie die Fälle $b < r$; $b = r$; $b > r$.

e) Berechnen Sie für $b = r = 2$ die Steigung der Tangente für die Zykloidenpunkte zu den Parametern $\frac{\pi}{2}$; π; $3\frac{\pi}{2}$; 2π.

f) In welchen Kurvenpunkten hat die Zykloide zu $b = r = 2$ die Steigung 1?

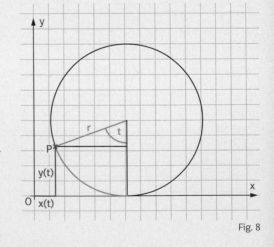

Fig. 8

Fig. 9

Solche Radkurven kann man auch mit einem Spirografen zeichnen.

Exkursion in die Theorie

Logarithmusfunktion und Umkehrfunktionen

Die natürliche Logarithmusfunktion

Für alle $y > 0$ hat die Gleichung $y = e^x$ genau eine Lösung x (vgl. Fig. 1), und zwar $x = \ln(y)$, der natürliche Logarithmus von y. Es ergibt sich eine neue Zuordnung ln, die jedem $y > 0$ den Logarithmus $\ln(y)$ zuordnet.

Wie entsteht der Graph von ln aus dem Graphen der natürlichen Exponentialfunktion und was ist die Ableitungsfunktion von ln?

Die Funktion ln, die jedem $y > 0$ den natürlichen Logarithmus zuordnet, heißt **natürliche Logarithmusfunktion**.
Vergleicht man die Wertetabelle von ln mit der Wertetabelle der natürlichen Exponentialfunktion f, so erkennt man, dass hier die x-Spalte und die y-Spalte vertauscht sind.

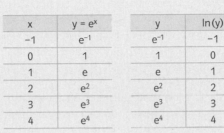

x	$y = e^x$
−1	e^{-1}
0	1
1	e
2	e^2
3	e^3
4	e^4

y	$\ln(y)$
e^{-1}	−1
1	0
e	1
e^2	2
e^3	3
e^4	4

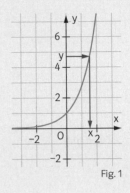

Fig. 1

Antwort: Der **Graph von ln** geht aus dem Graphen von f hervor, indem bei jedem Punkt die x- und y-Koordinate vertauscht werden. Dies entspricht einer **Spiegelung der Graphen an der 1. Winkelhalbierenden** $y = x$ (Fig. 2).
Die Ableitung der natürlichen Logarithmusfunktion ergibt sich mithilfe der Kettenregel.
Aus $x = \ln(e^x)$ folgt durch Ableiten:
$1 = \ln'(e^x) \cdot e^x$. Die Substitution $z = e^x$ ergibt
$1 = \ln'(z) \cdot z$ oder $\ln'(z) = \frac{1}{z}$.

Ersetzt man z durch x, so folgt $\ln'(x) = \frac{1}{x}$.
Die Logarithmusfuktion ist nun für $x \in \mathbb{R}^+$ definiert. Der Definitionsbereich entspricht dem Wertebereich der Exponentialfunktion.

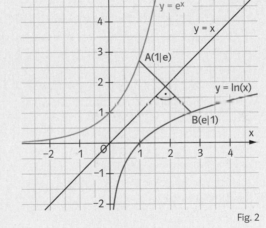

Fig. 2

Wann ist der Graph der ln-Funktion bei Einheit 1 cm im Heft 20 cm über der x-Achse? Diese Höhe ist erst in knapp 5000 km Entfernung erreicht!

Antwort: Für die Ableitungsfunktion der Logarithmusfunktion ln gilt: $\ln'(x) = \frac{1}{x}$.

1 Leiten Sie f ab.
a) $f(x) = x + \ln(x)$ b) $f(x) = 3 \cdot \ln(x + 1)$ c) $f(x) = \ln(x^2 + 1)$ d) $f(x) = x \cdot \ln(x)$

2 Gegeben sei die natürliche Logarithmusfunktion ln.
a) Für welchen x-Wert hat ln den Funktionswert 3?
b) Bestimmen Sie die Nullstelle von ln.
c) Zeigen Sie, dass ln streng monoton wachsend ist.
d) Zeigen Sie, dass der Graph von ln rechtsgekrümmt ist.

3 Berechnen Sie die Ableitung der Funktion f auf zwei verschiedene Arten.
a) $f(x) = x \cdot (\ln(x) - 1)$ b) $f(x) - \ln(tx); \; t > 0$
c) $f(x) = \ln\left(\frac{t}{x}\right); \; t > 0$ d) $f(x) = \ln(x^k)$

Exkursion in die Theorie

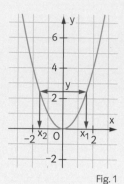

Fig. 1

„Linealprobe"

Umkehrfunktionen

Bei der natürlichen Exponentialfunktion f gibt es zu jedem $y > 0$ genau ein x mit $y = f(x) = e^x$. Die umgekehrte Zuordnung $y \mapsto x$ ist wieder eine Funktion, nämlich die natürliche Logarithmusfunktion.

Wie kann man erkennen, ob die Umkehrung einer Zuordnung wieder eine Funktion ist?
In Fig. 1 ist der Graph der Funktion f mit $f(x) = x^2$ gezeichnet. Hier werden z.B. auf den Funktionswert $y = 2,5$ zwei x-Werte x_1; x_2 abgebildet. Die umgekehrte Zuordnung $y \mapsto x$ ist also keine Funktion, denn der x-Wert ist nicht eindeutig.

Antwort: Eine Funktion $f: x \mapsto y$ heißt umkehrbar, **wenn es zu jedem y aus der Wertemenge von f nur genau ein x aus der Definitionsmenge von f mit $f(x) = y$ gibt.**
Die umgekehrte Zuordnung $y \mapsto x$ ist dann die **Umkehrfunktion $\bar{f}$** von f.
Am Graphen lässt sich die Umkehrbarkeit von f daran erkennen, dass jede Parallele zur x-Achse den Graphen von f höchstens einmal schneidet. Dies ist sicher der Fall, wenn f auf einem Intervall definiert ist und dort streng monoton wachsend oder streng monoton fallend ist.
Damit dies erfüllt ist, werden die Funktionen häufig nur auf einem umkehrbaren eingeschränkten Bereich behandelt, wie hier an zwei Fällen beispielhaft gezeigt wird:

1. Gegeben ist f mit $f(x) = \frac{3}{x-1}$ und $D_f = (1; \infty)$. Da $f'(x) = -\frac{3}{(x-1)^2} < 0$, ist f auf dem Intervall D_f streng monoton fallend und somit umkehrbar. Löst man $y = \frac{3}{x-1}$ nach x auf, so erhält man $x = \frac{3}{y} + 1$. Somit ist $\bar{f}(x) = \frac{3}{x} + 1$ ein Funktionsterm für $\bar{f}$.

Wie am Beispiel der Logarithmusfunktion gezeigt wurde, geht der Graph der Umkehrfunktion $\bar{f}$ aus dem Graphen von f durch eine Spiegelung an der 1. Winkelhalbierenden $y = x$ hervor (vgl. Fig. 2). Hat der Graph von f im Punkt $P(x_0 | y_0)$ eine Tangente mit der Steigung $f'(x_0)$, so hat der Graph von $\bar{f}$ im Punkt $\bar{P}(y_0 | x_0)$ eine Tangente mit der Steigung $\frac{1}{f'(x_0)}$ (vgl. die Steigungsdreiecke in Fig. 2).
Somit folgt $\bar{f}'(y_0) = \frac{1}{f'(x_0)}$. Ersetzt man y_0 durch x, so ist $x_0 = \bar{f}(y_0) = \bar{f}(x)$.
Es gilt also $\bar{f}'(x) = \frac{1}{f'(\bar{f}(x))}$.

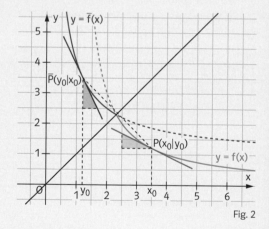

Fig. 2

2. Die Sinusfunktion f mit $f(x) = \sin(x)$ hat auf $\mathbb{R}$ keine Umkehrfunktion, da z.B. der Funktionswert 0 für unendlich viele x-Werte angenommen wird. Auf dem Intervall $\left(-\frac{\pi}{2}; +\frac{\pi}{2}\right)$ ist f aber streng monoton wachsend und somit umkehrbar (vgl. Fig. 3). Man nennt diese Umkehrfunktion $\bar{f}$ **Arkussinusfunktion** und schreibt $\bar{f}(x) = \arcsin(x)$ oder auch $\bar{f}(x) = \sin^{-1}(x)$ (siehe Tastatur des GTR).
Für die Ableitung von arcsin gilt: $\bar{f}'(x) = \frac{1}{f'(\bar{f}(x))} = \frac{1}{\cos(\arcsin(x))}$.
Aus Fig. 4 und $\sin(\alpha) = x$ folgt $\cos(\arcsin(x)) = \cos(\alpha) = \sqrt{1 - x^2}$.
Also $\arcsin'(x) = \frac{1}{\sqrt{1 - x^2}}$.

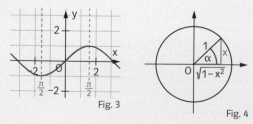

Fig. 3

Fig. 4

Rückblick

Zusammengesetzte Funktionen und ihre Ableitungen

- Die Funktion $f = u + v$ mit $f(x) = u(x) + v(x)$ heißt Summe von u und v.

$f'(x) = u'(x) + v'(x)$ (Summenregel)

$f(x) = x^3 + e^x$

$u(x) = x^3;\ u'(x) = 3x^2;\ v(x) = e^x;\ v'(x) = e^x$

$f'(x) = 3x^2 + e^x$

- Die Funktion $f = u \cdot v$ mit $f(x) = u(x) \cdot v(x)$ heißt Produkt von u und v.

$f'(x) = u'(x) \cdot v(x) + u(x) \cdot v'(x)$ (Produktregel)

$f(x) = (1 - x^2) \cdot \sin(x)$

$u(x) = 1 - x^2;\ u'(x) = -2x;\ v(x) = \sin(x);$

$v'(x) = \cos(x)$

$f'(x) = -2x \cdot \sin(x) + (1 - x^2) \cdot \cos(x)$

- Die Funktion $f = \frac{u}{v}$ mit $f(x) = \frac{u(x)}{v(x)}$ heißt Quotient von u und v.

$f'(x) = \frac{u'(x) \cdot v(x) - u(x) \cdot v'(x)}{v^2(x)}$ (Quotientenregel)

$f(x) = \frac{3x}{2 - x^2}$

$u(x) = 3x;\ u'(x) = 3;\ v(x) = 2 - x^2;\ v'(x) = -2x$

$f'(x) = \frac{3(2 - x^2) - 3x(-2x)}{(2 - x^2)^2} = \frac{6 + 3x^2}{(2 - x^2)^2}$

- Die Funktion $f = u \circ v$ mit $f(x) = u(v(x))$ heißt Verkettung von u und v. v heißt innere, u äußere Funktion.

$f'(x) = u'(v(x)) \cdot v'(x)$ (Kettenregel)

$f(x) = 4(5 - x^2)^3$

$v(x) = 5 - x^2;\ v'(x) = -2x;\ u(x) = 4x^3;$

$u'(x) = 12x^2$

$f'(x) = 12(5 - x^2)^2 \cdot (-2x) = -24x(5 - x^2)^2$

Exponentialfunktionen

Die natürliche Exponentialfunktion f mit $f(x) = e^x$ hat als Basis die **Euler'sche Zahl** $e = 2{,}71828\ldots$

Es gilt $f'(x) = e^x = f(x)$.

Die Funktion f mit $f(x) = e^{k \cdot x}$ hat die Ableitung f' mit $f'(x) = k \cdot e^{k \cdot x}$.

Graph der natürlichen Exponentialfunktion:

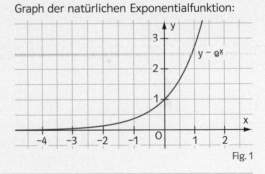

Fig. 1

Der natürliche Logarithmus

Die Exponentialgleichung $e^x = b$ hat als Lösung den natürlichen Logarithmus von b, kurz $x = \ln(b)$.

Die Exponentialgleichung $a^x = b$ $(a, b > 0)$ hat die Lösung $x = \frac{\ln(b)}{\ln(a)}$.

Es gilt $e^{\ln(x)} = x$ und $\ln(e^x) = x$.

$e^{3x} = 5;\ \ln(e^{3x}) = \ln(5)$

$3x \cdot \ln(e) = \ln(5);\ x = \frac{1}{3} \cdot \ln(5)$

$3^x = 7;\ \ln(3^x) = \ln(7);\ x = \frac{\ln(7)}{\ln(3)}$

Funktionenscharen

Enthält ein Funktionsterm außer der Funktionsvariablen x noch einen Parameter t, so gehört zu jedem t eine Funktion f_t. Die Funktionen f_t bilden eine Funktionenschar.

Beim Ableiten wird der Parameter wie eine Zahl behandelt.

$f_t(x) = (x - t) \cdot e^x + t$ für $t > 0$

$f'_t(x) = e^x + (x - t) \cdot e^x = (x - t + 1) \cdot e^x$

Prüfungsvorbereitung ohne Hilfsmittel

1 Bilden Sie die Ableitung der Funktion f mit

a) $f(x) = x^2 e^{-3x}$　　b) $f(x) = x^2 \sin(-3x)$　　c) $f(x) = (x + e^x)^2$　　d) $f(x) = \frac{x+1}{e^x}$

2 Gegeben sind die Funktionen u; v und w mit $u(x) = 0{,}5\sin(x)$; $v(x) = \frac{2}{x}$ und $w(x) = 4 - 7e^x$.
Bilden Sie die Funktionen $u \cdot v$; $v \cdot u$; $u \cdot w$; $\frac{u}{w}$; $\frac{w}{u}$; $u \circ v$ und $v \circ w$ und deren Ableitungen.

3 Lösen Sie die Gleichung.

a) $x^3 - 3x^2 + x = 0$　　b) $e^{3x} - 5e^x = 0$　　c) $e^x = 3 + \frac{10}{e^x}$　　d) $4 \cdot 3^{-x} + 5 = 41$

4 Bestimmen Sie die Nullstellen von f.

a) $f(x) = (x^2 + 2) \cdot (3 - x)$　　b) $f(x) = e^{2x} - 1$　　c) $f(x) = e^{3x-2} - e$
d) $f(x) = e^x - 2e^{-x}$　　e) $f(x) = x^3 - x^2 - 12x$　　f) $f(x) = (e^{3x} - 2) \cdot (x^3 + 8)$

5 Gegeben ist die Funktion f mit $f(x) = \frac{4x}{x^2 - 4}$.
a) Untersuchen Sie das Monotonieverhalten von f.
b) Zeigen Sie, dass der Punkt W(0|0) Wendepunkt des Graphen von f ist.
c) Geben Sie die Gleichung der zugehörigen Wendetangente an.

6 Gegeben ist die Funktion f mit $f(x) = x \cdot e^x$.
a) Bestimmen Sie den Tiefpunkt des Graphen von f.
b) Bestimmen Sie die Gleichung der Normalen an den Graphen von f im Ursprung.
c) Bestimmen Sie die Wendepunkte des Graphen von f.

7 Bestimmen Sie die Gleichung der Tangente an den Graphen von f im Punkt P.

a) $f(x) = \frac{2}{x-1}$; $P(2|f(2))$　　b) $f(x) = \frac{1}{2}e^{-2x}$; $P(0|f(0))$　　c) $f(x) = -2x \cdot e^{-x}$; $P(-1|f(-1))$

8 Fig. 1 zeigt die Graphen von drei Funktionen.
a) Welcher der Graphen zeigt den Graphen der Funktion f mit $f(x) = 3x e^{-x^2}$?
b) Geben Sie Terme für die beiden anderen Graphen an.
c) Skizzieren Sie den Graphen von f'.
d) Die drei Graphen gehören zu einer Funktionenschar f_t. Geben Sie eine Gleichung von f_t an.

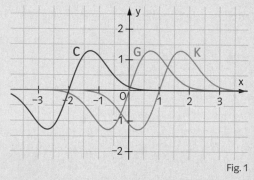

Fig. 1

9 a) Zeigen Sie: Die Verkettung zweier linearer Funktionen ist wieder eine lineare Funktion.
b) Kann man für u mit $u(x) = 9x + 2$ und v mit $v(x) = 3x + a$ den Parameter a so bestimmen, dass $u \circ v = v \circ u$ ist?

10 Fig. 2 zeigt den Graphen einer Funktion f. Welche der folgenden Aussagen sind richtig, welche falsch? Begründen Sie Ihre Antwort.
(A) f' hat für $-4 < x < 4$ genau eine Nullstelle.
(B) Der Graph von f hat genau einen Wendepunkt.
(C) f' hat für $-4 < x < 4$ ein Maximum.
(D) Der Graph von f' ist punktsymmetrisch zum Ursprung.

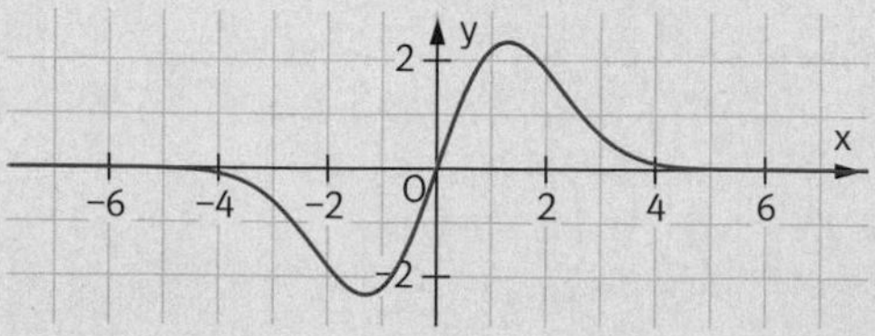

Fig. 2

Prüfungsvorbereitung mit Hilfsmitteln

1 Gegeben ist die Funktion f mit $f(x) = \frac{1}{1+x^2}$.

a) Berechnen Sie den Hochpunkt des Graphen von f.

b) Ein zur y-Achse symmetrisches Dreieck hat den Ursprung O als eine Ecke. Die beiden weiteren Ecken P_1 und P_2 liegen auf dem Graphen von f. Fertigen Sie eine Skizze an, die diesen Sachverhalt veranschaulicht.
Für welche Lage von P_1 ist der Flächeninhalt des Dreiecks extremal? Um welche Art von Extremum handelt es sich dabei?

2 Eine Firma berechnet die täglichen Verkaufszahlen eines Handymodells, das neu eingeführt wird, modellhaft mit der Funktion f_k mit $f_k(t) = k(t-15)e^{-0,01t} + k \cdot 15$ (k > 0; t Anzahl der Tage nach Einführung des neuen Modells).

a) Skizzieren Sie den Kurvenverlauf für k = 100; k = 200; k = 300. Mit wie vielen täglich verkauften Modellen rechnet man langfristig bei k = 200? Beschreiben und interpretieren Sie den Kurvenverlauf.

b) Die Firma erwirtschaftet einen Gewinn, wenn täglich mehr als 4500 Handys verkauft werden. Wie lange ist der Zeitraum, in dem ein Gewinn erzielt wird, bei k = 200? Wie groß muss k mindestens sein, damit ein dauerhafter Gewinn möglich wird? Zeigen Sie, dass der Zeitpunkt, zu dem die tägliche Verkaufszahl maximal ist, unabhängig von k ist.

c) Zeigen Sie, dass die täglichen Verkaufszahlen ständig sinken, nachdem die maximalen Verkaufszahlen erreicht wurden. Berechnen Sie exakt, nach wie vielen Tagen die Verkaufszahlen am stärksten sinken. Die Firma kann aus Lagergründen nicht mehr als 13 000 Handys täglich verkaufen. Wie hoch darf k höchstens sein?

d) 100 Tage nach der Einführung eines Modells, dessen Verkaufszahlen mit Parameter 100 beschrieben wurden, wird ein weiteres neues Modell eingeführt, dessen Verkaufszahlen sich nach seiner Einführung mit Parameter 200 berechnen lassen. Man rechnet damit, dass sich die täglichen Verkaufszahlen der beiden Modelle addieren. Mit welcher maximalen täglichen Verkaufszahl muss die Firma nun rechnen?

3 In der Pharmakokinetik wird die Konzentration K eines Medikaments im Blut in Abhängigkeit von der Zeit nach Einnahme des Medikaments durch die sogenannte **Bateman-Funktion** K mit

$K(t) = \frac{ac}{a-b}(e^{-bt} - e^{-at})$ beschrieben

$\left(\text{t in h nach Einnahme, } K(t) \text{ in } \frac{mg}{l}\right)$.

Für ein spezielles Medikament ist
$c = 18,75 \frac{mg}{l}$; a = 0,8; b = 0,2.

a) Fig. 1 zeigt den Verlauf des Graphen. Wann ist die Konzentration am höchsten? Wie hoch ist sie dann? Das Medikament wirkt, wenn die Konzentration über $7 \frac{mg}{l}$ liegt. Wie lange wirkt das Medikament?

b) Zu welchem Zeitpunkt ist die Aufnahmerate des Wirkstoffs im Blut am höchsten?
Wann ist die Ausscheidungsrate am höchsten?

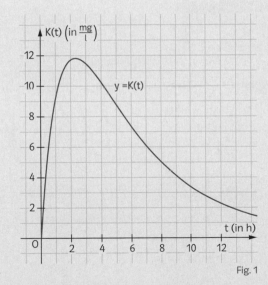

Fig. 1

Zeigen Sie, dass die Aufnahmerate direkt nach Einnahme des Medikaments unabhängig vom Parameter b ist.

c) Wie muss b gewählt werden, damit die maximale Konzentration 1,5 Stunden nach der Einnahme des Medikaments erreicht wird?

Schlüsselkonzept: Integral

Auf den ersten Blick handelt es sich um unterschiedliche Problemfelder: Die Berechnung von Flächeninhalten oder von Rauminhalten, die Ermittlung einer Durchflussmenge aus der Durchflussrate oder des zurückgelegten Weges aus der Geschwindigkeit.

Alle diese Aufgaben lassen sich mit einem Integral lösen.

$$\int_0^4 f(x)\,dx$$

A

B

Der Graph zeigt die momentane Durchflussmenge M einer Ölpipeline.

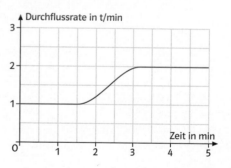

Von 0 bis 4 Minuten durchgeflossene Ölmenge M = ?

Das kennen Sie schon

- Ableitung von zusammengesetzten Funktionen
- Bestimmung und Interpretation von momentanen Änderungsraten

$$y = \frac{1}{8}x^2 + 1$$

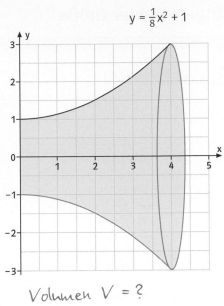

Volumen $V = ?$

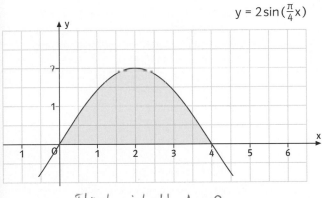

$$y = 2\sin\left(\frac{\pi}{4}x\right)$$

Flächeninhalt $A = ?$

Zentrum Paul Klee in Schöngrün bei Bern

 Zahl und
Maß

 Modell und
Simulation

 Daten und
Zufall

 Muster und
Struktur

 Beziehung und
Änderung

 Form und
Raum

In diesem Kapitel

– werden die Gesamtänderungen von Gößen bestimmt.
– wird der Begriff Integral eingeführt.
– werden Stammfunktionen bestimmt.
– werden Flächen- und Rauminhalte berechnet.

1 Rekonstruieren einer Größe

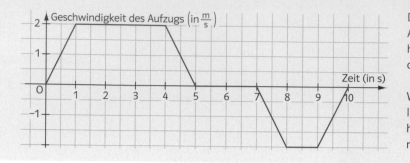

Der Graph zeigt die Geschwindigkeit eines Aufzugs während einer Fahrt in einem Hochhaus. Wenn der Aufzug nach oben fährt, ist die Geschwindigkeit positiv.

Welche Informationen über die Fahrt bezüglich Dauer, Höhenunterschiede, Stockwerkshöhen usw. können Sie dem Graphen entnehmen?

In der Analysis war bisher die Ableitung der zentrale Begriff. Mit deren Hilfe konnte zu einer gegebenen Größe die momentane Änderungsrate der Größe bestimmt werden. Liegt umgekehrt nur die momentane Änderungsrate einer Größe vor, kann man untersuchen, ob daraus die Größe selbst rekonstruierbar ist.

Ein zu Beginn leerer Wassertank wird durch dieselbe Leitung befüllt und entleert. In Fig. 1 ist die momentane Durchflussrate f der Leitung für das Intervall [0; 9] dargestellt.

Fig. 1

Im Intervall [0; 3] beträgt der Zufluss in jeder Minute 2 l.
In 3 Minuten fließen $2\frac{l}{min} \cdot 3\,min = 6\,l$ in den Tank. Die Zahl 6 ist auch die Maßzahl des Flächeninhalts A_1.
Im Intervall [3; 5] geht der Zufluss während 2 Minuten gleichmäßig von $2\frac{l}{min}$ auf 0 zurück. Hier beträgt die mittlere Zuflussrate $1\frac{l}{min}$.
In 2 Minuten kommen $1\frac{l}{min} \cdot 2\,min = 2\,l$ dazu. Die Zahl 2 entspricht der Maßzahl des Flächeninhalts A_2.
Im Intervall [5; 9] ist die Durchflussrate negativ. Es fließen $1,5\frac{l}{min} \cdot 4\,min = 6\,l$ ab. Die Zahl 6 entspricht der Maßzahl des Flächeninhalts A_3. Da die Durchflussrate negativ ist, liegt die Fläche unterhalb der x-Achse.

Intervall	[0; 3]	[3; 5]	[5; 9]	Insgesamt
Volumenänderung	+6 l	+2 l	−6 l	2 l Zufluss
Flächeninhalt	+6 FE	+2 FE	+6 FE	$A_1 + A_2 + A_3 = 14$ FE
Orientierter Flächeninhalt	+6 FE	+2 FE	−6 FE	$A_1 + A_2 - A_3 = 2$ FE

Da der Tank zu Beginn leer war, befinden sich jetzt insgesamt 2 l im Tank.

Fig. 1 zeigt: Eine Flächeneinheit (FE) zwischen dem Graphen der momentanen Durchflussrate und der x-Achse entspricht 1 l zugeflossenem bzw. abgeflossenem Wasser, abhängig davon, ob die Flächeneinheit oberhalb oder unterhalb der x-Achse liegt. Man kann also die Gesamtänderung des Wasservolumens in einem Intervall [a; b] mit Flächeninhalten veranschaulichen, wenn man oberhalb der x-Achse liegende Flächen positiv und unterhalb der x-Achse liegende Flächen negativ zählt. Dieser **orientierte Flächeninhalt** beträgt beim Wassertank $A_1 + A_2 - A_3 = +2$ FE und entspricht einer Volumenänderung von 2 l.

> Ist der Graph einer momentanen Änderungsrate aus geradlinigen Teilstücken zusammengesetzt, so kann man die **Gesamtänderung** der Größe rekonstruieren, indem man den orientierten Flächeninhalt zwischen dem Graphen der momentanen Änderungsrate und der x-Achse bestimmt.

Beispiel 1 Geschwindigkeit und zurückgelegte Strecke

Bei einem Experiment wurde die Geschwindigkeit v einer kleinen Kugel in Abhängigkeit von der Zeit aufgezeichnet (vgl. Fig. 1). Die Bewegung der Kugel nach rechts wird als positive Geschwindigkcit dargestellt, die Bewegung nach links als negative Geschwindigkeit.
Bestimmen Sie mithilfe des orientierten Flächeninhalts unter dem Graphen von v, wo sich die Kugel 5 s nach dem Start (bei t = 0) befindet.

- Lösung: Eine Flächeneinheit entspricht einem zurückgelegten Weg von 1 cm.

Zur weiteren Berechnung unterteilt man die Fläche in Rechtecke und Dreiecke.

A_1	A_2	A_3	A_4
4 FE	1 FE	1 FE	2 FE
links	*links*	*rechts*	*rechts*

Der orientierte Flächeninhalt ist
$-A_1 - A_2 + A_3 + A_4 = -2$ FE.
Dic Kugel befindet sich 2 cm links vom Startort.

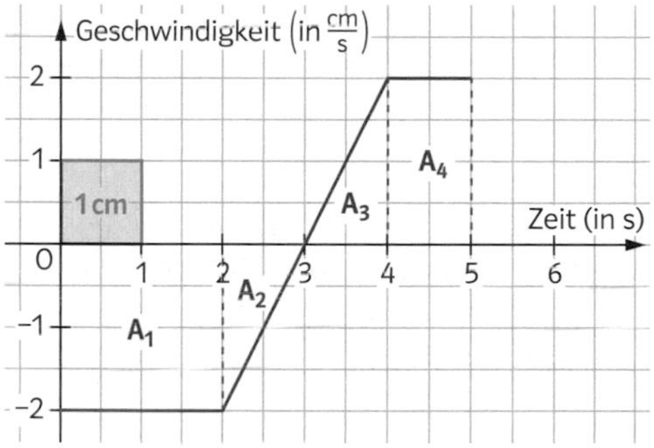

Beispiel 2 Zufluss- und Abflussrate

In einer Chemiefabrik wird die Produktion einer Chemikalie bis zum geplanten Ausstoß von $2{,}5\frac{t}{h}$ hochgefahren. Die Chemikalie fließt in einen zunächst leeren Tank, aus dem nach sechs Stunden für die Weiterverarbeitung konstant $2{,}5\frac{t}{h}$ entnommen werden. Die Zuflussrate und die Abflussrate der Chemikalie sind in Fig. 2 dargestellt. Beschreiben Sie für $0 \le t \le 12$ die Mengenänderung der Chemikalie im Tank.

- Lösung: Vier Karoflächen entsprechen einer Masse von 2 t. Eine Karofläche entspricht einer Masse von 0,5 t.

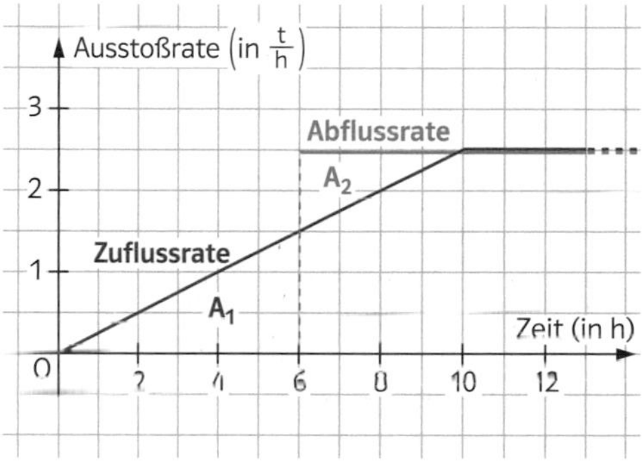

Erfolgen der Zufluss und der Abfluss in getrennten Leitungen, kann man sie beide positiv darstellen.

Fig. 1

Fig. 2

0 bis 6 Stunden:	6 bis 10 Stunden:	Ab 10 Stunden:
A_1 = 9 Karos Zunahme	A_2 = 4 Karos Abnahme	*Zuflussrate und Abflussrate sind*
Es gibt nur einen Zufluss.	A_2 entspricht der Differenz von	*gleich groß.*
Die Menge im Tank nimmt bis zur	Abfluss und Zufluss. Es fließen 2 t	Die Menge im Tank verändert sich
Masse 4,5 t zu.	ab; die Menge im Tank nimmt auf	nicht; sie bleibt konstant bei 2,5 t.
	2,5 t ab.	

Aufgaben

1 In den Fig. 3 bis 5 ist die Geschwindigkeit verschiedener Körper dargestellt. Welchen Weg haben die Körper jeweils in 4 s zurückgelegt?

Es sieht gleich aus, aber es ist nicht so!

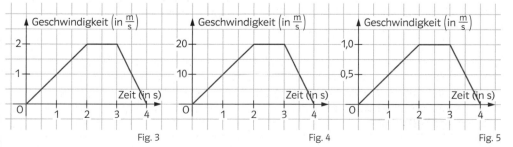

Fig. 3

Fig. 4

Fig. 5

2 Skizzieren Sie die Graphen von drei verschiedenen stückweise linearen Funktionen, sodass der orientierte Flächeninhalt über dem Intervall [0; 6] zwischen dem Graphen jeder Funktion und der x-Achse 6 FE beträgt.

3 In einem Gezeitenkraftwerk strömt bei Flut das Wasser in einen Speicher und bei Ebbe wieder heraus. Das durchfließende Wasser treibt dabei Turbinen zur Stromerzeugung an. Fig. 1 zeigt vereinfacht die Durchflussrate d vom Meer in den Speicher.

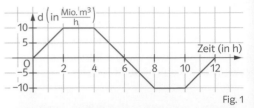
Fig. 1

a) Was bedeutet 1 FE unter dem Graphen von d in diesem Zusammenhang?
b) Wann nimmt die Wassermenge im Speicher am schnellsten zu, wann ist sie maximal, wann minimal? Wie geht es nach zwölf Stunden weiter?
c) Bei einer Springflut strömen 25 % mehr Wasser in den Speicher. Beschreiben Sie, wie sich das auf die Fläche zwischen dem Graphen von d und der x-Achse auswirkt.

Das erste und immer noch größte Gezeitenkraftwerk wurde 1966 in der Bucht von Saint-Malo in Betrieb genommen. Dort beträgt der Tidenhub 12 m.
Das Speicherbecken des Kraftwerks fasst ca. 180 Millionen Kubikmeter.

Zeit zu überprüfen

Bei Segelflugzeugen wird die Vertikalgeschwindigkeit in $\frac{m}{s}$ angegeben, bei Motorflugzeugen in $\frac{ft}{min}$ (Feet pro Minute).

4 Der Graph (vgl. Fig. 2) zeigt die Vertikalgeschwindigkeit v eines Segelflugzeugs. Bei t = 0 s ist das Flugzeug 400 m hoch. Steigt das Flugzeug, so ist v positiv.
a) Wie hoch ist das Flugzeug zu den Zeitpunkten t = 10 s, t = 20 s, t = 30 s und t = 40 s?
b) Wann fliegt das Flugzeug wieder auf einer Höhe von 395 m?

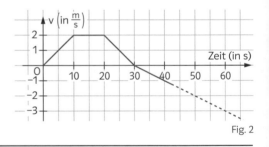
Fig. 2

5 Ein Tank besitzt eine Zufluss- und eine Abflussleitung. In Fig. 3 sind die dazugehörigen momentanen Durchflussraten dargestellt. Zu Beginn ist der Tank leer.
Wie viel befindet sich nach 2 Stunden, nach 4 Stunden, nach 6 Stunden und nach 8 Stunden im Tank?

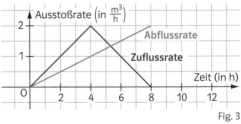
Fig. 3

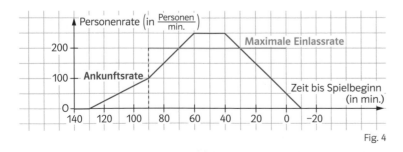
Fig. 4

6 Vor einem Fußballspiel öffnen die Eingänge 90 Minuten vor Spielbeginn. Es können dann 200 Personen pro Minute das Stadion betreten. Die Ankunftsrate der vor dem Stadion eintreffenden Menschen hat man nach Erfahrungswerten modelliert (vgl. Fig. 4).
a) Wie viele Personen warten 90 Minuten, wie viele 70 Minuten vor Spielbeginn auf Einlass?
b) Zu welchem Zeitpunkt ist die Warteschlange am längsten? Wie viele Personen warten dann?

2 Das Integral

Mit der nebenstehenden Formel kann man aus dem Umfang U_6 des einbeschriebenen regelmäßigen Sechsecks nacheinander den Umfang eines einbeschriebenen regelmäßigen 12-Ecks, eines 24-Ecks usw. berechnen.

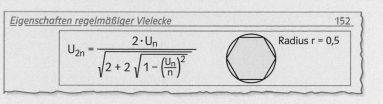

Eigenschaften regelmäßiger Vielecke 152

$$U_{2n} = \frac{2 \cdot U_n}{\sqrt{2 + 2\sqrt{1 - \left(\frac{U_n}{n}\right)^2}}}$$

Radius r = 0,5

Wenn der Graph der momentanen Änderungsrate einer Größe aus geradlinigen Teilstücken zusammengesetzt ist, kann der orientierte Flächeninhalt zwischen dem Graphen und der x-Achse mithilfe der Inhalte von Rechtecks- und Dreiecksflächen bestimmt werden. Es stellt sich die Frage, wie bei krummlinigen Graphen zur Bestimmung des orientierten Flächeninhalts vorgegangen werden kann.

◎ CAS
Berechnung einer krummlinigen Fläche

Der Inhalt der Fläche unter dem Graphen von f mit $f(x) = x^2$ soll über dem Intervall [0; 1] bestimmt werden. Dazu füllt man den Inhalt zunächst näherungsweise mit gleich breiten Rechtecken (gelb in Fig. 1).

Einteilung in z.B. vier Teilintervalle

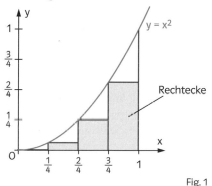

Fig. 1

Der Inhalt der vier Rechtecke beträgt
$$A_4 = \frac{1}{4} \cdot 0^2 + \frac{1}{4} \cdot \left(\frac{1}{4}\right)^2 + \frac{1}{4} \cdot \left(\frac{2}{4}\right)^2 + \frac{1}{4} \cdot \left(\frac{3}{4}\right)^2$$
$$\approx 0,2188.$$

Eine solche Rechteckssumme nähert den gesuchten Flächeninhalt umso besser an, je kleiner die Teilintervalle sind. In der Tabelle sind einige Werte zusammengestellt.

Anzahl der Teilintervalle	10	100	1000
Rechtecks-summe	A_{10} ≈ 0,2850	A_{100} ≈ 0,3284	A_{1000} ≈ 0,3328

Die Rechtecke in Fig. 1 liegen alle *unter* dem Graphen. Man nennt diese Rechteckssumme **Untersumme** U_4. Die **Obersumme** O_4 ist größer als der gesuchte Flächeninhalt:

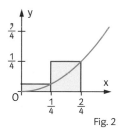

Fig. 2

Zur Untersuchung von A_n für $n \to \infty$ muss A_n in Abhängigkeit von der Anzahl n der Teilintervalle ausgedrückt werden: $A_n = \frac{1}{n} \cdot 0^2 + \frac{1}{n} \cdot \left(\frac{1}{n}\right)^2 + \frac{1}{n} \cdot \left(\frac{2}{n}\right)^2 + \ldots + \frac{1}{n} \cdot \left(\frac{n-1}{n}\right)^2$.

Ausklammern von $\left(\frac{1}{n}\right)^3$ ergibt: $A_n = \left(\frac{1}{n}\right)^3 \cdot [0^2 + 1^2 + 2^2 + \ldots + (n-1)^2]$.

Einsetzen der auf dem Rand angegebenen Formel für die Summe von Quadratzahlen ergibt:
$A_n = \frac{1}{n^3} \cdot \frac{1}{6} (n-1) \cdot n \cdot (2n-1) = \frac{1}{6} \cdot \frac{n-1}{n} \cdot \frac{n}{n} \cdot \frac{2n-1}{n} = \frac{1}{6} \cdot \left(1 - \frac{1}{n}\right) \cdot 1 \cdot \left(2 - \frac{1}{n}\right)$.

Für $n \to \infty$ ergibt sich: $\lim\limits_{n \to \infty} A_n = \frac{1}{6} \cdot 1 \cdot 1 \cdot 2 = \frac{1}{3}$.

Für den gesuchten Flächeninhalt ist es sinnvoll, den Wert $A = \lim\limits_{n \to \infty} A_n = \frac{1}{3}$ festzusetzen.

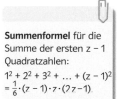

Summenformel für die Summe der ersten z – 1 Quadratzahlen:
$1^2 + 2^2 + 3^2 + \ldots + (z-1)^2$
$= \frac{1}{6} \cdot (z-1) \cdot z \cdot (2z-1)$.

Man kann für die Höhe der Rechtecke auch andere Funktionswerte nehmen (Fig. 3). Den Grenzwert einer Rechteckssumme A_n kann man dann allgemein so darstellen:
$\lim\limits_{n \to \infty} A_n = \lim\limits_{n \to \infty} [f(z_1) \cdot (x_2 - x_1) + f(z_2) \cdot (x_3 - x_2) + \ldots + f(z_n) \cdot (x_{n+1} - x_n)]$.

Kürzt man die gleichen Differenzen $x_1 - x_0$, $x_2 - x_1$ usw. mit Δx (lies: Delta x) ab, ergibt sich:
$\lim\limits_{n \to \infty} A_n = \lim\limits_{n \to \infty} [f(z_1) \cdot \Delta x + f(z_2) \cdot \Delta x + \ldots + f(z_n) \cdot \Delta x]$.

Bei differenzierbaren Funktionen ergibt sich unabhängig von der Art der Rechteckssumme immer der gleiche Grenzwert (siehe dazu Seite 121).

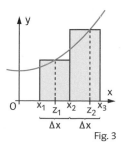

Fig. 3

In Fig. 1 verläuft der Graph der Funktion f teilweise unterhalb der x-Achse. Es wird jeweils beispielhaft der Flächeninhalt eines oberhalb und eines unterhalb der x-Achse liegenden Rechtecks berechnet.
Da die Inhalte von unterhalb der x-Achse liegenden Rechtecken dabei negativ gezählt werden, erhält man bei diesem Vorgehen orientierte Flächeninhalte.

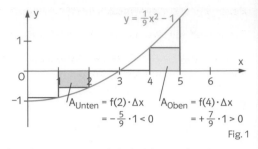

$A_{Unten} = f(2) \cdot \Delta x$ $A_{Oben} = f(4) \cdot \Delta x$
$= -\frac{5}{9} \cdot 1 < 0$ $= +\frac{7}{9} \cdot 1 > 0$

Fig. 1

Damit kann man mittels des Grenzwertes von Rechteckssummen auch bei nicht stückweise linearen Funktionen orientierte Flächeninhalte und Gesamtänderungen von Größen bestimmen.

Bei der Definition genügt statt *differenzierbar* auch *stetig* (vgl. dazu Seite 43).

Definition: Die Funktion f sei auf dem Intervall [a; b] differenzierbar und
$A_n = f(z_1) \cdot \Delta x + f(z_2) \cdot \Delta x + \ldots + f(z_n) \cdot \Delta x$ sei eine beliebige Rechteckssumme zu f über dem Intervall [a; b].
Dann heißt der Grenzwert $\lim\limits_{n \to \infty} A_n$ **Integral** der Funktion f zwischen den Grenzen a und b.

Man schreibt dafür: $\int_a^b f(x)\,dx$ (lies: Integral von f(x) von a bis b).

INFO

Die Integralschreibweise wurde von Gottfried Wilhelm Leibniz (1646–1716) eingeführt. Das Zeichen ∫ ist aus einem S (von Summa) entstanden; dx steht für immer kleiner werdende Intervallbreiten Δx.

obere Grenze
Integrationsvariable
$\int_a^b f(x)\,dx$
untere Grenze

Im Ausdruck $\int_a^b f(x)\,dx$ wird für f(x) die Bezeichnung **Integrand** und für x die Bezeichnung **Integrationsvariable** verwendet. Die Grenzen a und b heißen untere und obere **Integrationsgrenze**.

Beim GTR wird ein Verfahren ähnlich dem Rechtecksverfahren benutzt. Der Grenzwert wird dabei nicht bestimmt. Es wird lediglich die Rechteckssumme A_n für ein großes n berechnet, das heißt *numerisch* bestimmt.

Mit einem GTR kann man Integrale numerisch bestimmen. Fig. 2 zeigt den Bildschirm eines GTR bei der Berechnung des Integrals $\int_0^1 x^2\,dx$ im Grafik-Modus. Fig. 3 zeigt den Bildschirm bei der Berechnung im Rechen-Modus.

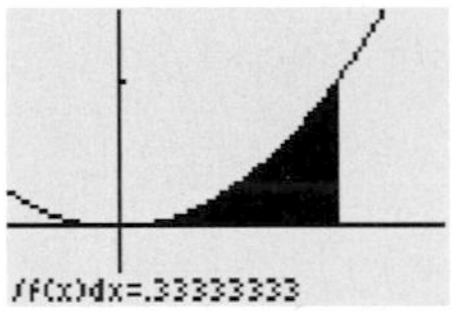

Fig. 2

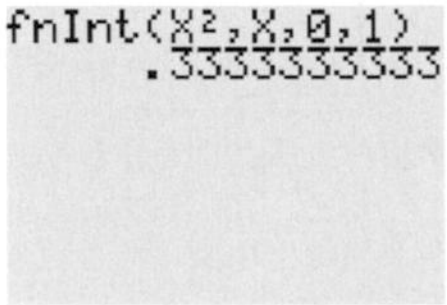

fnInt(X²,X,0,1)
           .3333333333

Fig. 3

Beispiel 1   Bestimmung des Integrals mit dem GTR
Bestimmen Sie das Integral und interpretieren Sie es als orientierten Flächeninhalt.

a) $\int_{-1}^2 \frac{1}{2}x^2\,dx$ b) $\int_0^{1,5\pi} \sin(x)\,dx$

■ Lösung: a) Mit dem GTR ergibt sich: $\int_{-1}^2 \frac{1}{2}x^2\,dx \approx 1{,}5$.

Die Fläche zwischen dem Graphen von f mit $f(x) = \frac{1}{2}x^2$ und der x-Achse über [−1; 2] hat den Inhalt A = 1,5 (vgl. Fig. 4).

b) Mit dem GTR ergibt sich: $\int_0^{1,5\pi} \sin(x)\,dx \approx 1$. Die Fläche oberhalb der x-Achse ist um 1 FE größer als die Fläche unterhalb der x-Achse.

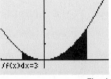

∫f(x)dx=3

Fig. 4

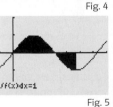

∫f(x)dx=1

Fig. 5

Beispiel 2 Bestimmung des Integrals mit Dreiecks- und Rechtecksflächen

Bestimmen Sie das Integral $\int_{-2}^{2}(0,5\,t + 0,5)\,dt$ ohne GTR mittels Dreiecks- und Rechtecksflächen.

■ Lösung: *Man berechnet die Flächeninhalte von Dreiecken und Rechtecken.*
$A_1 = 0,25$; $A_2 = 0,25$; $A_3 = 1$; $A_4 = 1$
Es gilt:
$\int_{-2}^{2}(0,5\,t + 0,5)\,dt = -A_1 + A_2 + A_3 + A_4 = 2.$

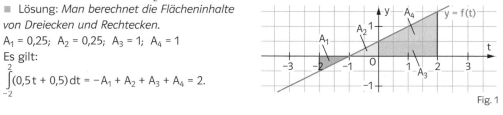

Fig. 1

Beispiel 3 Integral und Gesamtänderung einer Größe
Die Wachstumsgeschwindigkeit v eines Baumes kann im Alter zwischen 10 und 50 Jahren durch
$v(t) = 0,1 \cdot \sqrt{t + 4}$ (t in Jahren, v(t) in Metern pro Jahr) beschrieben werden.
Der Baum ist im Alter von 20 Jahren 9,80 m hoch. Bestimmen Sie mithilfe des GTR, wie hoch der Baum mit 40 Jahren ist.

■ Lösung: Die Höhenzunahme des Baumes entspricht dem orientierten Flächeninhalt A über dem Intervall [20; 40].

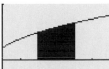

Fig. 2

Es ist $A = \int_{20}^{40}\left(0,1 \cdot \sqrt{t + 4}\right)dt \approx 11,62$ (mit GTR, vgl. Fig. 2).
Der Baum ist um 11,62 m gewachsen. Mit 40 Jahren ist er 9,80 m + 11,62 m = 21,42 m hoch.

Aufgaben

1 Bestimmen Sie das Integral mithilfe von Dreiecks- und Rechtecksflächen.

a) $\int_{2}^{5} x\,dx$
b) $\int_{-1}^{1}(2x + 1)\,dx$
c) $\int_{-1}^{2} -2t\,dt$
d) $\int_{0}^{4} -2\,dx$
e) $\int_{-5}^{0}(-t - 5)\,dt$

2 Bestimmen Sie das Integral mithilfe der in Fig. 3 angegebenen Flächeninhalte.

a) $\int_{-2}^{0} f(x)\,dx$
b) $\int_{-1}^{2} f(x)\,dx$

c) $\int_{0}^{3} f(x)\,dx$
d) $\int_{-2}^{3} f(x)\,dx$

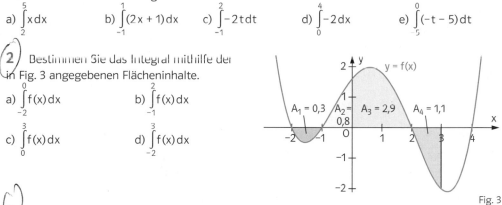

Fig. 3

3 Bestimmen Sie das Integral mit dem GTR. Geben Sie das Ergebnis auf drei Dezimalen gerundet an. Veranschaulichen Sie das Ergebnis als orientierten Flächeninhalt.

a) $\int_{0}^{2} x^2\,dx$
b) $\int_{0}^{2}(x^2 - 1)\,dx$
c) $\int_{-1}^{1} x^3\,dx$
d) $\int_{-\frac{\pi}{2}}^{\frac{\pi}{2}} \cos(x)\,dx$
e) $\int_{0}^{1}(e^x - 2)\,dx$

4 Schreiben Sie den Inhalt der gefärbten Fläche als Integral. Berechnen Sie es mit dem GTR.

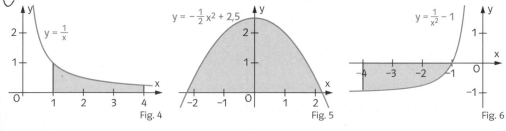

Fig. 4   Fig. 5   Fig. 6

5 Bestimmen Sie das Integral mittels Dreiecks- und Rechtecksflächen.

a) $\int_0^6 \frac{1}{2}x\,dx$ b) $\int_{-1}^2 (2x-1)\,dx$ c) $\int_{-10}^0 -0{,}5\,dt$

6 Schreiben Sie den Inhalt der Flächen A_1, A_2 und A_3 in Fig. 1 als Integral und berechnen Sie es mit dem GTR.

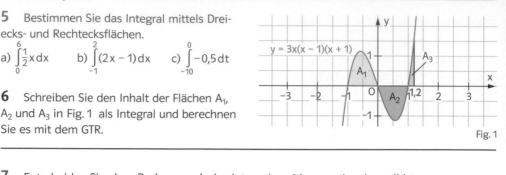

Fig. 1

7 Entscheiden Sie ohne Rechnung, ob das Integral positiv, negativ oder null ist.

a) $\int_{10}^{80} x^2\,dx$ b) $\int_{10}^{11} -x^4\,dx$ c) $\int_{-4}^2 x^3\,dx$ d) $\int_{-3}^3 e^x\,dx$ e) $\int_0^{2\pi} \sin(x)\,dx$

8 Zeichnen Sie im Intervall $[-2; 2]$ den Graphen einer Funktion f mit

a) $\int_{-2}^2 f(x)\,dx = 0;$ b) $\int_{-2}^2 f(x)\,dx = 2;$ c) $\int_{-2}^2 f(x)\,dx = -4;$ d) $\int_{-2}^2 f(x)\,dx = \pi.$

9 a) Bestimmen Sie für das Integral $\int_0^2 x^2\,dx$ einen Näherungswert, indem Sie das Intervall $[0; 2]$ in zehn gleiche Teile teilen und die in Fig. 2 dargestellte Rechteckssumme A_{10} berechnen.

b) Bestimmen Sie das Integral $\int_0^2 x^2\,dx$ als Grenzwert von A_n für $n \to \infty$.

Für die Aufgabe 9 b) benötigt man die Summenformel von Seite 91. Kontrollieren Sie das Ergebnis mit dem GTR.

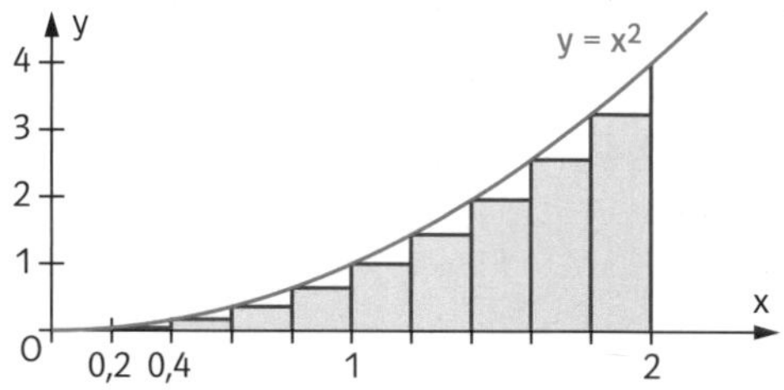

Fig. 2

10 Im Kamin eines Kraftwerks wird die in der Abluft enthaltene Menge eines Schadstoffes gemessen. Für den momentanen Schadstoffausstoß s gilt $s(t) = 5 \cdot \sin(0{,}25t) + 10$ (t in Stunden, s(t) in Gramm pro Stunde).
Bestimmen Sie die im Intervall $[0; 24]$ insgesamt ausgestoßene Schadstoffmenge.

11 Eine Erzmine soll nur noch zehn Jahre betrieben werden. Für diese Zeit wird von einer momentanen Abbaurate b mit $b(t) = 10^6 \cdot e^{-0{,}1t}$ ausgegangen (t in Jahren, b(t) in Tonnen pro Jahr). Welche Erzmenge wird insgesamt bis zur Schließung aus der Mine gefördert worden sein, wenn bis heute vier Millionen Tonnen abgebaut wurden?

12 Eine zweistufige Rakete hat bei der Zündung der zweiten Stufe eine Höhe von 12 500 m erreicht. Ihre Vertikalgeschwindigkeit während des 30 s dauernden Abbrennens der zweiten Stufe beträgt $v(t) = -0{,}25t^2 + 30t + 450$ $\left(0 \le t \le 30\,s,\ v(t) \text{ in } \frac{m}{s}\right)$.
Welche Höhe hat die Rakete nach dem Abbrennen der zweiten Stufe erreicht?

13 a) Begründen Sie, dass der Graph der Funktion f mit $f(x) = \sqrt{1-x^2}$ einen Halbkreis mit Radius 1 beschreibt (vgl. Fig. 3).
b) Drücken Sie den Inhalt des Halbkreises mit einem Integral aus und berechnen Sie es mit dem GTR.
Wie hängt das Ergebnis mit der Zahl π zusammen?

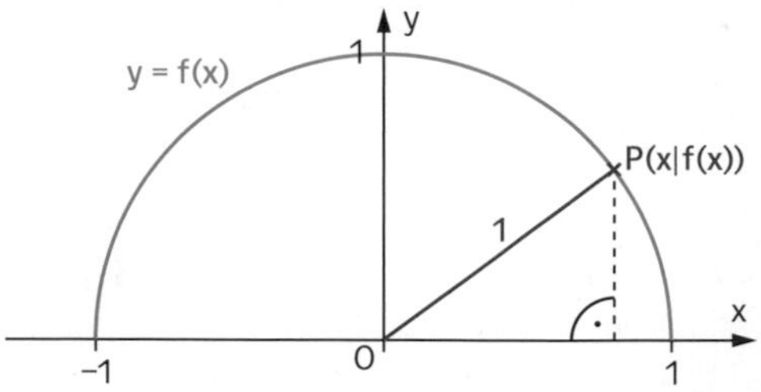

Fig. 3

3 Der Hauptsatz der Differenzial- und Integralrechnung

In der Physik unterscheidet man zwischen Bewegungen mit der Beschleunigung 0 und Bewegungen mit konstanter Beschleunigung. Ordnen Sie die Formeln für die Beschleunigung a, die Geschwindigkeit v und den Weg s den beiden Bewegungsformen zu.

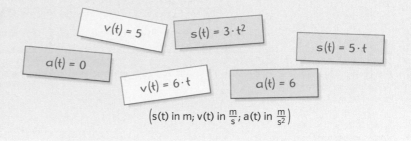

$$\left(s(t) \text{ in m}; v(t) \text{ in } \tfrac{m}{s}; a(t) \text{ in } \tfrac{m}{s^2}\right)$$

Die Berechnung eines Integrals mittels eines Grenzwertes einer Rechtecksumme ist aufwendig. Eine einfachere Berechnungsmethode erhält man, wenn man die Tatsache nutzt, dass die momentane Änderungsrate einer Größe der Ableitung der Gesamtänderung entspricht.

Die gegebene Funktion g mit $g(x) = x^2$ beschreibt die momentane Änderungsrate einer Größe G. Gesucht ist die Gesamtänderung der Größe auf dem Intervall [0; 1].

Bisher ist bekannt: Diese Gesamtänderung entspricht dem Integral $\int_0^1 x^2\,dx$, veranschaulicht als Flächeninhalt A in Fig. 1. Auf Seite 87 wurde dieses Integral als Grenzwert bestimmt. Es gilt $\int_0^1 x^2\,dx = \frac{1}{3}$.

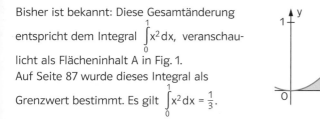

$$A = \int_0^1 x^2\,dx$$

Fig. 1

Andererseits gilt:
Ist ein Funktionsterm G der Größe bekannt, dann kann die Gesamtänderung der Größe G auf dem Intervall [0; 1] als Differenz der Funktionswerte $G(1) - G(0)$ berechnet werden.
Die folgende Überlegung zeigt, wie man einen Funktionsterm von G erhalten kann:
g ist die momentane Änderungsrate von G, das heißt, g ist die Ableitung der Funktion G. Damit muss die gesuchte Funktion G die Bedingung $G' = g$ erfüllen. Folgende Funktionen kommen für G infrage: $G_1(x) = \frac{1}{3}x^3$; $G_2(x) = \frac{1}{3}x^3 + 1$; $G_1(x) = \frac{1}{3}x^3 + 2$; $G_1(x) = \frac{1}{3}x^3 + 3$ usw.
Man nennt jede dieser Funktionen eine Stammfunktion von g. Bildet man die gesuchte Differenz, ergibt sich in jedem Fall derselbe Wert:
$G_1(1) - G_1(0) = \frac{1}{3} - 0 = \frac{1}{3}$; $G_2(1) - G_2(0) = \left(\frac{1}{3} + 1\right) - (0 + 1) = \frac{1}{3}$; $G_2(1) - G_2(0) = \left(\frac{1}{3} + 2\right) - (0 + 2) = \frac{1}{3}$ usw.
Deshalb genügt es, zur Berechnung eines Integrals eine beliebige Stammfunktion G von g zu verwenden. Es gilt dann: $\int_0^1 g(x)\,dx = G(1) - G(0)$.

Die Differenzen $G_1(1) - G_1(0)$, $G_2(1) - G_2(0)$ usw. sind immer dann gleich, wenn sich die Funktionen G_1, G_2 usw. nur in einer Konstanten unterscheiden.

> **Definition:** Eine Funktion F heißt **Stammfunktion** zu einer Funktion f auf einem Intervall I, wenn für alle $x \in I$ gilt: $F'(x) = f(x)$.
>
> **Satz 1:** Sind F und G Stammfunktionen von f auf einem Intervall I, dann gibt es eine Konstante c, sodass für alle x in I gilt: $F(x) = G(x) + c$.

Es ist üblich, Stammfunktionen mit Großbuchstaben zu bezeichnen.

Beweis von Satz 1: Da F und G Stammfunktionen von f sind, gilt $F'(x) = f(x)$ und $G'(x) = f(x)$ und damit $(F - G)'(x) = F'(x) - G'(x) = 0$ auf I. Das bedeutet: Die Funktion $F - G$ muss auf I eine konstante Funktion sein: $F(x) - G(x) = c$, also $F(x) = G(x) + c$.

Bei der Hinführung zum Hauptsatz wurde anschaulich mit Größen gearbeitet. Jetzt wird mit der Definition des Integrals argumentiert.

Exkursion
Flächeninhaltsbestimmung vor der Entdeckung des Hauptsatzes
735301-0961

Beweis von Satz 2: Gegeben ist eine Funktion f und eine beliebige Stammfunktion F von f über [a; b].

Man zeigt: Wenn man das Intervall [a; b] in n gleiche Teile Δx teilt (Fig. 1), dann gibt es in jedem Intervall Δx eine Stelle z_n mit $F(b) - F(a) = \lim_{n \to \infty} [f(z_1) \cdot \Delta x + f(z_2) \cdot \Delta x + \ldots + f(z_n) \cdot \Delta x]$.

Für den Beweis schreibt man die Differenz $F(b) - F(a)$ als Summe von Differenzen:
$F(b) - F(a) = (F(x_1) - F(x_0)) + (F(x_2) - F(x_1)) + (F(x_3) - F(x_2)) + \ldots + (F(x_n) - F(x_{n-1}))$.

In Fig. 2 ist das Intervall $[x_2; x_3]$ vergrößert dargestellt. Dazugezeichnet ist die Sekante durch die Punkte $(x_2 \mid F(x_2))$ und $(x_3 \mid F(x_3))$.

Sie hat die Steigung $\frac{F(x_3) - F(x_2)}{x_3 - x_2}$.

Im Intervall $[x_2; x_3]$ gibt es eine Stelle z_3, an der der Graph von F dieselbe Steigung wie die Sekante hat (vgl. Tangente in Fig. 2).

Es gilt: $F'(z_3) = f(z_3) = \frac{F(x_3) - F(x_2)}{x_3 - x_2}$, das heißt,
$F(x_3) - F(x_2) = f(z_3) \cdot (x_3 - x_2) = f(z_3) \cdot \Delta x$.

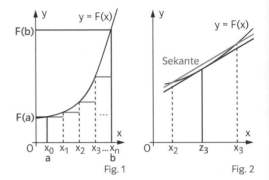

Fig. 1   Fig. 2

Da diese Überlegung für jedes Teilintervall durchführbar ist, gilt:
$F(b) - F(a) = f(z_1) \cdot \Delta x + f(z_2) \cdot \Delta x + f(z_3) \cdot \Delta x + \ldots + f(z_n) \cdot \Delta x$.

Für $n \to \infty$ ist der Grenzwert der rechten Seite der Gleichung gerade das Integral $\int_a^b f(x)\,dx$.

INFO

Gottfried Wilhelm Leibniz
(1646–1716)

Isaac Newton
(1643–1727)

Gottfried Wilhelm Leibniz und Isaac Newton erkannten als Erste, dass sich eine Vielfalt von Problemen auf zwei Grundaufgaben zurückführen lässt: die Ermittlung der Ableitung und die Ermittlung des Integrals. Zudem entdeckten sie unabhängig voneinander bei physikalischen Fragestellungen den Zusammenhang zwischen Ableitung und Integral (in heutiger Terminologie der Hauptsatz der Differenzial- und Integralrechnung). Ein Beweis wie der oben dargestellte wurde erst im 19. Jahrhundert entwickelt (siehe auch Seite 116).

Bei der Bestimmung einer Stammfunktion F muss man „rückwärts ableiten". Eine Probe bringt Sicherheit: F' muss f ergeben.

Bei der Berechnung eines Integrals wie $\int_1^3 x^2\,dx$ mit dem Hauptsatz wird zunächst eine Stammfunktion F bestimmt, z.B. $F(x) = \frac{1}{3}x^3$. Anschließend werden die Funktionswerte $F(3)$ und $F(1)$ berechnet und dann ihre Differenz gebildet. Für dieses Verfahren verwendet man die folgende Schreibweise: $\int_1^3 x^2\,dx = \left[\frac{1}{3}x^3\right]_1^3 = \frac{1}{3}3^3 - \frac{1}{3}1^3 = 8\frac{2}{3}$.

Beispiel 1 Stammfunktionen

a) Prüfen Sie, welche der Funktionen F mit $F(x) = 0,3x^2$; G mit $G(x) = 0,2x^3$ und H mit $H(x) = 0,2(x^3 - 10)$ eine Stammfunktion von f mit $f(x) = 0,6x^2$ ist.

b) Bestimmen Sie zwei verschiedene Stammfunktionen von f mit $f(x) = \frac{1}{2}x^3$.
Geben Sie alle Stammfunktionen von f an.

■ Lösung:

a) *Man bestimmt die Ableitung von F, G bzw. H und prüft, ob diese mit f übereinstimmt.*
$F'(x) = 0,6x \neq f(x)$; F ist keine Stammfunktion von f.
$G'(x) = 0,6x^2 = f(x)$; G ist eine Stammfunktion von f.
$H(x) = 0,2x^3 - 2$; $H'(x) = 0,6x^2 = f(x)$; H ist eine Stammfunktion von f.

b) *Man sucht eine Funktion, deren Ableitung die Funktion f ergibt.*
Stammfunktionen sind z. B. F mit $F(x) = \frac{1}{8}x^4$ und G mit $G(x) = \frac{1}{8}x^4 + 1$.
Jede Stammfunktion von f hat die Form F mit $F(x) = \frac{1}{8}x^4 + c$ mit einer Konstanten $c \in \mathbb{R}$.

Die Definition und der Satz 1 zu Stammfunktionen bezieht sich auf ein Intervall, auf dem die Funktion definiert ist. Das Intervall kann auch wie in Beispiel 1 aus ganz $\mathbb{R}$ bestehen.

Beispiel 2 Berechnen eines Integrals mit dem Hauptsatz in einfachen Fällen

Berechnen Sie das Integral mithilfe des Hauptsatzes. a) $\int_{0}^{4} 2x\,dx$ b) $\int_{-1}^{3} \frac{1}{2}x^2\,dx$

■ Lösung: a) Eine Stammfunktion von $f(x) = 2x$ ist $F(x) = x^2$. $\int_{0}^{4} 2x\,dx = [x^2]_{0}^{4} = 4^2 - 0^2 = 16$

b) Eine Stammfunktion von $f(x) = \frac{1}{2}x^2$ ist $F(x) = \frac{1}{6}x^3$. $\int_{-1}^{3} \frac{1}{2}x^2\,dx = \left[\frac{1}{6}x^3\right]_{-1}^{3} = \frac{1}{6}\cdot 3^3 - \left(\frac{1}{6}\cdot(-1)^3\right) = \frac{14}{3}$

Probe:
a) $(x^2)' = 2x$
b) $\left(\frac{1}{6}x^3\right)' = \frac{1}{2}x^2$

Aufgaben

1 Geben Sie eine Stammfunktion von f an.

a) $f(x) = x^2$ b) $f(x) = x^3$ c) $f(x) = 3x$ d) $f(x) = x^5$ e) $f(x) = 5x^2$
f) $f(x) = x^4$ g) $f(x) = 0,1x^3$ h) $f(x) = x$ i) $f(x) = 2$ j) $f(x) = 2x^5$

2 F ist eine Stammfunktion von f. Geben Sie eine mögliche Zahl für a an.

a) $f(x) = 3x^2$; $F(x) = x^a$
b) $f(x) = 2x$; $F(x) = x^2 - a$
c) $f(x) = 2x$; $F(x) = x^2 + 1 + a$
d) $f(x) = (a+1)\cdot x$; $F(x) = x^{a+1}$

3 Bestimmen Sie eine Stammfunktion F zu f mit $F(1) = 100$.

a) $f(x) = 2x$ b) $f(x) = x^2$ c) $f(x) = 5$ d) $f(x) = -x$ e) $f(x) = -10$

4 Berechnen Sie das Integral mit dem Hauptsatz.

a) $\int_{0}^{4} x^2\,dx$ b) $\int_{2}^{4} x^2\,dx$ c) $\int_{-1}^{5} 2x\,dx$ d) $\int_{10}^{11} 0,5x\,dx$ e) $\int_{10}^{20} 5\,dx$ f) $\int_{0}^{1} x^3\,dx$

g) $\int_{0}^{3} 0,5x^2\,dx$ h) $\int_{-2}^{0} \frac{1}{3}x^3\,dx$ i) $\int_{-2}^{-1} \frac{1}{8}x^4\,dx$ j) $\int_{-4}^{4} 0,5x^2\,dx$ k) $\int_{-1}^{1} x^5\,dx$ l) $\int_{90}^{100} 1\,dx$

Kontrollieren Sie Ihr Ergebnis, indem Sie das Integral mit dem GTR bestimmen.

5 Wie geht es nach $\int_{-2}^{-1}(-2x)\,dx = [-x^2]_{-2}^{-1} = \dots$ richtig weiter?

(I) $-1^2 - 2^2 = -1 - 4 = -5$
(II) $-(-1)^2 - (-(-2)^2) = -1 - (-4) = 3$
(III) $-1^2 - (-2)^2 = -1 - 4 = -5$
(IV) $(-1)^2 - (-2)^2 = 1 - 4 = -3$

Achtung: Rechenfehler!

6 Berechnen Sie das Integral mit dem Hauptsatz.

a) $\int_{0}^{4} -x\,dx$ b) $\int_{-1}^{1} -2x\,dx$ c) $\int_{-2}^{2} -x^2\,dx$ d) $\int_{-4}^{-2} -0,5x\,dx$ e) $\int_{-20}^{-10} -1\,dx$ f) $\int_{-1}^{0} dx$

7 Untersuchen Sie, ob jeweils zwei der zu den Graphen gehörenden Funktionen eine Stamm-funktion derselben Funktion f sein können.

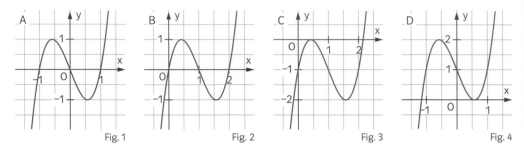

Fig. 1   Fig. 2   Fig. 3   Fig. 4

Zeit zu überprüfen

8 Prüfen Sie, ob die Funktion F mit $F(x) = 0{,}1x^4 - 0{,}1$ und die Funktion G mit $G(x) = \frac{2}{20}x^4$ eine Stammfunktion von h mit $h(x) = \frac{2}{5}x^3$ ist.

9 Berechnen Sie das Integral mit dem Hauptsatz.   a) $\int_{-2}^{5} x^2\,dx$ b) $\int_{-2}^{-1} -\frac{1}{2}x^4\,dx$

10 Welches Integral kann mit der Rechnung $[0{,}4x^2]_1^2$ berechnet werden?

I. $\int_1^2 \frac{4}{30}x^3\,dx$ II. $\int_1^2 (0{,}8x + 0{,}8)\,dx$ III. $\int_1^2 0{,}8x\,dx$ IV. $\int_1^2 (x - 0{,}2x)\,dx$

11 Berechnen Sie zu f mit $f(x) = \frac{1}{9}x^2$ mit dem Hauptsatz das Integral $\int_0^3 f(x)\,dx$ und inter-pretieren Sie das Ergebnis in dem beschriebenen Sachzusammenhang.
I. Der Graph von f und die x-Achse begrenzen eine Fläche über einem Intervall.
II. f beschreibt die Geschwindigkeit eines Autos (x in Sekunden, f(x) in Metern pro Sekunde).
III. f beschreibt die momentane Produktion von Benzin in einer Raffinerie (x in Stunden, f(x) in Tausend Tonnen).

Tipp zu Aufgabe 12:
Die Fallgeschwindigkeit ist die momentane Ände-rungsrate der Fallstrecke.

12 Fällt ein Körper aus der Ruhe im freien Fall, dann gilt für seine Fallgeschwindigkeit v nach der Zeit t: $v(t) = 9{,}81 \cdot t$ (t in Sekunden, v(t) in Metern pro Sekunde).
Bestimmen Sie mithilfe eines Integrals, wie weit der Körper in drei Sekunden gefallen ist.

13 Geben Sie drei verschiedene Funktionen f an, sodass $\int_{-1}^{1} f(x)\,dx = 0$ gilt. Bestätigen Sie dies durch Berechnung des Integrals mit dem Hauptsatz.

14 Bestimmen Sie die positive Zahl z.
a) $\int_0^z x\,dx = 18$ b) $\int_1^z 4x\,dx = 30$ c) $\int_z^{10} 2x\,dx = 19$ d) $\int_0^{2z} 0{,}4\,dx = 8$

Zeit zu wiederholen

15 Lösen Sie die Gleichungen mit und ohne GTR.
a) $x^2 - x - 2 = 0$ b) $(2x + 3)^3 = 0$ c) $(2x + 3)^3 = 1$ d) $4x^3 - 2x^2 = 0$
e) $2e^{2x} = 6e^x$ f) $x^4 - 13x^2 = -36$ g) $x^3 = -10x^2 - 9x$ h) $e^x - e^{2x} = 0$

16 Bestimmen Sie die Nullstellen von f mit und ohne GTR.
a) $f(x) = -2x^2 + 8x + 1$ b) $f(x) = (x + 3)^2(x + 1)$ c) $f(x) = 4x^2(x^2 - 10) + 4x^2$
d) $f(x) = 4(x - 0{,}5)^4 - 4$ e) $f(x) = e^x - e^2$ f) $f(x) = 0{,}2e^{2x} - 1$

4 Bestimmung von Stammfunktionen

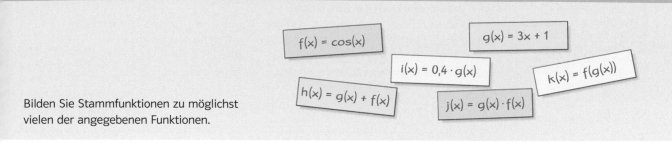

$f(x) = \cos(x)$

$g(x) = 3x + 1$

$i(x) = 0{,}4 \cdot g(x)$

$k(x) = f(g(x))$

$h(x) = g(x) + f(x)$

$j(x) = g(x) \cdot f(x)$

Bilden Sie Stammfunktionen zu möglichst vielen der angegebenen Funktionen.

Bei der Berechnung eines Integrals mit dem Hauptsatz muss eine Stammfunktion bestimmt werden. Um bei einer zusammengesetzten Funktion leichter eine Stammfunktion zu finden, geht man wie bei der Ableitung vor: Man bestimmt zunächst Stammfunktionen zu einfachen Funktionen und sucht dann nach Regeln, wie man auch für zusammengesetzte Funktionen eine Stammfunktion finden kann.

In der Tabelle ist zu einigen einfachen Funktionen jeweils eine Stammfunktion angegeben.

Stammfunktionen zu einfachen Funktionen								
$f(x)$	x^2	x	1	x^{-1}	x^{-2}	$\sin(x)$	$\cos(x)$	e^x
$F(x)$	$\frac{1}{3}x^3$	$\frac{1}{2}x^2$	x	?	$-x^{-1}$	$-\cos(x)$	$\sin(x)$	e^x

Wie weist man nach, dass F eine Stammfunktion von f ist? Durch Ableiten von F! Es muss gelten $F'(x) = f(x)$.

Anhand der Tabelle erkennt man folgende Regel, die man durch Ableiten von F bestätigt:

Zu Funktionen der Form $f(x) = x^z$ $(z \neq -1)$ ist F mit $F(x) = \frac{1}{z+1}x^{z+1}$ eine Stammfunktion.

Man kann zeigen, dass dies auch für reelle Exponenten z $(z \neq -1)$ gilt: Zum Beispiel ist zu f mit $f(x) = \sqrt{x} = x^{\frac{1}{2}}$ die Funktion F mit $F(x) = \frac{1}{\frac{1}{2}+1}x^{\frac{1}{2}+1} = \frac{2}{3}x^{\frac{3}{2}}$ eine Stammfunktion.

So findet man zu einer Potenzfunktion eine Stammfunktion:
1. Hochzahl plus 1.
2. Mit dem Kehrwert der neuen Hochzahl multiplizieren.

Eine Stammfunktion zu f mit $f(x) = \frac{1}{x} = x^{-1}$ findet man in Zusammenhang mit dem natürlichen Logarithmus.

Ist g die Funktion mit $g(x) = \ln(x)$ mit $x > 0$, dann gilt $e^{g(x)} = x$.

Ableiten auf beiden Seiten ergibt: $e^{g(x)} \cdot g'(x) = 1$, also $e^{\ln(x)} \cdot \ln'(x) = 1$ oder $x \cdot \ln'(x) = 1$.

Damit gilt für $x > 0$: $\ln'(x) = \frac{1}{x}$.

Für $x < 0$ ergibt sich: $\ln'(|x|) = \ln'(-x) = \frac{1}{-x} \cdot (-1) = \frac{1}{x}$.

Damit ist die Funktion F mit $F(x) = \ln(|x|)$ eine Stammfunktion von f mit $f(x) = \frac{1}{x}$ $(x \neq 0)$.

Für eine **Summe von Funktionen** wie f mit $f(x) = x^2 + \cos(x)$ findet man eine Stammfunktion, wenn man die Ableitungsregel $(g + h)' = g' + h'$ für Summen von Funktionen beachtet. Danach ist F mit $F(x) = \frac{1}{3}x^3 + \sin(x)$ eine Stammfunktion von f.

Achtung:
Für f mit $f(x) = g(x) \cdot h(x)$ gilt **nicht** $F(x) = G(x) \cdot H(x)$.

Entsprechend kann man bei einem **Produkt aus einer Zahl mit einer Funktion** wie bei $f(x) = 2{,}8 \cdot \cos(x)$ die Ableitungsregel $(c \cdot f)' = c \cdot f'$ benutzen. Danach ist F mit $F(x) = 2{,}8 \cdot \sin(x)$ eine Stammfunktion von f.

Wie man die Produktregel zum Auffinden von Stammfunktionen nutzen kann, wird auf Seite 118 gezeigt.

Für ein Produkt von Funktionen wie $f(x) = x^2 \cdot \cos(x)$ ist eine Verwendung der Ableitungsregel für Produkte aufwendig und wird hier nicht betrachtet.

Bei **Verkettungen** muss man die Kettenregel beachten. Hier werden nur Verkettungen wie $f(x) = \cos(2x - 5)$ betrachtet, bei denen die innere Funktion linear ist. Zu f ist F mit $F(x) = \frac{1}{2} \cdot \sin(2x - 5)$ eine Stammfunktion.

Eine nichtlineare Verkettung ist z. B. f mit $f(x) = \cos(x^2)$.

Falls man auf Anhieb keine Stammfunktion findet, kann man zunächst gezielt raten, dann diese Funktion ableiten und daraufhin überlegen, wie die vermutete Stammfunktion korrigiert werden muss.

Satz 1: Bestimmung von Stammfunktionen

– Zur Funktion f mit $f(x) = x^r$ $(r \neq -1)$ ist F mit $F(x) = \frac{1}{r+1}x^{r+1}$ eine Stammfunktion.
  Zur Funktion f mit $f(x) = x^{-1} = \frac{1}{x}$ ist F mit $F(x) = \ln(|x|)$ eine Stammfunktion.

– Sind G und H Stammfunktionen von g und h, so gilt für zusammengesetzte Funktionen:

Funktion f	$f(x) = g(x) + h(x)$	$f(x) = c \cdot g(x)$	$f(x) = g(c \cdot x + d)$
Stammfunktion F	$F(x) = G(x) + H(x)$	$F(x) = c \cdot G(x)$	$F(x) = \frac{1}{c}G(c \cdot x + d)$

Die zur Bestimmung von Stammfunktionen gültigen Regeln kann man zum Teil auf die Berechnung von Integralen übertragen.

Diese Regeln beschreiben die sogenannte **Linearität** des Integrals.

Satz 2: Rechenregeln für Integrale

a) $\int\limits_a^b c \cdot f(x)\,dx = c \cdot \int\limits_a^b f(x)\,dx$

b) $\int\limits_a^b (g(x) + h(x))\,dx = \int\limits_a^b g(x)\,dx + \int\limits_a^b h(x)\,dx.$

Nachweis beispielhaft für a): Es sei F eine Stammfunktion von f. Dann gilt:

$\int\limits_a^b c \cdot f(x)\,dx = [c \cdot F(x)]_a^b = c \cdot F(b) - c \cdot F(a) = c \cdot (F(b) - F(a));$

$c \cdot \int\limits_a^b f(x)\,dx = c \cdot [F(x)]_a^b = c \cdot (F(b) - F(a)).$

Liegt von einer Funktion f nur der Graph vor (Fig. 1), so kann man den Graphen einer Stammfunktion von f skizzieren (Fig. 2). Dabei orientiert man sich wie beim grafischen Ableiten an charakteristischen Punkten des Graphen von f.

1. f hat bei a eine Nullstelle.
(In Fig. 1 an den Stellen $a_1 = -1$; $a_2 = 0$; $a_3 = 1$.)
Dann gilt: $f(a) = F'(a) = 0$. An diesen Stellen hat ein Graph von F waagerechte Tangenten.

2. In Fig. 1 gilt $f(x) = F'(x) > 0$ für $x \in (-1; 0)$. In diesem Intervall ist F streng monoton steigend.
In Fig. 1 gilt $f(x) = F'(x) < 0$ für $x \in (0; 1)$. In diesem Intervall ist F streng monoton fallend.

In Fig. 2 ist der Graph *einer* möglichen Stammfunktion skizziert. Jede Verschiebung in y-Richtung ergibt den Graphen einer weiteren Stammfunktion.

3. f hat bei b eine Extremstelle.
(In Fig. 1 an den Stellen $b_1 \approx -0,7$; $b_2 \approx 0,7$.)
Dann gilt: $f'(b) = F''(b) = 0$ und $f' = F''$ wechselt bei b das Vorzeichen.
F hat bei b eine Wendestelle.

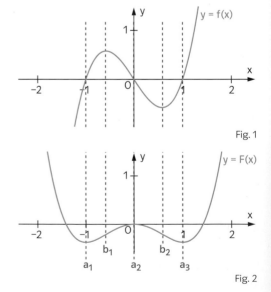

Fig. 1

Fig. 2

Beispiel 1 Der natürliche Logarithmus als Stammfunktion

Berechnen Sie das Integral $\int\limits_1^4 \frac{2}{x}\,dx$.

■ Lösung: $\int\limits_1^4 \frac{2}{x}\,dx = [2\ln(|x|)]_1^4 = 2 \cdot \ln(4) - 2 \cdot \ln(1) = 2 \cdot \ln(4) - 0 = 2 \cdot \ln(4) \approx 2,77.$

Beispiel 2   Stammfunktionen von zusammengesetzten Funktionen

Bestimmen Sie eine Stammfunktion von f mit $f(x) = \frac{2}{x^2} - (5x + 1)^3$.

■ Lösung: $f(x) = g(x) - h(x)$ mit $g(x) = \frac{2}{x^2} = 2x^{-2}$ und $h(x) = (5x + 1)^3$

Eine Stammfunktion zu g ist G mit $G(x) = 2 \cdot (-1 \cdot x^{-1}) = -2 \cdot x^{-1} = \frac{-2}{x}$.

Eine Stammfunktion zur Verkettung h ist H mit $H(x) = \frac{1}{4} \cdot \frac{1}{5} \cdot (5x + 1)^4 = \frac{1}{20}(5x + 1)^4$.

Eine Stammfunktion zu f ist F mit $F(x) = G(x) - H(x) = \frac{-2}{x} - \frac{1}{20}(5x + 1)^4$.

Beispiel 3   Skizzieren des Graphen einer Stammfunktion

Gegeben ist der Graph der Funktion f (Fig. 1).
Skizzieren Sie den Graphen einer Stammfunktion F von f. Beschreiben Sie Ihr Vorgehen für charakteristische Punkte.

■ Lösung: Da $f(a) = 0$ und $f(c) = 0$ ist, hat der Graph von F an diesen Stellen eine waagerechte Tangente.

Da $f(x) > 0$ für $a < x < c$ gilt, ist der Graph von F für $a \leq x \leq c$ streng monoton steigend.

Da $f(x) < 0$ für $x < a$ und für $x > c$ gilt, ist F für $x < a$ und für $x > c$ streng monoton fallend.

Da $f'(b) = 0$ ist und f' an der Stelle b das Vorzeichen wechselt, hat F an der Stelle b eine Wendestelle.

Einen möglichen Graphen von F zeigt Fig. 2. (Die Graphen weiterer Stammfunktionen sind in y-Richtung verschoben.)

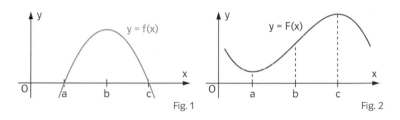

Fig. 1   Fig. 2

Aufgaben

1   Bestimmen Sie eine Stammfunktion.

a) $f(x) = 0,5x^3$

b) $f(x) = \frac{1}{4}x^{-2}$

c) $f(x) = \frac{2}{5x^2}$

d) $f(x) = (2x + 2)^3$

e) $f(x) = 2\sin(x + 1)$

f) $f(x) = \cos(3x)$

g) $f(x) = x + 2\sin(2x)$

h) $f(x) = \cos(4x - \pi)$

i) $f(x) = \frac{1}{3}e^{x + 5}$

j) $f(x) = 1 + e^{0,5x}$

k) $f(x) = e^{\frac{2}{3}x + 1}$

l) $f(x) = \frac{5}{2}e^{2x - 2}$

Viele Stammfunktionen

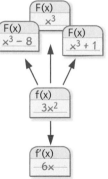

2   a) $f(x) = \frac{5}{x}$

b) $f(x) = 3 \cdot \frac{1}{(x + 5)}$

c) $f(x) = \frac{-1}{2x}$

d) $f(x) = \frac{1}{(2x - 3)}$

3   Berechnen Sie das Integral mit dem Hauptsatz. Überprüfen Sie das Ergebnis mit dem GTR.

a) $\int_0^2 (2 + x)^3 \, dx$

b) $\int_2^3 \left(1 + \frac{1}{x^2}\right) dx$

c) $\int_0^2 \frac{1}{(x + 1)^2} \, dx$

d) $\int_0^9 \frac{2}{5}\sqrt{x} \, dx$

e) $\int_{-0,5}^{} e^{2x + 1} \, dx$

f) $\int_0^\pi \sin(3x - \pi) \, dx$

g) $\int_{-1}^1 \frac{1}{5}e^{\frac{1}{2}x} \, dx$

h) $\int_{-\pi}^\pi \cos(3x) \, dx$

Eine Ableitung

Fig. 3

4   a) $\int_1^5 \frac{3}{x} \, dx$

b) $\int_1^2 \left(1 + \frac{1}{x}\right) dx$

c) $\int_3^4 \frac{1}{2(x + 1)} \, dx$

d) $\int_1^4 \frac{3}{(2x - 1)} \, dx$

5   Skizzieren Sie zum Graphen von f den Graphen einer Stammfunktion von f.

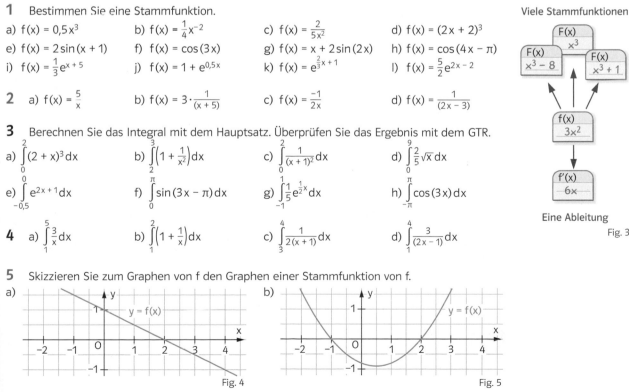

Fig. 4   Fig. 5

6 In Fig. 1 ist der Graph einer Funktion f gezeichnet. F ist eine Stammfunktion von f. An welcher der markierten Stellen ist
a) F(x) am größten,
b) F(x) am kleinsten,
c) f′(x) am kleinsten,
d) F′(x) am kleinsten?

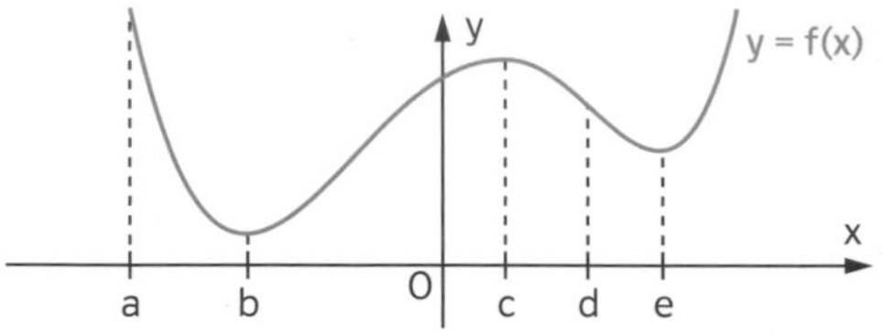

Fig. 1

	H	h	h′
a	+		
b			
c			

7 In Fig. 2 ist der Graph einer Funktion h gezeichnet. H ist eine Stammfunktion von h mit H(a) = 5. Übertragen Sie die Tabelle in Ihr Heft und geben Sie an, ob die Funktionswerte von H, h und h′ an den Stellen a, b und c positiv, negativ oder null sind.

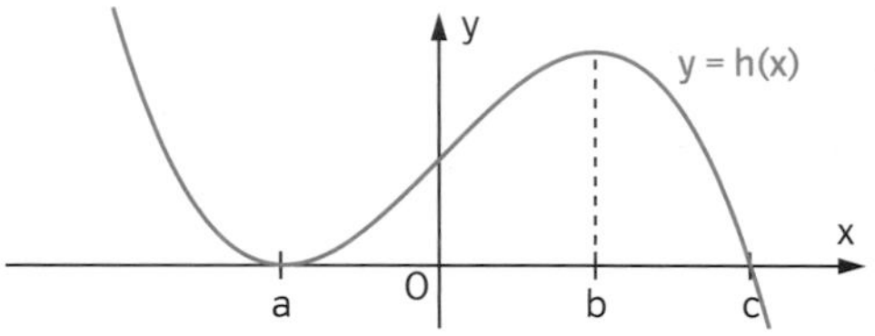

Fig. 2

Zeit zu überprüfen

8 Geben Sie eine Stammfunktion an.
a) $f(x) = 0{,}1x^2 - \frac{2}{x^2}$
b) $f(x) = \frac{1}{x-2}$
c) $f(x) = 4\cos\left(\frac{1}{2}x - 1\right)$

9 Berechnen Sie das Integral mit dem Hauptsatz.
a) $\int_0^1 \frac{1}{2}e^{2x}\,dx$
b) $\int_{-1}^0 \frac{1}{(2x-1)^2}\,dx$
c) $\int_0^{2\pi} 2\sin(0{,}5x)\,dx$

10 Fig. 3 zeigt den Graphen einer Funktion f. F ist eine beliebige Stammfunktion von f. Welche der folgenden Aussagen über F ist wahr, welche ist falsch?
A. F ist in $I = [0; 2]$ streng monoton fallend.
B. F hat bei $x \approx 1{,}2$ eine Extremstelle.
C. F hat bei $x = -1$ ein lokales Minimum.
D. Die Funktionswerte von F sind im Intervall $(-1; 0)$ positiv.
E. F hat bei $x \approx 1{,}2$ eine Wendestelle.

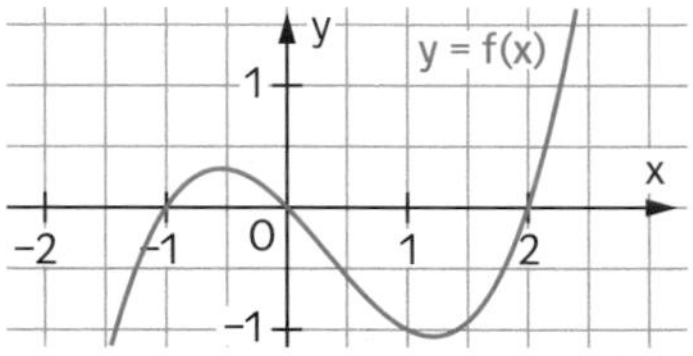

Fig. 3

11 Überprüfen Sie, ob F eine Stammfunktion von f ist.
a) $f(x) = e^x(1 + x);\ F(x) = x \cdot e^{2x}$
b) $f(x) = \sin(x) \cdot \cos(x);\ F(x) = (\sin(x))^2$

12 Geben Sie eine Stammfunktion von f an. Schreiben Sie dazu den Funktionsterm als Summe.
a) $f(x) = \frac{x^2 + 2x}{x^4}$
b) $f(x) = \frac{x^3 + 1}{2x^2}$
c) $f(x) = \frac{1 + x + x^3}{3x^3}$
d) $f(x) = \frac{(2x+1)^2 - 1}{x}$

⊛ **CAS**
Bestimmen einer Stammfunktion

13 Welche Stammfunktion von f hat an der Stelle 0 den Funktionswert 1?
a) $f(x) = (x + 2)^2$
b) $f(x) = \frac{1}{x+1}$
c) $f(t) = 2e^{0{,}5t}$
d) $f(t) = \cos(5t)$

Diese Eigenschaft des Integrals heißt **Intervalladditivität**.

14 Interpretiert man Integrale als orientierte Flächeninhalte (Fig. 4), ist einsichtig, dass gilt:
$$\int_a^b f(x)\,dx + \int_b^c f(x)\,dx = \int_a^c f(x)\,dx.$$
Begründen Sie die Gültigkeit dieser Gleichung mithilfe des Hauptsatzes.

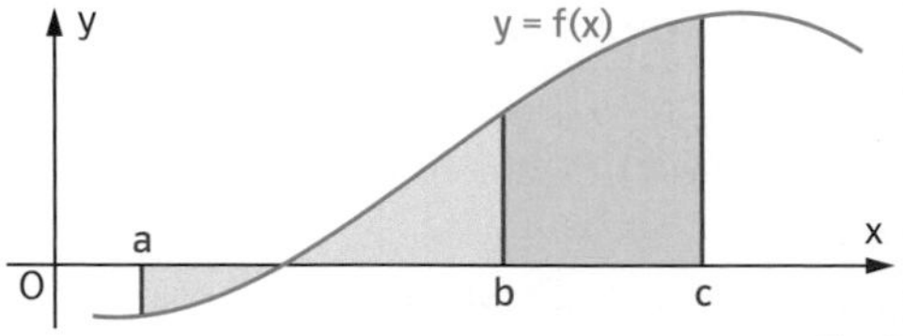

Fig. 4

15 Berechnen Sie möglichst geschickt.
a) $\int_{-1}^{3,3} 5x^2\,dx - 10\int_{-1}^{3,3} \frac{1}{2}x^2\,dx$
b) $\int_0^1 \left(x - 2\sqrt{x^2 + 4}\right)dx + 2\int_0^1 \sqrt{x^2 + 4}\,dx$
c) $\int_3^{3,7} \frac{1}{x}\,dx + \int_{3,7}^4 \frac{1}{x}\,dx$

5 Integralfunktionen

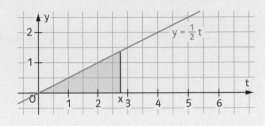

Geben Sie einen Funktionsterm für den Inhalt der gefärbten Fläche in Abhängigkeit von x an. Wie verändert sich dieser Term, wenn die gefärbte Fläche auf der linken Seite durch die Gerade t = 1 begrenzt wird?

Bisher wurden Integrale mit einer festen unteren und oberen Grenze berechnet. Mit diesen Integralen können orientierte Flächeninhalte und Gesamtänderungen von Größen bestimmt werden. Wenn bei Integralen über eine Funktion f die obere Grenze als variabel betrachtet wird, erhält man eine neue Funktion.

Zur Funktion f mit $f(t) = t^2 - 4t + 3$ (vgl. Fig. 1) werden Integrale berechnet, die alle die untere Grenze 0, aber verschiedene obere Grenzen haben, z. B.

$$\int_0^1 f(t)\,dt = \frac{4}{3} \quad \text{oder} \quad \int_0^2 f(t)\,dt = \frac{2}{3}.$$

Wenn man bei diesen Integralen mit der unteren Grenze 0 die obere Grenze als variabel ansieht, erhält man eine Funktion J_0 mit

$J_0(x) = \int_0^x f(t)\,dt$. Der Graph von J_0 ist in Fig. 2 lila skizziert. J_0 heißt **Integralfunktion** von f zur unteren Grenze 0.

Wählt man bei den Integralen als untere Grenze z. B. 1, dann erhält man den Graphen der Integralfunktion J_1 mit $J_1(x) = \int_1^x f(t)\,dt$ (rot in Fig. 2).

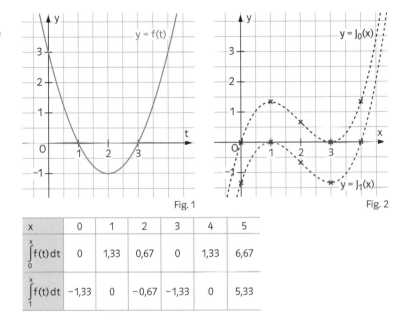

Fig. 1

Fig. 2

x	0	1	2	3	4	5
$\int_0^x f(t)\,dt$	0	1,33	0,67	0	1,33	6,67
$\int_1^x f(t)\,dt$	−1,33	0	−0,67	−1,33	0	5,33

Die Funktionswerte $J_0(x)$ der Integralfunktion J_0 entsprechen den orientierten Flächeninhalten zwischen dem Graphen von f und der x-Achse über den Intervallen [0; x].

Durch Vergleich der charakteristischen Punkte der Graphen von f und J_0 vermutet man, dass die Funktion J_0 eine Stammfunktion von f ist. Dies kann man mit dem Hauptsatz beweisen:

$J_0(x) = \int_0^x f(t)\,dt = F(x) - F(0)$, wobei F eine Stammfunktion von f ist.

Also ist: $J_0(x)' = F'(x) - (F(0))' = f(x) - 0 = f(x)$; das heißt, J_0 ist eine Stammfunktion von f.

Die Integralfunktion J_0 wurde nur für $x \geq 0$ definiert, da bisher bei Integralen die obere Grenze nicht kleiner als die untere Grenze sein durfte. Man kann diese Einschränkung weglassen, wenn man sich am Hauptsatz orientiert: $\int_1^0 f(x)\,dx = F(0) - F(1) = -(F(1) - (0)) = -\int_0^1 f(x)\,dx$.

Man legt fest: $\int_x^u f(t)\,dt = -\int_u^x f(t)\,dt$.

Definition: Die Funktion f sei auf einem Intervall I differenzierbar.
Zu jeder Zahl $u \in I$ heißt die Funktion J_u mit

$$J_u(x) = \int_u^x f(t)\,dt \quad \text{mit} \quad x \in I \quad \textbf{Integralfunktion von f zur unteren Grenze u.}$$

Satz: Die Integralfunktion J_u ist differenzierbar mit $J_u'(x) = f(x)$ für $x \in I$.
Kurz: Jede Integralfunktion J_u ist eine Stammfunktion von f.

Falls die Integralfunktion die Funktionsvariable x haben soll, muss man für die Funktion f eine andere Funktionsvariable wählen.

Den Funktionsterm einer Integralfunktion kann man mit dem Hauptsatz bestimmen, wenn für f eine Stammfunktion bekannt ist. Zum Beispiel ergibt sich für f mit $f(t) = -0{,}5t^2 - t + 1{,}5$ der Funktionsterm der Integralfunktion J_{-1} zur unteren Grenze -1 so:

$$J_{-1}(x) = \int_{-1}^x f(t)\,dt = \int_{-1}^x (-0{,}5t^2 - t + 1{,}5)\,dt = \left[-\frac{1}{6}t^3 - \frac{1}{2}t^2 + 1{,}5\,t\right]_{-1}^x = -\frac{1}{6}x^3 - \frac{1}{2}x^2 + \frac{3}{2}x + \frac{11}{6}.$$

In Fig. 1 und 2 ist mit dem GTR der Graph der Integralfunktion J_{-1} von f mit
$f(x) = -0{,}5x^2 - x + 1{,}5$ erzeugt (fett gedruckt in Fig. 2).
Bei der Zuordnung der Graphen zu f bzw. zu J_{-1} hilft die Überlegung, dass jede Integralfunktion den Funktionswert 0 annimmt, wenn man die untere Grenze einsetzt. Es muss daher $J_{-1}(-1) = 0$ gelten.

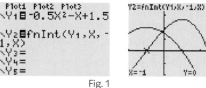

Fig. 1   Fig. 2

Beispiel 1   Bestimmung einer Integralfunktion
Bestimmen Sie zu f mit $f(x) = e^{0{,}5x}$ einen Funktionsterm der Integralfunktion zur unteren Grenze $u = 0$.
■ Lösung: $J_0(x) = \int_0^x e^{0{,}5t}\,dt = [2e^{0{,}5t}]_0^x = 2e^{0{,}5x} - 2$. *Es ist: $J_0(0) = 2e^0 - 2 = 0$.*

Probe:
J_0 abgeleitet muss f ergeben.

Beispiel 2   Näherungsweise Bestimmung des Graphen einer Integralfunktion
In Fig. 3 ist näherungsweise die Vertikalgeschwindigkeit v eines Ballons in Abhängigkeit von der Zeit aufgetragen. Bei positiven Werten von v steigt der Ballon nach oben.
a) Bestimmen Sie näherungsweise die Funktionswerte $J_0(15)$ und $J_0(20)$ der Integralfunktion J_0 von v.
b) Nach wie vielen Minuten hat der Ballon seine größte Höhe erreicht?
c) Beurteilen Sie, ob Start- und Landepunkt gleich hoch liegen.
d) Skizzieren Sie einen Graphen von J_0.
■ Lösung: *Ein Karoinhalt entspricht 125 m Höhe.*
a) $J_0(15) \approx 1200$; $J_0(20) \approx 1600$
b) Nach 25 Minuten: Die maximale Höhe beträgt ca. 1700 m.
c) Der orientierte Flächeninhalt über [0; 60] ist positiv. Das entspricht einer Höhenzunahme. Der Landepunkt liegt höher als der Startpunkt.
d) Siehe Fig. 4.

Es sind jetzt zwei verschiedene Blickwinkel möglich, aus denen heraus man vom Graphen einer Funktion f auf Eigenschaften des Graphen einer Stammfunktion F schließen kann:
1. Man stellt sich F als Integralfunktion von f vor (siehe Beispiel 2).
2. Man stellt sich F als Funktion vor, deren Ableitung f ist (siehe Beispiel 3 auf Seite 101).

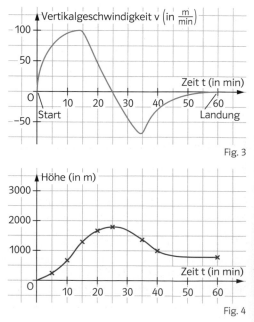

Fig. 3

Fig. 4

Aufgaben

1 Bestimmen Sie zur Funktion f mithilfe des Hauptsatzes die Integralfunktion J_u zur unteren Grenze u. Bestätigen Sie, dass J_u eine Stammfunktion von f ist.

a) $f(t) = t^2$; $u = 0$ b) $f(t) = t^2$; $u = 2$ c) $f(x) = e^x + 1$; $u = 0$ d) $f(x) = \sin(2x)$; $u = -2$

◎ CAS
Bestimmen einer
Integralfunktion

2 Gegeben ist die Funktion f mit $f(x) = \frac{1}{2}x$ (Fig. 1). Ordnen Sie jeder der angegebenen Integralfunktionen von f die zugehörige Wertetabelle zu und ergänzen Sie sie im Heft.

$$J_2(x) = \int_2^x \frac{1}{2}t\,dt; \quad J_0(x) = \int_0^x \frac{1}{2}t\,dt; \quad J_{-4}(x) = \int_{-4}^x \frac{1}{2}t\,dt$$

I

x	−4	−2	0	2	4	6
		−3	−4	−3		

II

x	−4	−2	0	2	4	6
		1	0	1	4	

III

x	−4	−2	0	2	4	6
		0	−1	0	3	

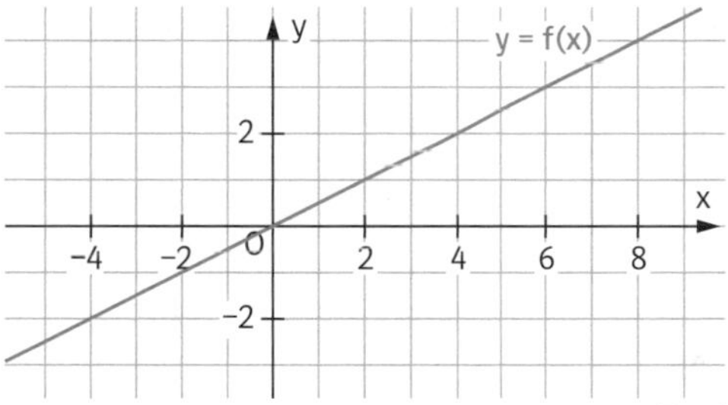

Fig. 1

3 Vervollständigen Sie in Ihrem Heft die Wertetabelle der Integralfunktion J_0 mit

$$J_0(x) = \int_0^x f(t)\,dt \quad \text{von f (vgl. Fig. 2).}$$

x	−1	0	1	2	3	4
$J_0(x)$			$-\frac{3}{4}$			

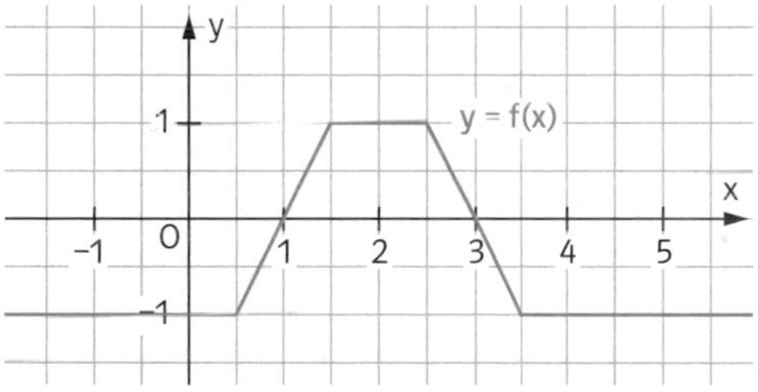

Fig. 2

4 Die Funktion v mit $v(t) = -30(e^{-0,3t} - 1)$ beschreibt modellhaft die Geschwindigkeit eines Autos beim Beschleunigen aus dem Stand (t in Sekunden, v(t) in Metern pro Sekunde, Fig. 3).

a) Skizzieren Sie mithilfe des GTR einen Graphen der Funktion, die den zurückgelegten Weg in Abhängigkeit von der Zeit angibt.

b) Wie weit ist das Auto innerhalb der ersten 4s bzw. der ersten 8s gefahren?

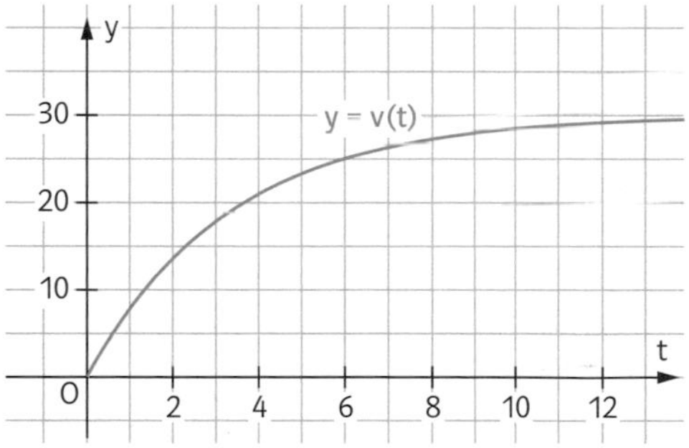

Fig. 3

Zeit zu überprüfen

5 Lösen Sie die Gleichung $\int_1^x \frac{1}{t}\,dt = 2$; $x \geq 1$.

6 Fig. 4 zeigt den Graphen einer Funktion f. Skizzieren Sie näherungsweise den Graphen der Funktion $\int_{-4}^x f(t)\,dt$ für $-4 \leq x \leq 0$.

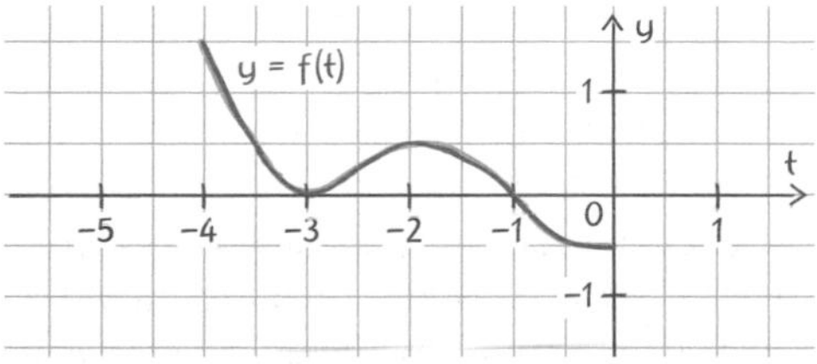

Fig. 4

7 Bestimmen Sie zur Funktion f mit $f(x) = x^2 - 2x$ die Integralfunktionen zu den unteren Grenzen $u = 0$; $u = 1$; $u = -1$.

8 Skizzieren Sie mithilfe des GTR in Ihr Heft einen Graphen der Integralfunktion J_{-1} von f mit $f(x) = e^{-x}$ zur unteren Grenze −1. Bestimmen Sie $J_{-1}(0)$ und $J_{-1}(1)$.
Lösen Sie mit dem GTR die Gleichung $J_{-1}(x) = 2$.

9 Der Graph der Funktion in Fig. 1 stellt modellartig die momentane Änderungsrate der
Lufttemperatur an einem Sommertag dar
$\left(\text{t in Stunden nach 0 Uhr, f(t) in } \frac{°C}{h}\right)$.
a) In welchen Zeitspannen nimmt die Luft-
temperatur zu bzw. ab?
b) Zu welchen Uhrzeiten ändert sich die Lufttemperatur am schnellsten bzw. am langsamsten?
c) Zu welchen Zeitpunkten ist die Lufttemperatur maximal bzw. minimal?
d) Für f gilt $f(t) = \cos\left(\frac{2\pi}{24}(t - 12)\right)$. Bestimmen
Sie die maximale und die minimale
Tagestemperatur, wenn um zwölf Uhr die
Temperatur 20 °C beträgt.
e) Bearbeiten Sie die Teilaufgaben a) bis d)
für die in Fig. 2 gezeigte Modellierung der momentanen Temperaturänderung mit
$g(t) = \cos\left(\frac{2\pi}{24}(t - 6)\right)$.

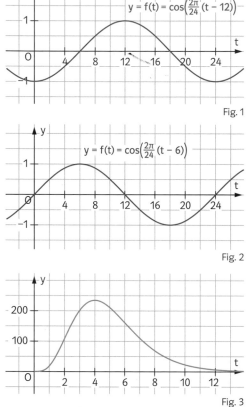

Fig. 1

Fig. 2

10 Bei einer Telefonabstimmung im Fernsehen beschreibt f mit $f(t) = 50t^4 \cdot e^{-t}$
modellhaft die pro Minute ankommenden Anrufe nach Beginn der Aktion (Fig. 3).
a) Was bedeuten in diesem Zusammenhang
die Funktionswerte der Integralfunktion

Fig. 3

$J_0(x) = \int_0^x f(t)\,dt$? Bestimmen Sie $J_0(4)$ näherungsweise als orientierten Flächeninhalt.
b) Bestimmen Sie mithilfe des GTR die Funktionswerte $J_0(1)$, $J_0(2)$ und $J_0(14)$. Skizzieren Sie einen
Graphen von J_0.
c) Wie viele Anrufe gingen zwischen 4 und 8 Minuten nach Beginn der Aktion ein?
d) Nach welcher Zeit sind insgesamt 500 Anrufe eingegangen?
e) Die Telefonzentrale kann höchstens 200 Anrufe pro Minute entgegennehmen. Wann ist die
Zahl der Anrufer in der Warteschleife am größten? Wie groß ist diese Anzahl?

11 Gegeben sind die Graphen einer Funktion f, ihrer Ableitung f' und einer Stammfunktion F.
Ordnen Sie jeweils einen Graphen einer der Funktionen f, f' und F zu. Begründen Sie Ihre
Zuordnung.

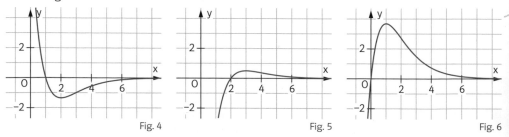

Fig. 4

Fig. 5

Fig. 6

6 Integral und Flächeninhalt

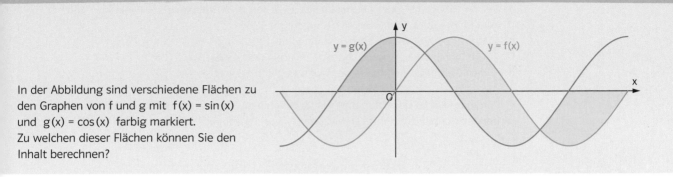

In der Abbildung sind verschiedene Flächen zu den Graphen von f und g mit $f(x) = \sin(x)$ und $g(x) = \cos(x)$ farbig markiert. Zu welchen dieser Flächen können Sie den Inhalt berechnen?

Bisher wurde das Integral dazu verwendet, Gesamtänderungen von Größen bzw. orientierte Flächeninhalte zu bestimmen. Dabei werden die Inhalte von oberhalb der x-Achse liegenden Flächen positiv, die Inhalte von unterhalb der x-Achse liegenden Flächen negativ gezählt. Wenn man dagegen den Inhalt der gesamten Fläche zwischen einem Graphen und der x-Achse bestimmen will, ist zu beachten, dass diese Flächeninhalte nie negativ sein können. Damit kann man die Inhalte solcher Flächen folgendermaßen mit Integralen bestimmen:

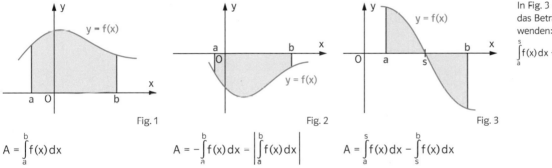

In Fig. 3 kann man auch das Betragszeichen verwenden:

$$\int_a^s f(x)\,dx + \left|\int_s^b f(x)\,dx\right|$$

Fig. 1

Fig. 2

Fig. 3

$$A = \int_a^b f(x)\,dx \qquad A = -\int_a^b f(x)\,dx = \left|\int_a^b f(x)\,dx\right| \qquad A = \int_a^s f(x)\,dx - \int_s^b f(x)\,dx$$

In Fig. 3 liegt die Fläche zum Teil unterhalb und zum Teil oberhalb der x-Achse. Diese Fläche muss deshalb mit zwei Integralen berechnet werden. Falls die Nullstelle s nicht bekannt ist, muss sie vorher bestimmt werden.

In Fig. 4 soll der Inhalt A der Fläche bestimmt werden, die von den Graphen zweier Funktionen f und g begrenzt wird. Es gilt:

$$A = \int_a^b f(x)\,dx - \int_a^b g(x)\,dx = \int_a^b \big(f(x) - g(x)\big)\,dx.$$

Damit bei der Fläche in Fig. 5 so wie in Fig. 4 vorgegangen werden kann, verschiebt man beide Graphen um d so weit nach oben, bis sie im Intervall [a; b] vollständig oberhalb der x-Achse liegen (Fig. 6).

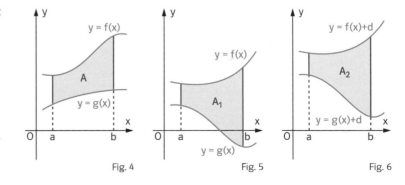

Fig. 4

Fig. 5

Fig. 6

Da sich bei der Verschiebung der Flächeninhalt nicht ändert, gilt:

$$A_1 = A_2 = \int_a^b \big(f(x) + d\big)\,dx - \int_a^b \big(g(x) + d\big)\,dx = \int_a^b \big(f(x) + d - g(x) - d\big)\,dx = \int_a^b \big(f(x) - g(x)\big)\,dx.$$

Wenn $f(x) \geq g(x)$ auf [a; b] ist, ist die Berechnungsmethode für Flächeninhalte zwischen Graphen dieselbe, unabhängig davon, ob Teile der Fläche oberhalb bzw. unterhalb der x-Achse liegen.

Bei der Berechnung des **Flächeninhalts zwischen dem Graphen einer Funktion f und der x-Achse** über dem Intervall [a; b] geht man so vor:
1. Man bestimmt die Nullstellen von f auf [a; b].
2. Man untersucht, welches Vorzeichen f(x) in den Teilintervallen hat.
3. Man bestimmt die Inhalte der Teilflächen und addiert sie.

Wird eine **Fläche** über dem Intervall [a; b] **von** den **Graphen zweier Funktionen f und g begrenzt** und gilt $f(x) \geq g(x)$ für alle $x \in$ [a; b], dann gilt für ihren Inhalt A:

$$A = \int_a^b \big(f(x) - g(x)\big)\,dx.$$

Soll ein Flächeninhalt wie in Fig. 1 mit dem GTR berechnet werden, kann man sich die Bestimmung der Nullstellen ersparen, indem man die Betragsfunktion verwendet und nur das Integral $\int_a^c |f(x)|\,dx$ berechnet.

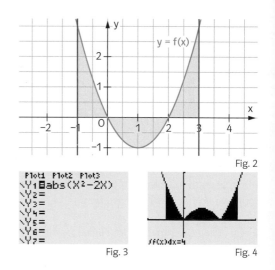

Fig. 1

CAS
Flächeninhalt

Beispiel 1 Flächen teilweise unterhalb, teilweise oberhalb der x-Achse
Gegeben ist die Funktion f mit $f(x) = x^2 - 2x$.
Berechnen Sie den Inhalt der Fläche, die vom Graphen von f, der x-Achse und den Geraden $x = -1$ und $x = 3$ einschlossen wird.
a) ohne GTR   b) mit GTR
■ Lösung: a) *Es handelt sich um die gefärbte Fläche in Fig. 2.*
Bestimmung der Nullstellen $f(x) = 0$:
$x(x - 2) = 0;\ x_1 = 0;\ x_2 = 2.$

$$A = \int_{-1}^{0}(x^2 - 2x)\,dx - \int_{0}^{2}(x^2 - 2x)\,dx + \int_{2}^{3}(x^2 - 2x)\,dx$$
$$= \left[\tfrac{1}{3}x^3 - x^2\right]_{-1}^{0} - \left[\tfrac{1}{3}x^3 - x^2\right]_{0}^{2} + \left[\tfrac{1}{3}x^3 - x^2\right]_{2}^{3}$$
$$= \tfrac{4}{3} + \tfrac{4}{3} + \tfrac{4}{3} = 4.$$

b) *Man verwendet statt der Funktion f die Betragsfunktion |f(x)| von f.*

Es ist $A = \int_{-1}^{3}|x^2 - 2x|\,dx = 4$ (Fig. 3 und 4).

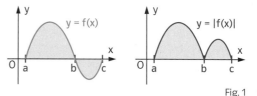

Fig. 2

Plot1 Plot2 Plot3
\Y1■abs(X²-2X)
\Y2=
\Y3=
\Y4=
\Y5=
\Y6=
\Y7=

Fig. 3

∫f(x)dx=4

Fig. 4

Eine Möglichkeit der Berechnung mit dem GTR im Rechenbildschirm:
```
fnInt(2-e^(-X),X
,0,3)
      5.049787068
■
```
Fig. 5

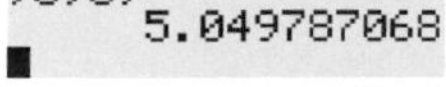

Beispiel 2 Fläche zwischen zwei Graphen; die Graphen schneiden sich nicht
Gegeben sind die Funktionen f und g mit $f(x) = e^{-x}$ und $g(x) = 2$ (Fig. 6).
Berechnen Sie den Inhalt A der Fläche, die von den Graphen der Funktionen f und g, der y-Achse und der Geraden $x = 3$ begrenzt wird.
■ Lösung: *Die Fläche ist in Fig. 6 gefärbt.*
Im Intervall [0; 3] ist $g(x) \geq f(x)$. Also gilt:

$$A = \int_{0}^{3}\big(g(x) - f(x)\big)\,dx = \int_{0}^{3}(2 - e^{-x})\,dx = \left[2x + e^{-x}\right]_{0}^{3}$$
$$= (6 + e^{-3}) - (0 + e^{0}) = 5 + e^{-3} \approx 5{,}05.$$

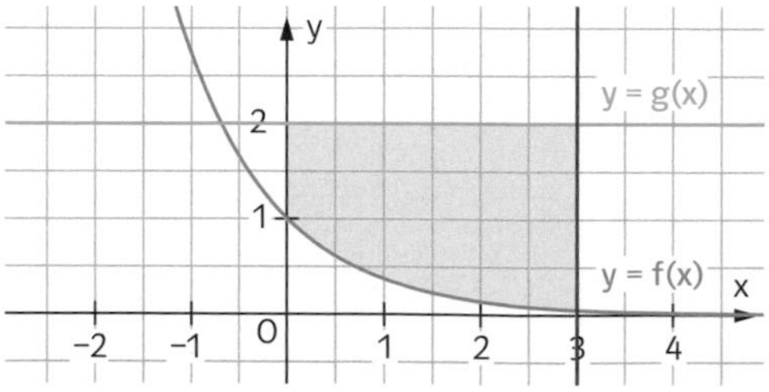

Fig. 6

Beispiel 3 Fläche zwischen zwei Graphen; die Graphen schneiden sich

Die Funktionen f und g mit $f(x) = x^3 - 6x^2 + 9x$ und $g(x) = -\frac{1}{2}x^2 + 2x$ schließen eine Fläche ein.

a) Verschaffen Sie sich einen Überblick über den Verlauf der Graphen und berechnen Sie mithilfe des GTR den Inhalt dieser Fläche.

b) Beschreiben Sie, wie man den Flächeninhalt ohne GTR bestimmen kann.

■ Lösung: a) *Mithilfe des GTR verschafft man sich einen Überblick über die Graphen von f und g.*

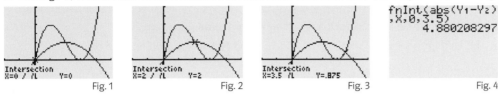

Fig. 1   Fig. 2   Fig. 3   Fig. 4

Die Graphen haben Schnittstellen bei $a = 0$; $b = 2$ und $c = 3,5$.

Es gilt: $A = \int\limits_{0}^{2}|f(x) - g(x)|\,dx + \int\limits_{2}^{3,5}|f(x) - g(x)|\,dx = \int\limits_{0}^{3,5}|f(x) - g(x)|\,dx \approx 4,88$ (siehe Fig. 4).

b) Zunächst bestimmt man alle Lösungen a, b, c ... der Gleichung $f(x) - g(x)$. Dann wird für jedes Intervall [a; b], [b; c] ... der Flächeninhalt gesondert berechnet. Gilt in dem betreffenden Intervall $f(x) \geq g(x)$, lautet der Integrand $f(x) - g(x)$, sonst $g(x) - f(x)$. Die Summe dieser Integrale ergibt den gesuchten Flächeninhalt.

Aufgaben

1   Bestimmen Sie den Inhalt der gefärbten Fläche.

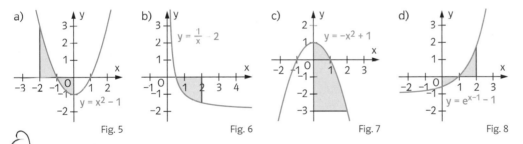

Fig. 5   Fig. 6   Fig. 7   Fig. 8

2   Gegeben sind die Funktionen f und g. Drücken Sie den Inhalt der beschriebenen Fläche mit A_1, A_2, A_3 ... aus und berechnen Sie sie mit einem Integral.

Fläche I: Begrenzt vom Graphen von f und der x-Achse.

Fläche II: Begrenzt von den Graphen von f und g.

Fläche III: Im 1. Quadranten begrenzt vom Graphen von f, der x-Achse und der y-Achse.

Fläche IV: Im 3. Quadranten begrenzt vom Graphen von f, der x-Achse und der Geraden $x = -2$.

a) $f(x) = -0,5x^2 + 0,5$; $g(x) = -1,5$ b) $f(x) = -x^2 + 2$; $g(x) = 2x^2 - 1$

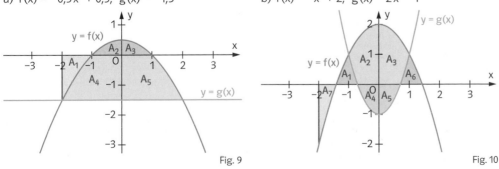

Fig. 9   Fig. 10

3 Wie groß ist die Fläche, die der Graph von f mit der x-Achse einschließt?

a) $f(x) = 0{,}5x^2 - 3x$ b) $f(x) = (x - 1)^2 - 1$ c) $f(x) = x^4 - 4x^2$

4 Berechnen Sie den Inhalt der Fläche, die von den Graphen von f und g sowie den angegebenen Geraden begrenzt wird.

a) $f(x) = 0{,}5x$; $g(x) = -x^2 + 4$; $x = -1$; $x = 1$ b) $f(x) = x^3$; $g(x) = x$; $x = 0$; $x = 1$

5 Wie groß ist die Fläche, die von den Graphen von f und g begrenzt wird?

a) $f(x) = x^2$; $g(x) = -x^2 + 4x$ b) $f(x) = -\dfrac{1}{x^2}$; $g(x) = 2{,}5x - 5{,}25$

Zeit zu überprüfen ────────────────────────────────────

6 Berechnen Sie in Fig. 1 den Inhalt der vom Graphen von f und der x-Achse begrenzten Fläche.

7 Berechnen Sie den beschriebenen Flächeninhalt in Fig. 1.
a) Begrenzt von den Graphen von f und g.
b) Begrenzt von den Graphen von f und g und der x-Achse.
c) Begrenzt vom Graphen von f, der y-Achse und der Geraden $y = 4$.

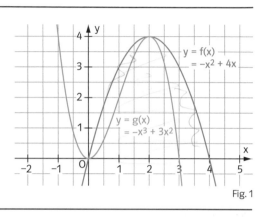

Fig. 1

8 Für jedes $t > 0$ ist eine Funktion f_t gegeben durch $f_t(x) = \dfrac{t}{x^2}$. Der Graph von f_t schließt mit der x-Achse über dem Intervall [1; 2] eine Fläche $A(t)$ ein.
Bestimmen Sie $A(t)$ in Abhängigkeit von t. Für welches t beträgt dieser Flächeninhalt 8 FE?

9 Für jedes $t > 0$ ist eine Funktion f_t gegeben durch $f_t(x) = x^2 - t^2$. Der Graph von f_t schließt mit der x-Achse eine Fläche $A(t)$ ein.
Bestimmen Sie $A(t)$ in Abhängigkeit von t. Für welche t beträgt der Flächeninhalt 36 FE?

10 Die Graphen von f_a mit $f_a(x) = a \cdot \sin(x)$ und g_a mit $g_a(x) = -\dfrac{1}{a} \cdot \sin(x)$ begrenzen für $x \in [0; \pi]$ eine Fläche. Für welche Werte von a ist dieser Flächeninhalt minimal? Geben Sie den minimalen Inhalt an.

11 Beweisen Sie: Der Graph von f mit $f(x) = x^2$, die Tangente an f in $P(a \,|\, f(a))$ und die y-Achse begrenzen eine Fläche mit dem Inhalt $A = \dfrac{1}{3}a^2$.

Zeit zu wiederholen ────────────────────────────────────

Rechnen Sie möglichst wenig! Hier ist argumentieren gefragt.

12 a) Die Graphen in Fig. 2 gehören zu den Funktionen f, g, h und i. Ordnen Sie jeder Funktion den passenden Graphen zu und begründen Sie Ihre Entscheidung.
$f(x) = x^3 - x$; $g(x) = x^4 - 4x^2$; $h(x) = x^3 - 2x^2$; $i(x) = -x^3 + 2x^2$

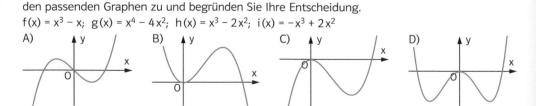

Fig. 2

b) Warum kann kein Graph aus Fig. 2 zur Funktion j mit $j(x) = 3x^2 + 4x - 2$ gehören?

7 Unbegrenzte Flächen

In Fig. 1 sind Holzklötze mit der Breite 1 m und den Höhen 1 m, $\frac{1}{2}$ m, $\frac{1}{4}$ m usw. zu einem Turm aufeinandergeschichtet. Dieselben Klötze sind in Fig. 2 nebeneinandergelegt.
Kann man bei „unendlich vielen Klötzen" etwas über die Höhe des Turms und den Flächeninhalt unter dem eingezeichneten Graphen sagen?

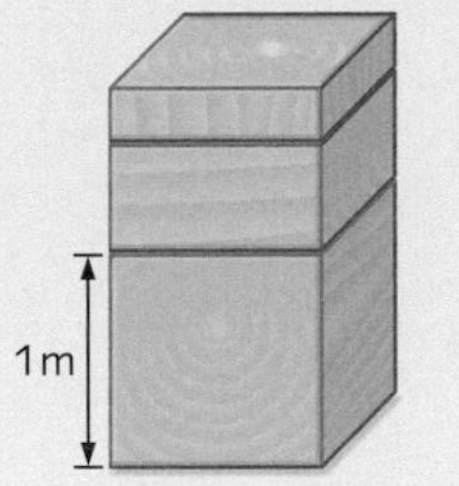

Fig. 1

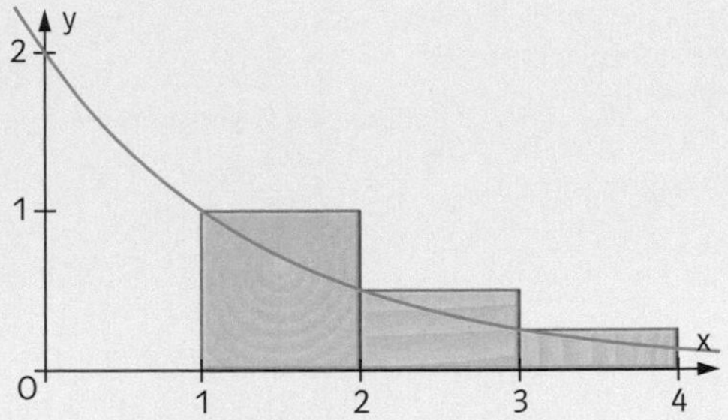

Fig. 2

Wenn eine Funktion f den momentanen Wasserausstoß einer Quelle beschreibt, kann man den Gesamtausstoß als Fläche zwischen dem Graphen von f und der x-Achse veranschaulichen. Liefert die Quelle zeitlich unbegrenzt Wasser, dann scheint die gesamte gelieferte Wassermenge und damit der Flächeninhalt ebenfalls unbegrenzt anzuwachsen. Diese Situation wird mithilfe des Integrals untersucht.

Die Fläche in Fig. 3 ist zunächst nach oben *und* nach rechts unbegrenzt. Durch Einfügen einer linken bzw. rechten festen Grenze wird die Problemstellung vereinfacht.

Nach rechts unbegrenzte Fläche:

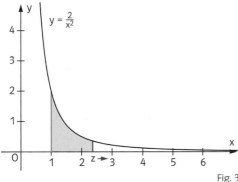

Fig. 3

Nach oben unbegrenzte Fläche:

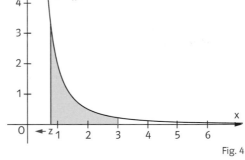

Fig. 4

Um den Inhalt der nach rechts unbegrenzten Fläche in Fig. 3 zu untersuchen, berechnet man zunächst mit der variablen rechten Grenze z den Inhalt der Fläche über dem Intervall [1; z].

$$A(z) = \int_1^z \frac{2}{x^2}\,dx = \left[-\frac{2}{x}\right]_1^z = -\frac{2}{z} + 2 = 2 - \frac{2}{z}$$

Nun wird das Verhalten von A(z) für $z \to \infty$ untersucht. Es gilt: $A(z) \to 2$ für $z \to \infty$. Der Flächeninhalt der unbegrenzten Fläche in Fig. 3 ist 2.

Um den Inhalt der nach oben unbegrenzten Fläche in Fig. 4 zu untersuchen, berechnet man zunächst mit der variablen linken Grenze z den Inhalt der Fläche über dem Intervall [z; 3].

$$A(z) = \int_z^3 \frac{2}{x^2}\,dx = \left[-\frac{2}{x}\right]_z^3 = -\frac{2}{3} + \frac{2}{z}$$

Für $z \to 0$ (und $0 < z < 3$) gilt $A(z) \to +\infty$. Der Inhalt A(z) wächst unbegrenzt. Die untersuchte Fläche in Fig. 4 hat keinen endlichen Inhalt.

Da in Fig. 3 der Grenzwert $\lim\limits_{z \to \infty} \int_1^z \frac{2}{x^2}\,dx$ existiert, schreibt man dafür auch: $\int_1^\infty \frac{2}{x^2}\,dx$.

Die entsprechende Schreibweise $\int_{\cancel{0}}^3 \frac{2}{\cancel{x^2}}\,dx$ ist nicht möglich, da kein Grenzwert existiert.

Bei der Untersuchung von **unbegrenzten Flächen** auf einen Inhalt untersucht man Integrale mit einer variablen Grenze und einer festen Grenze wie $\int_1^z f(x)\,dx$ oder wie $\int_z^3 f(x)\,dx$ auf einen **Grenzwert** für $z \to \pm\infty$ bzw. für $z \to c$ (c ist eine Konstante).

Beispiel Unbegrenzte Wassermenge bestimmen

Schüttung ist ein anderer Ausdruck für die momentane Wasserabgabe der Quelle.

Die Schüttung $S(t)$ einer Quelle wird modellhaft beschrieben durch $S(t) = \frac{3}{(t+1)^2}$ ($t \geq 0$; t in Stunden, $S(t)$ in Kubikmetern pro Stunde).

a) Fertigen Sie eine Skizze des Graphen von S an. Zeigen Sie, dass die Quelle unaufhörlich Wasser spendet.

b) Treffen Sie eine Aussage über die Wassermenge, die zeitlich unbegrenzt aus der Quelle fließen kann.

■ Lösung: a) Skizze siehe Fig. 1.

Für $t > 0$ ist $S(t) > 0$, das heißt, die Quelle spendet unaufhörlich Wasser.

b) Die bis zum Zeitpunkt z ausgetretene Wassermenge $W(z)$ entspricht dem Integral

$$W(z) = \int_0^z \frac{3}{(t+1)^2} dt = \left[\frac{-3}{(t+1)}\right]_0^z = \frac{-3}{(z+1)} + 3.$$

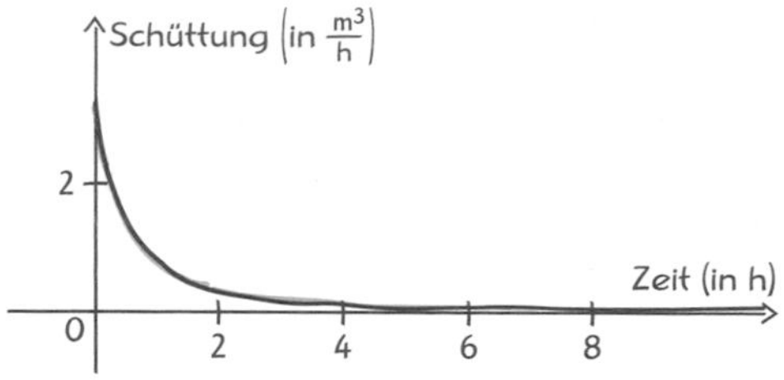

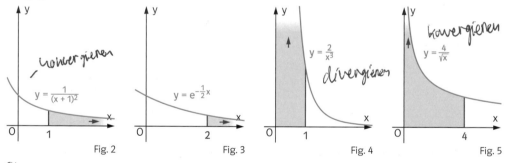
Fig. 1

Für $z \to \infty$ gilt: $A(z) \to 3$.

Bei zeitlich unbegrenzter Schüttung könnte die Quelle insgesamt $3\,m^3$ Wasser liefern.

Aufgaben

1 Untersuchen Sie, ob die gefärbte unbegrenzte Fläche einen endlichen Inhalt A hat. Geben Sie gegebenenfalls A an.

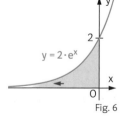

konvergieren

$y = \frac{1}{(x+1)^2}$
Fig. 2

$y = e^{-\frac{1}{2}x}$
Fig. 3

divergieren

$y = \frac{2}{x^3}$
Fig. 4

konvergieren

$y = \frac{4}{\sqrt{x}}$
Fig. 5

2 In einem Science-Fiction-Film beträgt die Geschwindigkeit $v(t)$ einer Weltraumrakete $v(t) = \frac{1000}{\sqrt{t+1}}$ ($t \geq 0$; t in h; v in $\frac{km}{h}$). Fliegt die Rakete „unendlich weit"?

3 Der Graph der Funktion f mit $f(x) = 2e^x$ schließt mit den Koordinatenachsen eine nach links nicht begrenzte Fläche ein. Zeigen Sie, dass diese Fläche einen endlichen Inhalt A hat.

$y = 2 \cdot e^x$
Fig. 6

Zeit zu überprüfen

4 Der Graph von f mit $f(x) = \frac{4}{x^3}$ schließt mit der x-Achse über dem Intervall $[0,5; \infty)$ eine nach rechts unbegrenzte Fläche ein. Untersuchen Sie, ob diese Fläche einen endlichen Inhalt A hat. Geben Sie gegebenenfalls A an.

◎ CAS
Fläche ins Unendliche

5 Gegeben sind die Funktionen f mit: I. $f(x) = \frac{1}{x^3}$, II. $f(x) = \frac{1}{x^2}$, III. $f(x) = \frac{1}{\sqrt{x}}$.

a) Der Graph jeder Funktion f schließt mit der x-Achse über dem Intervall $[1; \infty)$ eine nach rechts unbegrenzte Fläche ein. Untersuchen Sie, ob diese Fläche einen endlichen Inhalt hat.

b) Untersuchen Sie entsprechend die nach oben unbegrenzte Fläche.

8 Mittelwerte von Funktionen

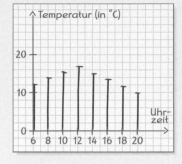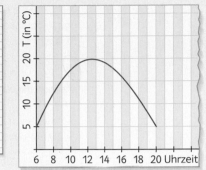

Die Graphen zeigen Temperaturaufzeich-
nungen von zwei verschiedenen Orten am
gleichen Tag.
An welchem Ort war es wärmer?

Der Begriff des Mittelwertes $\overline{m}$ von endlich vielen Zahlen ist so festgelegt:

$\overline{m} = \frac{1}{n} \cdot (z_1 + z_2 + \dots + z_n)$. Der Mittelwert wird oft verwendet, um auf einfache Weise Aussagen

über die Wirkung von Größen zu erhalten. So hat z. B. die Durchschnittsnote von Klausuren eine
entscheidende Auswirkung auf die Endnote. Der Begriff des Mittelwertes wird nun auf eine
Funktion auf einem Intervall [a; b] erweitert.

Statt Mittelwert und im
Mittel sagt man auch
Durchschnitt und durch-
schnittlich.

Die Funktion f mit $f(t) = \frac{90}{(t+5)^2}$ gibt modellhaft
die Schüttung einer Quelle an (t in Stunden,
$f(t)$ in $\frac{m^3}{h}$, Fig. 1). Im Intervall [0; 10] liefert die
Quelle die Wassermenge

$W = \int\limits_{0}^{10} f(t)\,dt = \left[\frac{-90}{t+5}\right]_0^{10} = 12\,m^3$.

Bei einer konstanten Schüttung von
$\overline{W} = \frac{1}{10} \cdot 12 \frac{m^3}{h} = 1{,}2 \frac{m^3}{h}$ hätte sich dieselbe
Wassermenge ergeben.

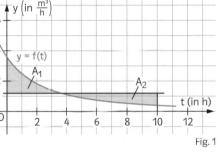

Fig. 1

$\overline{W}$ kann man in Fig. 1 näherungsweise grafisch bestimmen. Dazu legt man eine Parallele zur x-
Achse so, dass $A_1 = A_2$ gilt.

Definition: Die Zahl $\overline{m} = \frac{1}{b-a} \int\limits_{a}^{b} f(x)\,dx$ heißt **Mittelwert der Funktion f auf [a; b].**

Beispiel Mittelwerte bestimmen und vergleichen
Die Herstellungskosten einer Spezialmaschine werden durch die Funktion f mit

$K(x) = \frac{15x + 400}{x + 5}$ modelliert. Dabei gibt $K(x)$ die Kosten in 10 000 € für die x-te Maschine an.

Bestimmen Sie den Mittelwert $\overline{K}$ der Herstellungskosten für die ersten 100 Maschinen mithilfe
a) eines Integrals,   b) mithilfe des Mittelwertes für endlich viele Zahlen und
            vergleichen Sie dieses Ergebnis mit dem aus a).

```
0.01*sum(seq((15
X+400)/(X+5),X,1
,100,1)
           24.59594034
```
Fig. 2

■ Lösung: a) $\overline{K} = \frac{1}{100} \int\limits_{0{,}5}^{100{,}5} f(x)\,dx \approx 24{,}78$. Die mittleren Kosten betragen 247 800 €.

b) $\overline{K} = \frac{1}{100} \cdot (K(1) + K(2) + \dots + K(100)) \approx 24{,}60$ (Fig. 2). Die mittleren Kosten betragen 246 000 €.
Diese Lösung ist nach der Aufgabenstellung die genaue Lösung, a) ist eine Näherung.

Aufgaben

1 Skizzieren Sie den Graphen von f. Bestimmen Sie den Mittelwert $\overline{m}$ von Funktion f auf [a; b] und veranschaulichen Sie $\overline{m}$.

a) $f(x) = -x^2 + 4x$; $a = 0$; $b = 4$ b) $f(x) = 10\,e^{-x}$; $a = 3$; $b = 6$ c) $f(x) = 1 - \left(\frac{2}{x}\right)^2$; $a = 1$; $b = 3$

2 Bestimmen Sie für den Graphen in Fig. 1 grafisch den Mittelwert über [0; 4].

3 Gegeben ist der Graph der Funktion f und der Mittelwert $\overline{m} = 2$ von f auf [1; 5] (Fig. 2).

Bestimmen Sie $\int_{1}^{5} f(x)\,dx$ und beschreiben Sie das Größenverhältnis von A_1 zu A_2.

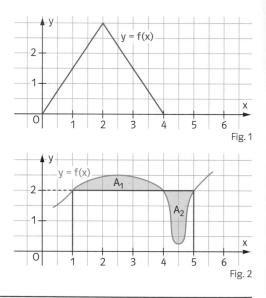

Fig. 1

4 Die Bevölkerungszahl von Mexiko kann mit $B(t) = 67{,}38 \cdot 1{,}026^t$ modelliert werden (t in Jahren seit 1980; B(t) in Millionen). Wie hoch war im Zeitraum von 1980 bis 1990 die durchschnittliche Bevölkerungszahl? Vergleichen Sie mit dem Durchschnitt der Zahlen von 1990 und 2000.

Fig. 2

Zeit zu überprüfen

Das Auto in Aufgabe 5 beschleunigt auf $100\,\frac{km}{h}$. Es gilt $1\,\frac{m}{s} = 3{,}6\,\frac{km}{h}$.

5 Ein Auto fährt für $0 \le t \le 10$ mit der Geschwindigkeit $v(t) = \frac{1}{3{,}6}\,t \cdot (20 - t)$ $\left(t \text{ in } s,\ v \text{ in } \frac{m}{s}\right)$.

a) Zeichnen Sie den Graphen von f und bestimmen Sie ohne Rechnung näherungsweise die mittlere Geschwindigkeit $\overline{v}$.

b) Bestimmen Sie die mittlere Geschwindigkeit $\overline{v}$ rechnerisch.

c) Wie weit ist das Auto in diesen 10 s gefahren?

6 Geben Sie drei Funktionen an, deren Mittelwert auf dem Intervall [–2; 2] genau 1 ist.

Rechnen Sie in Aufgabe 7 wie im Beispiel auf Seite 113 auf zwei verschiedene Arten.

7 Die Produktionskosten eines Werkstücks verkleinern sich mit fortdauernder Produktion. Sie betragen für das x-te Werkstück K(x) mit $K(x) = \frac{1}{15\,000}(x - 600)^2 + 21$ (K(x) in €).

a) Wie hoch sind bei einer Produktion von 400 Stück die gesamten Produktionskosten und die durchschnittlichen Kosten pro Stück?

b) Bei welcher Stückzahl liegt der durchschnittliche Preis zum ersten Mal unter 37 €?

8 Begründen Sie ohne Verwendung des Integrals, dass der Mittelwert von f mit $f(x) = \sin(x)$ auf [0; π] größer als 0,5 ist.

In Aufgabe 9 wird jeder Monat mit 30 Tagen angesetzt. Der Juni besteht dann aus den Tagen 151 bis 181.

9 Die Tageslänge beträgt in Madrid näherungsweise $H(t) = 12 + 2{,}4 \sin[0{,}0172\,(t - 80)]$, (t in Tagen nach Jahresbeginn, H(t) in Stunden).

Bestimmen Sie die durchschnittliche Tagesdauer im Juni.

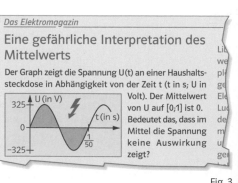

Das Elektromagazin

Eine gefährliche Interpretation des Mittelwerts

Der Graph zeigt die Spannung U(t) an einer Haushaltssteckdose in Abhängigkeit von der Zeit t (t in s; U in Volt). Der Mittelwert von U auf [0;1] ist 0. Bedeutet das, dass im Mittel die Spannung keine Auswirkung zeigt?

Fig. 3

9 Integral und Rauminhalt

Die gefärbten Flächen werden schnell um die Achse A einer Bohrmaschine gedreht. Es entsteht so die Illusion eines Körpers. Beschreiben Sie die entstehenden Körper.

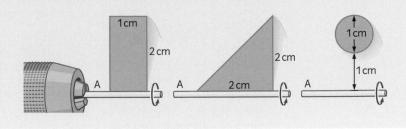

Mit dem Integral wurden bisher Fragestellungen zu den Themen Flächeninhalt, Änderung von Größen und Mittelwert bearbeitet. Mit demselben Konzept kann man auch Rauminhalte von Körpern bestimmen, insbesondere von **Rotationskörpern**. Ein Rotationskörper entsteht, wenn die vom Graphen einer Funktion f über dem Intervall [a; b] eingeschlossene Fläche (orange in Fig. 1) um die x-Achse rotiert.

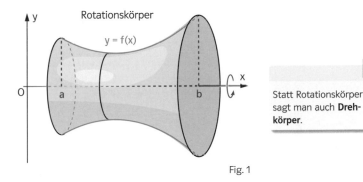

Fig. 1

Statt Rotationskörper sagt man auch **Drehkörper**.

Die Bestimmung des Volumens bei Rotationskörpern orientiert sich am Verfahren zur Bestimmung von Flächeninhalten.

Flächeninhalte

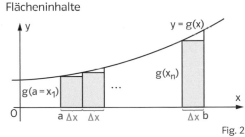

Fig. 2

Rauminhalte

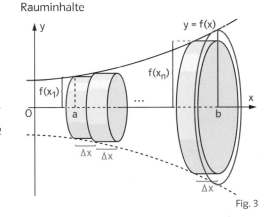

Fig. 3

1. Schritt: Die Fläche wird mit gleich breiten Rechtecken angenähert. Jedes Rechteck hat die Breite Δx.

Der Flächeninhalt aller Rechtecke ist
$$A_n = g(x_1) \cdot \Delta x + g(x_2) \cdot \Delta x + \ldots$$
$$+ g(x_n) \cdot \Delta x \quad (*).$$

2. Schritt: Bestimmung des Grenzwertes $\lim_{n \to \infty} A_n$. Dieser Grenzwert entspricht nach Definition dem Integral $\int_a^b g(x)\,dx$.

1. Schritt: Der Körper wird mit gleich breiten Zylindern angenähert. Jeder Zylinder hat die Höhe Δx.

Das Volumen aller Zylinder ist
$$V_n = \pi\big(f(x_1)\big)^2 \cdot \Delta x + \pi\big(f(x_2)\big)^2 \cdot \Delta x + \ldots$$
$$+ \pi\big(f(x_n)\big)^2 \cdot \Delta x.$$

Dies entspricht einer Summe wie (*), wenn man $g(x) = \pi \cdot \big(f(x)\big)^2$ setzt.

2. Schritt: Bestimmung des Grenzwertes $\lim_{n \to \infty} V_n$. Dieser entspricht dem Integral
$$\int_a^b g(x)\,dx = \int_a^b \pi \cdot \big(f(x)\big)^2\,dx = \pi \int_a^b \big(f(x)\big)^2\,dx.$$

Satz: Die Funktion f sei auf [a; b] differenzierbar. Rotiert die Fläche unter dem Graphen von f über dem Intervall [a; b] um die x-Achse, so entsteht ein **Rotationskörper**.

Sein **Volumen** V beträgt $V = \pi \int_a^b (f(x))^2 \, dx$.

Beispiel Bestimmung des Rauminhaltes eines Rotationskörpers
Durch Rotation der Graphen von f mit
$f(x) = \sqrt{x}$ und g mit $g(x) = \sqrt{x - 0,5}$ um die
x-Achse entsteht der Glaskörper eines Sekt-
glases (ohne Stiel, LE 1 cm, vgl. Fig. 1).
a) Wie viel Sekt passt in das Glas, wenn es
maximal voll ist?
b) Welches Volumen hat das zur Herstellung
benötigte Glas?

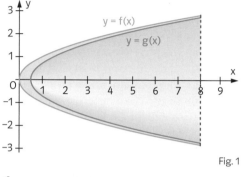

■ Lösung: a) *Das gesuchte Volumen entspricht dem Volumen des Rotationskörpers,
der bei Rotation der zum Graphen von g
gehörenden Fläche über [0,5; 8] entsteht.*

Fig. 1

$V_g = \pi \int_{0,5}^8 \left(\sqrt{x - 0,5}\right)^2 dx = \pi \int_{0,5}^8 (x - 0,5)\, dx = \pi \left[\frac{1}{2}x^2 - \frac{1}{2}x\right]_{0,5}^8 = 28,125\,\pi \approx 88,36$

Man kann maximal ca. 88 ml Sekt einfüllen.

b) V_g sei das Volumen des Körpers, der bei Rotation der zu g gehörenden Fläche entsteht;
V_f das Volumen des Körpers, der bei Rotation der zu f gehörenden Fläche entsteht.
Für das gesuchte Volumen V gilt dann: $V = V_f - V_g$.

$V_f = \pi \int_0^8 (\sqrt{x})^2 dx = \pi \int_0^8 x\, dx = \pi \left[\frac{1}{2}x^2\right]_0^8 = 32\,\pi$; $V_g = 28,125\,\pi$ (siehe Teilaufgabe a))

$V = V_f - V_g = 3,875\,\pi$. Das Glasvolumen beträgt etwa 12,17 cm³.

Aufgaben

1 Die gefärbte Fläche rotiert um die x-Achse. Bestimmen Sie das Volumen des durch die Rotation erzeugten Drehkörpers.

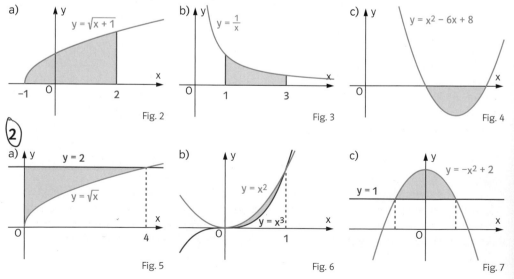

a)
$y = \sqrt{x + 1}$
Fig. 2

b)
$y = \frac{1}{x}$
Fig. 3

c)
$y = x^2 - 6x + 8$
Fig. 4

2

a)
$y = 2$
$y = \sqrt{x}$
Fig. 5

b)
$y = x^2$
$y = x^3$
Fig. 6

c)
$y = -x^2 + 2$
$y = 1$
Fig. 7

3 Die Fläche zwischen dem Graphen von f und der x-Achse über [a; b] rotiert um die x-Achse (Fig. 1). Skizzieren Sie den Graphen von f und berechnen Sie das Volumen des Rotationskörpers.

a) $f(x) = 2e^{-0,4x}$; $a = 1$; $b = 3$ b) $f(x) = \sin(x)$; $a = 0$; $b = \pi$ c) $f(x) = \frac{1}{(x-1)^2}$; $a = 2$; $b = 5$

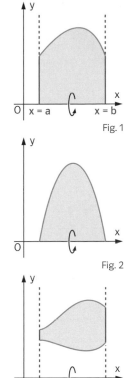

Fig. 1

4 Der Graph von f begrenzt mit der x-Achse eine Fläche, die um die x-Achse rotiert (Fig. 2). Skizzieren Sie den Graphen von f und berechnen Sie das Volumen des Rotationskörpers.

a) $f(x) = 3x - \frac{1}{2}x^2$ b) $f(x) = x^2(x+2)$ c) $f(x) = x\sqrt{4-x}$ d) $f(x) = (e^x - 1)\cdot(4-x)$

5 Die Fläche zwischen den Graphen von f und g über [a; b] rotiert um die x-Achse (Fig. 3). Berechnen Sie den Rauminhalt des Drehkörpers.

a) $f(x) = \sqrt{x+1}$; $g(x) = 1$; $a = 3$; $b = 8$ b) $f(x) = x^2 + 1$; $g(x) = -x^2 + 3$; $a = -1$; $b = 1$

Fig. 2

6 Beschreiben Sie einen Körper, dessen Volumen V man so berechnen kann:

$$V = \pi \int_0^5 2^2 dx - \pi \int_0^5 1{,}5^2 dx.$$

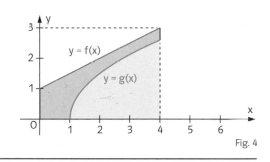

Achtung!
In Aufgabe 6 ist $V = \pi \int_0^5 (f(x))^2 dx - \pi \int_0^5 (g(x))^2 dx$
$$= \pi \int_0^5 ((f(x))^2 - (g(x))^2) dx,$$
aber $V \neq \pi \int_0^5 (f(x) - g(x))^2 dx.$
Begründen Sie dies anschaulich.

7 Durch Rotation des Graphen von f mit $f(x) = \sqrt{x}$ um die x-Achse entsteht der Hohlkörper eines liegenden Gefäßes. Dieses Gefäß wird aufgestellt und mit Wasser gefüllt.
Bis zu welcher Höhe steht die Flüssigkeit, wenn das Volumen des Wassers 30 VE beträgt?

Fig. 3

Zeit zu überprüfen ———————————————————————

8 Durch Rotation der Graphen von f mit $f(x) = 0{,}5x + 1$ und g mit $g(x) = 1{,}5\sqrt{x-1}$ über dem Intervall [0; 4] um die x-Achse entsteht der Glaskörper einer kleinen Schale (LE 1 cm, vgl. Fig. 4).
a) Wie viel Wasser passt in die Schale?
b) Welches Volumen hat das zur Herstellung benötigte Glas?

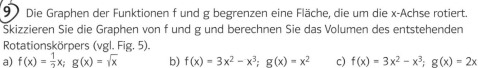

Fig. 4

9 Die Graphen der Funktionen f und g begrenzen eine Fläche, die um die x-Achse rotiert. Skizzieren Sie die Graphen von f und g und berechnen Sie das Volumen des entstehenden Rotationskörpers (vgl. Fig. 5).

a) $f(x) = \frac{1}{2}x$; $g(x) = \sqrt{x}$ b) $f(x) = 3x^2 - x^3$; $g(x) = x^2$ c) $f(x) = 3x^2 - x^3$; $g(x) = 2x$

10 Der Graph von f mit $f(x) = 2e^{0,1x}$ rotiert über dem Intervall [0; 6] um die Gerade $y = 1$. Berechnen Sie den Rauminhalt des Rotationskörpers.

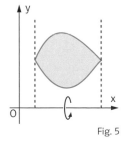

Fig. 5

11 Die Fläche unter dem Graphen von f mit $f(x) = \frac{1}{x}$ über [1; z] rotiert um die x-Achse. Untersuchen Sie, ob der dabei entstehende Drehkörper für $z \to \infty$ ein endliches Volumen hat.

12 Die Fläche zwischen dem Graphen von f und der x-Achse über dem Intervall [a; b] rotiert um die x-Achse. Wie ändert sich das Volumen des entstehenden Rotationskörpers, wenn f durch $2\cdot f$ bzw. durch $0{,}5\cdot f$ ersetzt wird?

Zu Aufgabe 12:
Was vermuten Sie für den zugehörigen Flächeninhalt?

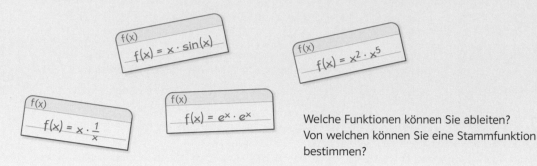

f(x)
$f(x) = x \cdot \sin(x)$

f(x)
$f(x) = x^2 \cdot x^5$

f(x)
$f(x) = x \cdot \frac{1}{x}$

f(x)
$f(x) = e^x \cdot e^x$

Welche Funktionen können Sie ableiten?
Von welchen können Sie eine Stammfunktion bestimmen?

Zu einer Summe von Funktionen wie $f(x) = x + e^x$ kann eine Stammfunktion F bestimmt werden, indem man zu jedem Summanden eine Stammfunktion bildet und diese addiert:
$F(x) = \frac{1}{2}x^2 + e^x$.

Es liegt nahe zu vermuten, dass man zu einem Produkt wie z.B. $f(x) = x \cdot e^x$ eine Stammfunktion erhält, indem man jeweils zu jedem Faktor die Stammfunktion bestimmt und diese multipliziert. Dabei erhält man: $F(x) = \frac{1}{2}x^2 \cdot e^x$. Die Ableitung von F ergibt:
$F'(x) = x \cdot e^x + \frac{1}{2}x^2 \cdot e^x \neq x \cdot e^x$. Die Vermutung ist daher falsch.

Achtung:
$U \cdot V$ ist im Allgemeinen keine Stammfunktion von $u \cdot v$.

Um eine Stammfunktion eines Produktes von Funktionen wie f mit $f = g \cdot h$ zu bestimmen, orientiert man sich an der Ableitungsregel für Produkte von Funktionen und versucht diese „rückwärts" zu verwenden. Die Produktregel für $f = g \cdot h$ lautet:
$(g \cdot h)'(x) = (g(x))' \cdot h(x) + g(x) \cdot (h(x))'$.

Integration der beiden Seiten: $\int_a^b (g \cdot h)'(x)\,dx = \int_a^b (g'(x) \cdot h(x))\,dx + \int_a^b (g(x) \cdot h'(x))\,dx$.

Wegen $\int_a^b (g \cdot h)'(x)\,dx = [(g(x) \cdot h(x)]_a^b$ ergibt sich durch Umstellen:

$\int_a^b (g'(x) \cdot h(x))\,dx = [(g(x) \cdot h(x)]_a^b - \int_a^b (g(x) \cdot h'(x))\,dx$.

Bei Bestimmung eines Integrals wie $\int_a^b u(x) \cdot v(x)\,dx = \int_0^1 (x \cdot e^x)\,dx$ mit dieser Formel müssen

die Faktoren $u(x) = x$ und $v(x) = e^x$ den Faktoren $g'(x)$ und $h(x)$ in der Formel zugeordnet werden. Dabei hat man die Wahl zwischen zwei Möglichkeiten.

1. Möglichkeit: $g'(x) = x$ und $h(x) = e^x$
$\int_0^1 (x \cdot e^x)\,dx = \left[\frac{1}{2}x^2 \cdot e^x\right]_0^1 - \int_0^1 \left(\frac{1}{2}x^2 \cdot e^x\right)dx$

2. Möglichkeit: $h(x) = x$ und $g'(x) = e^x$
$\int_0^1 (x \cdot e^x)\,dx = [x \cdot e^x]_0^1 - \int_0^1 (1 \cdot e^x)\,dx$
$= e - [e^x]_0^1 = e - (e - 1) = 1$

Das gesuchte Integral kann nicht berechnet werden, da das rechts stehende Integral nicht bestimmt werden kann.

Das gesuchte Integral kann bestimmt werden, weil das rechts stehende Integral berechenbar ist.

*Statt **Produktintegration** sagt man auch **partielle Integration**, weil die Integration von $g' \cdot h$ nur dann ausgeführt werden kann, wenn die Integration von $g \cdot h'$ ausgeführt werden kann.*

Satz: Produktintegration

Mit der Formel $\int_a^b (g'(x) \cdot h(x))\,dx = [(g(x) \cdot h(x))]_a^b - \int_a^b (g(x) \cdot h'(x))\,dx$ können Integrale der

Form $\int_a^b u(x) \cdot v(x)\,dx$ bestimmt werden. Dazu müssen die Faktoren $u(x)$ und $v(x)$ jeweils einem der Faktoren $g'(x)$ und $h(x)$ zugeordnet werden.

Beispiel   Produktintegration

a) Bestimmen Sie $\int_0^\pi 3x \cdot \sin(x)\,dx$.

b) Bestimmen Sie eine Stammfunktion von f mit $f(x) = 3x \cdot \sin(x)$.

Tipp:
Steht im Integral ein linearer Faktor wie $3x$, wählt man $h(x) = 3x$. Dann ist $h'(x) = 3$ und das zweite Integral wird dadurch einfacher.

■ Lösung: a) *Zuerst müssen die Faktoren $3x$ und $\sin(x)$ den Faktoren $g'(x)$ und $h(x)$ zugeordnet werden.*

Wahl: $g'(x) = \sin(x)$ und $h(x) = 3x$. Dann ist: $g(x) = -\cos(x)$ und $h'(x) = 3$.

Eingesetzt in $\int_a^b (g'(x) \cdot h(x))\,dx = [(g(x) \cdot h(x))]_a^b - \int_a^b (g(x) \cdot h'(x))\,dx$ gilt:

$\int_0^\pi \sin(x) \cdot 3x\,dx = [-\cos(x) \cdot 3x]_0^\pi - \int_0^\pi (-\cos(x) \cdot 3)\,dx = [-\cos(x) \cdot 3x]_0^\pi - [-3\sin(x)]_0^\pi$

$= (-3\pi \cdot \cos(\pi) + 0 \cdot \cos(0)) - (-3\sin(\pi) + 3\sin(0)) = 3\pi = 9,42.$

Wählt man in diesem Beispiel $g'(x) = 3x$ und $h(x) = \sin(x)$, tritt das Integral $\int_0^\pi \frac{3}{2}x^2 \cdot \sin(x)\,dx$ auf. Da dieses nicht bestimmt werden kann, kann man das gesuchte Integral auf diese Weise nicht berechnen.

b) Mit der Lösung zu a) ergibt sich: $\int_0^x 3t \cdot \sin(t)\,dt = \ldots = [-\cos(t) \cdot 3t]_0^x - [-3\sin(t)]_0^x$.

Damit ist F mit $F(x) = -\cos(x) \cdot 3x - (-3\sin(x)) = 3\sin(x) - 3x \cdot \cos(x)$ eine Stammfunktion von f.

Aufgaben

1   Bestimmen Sie das in der Form $\int_a^b h(x) \cdot g'(x)\,dx$ angegebene Integral.

Kontrollieren Sie ihre Ergebnisse der Aufgaben 1 und 2 mit dem GTR.

a) $\int_{-1}^1 x \cdot e^x\,dx$

b) $\int_0^2 5x \cdot e^x\,dx$

c) $\int_0^1 x \cdot e^{2x}\,dx$

d) $\int_0^{0,5} 4x \cdot e^{2x+2}\,dx$

2   Bestimmen Sie das Integral.

a) $\int_0^\pi x \cdot \sin(x)\,dx$

b) $\int_0^\pi x \cdot \cos(x)\,dx$

c) $\int_0^{2\pi} x \cdot \sin(2x)\,dx$

d) $\int_0^{2\pi} 2x \cdot \sin(0,5x)\,dx$

3   Geben Sie verschiedene Möglichkeiten an, sodass Sie das Integral $\int_0^1 \frac{\square}{e^{-x}}\,dx$ berechnen können. Begründen Sie Ihre Wahl.

4   Bestimmen Sie eine Stammfunktion zu f.

a) $f(x) = x \cdot e^x$

b) $f(x) = 2x \cdot \sin(x)$

c) $f(x) = x \cdot \cos(x)$

d) $f(x) = x \cdot e^{-x}$

5   Fig. 1 zeigt den Graphen der Funktion f mit $f(x) = x \cdot \sin(x)$.

a) Bestimmen Sie die Nullstellen von f.

b) Berechnen Sie den Inhalt der Fläche, die der Graph von f mit der x-Achse über dem Intervall $[0; \pi]$ einschließt.

Führen Sie die Berechnung des Flächeninhaltes für weitere Intervalle $[a; b]$ durch, wobei a und b benachbarte Nullstellen von f mit $0 < a < b$ sind.

Gibt es eine Regelmäßigkeit?

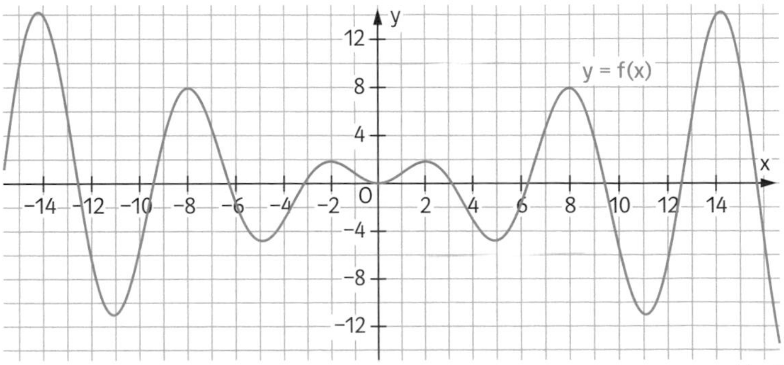

Fig. 1

1 Geben Sie eine Stammfunktion von f an.

a) $f(x) = 2 \cdot \cos\left(\frac{1}{2}x\right)$

b) $f(x) = 0{,}2 \cdot (e^x - e^{-x})$

c) $f(x) = 0{,}1 \cdot (0{,}1x + 1)^3$

2 Prüfen Sie, ob F eine Stammfunktion von f ist.

a) $f(x) = x \cdot e^x (2 + x); \ F(x) = x^2 \cdot e^x$

b) $f(x) = 2x \cdot \cos(x); \ F(x) = x^2 \cdot \sin(x)$

Vom Graphen zum Integral

3 Fig. 1 zeigt den Graphen einer Funktion f.

a) Gibt es Stellen, an denen jede Stammfunktion von f ein Minimum hat?

b) An welcher Stelle des Intervalls [0; 4] hat die Integralfunktion von f zur unteren Grenze 0 ein lokales Maximum?

c) Skizzieren Sie den Graphen einer Stammfunktion von f.

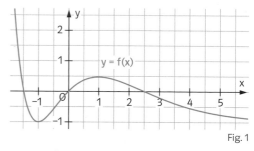

Fig. 1

4 In Fig. 2 und 3 sind jeweils Graphen der momentanen Änderungsrate m einer Größe G gezeichnet. Beurteilen Sie, ob in Fig. 2 die Größe im Zeitraum zwischen 0 s und 4 s und in Fig. 3 zwischen 1 s und 3 s insgesamt zugenommen hat.

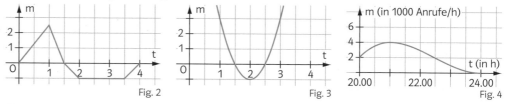

Fig. 2   Fig. 3   Fig. 4

5 Anlässlich eines im Fernsehen übertragenen Benefizkonzerts können Zuschauer ab 20 Uhr einen Spendenanruf tätigen.

In Fig. 4 ist die Entwicklung der momentanen Anrufrate m dargestellt.

a) Bestimmen Sie einen Schätzwert für die Zahl der Anrufe bis 22 Uhr.

b) Pro Stunde können 3000 Anrufe bearbeitet werden. Zu welcher Zeit ist die Zahl der Anrufer in der Warteschleife am größten?

Diese Aufgabe ist einem Schulbuch aus den USA entnommen.

6 The Quabbin Reservoir in the western part of Massachusetts provides most of Boston's water. The graph in figure 5 represents the flow of water in and out of the Quabbin Reservoir throughout 1993.

(a) Sketch a possible graph for the quantity of water in the reservoir, as a function of time.

(b) When, in the course of 1993, was the quantity of water in the reservoir largest? Smallest? Mark and label these points on the graph you drew in part (a).

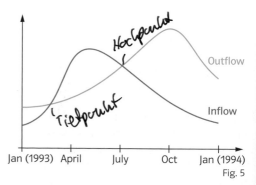

Fig. 5

(c) When was the quantity of water increasing most rapidly? Decreasing most rapidly? Mark and label these times on both graphs. ~ Hochpunkte

(d) By July 1994 the quantity of water in the reservoir was about the same as in January 1993. Draw plausible graphs for the flow into and the flow out of the reservoir for the first half of 1994. Explain your graphs.

Wiederholen – Vertiefen – Vernetzen

Parabeln, Flächeninhalte, Rauminhalte

7 Für Abwasserkanäle werden 1 m lange vorgefertigte Segmente aus Beton verwendet. Fig. 1 zeigt ein Segment im Querschnitt. Der Ausschnitt ist parabelförmig. Bestimmen Sie das Volumen und die Masse des in einem Segment verarbeiteten Betons. (1 m^3 Beton wiegt 2,3 t.)

8 Ein 10 m langer Fußgängertunnel wird nach den Maßen von Fig. 2 aus Beton gefertigt. Der Querschnitt ist parabelförmig. Wie viel Beton wird benötigt?

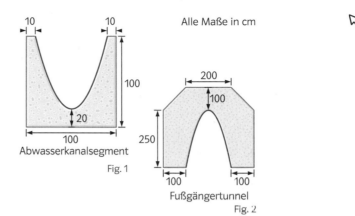

Alle Maße in cm

Abwasserkanalsegment
Fig. 1

Fußgängertunnel
Fig. 2

R Exkursion
Cavalieri entdeckt eine Integralformel
735301-1211

Begrenzung von Flächen durch Tangenten und Normalen

9 Berechnen Sie den Inhalt der Fläche, die vom Graphen von f, der Tangente in P und der x-Achse begrenzt wird (Fig. 3).
a) $f(x) = 0,5 x^2$; $P(3|4,5)$
b) $f(x) = \frac{1}{x^2} - \frac{1}{4}$; $P(0,5|3,75)$

10 Berechnen Sie den Inhalt der Fläche, die vom Graphen von f, der Normalen in P und der x-Achse begrenzt wird (Fig. 4).
a) $f(x) = -x^2$; $P(1|-1)$

b) $f(x) = x^3$; $P(1|1)$

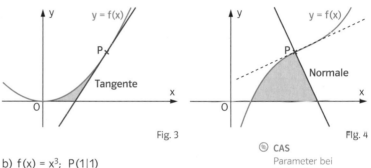

Fig. 3

Fig. 4

CAS
Parameter bei Flächenberechnung

11 Berechnen Sie den Inhalt der Fläche, die vom Graphen von f mit $f(x) = -x^3 + x$ und der Normalen im Wendepunkt von f eingeschlossen wird.

12 Gegeben ist die Funktion f mit $f(x) = x^3$. Eine Gerade der Form $y = mx$ mit $m \geq 0$ schließt im ersten Feld mit dem Graphen von f eine Fläche ein (Fig. 5). Bestimmen Sie m so, dass der Inhalt dieser Fläche 2,25 ist. Drücken Sie dazu die gesuchte Schnittstelle der Graphen und den Flächeninhalt in Abhängigkeit von m aus. Zeigen Sie, dass die Parabel das rot gefärbte Dreieck für jedes m mit $m \geq 0$ in zwei flächengleiche Teile teilt.

13 a) Berechnen Sie in Fig. 6 für $m = 0,5$ die Inhalte der blau und rot gefärbten Flächen.
b) Für welchen Wert von m ist die rote Fläche in Fig. 6 gleich groß wie die blaue? Drücken Sie dazu zunächst die Flächeninhalte in Abhängigkeit von z aus und bestimmen Sie daraus m.

14 Für welches t $(t > 0)$ hat die Fläche zwischen der Parabel mit der Gleichung $y = -x^2 + tx$ und der x-Achse den Inhalt 288?

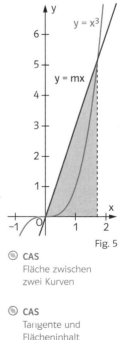

Fig. 5

CAS
Fläche zwischen zwei Kurven

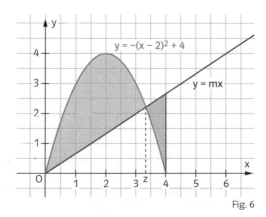

Fig. 6

CAS
Tangente und Flächeninhalt

III Schlüsselkonzept: Integral 121

Rotationskörper

15 Durch Rotation der Flächen in Fig. 1 um die x-Achse entstehen Drehkörper. Bestimmen Sie jeweils das Volumen des Drehkörpers durch Integration.

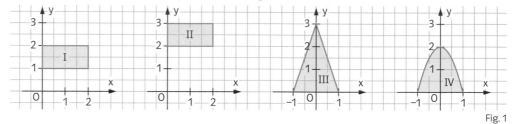

Fig. 1

16 Durch Rotation der Fläche in Fig. 2 wird ein Zylinder erzeugt.
a) Berechnen Sie sein Volumen mit der Formel auf dem Rand und mit einem Integral.
b) Leiten Sie die Formel auf dem Rand her, indem Sie die Fläche unter dem Graphen von f mit $f(x) = r$ über dem Intervall $[0; h]$ rotieren lassen.

Räumliche Geometrie

Volumen V eines Zylinders
$V = \pi r^2 \cdot h$

Volumen V eines Kegels
$V = \frac{1}{3}\pi r^2 \cdot h$

Volumen V einer Kugel
$V = \frac{4}{3}\pi r^3$

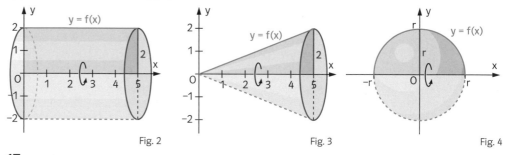

Fig. 2   Fig. 3   Fig. 4

17 Durch Rotation eines Dreiecks wird in Fig. 3 ein Kegel erzeugt.
a) Berechnen Sie sein Volumen mit der Formel auf dem Rand und mit einem Integral.
b) Leiten Sie die Formel auf dem Rand her, indem Sie die Fläche unter dem Graphen von f mit $f(x) = \frac{r}{h}x$ über dem Intervall $[0; h]$ rotieren lassen.

18 Der Graph der Funktion f mit $f(x) = \sqrt{r^2 - x^2}$ ist ein Halbkreis mit Radius r (Fig. 4).
a) Berechnen Sie das Volumen einer Kugel mit Radius $r = 3\,cm$ mit der Formel auf dem Rand und mit einem Integral.
b) Leiten Sie die Formel auf dem Rand mit einem Integral her.

Zeit zu wiederholen

19 Skizzieren Sie ohne Hilfsmittel einen Graphen der angegebenen ganzrationalen Funktion f.
a) $f(x) = x^2 - 2$ b) $f(x) = x(x - 2)$ c) $f(x) = x^2(x + 4)$ d) $f(x) = x(x - 2)(x + 2)$

20 Ist die Aussage richtig oder falsch? Begründen Sie.
a) Das Verhalten der Funktion f mit $f(x) = -0,1x^4 + 2x^3 - 10x + 20$ für $x \to \infty$ kann man am Koeffizienten $-0,1$ ablesen.
b) Jede ganzrationale Funktion mit ungeradem Grad hat Nullstellen.
c) Eine ganzrationale Funktion f vom Grad n hat $n - 1$ Extremstellen.

21 Welche Zahl muss in der Lücke stehen?
a) $2,7\,dm^2 = \square\ cm^2$ b) $5,4\,t = \square\ g$ c) $4,5\,dm^2 = \square\ m^2$ d) $0,4\,l = \square\ ml$
e) $30\,ml = \square\ dm^3$ f) $20\,km^2 = \square\ m^2$ g) $2,2\,h = \square\ min$ h) $7\,ha = \square\ a$

Exkursion

Numerische Integration – Die Fassregel von Kepler

Kann man das Fassungsvermögen eines Wein-
fasses aus seinen Abmessungen berechnen?
Da es sich bei einem Fass um einen Rotationskörper handelt, ist eine Berechnung des Volumens mit dem Hauptsatz der Differenzial- und
Integralrechnung möglich. Dazu benötigt man
jedoch eine „Randfunktion" des Fasses, die im
Allgemeinen nicht bekannt ist.

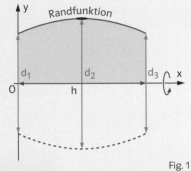

Spundloch

Fig. 1

Vor diesem Problem stand der Astronom und
Mathematiker Johannes Kepler (1571–1630),
als er zu seiner Hochzeit einige Fässer Wein
kaufte. Wie sollte er ohne größere Umstände
nachprüfen, wie viel Wein in den vollen
Fässern war? Die sich aus diesem Problem
ergebenden Überlegungen beschrieb Kepler in
seiner Schrift „Nova stereometria doliorum
vinariorium" (Neue Inhaltsberechnung von
Weinfässern).
Eines seiner Ergebnisse war: Wenn man an
einem Fass die drei Längen d_1, d_2 (durch das
Spundloch) und d_3 misst und daraus die Inhal-

te der kreisförmigen Querschnittsflächen q_1, q_2 und q_3 berechnet, dann erhält man einen guten
Näherungswert für das Volumen V des Fasses mit $V = \frac{1}{6} \cdot h \cdot (q_1 + 4 q_2 + q_3)$. Von dieser Formel
kommt der Name „Fassregel".

Im Folgenden soll die auf **Flächeninhalte** übertragene Problemstellung von Kepler erörtert und
gelöst werden. Sie lautet:
Wie kann man einen Näherungswert für den Inhalt der Fläche unter dem Graphen in Fig. 2 bestimmen, wenn neben a und b nur die Längen y_a, y_m und y_b bekannt sind?
Idee: Man nähert die Fläche auf verschiedene Arten mit Trapezen an (Fig. 2 und Fig. 3).

Mithilfe der Fassregel
von Kepler kann man
Flächeninhalte berech-
nen, wenn nur einzelne
Kurvenpunkte bekannt
sind oder wenn man
keine Stammfunktionen
kennt.

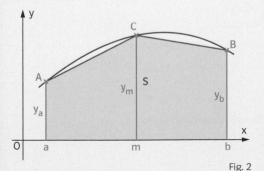

Fig. 2

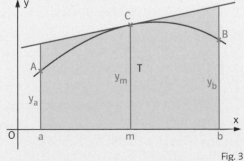

Fig. 3

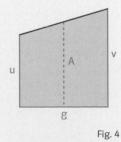

Fig. 4

1. Schritt: Man bestimmt den Inhalt S der
beiden Sehnentrapeze in Fig. 2. Es gilt:
$$S = \frac{b-a}{2} \cdot \frac{y_a + y_m}{2} + \frac{b-a}{2} \cdot \frac{y_m + y_b}{2}$$
$$= \frac{b-a}{2}\left(\frac{y_a}{2} + y_m + \frac{y_b}{2}\right).$$

2. Schritt: Man bestimmt den Inhalt T des
Tangententrapezes in Fig. 3. Es gilt:
$$T = (b - a) \cdot y_m.$$
(T ist unabhängig von der Steigung der
Tangente.)

Formel für den Flächen-
inhalt des Trapezes:
$$A = g \cdot \frac{u + v}{2}$$

3. Schritt: Man kombiniert die beiden Näherungswerte S und T zu einem einzigen Näherungswert K. Weil bei der Bestimmung von S eine feinere Unterteilung verwendet wurde, erscheint es sinnvoll, S doppelt so stark zu gewichten wie T. Man setzt:

$$K = \frac{1}{3}(2S + T) = \frac{1}{3}\left(2 \cdot \frac{b-a}{2}\left(\frac{y_a}{2} + y_m + \frac{y_b}{2}\right) + (b-a) \cdot y_m\right) = \frac{1}{6}(b-a) \cdot (y_a + 4y_m + y_b).$$

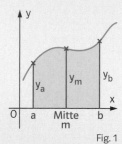

Fig. 1

Man kann zeigen, dass der genaue Wert des Integrals auf sechs Dezimalen gerundet den Wert 0,463 648 hat.

Ⓢ **CAS**
Volumen eines Fasses

> **Fassregel von Kepler:** Sind von dem Graphen einer Funktion f die Koordinaten der drei Punkte $A(a|y_a)$, $B(b|y_b)$ und $C\left(\frac{a+b}{2}\,\middle|\,y_m\right)$ bekannt, dann gilt:
>
> $$\int_a^b f(x)\,dx \approx \frac{1}{6}(b-a) \cdot (y_a + 4y_m + y_b).$$

Die Genauigkeit der Kepler'schen Fassregel wird beispielhaft am Integral $\int_1^3 \frac{1}{1+x^2}\,dx$ untersucht.

Gegebene Werte: $a = 1$; $y_a = \frac{1}{1+1^2} = \frac{1}{2}$; $m = 2$, $y_m = \frac{1}{1+2^2} = \frac{1}{5}$; $b = 3$; $y_b = \frac{1}{1+3^2} = \frac{1}{10}$;

$\frac{1}{6}(b-a) \cdot (y_a + 4y_m + y_b) = \frac{1}{6} \cdot 2 \cdot \left(\frac{1}{2} + 4 \cdot \frac{1}{5} + \frac{1}{10}\right) = \frac{7}{15} \approx 0{,}4667$ (gerundet auf vier Dezimalen).

Mit dem GTR ergibt sich 0,4636 (vier Dezimalen). Das ist eine Abweichung von 0,7%.

Man kann die zur Kepler'schen Fassregel führende Problemstellung auch ganz anders angehen. Dabei wird durch die drei gegebenen Punkte A, B und C eine Parabel $f(x) = ax^2 + bx + c$ vom Grad 2 gelegt. In Fig. 2 ergeben sich die Bedingungen

$$c = 1 \quad \text{(Punkt A)}$$
$$4a + 2b + 1 = 4 \quad \text{(Punkt B)}$$
$$16a + 4b + 1 = 3 \quad \text{(Punkt C)}$$

Lösung: $f(x) = -0{,}5x^2 + 2{,}5x + 1$.

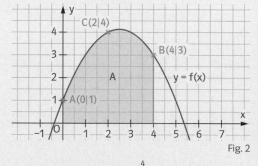

Fig. 2

Mit dieser Funktion ergibt sich für den Flächeninhalt die Näherungslösung $\int_0^4 f(x)\,dx = 13\frac{1}{3}$.

Mit der Kepler'schen Fassregel ergibt sich $\frac{1}{6} \cdot 4 \cdot (1 + 4 \cdot 4 + 3) = 13\frac{1}{3}$.

Man kann zeigen, dass die Kepler'sche Fassregel und die „Parabelmethode" immer dieselben Ergebnisse liefern.

Es ist kein Zufall, dass die Kepler'sche Fassregel bei Aufgabe 1a), 1b) und 1c) exakte Ergebnisse für das Integral liefert. Dies gilt für ganzrationale Randfunktionen bis zum Grad drei.

1 Berechnen Sie das Integral $\int_0^2 f(x)\,dx$ mit dem Hauptsatz und näherungsweise mit der Kepler'schen Fassregel. Kontrollieren Sie das Ergebnis mit dem GTR.
a) $f(x) = x$ b) $f(x) = x^2$ c) $f(x) = x^3$ d) $f(x) = x^4$ e) $f(x) = x^5$

2 a) Berechnen Sie die Integrale $\int_{-1}^1 10x^2(x-1)^2(x+1)^2\,dx$ und $\int_{-1}^1 x^2 \cdot e^{-x}\,dx$ näherungsweise mit der Kepler'schen Fassregel und vergleichen Sie mit dem GTR-Ergebnis.
b) Berechnen Sie die Integrale aus Teilaufgabe a) mit der Parabelmethode und vergleichen Sie das Ergebnis mit den Ergebnissen aus a).

3 a) Bestätigen Sie rechnerisch, dass mit der Kepler'schen Fassregel für Rotationskörper (Fässer) von Seite 123 das Volumen eines Zylinders und eines Kegels exakt bestimmt wird.
b) Berechnen Sie für selbst gewählte Rotationskörper das Volumen näherungsweise mit der Kepler'schen Fassregel und vergleichen Sie mit dem GTR-Ergebnis.

Exkursion in die Theorie

Analyse: Integral

Mit der Integralrechnung findet die Analysis einen Abschluss, was neue Konzepte anbelangt. Die Illustration zeigt, welcher Weg bis zum Hauptsatz der Differenzial- und Integralrechnung zurückgelegt werden musste.

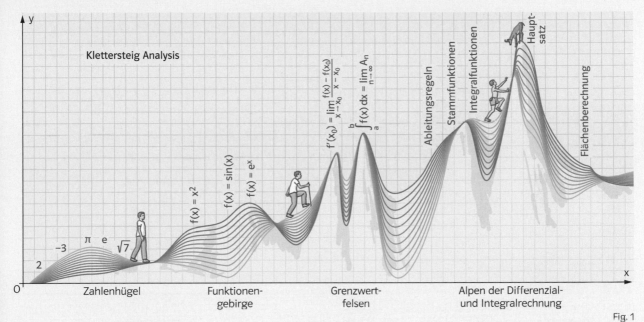

Fig. 1

In der Integralrechnung und insbesondere bei der Definition des Integrals wurden differenzierbare Funktionen vorausgesetzt. Es wird nun geprüft, inwieweit diese Voraussetzung notwendig ist.

1. Kommt es bei der Definition des Integrals auf die Art der Rechteckssumme an?

Auf Seite 91 wurde die Fläche „von innen ausgeschöpft" (Fig. 2). Die Summe der Rechtecksinhalte ist dabei nie größer als der gesuchte Flächeninhalt. Eine solche Summe von Rechtecksinhalten heißt deshalb **Untersumme**.

Man könnte bei einer Definition die Rechtecke aber auch so wählen, dass die Summe der Rechtecksinhalte nie kleiner als der gesuchte Flächeninhalt wird (Fig. 3). In diesem Fall spricht man von einer **Obersumme**.

Eine weitere Variante: Man nimmt für die Höhe eines Rechtecks irgendeinen Funktionswert aus dem Teilintervall. Außerdem brauchen die Teilintervalle nicht gleich breit zu sein (Fig. 4, **Riemann-Summe**).

Bernhard Riemann (1826–1866), Professor in Göttingen, hat den Integralbegriff wesentlich geprägt.

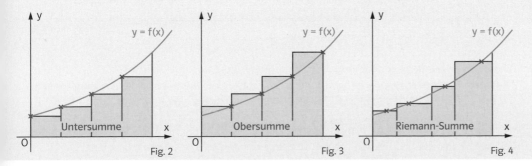

Fig. 2

Fig. 3

Fig. 4

Exkursion in die Theorie

Sind diese verschiedenen Definitionen des Integrals gleichwertig? Das heißt, erhält man in allen drei Fällen dasselbe Ergebnis, wenn man den Grenzwert von Rechtecksummen bestimmt? Und weiter: Gibt es zu jeder Funktion überhaupt einen Grenzwert der Rechtecksumme? Dazu kann man die folgenden Zusammenhänge beweisen.

Anstelle von differenzierbar genügt als Voraussetzung auch *stetig* (vgl. Seite 43 f.).

Antwort:

– Falls die Funktion f auf dem Intervall [a; b] **differenzierbar** ist, existieren die Grenzwerte jeder Untersumme, jeder Obersumme und jeder Riemann-Summe und diese Grenzwerte sind alle gleich.

Bei einer differenzierbaren Funktion ist es demnach gleichgültig, auf welche Weise die Rechtecksumme gebildet wird, da sie immer ein und denselben Grenzwert hat.

– Es gibt Beispiele von **nicht-differenzierbaren** Funktionen, bei denen sich für verschiedene Rechtecksummen (z.B. die Ober- und Untersumme) auch verschiedene Grenzwerte ergeben.

Gustave Lejeune Dirichlet (1805–1859) war der Nachfolger von C. F. Gauß in Göttingen.

Als Beispiel wird die Dirichlet-Funktion D mit

$$D(x) = \begin{cases} 0 & \text{für } x \in \mathbb{Q} \\ 1 & \text{für } x \notin \mathbb{Q} \end{cases} \text{ betrachtet.}$$

In Fig. 1 wird D veranschaulicht.
Über dem Intervall [0; 1] ergibt sich als Grenzwert jeder Untersumme 0 und als Grenzwert jeder Obersumme 1.
Man kann für die entsprechende Fläche also keinen Flächeninhalt festlegen.

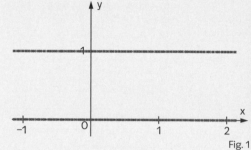

Fig. 1

Nach dem Integral werden nun die grundlegenden Begriffe Stammfunktion und Integralfunktion näher betrachtet.

2. Hat jede Funktion eine Stammfunktion?

Antwort: Nein. Gegenbeispiel: Jede Stammfunktion von f mit $f(x) = \begin{cases} 1 & \text{für } x < 1 \\ 2 & \text{für } x \geq 1 \end{cases}$

hat die Form $g(x) = \begin{cases} x + c_1 & \text{für } x < 1 \\ 2x + c_2 & \text{für } x \geq 1 \end{cases}$ (vgl. Fig. 2 und Fig. 3).

Diese Funktionen haben an der Stelle 1 einen „Knick" oder einen „Sprung", sind also nicht differenzierbar und können somit auch keine Stammfunktion sein.

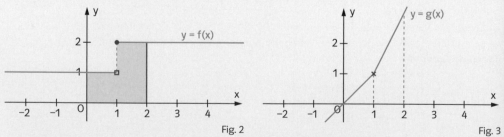

Fig. 2   Fig. 3

3. Bedeuten die Begriffe Stammfunktion und Integralfunktion das Gleiche?

Antwort: Nein. Zwar ist jede Integralfunktion zu f auch eine Stammfunktion von f, die Umkehrung gilt aber nicht. Gegenbeispiel: Für jede Integralfunktion J_u von f mit $f(t) = t$ gilt:

$J_u(x) = \int_u^x t\,dt = \left[\frac{1}{2}t^2\right]_u^x = \frac{1}{2}x^2 - \frac{1}{2}u^2$; also $J_u(x) = \frac{1}{2}x^2 - c$ mit $c \geq 0$. F mit $F(x) = \frac{1}{2}x^2 + 1$ ist

deshalb keine Integralfunktion von f. F ist aber eine Stammfunktion von f, da $F' = f$ gilt.

Rückblick

Das Integral

Bei einer auf [a; b] differenzierbaren Funktion f ist das Integral der Grenzwert einer Rechteckssumme A_n auf [a; b]:

$$\int_a^b f(x)\,dx = \lim_{n\to\infty} A_n = \lim_{n\to\infty} [f(z_1)\cdot\Delta x + f(z_2)\cdot\Delta x + \ldots + f(z_n)\cdot\Delta x].$$

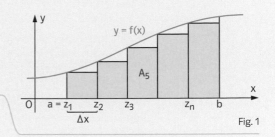

Fig. 1

Stammfunktionen

F heißt Stammfunktion von f, falls $F'(x) = f(x)$ ist.
Ist F eine Stammfunktion von f, dann auch G mit $G(x) = F(x) + c$.

Zu f mit $f(x) = 3x^2 + \frac{1}{x^2}$ sind z. B. F mit $F(x) = x^3 - \frac{1}{x}$ und G mit $G(x) = x^3 - \frac{1}{x} - 2$ Stammfunktionen.

Berechnung von Integralen

Integrale kann man mithilfe von Stammfunktionen berechnen. Ist F eine beliebige Stammfunktion von f, so gilt:

$$\int_a^b f(x)\,dx = F(b) - F(a).$$

$$\int_1^4 1{,}5x^2\,dx = [0{,}5x^3]_1^4 = 32 - 0{,}5 = 31{,}5$$

Integral und Flächeninhalt

Jedes Integral kann man als orientierten Flächeninhalt deuten.

Für Flächen oberhalb der x-Achse gilt: $A_1 = \int_a^b f(x)\,dx$.

Für Flächen unterhalb der x-Achse gilt: $A_2 = -\int_b^c f(x)\,dx$.

Für Flächen zwischen zwei Graphen gilt: $A_3 = \int_c^d (f(x) - g(x))\,dx$.

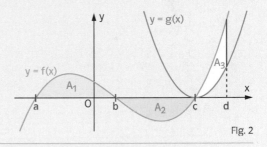

Fig. 2

Integral und Gesamtänderung einer Größe

Ist g die momentane Änderungsrate einer Größe, dann kann man die Gesamtänderung $G(b) - G(a)$ der Größe im Intervall [a; b] mit einem Integral berechnen: $G(b) - G(a) = \int_a^b g(t)\,dt$.

Momentaner Schadstoffausstoß g eines Motors: $g(t) = \frac{8}{0{,}01t^2 + 1} + 1$ $\left(t \text{ in } s, \ g(t) \text{ in } \frac{mg}{s}\right)$. Gesamter Schadstoffausstoß (in mg) in

$[0; 600\,s]$: $\int_0^{600} \frac{8}{0{,}01t^2 + 1} + 1\,dt \approx 724$ (mit GTR).

Integralfunktion

Die Funktion J_u mit $J_u(x) = \int_u^x f(t)\,dt$ heißt Integralfunktion von f zur unteren Grenze u. Sie ordnet jedem $x \in [a; b]$ den orientierten Flächeninhalt auf dem Intervall [u; x] zu.

Eine Integralfunktion zu f mit $f(x) = x^2$ zur unteren Grenze 1 ist $J_1(x)$ mit

$$J_1(x) = \int_1^x t^2\,dt = \left[\frac{1}{3}t^3\right]_1^x = \frac{1}{3}x^3 - \frac{1}{3}.$$

Integral und Volumen von Rotationskörpern

Rotiert die Fläche zwischen dem Graphen von f und der x-Achse über dem Intervall [a; b] um die x-Achse, so gilt für das Volumen V des dabei entstehenden Rotationskörpers:

$$V = \pi \cdot \int_a^b (f(x))^2\,dx.$$

Der Graph von f mit $f(x) = \sqrt{x^2 + 1}$ erzeugt bei Rotation um die x-Achse über [0; 3] einen Rotationskörper.

$$V = \pi \int_0^3 \left(\sqrt{x^2 + 1}\right)^2 dx = \pi \int_0^3 (x^2 + 1)\,dx = 12\pi$$

Integral und Mittelwert von Funktionen

Der Mittelwert einer Funktion auf einem Intervall [a; b] ist

$$\overline{m} = \frac{1}{b - a} \int_a^b f(x)\,dx.$$

$f(x) = 4 - x^2$; Mittelwert von f auf [0; 3]:

$$\overline{m} = \frac{1}{3 - 0} \int_0^3 (4 - x^2)\,dx = \frac{1}{3}\left[4x - \frac{1}{3}x^3\right]_0^3 = 1.$$

Prüfungsvorbereitung ohne Hilfsmittel

1 Berechnen Sie das Integral.
a) $\int_{-2}^{2} x(x-1)\,dx$
b) $\int_{1}^{10} x^{-1}\,dx$
c) $\int_{0}^{\ln(4)} e^{\frac{1}{2}x}\,dx$

2 Bestimmen Sie eine Stammfunktion von f.
a) $f(x) = \dfrac{1}{x^4} - \cos(4x)$
b) $f(x) = \dfrac{1}{\frac{1}{2}(5x-1)^2}$

3 a) Geben Sie zu f mit $f(x) = (x-1)(x+1)$ eine Stammfunktion F mit $F(1) = 2$ an.

b) Bestimmen Sie einen Funktionsterm der Integralfunktion J_{-1} mit $J_{-1}(x) = \int_{-1}^{x} f(t)\,dt$.

4 Untersuchen Sie, ob die nach rechts ins Unendliche reichende Fläche mit der linken Grenze $a = 1$ unter dem Graphen von f mit $f(x) = \dfrac{10}{x^4}$ einen endlichen Inhalt hat.

5 Skizzieren Sie den Graphen der Funktion f (Fig. 1) in Ihr Heft. Skizzieren Sie dazu einen Graphen
a) der Ableitungsfunktion f',
b) einer Stammfunktion von f,
c) der Integralfunktion $\int_{0}^{x} f(t)\,dt$.

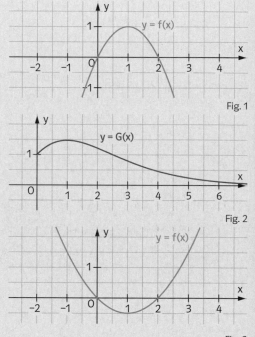

Fig. 1

6 Die Funktion G (Fig. 2) ist eine Stammfunktion von g. Bestimmen Sie aus dem Graphen von G näherungsweise
a) $g(2)$,
b) $\int_{1}^{4} g(x)\,dx$.

Fig. 2

7 Fig. 3 zeigt den Graphen einer Funktion f. F ist eine Stammfunktion von f. Welche der folgenden Aussagen über F ist wahr, welche ist falsch?
A: F ist in $I = [-1; 0]$ streng monoton fallend.
B: F hat bei $x = 0$ eine Extremstelle.
C: F muss in $[-1; 1]$ eine Nullstelle haben.
D: F hat bei $x = 1$ eine Wendestelle.

Fig. 3

8 Bei einer Ballonfahrt beschreibt die Funktion h die Höhe des Ballons über dem Startort und die Funktion v seine Vertikalgeschwindigkeit t (t in Minuten ab Start, $h(t)$ in Metern, $v(t)$ in Metern pro Minute). Die Ballonfahrt dauert 30 Minuten.
a) Beschreiben Sie den Zusammenhang zwischen den Funktionen h und v mit den Begriffen Ableitung, Stammfunktion und Integralfunktion.
b) Was bedeutet es, wenn die Integralfunktion von v zum Anfangswert 0 keine negativen Funktionswerte hat?
c) Welche Eigenschaft zeichnet alle möglichen Graphen von v aus, wenn $h(30) - h(0) = 0$ ist?

9 Gegeben ist die Funktion f mit $f_a(x) = -ax^2 + a$ $(a > 0)$. Der Graph von f schließt mit der x-Achse eine Fläche ein. Bestimmen Sie a so, dass der Flächeninhalt 4 ist.

10 Für das Volumen V eines Rotationskörpers ergibt sich $V = \pi \int_{0}^{1} e^x\,dx$.
a) Beschreiben Sie, wie der Rotationskörper erzeugt wird.
b) Berechnen Sie das Integral und geben Sie eine Näherungslösung an.

Prüfungsvorbereitung mit Hilfsmitteln

1 Gegeben ist die Funktion f mit $f(x) = 0,5x^2(x^2 - 4)$.

a) Wie groß ist die Fläche, die der Graph von f mit der x-Achse einschließt?

b) Der Graph von f und die Gerade mit der Gleichung $y = -2$ begrenzen eine Fläche. Berechnen Sie deren Inhalt.

c) Der Graph von f begrenzt mit der x-Achse eine Fläche. Diese Fläche erzeugt bei Rotation um die x-Achse einen Drehkörper. Berechnen Sie das Volumen dieses Drehkörpers.

2 Gegeben ist die Funktion f mit $f(t) = (t - 2)^2$; $t \in \mathbb{R}$.

Es sei $J_a(x) = \int\limits_a^x f(t)\,dt$ die Integralfunktion von f zur unteren Grenze a $(a \in \mathbb{R})$.

a) Skizzieren Sie in einem Koordinatensystem den Graphen von f und die Graphen von zwei verschiedenen Integralfunktionen von f.

b) Weisen Sie nach, dass J_a keine Extremstellen und genau eine Wendestelle hat.

3 Ein Behälter enthält zu Beginn $(t = 0)$ $2\,cm^3$ Öl. Für $t > 0$ wird in einer Zuleitung Öl zugeführt. Für die momentane Zuflussrate f gilt $f(t) = 0,1e^{-0,1t}$ (t in Minuten, f(t) in cm^3).

a) Zeigen Sie, dass die Ölmenge dauernd zunimmt.

b) Bestimmen Sie eine Funktion g, die die Ölmenge im Behälter für $t > 0$ in Abhängigkeit von der Zeit beschreibt. Untersuchen Sie, wie groß die Ölmenge werden kann.

c) Wie groß ist die mittlere Ölmenge im Behälter während der ersten zehn Minuten?

4 Bei einem Überschuss an elektrischer Energie wird Wasser in einen Speichersee hochgepumpt. Mit diesem Wasser kann man bei Bedarf wieder elektrische Energie erzeugen. In Fig. 1 ist modellhaft die Zuflussrate eines Speichersees an einem Werktag zwischen 0 Uhr und 24 Uhr dargestellt.

a) Wann ist am meisten bzw. am wenigsten Wasser im Speicher?

b) Wann verändert sich das Volumen des Sees am schnellsten bzw. am langsamsten?

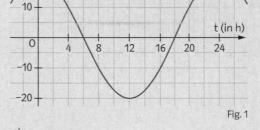

Fig. 1

c) Für die Zuflussrate g gilt $g(t) = -20 \cdot \sin\left(\frac{\pi}{12}(t - 6)\right)$ (t in Stunden, g(t) in Tausend Kubikmetern pro Stunde). Wie groß ist die Volumendifferenz des Sees im Tagesverlauf?

d) Zeigen Sie, dass G mit $G(t) = \frac{240}{\pi}\cos\left(\frac{\pi}{12}(t - 6)\right)$ eine Stammfunktion von g ist. Bestimmen Sie mithilfe von G eine Funktion f, die das Volumen des Sees beschreibt, wenn das Volumen um Mitternacht $5 \cdot 10^5\,m^3$ beträgt.

5 Der Boden eines 2 km langen Kanals hat die Form einer Parabel (siehe Fig. 2). Dabei entspricht eine Längeneinheit 1 m in der Wirklichkeit.

a) Berechnen Sie den Inhalt der Querschnittsfläche des Kanals.

b) Wie viel Wasser befindet sich im Kanal, wenn er ganz gefüllt ist?

c) Wie viel Prozent der maximalen Wassermenge befindet sich im Kanal, wenn er nur bis zur halben Höhe gefüllt ist?

⊚ CAS
Kanalquerschnitt

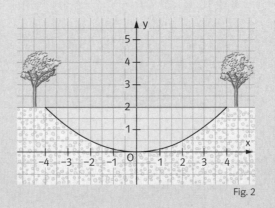

Fig. 2

Graphen und Funktionen analysieren

Abhängigkeiten lassen sich als Funktionen und Funktionen durch Graphen darstellen. Kennt man ihre Eigenschaften, so gelangt man von den Abhängigkeiten über die Funktion zum Graphen oder umgekehrt. Für diese Analyse ist es wichtig, die richtigen Fragen zu stellen.

Ebbe und Flut

Das kennen Sie schon

- Funktionen und ihre Ableitungen
- Nullstellen, Extrem- und Wendepunkte
- Ganzrationale Funktionen, Exponential-
  funktionen und trigonometrische
  Funktionen
- Integrale

Energie eines Delfins:

für $v > 2$: $\quad f(v) = c \cdot \dfrac{v^k}{v-2}$

Energie eines fliegenden Vogels:

für $20 \leq v \leq 60$: $\quad f(v) = \dfrac{0{,}3\,(v-3)^2 + 92}{v}$

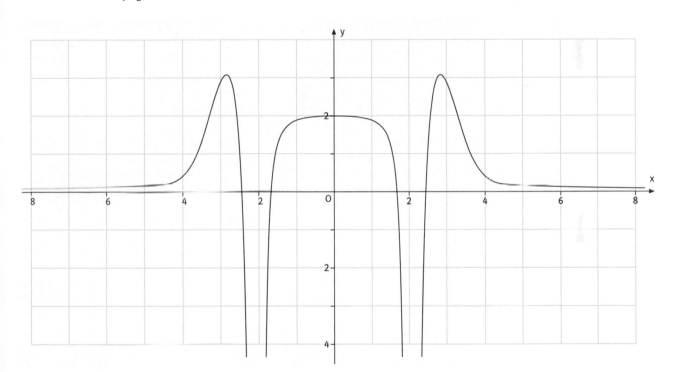

In diesem Kapitel

 Zahl und Maß

 Daten und Zufall

 Beziehung und Änderung

 Modell und Simulation

 Muster und Struktur

 Form und Raum

- lernen Sie neue Eigenschaften von Funktionen und Graphen kennen.
- werden mithilfe von Eigenschaften Graphen skizziert.
- werden zusammengesetzte Funktionen und ihre Graphen zielgerichtet analysiert.

1 Achsen- und Punktsymmetrie bei Graphen

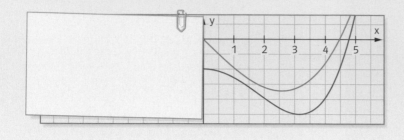

In der Abbildung wurden die Graphen von f und g für negative x-Werte verdeckt. Einer der beiden Graphen ist achsensymmetrisch zur y-Achse, einer ist punktsymmetrisch zum Ursprung O (0 | 0).
Beschreiben Sie, wie die Graphen für negative x-Werte verlaufen.

Ohne GTR lässt sich der Graph einer Funktion einfacher skizzieren, wenn man mithilfe des Funktionsterms charakteristische Eigenschaften des Graphen bestimmen kann. In der 10. Klasse wurde dies bereits bei ganzrationalen Funktionen behandelt. In diesem Kapitel kommen weitere charakteristische Eigenschaften dazu.

Man kann den Graphen einer Funktion einfacher erstellen, wenn man weiß, ob er achsensymmetrisch zur y-Achse oder punktsymmetrisch zum Ursprung ist. Bei einer ganzrationalen Funktion f kann man diese Eigenschaft am Funktionsterm erkennen:

Der Graph einer Funktion f ist genau dann

achsensymmetrisch zur y-Achse,   punktsymmetrisch zum Ursprung,

wenn der Funktionsterm von f nur x-Potenzen

mit geraden Hochzahlen hat.   mit ungeraden Hochzahlen hat.

Zur Erinnerung:
$3 = 3 \cdot x^0$ wird als Potenz von x mit gerader Hochzahl betrachtet.

Fig. 1 und Fig. 2 zeigen, wie man Achsensymmetrie zur y-Achse bzw. Punktsymmetrie zum Ursprung O (0 | 0) auch bei anderen Funktionen anhand des Funktionsterms erkennen kann.

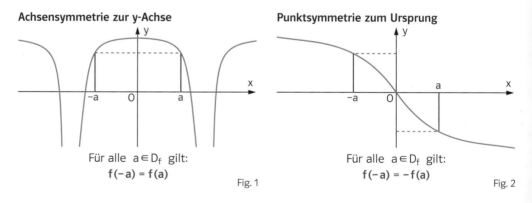

Achsensymmetrie zur y-Achse

Für alle $a \in D_f$ gilt:
$f(-a) = f(a)$

Fig. 1

Punktsymmetrie zum Ursprung

Für alle $a \in D_f$ gilt:
$f(-a) = -f(a)$

Fig. 2

Vorsicht:

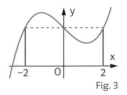

Fig. 3

$f(-2) = f(2)$, aber f ist nicht achsensymmetrisch.

Satz: Gegeben ist eine Funktion f mit dem Definitionsbereich D_f. Wenn für alle $x \in D_f$

$f(-x) = f(x)$ $f(-x) = -f(x)$

gilt, so ist der Graph von f   gilt, so ist der Graph von f

achsensymmetrisch zur y-Achse.   **punktsymmetrisch zum Ursprung**.

Umgekehrt gilt auch: Wenn der Graph einer Funktion f

achsensymmetrisch zur y-Achse   punktsymmetrisch zum Ursprung

ist, so gilt für alle $x \in D_f$:

$f(-x) = f(x)$. $f(-x) = -f(x)$.

Beispiel   Untersuchung auf Symmetrie

Untersuchen Sie den Graphen von f auf Symmetrie zur y-Achse bzw. zum Ursprung.

a) $f(x) = \frac{x}{x^3 + x}$ b) $f(x) = 0{,}02x^7 - \sqrt{3}\,x - 2^2 \cdot x^3$ c) $f(x) = e^x + x$

■ Lösung:

a) $f(-x) = \frac{-x}{(-x)^3 + (-x)} = \frac{-x}{-x^3 - x} = \frac{(-1)\cdot x}{(-1)\cdot(x^3 + x)} = \frac{x}{x^3 + x} = f(x)$

Der Graph von f ist symmetrisch zur y-Achse.

b) Da f eine ganzrationale Funktion mit ausschließlich ungeraden Hochzahlen von x ist, ist der dazugehörige Graph punktsymmetrisch zum Ursprung.

c) 1. Möglichkeit: $f(-x) = e^{-x} - x$. Das Ergebnis entspricht weder $f(x)$ noch $-f(x)$, der Graph von f ist also weder zur y-Achse noch zum Ursprung symmetrisch.

2. Möglichkeit (Gegenbeispiel): Es gilt $f(-1) = \frac{1}{e} - 1 \approx -0{,}63$ und $f(1) = e + 1 \approx 3{,}72$; also $f(-1) \neq f(1)$ und $f(-1) \neq -f(1)$.

Der Funktionsterm in Beispiel a) enthält nur Potenzen von x mit ungeraden Hochzahlen. Trotzdem ist der Graph von f nicht punktsymmetrisch zum Ursprung.

Aufgaben

1   Untersuchen Sie den Graphen von f auf Symmetrie zur y-Achse bzw. zum Ursprung.

a) $f(x) = -x^2 + x^6$ b) $f(x) = x^4 - 2x^2 - 1$ c) $f(x) = 3x^3 + 2x$ d) $f(x) = \frac{1}{x} + x$

e) $f(x) = \frac{1}{x^2}$ f) $f(x) = \frac{1}{x^2} + e^{x^2}$ g) $f(x) = e^x + x$ h) $f(x) = e^x + e^{-x}$

2   Die Wertetabelle gehört zu einer Funktion f, deren Graph symmetrisch zur y-Achse oder zum Ursprung ist. Übertragen Sie die Wertetabelle in Ihr Heft und ergänzen Sie die leeren Felder.

a)

x	-2	-1	0	1	2
f(x)	-1	-2		2	

b)

x	-2	-1	0	1	2
f(x)		2	3		0

Zeit zu überprüfen —————————————————————

3   Untersuchen Sie den Graphen von f auf Symmetrie zur y-Achse bzw. zum Ursprung.

a) $f(x) = x + \sqrt{2}\,x^5$ b) $f(x) = \frac{x^3 - x}{x}$ c) $f(x) = e^x - e^{-x}$ d) $f(x) = \frac{x + 3}{x^2 - 3}$

4   Der Graph von h mit $h(x) = \sin(x)$ ist punktsymmetrisch zum Ursprung, der Graph von k mit $k(x) = \cos(x)$ ist achsensymmetrisch zur y-Achse. Untersuchen Sie den Graphen von f auf Symmetrie zur y-Achse bzw. zum Ursprung.

a) $f(x) = 2\sin(x)$ b) $f(x) = \cos(x) + 2$ c) $f(x) = \sin(x) - 3$ d) $f(x) = \frac{x}{\cos(x)}$

5   Der Graph der Funktion f hat bei $P(1|2)$ einen Hochpunkt. Welcher weitere Punkt des Graphen lässt sich unter Verwendung von Symmetrieeigenschaften bestimmen?

a) $f(x) = -2x^4 + 4x^2$ b) $f(x) = 2\sin\left(\frac{\pi}{2}\cdot x\right)$ c) $f(x) = -x^3 + 3x$ d) $f(x) = \frac{3\cdot x^2 - 1}{x^3}$

6   Begründen Sie.

a) Wenn der Funktionsterm einer ganzrationalen Funktion einen konstanten Summanden enthält, dann kann der dazugehörige Graph nicht punktsymmetrisch zum Ursprung sein.

b) Hat eine differenzierbare Funktion f mit $D_f = \mathbb{R}$ einen zum Ursprung oder zur y-Achse symmetrischen Graphen, so gilt entweder $f(0) = 0$, $f'(0) = 0$ oder beides.

c) Ist der Graph einer differenzierbaren Funktion f mit $D_f = \mathbb{R}$ punktsymmetrisch zum Ursprung, dann ist der Graph der Ableitungsfunktion f' achsensymmetrisch zur y-Achse.

2 Definitionslücken und senkrechte Asymptoten

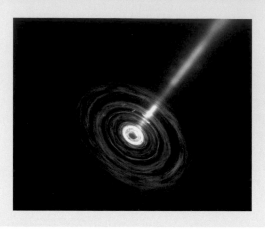

Viele Massereiche Sterne enden irgendwann als Schwarzes Loch. Dann ist die Gravitation so stark, dass selbst Licht den Ereignishorizont („Rand" des Lochs) nicht von innen überqueren kann. Eine Rakete, die außerhalb des Ereignishorizontes schweben soll ohne hineinzufallen, muss enorm gegenbeschleunigen. Die nötige Gegenbeschleunigung a beträgt bei kleinem Abstand x vom Ereignishorizont recht genau $a(x) = \frac{c^2}{x}$ (Lichtgeschwindigkeit c).

Die Funktion f mit $f(x) = \frac{x^2 - 1}{x - 2}$ ist für alle $x \in \mathbb{R} \setminus \{2\}$ definiert. Man sagt, f hat bei $x = 2$ eine **Definitionslücke**. In der Umgebung dieser Stellen können Graphen ein besonderes Verhalten zeigen.

Mit dem GTR kann das Verhalten der Funktionswerte von f bei Annäherung an die Definitionslücke $x_0 = 2$ veranschaulicht werden (Fig. 1 und 2).

Annäherung von links an $x_0 = 2$:

Annäherung von rechts an $x_0 = 2$:

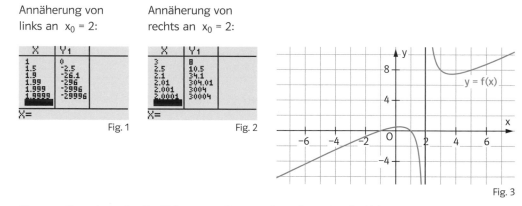

Fig. 1

Fig. 2

Fig. 3

Zur Erinnerung:
x = 2 ist die Gleichung einer Parallelen zur y-Achse.

Für $x \to 2$ und $x < 2$ gilt $f(x) \to -\infty$, für $x \to 2$ und $x > 2$ gilt $f(x) \to \infty$.
Der Graph von f nähert sich der Geraden mit der Gleichung $x = 2$ beliebig genau an (Fig. 3). Diese Gerade heißt **senkrechte Asymptote** des Graphen von f. Eine solche Stelle x_0, an der für $x \to x_0$ für die Funktionswerte f(x) gilt: $f(x) \to \infty$ oder $f(x) \to -\infty$, heißt **Polstelle von f**.

Bei der Funktion f mit $f(x) = \frac{x^2 - 1}{x - 2}$ liegt die Polstelle bei dem x-Wert, für den der Nenner null und der Zähler ungleich null ist. Dies lässt sich verallgemeinern:

> **Satz:** Gegeben ist eine Funktion f, deren Funktionsterm sich als Quotient in der Form $\frac{g(x)}{h(x)}$ mit den differenzierbaren Funktionen g und h darstellen lässt. Wenn für eine Stelle x_0 gilt: $g(x_0) \neq 0$ und $h(x_0) = 0$, so ist x_0 eine Polstelle von f und die Gerade mit $x = x_0$ eine senkrechte Asymptote des Graphen von f.

Wenn die Voraussetzung $g(x_0) \neq 0$ des Satzes nicht erfüllt ist, ist der Satz zunächst nicht anwendbar. Die folgenden Fälle zeigen, wie man durch Umformung des Funktionsterms weiterkommen kann:

1. Fall: Die Funktion k mit $k(x) = \frac{x^2 - 4}{x - 2}$ hat bei $x = 2$ eine Definitionslücke.

Für $x = 2$ gilt sowohl $x^2 - 4 = 0$ als auch $x - 2 = 0$.

$k(x) = \frac{x^2 - 4}{x - 2} = \frac{(x + 2) \cdot (x - 2)}{x - 2} = x + 2$

Der Graph von k ist eine Gerade mit einer Lücke bei $P(2 \mid 4)$. Der Graph von k wird wie in Fig. 1 gezeichnet. Bei $x = 2$ liegt eine Definitionslücke, aber keine Polstelle.

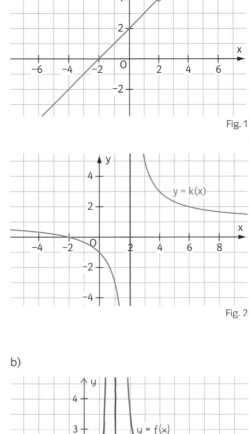

Fig. 1

2. Fall: Die Funktion k mit $k(x) = \frac{x^2 - 4}{(x - 2)^2}$ hat ebenfalls bei $x = 2$ eine Definitionslücke.

Für $x = 2$ gilt sowohl $x^2 - 4 = 0$ als auch $(x - 2)^2 = 0$.

Durch Umformung des Funktionsterms erhält man:

$k(x) = \frac{x^2 - 4}{(x - 2)^2} = \frac{(x + 2) \cdot (x - 2)}{(x - 2)^2} = \frac{x + 2}{x - 2}$.

k hat nach dem Satz (Seite 134) bei $x = 2$ eine Polstelle (vgl. Fig. 2).

Fig. 2

Beispiel Senkrechte Asymptote

Gegeben ist die Funktion f mit $f(x) = \frac{e^x}{5 \cdot (x - 1)^2}$.

a) Untersuchen Sie f auf Definitionslücken und das Verhalten von f bei Annäherung an die Definitionslücken.

b) Skizzieren Sie den Graphen von f mit den dazugehörenden senkrechten Asymptoten.

■ Lösung: a) f hat bei $x = 1$ eine Definitionslücke. Da $e^1 = e \neq 0$ und $5 \cdot (1 - 1)^2 = 0$ ist, hat f bei $x = 1$ eine Polstelle und der Graph bei $x = 1$ eine senkrechte Asymptote. Für $x \to 1$ und $x < 1$ bzw. für $x > 1$ gilt $f(x) \to \infty$.

b)

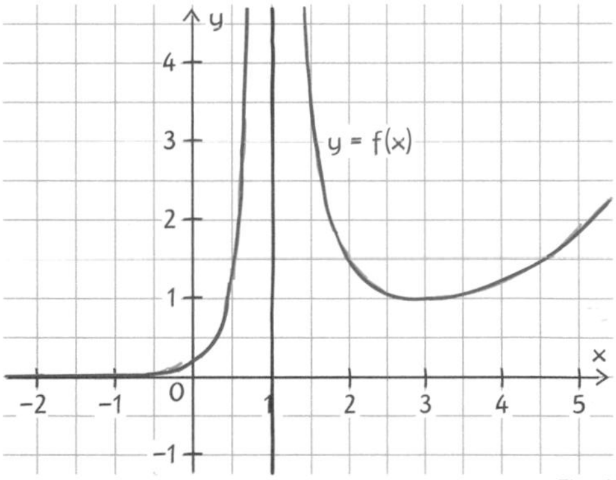

Fig. 4

Polstelle ohne **VZW** (Vorzeichenwechsel)

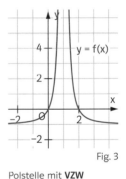

Fig. 3

Polstelle mit **VZW**

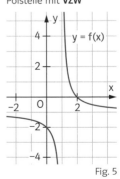

Fig. 5

Tipp:
Mit dem GTR können Ergebnisse überprüft werden.

Aufgaben

1 Untersuchen Sie f auf Definitionslücken und das Verhalten von f bei Annäherung an die Definitionslücken. Geben Sie gegebenenfalls eine Gleichung für die senkrechten Asymptoten an.

a) $f(x) = \frac{2}{x + 3}$

b) $f(x) = \frac{5}{3x - 1}$

c) $f(x) = \frac{2x + 1}{2x - 1}$

d) $f(x) = \frac{e^x}{(x + 3)^2}$

e) $f(x) = 1 + \frac{1}{x^2}$

f) $f(x) = \frac{x - 1}{e^x - 1}$

2 Untersuchen Sie f auf Definitionslücken und das Verhalten von f bei Annäherung an die Definitionslücken. Geben Sie die Gleichungen der senkrechten Asymptoten an.

a) $f(x) = \frac{1 + 3x}{(x - 4) \cdot (x + 2)}$

b) $f(x) = \frac{2x + 2}{(x + 3) \cdot (x + 1)}$

c) $f(x) = \frac{2}{x^2 - 5x}$

d) $f(x) = \frac{e^x}{x + x^2}$

e) $f(x) = \frac{e - x}{e^x - x \cdot e^x}$

f) $f(x) = \frac{x + 3}{x^2 - 9}$

3 Welcher Graph gehört zu welcher Funktion? Begründen Sie Ihre Entscheidung.

$f_1(x) = \frac{1}{1 - x}$; $f_2(x) = \frac{1}{1 + x^2}$; $f_3(x) = \frac{x - 1}{x}$; $f_4(x) = \frac{x}{1 + x}$; $f_5(x) = \frac{x}{x - 1}$; $f_6(x) = \frac{1}{x^2 - 4}$

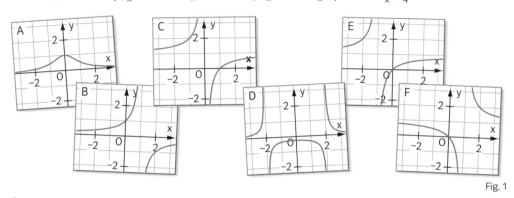

Fig. 1

4 Geben Sie zwei Funktionen an, deren Graphen die angegebenen Asymptoten besitzen.

a) $x = 4$ 　　　　 b) $x = -2,5$ 　　　　 c) $x = -6$ und $x = 6$ 　　 d) $x = 2$ und $x = 5$

Zeit zu überprüfen ———————————————————————————

5 Untersuchen Sie das Verhalten von f bei Annäherung an die Definitionslücke. Geben Sie gegebenenfalls die Gleichung der senkrechten Asymptote an.

a) $f(x) = \frac{2}{2x - 6}$

b) $f(x) = \frac{x - 2}{(x - 3)^2}$

c) $f(x) = \frac{e^x}{e^x - 1}$

6 Geben Sie eine Funktion an, deren Graph bei $x = -2$ und bei $x = 2$ eine senkrechte Asymptote hat.

———————————————————————————

7 Prüfen Sie, ob das Integral definiert ist, und berechnen Sie es gegebenenfalls.

a) $\int_0^3 \frac{1}{(x - 4)^2} dx$

b) $\int_0^4 \frac{1}{(x - 4)^2} dx$

c) $\int_0^3 \frac{1}{(x + 3)^2} dx$

d) $\int_{-4}^0 \frac{1}{(x + 3)^2} dx$

8 Gegeben ist die Funktion f mit $f(x) = \frac{x^3}{x^3 - x} + 1$. Welche der folgenden Aussagen sind wahr?
a) Der Graph von f hat eine senkrechte Asymptote.
b) Der Graph der Ableitungsfunktion f' hat eine senkrechte Asymptote.
c) Der Graph von f ist punktsymmetrisch zum Ursprung.

9 Begründen oder widerlegen Sie.
a) Wenn f mit $f(x) = \frac{u(x)}{v(x)}$ eine Polstelle hat, dann hat f' auch eine Polstelle.

b) Wenn f eine Polstelle hat, dann hat g mit $g(x) = \frac{1}{f(x)}$ auch eine Polstelle.

10 Welche Zahl muss man für a einsetzen, damit f an der Stelle $x = -\frac{1}{2}$ eine Polstelle hat?

a) $f(x) = 5 + \frac{2}{x - a}$

b) $f(x) = \frac{x - 1}{2x + a^2}$

c) $f(x) = \frac{-3}{x + e^a}$

3 Gebrochenrationale Funktionen – Verhalten für $x \to \pm\infty$

In der Abbildung sind die Graphen der Potenzfunktionen mit $f_1(x) = x^3$; $f_2(x) = x^4$ und $f_3(x) = x^5$ dargestellt. Je größer der Exponent ist, desto schneller nehmen die Funktionswerte für $x \to \infty$ zu.

Im Vergleich scheinen die Funktionswerte der Funktion mit $g(x) = e^x$ deutlich langsamer anzusteigen.

Untersuchen Sie dies mit dem GTR.

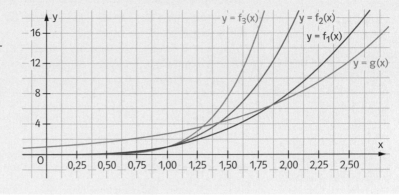

In den ersten beiden Lerneinheiten wurden das Symmetrieverhalten von Graphen sowie das Verhalten von Funktionen in der Nähe einer Definitionslücke behandelt. Nun soll das Verhalten von Funktionen für $x \to \infty$ bzw. $x \to -\infty$ untersucht werden.

Die Funktion f mit $f(x) = \frac{2x+1}{3x-6}$ kann als Quotient zweier ganzrationaler Funktionen aufgefasst werden. Solche Funktionen werden **gebrochenrationale Funktionen** genannt.

Bei der Untersuchung einer gebrochenrationalen Funktion f mit $f(x) = \frac{g(x)}{h(x)}$ für $x \to \infty$ orientiert man sich am Grad des Nenners n und am Grad des Zählers z.

> Zur Erinnerung:
> Der Grad einer Funktion bezeichnet die größte Hochzahl der x-Potenz.

1. Fall: $z = n$; z.B. $f(x) = \frac{2x+1}{3x-6}$.

Kürzen des Funktionsterms mit der höchsten Potenz von x, d.h. x^1, ergibt:

$f(x) = \frac{2x+1}{3x-6} = \frac{x \cdot \left(2 + \frac{1}{x}\right)}{x \cdot \left(3 - \frac{6}{x}\right)} = \frac{2 + \frac{1}{x}}{3 - \frac{6}{x}}$ für $x \neq 0$.

Es gilt $f(x) \to \frac{2}{3}$ für $x \to \infty$ und für $x \to -\infty$.

Man erkennt, dass $\frac{2}{3}$ der Quotient der Koeffizienten 2 bzw. 3 der Potenzen x^1 des Zählers und Nenners ist. Man sagt, die Funktion f hat für $x \to \infty$ und für $x \to -\infty$ den **Grenzwert** $\frac{2}{3}$, und schreibt: $\lim\limits_{x \to \pm\infty} f(x) = \frac{2}{3}$. Der Graph von f nähert sich für $x \to \infty$ und $x \to -\infty$ der Geraden mit der Gleichung $y = \frac{2}{3}$ beliebig genau an (Fig. 1). Diese Gerade heißt **waagerechte Asymptote**.

Fig. 1

2. Fall: $z < n$; z.B. $f(x) = \frac{5x}{x^2-x}$.

Kürzen des Funktionsterms mit der höchsten Potenz von x, d.h. x^2, ergibt:

$f(x) = \frac{5x}{x^2-x} = \frac{x^2 \cdot \left(\frac{5}{x}\right)}{x^2 \cdot \left(1 - \frac{1}{x}\right)} = \frac{\frac{5}{x}}{1 - \frac{1}{x}}$ für $x \neq 0$.

Es gilt $\lim\limits_{x \to \pm\infty} f(x) = 0$; die Gerade $y = 0$ ist waagerechte Asymptote des Graphen.

3. Fall: $z > n$; z.B. $f(x) = \frac{x^2-x}{2x-1}$.

Kürzen des Funktionsterms mit der höchsten Potenz von x im Nenner, hier x^1, ergibt:

$f(x) = \frac{x^2-x}{2x-1} = \frac{x(x-1)}{x\left(2 - \frac{1}{x}\right)} = \frac{x-1}{2 - \frac{1}{x}}$ für $x \neq 0$.

Es gilt $f(x) \to +\infty$ für $x \to \infty$ oder $f(x) \to -\infty$ für $x \to -\infty$.

Der Fall, dass der Zähler-grad um eins größer als der Nennergrad ist, wird im Wahlthema auf Seite 160 behandelt.

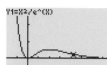

X=4.2553191 Y=.2569228

Fig. 1

🖊

Kurz:
Für $x \to \pm\infty$ dominiert e^x über x^n $(n \in \mathbb{N})$.

Satz 1: Das Verhalten einer gebrochenrationalen Funktion f mit $f(x) = \frac{g(x)}{h(x)}$ wird für $x \to \pm\infty$ durch den Grad z des Zählers von f und den Grad n des Nenners von f bestimmt.

Für $x \to \infty$ bzw. für $x \to -\infty$ gilt:

Wenn $z < n$, strebt $f(x) \to 0$; die x-Achse ist waagerechte Asymptote.

Wenn $z = n$, strebt $f(x) \to c$; die Gerade $y = c$ ist waagerechte Asymptote.

Wenn $z > n$, strebt $f(x) \to +\infty$ oder $f(x) \to -\infty$.

Die Konstante c für $z = n$ ist gleich dem Quotienten der Koeffizienten der jeweils höchsten Potenzen von x im Zähler und im Nenner.

Es gibt Funktionen wie $h(x) = \frac{x^2}{e^x}$, deren Verhalten für $x \to \infty$ sich nicht mit Satz 1 beurteilen lässt. Für das Verhalten von Funktionen, die die Terme e^x und x^n enthalten, kann man zeigen:

Satz 2: Für $x \to +\infty$ gilt: $\frac{x^n}{e^x} \to 0$ bzw. $\frac{e^x}{x^n} \to +\infty$; $x^n \cdot e^x \to +\infty$; $e^x - x^n \to +\infty$.

Für $x \to -\infty$ gilt: $\left|\frac{x^n}{e^x}\right| \to +\infty$ bzw. $\frac{e^x}{x^n} \to 0$; $|x^n \cdot e^x| \to 0$; $|e^x - x^n| \to +\infty$.

Beispiel Verhalten für $x \to \infty$ bzw. $x \to -\infty$

Untersuchen Sie das Verhalten der Funktionswerte von f für $x \to \infty$ bzw. $x \to -\infty$ und geben Sie gegebenenfalls die waagerechte Asymptote an.

a) $f(x) = \frac{8x^2 - 3x + 12}{2x^2}$

b) $f(x) = \frac{3x^2 - x}{3x^3 - x + 1}$

c) $f(x) = \frac{8x^4 - 5x}{2 + x^2}$

d) $f(x) = \frac{e^x}{x^5}$

■ **Lösung:** a) $\lim\limits_{x \to \pm\infty} f(x) = \frac{8}{2} = 4$;   *Zählergrad = Nennergrad*

$y = 4$ ist waagerechte Asymptote.

b) $\lim\limits_{x \to \pm\infty} f(x) = 0$;   *Zählergrad < Nennergrad*

$y = 0$ ist waagerechte Asymptote.

c) $f(x) \to \infty$ für $x \to \pm\infty$;   *Zählergrad > Nennergrad*

keine waagerechte Asymptote.

d) $\lim\limits_{x \to -\infty} f(x) = 0$; $f(x) \to +\infty$ für $x \to +\infty$ *e^x dominiert x^5*

$y = 0$ ist waagerechte Asymptote (für $x \to -\infty$).

Aufgaben

1 Bestimmen Sie das Verhalten der gebrochenrationalen Funktion f für $x \to \infty$ bzw. $x \to -\infty$ und geben Sie gegebenenfalls die waagerechte Asymptote an.

a) $f(x) = \frac{x^2 - 5x}{3x^2 + x}$

b) $f(x) = \frac{4x^2 + 22}{1 + 3x^3}$

c) $f(x) = \frac{28x^3 - x}{7x^3 + x^2}$

d) $f(x) = \frac{8x^3 - 5x^2}{x^2 - 2x^3}$

e) $f(x) = \frac{x^2 + 0{,}2x^4}{1 + x^3}$

f) $f(x) = \frac{x^4 - 13x}{3x^3 - 10}$

2 Bestimmen Sie das Verhalten von f für $x \to \infty$ bzw. $x \to -\infty$ und geben Sie gegebenenfalls die waagerechte Asymptote an.

a) $f(x) = \frac{e^x}{x^4 + 1}$

b) $f(x) = e^x \cdot x^2$

c) $f(x) = \frac{-x^2}{e^x}$

d) $f(x) = 2e^x - 10x^3$

e) $f(x) = 100x^4 + 0{,}1 \cdot e^x$

f) $f(x) = \frac{-1 - x^2}{e^x}$

3 Bestimmen Sie das Verhalten der gebrochenrationalen Funktion f für $x \to \infty$ bzw. $x \to -\infty$ und geben Sie gegebenenfalls die waagerechte Asymptote an.

a) $f(x) = \frac{8x - 27x^2 + 28}{3x^2 - 9x}$

b) $f(x) = \frac{4x^2 + 20}{10 + 2x + 3x^3}$

c) $f(x) = \frac{x^2 + 3 + x}{7x^3 + 3 + x}$

d) $f(x) = -\frac{x^2 + 5x^5}{x^5 - 8x^2} + 1$

e) $f(x) = \frac{-x^5 - 3x^3}{4x^4 + x^2}$

f) $f(x) = 2 - \frac{25x^4 - 3x}{5x^6 + 100}$

4 Welcher Graph gehört zu welcher Funktion? Begründen Sie Ihre Entscheidung.

$f_1(x) = \frac{1}{1 + x^2}$; $f_2(x) = \frac{x}{1 - x}$; $f_3(x) = \frac{x^2}{1 - 0{,}5x^2}$; $f_4(x) = \frac{2x - 2}{x + 1}$ und $f_5(x) = \frac{x^2}{x^2 - 1}$

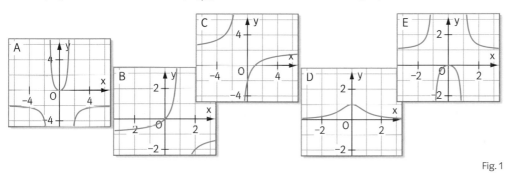

Fig. 1

5 Geben Sie zwei Funktionen f und g an, deren Graphen die angegebenen waagerechten Asymptoten besitzen.

a) $y = 2$ b) $y = -2$ c) $y = 0$ d) $y = -100$ e) $y = e$

6 Geben Sie die senkrechten und waagerechten Asymptoten sowie das Verhalten von f für $x \to \infty$ bzw. $x \to -\infty$ an. Skizzieren Sie den Graphen von f mithilfe der Asymptoten.

a) $f(x) = \frac{2x}{x + 3}$

b) $f(x) = \frac{x^2}{2x^2 - x}$

c) $f(x) = \frac{x}{4x^3 + 2}$

d) $f(x) = \frac{x^2 - 1}{x^2}$

7 a) $f(x) = 1 + \frac{1}{x}$

b) $f(x) = 3 + \frac{1}{x^2}$

c) $f(x) = \frac{x^2}{e^x}$

d) $f(x) = \frac{e^x}{x}$

Zeit zu überprüfen _____

8 Geben Sie die senkrechten und waagerechten Asymptoten sowie das Verhalten von f für $x \to \infty$ bzw. $x \to -\infty$ an. Skizzieren Sie den Graphen von f mithilfe der Asymptoten.

a) $f(x) = \frac{2x}{4x - 4}$

b) $f(x) = 4 + \frac{2}{x^2}$

c) $f(x) = x^2 \cdot e^x$

9 Gegeben sind die Funktionen f und g. Bestimmen Sie die Stelle x_0, sodass $g(x) \geq f(x)$ für alle $x \geq x_0$.

a) $f(x) = x^3$; $g(x) = e^x$

b) $f(x) = 1000 \cdot x^4$; $g(x) = e^x$

c) $f(x) = x^{10}$; $g(x) = e^x$

10 Fig. 2 zeigt die Graphen der Funktion f, ihrer Ableitungsfunktion f' und einer Stammfunktion F von f. Begründen Sie, welcher Graph zur Funktion f, welcher zur Ableitungsfunktion f' und welcher zur Stammfunktion F gehört.

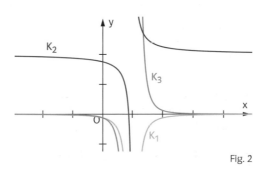

Fig. 2

11 Fig. 1 zeigt die Graphen K_1; K_2 und K_3 der drei Funktionen mit $f_1(x) = 2 - 0,5 \cdot e^x$; $f_2(x) = -\dfrac{1}{(x-3)^2} + a$ und $f_3(x) = \dfrac{1}{x-b} + c$ sowie alle Asymptoten.

a) Ordnen Sie den Funktionen f_1; f_2 und f_3 den jeweils passenden Graphen zu.

b) Bestimmen Sie die Werte für a; b und c.

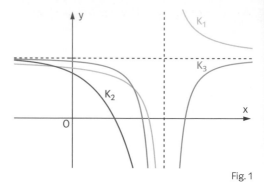

Fig. 1

12 Die Fig. 2 bis 4 zeigen den Graphen einer gebrochenrationalen Funktion f sowie alle Asymptoten. Geben Sie einen möglichen Funktionsterm von f an.

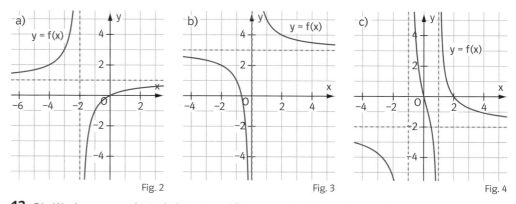

Fig. 2   Fig. 3   Fig. 4

13 Die Wachstumsgeschwindigkeit einer Pflanze wird in den ersten Wochen nach der Pflanzung durch die Funktion h mit $h(x) = \dfrac{50x^2 + 10}{2e^x}$ beschrieben (x in Wochen nach Beginn der Messung, h(x) in cm pro Woche). Zum Beginn der Messung ist die Pflanze 2 cm hoch.

a) Wann wächst die Pflanze am schnellsten?

b) Wie hoch war die Pflanze nach fünf Wochen?

c) Die Pflanze soll verkauft werden, sobald sie eine Höhe von 45 cm erreicht hat. Nach wie vielen Wochen seit Beginn der Messung hat sie die für den Verkauf notwendige Höhe erreicht?

d) Welche maximale Höhe wird die Pflanze etwa erreichen?

e) Skizzieren Sie die Funktion f, die die Höhe in Abhängigkeit der Zeit darstellt.

14 Eine Firma führt die beiden neuen Handys Nikoa N75 und Syno C20 ein. Die Verkaufszahlen der beiden Handys können modellhaft mit den Funktionen

$n(x) = \dfrac{2500x^2 + 250}{3x^2 + 9}$ (Nikoa N75) oder

$s(x) = -800\,e^{-x} + 810$ (Syno C20)

beschrieben werden. Hierbei sind $n(x)$ und $s(x)$ die Anzahl der verkauften Handys in der Woche x seit Markteintritt der neuen Handys.

a) Skizzieren Sie die Graphen K_n und K_s der Funktionen n und s für die ersten 15 Wochen. Beschreiben Sie den Verkaufsverlauf in eigenen Worten.

b) Zu welchen Zeiten werden von beiden Handysorten gleich viele verkauft?

c) Wann ist die Änderungsrate der Verkaufszahlen pro Woche beim Modell Nikoa N75 am größten?

d) Wie viele Handys des Modells Syno C20 werden in den ersten 25 Wochen verkauft?

4 Nullstellen, Extremstellen und Wendestellen

Finden Sie möglichst viele verschiedene Belegungsmöglichkeiten für die Variablen c und k, sodass der angegebene Term null wird.

$$c \cdot (e^k - 1) \cdot \frac{3 - c}{k + 1}$$

Mit dem GTR lassen sich Null-, Extrem- und Wendestellen von Funktionen oft ohne großen Aufwand bestimmen. Die vom GTR gelieferten Lösungen sind allerdings lediglich Näherungslösungen. Man weiß zudem nicht sicher, ob alle gesuchten Punkte dargestellt werden.
Bei einer rechnerischen Bestimmung erhält man neben den exakten Lösungen auch die genaue Anzahl der Lösungen.

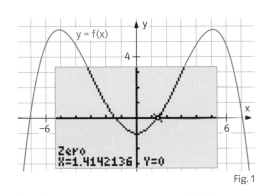

Fig. 1

Für exakte Aussagen über Null-, Extrem- und Wendestellen von Funktionen müssen Gleichungen gelöst werden:

Nullstelle	Extremstelle	Wendestelle
$f(x_0) = 0$	$f'(x_0) = 0$ und bei x_0 VZW von f' oder $f''(x_0) \neq 0$	$f''(x_0) = 0$ und bei x_0 VZW von f'' oder $f'''(x_0) \neq 0$

Bei zusammengesetzten Funktionen braucht man zur Lösung solcher Gleichungen Strategien.

Ein **Quotient** ist dann gleich null, wenn der Zähler null und der Nenner ungleich null ist. Zur Lösung der Gleichung $\frac{x^2 + 2x - 15}{x - 1} = 0$ löst man die Gleichung $x^2 + 2x - 15 = 0$. Es ergibt sich $x_1 = -5$ und $x_2 = 3$. Da der Nenner für beide x-Werte ungleich null ist, sind die beiden Werte Lösungen der Ausgangsgleichung.

$\frac{a}{b} = 0$, wenn $a = 0$ und $b \neq 0$.

Zur Lösung einer Gleichung wie $e^{2x} - 8e^x = 0$ schreibt man den linken Term $e^{2x} - 8e^x$ als **Produkt**: $e^x \cdot (e^x - 8)$. Das Produkt ist null, wenn einer seiner Faktoren null ist. Da e^x nie null wird, wird die Gleichung nur für $e^x = 8$ bzw. $x = \ln(8)$ erfüllt.

$a \cdot b = 0$, wenn $a = 0$ oder $b = 0$.

Die Gleichung $e^{2x} + e^x - 2 = 0$ lässt sich mithilfe einer **Substitution** lösen. Man substituiert e^x mit z und erhält die quadratische Gleichung $z^2 + z - 2 = 0$ mit den Lösungen $z_1 = -2$ und $z_2 = 1$. Mit $x = \ln(z)$ erhält man die Lösung $x = \ln(1) = 0$.

Beispiel 1   Null- und Extremstellen bestimmen
Bestimmen Sie die Null- und Extremstellen der Funktion f mit $f(x) = x^2 \cdot e^x - 8e^x$.
■ Lösung: Nullstellen: $0 = x^2 \cdot e^x - 8e^x = (x^2 - 8) \cdot e^x$
f hat die Nullstellen $x_1 = -\sqrt{8}$ und $x_2 = \sqrt{8}$.   *Der Term e^x ist für jedes x ungleich null.*
Extremstellen: $0 = f'(x) = 2x \cdot e^x + x^2 \cdot e^x - 8e^x = (x^2 + 2x - 8) \cdot e^x$
$x_3 = -4$ und $x_4 = 2$
$f''(x) = (x^2 + 4x - 6) \cdot e^x$
Mit $f''(-4) = -6 \cdot e^{-4} < 0$ (da $-6 < 0$ und $e^{-4} > 0$) und $f''(2) = 6 \cdot e^2 > 0$ erhält man die beiden Extremstellen $x_3 = -4$ und $x_4 = 2$.

Beispiel 2 Anwendung

Ein Patient erhält über eine Tropfinfusion ein Medikament. Die Medikamentenkonzentration im Blut kann mit der Funktion k mit $k(t) = t^2 \cdot e^{-0,1t}$ $\left(k \text{ in } \frac{mg}{l}, t \text{ in min}\right)$ beschrieben werden. Zu welchem Zeitpunkt war die Änderungsrate der Medikamentenkonzentration im Blut am höchsten?

■ *Lösung: Gesucht sind Extremstellen der Änderungsrate von k, d.h. die Wendestelle von k.*

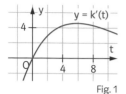

Fig. 1

$k'(t) = (2t - 0,1t^2) \cdot e^{-0,t}$

$k''(t) = (t^2 - 40t + 200) \cdot 0,01 \cdot e^{-t}$. Da $0,01 \cdot e^{-t} \neq 0$, erhält man mit $0 = t^2 - 40t + 200$:

$t_1 = 20 - \sqrt{200}$ und $t_2 = 20 + \sqrt{200}$.

Mit $k'''(t_1) \approx -0,46 < 0$ und $k'''(t_2) \approx 0,016 > 0$ sowie dem Randwert $k'(0) = 0$ folgt:

Nach der Zeit $t_1 = 20 + \sqrt{200} \approx 5,86$ Minuten ist die Änderungsrate der Medikamentenkonzentration im Blut am höchsten.

Aufgaben

1 Bestimmen Sie die Nullstellen von f im Kopf.

a) $f(x) = \dfrac{x-3}{x^2+4}$ b) $f(x) = (x - 1,5)(9,1 + x)$ c) $f(x) = \dfrac{x \cdot (x+2)}{1+x^2}$

d) $f(x) = \dfrac{\ln(x)}{x}$ e) $f(x) = (4 - x^2)(2 + x^2)$ f) $f(x) = (e^x - 1) \cdot (e^x - e)$

Die Lösungen der Aufgaben können mit dem GTR überprüft werden.

2 Bestimmen Sie die Nullstellen von f.

a) $f(x) = e^x \cdot x^3 - e^x$ b) $f(x) = \dfrac{x^2 - 2}{e^x - 1}$ c) $f(x) = e^{3x} - 1$

d) $f(x) = x \cdot e^{2x} + x^2 \cdot e^{2x}$ e) $f(x) = \dfrac{e^x - e^{2x}}{x}$ f) $f(x) = e^x - 8e^x + 15$

3 Bestimmen Sie die Extremstellen von f.

a) $f(x) = x \cdot e^x$ b) $f(x) = \dfrac{x}{e^x}$ c) $f(x) = 2 + x \cdot e^{2x}$

d) $f(x) = e^{2x} - 2e^x - 12x$ e) $f(x) = 5x \cdot e^x - 5$ f) $f(x) = \dfrac{e^{x^2}}{x}$

g) $f(x) = e^x \cdot (x^2 - 3)$ h) $f(x) = \dfrac{x^2 - x}{x+1}$ i) $f(x) = \dfrac{e^x + x}{e^x}$

4 Bestimmen Sie die Wendestellen von f.

a) $f(x) = (x^2 - 2) \cdot e^x$ b) $f(x) = x^4 \cdot e^x$ c) $f(x) = 6x^5 + 10x^4 - 20x^3$

d) $f(x) = e^{8x} - 32x^2$ e) $f(x) = e^{2x} - e^x - 10x$ f) $f(x) = e^{2x} + 4x^2 - 12e^x$

5 Ein Skateboardfahrer fährt über einen Wall (Fig. 2), der im Querschnitt durch den Graphen der Funktion mit $f(x) = e^{-0,1x^2} - 0,2$ zwischen den Schnittpunkten mit der x-Achse modelliert werden kann (x und f(x) in m).

a) Wie groß ist die maximale Höhe h des Walls? Welche Länge hat der Wall?

b) Welches Volumen hat der Wall, wenn er eine Tiefe von $t = 2,5\,m$ hat?

c) An welchen Stellen ist die Steigung des Walls am größten?

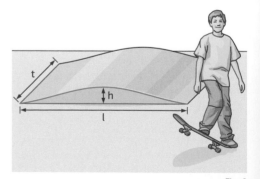

Fig. 2

6 Bestimmen Sie die Nullstellen sowie die Extremstellen von f.

a) $f(x) = (x^2 - x) \cdot e^2$ 　　 b) $f(x) = \dfrac{x^2 - x}{e^x}$ 　　 c) $f(x) = e^{4x} - 4 - 3e^{2x}$

---

7 Die Wassermenge in einem Wasserbehälter wurde nach einer Messung mit der Funktion f mit $f(t) = e^{t-2} - t^2 + 10$ modelliert (t in Stunden mit $0 \le t \le 6$; $f(t)$ in m^3).

a) Wie viel Wasser enthielt der Behälter zu Beginn? Im Zeitraum $0 \le t \le 6$ gibt es zwei Zeitpunkte, in denen die Wassermenge im Behälter $10\,m^3$ beträgt. Bestimmen Sie diese Zeitpunkte.

b) Zu welchem Zeitpunkt war der Wasserstand am niedrigsten? Wie viel Wasser enthielt der Behälter zu diesem Zeitpunkt?

c) Zu welchem Zeitpunkt war die momentane Änderungsrate der Wassermenge am kleinsten? Geben Sie diese Änderungsrate an.

d) Die mit der Funktion f modellierte Wassermenge soll in einem Experiment über einen Zulauf und einen Ablauf nachgestellt werden. Geben Sie für die Zulaufrate z und die Ablaufrate a mögliche Funktionsterme an, wobei beide Änderungsraten nicht negativ sind.

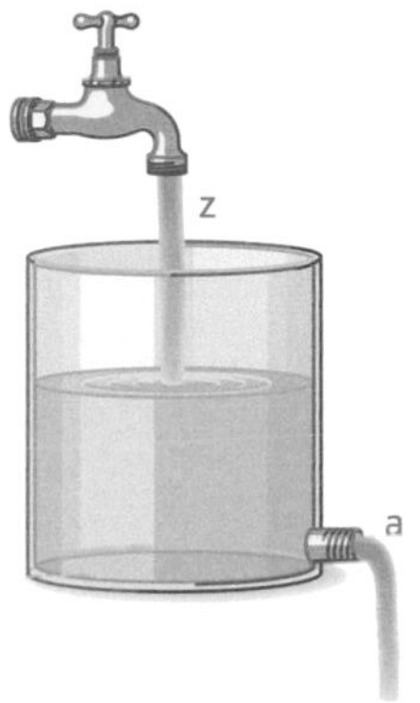

Fig. 1

8 Der Querschnitt einer Schale kann mithilfe einer Funktion f mit $f(x) = -\dfrac{1}{16}x^4 + \dfrac{1}{2}x^2 - 1$ (x und f(x) in dm) zwischen den beiden Nullstellen von f modelliert werden.

a) Bestimmen Sie die Höhe und den Radius R der Schale (vgl. Fig. 2).

b) Untersuchen Sie, ob eine Dose mit einem Radius $r_D = 9\,cm$ und einer Höhe $h_D = 6\,cm$ vollständig in die Schale passt.

c) Die Schale wird bis zur halben Höhe mit Wasser gefüllt. Wie groß ist der Radius r des dabei entstehenden Flüssigkeitskreises (vgl. Fig. 2)?

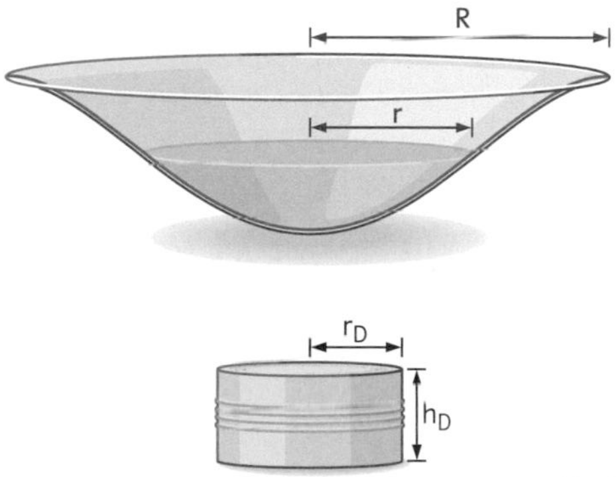

C **CAS**
Analyse einer Funktion

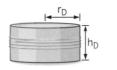

Fig. 2

9 Bestimmen Sie ohne GTR, an welcher Stelle sich die Graphen von f und g schneiden.

a) $f(x) = 2e^x$; $g(x) = e^{2x} - 3$ 　　　 b) $f(x) = e^{3x}$; $g(x) = e^x + 2e^{-x}$

c) $f(x) = e^x$; $g(x) = \ln(x^2 + 1) \cdot e^x$ 　　　 d) $f(x) = e^x \cdot (\ln(x) - 3)$; $g(x) = e^x \cdot (5\ln(x) + 3)$

10 Geben Sie zwei mögliche Funktionen mit den angegebenen Nullstellen an.

a) $x_1 = 3$; $x_2 = -2$ 　　 b) $x_1 = e$; $x_2 = e + 1$ 　　 c) $x_1 = 0$; $x_2 = e^{-1}$

11 Geben Sie eine Funktion mit der Nullstelle x_1 und der Polstelle x_2 an.

a) $x_1 = 8$; $x_2 = 9$ 　　 b) $x_1 = e^2$; $x_2 = -1$ 　　 c) $x_1 = e$; $x_2 = e^{-1}$

12 Wie sind bei der Funktion f mit $f(x) = \dfrac{x^2 - a}{e^{x-b}}$ die Parameter a und b zu wählen, damit f die angegebenen Eigenschaften hat?

a) f hat die Nullstellen -2 und 2, der Graph schneidet die y-Achse in $(0\,|-8)$.

b) f hat keine Nullstellen und es gilt $f(-2) < 1$.

c) Der Graph von f hat die waagerechte Asymptote $y = 0$.

d) f ist streng monoton fallend.

e) Es gilt $f'\left(\dfrac{1}{2}\right) = f\left(\dfrac{1}{2}\right) = \dfrac{1}{2}$.

5 Funktionsanalyse: Nachweis von Eigenschaften

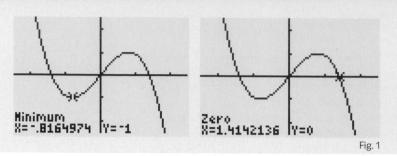

Fig. 1 zeigt zwei GTR-Darstellungen eines Graphen. Welche Aussagen können zum Graphen vermutet werden? Welche sind sicher?

Fig. 1

Bei der Analyse einer Funktion können verschiedene Eigenschaften betrachtet werden. Einige lassen sich unmittelbar aus dem Funktionsterm ablesen, bei anderen Eigenschaften ist ein rechnerischer Nachweis notwendig. Lässt sich eine Eigenschaft mit dem GTR vermuten, so ist auch hier ein rechnerischer Nachweis erforderlich.

Bei der Funktion f mit $f(x) = x^4 \cdot e^x$ kann man ohne GTR erkennen:
- $f(x) > 0$ für $x \in \mathbb{R} \setminus \{0\}$, da $x^4 > 0$ und $e^x > 0$,
- $f(x) \to \infty$ für $x \to \infty$, da $x^4 \to \infty$ und $e^x \to \infty$,
- $f(x) \to 0$ für $x \to -\infty$, da $x^4 \to \infty$ und $e^x \to 0$,
- keine Symmetrie zum Ursprung oder zur y-Achse.

Mit dem GTR lassen sich weitere Eigenschaften der Funktion vermuten, die man rechnerisch begründen kann:
- f hat genau ein Minimum, das bei $x = 0$ liegt,
- f hat genau ein Maximum, das bei $x = -4$ liegt,

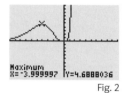

Fig. 2

- f ist für $x \leq -4$ und für $x \geq 0$ streng monoton wachsend und für $-4 \leq x \leq 0$ streng monoton fallend.

In der folgenden Übersicht sind charakteristische Eigenschaften einer Funktion bzw. deren Graphen zusammengestellt:

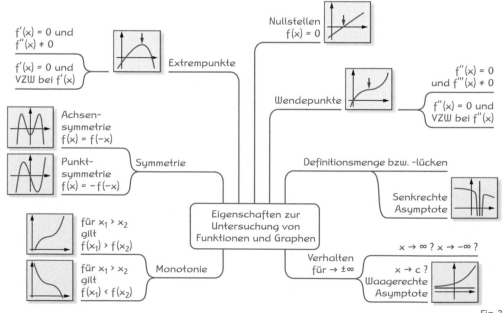

Fig. 3

Beispiel 1 Graphen zuordnen

Begründen Sie, welcher der vier Graphen A, B, C oder D in Fig. 1 zur Funktion f mit $f(x) = \frac{x}{x^2 - 1}$
gehört.

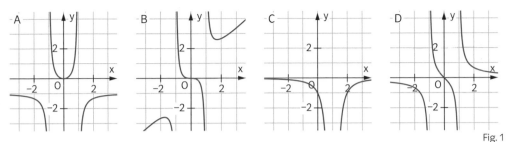

Fig. 1

■ Mögliche Lösung: Da der Graph von f bei −1 und 1 eine senkrechte Asymptote hat (Nenner
null, Zähler ungleich null), kann C nicht der Graph von f sein. Weiterhin lässt sich zeigen, dass
der Graph von f punktsymmetrisch zum Ursprung ist, sodass auch der Graph A nicht zu f gehören kann. Ferner lässt sich schließen, dass der Graph von f die waagerechte Asymptote y = 0
hat. D ist der gesuchte Graph von f.

Beispiel 2 Anwendung

Auf einer Teststrecke kann die Geschwindigkeit v eines Testfahrzeuges in den ersten Sekunden
mit der Funktion $v(t) = 10\,t^2 \cdot e^{-0,25t}$; $t \geq 0$ $\left(t \text{ in s}, v(t) \text{ in } \frac{km}{h}\right)$ modelliert werden.
Welche Eigenschaften der Funktion machen Aussagen über den Geschwindigkeitsverlauf?
Unterscheiden Sie Eigenschaften,
a) die man am Funktionsterm ohne Rechnung erkennen kann,
b) die man mithilfe des GTR vermuten kann. Weisen Sie dies nach.

■ Lösung: a) Für t = 0 ist v(0) = 0: Zu Beginn der Messung ist die Geschwindigkeit null.
Für t > 0 gilt v(t) > 0: Nach dem Start ist die Geschwindigkeit des Fahrzeugs stets positiv.
$\lim\limits_{t \to +\infty} v(t) = 0$; mit der Zeit wird die Geschwindigkeit nahezu null.

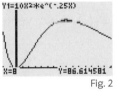

Fig. 2

b) Für t = 0 ist v'(0) = 0: Zu Beginn der Messung ist die Änderungsrate der Geschwindigkeit
(die Beschleunigung) null (vgl. Fig. 2).
Bei t ≈ 8 hat v ein globales Maximum: Die Geschwindigkeit ist nach etwa acht Sekunden am
größten (vgl. Fig. 2).
Nachweis: Mit $v'(t) = t \cdot (20 - 2,5t) \cdot e^{-0,25t}$ erhält man v'(0) = 0 und v'(8) = 0. Aus
$v''(t) = (0,625\,t^2 - 10\,t + 20) \cdot e^{-0,25t}$ folgt v''(8) ≈ −2,7. Bei t = 8 hat v ein globales Maximum.

Aufgaben

1 Welcher Graph gehört zu welcher Funktion?

② $f(x) = \frac{1}{(x-2) \cdot (x+1)}$
④ $f(x) = \frac{1}{0,5 + x^2}$
⑥ $f(x) = \frac{x^4}{e^x}$
① $f(x) = \frac{e^x}{x-1}$
③ $f(x) = \frac{x^2 - 2}{x}$
⑤ $f(x) = \frac{1,5}{x^2 - 4}$

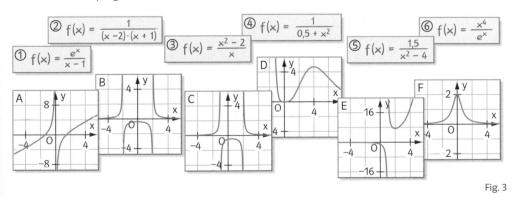

Fig. 3

2 Begründen Sie, welcher der vier Graphen A, B, C oder D in Fig. 1 bis 4 zur Funktion f mit $f(x) = (e^{-x} + x) \cdot e^x$ gehört.

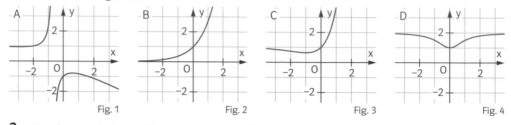

Fig. 1   Fig. 2   Fig. 3   Fig. 4

3 Gegeben sind die drei Funktionen f, g und h mit

$f(x) = \frac{4x^2}{x^2 - 4x}$; $g(x) = 10x \cdot e^{-x^2}$ und $h(x) = \frac{e^x}{x - 1}$.

a) Welche Eigenschaften der Funktionen lassen sich ohne GTR erkennen?
b) Skizzieren Sie die Graphen der drei Funktionen.
c) Welche weiteren Eigenschaften der Funktionen lassen sich vermuten? Weisen Sie diese nach.

4 a) Welche Vermutungen zur Funktion bzw. zu dessen Graphen liegen nahe?

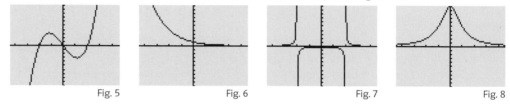

Fig. 5   Fig. 6   Fig. 7   Fig. 8

b) Die Graphen in Fig. 5 bis Fig. 8 gehören zu den Funktionen f mit $f(x) = 2^{-x}$, g mit $g(x) = x^3 - 4x$, h mit $h(x) = \frac{1}{x^2 - 4}$ und k mit $k(x) = \frac{10}{x^2 + 1}$. Ordnen Sie die Graphen den Funktionen zu und weisen Sie die in a) aufgestellten Vermutungen nach.

5 Stellen Sie den Graphen der Funktion f mit dem GTR dar. Welche Vermutungen können im Hinblick auf Monotonie, Verhalten für $x \to \infty$ sowie Extremstellen der Funktion bzw. dessen Graphen aufgestellt werden? Weisen Sie Ihre Vermutungen anschließend nach.

a) $f(x) = \frac{1}{x^2 - x}$

b) $f(x) = (x - 2) \cdot e^x$

c) $f(x) = 0,01x^4 - \frac{1}{100x^3}$

d) $f(x) = \frac{1}{e^x - 1}$

e) $f(x) = \frac{x - e^x}{x}$

f) $f(x) = \frac{x - e^x}{e^x}$

Exkursion
Lokale Eigenschaften –
globale Auswirkungen
735301-1461

6 Zeichnen Sie mit dem GTR den Graphen der Funktion f mit $f(x) = x^4 - 3x^3 + x^2 - 1$ in den angegebenen Bereichen. Geben Sie Vor- und Nachteile des jeweiligen Fensters an.

a) $X_{min} = -5$; $X_{max} = 5$
   $Y_{min} = -10$; $Y_{max} = 10$

b) $X_{min} = -0,5$; $X_{max} = 0,5$
   $Y_{min} = -1,2$; $Y_{max} = -0,8$

c) $X_{min} = -15$; $X_{max} = 15$
   $Y_{min} = -10\,000$; $Y_{max} = 10\,000$

Perfluorierte Tenside werden wegen ihrer besonderen physikalisch-chemischen Eigenschaften in einer Vielzahl von Produkten verwendet. PFT stehen im Verdacht, krebserregend zu sein.

ng: Nanogramm

7 Nach einem Brand in einer Chemiefabrik steigt die Konzentration von perfluorierten Tensiden (PFT) in einem nahe gelegenen See zunächst deutlich an. Durch den Zu- und Ablauf von Wasser verringert sich die PFT-Konzentration im See anschließend wieder. Die PFT-Konzentration kann im See in den ersten Wochen mithilfe der Funktion $k(x) = 250x \cdot e^{-0,5x} + 20$ modelliert werden $\left(x\text{: Anzahl der Wochen nach dem Unfall; k: Konzentration in } \frac{ng}{l}\right)$.

a) Skizzieren Sie den zeitlichen Verlauf der Konzentration. Nach welcher Zeit erreicht die Konzentration ihren höchsten Wert? Wie groß ist dieser höchste Wert?
b) Wann wurden die Tenside am stärksten abgebaut?
c) Wie lange dauert es, bis die PFT-Konzentration wieder auf $100\frac{ng}{l}$ gesunken ist?
d) Welche PFT-Konzentration wird sich in dem Modell auf lange Sicht einstellen?

8 Gegeben ist die Funktion f mit $f(x) = e^x \cdot \frac{x}{x+1}$.

a) Stellen Sie Vermutungen hinsichtlich
- der Definitionsmenge von f,
- dem Verhalten von f für $x \to \pm\infty$ und
- Extremstellen von f auf.

b) Weisen Sie die Vermutungen aus a) nach oder widerlegen Sie diese.

9 Untersuchen Sie den Graphen der Funktion f mit dem GTR und stellen Sie Vermutungen auf. Weisen Sie die Vermutungen anschließend nach.

a) $f(x) = -x^3 + x^2 + 2x$

b) $f(x) = e^x(x^2 - x)$

c) $f(x) = \frac{e^x}{x}$

d) $f(x) = e^{2x} - 4e^x$

e) $f(x) = \frac{1}{x^2 - 9}$

f) $f(x) = \frac{1}{e^x + 1}$

---

10 Für einen neu eingeführten Schokoladenriegel können die Verkaufszahlen eines Lebensmittelgeschäftes im ersten Jahr mithilfe der Funktion $a(t) = 0,00001t^3 - 0,006t^2 + t + 10$ modelliert werden (t: Anzahl der Tage seit Einführung des Schokoriegels; a(t): Anzahl der verkauften Riegel pro Tag).

a) Zu welchem Zeitpunkt werden im ersten Verkaufsjahr die meisten Schokoladenriegel verkauft?

b) Wie viele Schokoladenriegel werden im ersten bzw. im zweiten Verkaufshalbjahr verkauft?

c) Nachdem die Verkaufszahlen im ersten Verkaufsjahr geringer werden, wird eine Werbeaktion durchgeführt. Zu welchem Zeitpunkt findet die Werbeaktion vermutlich statt? Begründen Sie.

11 Gegeben ist die Funktion f. Berechnen Sie mit dem GTR die Stellen, an denen die Funktion f die Steigung m hat.

a) $f(x) = x^4 - x^3 + 2$; $m = 1$

b) $f(x) = \frac{2}{x^2} + x$; $m = -0,5$

c) $f(x) = \frac{1}{e^x - 1} + x$; $m = -2$

12 Geben Sie einen Funktionsterm für eine Funktion f an, sodass die angegebenen Bedingungen erfüllt sind.

a) Der Graph von f hat die Asymptoten $x = 2$ und $y = 2$.

b) Der Graph von f ist symmetrisch zur y-Achse und hat die Asymptoten $x = 0$ und $y = -1$.

c) Die Funktion f hat die Nullstellen -2 und 2. Der Graph von f ist symmetrisch zum Ursprung.

d) Die Funktion f hat vier Nullstellen. Für $x \to \pm\infty$ gilt $f(x) \to -\infty$.

13 Um herauszufinden, welche Energie ein Vogel beim Fliegen verbraucht, wurden im Windkanal Versuche mit australischen Sittichen (Körpergewicht zwischen 20 und 40 Gramm) durchgeführt. Durch Messung des Sauerstoffverbrauchs des Vogels konnte man auf den Energieverbrauch schließen. Ist v die Geschwindigkeit des Vogels gegenüber der Luft beim Horizontalflug, so kann der Energieverbrauch E(v) für eine Strecke von 1km und pro Gramm Körpergewicht näherungsweise beschrieben werden durch:

$E(v) = \frac{0,31(v-35)^2 + 92}{v}$; $20 \le v \le 60$ $\left(E \text{ in } \frac{J}{g \cdot km}; \ v \text{ in } \frac{km}{h} \right)$.

a) Wie hoch ist der Energieverbrauch pro Kilometer und Gramm bei einer Geschwindigkeit von $25 \frac{km}{h}$?

b) Bei welcher Geschwindigkeit ist der Energieverbrauch des Vogels am geringsten?

14 Gemäß der speziellen Relativitätstheorie ist die „dynamische" Masse m(v) (in kg) eines Körpers mit der Ruhemasse $m_0 = 5\,kg$, der sich mit der Geschwindigkeit v $\left(\text{in } \frac{m}{s} \right)$ bewegt, größer als seine Ruhemasse m_0. Sie lässt sich berechnen mit der Formel $m(v) = \frac{5}{\sqrt{1 - \frac{v^2}{c^2}}}$ mit der Lichtgeschwindigkeit $c \approx 3 \cdot 10^8 \frac{m}{s}$. Welche Eigenschaften hat die Funktion $v \to m(v)$?

6 Funktionen mit Parametern

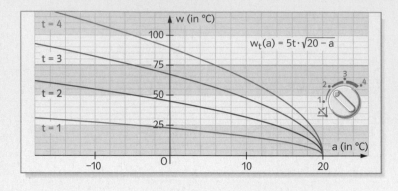

$$w_t(a) = 5t \cdot \sqrt{20 - a}$$

Zur richtigen Erwärmung eines Gebäudes bei verschiedenen Außentemperaturen muss das Heizwasser für die Heizkörper eine bestimmte Temperatur haben. Diese Heizwassertemperatur hängt von der Außentemperatur ab. Die Abhängigkeit kann wie in der Abbildung durch einen Graphen dargestellt werden. Mit einem Regler kann eine der vier möglichen Heizkurven eingestellt werden. Beschreiben Sie Gemeinsamkeiten und Unterschiede der Heizkurven.

$\mathbb{R}^+$: positive reelle Zahlen

Die Eigenschaften der Funktionen einer Funktionenschar wie f_t mit $f_t(x) = e^x \cdot (e^x - t)$; $t \in \mathbb{R}^+$ hängen im Allgemeinen vom Parameter t ab. Zum Beispiel hat jede Funktion der Schar die Nullstelle $x = \ln(t)$. Die Nullstelle ist keine feste Zahl, sondern hängt von t ab.

Die Bestimmung der Tiefpunkte führt auf die Gleichung:
$0 = f_t'(x) = e^x \cdot (2e^x - t)$ und auf $t = 2e^x$ bzw. $x = \ln\left(\frac{t}{2}\right)$. Mit $f_t''\left(\ln\left(\frac{t}{2}\right)\right) > 0$ und der Gleichung für die Funktionswerte erhält man den dazugehörigen y-Wert: $y_t = f_t\left(\ln\left(\frac{t}{2}\right)\right) = -\frac{t^2}{4}$; $t \in \mathbb{R}^+$.
Für den von t abhängigen Tiefpunkt erhält man $T_t\left(\ln\left(\frac{t}{2}\right)\Big| -\frac{t^2}{4}\right)$.

t	T_t
1	$\left(\ln\left(\frac{1}{2}\right)\Big| -\frac{1}{4}\right)$
2	$\left(\ln(1) \Big| -1\right)$
3	$\left(\ln\left(\frac{3}{2}\right)\Big| -\frac{9}{4}\right)$
4	$\left(\ln(2) \Big| -4\right)$

Durchläuft t alle zugelassenen Werte, so liegen die Punkte T_t auf einer Kurve. Diese Kurve heißt **Ortskurve** oder **Ortslinie** der Tiefpunkte T_t. In Fig. 1 ist die Ortskurve rot dargestellt. Eine Gleichung der Ortskurve der Tiefpunkte erhält man, indem man aus den Gleichungen $x = \ln\left(\frac{t}{2}\right)$ und $y = -\frac{t^2}{4}$ die Variable t eliminiert: $y = -\frac{t^2}{4} = -\frac{(2 \cdot e^x)^2}{4} = -e^{2x}$.

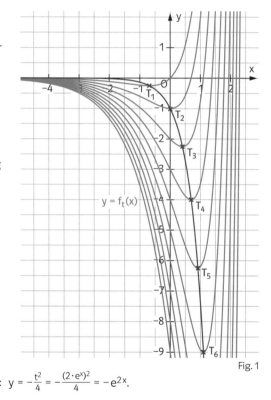

Fig. 1

`\Exkursion 🖉

Funktionen von zwei Veränderlichen
735301-1481

Es gibt Funktionenscharen mit charakteristischen Eigenschaften, die nicht von t abhängen. So haben alle Graphen der Funktionenschar f_t mit $f_t(x) = tx \cdot e^x$; $t \in \mathbb{R}$ den gemeinsamen Punkt $P(0|0)$ und die Asymptote $y = 0$. Weiterhin liegen alle Extrempunkte auf der Geraden mit $x = -1$ (Fig. 2).

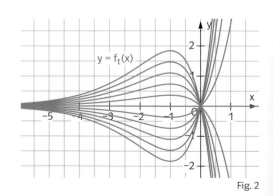

Fig. 2

Beispiel 1 Ortskurve

Gegeben ist die Funktionenschar f_t mit $f_t(x) = (t - x) \cdot e^x$; $t \in \mathbb{R}$. Untersuchen Sie f_t auf Extrempunkte des Graphen und bestimmen Sie gegebenenfalls die Ortskurve der Extrempunkte.

■ Lösung: $f_t'(x) = -1 \cdot e^x + (t - x) \cdot e^x = (-x + t - 1) \cdot e^x$;

$f_t''(x) = -1 \cdot e^x + (-x + t - 1) \cdot e^x = (-x + t - 2) \cdot e^x$

$0 = f'(x) = (-x + t - 1) \cdot e^x$; $\quad x = t - 1$

$f_t''(t - 1) = -e^{t-1} < 0$, also $H_t(t - 1 \,|\, f_t(t - 1))$ bzw. $H_t(t - 1 \,|\, e^{t-1})$.

Ortskurve: Aus $x = t - 1$ und $y = e^{t-1}$ wird t eliminiert: $y = e^{(x+1)-1} = e^x$.

Die Hochpunkte liegen auf der Ortskurve $y = e^x$ (vgl. Fig. 1).

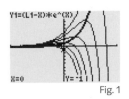

Fig. 1

Beispiel 2 Gemeinsame Punkte einer Schar

Gegeben ist die Funktionenschar f_t mit $f_t(x) = (x - 1) \cdot e^{-tx}$. Bestimmen Sie die gemeinsamen Punkte aller Graphen der Funktionenschar.

■ Lösung: Aus $f_{t_1}(x) = f_{t_2}(x)$; $t_1 \neq t_2$ folgt   *Funktionswerte zweier beliebiger Funktionen*

$(x - 1) \cdot e^{-t_1 \cdot x} = (x - 1) \cdot e^{-t_2 \cdot x}$ *der Schar mit t_1 und t_2 müssen gleich sein.*

$0 = (x - 1) \cdot e^{-t_1 \cdot x} - (x - 1) \cdot e^{-t_2 \cdot x} = (x - 1) \cdot (e^{-t_1 \cdot x} - e^{-t_2 \cdot x})$

Aus $x - 1 = 0$ folgt $x = 1$ und $Q(1 \,|\, f_t(1)) = Q(1 \,|\, 0)$.

Aus $e^{-t_1 \cdot x} - e^{-t_2 \cdot x} = 0$ folgt   *Potenzen e^x sind genau dann gleich, wenn die*

$e^{-t_1 \cdot x} = e^{-t_2 \cdot x}$ bzw. $-t_1 \cdot x = -t_2 \cdot x$.   *Hochzahlen gleich sind.*

Man erhält $x = 0$, da $t_1 \neq t_2$ und $P(0 \,|\, f_t(0)) = P(0 \,|\, -1)$.

Die Funktionenschar hat die gemeinsamen Punkte $Q(1 \,|\, 0)$ und $P(0 \,|\, -1)$ (vgl. Fig. 2).

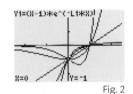

Fig. 2

Beispiel 3 Funktionenschar einer Flugbahn

Wird ein Ball von einer Höhe von 2 m in einem Winkel von 45° gegenüber der Horizontalen geworfen, so kann dessen Flugbahn mit dem Graphen der Funktion mit

$f_v(x) = 2 + x - 10 \frac{x^2}{v^2}$; $v \in \mathbb{R}^+$ modelliert werden. Hierbei ist v $\left(\text{in } \frac{m}{s}\right)$ der Betrag der Abwurfgeschwindigkeit, x (in m) die horizontale Entfernung vom Abwurfpunkt und $f_v(x)$ (in m) die jeweilige Höhe über dem Boden. Auf welcher Ortskurve befinden sich die Hochpunkte der Graphen?

■ Lösung: Aus $0 = f_v'(x) = 1 - \frac{20}{v^2}x$ folgt $x - \frac{v^2}{20}$. Mit $f_v''(x) < 0$ erhält man $H_v\left(\frac{v^2}{20} \,\middle|\, 2 + \frac{v^2}{40}\right)$.

$v = \sqrt{20x}$ bzw. $y = 2 + \frac{v^2}{40} = 2 + \frac{1}{2}x$.   *v eliminieren*

Die Hochpunkte liegen auf der Geraden mit $y = 2 + \frac{1}{2}x$.

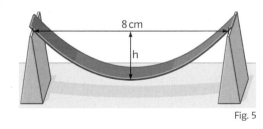

Fig. 3

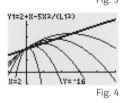

Fig. 4

Beispiel 4 Modellieren einer Funktionenschar

Eine Plastikleiste wird über zwei Aufhängepunkte durchgebogen, die einen Abstand von 8 cm haben. Die gebogene Leiste soll durch eine Parabel modelliert werden.

a) Geben Sie eine geeignete Funktionenschar an.

b) Welche Funktion der Schar hat einen Durchhang h von 2 cm?

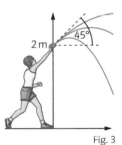

Fig. 5

■ Lösung: a) Legt man den Ursprung des Koordinatensystems mit der Längeneinheit 1 cm auf den linken Aufhängepunkt, so erhält man mit dem Ansatz $f(x) = ax^2 + bx + c$ mit $f(0) = 0$ und $f(8) = 0$. Hieraus folgt $c = 0$ und $64a + 8b = 0$ bzw. $b = -8a$. Die Plastikleiste kann durch Parabeln der Funktionenschar mit $f_a(x) = ax^2 - 8ax$ modelliert werden.

b) Mit $f_a(4) = -2$ gilt $-2 = 16a - 32a = -16a$ bzw. $a = \frac{1}{8}$. Die durchgebogene Plastikleiste mit einem Durchhang von 2 cm kann mit dem Graphen der Funktion $f_{\frac{1}{8}}(x) = \frac{1}{8}x^2 - x$ modelliert werden.

Aufgaben

1 Skizzieren Sie mit dem GTR den Graphen von f_1, f_2 und f_3.

a) $f_t(x) = e^{x+t} \cdot t$
b) $f_t(x) = e^{x+t} \cdot x$
c) $f_t(x) = -2(x-t) \cdot e^x$

2 Bestimmen Sie die Extrempunkte der Graphen von f_t.

a) $f_t(x) = 10tx \cdot e^{-x}$
b) $f_t(x) = e^{x+t} \cdot x^2$
c) $f_t(x) = \dfrac{5x}{t \cdot e^x}$

3 Untersuchen Sie die Graphen der Funktionenschar f_t auf Extrempunkte.

a) $f_t(x) = (x-t)^2 + t;\ t \in \mathbb{R}$
b) $f_t(x) = x^2 + tx;\ t \in \mathbb{R}$
c) $f_t(x) = x^3 - tx;\ t \in \mathbb{R}$

d) $f_t(x) = e^{tx} - x;\ t > 0$
e) $f_t(x) = 5x^3 e^{-tx};\ t > 0$
f) $f_t(x) = tx^2 e^{-tx};\ t > 0$

4 Untersuchen Sie die Graphen von f_t auf Extrempunkte und bestimmen Sie gegebenenfalls die Ortskurve der Extrempunkte.

a) $f_t(x) = x^2 + 2tx + 2$
b) $f_t(x) = e^x \cdot tx^2$
c) $f_t(x) = e^x \cdot (x-t)$

© CAS
Heftaufschrieb

5 Gegeben ist die Funktionenschar f_t mit $f_t(x) = x^2 - xt;\ t \in \mathbb{R}$.

a) Skizzieren Sie mit dem GTR die Graphen von f_0 und f_2.
b) Für welchen Parameter t liegt der Punkt $P(3\,|-5)$ auf dem Graphen von f_t?
c) Geben Sie die Gleichung der Ortskurve an, auf der die Extrempunkte von f_t liegen.
d) Durch welchen Punkt gehen alle Graphen der Schar?

6 Die Graphen einer ganzrationalen Funktionenschar zweiten Grades gehen durch die Punkte $P_1(2\,|\,0)$ und $P_2(0\,|\,4)$.

a) Bestimmen Sie eine Gleichung der Funktionenschar.
b) Welcher Graph der Funktionenschar geht durch den Punkt $Q(3\,|\,1)$?

7 Die Graphen einer ganzrationalen Funktionenschar dritten Grades gehen durch die Punkte $P(0\,|\,0)$, $Q(2\,|\,0)$ und $R(4\,|\,1)$. Bestimmen Sie eine Funktionsgleichung der Funktionenschar. Welcher Graph der Funktionenschar hat im Punkt $P(0\,|\,0)$ einen Tiefpunkt?

Zeit zu überprüfen

8 Gegeben ist die Funktionenschar f_t mit $f_t(x) = \dfrac{-2x}{t} \cdot e^{tx};\ t \in \mathbb{R} \setminus \{0\}$.

a) Zeigen Sie, dass der Punkt $P(0\,|\,0)$ auf jedem Graphen der Funktionenschar liegt.
b) Skizzieren Sie mit dem GTR die Graphen von f_2 und f_{-2}.
c) Untersuchen Sie die Funktionenschar auf Extrem- und Wendepunkte.
d) Bestimmen Sie die Ortskurve der Wendepunkte.

9 Untersuchen Sie, ob die Graphen der Funktionenschar f_t gemeinsame Punkte besitzen.

a) $f_t(x) = x \cdot e^{-tx}$
b) $f_t(x) = 2(x+5) \cdot e^{tx}$
c) $f_t(x) = e^{t \cdot (x-2)} \cdot x + 3$

10 Gegeben ist die Funktionenschar f_k mit $f_k(x) = x - k \cdot e^x;\ k \in \mathbb{R}^+$.

a) Untersuchen Sie die Funktionenschar auf Symmetrie, Extrem- und Wendepunkte.
b) Bestimmen Sie eine Stammfunktion von f_k.
c) Geben Sie die Gleichung der Ortskurve an, auf der die Extrempunkte von f_k liegen.

11 Gegeben ist die Funktionenschar f_t mit $f_t(x) = e^x - tx;\ t \in \mathbb{R}$.

a) Skizzieren Sie mit dem GTR die Graphen von f_1 und f_{-3}.
b) Bestimmen Sie die Extrempunkte von f_1 und f_t.
c) Gehören die Funktion g mit $g(x) = e^x + x$ und h mit $h(x) = e^x - x^2$ zur Funktionenschar?

12 Ein Seil, das an seinen Enden auf gleicher Höhe befestigt wird, kann näherungsweise mit einer Parabel beschrieben werden. Eine bessere Modellierung erhält man, wenn man das Seil durch einen Graphen der Funktionenschar $f_t(x) = \frac{t}{2} \cdot \left(e^{\frac{x}{t}} + e^{-\frac{x}{t}} \right)$; $t \in \mathbb{R}^+$ modelliert.

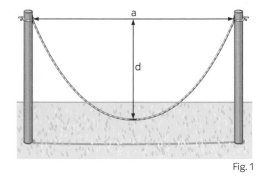
Fig. 1

a) Skizzieren Sie mit dem GTR die Graphen von f_1, f_2 und f_3.

b) Welche gemeinsamen Eigenschaften haben die Graphen von $f_t(x)$?

c) Wie muss t gewählt werden, damit der Graph von $f_t(x)$ den Verlauf eines Seiles modelliert, das zwischen zwei Pfosten mit dem Abstand $a = 1\,m$ hängt und einen Durchhang von $d = 0,5\,m$ hat?

13 Einer der wichtigsten Nährstoffe für Pflanzen ist Stickstoff (N). Er wird den Pflanzen (neben dem schon im Boden vorhandenen Stickstoff) in der Form von Dünger zugegeben.

Man fand heraus, dass der zusätzliche Getreideertrag $f_c(x)$ $\left(\text{in } 100\,\frac{kg}{ha} \right)$ aufgrund der Zugabe von Stickstoffdünger x $\left(\text{in } \frac{kg}{ha} \right)$ näherungsweise beschrieben werden kann durch eine Funktion f mit $f_c(x) = \frac{13\,500 \cdot x}{x^2 + c}$; $x \geq 0$.

a) Wie verhalten sich die Funktionswerte von f_c für $x \to \infty$?

b) Bestimmen Sie für f_c die optimale Düngerzugabe.

c) Skizzieren Sie den Graphen von $f_{35\,000}$.

d) Bei einer bestimmten Getreidesorte hat man beobachtet, dass sich bei einer Stickstoffzugabe von $100\,\frac{kg}{ha}$ ein zusätzlicher Getreideertrag von $2500\,\frac{kg}{ha}$ ergibt. Bestimmen Sie den Parameter c für diese Getreidesorte.

14 Ein Fisch schwimmt in einem Bach mit der konstanten Geschwindigkeit $x\,\frac{m}{s}$ relativ zum Wasser. Die Energie E (in Joule), die er dazu benötigt, hängt von seiner Form und von seiner Geschwindigkeit x ab. Aus Experimenten weiß man, dass die Energie mit

$E_k(x) = c \cdot \frac{x^k}{x-2}$ modelliert werden kann.

Kleines k   Großes k

Hierbei ist $c > 0$ eine Konstante und $k > 2$ ein Parameter, der von der Form des Fisches abhängt: Je „plumper" der Fisch ist, desto größer ist der Parameter k.

a) Bei welcher Geschwindigkeit ist der Energieaufwand des Fisches am geringsten?

b) Erläutern Sie, wie die energiesparendste Geschwindigkeit eines Fisches von seiner Form abhängt.

Zeit zu wiederholen ————————————————————————

15 Die von einer Bakterienkultur überdeckte Fläche wächst pro Tag um ca. 10 %. Zu Beginn der Messung betrug die Fläche etwa $5\,cm^2$.

a) Welche Wachstumsform liegt vor? Begründen Sie.

b) Wie groß ist die Fläche der Bakterienkultur zwei Wochen nach Beginn der Messung bzw. drei Tage vor Beginn der Messung?

c) Eine weitere Bakterienkultur ist zu Beginn des Messraums ebenfalls $5\,cm^2$ groß und wächst jeden Tag um $1,4\,cm^2$. Welche Wachstumsform kann in diesem Fall angenommen werden? Nach welcher Zeit sind die Inhalte der von den Bakterienkulturen bedeckten Flächen gleich groß?

7 Eigenschaften von trigonometrischen Funktionen

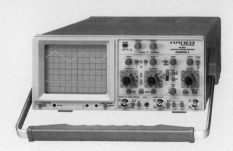

Mit einem Oszilloskop werden zwei verschiedene Spannungen gemessen und grafisch dargestellt. Welche Gemeinsamkeiten und Unterschiede haben die beiden Graphen?

Für einen Gegenstand, der an einer Feder schwingt, kann man die Funktion f: Zeit t ↦ Höhe h aufstellen. Vernachlässigt man die Reibung, so erreicht die Feder nach einer bestimmten Zeitspanne p immer wieder die gleiche Höhe h. Es gilt damit für alle t und für ein festes p: $h(t + p) = h(t)$. Die kleinste positive Zahl, die man für p einsetzen kann, heißt Periodenlänge bzw. **Periode**.

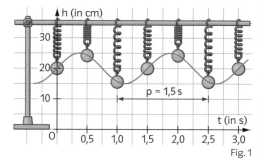

Fig. 1

Viele periodische Vorgänge können näherungsweise durch eine Sinusfunktion beschrieben werden. Dazu muss die Funktion f mit $f(x) = \sin(x)$ an die Gegebenheit angepasst werden.

b	p
0,5	4π
1	2π
2	π
4	$\frac{\pi}{2}$

$b > 1$: Periode $< 2\pi$
$0 < b < 1$: Periode $> 2\pi$

1. Veränderung der Periode
Die Funktion f mit $f(x) = \sin(x)$ hat die Periode 2π. Die Tabelle zeigt die Periodenlänge der Graphen von g mit $g(x) = \sin(bx)$. Die Periode ergibt sich als $p = \frac{2\pi}{b}$.

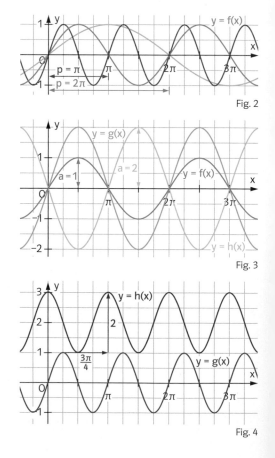

Fig. 2

2. Veränderung der Amplitude
Die Funktion f mit $f(x) = \sin(x)$ hat die **Amplitude** 1. Die Funktionen g mit $g(x) = 2 \cdot \sin(x)$ und h mit $h(x) = -2 \cdot \sin(x)$ haben beide die Amplitude 2.
Der Graph von $g(x) = 2 \cdot \sin(x)$ entsteht aus dem von $f(x) = \sin(x)$ durch Streckung in y-Richtung um den Faktor 2.
Der Graph von $h(x) = -2 \cdot \sin(x)$ entsteht aus dem von $g(x) = 2 \cdot \sin(x)$ durch Spiegelung an der x-Achse.

Fig. 3

3. Verschiebung
Der Graph von $h(x) = \sin\left(2\left(x - \frac{3\pi}{4}\right)\right) + 2$ entsteht aus dem von $g(x) = \sin(2x)$ durch Verschiebung in x-Richtung um $\frac{3\pi}{4}$ und durch Verschiebung in y-Richtung um 2.

Fig. 4

Allgemein gilt:

Für die Funktion f mit $f(x) = a \cdot \sin(b(x - c)) + d$ mit a; b; c; d ∈ ℝ; b > 0 gilt:
1. f hat die Periode $p = \frac{2\pi}{b}$.
2. f hat die Amplitude |a|.
3. Der Graph von f ist gegenüber dem Graphen der Sinusfunktion um c in x-Richtung und um d in y-Richtung verschoben.

a = 1; b = 1; c = 3; d = 1
$f(x) = \sin(x - 3) + 1$
Verschiebung um 3 in x- und um 1 in y-Richtung.

Entsprechende Aussagen über Periodenlänge, Amplitude und Verschiebungen gelten für die Kosinusfunktion f mit $f(x) = a \cdot \cos(b(x - c)) + d$ mit a; b; c; d ∈ ℝ; b > 0.

Die Kosinusfunktion wird in den Aufgaben 7, 8 und 9 behandelt.

Beispiel Schrittweises Zeichnen von Graphen
Zeichnen Sie mithilfe des Graphen von $g(x) = \sin(x)$ den Graphen von f mit
$f(x) = -1{,}5 \cdot \sin\left(0{,}5 \cdot \left(x + \frac{\pi}{2}\right)\right) - 1$.

■ Lösung:

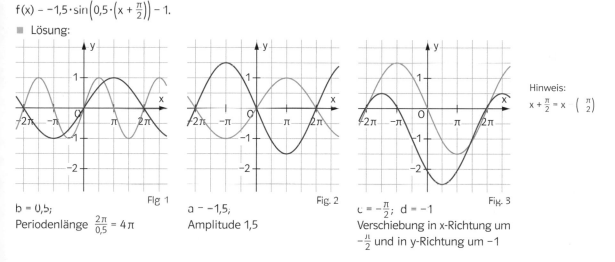

b = 0,5;
Periodenlänge $\frac{2\pi}{0{,}5} = 4\pi$

Fig. 1

a = −1,5;
Amplitude 1,5

Fig. 2

$c = -\frac{\pi}{2}$; d = −1
Verschiebung in x-Richtung um $-\frac{\pi}{2}$ und in y-Richtung um −1

Fig. 3

Hinweis:
$x + \frac{\pi}{2} = x - \left(-\frac{\pi}{2}\right)$

Aufgaben

1 Bestimmen Sie die Amplitude und die Periode.
a) $f(x) = 2\sin(3x)$
b) $f(x) = 3\sin(0{,}5 \cdot x)$
c) $f(x) = 0{,}1\sin(100x)$
d) $f(x) = -2\sin(x - 2)$
e) $f(x) = 0{,}5 \cdot \sin(4 \cdot (x - 3))$
f) $f(x) = -\sin(4(x + 0{,}2))$

2 Bestimmen Sie den Faktor b so, dass f die angegebene Periode hat.
a) $f(x) = \sin(bx)$; p = π
b) $f(x) = \sin(bx)$; p = 4π
c) $f(x) = \sin(bx)$; p = 3
d) $f(x) = \sin\left(\frac{x}{b}\right)$; p = 2
e) $f(x) = \sin(b(x - 2))$; p = 2π
f) $f(x) = -\sin\left(\frac{x}{2b}\right)$; p = π

3 Bestimmen Sie c so, dass P auf dem Graphen von f liegt.
a) $f(x) = c \cdot \sin(x)$; $P\left(\frac{\pi}{2} \mid 2\right)$
b) $f(x) = \sin(cx)$; P(π | 1)
c) $f(x) = \sin(x + c)$; P(1 | 0)

Tipp:
Bei Aufgabe 3 gibt es mehrere Lösungen.

4 Skizzieren Sie den Graphen von f.
a) $f(x) = 2\sin(2x)$
b) $f(x) = 3\sin(0{,}5x) + 1$
c) $f(x) = 2\sin(3(x - \pi))$
d) $f(x) = -\sin\left(\frac{x - \pi}{2}\right) + 2$
e) $f(x) = 0{,}5\sin(2(x + \pi)) - 0{,}5$
f) $f(x) = 3 - \sin(x - 1)$
g) $f(x) = 4 + \sin(x + 2) : 2$
h) $f(x) = 3 \cdot (\sin(x) - 2)$
i) $f(x) = \sin(2x + 2)$

Tipp:
Bei den Aufgaben 4 g) – i) können die Funktionsterme zunächst umgeformt werden.

5 Bestimmen Sie die Amplitude sowie die Periode und skizzieren Sie den Graphen von f anschließend.

a) $f(x) = -3\sin(0,5x) - 1$ b) $f(x) = -\sin\left(2\left(x - \frac{\pi}{4}\right)\right) + 2$ c) $f(x) = -2\sin(3(x - 2))$

---

6 Geben Sie anhand der Graphen die Periode, die Amplitude und die zugehörige Funktionsgleichung an.

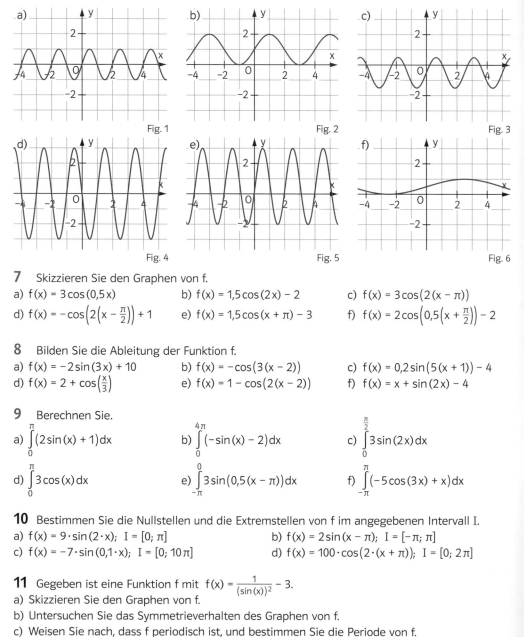

7 Skizzieren Sie den Graphen von f.

a) $f(x) = 3\cos(0,5x)$ b) $f(x) = 1,5\cos(2x) - 2$ c) $f(x) = 3\cos(2(x - \pi))$

d) $f(x) = -\cos\left(2\left(x - \frac{\pi}{2}\right)\right) + 1$ e) $f(x) = 1,5\cos(x + \pi) - 3$ f) $f(x) = 2\cos\left(0,5\left(x + \frac{\pi}{2}\right)\right) - 2$

8 Bilden Sie die Ableitung der Funktion f.

a) $f(x) = -2\sin(3x) + 10$ b) $f(x) = -\cos(3(x - 2))$ c) $f(x) = 0,2\sin(5(x + 1)) - 4$

d) $f(x) = 2 + \cos\left(\frac{x}{3}\right)$ e) $f(x) = 1 - \cos(2(x - 2))$ f) $f(x) = x + \sin(2x) - 4$

9 Berechnen Sie.

a) $\int_0^{\pi}(2\sin(x) + 1)\,dx$ b) $\int_0^{4\pi}(-\sin(x) - 2)\,dx$ c) $\int_0^{\frac{\pi}{2}}3\sin(2x)\,dx$

d) $\int_0^{\pi}3\cos(x)\,dx$ e) $\int_{-\pi}^{0}3\sin(0,5(x - \pi))\,dx$ f) $\int_{-\pi}^{\pi}(-5\cos(3x) + x)\,dx$

10 Bestimmen Sie die Nullstellen und die Extremstellen von f im angegebenen Intervall I.

a) $f(x) = 9 \cdot \sin(2 \cdot x);\ I = [0;\pi]$ b) $f(x) = 2\sin(x - \pi);\ I = [-\pi;\pi]$

c) $f(x) = -7 \cdot \sin(0,1 \cdot x);\ I = [0;10\pi]$ d) $f(x) = 100 \cdot \cos(2 \cdot (x + \pi));\ I = [0;2\pi]$

11 Gegeben ist eine Funktion f mit $f(x) = \frac{1}{(\sin(x))^2} - 3$.

a) Skizzieren Sie den Graphen von f.

b) Untersuchen Sie das Symmetrieverhalten des Graphen von f.

c) Weisen Sie nach, dass f periodisch ist, und bestimmen Sie die Periode von f.

d) Bestimmen Sie die Fläche, die der Graph von f auf dem Intervall $I = [0;3]$ mit der x-Achse einschließt.

GTR-Hinweise
735301-1551

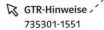

8 Funktionsanpassung bei trigonometrischen Funktionen

Ein Versuchswagen ist durch eine relativ lange Antriebsstange mit einem sich drehenden Rad über Gelenke verbunden. Modellieren Sie die Bewegung des Versuchswagens mithilfe einer Sinusfunktion, wenn das Rad einen Radius von 25 cm hat und es für eine Umdrehung etwa drei Sekunden benötigt.

p

Viele Vorgänge in Natur und Technik lassen sich mit einer Funktion f mit
$f(x) = a \cdot \sin[b(x - c)] + d$ modellieren.
Dabei besteht die Aufgabe darin, die Parameter a, b, c und d aus den angegebenen Daten zu bestimmen (vgl. Fig. 1).

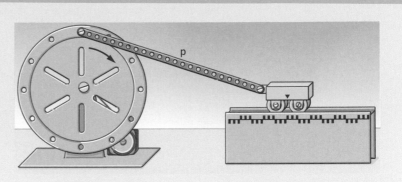

y
f(x) = 2·sin[π/2 (x − 1,5)] + 3
b = 2π/p = π/2
c = 1,5
p = 4
a = 2
d = 3
x
-2
0
2
4
6
8
10
Fig. 1

Beispiel 1 Modellieren mit einer Sinusfunktion
Die Wassertiefe bei der Einfahrt zu einer Anlegestelle eines kleineren Hafens variiert laufend infolge der Gezeiten. Am Tage der Beobachtung ist Flut um 4:20 Uhr bei einer Wassertiefe von 5,2 m; Ebbe ist um 10:32 Uhr bei einer Wassertiefe von 2,0 m.
a) Geben Sie eine von der Zeit abhängige Funktion an, die die Wassertiefe modelliert.
b) Ein größeres Schiff benötigt mindestens 3 m Wassertiefe, um anzulegen. In welcher Zeit am Nachmittag ist dies möglich?
c) Wann fällt der Wasserspiegel am schnellsten?

■ Lösung: a) Ansatz:
$w(t) = a \cdot \sin[b(t - c)] + d$

$a = \frac{5{,}2 - 2{,}0}{2} = 1{,}6;\ d = \frac{5{,}2 + 2{,}0}{2} = 3{,}6;$

$p = 2 \cdot \left(10\frac{32}{60} - 4\frac{20}{60}\right) = 2 \cdot 6\frac{1}{5} = 12{,}4;$ also

$b = \frac{2\pi}{p} \approx 0{,}507;\ c = \frac{3}{4} \cdot 12{,}4 = 9{,}3.$

Man erhält:
$w(t) = 1{,}6 \cdot \sin[0{,}507(t - 9{,}3)] + 3{,}6.$

Wassertiefe
5,2 m
2,0 m
Zeit
4:20 Uhr Flut
0 h 0 min
10:32 Uhr Ebbe
6 h 12 min
Fig. 2

Tipp:
Beim Modellieren ist eine Skizze hilfreich.

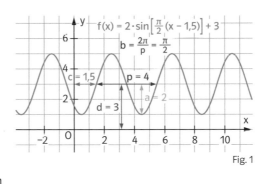

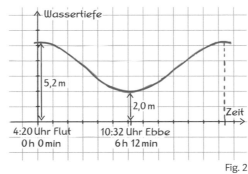

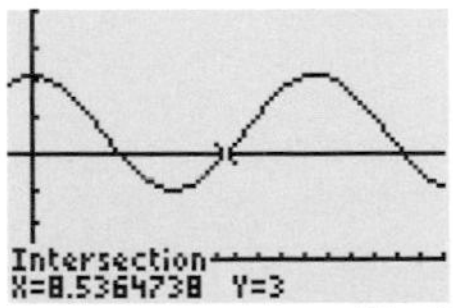

Intersection
X=8.5364738 Y=3
Fig. 3

Intersection
X=16.249267 Y=3
Fig. 4

b) Gesucht sind die Zeiten, für die gilt:
$w(t) \geq 3$. Mit dem GTR erhält man $t_1 \approx 8{,}54$ und $t_2 \approx 16{,}26$. Da der Startpunkt der Sinuskurve bei 4:20 Uhr liegt, entspricht das $8{,}54\,h + 4{,}33\,h = 12{,}87\,h$, d.h. ca. 12:52 Uhr und $16{,}26\,h + 4{,}33\,h = 20{,}58\,h$, d.h. ca. 20:35 Uhr.
Man erhält eine Wassertiefe von mehr als 3 m zwischen etwa 12:52 Uhr und 20:35 Uhr.
c) Das Minimum der Funktion w' ermittelt man mit dem GTR zu $t = 3{,}1$. *Daraus errechnet sich die Zeit:* $3{,}10\,h + 4{,}33\,h = 7{,}43\,h$, d.h. ca. 7:26 Uhr.
Der Wasserspiegel fällt am raschesten um ca. 7:26 Uhr und dann wieder nach $p = 12{,}4$ h um ca. 19:50 Uhr.

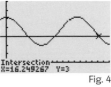

Beispiel 2 Funktionsanpassung mit einer Sinusfunktion
Die Tabelle zeigt die Monatsmittelwerte der Temperaturen in der Stadtmitte von Stuttgart.

Jan.	Feb.	März	Apr.	Mai	Juni	Juli	Aug.	Sep.	Okt.	Nov.	Dez.
1,2	2,4	5,9	9,5	13,7	17,1	18,8	18,1	15,0	10,2	5,5	2,2

Modellieren Sie die Tabellenwerte mit einer Sinusfunktion. Begründen Sie Ihr Vorgehen und überprüfen Sie mit dem GTR ihr Ergebnis.

■ Lösung: *Zur Gewinnung eines Überblicks werden die Tabellenwerte in einem Koordinatensystem dargestellt (Fig. 1).*

1) p = 12 (in Monaten). Begründung: Da man davon ausgehen kann, dass die Temperaturunterschiede im Wesentlichen jahreszeitlich bedingt sind, kann man einen periodischen Verlauf mit der Periode p = 12 vermuten.

Daraus ergibt sich $b = \frac{2\pi}{p} \approx 0{,}52$.

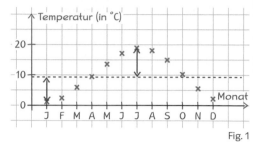

Fig. 1

2) a = 8,8 (in °C). Begründung: a ergibt sich als halbe Differenz der maximalen Temperatur 18,8 °C und der minimalen Temperatur 1,2 °C.

3) d = 1,2 + a = 10 (Verschiebung in Richtung der y-Achse).

4) c = 4 (Verschiebung in x-Richtung, siehe Skizze in Fig. 1).

Modellierung: $f(x) = 8{,}8 \cdot \sin[0{,}52(x - 4)] + 10$.

Überprüfung mit dem GTR:

Genaue Übereinstimmung mit den Tabellenwerten für Januar und Juli: Maximale Abweichung ca. 5 % (im April).

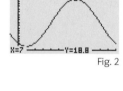

Fig. 2

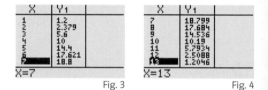

Fig. 3   Fig. 4

Aufgaben

1 Die Tabelle gibt zu verschiedenen Uhrzeiten die Temperatur (in °C) und die Luftfeuchtigkeit (in %) am 23. Mai 2007 in Dortmund an.

Uhrzeit	0	2	4	6	8	10	12	14	16	18	20	22
Temperatur	17	15	14	13	16	20	24	26	24	24	22	20
Luftfeuchtigkeit	66	76	77	83	76	66	58	50	44	43	46	55

Modellieren Sie den Temperaturverlauf und den Verlauf der Luftfeuchtigkeit jeweils mit einer Sinusfunktion.

2 Als Tageslänge bezeichnet man die Zeit zwischen Sonnenauf- und Sonnenuntergang. In Stuttgart war am 21.6.2007 Sonnenaufgang um 5:22 Uhr und Sonnenuntergang um 21:27 Uhr, am 21.12.2007 war Sonnenaufgang um 8:13 Uhr und Sonnenuntergang um 16:25 Uhr.
a) Modellieren Sie den Verlauf der Tageslängen in Stuttgart.
b) Beurteilen Sie die Qualität der Modellierung anhand weiterer Daten aus der folgenden Tabelle.

Datum	1.1.07	1.2.07	1.3.07	1.4.07	1.5.07	1.6.07	1.7.07	1.8.07	1.9.07	1.10.07	1.11.07	1.12.07
Sonnenaufgang	8:16	7:54	7:06	7:02	6:04	5:25	5:24	5:56	6:39	7:22	7:09	7:55
Sonnenuntergang	16:37	17:21	18:06	19:54	20:38	21:18	21:30	21:02	20:06	19:03	17:04	16:29

c) Welche Tageslänge hat im Jahr 2012 der Tag der Deutschen Einheit in Stuttgart?

3 Der Ruderachter ist mit Geschwindigkeiten von bis zu $30\,\frac{km}{h}$ das schnellste von reiner Menschenkraft angetriebene Boot. Analysiert man die Fahrt des Boots, so lässt sich erkennen, dass es sich nicht gleichförmig bewegt: Beim Eintauchen der Ruderblätter ist die Geschwindigkeit des Bootes etwas kleiner als beim Herausziehen der Ruderblätter. Bei einer Regatta wird die Geschwindigkeit eines Bootes (A) mithilfe der Funktion $f_c(t) = 0{,}2 \cdot \sin(c \cdot t) + 7$ modelliert (Zeit t in s, Geschwindigkeit $f_c(t)$ in $\frac{m}{s}$).

Das Team des Achters besteht aus acht Ruderinnen bzw. Ruderern und einer Steuerfrau bzw. einem Steuermann.

a) Bestimmen Sie die maximale, die minimale und die mittlere Geschwindigkeit des Boots.

b) Die Ruderer machen während der Regatta pro Sekunde einen Schlag. Bestimmen Sie den Parameter c.

c) Zu welchen Zeitpunkten ist die Änderungsrate der Geschwindigkeit am größten?

d) Welchen Weg legt das Boot in den ersten zehn Sekunden zurück?

e) Die Geschwindigkeit eines zweiten Bootes (B) kann bei der Regatta mit der Funktion $g(t) = 0{,}3 \cdot \sin(5 \cdot (t - 1)) + 6{,}8$ modelliert werden. Beschreiben Sie, inwiefern sich die Fahrten der beiden Boote (A) und (B) unterscheiden.

f) Wie lange benötigen beide Boote für eine Streckenlänge von 500 Metern?

4 Auf Hawaii gibt es seit 1958 kontinuierliche Aufzeichnungen des CO_2-Gehaltes in der Luft. Für die Jahre 2000 bis 2003 kann der CO_2-Gehalt mit der Funktion

$f(x) = 3 \cdot \sin\left(\frac{\pi}{6} \cdot (x - 6)\right) + 0{,}15x + 370$ modelliert werden (f: CO_2-Gehalt in ppm; x: Monat seit Januar 2000).

a) Bestimmen Sie die Periode von f.

b) In welchen Monaten war der Anstieg des CO_2-Gehaltes am größten? In welchen war er am kleinsten?

Der Anstieg des CO_2-Gehaltes in der Luft ist mitverantwortlich für den Treibhauseffekt.

ppm: parts per million

Wie ließe sich die Periode von f begründen?

c) In welchem Jahr wird der CO_2-Gehalt nach diesem Modell erstmals die 500-ppm-Grenze überschreiten?

d) Begründen Sie, warum sich das Modell nicht auf beliebig große Zeiträume erweitern lässt.

Zeit zu wiederholen

5 Untersuchen Sie, ob lineares, exponentielles oder beschränktes Wachstums vorliegt.

a)

n	0	1	2	3	4	5	6
B(n)	3	11,5	15,75	17,88	18,94	19,47	19,74

b)

n	0	1	2	3	4	5	6
B(n)	3	5,7	8,4	11,1	13,85	16,5	19,2

c)

n	0	1	2	3	4	5	6
B(n)	3	4,5	6,75	10,13	15,19	22,78	34,12

6 Ein Grundstück hat 2010 einen Wert von 190 000 €.

a) Berechnen Sie den Wert des Grundstücks für die nächsten zehn Jahre, wenn dieser jährlich um 5800 € sinkt bzw. wenn dieser jährlich um 5,8 % steigt.

b) Welche Wachstumsformen liegen in beiden Fällen von Teilaufgabe a) vor?

7 Für ein beschränktes Wachstum gilt die rekursive Darstellung $B(0) = 1500$ und $B(n + 1) - B(n) + 0{,}25 \cdot (4800 - B(n))$.

a) Bestimmen Sie die Schranke des beschränkten Wachstums.

b) Berechnen Sie $B(1)$, $B(2)$ und $B(3)$.　　　c) Für welche n gilt $B(n) > 4000$?

Wahlthema: **Symmetrie von Graphen**

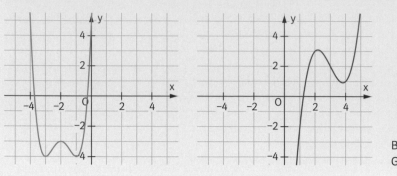

Beschreiben Sie, welche Symmetrie die Graphen in der Abbildung aufweisen.

In der ersten Lerneinheit des Kapitels wurde die Symmetrie eines Graphen bezüglich des Ursprungs und bezüglich der y-Achse behandelt. Achsen- und Punktsymmetrie kann auch bezüglich eines beliebigen Punktes oder einer beliebigen senkrechten Gerade vorliegen.

Der Graph in Fig. 1 ist achsensymmetrisch zur Geraden $x = 3$. Dies ist gleichbedeutend mit der Bedingung $f(3 - h) = f(3 + h)$ für alle möglichen h.
$3 - h$ und $3 + h$ müssen dabei zur Definitionsmenge gehören.

Achsensymmetrie

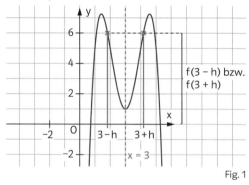

Fig. 1

Der Graph in Fig. 2 ist punktsymmetrisch zum Punkt $P(3|2)$. Dies ist gleichbedeutend mit der Bedingung $f(3 - h) - 2 = 2 - f(3 + h)$ für alle möglichen h.
$3 - h$ und $3 + h$ müssen dabei zur Definitionsmenge gehören.

Punktsymmetrie

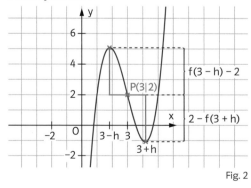

Fig. 2

Allgemein gilt:

> Der Graph der Funktion f ist
>
> | **achsensymmetrisch zur Geraden $x = x_0$** | **punktsymmetrisch zum Punkt $P(x_0|y_0)$** |
> |---|---|
> | genau dann, wenn | genau dann, wenn |
> | $f(x_0 - h) = f(x_0 + h)$ | $f(x_0 - h) - y_0 = y_0 - f(x_0 + h)$ |
>
> für alle h mit $x_0 - h \in D_f$ und $x_0 + h \in D_f$ gilt

Beispiel Symmetrie nachweisen

Gegeben ist die Funktion f mit $f(x) = \frac{3x}{x-2}$. Stellen Sie mit dem GTR eine Vermutung zum Symmetrieverhalten des Graphen von f auf und weisen Sie diese nach.

■ Lösung: Mit dem GTR lässt sich vermuten, dass der Graph von f punktsymmetrisch zum Punkt $P(2\,|\,3)$ ist. Nachweis:

$$f(2-h) - 3 = \frac{3 \cdot (2-h)}{(2-h)-2} - 3 = \frac{6-3h}{-h} - 3 = -\frac{6}{h} + 3 - 3 = -\frac{6}{h}$$

$$3 - f(2+h) = 3 - \frac{3 \cdot (2+h)}{(2+h)-2} = 3 - \frac{6+3h}{h} = 3 - \frac{6}{h} - 3 = -\frac{6}{h}$$

f ist punktsymmetrisch zum Punkt $P(2\,|\,3)$.

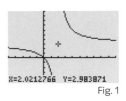

X=2.0212766 Y=2.983871

Fig. 1

Aufgaben

1 Weisen Sie nach, dass der Graph der Funktion f mit $f(x) = -\frac{1}{x^2-4x}$ achsensymmetrisch zur Geraden mit $x = 2$ ist.

2 Stellen Sie mit dem GTR eine Vermutung auf, ob der Graph von f achsen- oder punktsymmetrisch ist. Bestätigen Sie diese Vermutung oder widerlegen Sie sie.

a) $f(x) = x^2 - 2x$ 　　　　b) $f(x) = x^3 - 3x^2$ 　　　　c) $f(x) = -x^2 - 6x + 1$

d) $f(x) = 2x^3 + 3x^2 + x$ 　　e) $f(x) = -\frac{4x}{x+3}$ 　　f) $f(x) = \frac{x^2-4x}{(x-2)^2}$

3 Geben Sie zwei Funktionen an, deren Graphen achsensymmetrisch zur angegebenen Geraden bzw. punktsymmetrisch zum angegebenen Punkt sind.

a) $x = 3$ 　　　b) $x = -2$ 　　　c) $x = 8$ 　　　d) $x = 100$

e) $P(4\,|\,0)$ 　　f) $P(-2\,|\,3)$ 　　g) $P(1\,|\,6)$ 　　h) $P(2\,|\,7)$

4 a) Beweisen Sie: Ist der Graph einer Funktion f symmetrisch zur y-Achse, dann ist der Graph von g mit $g(x) = f(x-3)$ achsensymmetrisch zur Geraden mit $x = 3$.

b) Beweisen Sie: Ist der Graph einer Funktion f punktsymmetrisch zum Ursprung, dann ist der Graph von g mit $g(x) = f(x-1) + 4$ symmetrisch zum Punkt $P(1\,|\,4)$.

c) Verallgemeinern Sie die Aussage von Teilaufgabe a) für $g(x) = f(x-c)$ und die Aussage von Teilaufgabe b) für $g(x) = f(x-a) + b$.

5 Im Modell kann man die Wachstumsgeschwindigkeit einer Fichte in Abhängigkeit von der Zeit t näherungsweise durch die Funktion w beschreiben mit

$$w(t) = \frac{500}{625 + (t-38,75)^2}, \quad t \geq 0 \quad (\text{t in Jahren, w(t) in Metern pro Jahr}).$$

a) Stellen Sie eine Vermutung über eine mögliche Symmetrie auf. Bestätigen Sie diese Vermutung anschließend durch Rechnung. Welche Bedeutung hat der Symmetriepunkt im Sachzusammenhang?

b) Welche Symmetrieeigenschaft weist vermutlich der Graph der Funktion h auf, die jedem Zeitpunkt t die Höhe h(t) der Fichte zuordnet?

6 Mithilfe der nach dem deutschen Mathematiker und Physiker benannten Gauß'schen

Glockenfunktion $f_{\mu;\sigma}(x) = \frac{1}{\sigma\sqrt{2\pi}} \cdot e^{-\frac{(x-\mu)^2}{2\sigma^2}}$ können Wahrscheinlichkeiten für Messwerte einer Messreihe berechnet werden.

Stellen Sie für $\mu = 2$ und $\sigma = 1$ eine Vermutung über die Symmetrie des Graphen auf und beweisen Sie diese. Wie verändert sich die Symmetrie, wenn man μ und σ variiert?

$$f_1(x) = \frac{x^4 - 2x^3 + x^2 - 2}{x^2 + 1}$$

$$f_2(x) = \frac{x^6 - 2x^5 - 10}{x^4}$$

$$f_3(x) = \frac{x^3 - 12x^2 + 20}{x - 10}$$

$$f_4(x) = \frac{x^3 - 2x^2 + 10x + 3}{x - 5}$$

Untersuchen Sie mit dem GTR, wie sich die Graphen der Funktionen für sehr kleine und sehr große x-Werte verhalten.

Bislang wurden nur waagerechte und senkrechte Asymptoten eines Graphen behandelt. Betrachtet man den Graphen der Funktion f mit $f(x) = \frac{x^2 + x}{x - 1}$, so erkennt man, dass sich der Graph für sehr große und sehr kleine x-Werte immer mehr einer Geraden nähert. Diese Gerade heißt **schiefe Asymptote** des Graphen von f.
Die Gleichung der Geraden lässt sich mithilfe der **Polynomdivision** bestimmen, indem man den Funktionsterm umformt:

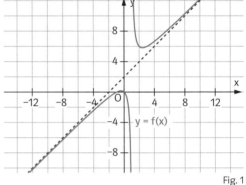

Fig. 1

CAS
Polynomdivision

$$(x^2 + x) : (x - 1) = x + 2 + \frac{2}{x - 1}$$
$$\underline{-(x^2 - x)} \qquad\qquad x^2 : x = x$$
$$\quad 2x$$
$$\quad \underline{-(2x - 2)} \qquad 2x : x = 2$$
$$\qquad 2$$

Man erhält $f(x) = \frac{x^2 + x}{x - 1} = x + 2 + \frac{2}{x - 1}$. Da der Wert des Terms $\frac{2}{x - 1}$ für sehr große oder sehr kleine x-Werte gegen null geht, nähert sich der Graph von f immer mehr der Geraden mit $y = x + 2$. Allgemein gilt bei gebrochenrationalen Funktionen:

Ist f eine gebrochenrationale Funktion mit $f(x) = \frac{g(x)}{h(x)}$, dem Zählergrad z und dem Nennergrad n, so gilt für den dazugehörigen Graphen für $x \to \pm\infty$ im Falle
$z = n + 1$: der Graph hat eine schiefe Asymptote,
$z > n + 1$: der Graph strebt für sehr große x-Werte gegen eine Näherungskurve.

Der Fall $z > n + 1$ wird im Beispiel behandelt.

In manchen Fällen lässt sich die Gleichung der Asymptote auch ohne Polynomdivision durch Umformung des Funktionsterms bestimmen:
$f(x) = \frac{2x^3 + x}{x^2} = \frac{2x^3}{x^2} + \frac{x}{x^2} = 2x + \frac{1}{x}$. Man erhält die Asymptote mit $y = 2x$.

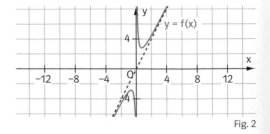

Fig. 2

Beispiel Näherungskurve

Wie verhält sich der Graph von f mit $f(x) = \frac{x^3 + x + 1}{x + 2}$; $D_f = \mathbb{R} \setminus \{-2\}$ für sehr große und sehr kleine x-Werte?

■ Lösung:

$(x^3 \qquad + x + 1) : (x + 2) = x^2 - 2x + 5$
$\underline{- (x^3 + 2x^2)}$
$\qquad - 2x^2 \quad + x$
$\qquad \underline{- (-2x^2 - 4x)}$
$\qquad\qquad 5x + 1$
$\qquad\qquad \underline{- (5x + 10)}$
$\qquad\qquad\qquad - 9$

f ist eine gebrochenrationale Funktion mit dem Zählergrad $z = 3$ und dem Nennergrad $n = 1$. Der Funktionsterm wird mithilfe der Polynomdivision umgeformt.

Das Ergebnis lässt sich mit dem GTR bestätigen:

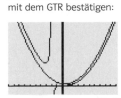

Fig. 1

Man erhält $f(x) = \frac{x^3 + x + 1}{x + 2} = x^2 - 2x + 5 - \frac{9}{x + 2}$. Für sehr große oder sehr kleine x-Werte nähert sich der Graph von f der Parabel mit $g(x) = x^2 - 2x + 5$.

Aufgaben

1 Geben Sie die Gleichungen aller Asymptoten an.

a) $f(x) = \frac{2x^2 + x - 1}{x - 1}$
b) $f(x) = \frac{2x^3 - 2}{x^2 + 1}$
c) $f(x) = \frac{x^3 + x^2 + x}{x^2 + 2}$

d) $f(x) = \frac{x^3 + x - 10}{5 + x^2}$
e) $f(x) = \frac{8x^2 - x^3}{2x^2 - 2}$
f) $f(x) = \frac{5x^2 + x}{3x^2 - 5}$

2 Begründen Sie, welcher Graph zu welcher Funktion gehört.

$f_1(x) = \frac{3x^2 - 2x}{2x - 1}$; $f_2(x) = \frac{5x^4 + x^2}{3 - 5x^4}$; $f_3(x) = \frac{x^3 + x^2}{2x^2 - x}$; $f_4(x) = \frac{4x^2 - 3x}{2 + 2x^2}$; $f_5(x) = \frac{4 + x^3}{5x^2 + x} - 1$

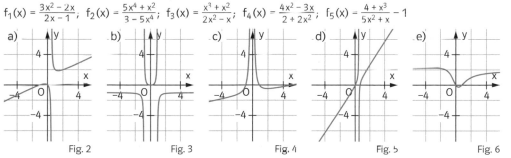

Fig. 2 Fig. 3 Fig. 4 Fig. 5 Fig. 6

3 Ermitteln Sie für $x \to \pm\infty$ eine Näherungsfunktion.

a) $f(x) = \frac{x^3 + 3}{x}$
b) $f(x) = \frac{4x^3 - 1}{x - 1}$
c) $f(x) = \frac{x^3 + x + 2}{x}$

d) $f(x) = \frac{x^2 + 2x^3 - 12x}{x^2 + 3}$
e) $f(x) = \frac{7x^3 - x^2 + 2x}{6 - 2x}$
f) $f(x) = \frac{3x^4 + 6x}{3 + 3x^2}$

4 Geben Sie den Funktionsterm einer gebrochenrationalen Funktion f an, deren Graph die Asymptote mit der angegebenen Gleichung hat.

◎ CAS
Bestimmung von Asymptoten

a) $y = x$
b) $y = 3x$
c) $y = 3x - 1$

d) $y = 5$ und $x = 0$
e) $y = -7x$ und $x = 2$
f) $y = x + 4$ und $x = -6$

5 Geben Sie eine gebrochenrationale Funktion f an, deren Graph sich für $x \to \pm\infty$ dem Graphen der Funktion g nähert.

a) $g(x) = x - 3$
b) $g(x) = 3 - 2x$
c) $g(x) = x^2 + 1$

d) $g(x) = 2x^2 + 5$
e) $g(x) = x^2 - 2$
f) $g(x) = 2x^2 - 3x$

6 Zeigen Sie: Alle Graphen der Funktionenschar f_t mit $f_t(x) = \frac{2x^2 - x(1 + 2t)}{x - t}$; $t \in \mathbb{R}$ haben eine gemeinsame schiefe Asymptote.

1 Bestimmen Sie mit dem GTR die Lösung der Gleichung.

a) $3x^3 + 2x^2 - 7x = -6$ b) $\sqrt{x} - 1 = x^2 - 10x$ c) $x + x^2 = 2^x$

d) $80 + \frac{1}{x} = e^x + 80$ e) $\sin(x) + x^2 = x^2 + x$ f) $e^x - 2x = \cos(x)$

Vom Funktionsterm zum Graphen und umgekehrt

2 Untersuchen Sie, ob der Graph von f symmetrisch zur y-Achse oder zum Ursprung ist.

a) $f(x) = x^4 + 2^3 \cdot x^2$ b) $f(x) = \frac{x^4 - 3}{x^3 - x}$ c) $f(x) = 2e^x + 2e^{-x}$

d) $f(x) = -3e^x + 3e^{-x}$ e) $f(x) = \frac{e^x}{x}$ f) $f(x) = x \cdot \sin(x)$

3 Untersuchen Sie den Graphen von f auf waagerechte bzw. senkrechte Asymptoten und skizzieren Sie den Graphen.

a) $f(x) = 1 + x^3 \cdot e^x$ b) $f(x) = \frac{1}{(x-2)(x+3)}$ c) $f(x) = \frac{-x^2}{x^2 - 4}$

d) $f(x) = \frac{e^x}{x - 1}$ e) $f(x) = \frac{2 - 3x}{x^2 + 4}$ f) $f(x) = \frac{5x^2 - x}{x^3}$

4 Ermitteln Sie für $x \to \pm\infty$ den Funktionsterm einer Näherungskurve.

a) $f(x) = \frac{x + x^3}{x^2}$ b) $f(x) = \frac{2x^2 + x + 4}{x - 2}$ c) $f(x) = \frac{x^3 - 3}{x - 4}$

d) $f(x) = \frac{x^3}{2 + x^2}$ e) $f(x) = \frac{x^3}{x + 7}$ f) $f(x) = \frac{6x^4}{3x^2 - 5x}$

5 Gegeben ist die Funktion f mit $f(x) = \frac{ax^2 + 2}{(x + b)(x - c)}$. Bestimmen Sie in Fig. 1 bis 4 a, b und c so, dass der dargestellte Graph zu f gehört.

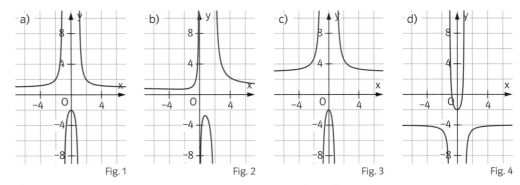

a)   Fig. 1   b)   Fig. 2   c)   Fig. 3   d)   Fig. 4

6 Fig. 5 zeigt den Graphen der Funktion f mit $f(x) = x^4 - 4x^2$. Verändern Sie den Term von f so, dass er zum gegebenen Graphen (Fig. 6–8) passt.

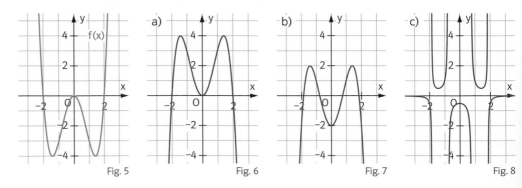

Fig. 5   a) Fig. 6   b) Fig. 7   c) Fig. 8

Wiederholen – Vertiefen – Vernetzen

7 Begründen Sie die Aussage oder widerlegen Sie sie mithilfe eines Gegenbeispiels.

a) Ein zur y-Achse symmetrischer Graph kann nicht genau drei senkrechte Asymptoten haben.

b) Ein zum Ursprung symmetrischer Graph kann nicht genau acht senkrechte Asymptoten haben.

c) Ein zum Ursprung symmetrischer Graph muss nicht durch den Punkt $P(0|0)$ gehen.

d) Ist eine differenzierbare Funktion f symmetrisch zur y-Achse, so muss nicht $f'(0) = 0$ gelten.

e) Ist f der Quotient zweier ganzrationaler Funktionen h und g, so ist der Graph von f nur dann symmetrisch zur y-Achse, wenn h und g nur gerade Potenzen von x haben.

f) Die Funktion f mit $f(x) = x^3 - x + 1 + \sqrt{x}$ hat keine negativen Funktionswerte.

8 Gegeben ist die Funktionenschar f_t mit $f_t(x) = \frac{t - e^x}{x}$; $t \in \mathbb{R}$.

a) Wie muss der Parameter t gewählt werden, damit der Punkt $P(-1|2)$ auf dem Graphen von f_t liegt?

b) Beschreiben Sie in eigenen Worten, wie sich die zugehörigen Graphen ändern, wenn t die reellen Zahlen durchläuft.

Analyse von Funktionen und Integralen

9 Die Abbildung zeigt den Graphen der Ableitungsfunktion f′ einer Funktion f. Geben Sie für jeden der folgenden Sätze an, ob er richtig, falsch oder nicht entscheidbar ist. Begründen Sie jeweils Ihre Antwort.

(A) f hat mindestens drei Nullstellen.

(B) f hat mindestens drei Extremstellen.

(C) f hat an der Stelle $x = 3$ eine Extremstelle.

(D) f ist auf dem Intervall $[-1; 1]$ monoton wachsend.

(E) f hat mindestens zwei Wendestellen.

(F) Der Funktionswert an der Stelle $x = 0$ ist positiv.

(G) Die Steigung von f an der Stelle $x = 0$ ist positiv.

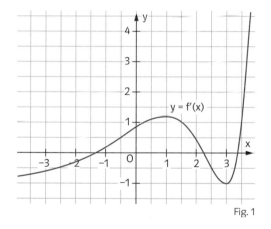

Fig. 1

10 Gegeben ist die Funktion f mit $f(x) = \frac{2x^2 + 5x - 3}{2 - x}$.

a) Bestimmen Sie die Schnittpunkte des Graphen mit der x-Achse und die Asymptoten des Graphen von f.

b) Skizzieren Sie den Graphen von f.

c) Bestimmen Sie alle Stellen, an denen der Graph von f die Steigung 2 hat.

d) Bestimmen Sie das Integral $\int_{-1}^{1} f(x)\,dx$.

11 Gegeben ist die Funktionenschar f_t mit $f_t(x) = x^3 - 4tx$; $t \in \mathbb{R}$.

a) Untersuchen Sie den Graphen von f_t auf Symmetrie.

b) Wie muss t gewählt werden, damit der Graph von f_t einen Hochpunkt hat?

c) Zeigen Sie, dass die Graphen der Funktionenschar durch einen Punkt gehen.

d) Kann der Parameter t so gewählt werden, dass der Punkt $P(2|-8)$ ein Extrempunkt ist?

e) Bestimmen Sie für $t = 1$ den Inhalt der Fläche, die der Graph mit der x-Achse einschließt.

f) Für $t = 0,25$ wird der Graph zwischen dem ersten und dritten Schnittpunkt des Graphen mit der x-Achse um die x-Achse rotiert. Wie groß ist der Rauminhalt des dabei entstehenden Rotationskörpers?

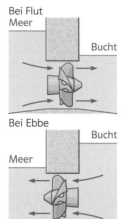

Bei Flut
Meer

Bucht

Bei Ebbe

Bucht

Meer

Fig. 1

Johannes Diderik van der Waals (1837–1923), niederländischer Physiker. 1869 entdeckte er die Kräfte zwischen Molekülen – die später nach ihm benannten van-der-Waals-Kräfte. 1910 erhielt van der Waals den Nobelpreis für Physik.

ⓢ CAS
Pflanzen brauchen Licht

Exkursion ⟋
Das Schluckvermögen einer Straße
735301-1641

Funktionen im Sachzusammenhang

12 Bei dem Gezeitenkraftwerk St. Malo strömt Wasser aufgrund der Gezeiten durch Turbinen; bei Flut vom Meer in die Bucht, bei Ebbe umgekehrt von der Bucht ins Meer. Eine Gezeitenperiode beträgt durchschnittlich 12 h 25 min. Der maximale Wasserdurchfluss durch die Turbinen beträgt 18 000 Kubikmeter Wasser pro Sekunde.

a) Modellieren Sie den Wasserdurchfluss mithilfe einer Sinusfunktion, wenn um 9:00 Uhr der Durchfluss von der Bucht ins Meer maximal ist.

b) Wie groß ist der Wasserdurchfluss durch die Turbinen um 10:00 Uhr bzw. um 17:22 Uhr?

c) Welche Wassermenge fließt zwischen 7:00 Uhr und 12:00 Uhr durch die Turbinen?

d) Wie groß ist der durchschnittliche Wasserdurchfluss zwischen 8:00 Uhr und 10:30 Uhr?

13 Das Verhalten realer Gase lässt sich durch die sogenannte van-der-Waals-Gleichung modellieren: $p_T(V_m) = \frac{RT}{V_m - b} - \frac{a}{V_m^2}$. Dabei gibt p_T den äußeren Druck in kPa und T die Temperatur in K an, V_m bezeichnet das molare Volumen in $\frac{l}{mol}$. R ist die universelle Gaskonstante $R = 8,314472 \frac{J}{mol \cdot K}$. Der Kohäsionsdruck a und das Kovolumen b sind gasabhängige Konstanten (vgl. Tabelle).

Gas	a $\left(\text{in } \frac{kPa \cdot l^2}{mol^2}\right)$	b $\left(\text{in } \frac{l}{mol}\right)$
Helium (He)	3,45	0,0237
Wasserstoff (H_2)	24,7	0,0266
Stickstoff (N_2)	140,8	0,0391
Sauerstoff (O_2)	137,8	0,0318
Luft (80% N_2, 20% O_2)	135,8	0,0364
Kohlendioxid (CO_2)	363,7	0,0427

a) Skizzieren Sie die Graphen des Gasdrucks p_T für CO_2 in Abhängigkeit vom Volumen V_m für T = 273,15 K, für T = 250,00 K und für T = 300,00 K.

b) Bestimmen Sie die Extrempunkte von p_T für CO_2 bei T = 273,15 K.

c) Geben Sie ein T an, sodass der Graph von p_T für CO_2 keinen Extrempunkt besitzt.

14 In Fig. 2 sind die Graphen von f, g sowie von h_1 und h_2 dargestellt mit: $g(x) = \sin(x)$; $h_1(x) = 5e^{-0,1x}$ und $h_2(x) = -5e^{-0,1x}$.

a) Bestimmen Sie die Gleichung von f.

b) Welche Situation könnten die Funktionen f und g beschreiben?

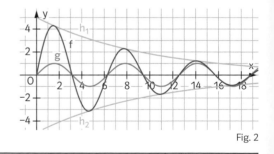

Fig. 2

Zeit zu wiederholen

15 Berechnen Sie den Bestand B(10).

a) B(5) = 7 und B(n + 1) = B(n) · 2 – 3.

b) Exponentielles Wachstum mit B(0) = 3 und B(1) = 12.

c) Beschränktes Wachtum mit B(2) = 1000 und B(3) = 1900; Schranke: 10 000.

16 Eine Schülerfirma möchte T-Shirts mit einem Schullogo an die Schülerinnen und Schüler sowie an die Lehrkräfte der Schule verkaufen. Die Schule hat insgesamt 950 Schülerinnen und Schüler sowie 85 Lehrkräfte. In einer Werbeaktion wurde der Verkauf bekannt gemacht.

a) Begründen Sie, dass man für die Verkaufszahlen der T-Shirts beschränktes Wachstum annehmen kann.

b) Nach dem Verkaufsstart werden in den ersten zwei Wochen 253 T-Shirts verkauft. Wie viele T-Shirts werden mit der Annahme aus Teilaufgabe a) nach acht Wochen verkauft sein?

Exkursion

Geschichte der Analysis

Die Mathematik gehört zu den ältesten Wissenschaften der Menschheit. Heute spielen die verschiedenen Teilgebiete der Mathematik in unzähligen Berufen, aber auch in vielen Alltagsbereichen eine tragende Rolle. Neben der Geometrie, der Wahrscheinlichkeitsrechnung und der Algebra gehört die Analysis zu den zentralen Gebieten der Mathematik.

análysis (griech.): Auflösung

Die Analysis beschäftigt sich in erster Linie mit der Differenzial- und Integralrechnung. In der Differenzialrechnung geht es um die Berechnung der Ableitung einer Funktion bzw. der momentanen Änderungsrate einer Größe. Die Integralrechnung kann unter zwei Aspekten betrachtet werden: Zum einen können mit ihr Flächen und Volumina (z. B. von Rotationskörpern) berechnet werden. Zum anderen können mit der Integralrechnung Größen rekonstruiert werden, wenn deren momentane Änderungsraten bekannt sind. Kennt man beispielsweise die Geschwindigkeit eines Autos, so lässt sich mithilfe der Integralrechnung der zurückgelegte Weg bestimmen. Die Verbindung zwischen diesen beiden Theorien der Analysis bildet den Hauptsatz der Differenzial- und Integralrechnung; er besagt, dass Integrale über Stammfunktionen berechnet werden können (vgl. Kapitel III, Lerneinheit 3).

Mit der Geschwindigkeit v lässt sich ein zurückgelegter Weg bestimmen:
$$s(t) = \int_0^t v(x)\,dx.$$

Die Anfänge der Analysis gehen auf die Griechen zurück. Die Mathematiker der damaligen Zeit beschäftigten sich intensiv mit geometrischen Figuren und Körpern. Bei den Flächenberechnungen beschränkten sie sich zunächst auf Polygone (Dreiecke, Vierecke …). Dem griechischen Mathematiker und Ingenieur Archimedes gelang es 260 v. Chr. mithilfe der „Ausschöpfungsmethode" für die Kreiszahl π den Näherungswert $3 + \frac{10}{71}$ zu bestimmen. Er „schöpfte" dabei den Kreis mithilfe eines 96-Ecks (!) aus. Mit seinen Überlegungen zur Flächenberechnung griff er Ideen der Integralrechnung viel später folgender Mathematiker vor.

Nach Archimedes dauerte es bis zum Beginn der Neuzeit, dass neue Erkenntnisse für die weitere Entwicklung der Analysis gewonnen wurden. Der Mathematiker und Physiker Galileo Galilei erkannte bei seinen Untersuchungen zur Geschwindigkeit von Kugeln auf einer schiefen Ebene, dass die Beschleunigung die Ableitung der Geschwindigkeit ist. Er stellte darüber hinaus fest, dass ein Körper bei einer großen Beschleunigung nicht zwingend auch eine große Geschwindigkeit haben muss. Es kommt u. a. darauf an, wie lange der Körper beschleunigt wird.

Die Ausschöpfungsmethode beim Kreis:

Ein Kreis wird durch Vielecke „ausgeschöpft", d. h. so gut wie möglich ausgefüllt. Je mehr Ecken das Vieleck hat, desto besser stimmen die Flächeninhalte des Vielecks und des Kreises überein.

Fig. 1

Galileo Galilei (1564–1642)

Ein weiterer Wegbereiter der Analysis war Bonaventura Cavalieri. Er erkannte, dass geometrische Figuren als aus unendlich vielen unendlich kleinen Elementen zusammengesetzt betrachtet werden können.

Darstellung der schiefen Ebene von Galilei

Nach Cavalieri besteht eine Linie aus unendlich vielen Punkten ohne Größe, eine Fläche aus unendlich vielen Linien ohne Breite und ein Körper aus unendlich vielen Flächen ohne Höhen.

Francesco Bonaventura Cavalieri (1598–1647)

Exkursion

Isaac Newton
(1643–1727)

Gottfried Wilhelm Leibniz
(1646–1716)

Bernhard Riemann
(1826–1866)

Nach diesen vorbereitenden Arbeiten wurde im 17. Jahrhundert unabhängig voneinander vom Engländer Isaac Newton und vom deutschen Gottfried Wilhelm Leibniz mit der Entwicklung der Infinitesimalrechnung der Grundstein für die Analysis gelegt.

Newton fasste variable Größen als zeitabhängig auf und nannte diese „Fluenten" (Fließende). Mit deren Ableitungen nach der Zeit bezeichnete er deren momentane Geschwindigkeiten („Ableitung"), die er „Fluxionen" nannte, und kennzeichnete sie mit einem Punkt (z. B. $\dot{x}$). Newton berechnete die Fluxionen durch Grenzwertbetrachtungen. Da ein solches Vorgehen nicht seinem eigenen Methodenideal entsprach, veröffentlichte er seine Ergebnisse zunächst nicht, sondern erwähnte sie nur indirekt beim Argumentieren mit zeitabhängigen geometrischen Größen.

So kam es, dass der Deutsche Gottfried Wilhelm Leibniz etwa zehn Jahre später eine eigene Theorie zum Ableitungsbegriff entwickelte. Leibniz verstand eine Kurve als ein „Unendlich-Eck", sodass eine Tangente die Kurve in einer unendlich kleinen Strecke schneiden musste. Hierbei baute er u. a. auf den Erkenntnissen von Cavalieri auf. Leibniz führte den Begriff „Differenziale" ein, aus dem der Begriff „Differenzialrechnung" hervorging.

Der Streit zwischen Leibniz und Newton, wer von beiden als Erster den Ableitungsbegriff entdeckt haben soll, gilt als der größte Prioritätenstreit in der Geschichte der Mathematik.

Im Laufe der Zeit wurde die Analysis dann zunächst ohne wirklich gesicherte Grundlagen weiterentwickelt. Erst im 19. Jahrhundert konnte mit ihr in einer Art und Weise gearbeitet werden, die den heutigen Standards entspricht. Denn erst seit dieser Zeit sind Begriffe wie Funktion, Grenzwert oder Integral präzise geklärt. Hierzu trugen die Mathematiker Joseph Louis Lagrange (1736–1813), Augustin Louis Cauchy (1789–1857), Karl Weierstraß (1815–1879), Carl Friedrich Gauß (1777–1855) und Richard Dedekind (1831–1916) entscheidend bei.

Das Integral in der Form, wie es heute an den Gymnasien gelehrt wird, geht auf den deutschen Mathematiker Georg Friedrich Bernhard Riemann zurück. Riemann bestimmte die Fläche, die von der x-Achse und einem Graphen eingeschlossen wird, mithilfe von leicht zu berechnenden Rechtecksflächen. Die Idee des so genannten „Riemann-Integrals" wurde später durch den französischen Mathematiker Henri Léon Lebesgue (1875–1941) weiterentwickelt.

Die mathematischen Anwendungen der Analysis sind immens. Gebiete wie Differenzialgleichungen, Integralgleichungen, Funktionalanalysis und viele mehr basieren auf den Konzepten der Analysis. Besondere Anwendungen findet man in der Wahrscheinlichkeitstheorie, den Naturwissenschaften, der Technik, der Informatik oder den Wirtschafts- und Sozialwissenschaften. Mit der Analysis lassen sich Flächen und Körper (z. B. Rotationskörper) berechnen, und es können Optimierungsprobleme (z. B. die Entwicklung einer optimalen Konservendose), aber auch statische Probleme (Bau eines Hauses oder einer Brücke) gelöst werden. Daher gehört die Analysis, wo auch immer jemand auf der Welt Mathematik studieren will, zu den ersten Pflichtvorlesungen.

Erstellen Sie eine Präsentation zur Geschichte der Analysis. Recherchieren Sie hierzu nach weiteren Beiträgen der in der Exkursion vorgestellten Mathematiker. Berücksichtigen Sie hierbei auch folgende Punkte:
- Welchem Mathematiker wird die Entdeckung der Ausschöpfmethode zugeschrieben?
- Wie hat Galilei bei der schiefen Ebene die Geschwindigkeit bzw. die Beschleunigung der herunterrollenden Kugel bestimmt?
- Was versteht man unter dem Satz von Cavalieri?
- Erläutern Sie den Newton'schen und den Leibniz'schen Ansatz zum Ableitungsbegriff mithilfe von Beispielen.

Rückblick

Gebrochenrationale Funktionen
Funktionen, die als Quotient zweier ganzrationaler Funktionen aufgefasst werden können, heißen gebrochenrationale Funktionen.

$f(x) = \frac{x^2 + 1}{3x^2 - 6x}$ ist eine gebrochenrationale Funktion.

Symmetrie eines Graphen
Der Graph von f ist genau dann achsensymmetrisch zur y-Achse, wenn für alle $x \in D_f$ $f(-x) = f(x)$ gilt.
Der Graph von f ist genau dann punktsymmetrisch zum Ursprung, wenn für alle $x \subset D_f$ $f(-x) = -f(x)$ gilt.

f mit $f(x) = x^2 + 2$:
$f(-x) = (-x)^2 + 2 = x^2 + 2 = f(x)$.
Der Graph der Funktion f ist symmetrisch zur y-Achse.

Polstellen – senkrechte Asymptoten
Streben die Funktionswerte einer Funktion f in der Nähe einer Definitionslücke a gegen ∞ oder gegen – ∞, so nennt man a eine Polstelle von f. Die Gerade mit der Gleichung $x = a$ heißt senkrechte Asymptote des Graphen von f.

Der Graph der Funktion f mit
$f(x) = \frac{5}{x^2 - 4} = \frac{5}{(x-2) \cdot (x+2)}$ hat die senkrechten Asymptoten $x = 2$ und $x = -2$.

Verhalten für $x \to \infty$ – waagerechte Asymptoten
Streben die Funktionswerte einer Funktion f für $x \to \infty$ bzw. $x \to -\infty$ gegen eine Zahl G, so nennt man G den Grenzwert der Funktion f für $x \to \infty$ bzw. $x \to -\infty$. Die Gerade mit der Gleichung $y = G$ heißt waagerechte Asymptote des Graphen von f für $x \to \infty$ bzw. $x \to -\infty$.

Der Graph der Funktion f mit $f(x) = \frac{4x^2}{x^2 + 2}$ hat die waagerechte Asymptote $y = 4$.

Ortskurve
Eine Kurve, auf der z.B. alle Hochpunkte der Graphen einer Funktionenschar liegen, nennt man Ortskurve der Hochpunkte. Zur Bestimmung der Ortskurve einer Funktionenschar f_t mit dem Parameter t berechnet man zunächst die Koordinaten des Punktes P_t in Abhängigkeit von t. Dann eliminiert man aus der Darstellung der x- und y-Koordinaten den Parameter t und erhält eine Gleichung mit den Variablen x und y.

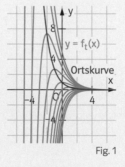

Fig. 1

Die Graphen der Funktionenschar f_t mit $f_t(x) = (x + t) \cdot e^{-x}$ haben die Tiefpunkte $T_t(1 - t \mid e^{t-1})$.
Auflösen von $x = 1 - t$ nach t: $t = 1 - x$.
Einsetzen in $y = e^{t-1}$ liefert die Gleichung der Ortskurve der Tiefpunkte: $y = e^{-x}$.

Periodische Funktionen
Die Funktion f mit $f(x) = a \cdot \sin[b(x - c)] + d$ $(a; b; c; d \in \mathbb{R};\ b > 0)$ ist periodisch mit der Periode $p = \frac{2\pi}{b}$ und der Amplitude a. Der Parameter c bewirkt eine Verschiebung in x-Richtung, der Parameter d eine Verschiebung in y-Richtung.

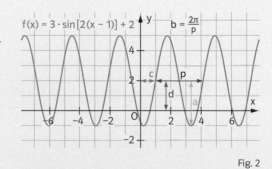

Fig. 2

Amplitude $a = 3$
Periode $p = \pi$; $b = \frac{2\pi}{\pi} = 2$
Verschiebung in x-Richtung um $c = 1$
Verschiebung in y-Richtung um $d = 2$

Prüfungsvorbereitung ohne Hilfsmittel

1 Bestimmen Sie alle Nullstellen der Funktion f.

a) $f(x) = (x^2 + x) \cdot e^x$ b) $f(x) = e^{3x} - e^x$ c) $f(x) = \frac{e^{2x} + e^x - 2}{x^2 + 1}$ d) $f(x) = \frac{x^4 + x^2 - 6}{x^2 - 6}$

2 Skizzieren Sie den Graphen von f.

a) $f(x) = \frac{x^2}{x^2 - 1}$ b) $f(x) = e^x \cdot (x - 1)$ c) $f(x) = 2 \cdot \sin\left[\frac{1}{2}(x + 1)\right]$ d) $f(x) = \frac{x}{x^2 - 4}$

3 Geben Sie die Ableitungsfunktion und eine Stammfunktion von f an.

a) $f(x) = \frac{3}{x + 1}$ b) $f(x) = 4e^{2x} - \frac{1}{x}$ c) $f(x) = 3\cos(2 - x) + x$

4 Fig. 1 zeigt die Graphen der Funktionen
$f(x) = x \cdot e^x$; $g(x) = x^2 \cdot e^x$; $h(x) = x^3 \cdot e^x$ und
$i(x) = x^4 \cdot e^x$.
Ordnen Sie die Graphen K_1, K_2, K_3 und K_4 den
Funktionen f, g, h und i zu.
Begründen Sie Ihre Entscheidung.

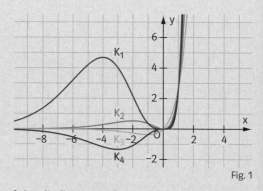

Fig. 1

5 Fig. 2 zeigt fünf Graphen der Funktionenschar mit $f_t(x) = e^{-x} \cdot (x - t)$.
a) Ordnen Sie die Funktionen f_0 und f_2 ihren
Graphen zu. Begründen Sie.
b) Bestimmen Sie die Gleichung der Ortskurve, auf der die Extrempunkte von f_t liegen.
c) Begründen Sie, dass die Graphen der Funktionenschar keinen gemeinsamen Punkt haben.

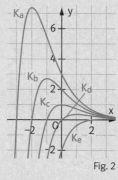

Fig. 2

6 Die Funktion d mit $d(t) = \frac{76 - t}{t + 2}$; $t \geq 0$ beschreibt näherungsweise die Abflussrate aus
einem Tank $\left(t \text{ in min}; d \text{ in } \frac{l}{min}\right)$.
a) Wie groß ist die Abflussrate zu Beginn?
b) Wann fließt kein Wasser mehr aus dem
Tank?
c) Wie lange dauert es, bis sich die Abflussrate gegenüber dem Anfangswert halbiert hat?

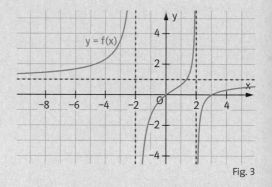

Fig. 3

7 Fig. 3 zeigt den Graphen einer gebrochenrationalen Funktion f sowie alle Asymptoten.
Geben Sie eine mögliche Gleichung von f an.

8 Fig. 4 zeigt den Graphen der Funktion f.
Bestimmen Sie die Werte für a und b.
a) $f(x) = 1{,}5 \cdot \sin\left(\frac{\pi}{2}(x - a)\right) + b$
b) $f(x) = a \cdot \sin(b(x + 4)) + 4$

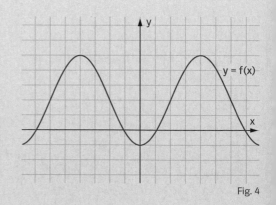

Fig. 4

Prüfungsvorbereitung mit Hilfsmitteln

1 Gegeben ist die Funktion f mit $f(x) = 3 \cdot \sin[0,5 \cdot (x - \pi)] - 1$.

a) Bestimmen Sie die Periode von f.

b) Weisen Sie nach, dass der Graph von f symmetrisch zur y-Achse ist.

c) Bestimmen Sie den Flächeninhalt, der durch den Graphen von f für $x \geq 0$ und den beiden Koordinatenachsen begrenzt wird.

2 Gegeben ist die Funktion f mit $f(x) = \frac{x + 1}{x^2 - 5x + 4}$.

a) Bestimmen Sie die Schnittpunkte mit der x-Achse sowie die Asymptoten des Graphen von f. Skizzieren Sie den Graphen von f.

b) Bestimmen Sie die Gleichung der Tangente von f im Schnittpunkt des Graphen mit der x-Achse. Bestimmen Sie alle gemeinsamen Punkte des Graphen von f und der Tangente.

3 Die gebrochenrationale Funktion f mit $f(t) = \frac{100x^2 + ax}{x^2 + 10}$; $D_f = \mathbb{R}^+$; $a \in \mathbb{R}$; (t in Tagen) modelliert näherungsweise, wie viele Mitarbeiter eines Betriebes in einem neu erbauten Betriebsrestaurant essen. Am fünften Tag essen 100 Mitarbeiter im Betriebsrestaurant.

a) Bestimmen Sie a. Mit welcher Besucherzahl wird man auf lange Sicht im Betriebsrestaurant rechnen?

b) Wie viele Mitarbeiter essen am zehnten Tag im Betriebsrestaurant? Wann essen erstmals 90 Mitarbeiter im Betriebsrestaurant?

c) Wie viele Gäste konnte das Betriebsrestaurant in den ersten zwei Wochen bewirten?

4 Gegeben ist die Funktion f mit $f(x) = e^{2x} - 2 \cdot e^x$.

⑩ CAS
Abituraufgabe zu
Parametern

a) Skizzieren Sie den Graphen von f und geben Sie die Nullstellen, Asymptoten und die Symmetrie an. Begründen Sie, dass f nur eine Nullstelle hat.

b) f ist eine Funktion der Funktionenschar $f_k(x) = e^{2x} - k \cdot e^x$; $k \in \mathbb{R}^+$. Welche Eigenschaften übertragen sich von f auf f_k? Bestimmen Sie den Extrempunkt des Graphen von f_k. Geben Sie die Ortskurve der Extrempunkte an.

5 Gegeben ist die gebrochenrationale Funktion f mit $f(x) = \frac{ax^2 + bx + 3}{x^2}$; $D_f = \mathbb{R} \setminus \{0\}$; $a, b \in \mathbb{R}$.

a) Bestimmen Sie a und b so, dass der Graph von f die x-Achse in dem Punkt $P(-1|0)$ schneidet und dort die Steigung -2 hat.

b) Untersuchen Sie den Graphen von f aus Teilaufgabe a) auf Schnittpunkte mit der x-Achse, Extrem- und Wendepunkte sowie auf Asymptoten.

c) Berechnen Sie die Schnittpunkte des Graphen mit der Geraden mit der Gleichung $y = 1$.

6 Bei einer neu eröffneten Bäckerei kann die Anzahl der pro Woche verkauften Brötchen durch die Funktion f mit $f(x) = 2000 \cdot x \cdot e^{-0,5x} + 2500$ modelliert werden. Hierbei ist x die Anzahl der Wochen seit Eröffnung der Bäckerei.

a) In welcher Woche wurden die meisten Brötchen verkauft?

b) Mit wie vielen verkauften Brötchen pro Woche kann man auf lange Sicht rechnen?

c) Wie viele Brötchen wurden näherungsweise in den ersten acht Wochen verkauft?

7 Fällt ein Körper aus der Ruhe heraus in ein zähflüssiges Medium, so lässt sich seine Geschwindigkeit v beschreiben durch $v(t) = a \cdot (1 - e^{-bt})$; t in s; v in $\frac{m}{s}$ mit a; b > 0.

Bei einem Experiment wird für einen Körper gemessen, dass er nach einer Sekunde eine Geschwindigkeit von $0,75 \frac{m}{s}$ hat und nach zwei Sekunden eine Geschwindigkeit von $0,78 \frac{m}{s}$ hat.

a) Bestimmen Sie die Parameter a und b.

b) Wie lange dauert es, bis er die halbe Grenzgeschwindigkeit erreicht hat?

Wachstum

Wachstum ist das zeitliche Verhalten einer Messgröße. Zunächst wird zu einem bestimmten Zeitpunkt t_1 der Wert dieser Größe bestimmt. Zu einem späteren Zeitpunkt t_2 wird der Wert dieser Größe wieder bestimmt. Ist dieser zweite Wert $W(t_2)$ größer als der erste $W(t_1)$, dann spricht man von positivem Wachstum. Dieser Fall entspricht dem allgemeinen Sprachgebrauch. Ist $W(t_2)$ kleiner als $W(t_1)$, spricht man von negativem Wachstum.
Im Falle $W(t_2) = W(t_1)$ spricht man von Nullwachstum.

(Quelle: Wikipedia)

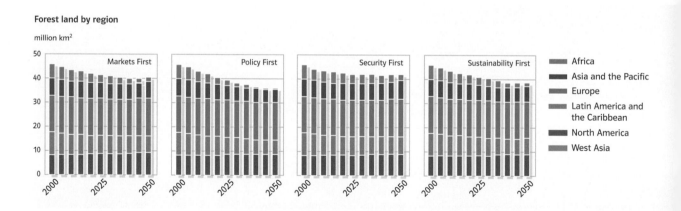

Forest land by region

million km²

Markets First — Policy First — Security First — Sustainability First

Africa
Asia and the Pacific
Europe
Latin America and the Caribbean
North America
West Asia

Das kennen Sie schon

– Wachstumsvorgänge schrittweise berechnen
– Exponentielles Wachstum mit Funktionen beschreiben
– Einfache Wachstumsvorgänge modellieren

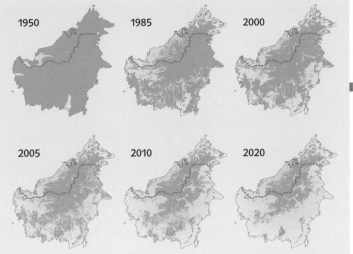

Extent of deforestation in Borneo 1950–2005, and projection towards 2020. The tropical lowland and highland forests of Borneo, including vast expanses of rainforest, have decreased rapidly after the end of the second world war. Forests are burned, logged and clear, and commonly replaced with agricultural land, built-up areas or palm oil plantations. These areas represent habitat for species, such as Orangutan and elephants.

(Quelle: UNEP/GRID-Arendal)

Der Zusammenhang von der Abnahme der Waldfläche und der Zunahme der Bioölplantagen wird in den Grafiken dargestellt. Sie unterscheiden sich aufgrund verschiedener Modellannahmen, die entweder die Wirtschaft, die Politik, die Sicherheit oder die Nachhaltigkeit in den Vordergrund stellen.

Modern biofuel plantations as percentage of total land cover by region

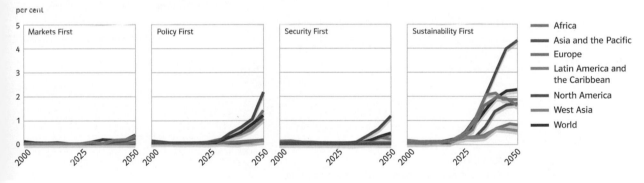

In diesem Kapitel

Zahl und Maß

Daten und Zufall

Beziehung und Änderung

Modell und Simulation

Muster und Struktur

Form und Raum

- werden Folgen eingeführt.
- werden Eigenschaften von Folgen nachgewiesen.
- lernen Sie weitere Wachstumsarten kennen und unterscheiden.
- werden Differenzialgleichungen verwendet.

1 Veränderungen mit Folgen beschreiben

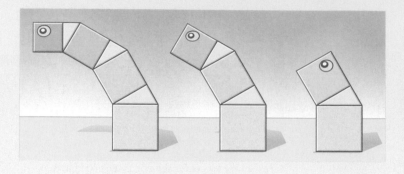

Dradrate sind aus Quadraten und rechtwinkligen Dreiecken, bei denen ein Winkel 30° beträgt, aufgebaut. Das größte Quadrat hat die Seitenlänge 1.
Ob es wohl ein Dradrat mit beliebig großem Flächeninhalt gibt?
Ob es wohl ein Dradrat gibt, das mit seinem „Kopf" den Boden berührt?

Wachstumsvorgänge kann man schrittweise oder kontinuierlich beschreiben. Zunächst wird die schrittweise Beschreibung betrachtet.

Ein Geldbetrag von 5000 € wird bei einer Bank zu einem Zinssatz von 5 % für mehrere Jahre angelegt. Das Kapital $K(n)$ in € für ein Jahr n kann man mithilfe des Kapitals aus dem vorhergehenden Jahr $n - 1$ berechnen:
$K(1) = 1{,}05 \cdot K(0) = 5250$;
$K(2) = 1{,}05 \cdot K(1) = 1{,}05^2 \cdot K(0) = 5512{,}50$;
$K(3) = 1{,}05 \cdot K(2) = 1{,}05^2 \cdot K(1) = 1{,}05^3 \cdot K(0) = 5788{,}13$ usw.

recurrere (lat.): zurückgehen

Die Werte $K(n)$ für $n = 0; 1; 2; 3; \ldots$ bilden eine **Folge**. Man erkennt, dass man die Berechnung einer Folge auf zwei verschiedene Arten darstellen kann.

Jahr n	K(n) in €
0	5000,00
1	5250,00
2	5512,50
3	5788,13
4	6077,53
5	6381,41
6	6700,48
7	7035,50
8	7387,28
9	7756,64
10	8144,47

Rekursive Darstellung

Das Kapital des Jahres n wird durch Zurückgehen auf das Kapital des Jahres $n - 1$ berechnet.
$\mathbf{K(n) = 1{,}05 \cdot K(n - 1)}$ $(n = 1; 2; 3; \ldots)$,
wobei $K(0) = 5000$.

Die Werte einer Folge kann man in einer Tabelle angeben oder durch einen Graphen aus einzelnen Punkten veranschaulichen (Fig. 1).
Die Punkte des Graphen werden nicht wie bei einem Funktionsgraphen verbunden.

Explizite Darstellung

Das Kapital nach n Jahren wird unmittelbar durch Einsetzen von n berechnet.

$\mathbf{K(n) = 5000 \cdot 1{,}05^n}$ $(n = 0; 1; 2; 3; \ldots)$

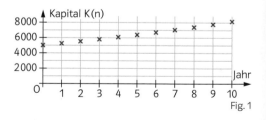

Fig. 1

Statt $a(n)$ wird auch die Schreibweise a_n verwendet. Die Folgenwerte werden auch als Folgenglieder bezeichnet.

Definition: Wenn man jeder natürlichen Zahl n einen Zahlenwert $a(n)$ zuordnet, so nennt man diese Zuordnung eine **Folge a**. Für eine Folge gibt es die

rekursive Darstellung:
Die Berechnung von $a(n)$ für $n = 1; 2; 3; \ldots$ wird mithilfe zuvor berechneter Folgenwerte durchgeführt. Dabei ist ein Anfangswert $a(0)$ gegeben.

explizite Darstellung:
Die Berechnung von $a(n)$ für beliebiges n erfolgt unmittelbar durch Einsetzen von n.

In der Regel versucht man, eine Folge explizit darzustellen, weil sich dann z.B. das hundertste Folgenglied sofort berechnen lässt.

Bei der in Fig. 1 auf Seite 172 dargestellten Folge werden die Werte immer größer. Es gibt auch Folgen, die sich anders verhalten, wie die folgenden Graphen exemplarisch zeigen.

Solche typischen Eigenschaften von Folgen werden in den nächsten Lerneinheiten näher untersucht.

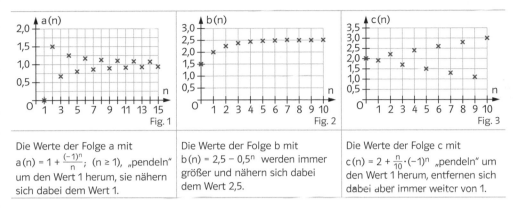

Fig. 1 Fig. 2 Fig. 3

Die Werte der Folge a mit $a(n) = 1 + \frac{(-1)^n}{n}$; $(n \geq 1)$, „pendeln" um den Wert 1 herum, sie nähern sich dabei dem Wert 1.	Die Werte der Folge b mit $b(n) = 2{,}5 - 0{,}5^n$ werden immer größer und nähern sich dabei dem Wert 2,5.	Die Werte der Folge c mit $c(n) = 2 + \frac{n}{10} \cdot (-1)^n$ „pendeln" um den Wert 1 herum, entfernen sich dabei aber immer weiter von 1.

Wie bei Funktionen gibt es auch Folgen mit eingeschränkter Definitionsmenge. So muss z.B. bei der Folge a vorausgesetzt werden, dass $n \geq 1$ ist, damit nicht durch 0 im Nenner dividiert wird.

Beispiel 1 Werte und Graph einer Folge

Eine Folge a hat die rekursive Darstellung $a(n) = 4 - 0{,}9 \cdot a(n-1)$; $a(0) = 1$.

a) Berechnen Sie die Werte $a(1)$, $a(2)$ und $a(3)$.

b) Stellen Sie den Graphen von f mit dem GTR im Bereich $0 \leq n \leq 20$ dar.

■ Lösung: a) $a(1) = 4 - 0{,}9 \cdot a(0) = 4 - 0{,}9 \cdot 1 = 3{,}1$

$a(2) = 4 - 0{,}9 \cdot a(1) = 4 - 0{,}9 \cdot 3{,}1 = 1{,}21$

$a(3) = 4 - 0{,}9 \cdot a(2) = 4 - 0{,}9 \cdot 1{,}21 = 2{,}911$

b) Siehe die folgenden Rechneransichten:

Der Rechner erstellt auch eine Wertetabelle:

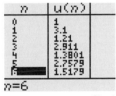

Fig. 4

Einstellung des Folgenmodus	Eingabe der rekursiven Darstellung	Einstellung des Zeichenfensters	Grafische Darstellung
NORMAL SCI ENG FLOAT 0123456789 RADIAN DEGREE FUNC PAR POL **SEQ** CONNECTED DOT SEQUENTIAL SIMUL REAL a+bi re^θi FULL HORIZ G-T SET CLOCK 05/08/07 09:20	Plot1 Plot2 Plot3 nMin=0 \u(n)◼4-0.9u(n-1) u(nMin)◼{1} \v(n)=◼ v(nMin)= \w(n)=	WINDOW nMin=0 nMax=20 PlotStart=1 PlotStep=1 Xmin=0 Xmax=20 ↓Xscl=◼	
Fig. 5	Fig. 6	Fig. 7	Fig. 8

Um den Graph einer Folge mit expliziter Darstellung zu zeichnen, lässt man bei der Eingabe den Startwert (bei u(nmin)) weg.

Beispiel 2 Rekursive und explizite Darstellungen von Folgen bestimmen

a) Die ersten Werte einer Folge a sind $5; \frac{5}{2}; \frac{5}{4}; \frac{5}{8}; \frac{5}{16}$. Geben Sie eine rekursive und eine explizite Darstellung an, die zu der Folge passt.

b) Geben Sie eine Darstellung der Folge $1; 2; 5; 10; 17; 26; 37; \ldots$ an.

■ Lösung: a) *Man muss einen Folgenwert immer mit $\frac{1}{2}$ multiplizieren, um den nächsten zu erhalten.*

Rekursive Darstellung: $a(n) = \frac{1}{2} \cdot a(n-1)$; mit $a(0) = 5$.

Eine explizite Darstellung erhält man, indem man die rekursive Darstellung wiederholt einsetzt:

$a(0) = 5$; $a(1) = \frac{1}{2} \cdot 5$; $a(2) = \frac{1}{2} \cdot a(1) = \frac{1}{2} \cdot \frac{1}{2} \cdot 5 = \left(\frac{1}{2}\right)^2 \cdot 5$; $a(3) = \frac{1}{2} \cdot a(2) = \frac{1}{2} \cdot \left(\frac{1}{2}\right)^2 \cdot 5 = \left(\frac{1}{2}\right)^3 \cdot 5$; $\ldots$

Explizite Darstellung: $a(n) = 5 \cdot \left(\frac{1}{2}\right)^n$.

b) *Die Folgenglieder sind um 1 größer als die Quadratzahlen $0; 1; 4; 9; 16; 25; 36; \ldots$*

Explizite Darstellung: $a(n) = n^2 + 1$.

Eine rekursive Darstellung bei Beispiel 2 b) ist $a(n) = a(n-1) + 2n - 1$ mit $a(0) = 1$.

Aufgaben

Der GTR kann immer zur Kontrolle verwendet werden, auch wenn er für die Aufgabenlösung nicht nötig ist.

1 Erstellen Sie für $n \leq 6$ eine Wertetabelle der Folge und zeichnen Sie ihren Graphen.

a) $a(n) = 2n - 1$ b) $a(n) = \frac{n-3}{n+1}$ c) $a(n) = (-1)^n$ d) $a(n) = \left(\frac{9}{10}\right)^n$

2   a) $a(n) = (-1,1)^n$ b) $a(n) = \cos(\pi n)$ c) $a(n) = n - \frac{1}{n+1}$ d) $a(n) = \sqrt{n^2 - n}$

3 Berechnen Sie $a(2)$ und erstellen Sie den Graphen der Folge für $n \leq 10$. Beschreiben Sie das Verhalten der Folge.

a) $a(n) = a(n-1) + 2;\ a(0) = -3$ b) $a(n) = a(n-1) + n;\ a(0) = 0$

c) $a(n) = 1 + \frac{1}{a(n-1)};\ a(0) = 1$ d) $a(n) = \frac{2}{3}a(n-1) - 1;\ a(0) = 3$

4 Bestimmen Sie je eine rekursive und eine explizite Darstellung zu der Folge.

a) $4;\ 8;\ 12;\ 16;\ 20;\ 24;\ 28;\ \ldots$ b) $1;\ 2;\ 4;\ 8;\ 16;\ 32;\ 64;\ \ldots$

c) $4;\ 7;\ 10;\ 13;\ 16;\ 19;\ 22;\ \ldots$ d) $-1;\ 0;\ 3;\ 8;\ 15;\ 24;\ 35;\ \ldots$

e) $2;\ 1;\ \frac{1}{2};\ \frac{1}{4};\ \frac{1}{8};\ \frac{1}{16};\ \frac{1}{32};\ \ldots$ f) $0;\ 2;\ 6;\ 12;\ 20;\ 30;\ 42;\ \ldots$

Tipp:
Rechnen Sie zunächst einige Folgenglieder aus.

5 Bestimmen Sie eine explizite Darstellung.

a) $a(n) = a(n-1) + 5;\ a(0) = 2$ b) $a(n) = 3a(n-1);\ a(0) = 1$

c) $a(n) = 1 - a(n-1);\ a(0) = 0,5$ d) $a(n) = a(n-1) + 2n - 1;\ a(0) = 0$

Zeit zu überprüfen

6 Bestimmen Sie zu der Folge a mit $a(n) = n \cdot (n+1)$ die ersten fünf Glieder, zeichnen Sie ihren Graphen für $n \leq 6$ und beschreiben Sie ihr Verhalten.

7 Bestimmen Sie je eine rekursive und eine explizite Darstellung zu der Folge.

a) $-2;\ 1;\ 4;\ 7;\ 10;\ 13;\ 16;\ \ldots$ b) $1;\ 0,1;\ 0,01;\ 0,001;\ 0,0001;\ 0,00001;\ \ldots$

Tipp:
Vergleichen Sie $a(n)$ und $a(n-1)$.

8 Geben Sie eine rekursive Darstellung an.

a) $a(n) = n + 5$ b) $a(n) = \left(\frac{3}{2}\right)^n$ c) $a(n) = (-1)^n$ d) $a(n) = \frac{1}{2}n^2 + \frac{1}{2}n$

⊛ CAS
Geldwachstum

9 Ein Kapital beträgt anfangs 5000 €. Berechnen Sie die Werte für die ersten 10 Jahre und stellen Sie sie grafisch dar. Beschreiben Sie das Verhalten der Kapitalentwicklung.

a) Das Kapital wird am Ende jedes Jahres um 1000 € erhöht.

b) Die Zinsen kommen am Ende des Jahres zu dem Kapital hinzu, das mit 4 % verzinst wird.

c) Das Kapital wird am Ende jedes Jahres um 1000 € erhöht. Anschließend werden immer 8 % des Kapitals entnommen.

d) Das Kapital wird mit 4 % verzinst. Die Zinsen kommen am Ende des Jahres zu dem Kapital hinzu. Danach wird immer ein Betrag von 500 € entnommen.

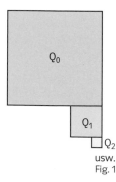

10 In Fig. 1 ist eine Folge von Quadraten $Q_0;\ Q_1;\ Q_2;\ \ldots$ abgebildet. Die Seitenlänge a_0 des ersten Quadrates Q_0 beträgt 1 LE.

a) Die Seitenlängen haben die rekursive Darstellung $a_n = \frac{1}{3}a_{n-1}$. Geben Sie eine explizite Darstellung für die Folge a der Seitenlängen an. Ab welchem n ist die Seitenlänge a_n kleiner als 0,001 LE?

b) Mit A_n wird die Summe der Flächeninhalte der Quadrate $Q_0;\ Q_1;\ \ldots;\ Q_n$ bezeichnet. Berechnen Sie A_n für $n \leq 6$. Geben Sie eine rekursive Darstellung für A_n an.

usw.
Fig. 1

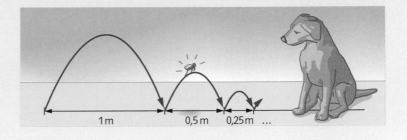
2 Monotonie und Beschränktheit von Folgen

Ein Floh springt zu Beginn 1m weit, danach $\frac{1}{2}$m, dann $\frac{1}{4}$m, $\frac{1}{8}$m usw.
Kommt der Floh zum Hund?
Wie ist es, wenn der Floh zuerst 1m weit springt, danach $\frac{1}{2}$m, dann $\frac{1}{3}$m, $\frac{1}{4}$m, $\frac{1}{5}$m usw.?

Die Graphen in Fig. 1–3 veranschaulichen verschiedene Eigenschaften, die Folgen haben können:

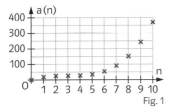
Fig. 1

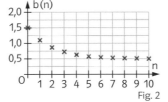
Fig. 2

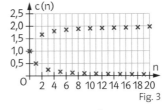
Fig. 3

$a(n) = n^3 - 9n^2 + 27n$
Monoton wachsend, nicht nach oben beschränkt, da $a(n) \to \infty$ für $n \to \infty$.

$b(n) = 0{,}5 + 0{,}6^n$
Monoton fallend, untere Schranke 0,5, da $a(n) \geq 0{,}5$ für $n \in \mathbb{N}$.

$c(n) = 1 + (-1)^n \cdot \frac{n}{n+1}$
Obere bzw. untere Schranke 3 bzw. –1, aber nicht monoton.

Bei einer beschränkten Folge sind auch andere Schranken möglich, z.B. bei der Folge b die untere Schranke 0.

> **Definition:**
> Eine Folge a heißt **monoton wachsend**, wenn für alle natürlichen Zahlen n gilt, dass $a(n+1) \geq a(n)$.
>
> Eine Folge a heißt **monoton fallend**, wenn für alle natürlichen Zahlen n gilt, dass $a(n+1) \leq a(n)$.
>
> Eine Folge a heißt **nach oben beschränkt**, wenn es eine Zahl S gibt, sodass für alle natürlichen Zahlen n gilt: $a(n) \leq S$.
> S heißt **obere Schranke**.
>
> Eine Folge a heißt **nach unten beschränkt**, wenn es eine Zahl s gibt, sodass für alle natürlichen Zahlen n gilt: $a(n) \geq s$.
> s heißt **untere Schranke**.

Eine nach oben und nach unten beschränkte Folge nennt man kurz **beschränkt**.

Wenn bei einer Folge a sogar $a(n+1) > a(n)$ für alle natürlichen Zahlen n gilt, nennt man die Folge **streng monoton wachsend**. Entsprechend wird streng monoton fallend definiert. Nachweisen kann man Monotonie mithilfe der Differenz $a(n+1) - a(n)$.
Ist $a(n+1) - a(n) \geq 0$ für alle n, so ist a monoton steigend.
Ist $a(n+1) - a(n) \leq 0$ für alle n, so ist a monoton fallend.

Beispiel 1 Untersuchung auf Monotonie
Untersuchen Sie die Folge auf Monotonie.

a) $a(n) = 5 - n^2 + n$ b) $b(n) = \frac{n}{n - 4{,}5}$ c) $c(n) = \frac{3n-2}{2n}$ $(n \geq 1)$ d) $d(n) = \frac{1}{2}d(n-1);$
                                                          $d(0) = 5$

■ Lösung: *Mithilfe der Graphen kann man Vermutungen aufstellen.*
a) Vermutung (Fig. 4): a ist monoton fallend. *Begründung mithilfe der Differenz:*
$a(n+1) - a(n) = 5 - (n+1)^2 + (n+1) - (5 - n^2 + n) = 5 - n^2 - 2n - 1 + n + 1 - 5 + n^2 - n = -2n \leq 0$
für alle $n \in \mathbb{N}$. Die Folge a ist monoton fallend (nicht streng monoton fallend, denn $a(0) = a(1)$).

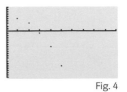
Fig. 4

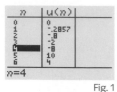

Fig. 1

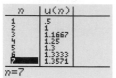

Fig. 2

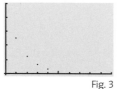

Fig. 3

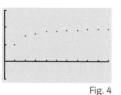

Fig. 4

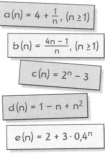

$a(n) = 4 + \frac{1}{n}$, $(n \geq 1)$

$b(n) = \frac{4n-1}{n}$, $(n \geq 1)$

$c(n) = 2^n - 3$

$d(n) = 1 - n + n^2$

$e(n) = 2 + 3 \cdot 0{,}4^n$

Fig. 5

b) *An den Tabellenwerten (Fig. 1) erkennt man* $b(4) = -8$; $b(5) = 10$; $b(6) = 4$; *also* $b(4) < b(5)$ *und* $b(5) > b(6)$. Die Folge b(n) ist nicht monoton.

c) Vermutung: c ist streng monoton wachsend (Fig. 2).

$c(n) = \frac{3n-2}{2n} = \frac{3}{2} - \frac{1}{n}$. Da $\frac{1}{n}$ mit wachsendem n immer kleiner wird, wird $\frac{3}{2} - \frac{1}{n}$ immer größer. Also ist c streng monoton wachsend.

d) Vermutung (Fig. 3): d ist streng monoton fallend. *Begründung mithilfe der Differenz:*

$d(n + 1) - d(n) = \frac{1}{2}d(n) - d(n) = -\frac{1}{2}d(n) < 0$, da $d(0)$ und da $d(n) > 0$ für alle n.

Beispiel 2 Nachweis von Beschränktheit

Zeigen Sie, dass die Folge a mit $a(n) = \frac{2n-1}{n}$; $n \geq 1$, beschränkt ist.

■ Lösung: *Mithilfe des Graphen von a (Fig. 4) kann man Schranken vermuten.*

Die Zahl 0 ist eine untere Schranke. Da Zähler und Nenner für $n \geq 1$ immer positiv sind, gilt $a(n) > 0$.

Die Zahl 2 ist eine obere Schranke, denn $a(n) = 2 - \frac{1}{n} < 2$, da $\frac{1}{n}$ für alle $n \geq 1$ positiv ist.

Aufgaben

1 In Fig. 5 sind Folgen definiert. Geben Sie davon (ohne Nachweis) alle Folgen an, für die gilt:

a) Die Folge hat die obere Schranke 4. b) Die Folge ist monoton fallend.

c) Es gilt für alle n: $a(n + 1) > a(n)$. d) Für alle n gilt $a(n) > 0$.

e) Die Folge ist nicht nach oben beschränkt.

f) Die Folge ist monton wachsend, aber nicht streng monoton wachsend.

2 Untersuchen Sie die Folge auf Monotonie.

a) $a(n) = 2n - 3$ b) $a(n) = \frac{2n}{2n-3}$ c) $a(n) = \left(\frac{1}{2}\right)^n$ d) $a(n) = 1 - 2n^2$

e) $a(n) = \frac{4n+2}{n}$; $(n \geq 1)$ f) $a(n) = (-1{,}5)^n$ g) $a(n) = \frac{3n+1}{n^2}$; $(n \geq 1)$ h) $a(n) = \cos\frac{n\pi}{4}$

3 Begründen Sie, dass die Folge a monoton wachsend oder fallend ist.

a) $a(n) = 1{,}05\,a(n - 1)$; $a(0) = 500$ b) $a(n) = a(n - 1) - n$; $a(0) = 0$

c) $a(n) = \frac{n^2 + n + 1}{2n}$; $(n \geq 1)$ d) $a(n) = n - \frac{1}{n}$; $(n \geq 1)$

4 Untersuchen Sie die Folge a auf Beschränktheit.

a) $a(n) = n$ b) $a(n) = \frac{2}{n+1}$ c) $a(n) = 2 - \frac{3}{n}$; $(n \geq 1)$ d) $a(n) = \frac{4n+8}{2n}$; $(n \geq 1)$

e) $a(n) = \frac{2n-3}{2n+3}$ f) $a(n) = (-1)^n$ g) $a(n) = (-2)^n$ h) $a(n) = \left(\frac{1}{2}\right)^n + \frac{1}{n+1}$

i) $a(n) = \sin(n)$ j) $a(n) = 0{,}9\,a(n - 1)$; $a(0) = 1$ k) $a(n) = a(n - 1) + 0{,}1^n$; $a(0) = 0$

Zeit zu überprüfen

5 Untersuchen Sie die Folge a mit $a(n) = n^2 - n$

a) auf Monotonie, b) auf Beschränktheit.

6 Zeigen Sie, dass die Folge a beschränkt und monoton ist.

a) $a(n) = \frac{2n-5}{2n}$; $(n \geq 1)$ b) $a(n) = \frac{8}{9}a(n - 1)$; $a(0) = 1000$

c) Die Folge a, die sich ergibt, wenn man von einem Geldbetrag von anfänglich 1000 € jedes Jahr 20 % des Restkapitals abhebt (ohne Berücksichtigung der Zinsen).

◎ CAS
Monotonie und
Beschränktheit
einer Folge

7 Geben Sie, falls möglich, eine Folge an mit den Eigenschaften

a) monoton fallend und beschränkt,

b) nicht monoton, aber beschränkt,

c) weder monoton noch beschränkt,

d) nicht beschränkt, aber monoton.

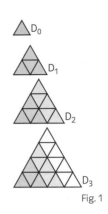

Fig. 1

8 In Fig. 1 sind Dreiecke D_0, D_1, D_2, D_3 abgebildet, die man sich entsprechend fortgesetzt denkt (D_4, D_5, ...).

a) Wie viele kleine Dreiecke bilden das Dreieck D_4 bzw. D_7?

b) Geben Sie eine rekursive und eine explizite Darstellung für die Folge a der Anzahl der kleinen Dreiecke in der Dreiecksfolge an. Ist die Folge a monoton bzw. beschränkt?

9 a) Eine Folge a habe nur positive Folgenglieder.

Begründen Sie: Wenn für alle n gilt, dass $\frac{a(n+1)}{a(n)} \geq 1$, dann ist a monoton wachsend.

b) Weisen Sie mithilfe der Eigenschaft von Teilaufgabe a) nach, dass die Folgen a und b mit

$a(n) = 2 \cdot 1{,}1^n$ bzw. $b(n) = \frac{n}{n+1}$ monoton wachsend sind.

c) Geben Sie eine Eigenschaft wie in a) für eine Folge a an, die streng monoton fallend ist.

Zeigen Sie damit, dass die Folge a mit $a(n) = \left(\frac{3}{4}\right)^n$ streng monoton fallend ist.

d) Wieso ist die Voraussetzung, dass die Folge a nur positive Folgenglieder hat, in Teil a) nötig?

10 Begründen Sie: Eine monoton wachsende Folge ist nach unten, eine monoton fallende Folge ist nach oben beschränkt.

11 Ein Kapital beträgt anfangs 5000 €. Mit $K(n)$ wird das Kapital nach n Jahren bezeichnet. Untersuchen Sie die Folge K auf Monotonie und Beschränktheit.

a) Das Kapital wird am Ende jedes Jahres um 1000 € erhöht.

b) Das Kapital wird jedes Jahr mit 4 % verzinst

c) Das Kapital wird mit 4 % verzinst. Die Zinsen kommen am Ende des Jahres zu dem Kapital hinzu. Danach wird, falls möglich, immer der gleiche Betrag von 150 € bzw. 200 € bzw. 250 € entnommen.

12 Bei der „Quadratpflanze" (Fig. 2–4) bildet sich aus dem Ausgangsquadrat Q_0 in der ersten Generation die „Pflanze" Q_1, in der nächsten Generation die „Pflanze" Q_2 usw. Die „Pflanze" Q_n hat für jedes $n \in \mathbb{N}$ den Umfang U_n und den Flächeninhalt A_n.

a) Bestimmen Sie U_n und A_n für n = 0; 1; 2; 3 und bestätigen Sie:

$U_n = 4 + 2n$ und $A_n = \frac{3}{2} - \frac{1}{2} \cdot \left(\frac{1}{3}\right)^n$.

b) Untersuchen Sie die Folgen U bzw. A auf Monotonie und Beschränktheit. Nehmen Sie Fig. 5 zu Hilfe.

Die Neuzüchtung Broccoli Romanesco hat einen ähnlichen Aufbau wie die „Quadratpflanze".

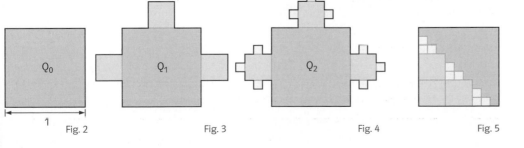

Fig. 2   Fig. 3   Fig. 4   Fig. 5

3 Grenzwerte von Folgen

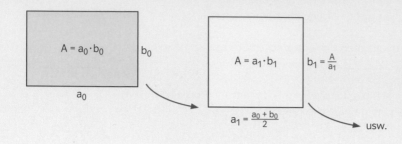

Heron von Alexandria (20 bis 62 n. Chr.) erfand ein Verfahren, mit dem man ein beliebiges Rechteck mit Flächeninhalt A schrittweise einem Quadrat mit gleichem Flächeninhalt A annähern kann.
Damit kann man Quadratwurzeln näherungsweise bestimmen.

Die Werte der Folgen a und b in Fig. 1 und Fig. 2 kommen mit wachsendem n dem Wert 1 beliebig nahe. Man sagt, die Folgen a und b haben den **Grenzwert** g = 1. Die Folge c hat dagegen keinen Grenzwert, sie „springt" zwischen zwei Werten hin und her.

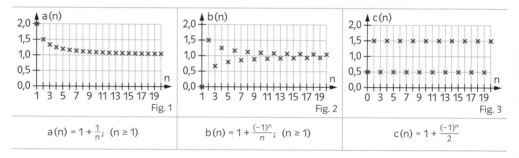

| $a(n) = 1 + \frac{1}{n}$; $(n \geq 1)$ | $b(n) = 1 + \frac{(-1)^n}{n}$; $(n \geq 1)$ | $c(n) = 1 + \frac{(-1)^n}{2}$ |

Den griechischen Buchstaben ε **(Epsilon)** verwenden Mathematiker, wenn sie eine kleine positive Zahl meinen.

Um den Begriff Grenzwert zu definieren, stellt man sich vor, dass man um g einen schmalen Streifen der Breite 2ε legt. Der Streifen darf beliebig schmal sein – ab einer bestimmten Stelle n müssen alle Folgenwerte in dem Streifen liegen. Ihr Abstand von g ist dann kleiner als ε.

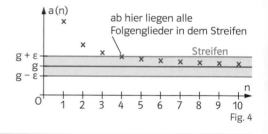

> **Definition:** Eine **Folge a hat den Grenzwert g**, wenn es für jede beliebige Zahl ε > 0 ein n gibt, ab dem alle Folgenglieder einen Abstand von g haben, der kleiner als ε ist.
> Wenn eine Folge a den Grenzwert g hat, schreibt man **$a(n) \to g$** oder $\lim\limits_{n\to\infty} a(n) = g$.

Man kann mit der Definition nachweisen, dass die Folge a aus Fig. 1 den Grenzwert g = 1 hat. Der Abstand der Folgenglieder von g ist: $|a(n) - g| = \left|1 + \frac{1}{n} - 1\right| = \frac{1}{n}$. Ist z.B. ε = 0,001, so muss gelten $\frac{1}{n} < 0,001$, also n > 1000, damit der Abstand von g ab der Nummer n kleiner als ε ist. Ist ε irgendeine andere Zahl, so muss entsprechend gelten: $\frac{1}{n} < ε$ bzw. $n > \frac{1}{ε}$.

Da dieses Vorgehen aufwendig ist, verwendet man meist ein einfacheres Verfahren. Bei einer Folge wie a mit $a(n) = \frac{6n-1}{3n-1}$ klammert man n aus und erhält für $n \to \infty$:

$$a(n) = \frac{n\left(6 - \frac{1}{n}\right)}{n\left(3 - \frac{1}{n}\right)} = \frac{6 - \frac{1}{n}}{3 - \frac{1}{n}} \to \frac{6}{3} = 2, \text{ da } \frac{1}{n} \to 0.$$

Das Verfahren entspricht dem Vorgehen bei gebrochenrationalen Funktionen (vgl. Seite 137).

Das Verfahren lässt sich mit der Definition begründen. Es hat zudem den Vorteil, dass man damit den Grenzwert einer Folge bestimmen kann.

Wenn eine nach oben beschränkte Folge $a(n)$ monoton wachsend ist, hat sie einen Grenzwert g. Dabei ist g die kleinste Zahl, sodass $a(n) \leq g$ für alle n gilt (Fig. 1). Analog hat eine monoton fallende nach unten beschränkte Folge $a(n)$ die größte Zahl g, für die $a(n) \geq g$ ist, als Grenzwert.

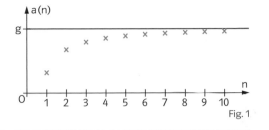

Fig. 1

Satz: Jede monotone beschränkte Folge hat einen Grenzwert.

Diese Eigenschaft ist im Grunde nicht beweisbar, aber anschaulich einleuchtend. Sie wird deshalb als Axiom verwendet.

Mithilfe dieser Eigenschaft kann man viele reelle Zahlen als Grenzwert einer Folge beschreiben. Auch „alte Bekannte" wie $\sqrt{2}$ oder die Euler'sche Zahl e kann man damit festlegen (siehe den Infokasten auf Seite 181).

◎ CAS
Berechnung eines Grenzwertes

Beispiel 1   Bestimmung und Nachweis von Grenzwerten
Welchen Grenzwert g hat die Folge? Begründen Sie Ihre Antwort.

a) $a(n) = \frac{3n}{2n^2 + 5}$

b) $b(n) = \frac{5 + 2^n}{2^n}$

■ Lösung: a) $a(n) = \frac{3n}{2n^2 + 5} = \frac{n \cdot 3}{n^2 \cdot \left(2 + \frac{5}{n^2}\right)} = \frac{3}{n \cdot \left(2 + \frac{5}{n^2}\right)}$.

Man sieht nun, dass der Nenner für $n \to \infty$ beliebig groß wird und der Zähler konstant ist.

Das heißt $\frac{3n}{2n^2 + 5} \to 0$ für $n \to \infty$.

Daher gilt $\lim\limits_{n \to \infty} a(n) = 0$.

b) Für $n \to \infty$ ergibt sich $b(n) = \frac{5 + 2^n}{2^n} = \frac{5}{2^n} + 1 \to 1$, da $\frac{5}{2^n} \to 0$.

Also gilt $\lim\limits_{n \to \infty} b(n) = 1$.

Beispiel 2   Untersuchung auf Grenzwerte
Untersuchen Sie, ob die Folge einen Grenzwert hat. Argumentieren Sie in Worten.

a) $0,1$; $0,102$; $0,10203$; ...

b) $b(n) = 3n + 1$

c) $c(n) = (-1)^n$

■ Lösung: a) Die Folge ist monoton wachsend, weil immer mehr Dezimalen dazukommen. Sie ist nach oben beschränkt, weil alle Folgenglieder kleiner als 1 sind. Also hat sie einen Grenzwert.
b) b hat keinen Grenzwert, weil je zwei Folgenglieder den Abstand 3 haben. Ihr Abstand zu einem möglichen Grenzwert kann nicht beliebig klein werden.
c) c hat keinen Grenzwert, weil aufeinanderfolgende Folgenglieder den Abstand 2 haben. Ihr Abstand zu einem möglichen Grenzwert kann nicht beliebig klein werden.

Beispiel 3   Aussagen über Grenzwerte
Wahr oder falsch? Begründen Sie.

a) Jede Folge, die einen Grenzwert hat, ist monoton.

b) Es gibt eine Folge b der Form $b(n) = \int\limits_0^n f(x)\,dx$, die einen Grenzwert hat.

c) Nicht jede beschränkte Folge hat einen Grenzwert.

■ Lösung: a) Falsch: Die Folge a mit $a(n) = \frac{(-1)^n}{n}$ hat den Grenzwert 0, aber ihre Folgenglieder wechseln dauernd das Vorzeichen. Also ist f nicht monoton.

b) Richtig: Mit $f(x) = e^{-x}$ erhält man $b(n) = \int\limits_0^n f(x)\,dx = 1 - e^{-n}$ mit $\lim\limits_{n \to \infty} b(n) = 1$.

c) Richtig: Die Folge c mit $c(n) = (-1)^n$ ist beschränkt, hat aber keinen Grenzwert.

ℝ Referate
Folgen und Reihen
735301-1791

Aufgaben

Bei der Suche nach einem Grenzwert kann auch der Graph der Folge nützlich sein.

1 Geben Sie – ohne Nachweis – den Grenzwert der Folge an.

a) $a(n) = \frac{1}{n^2}$

b) $b(n) = \frac{6n}{2n-1}$

c) $c(n) = \left(\frac{1}{2}\right)^n$

d) $d(n) = 1 - \frac{1}{n}$

e) $e(n) = \frac{4n}{n+2}$

f) $f(n) = \frac{1-2n}{n}$

g) $g(n) = 1 + \frac{3n}{n+1}$

h) $h(n) = \frac{5 \cdot 2^n + 4}{3 \cdot 2^n}$

2 Bestimmen Sie den Grenzwert wie in Beispiel 1 auf Seite 179.

a) $a(n) = \frac{n+10}{n}$

b) $b(n) = \frac{2n+1}{2n+1}$

c) $c(n) = \frac{3n}{2n+1}$

d) $d(n) = \frac{2n^2+2}{n^2}$

e) $e(n) = \left(\frac{1}{3}\right)^n - 1$

f) $f(n) = \frac{1+2^n}{2^n}$

g) $g(n) = \frac{3n^2+1}{n^3}$

h) $h(n) = \frac{6 \cdot 2^n}{2 + 3 \cdot 2^n}$

3 Wieso hat die Folge keinen Grenzwert?

a) $a(n) = 3n + 2$

b) $b(n) = 1 - (-1)^n$

c) $c(n) = 2n$

d) $d(n) = \frac{1}{n} - n$

e) $e(n) = \frac{n^2}{n+1}$

f) $f(n) = 3n + \frac{3}{n+1}$

g) $g(n) = \cos\frac{n\pi}{4}$

h) $h(n) = \sqrt{n}$

i) $\frac{1}{2}$; 1; $\frac{1}{3}$; 1; $\frac{1}{4}$; 1; $\frac{1}{5}$; ...

j) $j(n) = j(n-1) + 1$; $j(0) = 0$

4 Begründen Sie, dass die Folge einen Grenzwert hat.

a) 0,5; 0,55; 0,555; 0,5555; ...

b) 1; 1,01; 1,0101; 1,010101; ...

c) $a(n) = \frac{1}{2}a(n-1)$; $a(0) = 1$

d) $a(n) = a(n-1) + 0,1^n$; $a(0) = 0$

Zeit zu überprüfen

5 Welchen Grenzwert hat die Folge vermutlich? Weisen Sie das nach.

a) $a(n) = \frac{4n+1}{4n}$

b) $b(n) = 1 + \left(\frac{1}{2}\right)^n$

c) $c(n) = 0,1 c(n-1)$; $c(0) = 10$

6 Untersuchen Sie, ob die Folge einen Grenzwert hat. Begründen Sie.

a) $a(n) = \frac{n^2}{2n^2+1}$

b) $b(n) = 1,1$; 2,02; 3,003; ...

c) $c(n) = c(n-1) + 0,1$; $c(0) = 0$

© CAS
Summe natürlicher Zahlen

Wenn Sie vermuten, dass eine Aussage falsch ist, reicht die Angabe eines Gegenbeispiels. Geben Sie Ihrer Parterin oder Ihrem Partner weitere Aussagen zur Beurteilung.

7 Ziehen Sie drei verschiedenfarbige Zettel aus der Kiste. Für welche Ziehungen können Sie ein Beispiel einer Folge angeben, welche die drei gezogenen Eigenschaften hat?

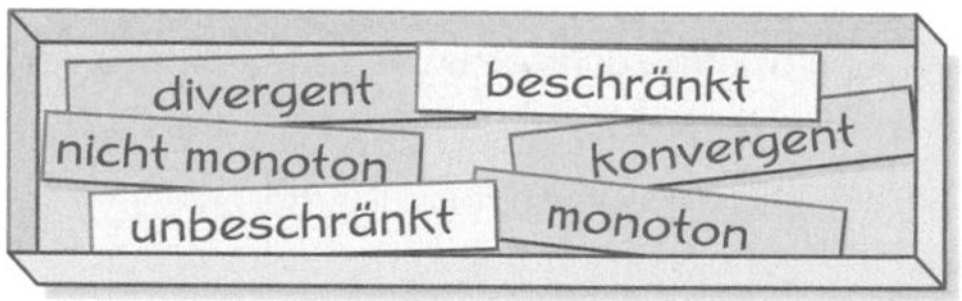

divergent   beschränkt

nicht monoton   konvergent

unbeschränkt   monoton

Fig. 1

8 🨀 Wahr oder falsch? Begründen Sie.

a) Nicht jede Folge, die monoton ist, hat einen Grenzwert.

b) Wenn eine Folge keinen Grenzwert hat, dann ist sie unbeschränkt.

c) Wenn eine Folge f den Grenzwert 0 hat, dann hat die Folge y mit $y(n) = n \cdot f(n)$ keinen Grenzwert.

d) Es gibt eine Folge a der Form $a(n) = \int_1^{2n} f(x)\,dx$, die den Grenzwert 2 hat.

e) Wenn eine Folge einen Grenzwert hat, dann ist sie beschränkt.

9 Fig. 2 zeigt den Anfang einer Folge von Quadraten mit Flächeninhalt A_n. Die Seite eines Quadrates ist jeweils halb so groß wie die des darunter liegenden.

a) Zeigen Sie: Die Folge A_n hat den Grenzwert 0.

b) Hat die Summe der Flächeninhalte $A_0 + ... + A_n$ einen Grenzwert?

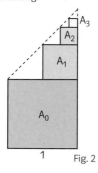

Fig. 2

10 Weisen Sie mit der Definition des Grenzwertes nach, dass die Folge den Grenzwert g hat.

a) $a(n) = \frac{1}{n^2}$; $g = 0$ b) $b(n) = \left(\frac{1}{2}\right)^n$; $g = 0$ c) $c(n) = \frac{2n+1}{n+1}$; $g = 2$

INFO

Zahlen durch Grenzwerte festlegen

Jede monotone und beschränkte Folge hat einen Grenzwert. Mit dieser Eigenschaft kann man bestimmte reelle Zahlen als Grenzwerte definieren. Schon in Klasse 8 wird so die Zahl $\sqrt{2}$ festgelegt. Man bestimmt eine Folge $d(n)$ möglichst großer Dezimalzahlen mit n Dezimalen, für welche die Ungleichung $d(n)^2 < 2$ richtig ist: $d(0) = 1$; $d(1) = 1{,}4$; $d(2) = 1{,}41$; $d(3) = 1{,}414$ usw. Damit erhält man eine monoton wachsende beschränkte Folge, deren Grenzwert als $\sqrt{2}$ festgelegt wird.

Auch die Euler'sche Zahl **e** lässt sich als **Grenzwert** festlegen: $e = \lim\limits_{n \to \infty} \left(1 + \frac{1}{n}\right)^n$.

Man kann zeigen, dass die Folge a mit $a(n) = \left(1 + \frac{1}{n}\right)^n$ monoton wachsend und beschränkt ist.

Die GTR-Ansicht (Fig. 1) bestätigt, dass sich die Folge dem Grenzwert e nähert. Das lässt sich auch mithilfe der e-Funktion plausibel machen:
Die Funktion f mit $f(x) = e^x$ hat die Ableitung $f'(x) = e^x$. Insbesondere gilt $f'(0) = 1$.

Da $f'(0) = \lim\limits_{h \to 0} \frac{e^h - 1}{h}$, gilt für kleine $h \neq 0$: $\frac{e^h - 1}{h} \approx 1$. Setzt man $h = \frac{1}{n}$, so gilt für große n:

$\frac{e^{\frac{1}{n}} - 1}{\frac{1}{n}} \approx 1$, wobei die Näherung für $n \to \infty$ immer besser wird.

Durch Umformen ergibt sich $e^{\frac{1}{n}} \approx 1 + \frac{1}{n}$; $e \approx \left(1 + \frac{1}{n}\right)^n$.

```
(1+1/10)^10
             2.59374246
(1+1/1000)^1000
             2.716923932
(1+1/100000)^100
000
             2.718268237
```
Fig. 1

Man kann zeigen, dass sich e auch als Grenzwert der Summe
$1 + \frac{1}{2} + \frac{1}{6} + \ldots + \frac{1}{n!}$
ergibt. (n! bezeichnet das Produkt der ersten n positiven ganzen Zahlen)

Ⓒ **CAS**
Näherung für e

11 Auch die Folgen f und g mit $f(n) = \left(1 + \frac{2}{n}\right)^n$ und $g(n) = \left(1 - \frac{1}{n}\right)^n$ haben Grenzwerte, die mit der Zahl e zusammenhängen. Welche Vermutung haben Sie dazu?

Was vermuten Sie für $\lim\limits_{n \to \infty} \left(1 + \frac{x}{n}\right)^n$, wenn x irgendeine reelle Zahl ist?

Ⓒ CAS
Kreisumfang bestimmen

12 Die Zahl π als Grenzwert

Archimedes beschrieb schon im 3. Jahrhundert vor Christi Geburt, wie man mithilfe einer Folge U_n den Kreisumfang und damit die Zahl π als Grenzwert erhält.
Er bestimmte zunächst den Umfang U_0 des regelmäßigen Sechsecks, das dem Kreis mit Radius 0,5 einbeschrieben ist (Fig. 2). Danach berechnete er die Umfänge U_1; U_2; … des 12-Ecks, 24-Ecks usw., das durch fortgesetzte Teilung entsteht.

a) Begründen Sie, dass die Folge U_n monoton wachsend und durch den Kreisumfang nach oben beschränkt ist. Was folgt daraus?

b) Bestätigen Sie mithilfe der angegebenen Rechenschritte: Für die Folge der Seitenlängen s_0; s_1; s_2; … des 6-; 12-; 24- … Ecks gilt die Formel $s_{n+1}^2 = \frac{1}{2} \cdot \left(1 - \sqrt{1 - s_n^2}\right)$.

Bestimmen Sie die ersten fünf Glieder der Folgen s_n und U_n und damit eine Näherung für π.

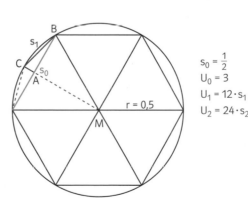

$s_0 = \frac{1}{2}$
$U_0 = 3$
$U_1 = 12 \cdot s_1$
$U_2 = 24 \cdot s_2$

Archimedes von Syrakus (287–212 v. Chr.), griechischer Mathematiker und Ingenieur.

Erinnerung:
π wird als Umfang eines Kreises mit Durchmesser 1 bezeichnet.

$$s_1^2 = \left(\frac{s_0}{2}\right)^2 + (r - \overline{AM})^2$$

$$= \left(\frac{s_0}{2}\right)^2 + \left(\frac{1}{2} - \sqrt{r^2 - \left(\frac{s_0}{2}\right)^2}\right)^2$$

$$= \frac{s_0^2}{4} + \frac{1}{4} - \sqrt{\frac{1}{4} - \frac{s_0^2}{4}} + \frac{1}{4} - \frac{s_0^2}{4} = \frac{1}{2} - \sqrt{\frac{1}{4} - \frac{s_0^2}{4}}$$

$$= \frac{1}{2} \cdot \left(1 - \sqrt{1 - s_0^2}\right)$$

Ⓒ CAS
Berechnungen von π

Fig. 2

4 Exponentielles Wachstum modellieren

⊛ CAS
Simulation eines
Würfelspiels

100 Würfel werden geworfen. Alle Sechsen werden aussortiert. Dann werden die übrigen Würfel geworfen und wieder alle Sechsen aussortiert. So geht es weiter.
Nach wie vielen Würfen sind weniger als 10 Würfel übrig?

n	B(n)	$\frac{B(n)}{B(n-1)}$
0	18	
1	28	1,56
2	46	1,64
3	69	1,50
4	109	1,58
5	165	1,51
6	260	1,58
Mittelwert:		1,56

Fig. 1

Die Tabelle zeigt das Gewicht B(n) in mg, das ein Hefepilz auf einem Nährmedium zur Zeit n (in Stunden) hat.

⊛ CAS
Exponentialfunktion
mit Basis e

Die Verwendung der Zahl e als Basis ermöglicht die Anwendung der Eigenschaften der e-Funktion (siehe Beispiel c).

Diskret kommt von dem lateinischen Wort discernere (trennen).

Auch wenn der Bestand abnimmt, spricht man von exponentiellem Wachstum. Dann gilt: a < 1 und k < 0.

Wachstum kann man mit Folgen oder Funktionen modellieren. In beiden Fällen ist es möglich, die Euler'sche Zahl e bei der Darstellung zu verwenden.

Gilt bei einem Bestand B für jeden Zeitschritt $n \geq 1$ die Rekursion $B(n) = a \cdot B(n-1)$ mit einer Konstanten a, so liegt exponentielles Wachstum mit dem **Wachstumsfaktor** a vor. Will man exponentielles Wachstum bei Daten wie in Fig. 1 nachweisen, untersucht man daher die Quotienten $\frac{B(n)}{B(n-1)}$. Sie sind in nebenstehender Tabelle etwa konstant, daher liegt angenähert exponentielles Wachstum vor. Als Wachstumsfaktor kann man den Mittelwert a = 1,56 verwenden. Damit gilt näherungsweise die rekursive Darstellung $B(n) = 1,56 \cdot B(n-1)$ und damit die explizite Darstellung $B(n) = 18 \cdot 1,56^n$.

Statt der Basis 1,56 kann man mithilfe des Ansatzes $B(n) = 18 e^{kn}$ auch die Basis e verwenden. Es ist dann $e^k = 1,56$; also $k = \ln(1,56) \approx 0,4447$. Für das Gewicht des Hefepilzes erhält man $B(n) = 18 e^{0,4447n}$ als Näherung.

Da der Hefepilz kontinuierlich wächst, kann man auch die Funktion f mit $f(x) = 18 \cdot 1,56^x$ bzw. $f(x) = 18 \cdot e^{0,4447x}$ zur Modellierung verwenden (Fig. 2). So kann man z. B. das Gewicht des Pilzes nach einer halben Stunde berechnen: f(0,5) = 22,5. Wenn die Pilzkultur schon vor Messbeginn angesetzt wurde, kann man das Gewicht des Pilzes zwei Stunden zuvor berechnen: f(−2) = 7,4.

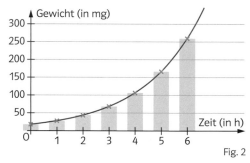

Fig. 2

Exponentielles Wachstum lässt sich beschreiben

mithilfe einer Folge B (diskret):
$B(n) = B(0)a^n$ bzw.
$B(n) = B(0)e^{kn}$ (n = 0; 1; 2; …).
Dabei ist $k = \ln(a)$ die **Wachstumskonstante**.

mithilfe einer Funktion f (kontinuierlich):
$f(x) = f(0)a^x$ bzw.
$f(x) = f(0)e^{kx}$ $(x \in \mathbb{R})$.

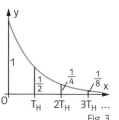

Fig. 3

Man nennt die Zeit, in der sich der Anfangsbestand verdoppelt bzw. halbiert, **Verdoppelungszeit** T_V bzw. **Halbwertszeit** T_H. Weil $f(T_V) = f(0) \cdot e^{k \cdot T_V} = 2 \cdot f(0)$, erhält man $e^{k \cdot T_V} = 2$, also $T_V = \frac{\ln(2)}{k}$ bei k > 0. Entsprechend ergibt sich $T_H = \frac{\ln\left(\frac{1}{2}\right)}{k}$ bei exponentieller Abnahme (k < 0). Nicht nur der Anfangsbestand verdoppelt bzw. halbiert sich in der Zeit T_V, sondern jeder beliebige Bestand, denn es gilt z. B. bei Abnahme
$f(x + T_H) = f(0) \cdot e^{k \cdot (x + T_H)} = f(0) \cdot e^{k \cdot x} \cdot e^{k \cdot T_H} = f(x) \cdot e^{k \cdot T_H} = f(x) \cdot \frac{1}{2}$ für beliebige x.

Beispiel Wachstumskonstanten auf mehrere Arten bestimmen

Die Tabelle zeigt Gewichte G(n) in Gramm einer Schildkröte der Art Testudo hermanni boettgeri. Dabei bezeichnet n die Jahre seit ihrer Geburt.

a) Wieso liegt angenähert exponentielles Wachstum vor?

b) Beschreiben Sie das Wachstum mit einer Funktion:

I: mithilfe des Mittelwertes der Quotienten aufeinanderfolgender Werte,

II: mithilfe des Anfangswertes und eines geeigneten weiteren Datenpunktes,

III: mithilfe des GTR durch eine geeignete Kurvenanpassung.

c) Eine Modellierung ergibt die Funktion f mit $f(x) = 28 \cdot e^{0,45x}$ (x in Jahren, f(x) in Gramm). Wie groß ist die Wachstumsgeschwindigkeit nach 5 Jahren?

n	G(n)	$\frac{G(n)}{G(n-1)}$
0	24	
1	48	2
2	77	1,7
3	115	1,5
4	173	1,5
5	259	1,5
6	389	1,5

Fig. 1

■ Lösung: a) Die Quotienten $\frac{G(n)}{G(n-1)}$ sind angenähert konstant, nur die anfänglichen Werte weichen etwas ab. Man kann das Gewicht also näherungsweise durch exponentielles Wachstum modellieren.

b) Mit f(x) wird das Gewicht in Gramm x Jahre nach der Geburt bezeichnet.

I: Man bestimmt aus den Tabellendaten den Mittelwert a = 1,6, also: $f(x) = 24 \cdot 1,6^x$ bzw. $f(x) = 24 \cdot e^{0,47 \cdot x}$.

II: Ansatz: $f(x) = 24 e^{kx}$. Man verwendet z.B. den Datenpunkt (5|259) und erhält die Gleichung $24 \cdot e^{k \cdot 5} = 259$ mit der Lösung k = 0,4758. *Es ergibt sich praktisch dasselbe Ergebnis wie bei I.*

III: Man gibt die ersten beiden Spalten der Tabelle als Listen in den GTR ein. Das weitere Vorgehen zeigen die Rechneransichten.

Methode II wird meist verwendet, wenn nur zwei Datenpunkte gegeben sind.
In der Regel wird Methode III die „beste" Anpassung liefern.

⑩ CAS
Anleitung Regression

⑩ CAS
Funktionsanpassung

Auswahl exponentielle Anpassung	Parametereingabe	Parameterausgabe	Grafische Darstellung
EDIT **CALC** TESTS 4↑LinReg(ax+b) 5:QuadReg 6:CubicReg 7:QuartReg 8:LinReg(a+bx) 9:LnReg **0**ExpReg	ExpReg L₁,L₂,Y₁■	ExpReg y=a*b^x a=28.33507794 b=1.564805155	
Fig. 3	Fig. 4	Fig. 5	Fig. 6

Als Lösung erhält man $f(x) = 28,33 \cdot 1,5648^x$ bzw. $f(x) = 28,33 \cdot e^{0,4478x}$. *Auch diese Lösung weicht nur wenig ab von den Ergebnissen bei I und II.*

c) *Die Wachstumsgeschwindigkeit ergibt sich als momentane Änderungsrate des Gewichts;* $f'(x) = 28 \cdot 0,45 \cdot e^{0,45x} = 12,6 \cdot e^{0,45x}$; $f'(5) \approx 120$.

Die Wachstumsgeschwindigkeit nach fünf Jahren beträgt etwa 120 Gramm pro Jahr.

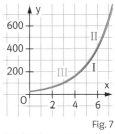

Fig. 7
Die Graphen zeigen, dass die Modellierungen nur wenig voneinander abweichen.

Aufgaben

1 Modellieren Sie die Daten durch exponentielles Wachstum. Bestimmen Sie die Verdopplungszeit bzw. Halbwertszeit, wenn n in Jahren gemessen wird. Verfahren Sie wie im Beispiel mithilfe

a) der Quotienten $\frac{B(n)}{B(n-1)}$, b) von Anfangswert und Datenpunkt, c) einer Kurvenanpassung.

I

n	0	1	2	3	4	5
B(n)	28	35	44	58	70	90

II

n	0	10	20	30	40	50
B(n)	9,1	8,4	7,7	7,2	6,6	6,1

III

n	0	1	2	3	4	5	6
B(n)	85	66	51	40	30	24	19

2   China und Indien hatten 1988 zusammen etwa $1{,}82 \cdot 10^9$ Einwohner und 1989 etwa $1{,}875 \cdot 10^9$ Einwohner.
a) Modellieren Sie mithilfe dieser Daten das Bevölkerungswachstum durch exponentielles Wachstum.
b) Welche Voraussage macht Ihr Modell für die Bevölkerungszahl im Jahre 2000? Tatsächlich betrug die Bevölkerungszahl im Jahre 2000 etwa $2{,}3 \cdot 10^9$. Welche Gründe könnte es für die Abweichung Ihres Modells geben?
c) Wann wächst in Ihrem Modell die Bevölkerung auf vier Milliarden?
d) Wie groß ist in Ihrem Modell die Wachstumsgeschwindigkeit im Jahr 2000?

Jahr	Aussteller
2002	236
2003	256
2004	291
2005	372
2006	454
2007	560

3   Die Solarmesse „Intersolar" fand in den Jahren 2002 bis 2007 in Freiburg statt. Da die Freiburger Messehallen wegen der ständig zunehmenden Ausstellerzahlen – siehe Tabelle – nicht mehr ausreichten, zog die Messe in den Folgejahren nach München um. Ein „Ableger" der Messe findet inzwischen sogar in Kalifornien statt.
a) Sind die Ausstellerzahlen näherungsweise exponentiell gewachsen?
b) Bestimmen Sie eine Folge, welche das Wachstum der Ausstellerzahlen modelliert. Beschreiben Sie mithilfe des Graphen, wie gut die Modellierung die Daten annähert.
Wie viele Aussteller müsste die Messe nach Ihrem Modell im Jahre 2010 haben?

4   a) Modellieren Sie die Schulden der öffentlichen Haushalte durch exponentielles Wachstum.
b) Untersuchen Sie, wie gut Ihre Näherung ist, und geben Sie ggf. Gründe für Abweichungen an. Welche Prognose machen Sie für 2010?
Wie groß ist nach Ihrem Modell die Verdoppelungszeit? Wie groß wären nach Ihrem Modell die Schulden im Jahre 1990 gewesen?

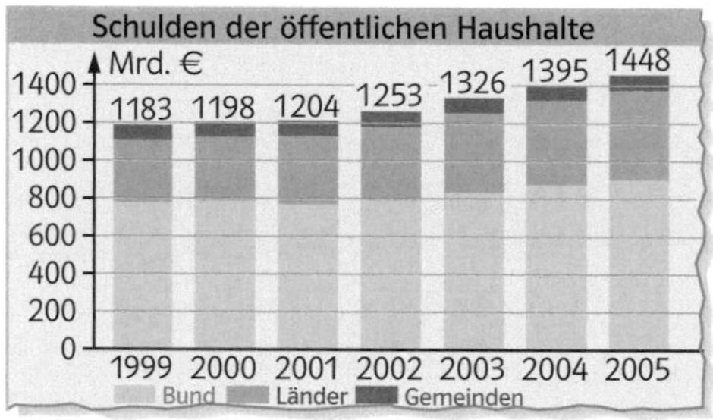

Fig. 1

5   Auch in klaren Gewässern nimmt die Beleuchtungsstärke B (in Lux) mit zunehmender Tiefe x (in Metern) ab. Nach einem Meter beträgt sie in einem See nur noch 80 % des Wertes an der Oberfläche.
Der Verlauf der Beleuchtungsstärke in Abhängigkeit von der Tiefe kann als exponentielle Abnahme modelliert werden.
a) Bestimmen Sie eine Modellfunktion $B(x)$ für die Beleuchtungsstärke, wenn an der Oberfläche die Beleuchtungsstärke 4000 Lux beträgt.
Wie hoch ist die Beleuchtungsstärke in 10 m Tiefe?
Wie groß ist die „Halbwertstiefe"?
b) In welcher Tiefe beträgt die momentane Änderungsrate der Beleuchtungsstärke -10 (Einheit: Lux pro Meter)?

Zeit zu überprüfen

6   a) Im Jahre 1950 lebten 2,5 Milliarden Menschen auf der Erde, 1980 waren es 4,5 Milliarden. Modellieren Sie das Bevölkerungswachstum und bestimmen Sie die Verdoppelungszeit. Interpretieren Sie das Ergebnis.
b) Vergleichen Sie mit den Daten von 2005 (6,4 Milliarden) bzw. 1920 (1,8 Milliarden).
c) 2005 prognostizierten Experten der Vereinten Nationen bis zum Jahr 2050 einen Anstieg auf 9,1 Milliarden. Wie lautet Ihre Prognose?
d) Wie groß war in Ihrem Modell die Wachstumsgeschwindigkeit im Jahr 2000?

7 Der größte Teil der natürlichen Radioaktivität beruht auf dem geruchlosen Edelgas Radon. Fig. 1 zeigt eine experimentell gemessene Zerfallskurve des Isotops Radon-220, das aus historischen Gründen als Thoron bezeichnet wird. Radioaktiver Zerfall kann mit sehr guter Näherung als exponentielle Abnahme modelliert werden.

a) Die Halbwertszeit von Thoron beträgt 56 Sekunden. Erläutern Sie die Aussage: Die Folge B mit $B(n) = 100\% \cdot 2^{-n}$ gibt an, wie viel Prozent des anfänglichen Radons nach n Halbwertszeiten noch vorhanden sind.

b) Beschreiben Sie den Zerfall mithilfe einer Exponentialfunktion f mit $f(t) = c e^{kt}$, wobei t die Zeit in Sekunden und $f(t)$ den Anteil des noch vorhandenen Radons in Prozent angibt (Anfangswert 100%).

Fig. 1

⑱ CAS
Radioaktiver Zerfall –
Simulation

Radioaktiver Zerfall ist ein stochastischer Vorgang, wie man an dem Graphen (Fig. 1) sieht. Jedes Radon-Atom zerfällt in der nächsten Sekunde mit einer bestimmten Wahrscheinlichkeit p. Wie groß ist p? Wieso nimmt die Aktivität exponentiell ab?

c) Wie viel Prozent des Edelgases sind nach 5 Minuten noch nicht zerfallen? Nach welcher Zeit ist 1% des Anfangswertes vorhanden?

d) Wie groß ist die momentane Änderungsrate der Funktion f aus Teilaufgabe b) (in Prozent pro Sekunde) zu Beginn, nach einer, zwei, drei, … Halbwertszeiten?

8 a) Im Vogelherd, einer Höhle in der Schwäbischen Alb, wurde im Jahre 2006 ein aus Elfenbein geschnitztes Mammut gefunden, dessen Alter Forscher mithilfe der Radiokarbonmethode auf etwa 35000 Jahre datieren. Auf wie viel Prozent des Wertes bei Fertigstellung des Mammuts war das Verhältnis von C14 zu C12 gesunken?

b) Bei der Ötztaler Gletschermumie („Ötzi"), die 1991 in den Ötztaler Alpen gefunden wur-

Die **Radiokarbonmethode** nutzt aus, dass in lebenden Organismen das Verhältnis der Kohlenstoffisotope C14 und C12 einen festen Wert besitzt. In toten Organismen bleibt C12 erhalten, während C14 mit einer Halbwertszeit von 5730 ± 40 Jahren zerfällt.

de, hat die Radiokarbonmethode ergeben, dass das Verhältnis von C14 zu C12 auf 53% des Wertes beim Tode von „Ötzi" abgesunken ist. Wann ist „Ötzi" etwa gestorben? Berücksichtigen Sie bei der Antwort die Ungenauigkeit bei der Halbwertszeit von C14.

Zeit zu wiederholen ————————————————————————

9 Welches der Zahlenpaare $(0\,|\,1)$, $(1\,|\,1)$, $(-1{,}5\,|\,0)$, $(4\,|\,1)$, $(-4\,|\,-1)$ ist eine Lösung der Gleichung $2x - 5y + 3 = 0$?

10 Stellen Sie in einem Koordinatensystem alle Punkte $P(x\,|\,y)$ dar, welche die Gleichung erfüllen. Bestimmen Sie die fehlenden Koordinaten der Punkte $A(0\,|\,p)$, $B(-2\,|\,q)$, $C(u\,|\,0)$ und $D(v\,|\,2)$.

a) $4x - 2y = 6$ b) $3x + 4y = 0$ c) $2x + 3y = 5$ d) $\frac{1}{2}x - \frac{3}{4}y = 1$

11 Bestimmen Sie die Lösung des linearen Gleichungssystems zunächst ohne GTR. Beschreiben Sie, wie man die Lösung mit GTR bestimmen kann.

a) $y = x + 2$
     $y = 2x + 1$

b) $x + y = 4$
     $2x - y = 2$

c) $2x - y = 2$
     $x - 3y = 6$

d) $\frac{1}{2}x + 2y = -\frac{11}{4}$
     $-\frac{5}{4}x + \frac{1}{2}y = 0$

5 Beschränktes Wachstum

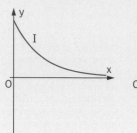
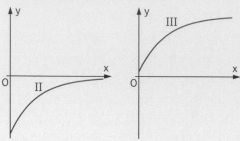

Welche geometrischen Operationen überführen den Graphen von Bild I in den Graphen von Bild III?
Graph I gehört zu einer Funktion f mit $f(x) = ce^{kx}$. Was lässt sich über die Parameter c und k sagen?
Welche Gleichung hat die Funktion mit dem Graphen in Bild III?

n	B(n)	Q(n)
0	100	
1	420	0,36
2	623	0,35
3	750	0,34
4	838	0,35
5	894	0,35
6	930	0,34
7	955	0,36
8	972	0,38
9	983	0,39
10	988	0,29

Fig. 1

Die Tabelle zeigt die Fläche $B(n)$ in cm^2, die ein Bakterienstamm auf einer Testfläche der Größe $S = 1000\,cm^2$ zur Zeit n (in Stunden) hat.

Bei einem Bestand B liegt beschränktes Wachstum mit der **Schranke S** vor, wenn die absolute Änderung $B(n) - B(n-1)$ für $n \geq 1$ zum **Sättigungsmanko $(S - B(n-1))$** proportional ist. Wenn man beschränktes Wachstum bei Tabellendaten wie in Fig. 1 nachweisen will, untersucht man die Quotienten $Q(n) = \frac{B(n) - B(n-1)}{S - B(n-1)}$. Sie sind etwa konstant (Mittelwert 0,35), daher liegt angenähert beschränktes Wachstum vor. Der Bestand lässt sich daher näherungsweise berechnen mit der rekursiven Darstellung $B(n) = B(n-1) + 0,35 \cdot (1000 - B(n-1))$.

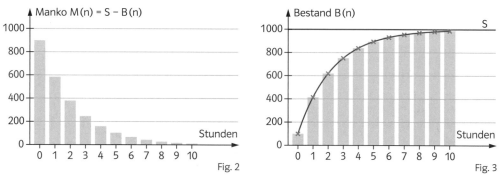

Fig. 2

Fig. 3

n	M(n)	$\frac{M(n)}{M(n-1)}$
0	900	
1	580	0,64
2	377	0,65
3	250	0,66
4	162	0,65
5	106	0,65
6	70	0,66
7	45	0,64
8	28	0,62
9	17	0,61
10	12	0,71
Mittelwert		0,65

Fig. 4

Exponentielle Abnahme des Sättigungsmankos

Es wird nun eine explizite Darstellung für $B(n)$ hergeleitet. Fig. 2 zeigt den Graphen vom Sättigungsmanko $M(n) = S - B(n)$. Man erkennt (siehe auch die Tabelle in Fig. 4), dass $M(n)$ exponentiell abnimmt. Also gilt $S - B(n) = ca^n$ mit passenden Parametern a und c. Daraus ergibt sich: $B(n) = S - ca^n$ bzw. $B(n) = S - ce^{-kn}$ mit $k > 0$, da das Manko exponentiell abnimmt. Für die Bakterienkultur erhält man aus Fig. 4: $a = 0,65$ und $c = S - B(0) = 900$. Also gilt $B(n) = 1000 - 900 \cdot 0,65^n$ bzw. $B(n) = 1000 - 900 \cdot e^{-kn}$ mit $k = -\ln(0,65) = 0,4308$.
Der Graph von B ist in Fig. 3 durch Punkte dargestellt. Da das Wachstum kontinuierlich erfolgt, kann man auch die Funktion f mit $f(x) = 1000 - 900 \cdot 0,65^x$ bzw. $f(x) = 1000 - 900 \cdot e^{-0,4308x}$ zur Modellierung verwenden (Graph siehe Fig. 3). Das ermöglicht z. B. die Berechnung des Bakterienbestandes nach einer halben Stunde: $f(0,5) = 274$.

Beschränktes Wachstum mit der Schranke S lässt sich beschreiben

mithilfe einer Folge B (diskret):

$B(n) = S - ca^n$ bzw.

$B(n) = S - ce^{-kn}$ $(n = 0; 1; 2; \ldots)$.

mithilfe einer Funktion f (kontinuierlich):

$f(x) = S - ca^x$ bzw.

$f(x) = S - ce^{-kx};$ $x \in \mathbb{R}$.

Dabei ist $c = S - B(0)$ bzw. $c = S - f(0)$ und $k = -\ln(a)$. Für die Basis a gilt: $0 < a < 1$.

Wenn die Schranke S nicht bekannt ist, kann man sie aus den Daten schätzen.

Auch wenn die Folge B sich wie in Fig. 1 von oben einer Schranke S nähert, spricht man von beschränktem Wachstum. Für S = 1000; B(0) = 2500 und a = 0,65 ergibt sich B(n) = 1000 + 1500·0,65^n bzw. f(x) = 1000 + 1500·e$^{-0,4308x}$.

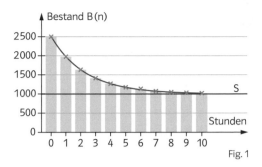

Bestand B(n)

Stunden

Fig. 1

Bei beschränktem Wachstum wie in Fig. 1 ist nicht das Manko S – B(n) sondern B(n) – S exponentiell abnehmend.

Beispiel Explizite Darstellung aus Datenpunkten berechnen

Die Bevölkerung eines Stammes kann durch beschränktes Wachstum mit der Schranke S = 2000 modelliert werden. Anfangs hat der Stamm 500 Bewohner, nach 10 Jahren sind es 800 Personen.
a) Beschreiben Sie die Bevölkerungsentwicklung mithilfe einer Funktion.
b) Wie groß wird die Bevölkerung nach 100 Jahren etwa sein, wie groß war sie vor 10 Jahren?
c) Nach wie vielen Jahren wird der Stamm 1500 Personen haben?
d) Wann beträgt die Wachstumsgeschwindigkeit etwa 10 Einwohner pro Jahr?

■ Lösung: a) Ansatz (x in Jahren): $\qquad$ f(x) = 2000 – ce^{-kx}

c bestimmen: $\qquad$ f(0) = 2000 – c = 500; also c = 1500

k bestimmen: $\qquad$ 2000 – 1500e^{-10k} = 800; da f(10) = 800

Lösung der Gleichung: $\qquad$ $k = -\dfrac{\ln\left(\frac{4}{5}\right)}{10} \approx 0,0223$

Gleichung von f: $\qquad$ f(x) = 2000 – 1500·e$^{-0,0223x}$

b) f(100) = 2000 – 1500·e$^{-0,0223·100}$ ≈ 1840;
f(–10) = 2000 – 1500·e$^{-0,0223·(-10)}$ ≈ 125

Die Bewohnerzahl nach 100 Jahren beträgt etwa 1840, vor 10 Jahren waren es etwa 125 Bewohner.

c) Zu lösen ist die Gleichung 2000 – 1500·e$^{-0,0223x}$ = 1500.

Lösung der Gleichung: $\qquad$ $x = \dfrac{\ln(3)}{0,0223} = 49,27$

Nach etwa 49 Jahren wird der Stamm 1500 Bewohner haben.

d) f'(x) = 1500·0,0223·e$^{-0,0223x}$ = 33,45e$^{-0,0223x}$;
f'(x) = 10 hat die Lösung x ≈ 54.

Nach etwa 54 Jahren beträgt die Wachstumsgeschwindigkeit 10 Einwohner pro Jahr.

Vorgehen mit dem GTR (siehe auch die Exkursion auf Seite 203):
1. Die Datenpunkte (0 | 1500) und (10 | 1200) des Mankos in Listen eingeben (Fig. 2).
2. Exponentielle Regression ergibt die Funktion m mit m(x) = 1500·0,9779^x (Fig. 3).
3. Lösung:
f(x) = S – m(x)
= 2000 – 1500·0,9779^x
= 2000 – 1500·e$^{-0,0223x}$
(Fig. 4).

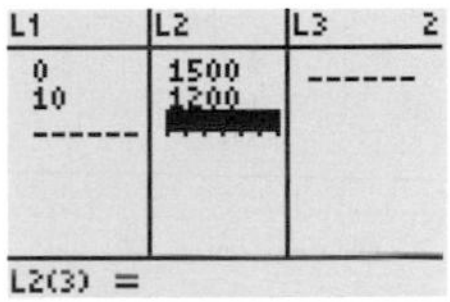

L1	L2	L3	2
0	1500	------	
10	1200		

L2(3) =

Fig. 2

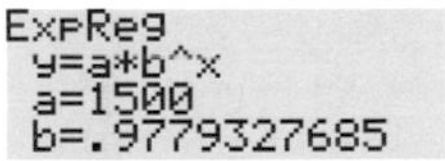

ExpReg
y=a*b^x
a=1500
b=.9779327685

Fig. 3

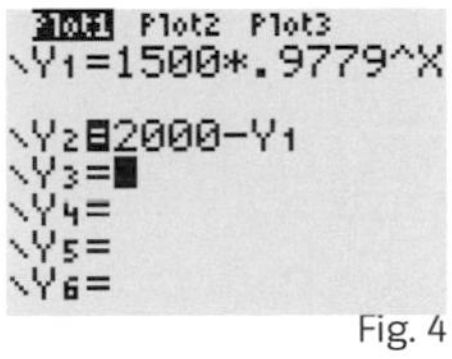

Plot1 Plot2 Plot3
\Y1=1500*.9779^X
\Y2=2000-Y1
\Y3=■
\Y4=
\Y5=
\Y6=

Fig. 4

Aufgaben

1 Ein Bestand B hat den Anfangswert 5000. Es gilt B(n) = B(n – 1) + p (S – B(n – 1)), n in Jahren. Geben Sie für B eine explizite Darstellung an und erstellen Sie eine Wertetabelle für n ≤ 10.
a) S = 10 000; p = 0,1 $\qquad$ b) S = 20 000; p = 0,1 $\qquad$ c) S = 1000; p = 0,1

2 Das Wachstum eines Bestandes wird beschrieben durch
I: B(n) = 50 – 30·0,8^n $\qquad$ II: f(x) = 50 – 50e$^{-0,25x}$ $\qquad$ III: f(x) = 10 + 50e$^{-0,25x}$
a) Geben Sie die Schranke S und den Anfangsbestand an. Zeichnen Sie den Graphen.
b) Wie groß ist der Bestand nach 10 Tagen? Wie groß war er vor einer Woche?
c) Nach welcher Zeit beträgt der Bestand 40?
d) Wie groß ist bei II und III die Wachstumsgeschwindigkeit nach 10 Tagen?

Bei den Aufgaben 2 und 3 wird n bzw. x in Tagen gemessen.

3 Beschreiben Sie den Bestand mit beschränktem Wachstum durch eine Funktion.
a) S = 100; f(0) = 10; f(1) = 20 $\qquad$ b) S = 100; f(0) = 200; f(10) = 150

n in Tagen	B(n)
0	320
1	397
2	461
3	516
4	561
5	599
6	631
7	658
8	681
9	700
10	716

4 Eine Bakterienkultur wird in einer Petrischale (Fläche $35\,cm^2$) angesetzt. Sie überdeckt anfangs eine Fläche von $2\,cm^2$, die nach einem Tag auf $5\,cm^2$ anwächst.
Nehmen Sie beschränktes Wachstum an und bestimmen Sie eine Funktion f, die das Wachstum beschreibt. Bearbeiten Sie mit Ihrer Modellfunktion die Fragen.
a) Welche Fläche überdeckt die Kultur nach fünf Tagen bzw. nach fünf Stunden?
b) Wann ist die Petrischale zur Hälfte von der Kultur überdeckt?
c) Wann beträgt die Wachstumsgeschwindigkeit $0,5\,cm^2$ pro Tag?

5 a) Weisen Sie nach, dass für den Bestand in der nebenstehenden Tabelle beschränktes Wachstum mit der Schranke $S = 800$ vorliegt.
b) Geben Sie eine rekursive und eine explizite Darstellung für B(n) an.
c) Bestimmen Sie n so, dass die Änderung $B(n) - B(n - 1)$ etwa den Wert 2 hat.

6 Eine Flasche Saft mit der Temperatur 8 °C wird aus dem Kühlschrank genommen und auf den Gartentisch gestellt, wo eine Außentemperatur von 30 °C herrscht. Nach 12 Minuten beträgt die Temperatur des Saftes 15 °C.
a) Experimente zeigen, dass die Safttemperatur nach den Gesetzen des beschränkten Wachstums steigt. Was bedeutet das für die Änderung der Safttemperatur?
b) Stellen Sie eine Funktion f für die Temperatur des Saftes nach x Minuten auf.
c) Chris will den Saft schon nach fünf Minuten trinken. Ist er dann nicht noch zu kalt?
d) Oma will den Saft erst bei einer Temperatur von 20 °C trinken. Wie lange muss sie warten?
e) Wann erwärmt sich der Saft um 0,5 °C pro Minute?

Führen Sie zur Bestätigung eine passende Messreihe durch.

Beschreiben Sie, was sich ändert, wenn Saft mit einer Temperatur von 30 °C in einen Kühlschrank mit 8 °C gestellt wird.

Zeit zu überprüfen

7 a) Zeigen Sie, dass der Graph beschränktes Wachstum mit der Schranke $S = 80$ darstellt.
b) Bestimmen Sie eine rekursive und eine explizite Darstellung für den Bestand.
c) Welcher Bestand ergibt sich nach 15 Minuten? Nach wie vielen Minuten beträgt der Bestand 200?

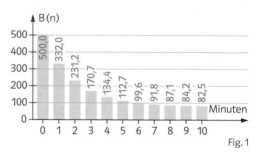

Fig. 1

⊛ CAS
Abnahme
Mitgliederbestand

8 Eine Firma bringt ein neues Waschmittel auf den Markt. Die Marketingabteilung schätzt, dass die Firma damit einen Marktanteil von 30 % erreichen kann. Schon nach einem Monat steigt der Marktanteil von 0 auf 10 %.
Untersuchen Sie, ob man daraus unter der Annahme beschränkten Wachstums folgern kann, dass der Marktanteil nach einem halben Jahr bereits über 25 % beträgt.
Wie groß ist dann die Zunahmegeschwindigkeit des Marktanteils (in Prozent pro Monat)?

Bei Aufgabe 9 ist es hilfreich, die Ableitungsfunktion zu untersuchen.

9 Zeichnen Sie für $k = 0,05$; $0,1$; $0,25$; $0,5$ jeweils den Graphen der Funktion f mit
$f(x) = 10 - 6e^{-kx}$. Beschreiben Sie die Abhängigkeit von dem Parameter k.

10 Über eine Tropfinfusion wird in jeder Sekunde 0,1 ml eines Medikamentes zugeführt. Der Körper baut in jeder Sekunde 2 % des bereits im Blut vorhandenen Medikamentes ab. Untersuchen Sie, ob die Menge des Medikamentes im Blut beschränkt wächst. Wie viel von dem Medikament ist nach einer Minute im Blut? Nach welcher Zeit werden pro Minute 0,01 l aufgenommen?

11 Ein Bestand B(n) wächst beschränkt. Bestimmen Sie die Schranke S.
a) $B(0) = 10$; $B(1) = 20$; $B(10) = 70$
b) $B(0) = 90$; $B(1) = 88$; $B(10) = 74$

6 Differenzialgleichungen bei Wachstum

Was erwarten Sie?
- T nimmt gleichmäßig auf 0 °C ab.
- Die „Abkühlgeschwindigkeit" T' ist zu T proportional.

Skizzieren Sie für beide Varianten die Graphen von T und T'.

Man verwendet Folgen und Funktionen zur Beschreibung von Wachstum. Bei Folgen gibt man dazu eine rekursive oder eine explizite Darstellung an. Bei Funktionen gibt man eine Funktionsgleichung an. Die Funktionsgleichung entspricht der expliziten Darstellung einer Folge. Es wird nun gezeigt, dass es auch bei Funktionen eine Darstellung gibt, die der rekursiven Darstellung bei Folgen entspricht.

Der expliziten Darstellung $B(n) = B(0)e^{kn}$ beim exponentiellen Wachstum entspricht z.B. die Funktionsgleichung $f(x) = ce^{kx}$.

Eine rekursive Darstellung bei einer Folge erhält man, indem man die Änderung $B(n) - B(n-1)$ für einen Zeitschritt betrachtet. Entsprechend wird bei Funktionen die momentane Änderungsrate, also die Ableitung, betrachtet. Die Ableitung wird so dargestellt, dass sich ein Zusammenhang zwischen der Ableitungsfunktion und der Wachstumsfunktion ergibt. Diesen Zusammenhang zwischen Ableitungsfunktion und Wachstumsfunktion nennt man **Differenzialgleichung**.

	Exponentielles Wachstum	Beschränktes Wachstum
Funktionsgleichung	$f(x) = ce^{kx}$	$f(x) = S - ce^{-kx}$
Ableitung	$f'(x) = cke^{kx}$	$f'(x) = cke^{-kx}$
Zusammenhang zwischen $f(x)$ und $f'(x)$ herstellen	$kf(x) = cke^{kx}$	$kf(x) - kS - cke^{-kx}$ $cke^{-kx} = kS - kf(x)$
Differenzialgleichung	$f'(x) = kf(x)$	$f'(x) = k(S - f(x))$
Bedeutung in Worten	Die momentane Änderungsrate von f an einer Stelle x ist proportional zum Funktionswert $f(x)$.	Die momentane Änderungsrate von f an einer Stelle x ist proportional zur Differenz von Schranke S und Funktionswert $f(x)$.

Bei Wachstumsvorgängen nennt man die momentane Änderungsrate auch **Wachstumsgeschwindigkeit**.

Wenn eine Differenzialgleichung wie z.B. $f'(x) = kf(x)$ gegeben ist, sucht man nach einer Funktion f, sodass für jedes x die Differenzialgleichung erfüllt ist. Eine solche Funktion nennt man **Lösung der Differenzialgleichung**.

Lösungen von Differenzialgleichungen sind keine Zahlen, sondern Funktionen.

Exponentielles bzw. beschränktes Wachstum kann man durch Differenzialgleichungen beschreiben.

	Exponentielles Wachstum	Beschränktes Wachstum
Differenzialgleichung	$f'(x) = kf(x)$	$f'(x) = k(S - f(x))$
Lösung	$f(x) = ce^{kx}$	$f(x) = S - ce^{-kx}$

Wenn man den **Anfangswert $f(0)$** kennt, kann man c bestimmen: Beim exponentiellen Wachstum ist $c = f(0)$, beim beschränkten Wachstum ist $c = S - f(0)$.

Wann verwendet man Differenzialgleichungen? Das soll am Beispiel einer Fläche $A(t)$, die von einem Pilz befallen ist, verdeutlicht werden ($A(t)$ in cm², t in Tagen). Weiß man z.B., dass die momentane Zuwachsrate von A (in $\frac{cm^2}{Tag}$) 5% der jeweils befallenen Fläche beträgt, so stellt man die Differenzialgleichung $A'(t) = 0,05A(t)$ auf. Sie beschreibt exponentielles Wachstum, also ist die Lösung $A(t) = ce^{0,05t}$.

t	$c \cdot e^{0,05t}$	$c \cdot 1,05^t$
0	100,0	100,0
1	105,1	105,0
2	110,5	110,3
3	116,2	115,8
4	122,1	121,6
5	128,4	127,6
6	135,0	134,0
7	141,9	140,7
8	149,2	147,7
9	156,8	155,1
10	164,9	162,9

Zur Genauigkeit der Näherung, siehe den Infokasten auf Seite 192.

Vorsicht: Die Modellierung mit einer Funktion, die mithilfe einer Differenzialgleichung bestimmt wird, ist nur exakt, weil eine Angabe über die *momentane Änderungsrate* vorliegt.
Wenn dagegen die *Zunahme pro Tag* 5 % der jeweils vorhandenen Fläche beträgt, so gilt die rekursive Gleichung $A(t) = 1,05 A(t - 1)$ mit der expliziten Lösung $A(t) = c \cdot 1,05^t$. Diese Modellierung ist hier also exakt. Die Differenzialgleichung und ihre Lösung beschreiben den Sachverhalt nur näherungsweise (siehe die Tabelle mit $c = 100$). Für die Praxis ist die Näherung meist ausreichend.

Beispiel 1 Differenzialgleichungen angeben und lösen
a) Geben Sie zu der Funktion f mit $f(x) = 10 - 6e^{-0,05x}$ eine Differenzialgleichung an. Welche Art von Wachstum beschreibt die Differenzialgleichung?
b) Geben Sie die Lösung zu der Differenzialgleichung $f'(x) = -0,2 f(x)$ und dem Anfangswert $f(0) = 100$ an.
■ Lösung: a) *Die gegebene Differenzialgleichung so umformen, dass ein Zusammenhang zwischen f(x) und f'(x) hergestellt wird.*
$$f'(x) = 0,3 e^{-0,05x}$$
$$10 - f(x) = 6e^{-0,05x} \quad | \cdot 0,05 \ (denn\ 6 \cdot 0,05 = 0,3)$$
$$0,05(10 - f(x)) = 0,3 e^{-0,05x} = f'(x)$$
$$f'(x) = 0,05(10 - f(x)).$$
Die Differenzialgleichung beschreibt beschränktes Wachstum.
b) Die Differenzialgleichung beschreibt exponentielles Wachstum mit $k = -0,2$, also gilt $f(x) = c e^{-0,2x}$. Mit dem Anfangswert $f(0) = 100$ ergibt sich $f(x) = 100 e^{-0,2x}$.

Mit einem CAS kann man die Differenzialgleichung unmittelbar lösen (vgl. Seite 204).

Beispiel 2 Aufstellen und Lösen einer Differenzialgleichung im Sachzusammenhang
Bei einer Tropfinfusion wird dem Blut eines Patienten ein Medikament zugeführt, das anfangs nicht vorhanden ist. Dabei gelangt pro Minute eine Menge von 3 ml ins Blut. Das Medikament wird von der Niere so abgebaut, dass die momentane Ausscheidungsrate $\left(\text{in } \frac{ml}{min}\right)$ 4 % des gerade vorhandenen Medikamentes beträgt.
a) Stellen Sie eine Differenzialgleichung auf, welche die Menge des im Blut des Patienten vorhandenen Medikamentes beschreibt. Welchen Typ erkennen Sie?
b) Geben Sie die Lösung der Differenzialgleichung an und beschreiben Sie, wie sich die Menge des Medikamentes mit der Zeit verändert.
c) Wie groß ist die momentane Zunahmerate, wenn das Blut 50 ml des Medikamentes enthält?
■ Lösung: a) $m(t)$: Menge (in ml) des Medikamentes im Blut des Patienten.
Anfangswert: $m(0) = 0$.
Differenzialgleichung $m'(t) = 3 - 0,04 m(t)$.
Ausklammern von 0,04 ergibt: $m'(t) = 0,04 \cdot \left(\frac{3}{0,04} - m(t)\right)$.
Ausrechnen: $m'(t) = 0,04 \cdot (75 - m(t))$.
Dies ist eine Differenzialgleichung für beschränktes Wachstum; Parameter $k = 0,04$ und $S = 75$.
b) $m(t) = S - ce^{-kt}$ mit $k = 0,04$ und $S = 75$, also $m(t) = 75 - c e^{-0,04t}$.
$m(0) = 0$ ergibt die Gleichung $0 = 75 - c$, also $c = 75$.
Die Lösung ist $m(t) = 75 - 75 e^{-0,04t}$.
Die Menge des Medikamentes im Blut wächst anfangs am schnellsten an, dann immer langsamer. Bei Annäherung an den Sättigungswert 75 ml geht die Zunahme gegen Null (Fig. 1; die Einheiten auf den Achsen betragen jeweils 10).
c) *Die Frage kann unmittelbar mit der Differenzialgleichung gelöst werden.*
$m'(t) = 3 - 0,04 m(t)$, also $m'(t) = 3 - 0,04 \cdot 50 = 1$.
Wenn das Blut 50 ml des Medikamentes enthält, beträgt die momentane Zunahmerate 1 ml pro Minute.

$m'(t)$ wird in $\frac{ml}{Minute}$ gemessen, weil $m'(t)$ dieselbe Einheit hat wie der Differenzenquotient $\frac{m(t + h) - m(t)}{h}$ und t bzw. h Zeitangaben in Minuten sind.

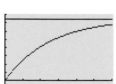
Fig. 1

Aufgaben

1 Ordnen Sie jeder Differenzialgleichung (Fig. 1) eine richtige Lösung zu.

2 Bestimmen Sie zu der Differenzialgleichung die Parameter der Lösung.

a) $f'(x) = -f(x)$; $f(x) = 2e^{-kx}$ \qquad b) $f'(x) = 100 - f(x)$; $f(x) = 10e^{-kx} + 100$

c) $f'(x) = 1 - 0{,}2f(x)$; $f(0) = 1$; $f(x) = ce^{-kx} + 5$ \qquad d) $f'(x) = -(f(x))^2$; $f(x) = \frac{a}{x+1}$

3 Geben Sie zu der Funktion f eine Differenzialgleichung an.

a) $f(x) = 0{,}2\,e^{0{,}1x}$ \qquad b) $f(x) = 500\,e^{-0{,}1x}$ \qquad c) $f(x) = 100 - 100\,e^{-0{,}1x}$ \qquad d) $f(x) = 100 - 30\,e^{-0{,}1x}$

4 Geben Sie die Lösung an und zeichnen Sie den Graphen von f.

a) $f'(x) = 0{,}1f(x)$ mit $f(0) = 1$ \qquad b) $f'(x) = -0{,}2f(x)$ mit $f(0) = 10$

c) $f'(x) = 0{,}1(5 - f(x))$ mit $f(0) = 0$ \qquad d) $f'(x) = 0{,}1(5 - f(x))$ mit $f(0) = 10$

5 Ein Behälter mit dem maximalen Fassungsvermögen von 100 Litern enthält anfangs 20 Liter einer chemischen Flüssigkeit. Es laufen pro Sekunde 5 Liter hinzu. Gleichzeitig beträgt die Ablaufgeschwindigkeit der Füllmenge $\left(\text{in } \frac{l}{s}\right)$ 10 % der vorhandenen Flüssigkeit.

a) Stellen Sie eine Differenzialgleichung auf, welche die Flüssigkeitsmenge in dem Behälter beschreibt.

b) Geben Sie die Lösung der Differenzialgleichung an und beschreiben Sie, wie sich die Flüssigkeitsmenge mit der Zeit verändert.

c) Wie groß ist die momentane Zunahmerate der Flüssigkeitsmenge bei einer Füllmenge von 45 Litern? Nach welcher Zeit ist das der Fall?

6 Folgende Gesetzmäßigkeit wurde von Isaac Newton entdeckt:

Bringt man einen Körper mit der Temperatur T in einen Raum mit der konstanten Temperatur T_0, so ist die momentane Änderungsrate von T proportional zur Differenz der Raumtemperatur T_0 und der Temperatur T des Körpers.

a) Saft mit einer Temperatur von 10 °C wird aus einem Kühlschrank genommen und in einen 25 °C warmen Raum gestellt. Stellen Sie eine Differenzialgleichung für die Safttemperatur auf. Welche Lösung hat die Gleichung, wenn die Proportionalitätskonstante 0,1 beträgt?

b) Saft mit einer Temperatur von 20 °C wird bei −5 °C Außentemperatur auf den Balkon gestellt. Nach einer Viertelstunde ist die Safttemperatur auf 5 °C abgesunken. Stellen Sie eine Differenzialgleichung für die Safttemperatur auf. Wann ist die Safttemperatur auf 0 °C abgesunken (der Saft beginnt dann zu gefrieren, Newtons Gesetz gilt nicht mehr)?

Zeit zu überprüfen ————————————————

7 a) Welche Lösung hat die Differenzialgleichung $f'(x) = -0{,}25f(x)$ mit $f(0) = 1000$?

b) Geben Sie zu der Funktion f mit $f(x) = 50 - 10\,e^{-0{,}25x}$ eine Differenzialgleichung an.

8 In ein biologisches Klärbecken, das anfangs nicht verunreinigt ist, laufen pro Minute 90 Liter Abwasser ein. Die momentane Abbaurate des Abwassers $\left(\text{in } \frac{l}{min}\right)$ beträgt 6 % des vorhandenen Abwassers.

a) Stellen Sie eine Differenzialgleichung für die Funktion f auf, welche die Abwassermenge (in Litern) beschreibt, die sich zur Zeit t (in Minuten) in dem Becken befindet, und bestimmen Sie ihre Lösung. Wie viel Liter Abwasser sind höchstens im Becken?

b) Wie groß ist die momentane Zunahmerate von f(t), wenn sich 1000 Liter Abwasser in dem Becken befinden? Nach welcher Zeit ist das der Fall?

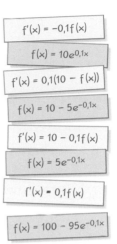

$f'(x) = -0{,}1f(x)$

$f(x) = 10e^{0{,}1x}$

$f'(x) = 0{,}1(10 - f(x))$

$f(x) = 10 - 5e^{-0{,}1x}$

$f'(x) = 10 - 0{,}1f(x)$

$f(x) = 5e^{-0{,}1x}$

$f'(x) = 0{,}1f(x)$

$f(x) = 100 - 95e^{-0{,}1x}$

Fig. 1

9 Eine Population mit Anfangsbestand 5000 wächst so an, dass ihre Wachstumsgeschwindigkeit proportional ist

I: zum Bestand,

II: zur Differenz zwischen einem Maximalwert $S = 100\,000$ und dem Bestand.

a) Beschreiben Sie, wie sich das Wachstum bei I und II unterscheidet. Nennen Sie Bedingungen für Wachstum nach Gesetz I bzw. II.

b) Stellen Sie jeweils die zugehörige Differenzialgleichung auf und geben Sie die Lösung an. Bestimmen Sie die Parameter, falls die Population nach 10 Jahren auf 10 000 anwächst.

INFO → Aufgabe 10, 11

Tag n	B(n)	f(n)
0	1000,0	1000,0
1	985,0	985,2
2	970,5	970,9
3	956,3	957,0
4	942,6	943,5
5	929,4	930,4
6	916,5	917,6
7	904,0	905,3
8	891,9	893,3
9	880,1	881,7
10	868,7	870,4

Fig. 1

Tag n	B(n)	f(n)
0	1000,0	1000,0
1	915,0	919,1
2	838,5	845,9
3	769,7	779,7
4	707,7	719,8
5	651,9	665,6
6	601,7	616,5
7	556,6	572,1
8	515,9	531,9
9	479,3	495,6
10	446,4	462,7

Fig. 2

Differenzialgleichung als Näherung

Auch bei Zusammenhängen wie dem folgenden wird eine Differenzialgleichung verwendet, obwohl sie den Zusammenhang nur näherungsweise beschreibt. Denn die Lösung einer Differenzialgleichung ist oft einfacher zu bestimmen als eine exakte und liefert auch Zwischenwerte. Einem Behälter mit einem Destillat entnimmt man zu Anfang jedes Tages 3% der Füllmenge zum Verkauf. Im Laufe des Tages kommen durch Zulauf 15 Liter hinzu. Die anfängliche Füllmenge beträgt 1000 Liter.

Exakte Modellierung mithilfe einer rekursiv definierten Folge (n in Tagen, B(n) in Litern): $B(n) = B(n-1) + 15 - 0,03 \cdot B(n-1)$; $B(0) = 1000$.

Näherung mit Differenzialgleichung (x in Tagen, f(x) in Litern).

$f'(x) = 15 - 0,03\,f(x) = 0,03(500 - f(x))$, d.h., es liegt beschränktes Wachstum vor. Lösung: $f(x) = 500 + 500\,e^{-0,03x}$.

Die erste Tabelle zeigt, dass die Abweichungen gering sind. Ist jedoch die Entnahme 10%, so sind die Modellierungen $B(n) = B(n-1) + 15 - 0,1 \cdot B(n-1)$; $B(0) = 1000$ bzw.

$f(x) = 150 + 850\,e^{-0,1x}$. Die zweite Tabelle in Fig. 2 zeigt deutlich größere Abweichungen.

Die Abnahme der Füllmenge ist bei der Näherungslösung geringer, weil bei der Differenzialgleichung die prozentuale Abnahme nicht nur am Tagesbeginn, sondern über den Tag verteilt, modelliert wird. Man erkennt daher, dass die Näherung brauchbar ist, solange der Prozentsatz relativ klein ist.

---

10 Ein Bestand nimmt von anfangs 500 Stück jeden Tag um p% zu. Modellieren Sie das Wachstum exakt und näherungsweise durch eine Differenzialgleichung. Untersuchen Sie, wie sich mit der Zeit die Näherung von der exakten Lösung unterscheidet.

a) p% = 1%   b) p% = 5%   c) p% = 10%   d) p% = 25%

Führen Sie die Simulation zehnmal durch. Vergleichen Sie, was sich bei Wiederholung ergibt.

11 Wachstum von Bakterien kann man durch das Werfen von Münzen simulieren. Jede Münze stellt ein Bakterium dar. Man beginnt z.B. mit zwei Münzen. Fällt eine Münze auf „Kopf", so teilt sich das zugehörige Bakterium – man fügt einfach eine Münze hinzu. Mit der vergrößerten Bakterienzahl fährt man fort. Auf diese Weise nimmt die Zahl der Bakterien zu.

Beschreiben Sie, wie sich die momentane Änderungsrate der Bakterienzahl verhält. Stellen Sie eine Differenzialgleichung auf und geben Sie die Lösung an.

Welche Bakterienzahl wird man nach zehn Durchführungen etwa haben?

Bei Aufgabe 12 a) und 12 b) können Sie auch eine Lösung in Form einer Gleichung angeben.

12 Skizzieren Sie den Graphen einer Funktion mit $f(0) = 2$, für welche gilt:

a) $f'(x) = -f(x)$ b) $f(x) + f'(x) = 1$ c) $f'(x) = \dfrac{1}{f(x)}$ d) $f'(x) = -x\,f(x)$.

7 Logistisches Wachstum

Graph III ist ein „Kind" der Graphen I und II. Beschreiben Sie, wo Sie die Eigenschaften der „Eltern" bei dem Kind wiederfinden und wo sich Abweichungen ergeben.
Beschreiben Sie zu jedem Graphen eine passende Wachstumssituation.

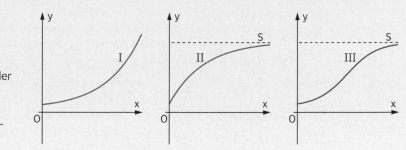

Neben exponentiellem und beschränktem Wachstum gibt es weitere Wachstumsarten. Exemplarisch wird hier ein Wachstumstyp betrachtet, der sich z.B. als Modell bei der Verbreitung einer Infektionskrankheit eignet.

Wenn im Anfangsstadium nur wenige Personen infiziert sind, liegt angenähert exponentielles Wachstum vor. Denn dann ist die Zunahme der Infiziertenzahl etwa proportional zur Zahl der Infizierten. Wenn mit der Zeit viele infiziert sind, ist die Zunahme der Infiziertenzahl aber eher proportional zur Zahl der noch nicht Infizierten, also beschränkt mit einer Grenze S (vgl. Fig. 1).

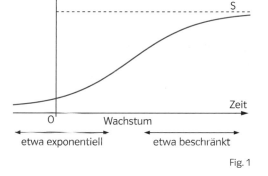

Fig. 1

Daher gilt für die Zahl $B(n)$ der Infizierten nach n Zeitschritten ($n \geq 1$):
$B(n) - B(n-1)$ ist proportional zu $B(n-1)$, falls $B(n)$ „klein" im Vergleich zu S ist;
$B(n) - B(n-1)$ ist proportional zu $S - B(n-1)$, falls $B(n)$ sich S nähert.
Man fasst diese beiden Zusammenhänge mithilfe einer Proportionalitätskonstanten q zusammen: $B(n) - B(n-1) = q \cdot B(n-1) \cdot (S - B(n-1))$. Dem entspricht bei kontinuierlichem Wachstum die Differenzialgleichung $f'(x) = r \cdot f(x) \cdot (S - f(x))$ mit einer Proportionalitätskonstanten r.

Die Lösung der Differenzialgleichung hat die Form $f(x) = \frac{S}{1 + a \cdot e^{-k \cdot x}}$ mit $k = rS$, wovon man sich durch Nachrechnen überzeugt. Es ist nicht möglich, eine explizite Darstellung für $B(n)$ anzugeben.

Zum Nachweis der Lösung siehe Aufgabe 13.

Man kann die Lösung auch herleiten, siehe Aufgabe 14.

Logistisches Wachstum mit der Schranke S lässt sich beschreiben

mithilfe einer Folge B (diskret):
Diskretes logistisches Wachstum liegt vor, wenn die Änderung des Bestandes $B(n)$ für jeden Zeitschritt n zum Produkt aus $B(n-1)$ und der Differenz $S - B(n-1)$ proportional ist:
$B(n) = B(n-1) + q B(n-1)(S - B(n-1))$.

mithilfe einer Funktion f (kontinuierlich):
Kontinuierliches logistisches Wachstum liegt vor, wenn die Änderungsrate $f'(x)$ des Bestandes $f(x)$ an jedem Zeitpunkt x zum Produkt aus $f(x)$ und der Differenz $S - f(x)$ proportional ist: $f'(x) = r f(x)(S - f(x))$.
Die Lösung der Differenzialgleichung hat die Form $f(x) = \frac{S}{1 + a \cdot e^{-k \cdot x}}$ mit $k = rS$.

n	B(n)
0	2,00
1	3,00
2	4,31
3	5,85
4	7,36
5	8,58
6	9,34
7	9,73
8	9,89
9	9,96
10	9,98

Fig. 1

Beispiel 1   Bestimmen von Folgen bei diskretem logistischem Wachstum

Ein Bestand B(n) wächst logistisch mit Anfangswert z und Schranke S = 10. Nach einem Zeitschritt ist der Bestand auf drei angewachsen. Geben Sie eine Wertetabelle an für n = 0 bis n = 10 bei der Folge, die logistisches Wachstum mit diesen Daten beschreibt.

■ Lösung: Ansatz: $B(n) = B(n-1) + q \cdot B(n-1) \cdot (10 - B(n-1))$ mit $B(0) = 2$ und $B(1) = 3$.

Damit ergibt sich für n = 0 die Gleichung $3 = 2 + q \cdot 2 \cdot (10 - 2)$ mit der Lösung $q = \frac{1}{16}$.

Die Folge wird dann rekursiv berechnet (Fig. 1): $B(n) = B(n-1) + \frac{1}{16} \cdot B(n-1) \cdot (10 - B(n-1))$.

Beispiel 2   Modellieren mit kontinuierlichem logistischem Wachstum

Fig. 2 zeigt Messwerte zum Größenwachstum von Maispflanzen.

a) Modellieren Sie die Werte durch logistisches Wachstum.

b) Wann ist das Wachstum am stärksten?

■ Lösung: a) *Es werden zwei Varianten vorgestellt:*

Ansatz: $f(x) = \frac{S}{1 + a \cdot e^{-k \cdot x}}$.

Modellierung I: Verwendung geeigneter Datenpunkte

$f(0) = 3$ (abgelesen); S = 300 (geschätzt).

Aus $f(0) = \frac{S}{1 + a}$ erhält man: $a = \frac{S}{f(0)} - 1 = 99$.

Zur Bestimmung von k verwendet man einen Datenpunkt, der gut zum logistischen Wachstum passt (vgl. die Lage der Punkte in Fig. 3).

Ausgewählter Datenpunkt: (51|82); er liefert die Gleichung $82 = \frac{300}{1 + 99 \cdot e^{-k \cdot 51}}$.

k = 0,070 93 (gerundet)

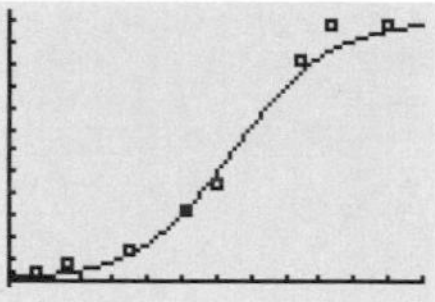

Ergebnis: $f(x) = \frac{300}{1 + 99 \cdot e^{-0,07093 \cdot x}}$ (Graph siehe Fig. 3).

Durch eine andere Wahl von S und des Datenpunktes kann man die Anpassung möglicherweise noch verbessern.

Modellierung II: Kurvenanpassung mit dem GTR

Man gibt die ersten beiden Spalten der Tabelle als Listen in den GTR ein und bestimmt dann eine Kurvenanpassung:

Tag	Höhe cm
0	3
8	9
17	22
34	38
51	82
60	112
84	255
93	295
110	295

Fig. 2

Fig. 3

Der GTR passt besonders die „späten" Werte besser an als Modell I.

Auswahl logistische Anpassung	Parametereingabe	Parameterausgabe	Grafische Darstellung
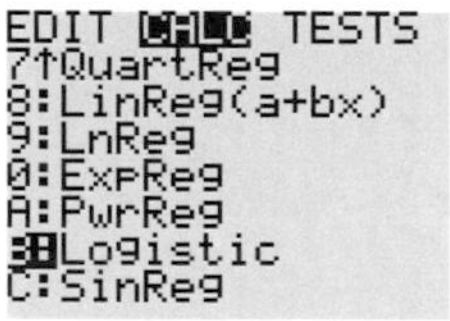 EDIT **CALC** TESTS 7↑QuartReg 8:LinReg(a+bx) 9:LnReg 0:ExpReg A:PwrReg **B:**Logistic C:SinReg	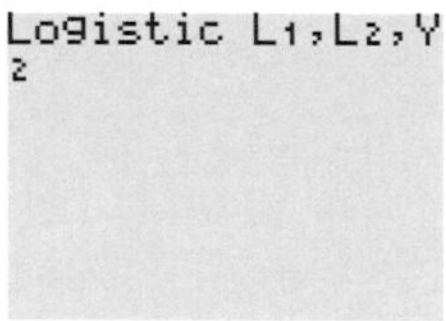 Logistic L₁,L₂,Y₂	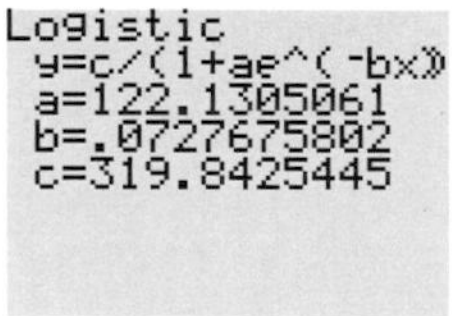 Logistic y=c/(1+ae^(-bx)) a=122.1305061 b=.0727675802 c=319.8425445	
Fig. 4	Fig. 5	Fig. 6	Fig. 7

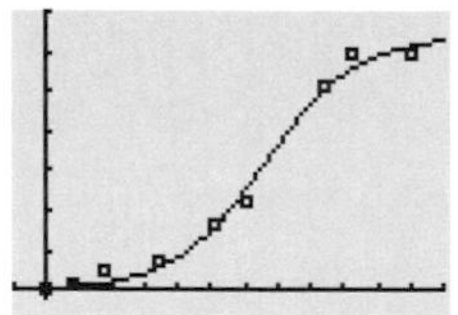

Man erhält $f(x) = \frac{320}{1 + 122,1 \cdot e^{-0,073 \cdot x}}$.

In Modell II wird eine deutlich größere Schranke S als die in Modell I geschätzte vorhergesagt. Bei der Regression braucht man also keine Schranke zu schätzen.

b) Größtes Wachstum: f'(x) muss maximal sein. Lösung mit GTR:

Modellierung I: Lösung x = 64,8 (Fig. 8).

Modellierung II: Lösung x = 66,0 (Werte sind gerundet).

Nach etwa 65 Tagen ist das Wachstum am stärksten.

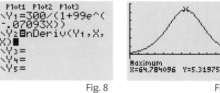

Fig. 8

Fig. 9

Aufgaben

1 Bestimmen Sie für die Folge B mit der rekursiven Darstellung
$B(n) = B(n-1) + qB(n-1)(S - B(n-1))$ die ersten zehn Glieder. Zeichnen Sie den Graphen.
a) $B(0) = 10$; $S = 100$; $q = 0{,}005$
b) $B(0) = 10$; $S = 50$; $q = 0{,}005$
c) $B(0) = 2$; $B(1) = 4$; $S = 200$
d) $B(0) = 5{,}5$; $B(1) = 6{,}3$; $S = 50$

2 Bestimmen Sie die Parameter bei der Funktion f mit $f(x) = \dfrac{S}{1 + a \cdot e^{-k \cdot x}}$. Geben Sie eine Wertetabelle $(0 \le x \le 10)$ an und zeichnen Sie den Graphen.
a) $f(0) = 10$; $f(1) = 20$; $S = 100$
b) $f(0) = 10$; $f(2) = 20$; $S = 50$

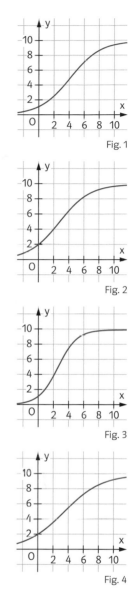

Fig. 1

Fig. 2

Fig. 3

Fig. 4

3 Ordnen Sie jeder Funktion den richtigen Graphen (Fig. 1–4) zu.
I: $f(x) = \dfrac{10}{1 + 8 \cdot e^{-0{,}8 \cdot x}}$ II: $f(x) = \dfrac{10}{1 + 8 \cdot e^{-0{,}5 \cdot x}}$ III: $f(x) = \dfrac{10}{1 + 4 \cdot e^{-0{,}5 \cdot x}}$ IV: $f(x) = \dfrac{10}{1 + 4 \cdot e^{-0{,}4 \cdot x}}$

4 Ein Bestand wächst kontinuierlich logistisch mit Schranke S. Bestimmen Sie die zugehörige Funktion f. Wann ist das Wachstum am größten?
a) $f(0) = 1$; $f(5) = 10$; $S = 100$
b) $f(0) = 5{,}5$; $f(10) = 15$; $S = 50$

5 Auf einer Insel ist nur für 500 Menschen genügend Platz. Dort lebten anfangs 30 Personen und nach zehn Jahren 50 Personen.
a) Wieso ist die Modellierung der Bevölkerungszahl durch logistisches Wachstum sinnvoll?
b) Verwenden Sie die rekursive Darstellung für Zeitschritte von zehn Jahren.
Stellen Sie die Entwicklung in Zehnjahresschritten dar (Tabelle und Graph).
Wie viele Personen leben nach 25 Jahren ungefähr auf der Insel?
Nach welcher Zeit etwa leben auf der Insel 450 Personen?

6 Die Funktion f mit $f(x) = \dfrac{10}{1 + 4 \cdot e^{-0{,}25 \cdot x}}$ beschreibt kontinuierliches Wachstum bei einer von Schimmel befallenen Zimmerwand (x in Tagen, f(x) in dm²).
a) Bestimmen Sie den Anfangswert und die Schranke. Welche Werte nimmt f an?
b) Nach welcher Zeit sind mindestens 90 Prozent der Wand von Schimmel befallen?
c) Um wie viel dm² pro Tag (momentane Zunahmerate) wächst der Schimmel nach zehn Tagen?
d) Wann beträgt die Wachstumsgeschwindigkeit 60 cm² pro Tag? Um wie viel cm² nimmt der Schimmel bis zum folgenden Tag zu?

Zeit zu überprüfen

7 Die Ausbreitung eines Gerüchtes in einem Dorf mit 500 Bewohnern kann man durch diskretes logistisches Wachstum beschreiben. Anfangs kennen zwei Leute das Gerücht. Nach einem Tag wissen es bereits vier Leute.
a) Wieso ist die Modellierung durch logistisches Wachstum sinnvoll?
b) Berechnen Sie die Zahl der Bewohner, die das Gerücht kennen, in Tagesschritten für die ersten zehn Tage mithilfe der rekursiven Darstellung.

8 Die Funktion f mit $f(x) = \dfrac{100}{1 + 19 \cdot e^{-0{,}2 \cdot x}}$ beschreibt modellartig das Höhenwachstum einer schnell wachsenden Hecke (x in Wochen seit Pflanzung, f(x) in cm).
a) Geben Sie an, wie hoch die Hecke bei der Pflanzung und nach langer Zeit etwa ist.
b) Wann ist die Hecke 50 cm hoch?
c) Wann ist die Wachstumsgeschwindigkeit am größten? Wie groß ist sie dann?

Tag	Höhe cm
0	0,5
1	0,9
2	1,5
3	1,7
4	2,4
5	4,6
6	5,2
7	8,8
8	10,6
9	11,7
10	15,7
11	16,7
12	18,3
13	19,9
14	20,4
15	20,4
16	20,4

Fig. 1

9 Die Tabelle zeigt Messwerte zum Größenwachstum von Weizenpflanzen, die bei einem wissenschaftlichen Experiment gemessen wurden.
a) Wieso kann man das Wachstum durch logistisches Wachstum modellieren?
b) Modellieren Sie die Werte durch kontinuierliches logistisches Wachstum.

10 Der Forscher Carlson untersuchte schon 1913 mit großer Sorgfalt das Wachstum bei Hefekulturen (Fig. 2). Modellieren Sie die Werte durch logistisches Wachstum.

11 Gegeben ist die Funktion f mit $f(x) = \frac{5}{1 + 10 \cdot e^{-x}}$.
a) Untersuchen Sie die Funktion f auf Nullstellen, Extremstellen, Wendestellen, Monotonie und Verhalten für $x \to \pm\infty$.
b) Bestätigen Sie, dass für die Funktion f die Differenzialgleichung für logistisches Wachstum gilt.
Bestimmen Sie mithilfe der Differenzialgleichung den Wendepunkt des Graphen von f. Was kann man über das Wachstum an der Wendestelle sagen?

Weizen wurde wie Roggen, Hafer und Gerste aus Wildgräsern gezüchtet. Der Anbau von Weizen erstreckt sich von den Subtropen bis in ein Gebiet etwa 60° nördlicher Breite. Die kultivierten Weizenarten werden als Brotgetreide, für Grieß, Graupen, Teigwaren, zur Stärkegewinnung sowie für die Bier- und Branntweinherstellung und für Viehfutter verwendet.

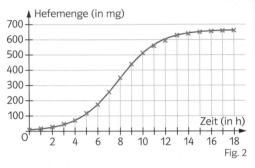

Fig. 2

12 In einer Formelsammlung findet man für kontinuierliches logistisches Wachstum: Ein Bestand B(t) ändert sich logistisch, wenn B(t) die Differenzialgleichung $B'(t) = k \cdot B(t) \cdot (S - B(t))$ erfüllt, wobei k eine Konstante und S die Sättigungsgrenze ist. Dabei ist $k > 0$ und $S > 0$.
Die zugehörige Funktion lautet: $B(t) = \frac{a \cdot S}{a + (S - a) \cdot e^{-Skt}}$ mit $a = B(0)$.
a) Bestimmen Sie die Funktion B für $B(0) = 10$; $B(1) = 20$; $S = 100$. Vergleichen Sie mit dem Ergebnis, das sich mit dem Ansatz $f(x) = \frac{S}{1 + a \cdot e^{-k \cdot x}}$ ergibt.
b) Diskutieren Sie, welche Vor- und Nachteile die Formel aus der Formelsammlung im Vergleich mit der Formel von Seite 193 hat.

Wenn Sie eine Formel in der Formelsammlung nachschlagen, beachten Sie:
Die Parameter werden oft unterschiedlich bezeichnet.
Statt Schranke wird auch **Sättigungsgrenze** verwendet.

13 a) Weisen Sie nach, dass die Funktion f mit $f(x) = \frac{S}{1 + a \cdot e^{-k \cdot x}}$ Lösung der Differenzialgleichung $f'(x) = \frac{k}{S} \cdot f(x) \cdot (S - f(x))$ ist.
b) Weisen Sie nach, dass die Funktion B mit $B(t) = \frac{a \cdot S}{a + (S - a) \cdot e^{-Skt}}$ Lösung der Differenzialgleichung $B'(t) = k \cdot B(t) \cdot (S - B(t))$ ist (vgl. Aufgabe 12).

14 Lösung der Differenzialgleichung für logistisches Wachstum
Um die Differenzialgleichung $f'(x) = \frac{k}{S} f(x)(S - f(x))$ zu lösen, kann man die Substitution $f(x) = \frac{1}{u(x)}$ verwenden. Zeigen Sie:
a) Bei Verwendung der Substitution gilt: $f'(x) = -\frac{u'(x)}{u(x)^2}$.
b) Wenn für die Funktion f die Differenzialgleichung $f'(x) = \frac{k}{S} f(x)(S - f(x))$ mit $S > 0$ gilt, dann gilt für die Funktion u die Differenzialgleichung $u'(x) = k \cdot \left(\frac{1}{S} - u(x)\right)$.
Welche Lösung ergibt sich daraus für die Funktion u?
Machen Sie die Substitution rückgängig, damit Sie die Lösung für f erhalten.

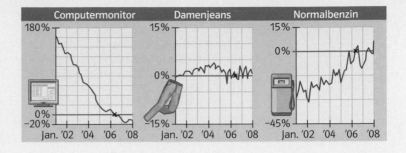
8 Datensätze modellieren

Mit welchen Funktionstypen könnte man die Preisentwicklung (bezogen auf 2006), die in den Graphen gezeigt wird, modellieren, wenn nur der Trend beschrieben werden soll oder auch Details erfasst werden sollen?

Daten in Tabellen oder Graphen werden modelliert durch geeignete Funktionen,
* damit man den Verlauf der gegebenen Werte beschreiben kann,
* um damit Werte über die gegebenen hinaus anzugeben (z.B. Prognosen).

Die Abfallverbrennung in Deutschland soll mit den Daten in der Tabelle modelliert werden. Mit x wird die Zeit seit 1996 in Jahren, mit f(x) die Abfallmenge in 1000 Tonnen bezeichnet. Durch eine grafische Darstellung der Daten erhält man zunächst einen Überblick.

Ist lineares Wachstum eine passende Modellierung?
Mit dem GTR erhält man unter Verwendung einer linearen Regression die Funktion f mit
$f(x) = 1450x + 13600$ (gerundet). Der Verlauf wird gut beschrieben (Fig. 2). Für Prognosen ist die Modellierung allerdings fragwürdig, weil dann die Müllmenge unbegrenzt wachsen würde.

Liegt beschränktes Wachstum vor?
Das erscheint sinnvoll, wenn man abschätzen kann, dass die zur Verbrennung verwendbare Müllmenge z.B. wegen des Anteils an Recycling nur etwa bis $S = 30000$ wachsen wird. Mit dem Ansatz $g(x) = 30000 - ce^{-kx}$ erhält man die Modellfunktion g mit $g(x) = 30000 - 16823e^{-0,1289x}$
(Fig. 3), wenn man die Datenpunkte $(0|13177)$ und $(7|23177)$ zur Modellierung verwendet.

Andere Modellfunktionen können je nach Zielsetzung sinnvoll sein.

Jahr	Menge in 1000 t
1996	13177
1997	15362
1998	15911
1999	18283
2000	20457
2001	21180
2002	22071
2003	23177

Fig. 1

Fig. 2

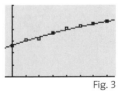

Fig. 3

Vorgehen beim Modellieren einer Datenmenge
1. Daten grafisch darstellen, um sich einen Überblick zu verschaffen.
2. Mithilfe des Graphen Wachstumstyp festlegen, Sachargumente berücksichtigen.
3. Mit passenden Punkten oder durch Regression eine Modellfunktion bestimmen.
4. Ergebnis beurteilen, ggf. Wachstumstyp bzw. Datenpunkte ändern.

Beispiel Bewertung einer Modellierung
Die Tabelle zeigt den Gewinnverlauf eines Betriebes. Der Geschäftsführer modelliert die Daten mithilfe einer Regression durch die ganzrationale Funktion f vierten Grades mit
$f(x) = -1,292x^4 + 17,55x^3 - 85,16x^2 + 174,2x - 60$.
Was spricht für bzw. gegen diese Modellierung?

■ Lösung: Vorteil: Der Verlauf der Geschäftszahlen im dargestellten Bereich wird gut beschrieben. *Bei noch mehr Datenpunkten ist das aber auch nicht mehr der Fall.*
Nachteil: Für Prognosen (schon für x = 6) ist die Modellierung ungeeignet, denn für größere
x-Werte überwiegt der Term $-1,292x^4$ (Fig. 4).

x: Monat	y: Gewinn/T€
1	45,3
2	67,5
3	65,4
4	66,8
5	68,5

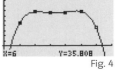

Fig. 4

Aufgaben

Vergleichen Sie Ihre Prognosen mit aktuellen Daten, falls möglich.

Weitere Aufgaben zur Modellierung von Daten finden Sie in der Exkursion auf Seite 203.

1 Diskutieren Sie die Güte Ihrer eigenen Modellierung der Abfallmenge im Textbeispiel (siehe Seite 197, Fig. 1)
a) mithilfe einer Regression durch eine Funktion dritten Grades,
b) mithilfe des Ansatzes $f(x) = ax^3 + bx + c$. Verwenden Sie geeignete Datenpunkte.
c) mithilfe einer Regression für logistisches Wachstum. Welche Schranke wird dabei vorausgesagt?

2 Den Bestand an Pkw (Privatbesitz in Westdeutschland) zeigt die Tabelle.

Jahr	1950	1955	1960	1965	1970	1975	1980	1985	1990
Pkw (in Millionen)	0,7	1,9	4,9	9,7	14,4	18,2	23,2	26,1	30,6

Modellieren Sie das Wachstum. Gehen Sie davon aus, dass höchstens 35 Millionen Pkw in Privatbesitz sind.
Wie groß ist für Ihre Modellierung der private Pkw-Bestand im Jahr 2010?
In welchem Jahr sind bzw. waren etwa 34 Millionen Pkw in Privatbesitz?

◎ CAS
Windkraftanlage

Tag	µg Hg pro Tag
0	3,5
2	3,2
60	1,8
120	0,8
150	0,5
180	0,4

3 Amalgamfüllungen enthalten das Nervengift Quecksilber (Hg). Daher kann es sinnvoll sein, solche Füllungen zu entfernen. Bei einem Patienten wurde gemessen, wie viel Quecksilber pro Tag nach der Entfernung seiner Füllungen am Tag 0 in seinem Urin ausgeschieden wurde (siehe Tabelle).
Modellieren Sie die Ausscheidungsrate mithilfe einer geeigneten Funktion.
Wie groß war die Ausscheidungsrate etwa nach 30 Tagen?
Wie viel mg Quecksilber wurden im ersten Jahr ausgeschieden?

Jahr	Haushalte mit Telefon
1963	14%
1973	54%
1983	88%
1993	96%
2003	99%

4 Die Tabelle zeigt, wie viel Prozent der Haushalte ungefähr in Deutschland in den angegebenen Jahren über ein Telefon verfügten. Modellieren Sie die Entwicklung. In welchem Jahr waren nach Ihrem Modell etwa $\frac{4}{5}$ der Haushalte mit Telefon ausgestattet, wann waren es nur 5%?

◎ CAS
ICE Wegberechnung

5 a) Wie kann man die zeitliche Entwicklung beim Handybesitz am besten modellieren? Argumentieren Sie unter Zuhilfenahme von Fig. 1. Die angegebenen Werte sind Prozentangaben, bezogen auf die 14- bis 64-jährige Bevölkerung der Bundesrepublik Deutschland.
b) Nehmen Sie an, 90% der Deutschen zwischen 14 und 64 Jahren legen sich auf lange Sicht ein Handy zu.

Fig. 1

Welche Funktion f beschreibt dann das Wachstum für den Handybesitz auf der Basis der Werte aus der Grafik für die Jahre 1998 (t = 0) und 2001 (t = 3)?
Wie viel Prozent sollten demnach im Jahre 2010 ein Handy besitzen?

Die Wärmeübertragungsrate ist die momentane Änderungsrate der Wärmeenergie in dem See.

6 Die Tabelle zeigt Messwerte der Wärmeübertragungsrate w(t) (in 10^{12} Joule pro Monat), die bei einem See jeweils zum Monatsanfang ermittelt wurden (0 ≙ Januar).

Monat t	0	1	2	3	4	5	6	7	8	9	10	11
w(t)	−230	−200	−120	−5	120	195	230	205	115	−10	−110	−205

Modellieren Sie die Daten mithilfe einer geeigneten Funktion.
Zu welchem Zeitpunkt hat der See die geringste, zu welchem die größte Wärmeenergie? Um wie viel Joule unterscheidet sich die Wärmeenergie des Sees zu diesen beiden Zeitpunkten?

Wiederholen – Vertiefen – Vernetzen

Folgen: explizite und rekursive Darstellung

1 Für eine Folge gilt die Rekursionsgleichung $a_n = a_{n-1} + 2n$ mit $a_0 = 0$.
Schreiben Sie fünf Glieder der Folge auf und stellen Sie eine Vermutung auf, wie man die Folge durch eine explizite Gleichung beschreiben kann.
Zeigen Sie mithilfe Ihrer expliziten Gleichung, dass die Rekursionsgleichung erfüllt ist.

2 Die Folge K ist rekursiv definiert durch $K_n = 0{,}8\,K_{n-1} + 2000$; $K_0 = 15\,000$.
a) Zeichnen Sie ihren Graphen.
b) Zeigen Sie: Die Folge R mit der Gleichung $R_n = K_n - 10\,000$ ist beschränkt und monoton fallend. Geben Sie für R eine explizite Darstellung an.
c) Bestimmen Sie den Grenzwert von K_n.
d) Beschreiben Sie eine Anwendung der Folge K.

Folgen, Ableitungen, Stammfunktionen

3 a) Berechnen Sie einige Ableitungen $f'(x)$; $f''(x)$; $f'''(x)$; ... bei der Funktion f mit $f(x) = x\,e^x$ und stellen Sie eine Vermutung auf für die Gleichung der n-ten Ableitung $f^{(n)}$.
b) Geben Sie mithilfe der Vermutung aus a) eine Stammfunktion von f an.
Überprüfen Sie Ihre Vermutung. Berechnen Sie damit $\int_0^1 x\,e^x\,dx$.
c) Was ist $\int_0^1 x\,e^{-x}\,dx$ und $\lim\limits_{n \to \infty} \int_0^n x\,e^{-x}\,dx$?

4 Der Graph der Funktion f_n mit der Gleichung $f_n(x) = x^n$ ($n \in \mathbb{N}$, wobei $n > 0$) schließt für $x \geq 0$ mit der ersten Winkelhalbierenden (Gleichung $y = x$) eine Fläche mit dem Flächeninhalt A_n ein.
a) Berechnen Sie A_n.   b) Welchen Grenzwert A hat A_n für $n \to \infty$?
c) Für welche n gilt $|A_n - A| < \frac{1}{1000}$?

5 Gegeben ist die Folge a mit $a_n = \frac{1}{(n+1)^2}$.
a) Zeigen Sie, dass die Folge den Grenzwert 0 hat.
b) Weisen Sie mithilfe von Fig. 1 nach, dass die Summe $a_0 + a_1 + a_2 + \ldots$ einen endlichen Wert hat.
c) Lösen Sie a) und b) für die Folge a mit $a_n = \frac{1}{e^n}$.

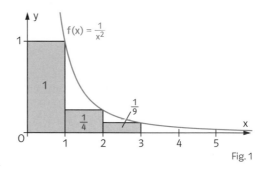

Fig. 1

Vergleich von Wachstumsarten

6 Zwei Populationen wachsen nach verschiedenen Gesetzmäßigkeiten, die sich durch die Funktionen f und g mit $f(t) = 100 \cdot e^{0{,}1 \cdot t}$ bzw. $g(t) = 150 + 10 \cdot t$; $0 \leq t \leq 10$ beschreiben lassen. Dabei bezeichnen $f(t)$ bzw. $g(t)$ die Anzahl der Individuen der Population zum Zeitpunkt t (in Jahren).
Beschreiben Sie, wie sich die Wachstumsgesetzmäßigkeiten unterscheiden.
Skizzieren Sie die Graphen der Wachstumsfunktionen.
Bestimmen Sie näherungsweise den Zeitpunkt, an dem beide Populationen gleich viele Individuen haben, auf zwei Dezimalstellen.

 CAS
Fischbestand

7 Zwei Populationen wachsen nach verschiedenen Gesetzmäßigkeiten, die sich durch die Funktionen f und g beschreiben lassen. Die Funktion f beschreibt exponentielles, die Funktion g lineares Wachstum. Dabei bezeichnen $f(t)$ bzw. $g(t)$ die Anzahl der Individuen der Populationen zum Zeitpunkt t; t in Jahren.

a) Stellen Sie die Gleichungen für $f(t)$ und $g(t)$ auf, wenn der Anfangsbestand zum Zeitpunkt $t = 0$ jeweils 1500 und der Bestand nach zehn Jahren jeweils 2000 beträgt.

Skizzieren Sie die Graphen der Wachstumsfunktionen für $0 \leq t \leq 20$.

b) Zu welchem Zeitpunkt innerhalb der ersten zehn Jahre ist der Unterschied zwischen linearem Wachstum und exponentiellem Wachstum am größten?

c) Bestimmen Sie näherungsweise den Zeitpunkt, an dem eine Population doppelt so viele Individuen hat wie die andere.

Modellieren mit Differenzialgleichungen

8 Ein zu Jahresbeginn gewährtes Bankdarlehen $S_0 = 200\,000\,€$ wird in festen Jahresbeträgen von $10\,000\,€$ zurückgezahlt. Dieser Jahresbetrag ist am Ende eines jeden Jahres fällig und enthält den Zins und die Tilgung. Der Zins beträgt 4 % von der das Jahr über vorhandenen Restschuld. S_n ist die Restschuld nach dem n-ten Jahr.

Geben Sie eine Rekursionsformel für S_n an und berechnen Sie S_5.

Die zeitliche Entwicklung der Restschuld soll mithilfe einer kontinuierlichen Wachstumsfunktion $B(t)$ näherungsweise beschrieben werden, welche die Differenzialgleichung $B'(t) = -10\,000 + 0,04 \cdot B(t)$ erfüllt.

Bestimmen Sie die Zahlen a und b so, dass die Funktion $B(t)$ mit $B(t) = a \cdot e^{0,04t} + b$ eine Lösung der Differenzialgleichung mit $B(0) = 200\,000$ ist.

Nach wie vielen Jahren ist bei dieser Näherung das Darlehen getilgt?

9 Elvis raucht jeden Tag eine Zigarre. Täglich führt er seinem Körper damit eine Nikotinmenge von 0,025 mg zu. Elvis hat aber gelesen, dass von dem im Blut vorhandenen Nikotin im Laufe eines Tages 1,5 % abgebaut wird. „Rauchen schadet mir nicht! In meinem Körper reichert sich nie so viel Nikotin an, dass der gefährliche Schwellenwert von 1 mg überschritten wird", meint er. Was meinen Sie?

10 Die momentane Wachstumsrate einer Pflanze wird in den Tagen nach der Pflanzung näherungsweise durch eine Funktion f mit $f(x) = \frac{120\,e^{-0,2x}}{(1 + 24\,e^{-0,2x})^2}$ beschrieben (x in Jahren, $f(x)$ in cm pro Tag). Zum Zeitpunkt der Pflanzung ist die Pflanze 1 cm hoch.

a) Die Höhe der Pflanze lässt sich mithilfe einer Funktion der Form $F(x) = \frac{S}{1 + a \cdot e^{-k \cdot x}}$ berechnen. Bestimmen Sie die Parameter S; a und k. Zeichnen Sie den Graphen der Funktion F.

b) Welche Höhe kann die Pflanze nicht überschreiten? Die Pflanze gilt als ausgewachsen, wenn der noch zu erwartende Zuwachs an Höhe höchstens 0,5 mm beträgt. Wann ist das der Fall?

Wiederholen – Vertiefen – Vernetzen

Diskretes und kontinuierliches Wachstum im Vergleich

11 Milch mit einer Temperatur von 6 °C wird zum Zeitpunkt $t = 0$ aus dem Kühlschrank genommen und in ein Gefäß mit 25 °C warmem Wasser gestellt.
Die Erwärmung der Milch kann durch die Differenzialgleichung $f'(t) = 3 - \frac{3}{25} f(t)$ beschrieben werden (t in Minuten, $f(t)$ in °C).
a) Weisen Sie nach, um welche Art von Wachstum es sich handelt.

◎ CAS
Mittlere Temperatur

b) Bestimmen Sie die Funktion $f(t)$, welche die Temperatur der Milch (in °C) zum Zeitpunkt t (in Minuten) beschreibt. Skizzieren Sie den Graphen von f.
Nach welcher Zeit sinkt die momentane Temperaturzunahme unter 0,5 °C pro Minute?
c) Es gibt eine Folge (u_n) mit $u_0 = 6$ und $u_n = c + d \cdot u_{n-1}$, die für ganze Minuten dieselben Werte wie die Funktion aus a) liefert, d.h., es gilt $u_n = f(n)$ für $n \in \mathbb{N}$. Bestimmen Sie die Konstanten c und d.

d) Bestimmen Sie $\lim\limits_{z \to \infty} \int_0^z f'(t)\,dt$. Interpretieren Sie die Bedeutung dieses Grenzwertes.

12 Beim diskreten logistischen Wachstum kann es zu Effekten kommen, die beim kontinuierlichen logistischen Wachstum nicht auftreten. Betrachten Sie dazu das Wachstum einer Folge mit $B(n) = B(n-1) + 0,25\,B(n-1)(10 - B(n-1))$ und $B(0) = 1$.
Berechnen Sie die ersten sechs Folgenglieder.
Welcher Effekt tritt auf, der beim kontinuierlichen logistischen Wachstum nicht auftritt? Wie kommt das zustande?
Experimentieren Sie: Variieren Sie den Faktor 0,25 in der Folgengleichung. Variieren Sie $B(0)$, aber nur ganz wenig. Wie wirkt sich eine geringe Änderung des Anfangswertes auf die Folge B aus?

Zeit zu wiederholen

13 Lesen Sie die Geradengleichungen in Fig. 1 ab und berechnen Sie den Schnittpunkt der Geraden.
Überprüfen Sie Ihr Ergebnis an der Zeichnung.

14 Bestimmen Sie eine Gleichung der Geraden durch die Punkte A und B.
a) $A(2|1)$ und $B(4|-2)$
b) $A(2|1)$ und $B(-2|1)$
c) $A(2|1)$ und $B(2|-2)$
d) $A(2|1|3)$ und $B(4|-2|0)$

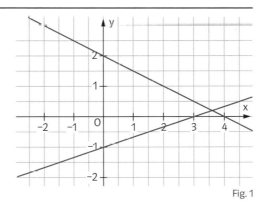

Fig. 1

15 Welcher der Punkte $P(-3|-2|5)$ bzw. $Q(-1|-1|2)$ liegt auf der Geraden g?

a) $g: \vec{x} = \begin{pmatrix} 1 \\ 0 \\ -1 \end{pmatrix} + t \cdot \begin{pmatrix} 2 \\ 1 \\ -3 \end{pmatrix}$
b) g verläuft durch $A(-5|-3|8)$ und $B(3|1|-4)$.

c) g ist die Parallele zur x_2-Achse durch den Punkt $R(-1|4|2)$.

16 a) Untersuchen Sie, ob die Geraden g und h sich schneiden oder windschief sind.

$g: \vec{x} = \begin{pmatrix} 1 \\ 0 \\ -1 \end{pmatrix} + t \cdot \begin{pmatrix} 2 \\ 1 \\ -3 \end{pmatrix}$; $h: \vec{x} = \begin{pmatrix} -3 \\ -3 \\ 16 \end{pmatrix} + t \cdot \begin{pmatrix} 1 \\ 0 \\ 4 \end{pmatrix}$

b) Ändern Sie zwei Koordinaten des Richtungsvektors von g so ab, dass g und h parallel sind.

Exkursion

x Spannung in Volt	y Stromstär-ke in mA
1,1	3,1
2,1	6,6
2,9	9,7
4,2	12,8
4,9	16,1

Messwerte für Spannung und Stromstärke an einem Widerstand

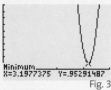

Fig. 2

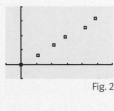

Minimum
X=3.1977375 Y=.95291487

Fig. 3

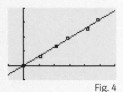

Fig. 4

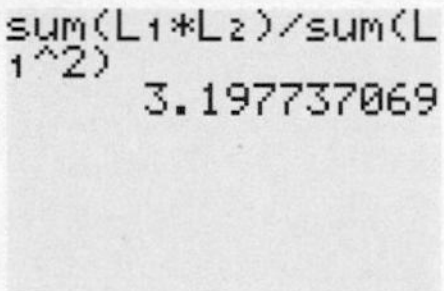

sum(L1*L2)/sum(L
1^2)
         3.197737069

Fig. 5

regredi (lat.): zurück-
schreiten
Man führt y auf x zurück,
indem man eine Glei-
chung bestimmt.

Die berechnete Funktion
wird bei den Parametern
als Y_1 angegeben, sodass
die berechnete Funktion
mitgespeichert wird.

Kurvenanpassung – Regression

Beim Modellieren von Daten benötigt man eine passende Funktion, die den Verlauf der Daten beschreibt. Bei den Messdaten in der Tabelle vermutet man z. B. den Zusammenhang, dass Spannung und Stromstärke proportional sind. Das wird im Graphen besonders deutlich, weil die Messwerte annähernd auf einer Geraden durch den Ursprung liegen (Fig. 2).

Bestimmung einer Ausgleichsgeraden

Ziel ist, rechnerisch eine möglichst gut passende Ursprungsgerade durch die Messpunkte
zu finden. Man nummeriert zunächst die
Messpunkte und berechnet, wie stark ihre
y-Werte von denen einer Ursprungsgeraden
$y = mx$ abweichen. Dabei ist m variabel:

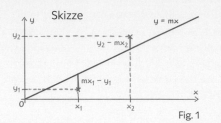

Skizze

Fig. 1

k (Messwert-Nummer)	1	2	3	4	5
x_k	1,1	2,1	2,9	4,2	4,9
y_k	3,1	6,6	9,7	12,8	16,1
$m \cdot x_k - y_k$	1,1m – 3,1	2,1m – 6,6	2,9m – 9,7	4,2m – 12,8	4,9m – 16,1

Da es positive und negative Abweichungen geben kann (Fig. 1), verwendet man nach einer Idee von Gauß die Quadrate der Abweichungen und bildet ihre Summe:

$S(m) = (1,1m - 3,1)^2 + (2,1m - 6,6)^2 + (2,9m - 9,7)^2 + (4,2m - 12,8)^2 + (4,9m - 16,1)^2$.

Durch diese Gleichung wird eine quadratische Funktion $m \to S(m)$ definiert, deren Minimum einen optimalen Wert für m liefert.

Die Funktion kann man in den GTR eingeben. Zunächst speichert man die Daten als Listen L_1 und L_2. Dann gibt man die Funktionsgleichung $y = sum((L_1 \cdot x - L_2)^2)$ ein und bestimmt das zu-gehörige Minimum (Fig. 3). Der zugehörige x-Wert ergibt die optimale Steigung $m = 3,20$ (ge-rundet), der y-Wert $S(m)$ ist ein Maß für die Güte der Anpassung.

Fig. 4 zeigt, wie gut die berechnete Gerade ($y = 3,20x$) die Messpunkte annähert.

Man kann das Minimum der Funktion S auch mithilfe der Ableitung berechnen und erhält damit die Formel $m = \dfrac{sum(L_1 \cdot L_2)}{sum(L_1^2)}$ (Fig. 5) für die optimale Steigung.

Der GTR berechnet auch direkt solche Kurvenanpassungen. Man nennt das Verfahren **Regression**. Als lineare Regression der obigen Daten liefert der GTR dann die Gerade $y = 3,30x - 0,36$ (gerun-det). Für andere Funktionstypen gibt es weitere Regressionsverfahren.

Regressionstyp auswählen	Parameter eingeben	Ergebnis der Regression	Grafische Darstellung
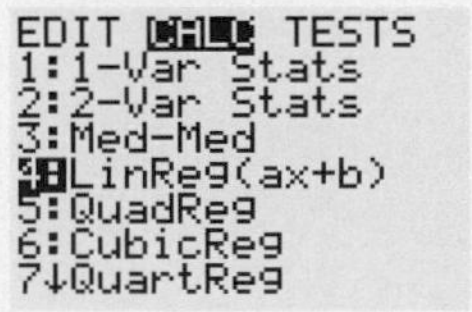 EDIT **CALC** TESTS 1:1-Var Stats 2:2-Var Stats 3:Med-Med **4:**LinReg(ax+b) 5:QuadReg 6:CubicReg 7↓QuartReg	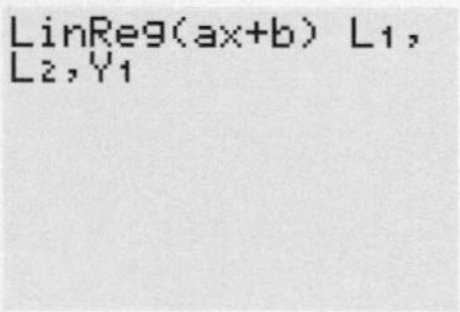 LinReg(ax+b) L₁, L₂,Y₁	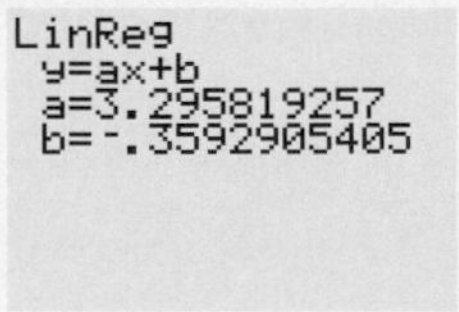 LinReg y=ax+b a=3.295819257 b=-.3592905405	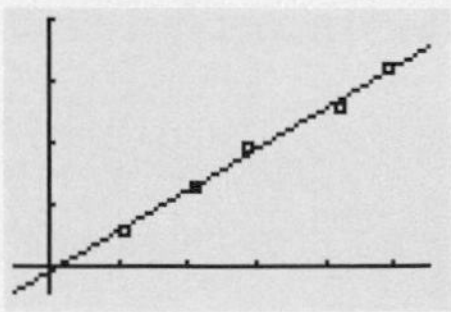
Fig. 6	Fig. 7	Fig. 8	Fig. 9

Es ist bei der GTR-Regression allerdings nicht möglich, den Nullpunkt zu „fixieren", daher ergibt sich für $x = 0$ der Wert –0,36. Die Abweichung von 0 ist aber gering. Es empfiehlt sich, ggf. den Datenpunkt (0 | 0) zu ergänzen.

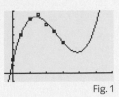
Regression mit einer ganzrationalen Funktion dritten Grades – mit Bewertung

Verkehrszählungen an einer Straße ergaben in der Zeit von 6 Uhr bis 9 Uhr folgende Durchschnittswerte für das Verkehrsaufkommen.

Uhrzeit	6:00	6:30	7:00	7:30	8:00	8:30	9:00
Fahrzeuge pro Minute	9	25	35	38	31	27	20

Das Verkehrsaufkommen soll mit einer ganzrationalen Funktion dritten Grades modelliert werden. Dabei wird $t = 0$ für 6:00 Uhr gesetzt. Die kubische Regression liefert: $f(x) = 2,89x^3 - 22,8x^2 + 46,1x + 8,52$ (gerundet). Die Funktion nähert die gegebenen Daten gut an (Graph siehe Fig. 1). Da aber $y \approx 2,89x^3$ für große x gilt, kann die Modellierung für das Verkehrsaufkommen nach 9 Uhr (Fig. 2) nicht verwendet werden.

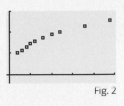

Fig. 1

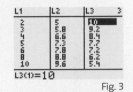

Fig. 2

Regression für beschränktes Wachstum am GTR

Die Gewichtszunahme bei Kleinkindern soll modelliert werden (siehe Tabelle).

Alter (in Monaten)	2	3	4	5	6	8	10	12	18	24
Gewicht (in kg)	5,0	5,8	6,6	7,3	7,8	8,8	9,6	10,2	11,5	12,7

Der Datenverlauf (Fig. 2) legt nahe, mit beschränktem Wachstum zu modellieren. Als Grenze wird $S = 15$ geschätzt. Da der GTR keine Regression für beschränktes Wachstum anbietet, wird das Sättigungsmanko – die Differenzen der Gewichte zur Sättigungsgrenze – (Liste L_3 in Fig. 3) berechnet. Für die Werte in L_1 und L_3 wird eine exponentielle Regression durchgeführt, da das Sättigungsmanko exponentiell abnimmt. Man erhält die Funktion y_1 mit $y_1(x) = 10,82 \cdot 0,937^x$. Nun bestimmt man die Funktion y_2 mit $y_2(x) = S - y_1(x)$ und erhält die Regression für das beschränkte Wachstum (Fig. 4 und Fig. 5). Die Modellfunktion y_2 hat also (gerundet) die Gleichung $y_2(x) = 15 - 10,82 \cdot 0,937^x$. Damit kann man z.B. das Geburtsgewicht $y_2(0) \approx 4,2$ (kg) bestimmen.

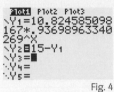

Fig. 3

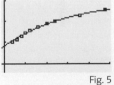

Fig. 4

1 Geben Sie für die folgenden Wertepaare eine passende Modellierung an.

a) (1; 7), (3; 22), (4; 30), (7; 50), (10; 69)
b) (1; 100), (3; 74), (6; 54), (10; 34), (50; 1)
c) (−1; 5), (0; 5), (2; 3,3), (3; −0,5), (5; −5), (6; −4)
d) (0; 3), (3; 6,4), (4; 7,1), (5; 7,7), (20; 9,9)

Fig. 5

2 Die Tabelle zeigt bei einer Reihe von Schuhen den Zusammenhang zwischen Schuhgröße und Innenlänge der Schuhe. Modellieren Sie die Daten.

Schuhgröße	42	34	35	33	39	39	42	19	21	34
Länge (in cm)	25,7	22,0	22,1	19,5	24,5	24,8	24,8	12,2	13,0	22,0

3 In einer Autozeitschrift gab es folgende Tabelle zur Beschreibung der Fahrleistungen eines Sportwagens. Modellieren Sie die Daten mithilfe einer ganzrationalen Funktion.

Zeit (in s)	0	2,7	4,1	5,5	7,7	8,8	9,8	12,5	16,1
Geschwindigkeit (in $\frac{m}{s}$)	0	16,7	22,2	27,8	33,3	36,1	38,9	44,4	50,0

⌖ Referat
Methode der kleinsten Quadrate
735301-2032

4 In den vergangenen Jahren haben Lebensmitteldiscounter ihren Anteil am gesamten Umsatz des Einzelhandels kräftig erhöht. Die Anteile in Prozent am gesamten Einzelhandel zeigt die Tabelle in Fig. 6.

a) Modellieren Sie das Wachstum mithilfe einer linearen Funktion. Welchen Anteil der Discounter am Umsatz des Einzelhandels erwarten Sie danach im Jahr 2010?

b) Marktforscher sagen mittelfristig einen Anteil von 43% voraus. Wie ändert sich durch diese Information Ihr Modell und die Vorhersage für 2010?

Jahr	Anteil
1998	29,8%
1999	30,1%
2000	32,1%
2001	33,7%
2002	36,8%
2003	38,4%

Fig. 6

Exkursion in die Theorie

Differenzialgleichungen

Differenzialgleichungen sind ein sehr wichtiges mathematisches Hilfsmittel bei vielen prakti-
schen Anwendungen. In den vorhergehenden Lerneinheiten wurden bereits spezielle Differenzialgleichungen wie $f'(x) = k(S - f(x))$ für beschränktes Wachstum behandelt. Hier wird eine allgemeine Definition von Differenzialgleichungen gegeben und gezeigt, wie man sie exakt bzw.
näherungsweise lösen kann.

1. Definition von Differenzialgleichungen

> Eine Gleichung, die einen Zusammenhang zwischen einer Funktion f und ihrer Ableitung f'
> beschreibt, heißt **Differenzialgleichung erster Ordnung**. Jede Funktion, welche diese Glei-
> chung erfüllt, heißt **Lösung der Differenzialgleichung**.

@ Referat
Allometrisches
Wachstum
735301-2042

Gegeben ist die Differenzialgleichung
$f'(x) = 10 - 2f(x)$.
Mit einem CAS lässt sich die Lösung der Gleichung direkt bestimmen (Fig. 1).
Lösung ist jede Funktion f_c mit
$f_c(x) = ce^{-2x} + 5$. Dabei ist c eine beliebige
reelle Zahl. Denn für f_c ergibt die Probe:
$f_c'(x) = -2ce^{-2x}$ und $10 - 2f(x) = -2ce^{-2x}$.

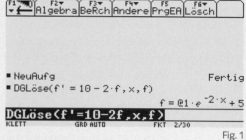
Fig. 1

Der **Differenzialquo-
tient** $\frac{df}{dx}$ (lies df nach dx)
erinnert an den
Differenzenquotienten
$\frac{\Delta f}{\Delta x} = \frac{f(x + h) - f(x)}{h}$.

2. Lösen der Differenzialgleichung – Trennung der Variablen

Die Lösung einer Differenzialgleichung kann man in vielen Fällen wie folgt berechnen: Man
verwendet dazu die Darstellung $f'(x) = \frac{df}{dx}$, die auf Leibniz zurückgeht. Dabei heißen df und dx
Differenziale. Die Differenzialschreibweise wird bei Integralen verwendet und ist hier ebenfalls
nützlich. Für die Differenzialgleichung $f'(x) = 10 - 2f(x)$ erhält man $\frac{df}{dx} = 10 - 2f$.
Dabei wird kurz f statt f(x) geschrieben. Man trennt nun die Variablen f und x, indem man die
Gleichung so umformt, dass links nur f und rechts nur x steht.

Differenzialquotienten
werden hier formal wie
Quotienten behandelt.
Das Vorgehen kann man
begründen. Jedenfalls ist
das Ergebnis durch eine
Probe wie oben zu „verifi-
zieren".

$$\frac{df}{10 - 2f} = dx$$

$$-\frac{1}{2} \cdot \frac{1}{f - 5} df = 1 \cdot dx$$

Man bildet auf beiden Seiten eine Stammfunktion. Auf der linken Seite ist f und auf der rechten
Seite ist x Integrationsvariable. Man erhält:

Falls $f < 5$ ist, muss man
$\ln(5 - f)$ statt $\ln(f - 5)$
schreiben. Man erhält da-
mit aber formal dieselbe
Lösung, allerdings nun
mit $c < 0$.

$$-\frac{1}{2} \ln(f - 5) = x + k \quad \text{bzw.} \quad \ln(f - 5) = -2(x + k).$$

Dabei ist k eine Integrationskonstante, die beim Ableiten wieder wegfiele. Durch Anwenden der
e-Funktion ergibt sich:
$f - 5 = e^{-2x - 2k} = e^{-2x} \cdot e^{-2k}$, also wenn man noch $c = e^{-2k}$ setzt:
$f = ce^{-2x} + 5$.
Die Lösung hängt noch von dem Parameter c ab. Damit man eine eindeutige Lösung erhält, ist
eine zusätzliche Bedingung erforderlich.

Es gibt auch **Randwert-
probleme**, z.B. für eine
schwingende Saite, die
an den Rändern einge-
spannt ist. Randwertpro-
bleme werden hier nicht
behandelt.

3. Anfangswertprobleme

Eine Differenzialgleichung, bei welcher ein Wert, z.B. f(0), vorgegeben ist, heißt Anfangswertproblem, f(0) heißt dabei **Anfangswert**. Beim beschränkten Wachstum einer Bevölkerung ist z.B.
der Anfangswert die Bevölkerungszahl zu Beginn der Bevölkerungsentwicklung.

Um für das Anfangswertproblem
$f'(x) = 10 - 2f(x)$ mit dem Anfangswert
$f(0) = 8$ die eindeutige Lösung zu bestimmen,
setzt man den Anfangswert in die allgemeine
Lösungsfunktion ein und bestimmt damit die
passende Zahl c.
Aus $f_c(0) = c + 5 = 8$ ergibt sich $c = 3$.
Also ist die Funktion f mit $f(x) = 3e^{-2x} + 5$
die Lösung des Anfangswertproblems
(vgl. Fig. 1, Lösung mit CAS).

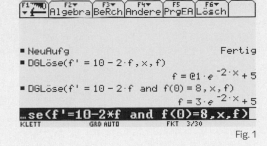

Fig. 1

4. Näherungslösung – Eulers Methode

Nicht immer gelingt es, eine Differenzialgleichung exakt zu lösen. Man kann aber immer Näherungslösungen bestimmen. Die einfachste Methode wurde von Leonhard Euler für Anfangswertprobleme angegeben.

Man „diskretisiert" dazu die Differenzialgleichung, indem man den Differenzialquotienten durch den Differenzenquotienten mit einem festen (kleinen) h bzw. Δx ersetzt:

Aus der Differenzialgleichung $f'(x) = 10 - 2f(x)$ wird dann die „Differenzengleichung"
$\frac{f(x+h) - f(x)}{h} = 10 - 2f(x)$.

Die Differenzengleichung ist nur eine Näherung der Differenzialgleichung. Je kleiner h ist, desto besser ist die Näherung. Für die Näherung wird $g(x)$ geschrieben, also die Differenzengleichung $\frac{g(x+h) - g(x)}{h} = 10 - 2g(x)$ verwendet. Man löst die Differenzengleichung nach $g(x+h)$ auf: (∗) $g(x+h) = g(x) + h(10 - 2g(x))$.

Da man den Anfangswert $g(0) = f(0)$ kennt, kann man für $x = 0$ hiermit $g(h)$ berechnen:
$g(h) = g(0) + h(10 - 2g(0))$.

Setzt man h für x in die Gleichung (∗) ein, so kann man $g(2h)$ berechnen und durch Wiederholung dieses Vorgehens $g(3h)$, $g(4h)$ usw., allgemein:
$g(n \cdot h) = g((n-1) \cdot h) + h \cdot (10 - 2 \cdot g((n-1) \cdot h))$.

Setzt man $u_n = g(nh)$, so erhält man die rekursive Darstellung einer Folge:
$u_n = u_{n-1} + h \cdot (10 - 2u_{n-1})$.

Die Folge u liefert Näherungswerte für die Funktionswerte von f an den diskreten Stellen nh.

Die folgenden GTR-Darstellungen zeigen den Vergleich der Näherung mit der exakten Lösung für $h = 0{,}1$ und den Bereich [0; 2]. In der Tabelle zeigt die Liste L_2 die Näherungswerte und die Liste L_3 die exakten Werte.

Mit der näherungsweisen Lösung von Differenzialgleichungen beschäftigt man sich in der angewandten Mathematik. Die Entwicklung guter Näherungsverfahren ist ein brandaktuelles Thema der mathematischen Forschung.

Liste L_3 kann mit dem Befehl $Y_1(L_1)$ erzeugt werden, wenn die exakte Lösungsfunktion in Y_1 gespeichert ist.

Folge eingeben	Listen erzeugen	Tabelle	Grafische Darstellung

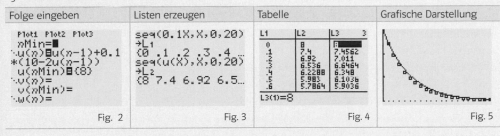

Fig. 2	Fig. 3	Fig. 4	Fig. 5

Die Grafik zeigt, dass die Näherung im mittleren Bereich stärker abweicht. Häufig wird die Näherung immer ungenauer, je höher n ist, z.B. bei der Differenzialgleichung $f'(x) = f(x)$ mit der Lösung $f(x) = e^x$ im Bereich [0; 2] mit $h = 0{,}1$ (Fig. 6). Für solche Fälle sind andere Verfahren entwickelt worden, die bei derselben Schrittweite h nur sehr geringe Abweichungen zeigen.

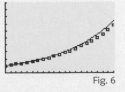

Fig. 6

5. Eine Differenzialgleichung zweiter Ordnung

Die bisher behandelten Differenzialgleichungen sind Differenzialgleichungen erster Ordnung. Als Beispiel für eine Differenzialgleichung zweiter Ordnung wird abschließend die Differenzialgleichung $f'' = kf$ betrachtet. Dabei soll k eine beliebige von Null verschiedene reelle Zahl sein.

Bei ihrer Lösung kommt es auf das Vorzeichen von k an. Das erkennt man an den Fällen $f'' = f$ bzw. $f'' = -f$. Lösungen kann man leicht erraten: Eine Lösung von $f'' = f$ ist die Funktion f mit $f(x) = e^x$, eine Lösung von $f'' = -f$ ist dagegen die Funktion f mit $f(x) = \sin(x)$.

Diese speziellen Lösungen lassen sich auf den allgemeinen Fall $f'' = kf$ übertragen.

Falls $k > 0$, schreibt man $k = b^2$ mithilfe einer Zahl $b \neq 0$. Man erhält damit die Differenzialgleichung $f'' = b^2 f$. Falls $k < 0$, schreibt man entsprechend $k = -b^2$, um das negative Vorzeichen hervorzuheben. Man erhält dann die Differenzialgleichung $f'' = -b^2 f$. Wie man durch zweimaliges Ableiten bestätigt, gilt:

> **Satz:** Die Differenzialgleichung $f'' = b^2 f$ hat als Lösung jede Funktion f mit $f(x) = a \cdot e^{b \cdot x}$ und $f(x) = a \cdot e^{-b \cdot x}$. Die Differenzialgleichung $f'' = -b^2 f$ hat als Lösung jede Funktion f mit $f(x) = a \cdot \sin(b \cdot (x - c))$.
>
> Dabei sind a; b und c beliebige reelle Zahlen.

Im Fall der Differenzialgleichung $f'' = -b^2 f$ schreibt man mithilfe der Amplitude a und der Periode P auch $f(x) = a \cdot \sin\left(\frac{2\pi}{P} \cdot (x - c)\right)$ (vgl. Fig. 1).

Die Differenzialgleichung $f'' = -b^2 f$ hat praktische Anwendungen, wie an einem Beispiel aus der Mechanik gezeigt wird.

An einer Schraubenfeder hängt ein Körper K (Fig. 2). Wenn K um eine Strecke s aus der Ruhelage bewegt wird, dann wirkt auf K eine von s abhängige Kraft F(s). Diese Kraft versucht K wieder in die Ruhelage zurückzubewegen. Lenkt man den Körper K anfangs um eine Strecke $\hat{s}$ (entspricht der Amplitude) aus und lässt ihn dann los, so schwingt er „harmonisch" um die Ruhelage hin und her.

Die Kraft F ist zu s proportional, es gilt das „lineare Kraftgesetz" $F = -Ds$.

Dabei ist D eine positive Konstante.

Mithilfe der Newton'schen Grundgleichung $F = ma = ms''$ liefert das lineare Kraftgesetz für die Funktion s eine Differenzialgleichung zweiter Ordnung: $ms'' = -Ds$. Dabei ist m die Masse des Körpers K. Es ist in der Physik üblich, $\omega = \sqrt{\frac{D}{m}}$ zu setzen, sodass die Differenzialgleichung folgende Form annimmt: $s'' = -\omega^2 \cdot s$.

Eine Lösung mit $s(0) = 0$ ist die Funktion s mit $s(t) = \hat{s} \cdot \sin(\omega \cdot t)$.

Man sagt, dass eine solche Funktion eine harmonische Schwingung beschreibt. Daher nennt man die Gleichung $s'' = -\omega^2 \cdot s$ auch **Differenzialgleichung einer harmonischen Schwingung**. Sie tritt auch bei anderen Schwingungsvorgängen, z.B. bei elektromagnetischen Wellen, auf.

Die Amplitude wird hier mit $\hat{s}$ bezeichnet, damit man sie nicht mit der Beschleunigung a verwechselt.

Das Minuszeichen berücksichtigt, dass F entgegen der Auslenkung s wirkt.

Erinnerung:
Bezeichnet s(t) den Weg, so gilt für die Beschleunigung $a(t) = s''(t)$, kurz $a = s''$.

In der Physik wird statt b der griechische Buchstabe ω (lies: Omega) verwendet.

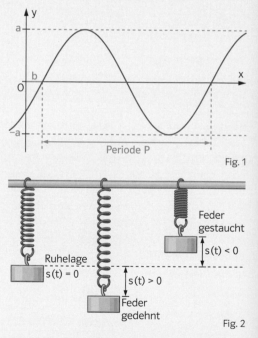

Periode P

Fig. 1

Fig. 2

Rückblick

Folgen

Rekursive Darstellung

Die Berechnung von $a(n)$ für $n = 1; 2; 3; \ldots$ wird mithilfe zuvor berechneter Folgenwerte duchgeführt. Für die erste Berechnung wird ein **Startwert** $a(0)$ benötigt.

Explizite Darstellung

Die Berechnung von $a(n)$ kann für beliebiges n unmittelbar erfolgen.

Die Zahlen $1; 1{,}1;$ $1{,}21; 1{,}331; 1{,}4641; \ldots$ bilden eine Folge a.
Rekursiv:
$a(n) = 1{,}1 \cdot a(n-1)$
mit $a(0) = 1$
Explizit: $a(n) = 1{,}1^n$

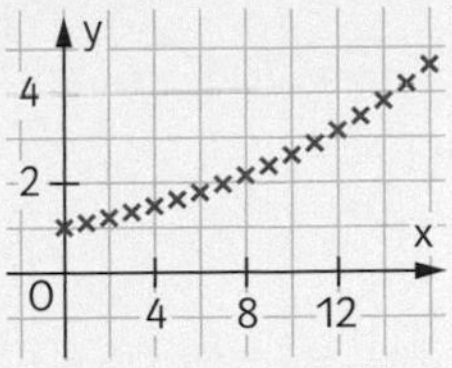

Fig. 1

Eigenschaften von Folgen

Wenn bei einer Folge a für alle natürlichen Zahlen n gilt, dass

$a(n+1) \geq a(n)$, dann ist a **monoton wachsend**,

$a(n+1) \leq a(n)$, dann ist a **monoton fallend**.

Wenn es bei einer Folge a eine Zahl $S \in \mathbb{R}$ bzw. $s \in \mathbb{R}$ gibt, sodass für alle natürlichen Zahlen n gilt: $a(n) \leq S$ bzw. $a(n) \geq s$, dann ist a **nach oben bzw. nach unten beschränkt**.

Jede monotone und beschränkte Folge a hat einen Grenzwert g.
Schreibweisen: $a(n) \to g$ oder $g = \lim\limits_{n \to \infty} a(n)$.

Die Folge a mit $a(n) = 5 - 0{,}5^n$
– ist monoton wachsend, da
$a(n+1) - a(n) = 0{,}5 \cdot 0{,}5^n > 0$,
– ist nach unten beschränkt, da
$a(n) > 0$ für alle n,
– ist nach oben beschränkt, da
$a(n) < 5$ für alle n,
– hat den Grenzwert 5: $\lim\limits_{n \to \infty} a(n) = 5$,
da $0{,}5^n \to 0$ für $n \to \infty$.

Exponentielles Wachstum

Beschreibung mithilfe einer Folge B

Rekursive Darstellung: $B(n) = B(n-1) + p \cdot B(n-1) = a B(n-1)$

Explizite Darstellung: $B(n) = B(0) e^{kn}$ mit $k = \ln(1+p) = \ln(a)$

Beschreibung mithilfe einer Funktion f

Funktionsdarstellung: $f(x) = c e^{kx}$

Differenzialgleichung: $f'(x) = k f(x)$

Ein Bestand beträgt anfangs 2 und wächst pro Zeitschritt um 8%.

Rekursive Darstellung: $B(n) = 1{,}08 \cdot B(n-1)$

Explizite Darstellung: $B(n) = 2 e^{\ln(1{,}08) \cdot n}$

Funktionsdarstellung: $f(x) = 2 e^{\ln(1{,}08) \cdot x}$

Differenzialgleichung: $f'(x) = \ln(1{,}08) \cdot f(x)$

Beschränktes Wachstum mit Schranke (Sättigungsgrenze) S

Beschreibung mithilfe einer Folge B

Rekursive Darstellung: $B(n) = B(n-1) + p(S - B(n-1))$

Explizite Darstellung: $B(n) = S - (S - B(0)) e^{-kn}$ mit $k = -\ln(1-p)$

Beschreibung mithilfe einer Funktion f

Funktionsdarstellung: $f(x) = S - c e^{-kx}$

Differenzialgleichung: $f'(x) = k(S - f(x))$

Ein Bestand beträgt anfangs 2, nach einem Zeitschritt 5 und wächst beschränkt gegen die Schranke $S = 10$.

p bestimmen: $5 = 2 + p \cdot (10 - 2)$, also $p = 0{,}375$

Rek. Darst.: $B(n) = B(n-1)$
$\qquad\qquad + 0{,}375(10 - B(n-1))$

Expl. Darst.: $B(n) = 10 - 8 e^{\ln(0{,}625) \cdot n}$

c bestimmen: $2 = 10 - c$, also $c = 8$

k bestimmen: $5 = 10 - 8 e^{-k}$, also $k = -\ln(0{,}625)$

Funktionsdarstellung: $f(x) = 10 - 8 e^{\ln(0{,}625) \cdot x}$

Differenzialgl.: $f'(x) = -\ln(0{,}625) \cdot (10 - f(x))$

Logistisches Wachstum mit Schranke (Sättigungsgrenze) S

Beschreibung mithilfe einer Folge B

Rekursive Darstellung: $B(n) = B(n-1) + q B(n-1)(S - B(n-1))$

Explizite Darstellung: nicht möglich

Beschreibung mithilfe einer Funktion f

Funktionsdarstellung: $f(x) = \dfrac{S}{1 + a \cdot e^{kx}}$

Differenzialgleichung: $f'(x) = r f(x)(S - f(x))$ mit $r = \dfrac{k}{S}$.

Ein Bestand beträgt anfangs 2 nach einem Zeitschritt 5 und wächst logistisch gegen die Schranke $S = 20$. Bestimmung von q:

$5 = 2 + 2q \cdot (20 - 2)$; Lösung: $q = \dfrac{1}{12}$

Rekursive Darstellung:

$B(n) = B(n-1) + \dfrac{1}{12} B(n-1)(20 - B(n-1))$

a bestimmen: $2 = \dfrac{20}{1 + a}$, also $a = 9$

k bestimmen: $5 = \dfrac{20}{1 + 9 e^{-k}}$, also $k = \ln(3)$

Funktionsdarstellung: $f(x) = \dfrac{20}{1 + 9 e^{-\ln(3) \cdot x}}$

Differenzialgl.: $f'(x) = \dfrac{\ln(3)}{20} \cdot f(x) \cdot (20 - f(x))$

Prüfungsvorbereitung ohne Hilfsmittel

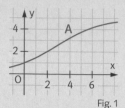

Fig. 1

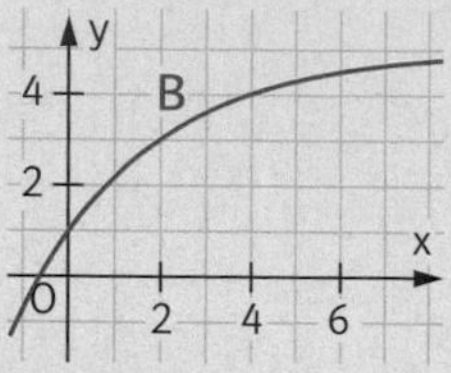

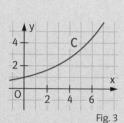

Fig. 2

Fig. 3

1 Gegeben ist die Folge $3; \frac{3}{2}; \frac{3}{4}; \frac{3}{8} \ldots$
a) Bestimmen Sie eine rekursive und eine explizite Darstellung zu der Folge.
b) Untersuchen Sie die Folge auf Monotonie und Beschränktheit.
c) Wieso hat die Folge einen Grenzwert? Geben Sie den Grenzwert an.

2 Eine Folge hat die explizite Darstellung $a(n) = \frac{4n - 6}{3n}$ $(n \geq 1)$.
a) Bestimmen Sie – mit Begründung – den Grenzwert der Folge.
b) Zeigen Sie, dass a für $n > 1$ die rekursive Darstellung $a(n) = a(n - 1) + \frac{2}{n(n - 1)}$ hat.

3 Eine von Pilzen befallene Fläche nimmt nach Behandlung mit einem Medikament von anfangs $256\,cm^2$ mit einer Halbwertszeit von zwei Tagen ab.
Wie lange dauert es, bis die Fläche auf $16\,cm^2$ abnimmt?

4 Zeigen Sie: Bei der Folge B mit $B(n) = 10 - 10 \cdot 2^{-n}$ ist die Änderung $B(n) - B(n - 1)$ zu $10 - B(n - 1)$ proportional.
Was können Sie daher über die Folge B aussagen?
Ab welchem n beträgt der Abstand von $B(n)$ zu 10 weniger als 1?

5 Ordnen Sie jedem Graphen (Fig. 1–3) die passende Funktionsgleichung (Fig. 4) zu. Begründen Sie Ihr Vorgehen.

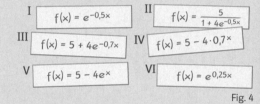

I $f(x) = e^{-0,5x}$

II $f(x) = \dfrac{5}{1 + 4e^{-0,5x}}$

III $f(x) = 5 + 4e^{-0,7x}$

IV $f(x) = 5 - 4 \cdot 0,7^x$

V $f(x) = 5 - 4e^x$

VI $f(x) = e^{0,25x}$

Fig. 4

6 Ein Wachstum wird beschrieben durch die Differenzialgleichung $f'(x) = 0,6\,f(x)$.
Anfangswert ist $f(0) = 3$.
a) Geben Sie zu der Funktion f die Funktionsgleichung an.
b) Bestimmen Sie den Faktor a in der rekursiven Darstellung $f(n) = a \cdot f(n - 1)$.

hPa = Hektopascal
(Druckeinheit)

7 Der Luftdruck nimmt mit zunehmender Höhe ab, und zwar beim Aufstieg von 1000 m um (etwa) 12 %. Am Erdboden herrscht der Luftdruck $p_0 = 1013\,hPa$.
a) Bestimmen Sie die Funktion p, die den Luftdruck $p(x)$ (in hPa) in einer Höhe von x Metern angibt.
b) Welche Differenzialgleichung gilt für p? Beschreiben Sie ihre Bedeutung.
c) Erläutern Sie den Begriff Halbwertshöhe und leiten Sie eine Formel dafür her.

8 Die Zahl der Gewerkschaftsmitglieder soll modelliert werden.
a) Wählen Sie ein passendes Modell. Was spricht dafür, was dagegen?
Wozu ist eine solche Modellierung nützlich?
b) Die Grafik vermittelt den Eindruck einer wesentlich stärkeren Abnahme, als es wirklich der Fall ist. Woran liegt das?

Fig. 5

Prüfungsvorbereitung mit Hilfsmitteln

1 Untersuchen Sie, ob die Folge a monoton oder beschränkt ist und ob sie einen Grenzwert hat.

a) $a(n) = \frac{10}{n} - \frac{n}{10}$ 　　　 b) $a(n) = \frac{4n+1}{2n}$; $(n \geq 1)$ 　c) $a(n) = \cos(n)$ 　　　 d) $a(n) = \frac{4}{1 + e^{-n}}$

2 Welcher Pkw-Bestand würde sich Anfang des Jahres 2025 ergeben, wenn die in dem Zeitungsbericht genannte Wachstumsrate von 0,8 % pro Jahr bis dahin konstant bliebe? In wie vielen Jahren würde sich unter dieser Annahme der Bestand verdoppeln?

3 In einen neu angelegten Teich werden 500 Fische eingesetzt. Sie können sich ungestört vermehren. Nach drei Jahren wird geschätzt, dass 900 Fische in dem Teich leben.
a) Wie groß ist die Wachstumskonstante k auf zwei Dezimale gerundet, wenn man exponentielles Wachstum annimmt?
Welcher Fischbestand ist sieben Jahre nach dem Einsetzen der Fische zu erwarten?
b) Vier Jahre nach dem Einsetzen ändert sich die Wachstumskonstante. Ab diesem Zeitpunkt beträgt sie − 0,15.
Wie entwickelt sich der Fischbestand jetzt?
Wie groß ist er sieben Jahre nach dem Einsetzen?
Wann ist der Fischbestand auf die ursprüngliche Zahl von 500 Fischen gesunken?

4 Eine Reisegruppe aus zehn Personen wird im Urlaub mit einer hoch ansteckenden Krankheit infiziert; im Laufe der Zeit werden nach ihrer Rückkehr praktisch alle 20 000 Einwohner ihrer Heimatstadt mit diesem Virus infiziert. Nach 15 Tagen ist bereits die Hälfte der Einwohner angesteckt.
a) Warum ist es sinnvoll, die Anzahl der infizierten Einwohner durch logistisches Wachstum mithilfe einer Funktion der Form $f(x) = \frac{S}{1 + a \cdot e^{-kx}}$ zu modellieren?
Wie viel Prozent der Bevölkerung sind nach zwei Wochen infiziert?
Nach welcher Zeit haben sich 95 % der Einwohner angesteckt?
b) Eine infizierte Person wird sofort krank und die Krankheit dauert fünf Tage. Nach dem Ende der Krankheit kann die Person jedoch weiterhin andere Personen anstecken. Bestimmen Sie mithilfe Ihrer Modellfunktion aus a) die Anzahl der nach zehn Tagen kranken Einwohner. Nach welcher Zeit seit Rückkehr der Reisegruppe sind weniger als zehn Einwohner krank?

5 In einer Tasse ist Kaffee mit der Anfangstemperatur von 90 °C. Die Zimmertemperatur beträgt 20 °C. Die momentane Änderungsrate der Temperatur des Kaffees (in °C pro Minute) wird beschrieben durch

$g(t) = -\frac{42}{5} e^{-\frac{3}{25}t}$; $t \geq 0$; t in Minuten.
a) Wieso hat die Funktion g keine Nullstelle? Begründen Sie, dass die Funktion g streng monoton wächst. Was bedeutet das für den Abkühlungsvorgang?
b) Bestimmen Sie die Funktion h, welche die
Temperatur des Kaffees zur Zeit t angibt. Wie lange dauert es ungefähr, bis sich der Kaffee auf die Hälfte der Anfangstemperatur abgekühlt hat?
c) Bei einem Abkühlungsvorgang ist die momentane Änderungsrate der Temperatur proportional zur Differenz von Temperatur und Zimmertemperatur. Weisen Sie nach, dass dieser Zusammenhang für die in Teil b) bestimmte Funktion h zutrifft.

d) Bestimmen Sie $\lim\limits_{z \to \infty} \int\limits_{0}^{z} g(t)\, dt$ und interpretieren Sie das Ergebnis.

Lineare Gleichungssysteme

In vielen Bereichen wie zum Beispiel den Natur-wissenschaften, der Technik, der Medizin und den Wirtschaftswissenschaften gibt es Probleme, die man mithilfe linearer Gleichungssysteme lösen kann.

Diese linearen Gleichungssysteme löst man mit dem Gauß-Verfahren.

$$2x_1 - x_2 + 6x_3 = 8$$
$$3x_1 + 2x_2 + 2x_3 = -2$$
$$x_1 + 3x_2 - 4x_3 = -10$$

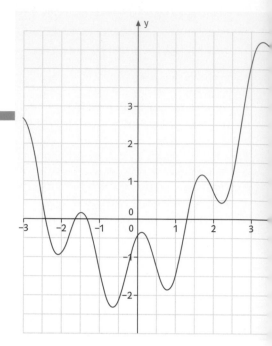

Kurvenanpassung

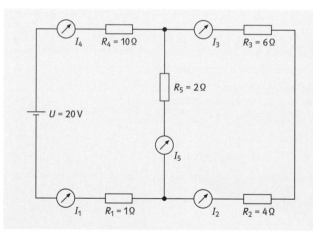

Stromstärken in Gleichstromnetzen

Das kennen Sie schon

- Lösen von Gleichungssystemen mit zwei Variablen
- Eigenschaften ganzrationaler Funktionen

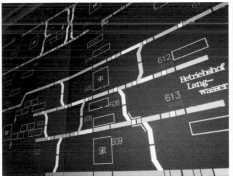

Verkehrsströme im Eisenbahnnetz

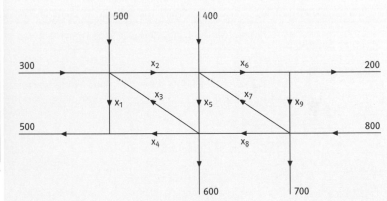

Zahl und
Maß

Daten und
Zufall

Beziehung und
Änderung

Modell und
Simulation

Muster und
Struktur

Form und
Raum

In diesem Kapitel

- wird das Gauß-Verfahren zum Lösen von Gleichungssystemen mit drei Variablen eingeführt.
- werden ganzrationale Funktionen bestimmt.
- werden lineare Gleichungssysteme angewendet.

1 Das Gauß-Verfahren

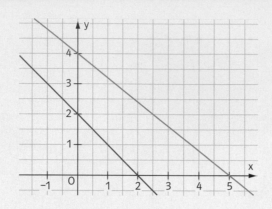

Schneiden sich die beiden Geraden?
Wenn ja, in welchem Punkt?

Mit den bisher bekannten Verfahren lassen sich die Lösungen von linearen Gleichungssystemen (LGS) mit zwei Variablen bestimmen. Im Folgenden wird ein Lösungsverfahren für lineare Gleichungssysteme mit mehr als zwei Variablen betrachtet.

Da das nebenstehende LGS in **Stufenform** vorliegt, kann man die Lösung leicht bestimmen: Aus der dritten Gleichung folgt $x_3 = -2$. Anschließend erhält man durch Einsetzen von $x_3 = -2$ aus der zweiten Gleichung $x_2 = 2$ und durch Einsetzen von $x_3 = -2$ und $x_2 = 2$ aus der ersten Gleichung $x_1 = 0$.

$$\begin{aligned} 2x_1 - 3x_2 + x_3 &= -8 \\ 2x_2 + 5x_3 &= -6 \\ -2x_3 &= 4 \end{aligned}$$

Erlaubte Umformungen:

(1)

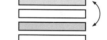

Jedes LGS lässt sich durch die folgenden Äquivalenzumformungen für lineare Gleichungssysteme in Stufenform umwandeln.

$$\begin{aligned} x_2 + 3x_3 &= 10 \\ 5x_1 - 3x_2 + x_3 &= 5 \\ -2x_2 + 2x_3 &= -4 \end{aligned}$$

(2)

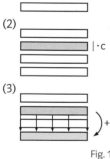

$|\cdot c$

(1) Zwei Gleichungen werden miteinander vertauscht.

$$\begin{aligned} 5x_1 - 3x_2 + x_3 &= 5 \\ x_2 + 3x_3 &= 10 \\ -2x_2 + 2x_3 &= -4 \end{aligned}$$

(2) Eine Gleichung wird mit einer Zahl $c \ne 0$ multipliziert.

$$\begin{aligned} 5x_1 - 3x_2 + x_3 &= 5 \\ 2x_2 + 6x_3 &= 20 \\ -2x_2 + 2x_3 &= -4 \end{aligned}$$

(3)

$\big)+$

Fig. 1

(3) Eine Gleichung wird durch die Summe von ihr und einer anderen Gleichung ersetzt.

Aus der Stufenform ergibt sich die Lösung
$x_3 = 2;\ x_2 = 4;\ x_1 = 3$.

$$\begin{aligned} 5x_1 - 3x_2 + x_3 &= 5 \\ 2x_2 + 6x_3 &= 20 \\ 8x_3 &= 16 \end{aligned}$$

Ein 2-Tupel $(x_1; x_2)$ ist ein geordnetes Paar.

Die Lösung gibt man als 3-Tupel in der Form $(x_1; x_2; x_3)$ an: $(3; 4; 2)$.

Gauß-Verfahren zum Lösen linearer Gleichungssysteme mit n Variablen
1. Man bringt das lineare Gleichungssystem durch Äquivalenzumformungen auf Stufenform.
2. Man löst die Gleichungen der Stufenform schrittweise nach den Variablen $x_n;\ \ldots\ x_2;\ x_1$ auf.

Um Schreibarbeit zu sparen kann man ein lineares Gleichungssystem in Kurzform angeben. Man notiert in jeder Zeile nur noch die Koeffizienten und die Zahl auf der rechten Seite. Dieses Zahlenschema, das auch beim GTR verwendet wird, bezeichnet man als **Matrix**.

LGS

$3x_1 + 6x_2 - 2x_3 = -15$
$\qquad 4x_2 - 3x_3 = -17$
$2x_1 + 5x_2 - 5x_3 = -23$

Kurzschreibweise in Matrixform

$$\begin{pmatrix} 3 & 6 & -2 & | & -15 \\ 0 & 4 & -3 & | & -17 \\ 2 & 5 & -5 & | & -23 \end{pmatrix}$$

Darstellung mit dem GTR

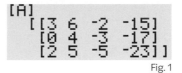

Fig. 1

Kommt eine Variable in einer Gleichung nicht vor, so ist der entsprechende Koeffizient 0.

Der GTR liefert eine Matrix, aus der man die Lösung des LGS ablesen kann.

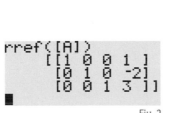

Fig. 2

Hieraus lässt sich die Lösung ablesen:

$\rightarrow \quad x_1 + 0 \cdot x_2 + 0 \cdot x_3 = \quad 1$
$\rightarrow \quad 0 \cdot x_1 + \quad x_2 + 0 \cdot x_3 = -2$
$\rightarrow \quad 0 \cdot x_1 + 0 \cdot x_2 + \quad x_3 = \quad 3$

Lösung: (1; −2; 3)

Beispiel Lösung eines LGS mit dem Gauß-Verfahren und dem GTR

Lösen Sie das lineare Gleichungssystem
a) mit dem Gauß-Verfahren,
b) mit dem GTR.

$3x_1 + 6x_2 - 2x_3 = -4$
$3x_1 + 2x_2 + \quad x_3 = \quad 0$
$1{,}5x_1 + 5x_2 - 5x_3 = -9$

⊚ **CAS**
Anleitung zu linearen LGS

■ Lösung: a) *1. Schritt: LGS notieren und Gleichungen „nummerieren".*

Umformung

I $\quad 3x_1 + 6x_2 - 2x_3 = -4$
II $\quad 3x_1 + 2x_2 + \quad x_3 = \quad 0$
III $1{,}5x_1 + 5x_2 - 5x_3 = -9$

2. Schritt: Damit x_1 in der Gleichung II „wegfällt", ersetzt man II durch die Summe von (− 1)·II und I.

I $\quad 3x_1 + 6x_2 - 2x_3 = -4$
IIa $\qquad 4x_2 - 3x_3 = -4$ $\qquad$ IIa = (−1)·II + I
III $1{,}5x_1 + 5x_2 - 5x_3 = -9$

3. Schritt: Damit x_1 in der Gleichung III „wegfällt", ersetzt man III durch die Summe von (−2)·III und I.

I $\quad 3x_1 + 6x_2 - 2x_3 = -4$
IIa $\qquad 4x_2 - 3x_3 = -4$
IIIa $\qquad -4x_2 + 8x_3 = 14$ $\qquad$ IIIa = (−2)·III + I

4. Schritt: Damit x_2 in der Gleichung IIIa „wegfällt", ersetzt man IIIa durch die Summe von IIIa und IIa.

I $\quad 3x_1 + 6x_2 - 2x_3 = -4$
IIa $\qquad 4x_2 - 3x_3 = -4$
IIIb $\qquad\qquad 5x_3 = 10$ $\qquad$ IIIb = IIIa + IIa

5. Schritt: Man bestimmt die Lösung aus der Stufenform.

$x_3 = 2$; $x_2 = 0{,}5$; $x_1 = -1$
Lösung: (−1; 0,5; 2)

b)
LGS

$\quad 3x_1 + 6x_2 - 2x_3 = -4$
$\quad 3x_1 + 2x_2 + \quad x_3 = \quad 0$
$1{,}5x_1 + 5x_2 - 5x_3 = -9$

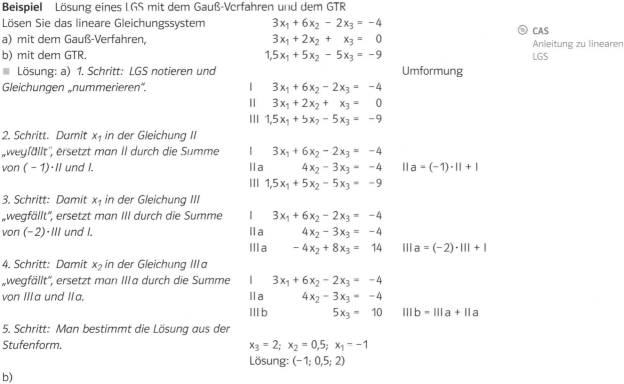

Fig. 3

Lösung: (−1; 0,5; 2)

Fig. 4

Aufgaben

1 Bestimmen Sie die Lösung.

a)
$$2x_1 - 3x_2 - 5x_3 = -1$$
$$2x_2 + x_3 = 0$$
$$3x_3 = 6$$

b)
$$3x_1 + 8x_2 - 3x_3 = 5$$
$$4x_2 + x_3 = 1$$
$$-5x_3 = 10$$

c)
$$3x_1 + 4x_2 + 6x_3 = 5$$
$$17x_2 + 24x_3 = 16$$
$$2x_3 = 7$$

2

a)
$$2x_1 + 4x_2 + 2x_3 = 7$$
$$4x_2 + 2x_3 = 8$$
$$4x_2 - x_3 = -1$$

b)
$$3x_1 - 4x_2 + x_3 = 4$$
$$3x_1 + x_2 - 2x_3 = 1$$
$$3x_3 = 6$$

c)
$$4x_1 - 2x_2 + 2x_3 = 3$$
$$3x_2 + 3x_3 = -3$$
$$4x_1 + x_2 + 4x_3 = 5$$

3

a)
$$x_1 + 2x_2 - 2x_3 = 4$$
$$x_2 - 2x_3 = -1$$
$$4x_2 + 3x_3 = 7$$

b)
$$2x_1 - 3x_2 - x_3 = 1$$
$$2x_2 + 3x_3 = 1$$
$$4x_1 + 2x_2 + 3x_3 = 6$$

c)
$$10x_1 + 3x_2 - 2x_3 = 3$$
$$5x_3 = 10$$
$$2x_1 - x_2 - 3x_3 = 1$$

4

a)
$$2x_1 - 4x_2 + 5x_3 = 3$$
$$3x_1 + 3x_2 + 7x_3 = 13$$
$$4x_1 - 2x_2 - 3x_3 = -1$$

b)
$$-x_1 + 7x_2 - x_3 = 5$$
$$4x_1 - x_2 + x_3 = 1$$
$$5x_1 - 3x_2 + x_3 = -1$$

c)
$$0,6x_2 + 1,8x_3 = 3$$
$$0,3x_1 + 1,2x_2 = 0$$
$$0,5x_1 + x_3 = 1$$

5 Geben Sie die Lösung des zu der GTR-Anzeige gehörenden LGS mit drei Variablen an.

a) 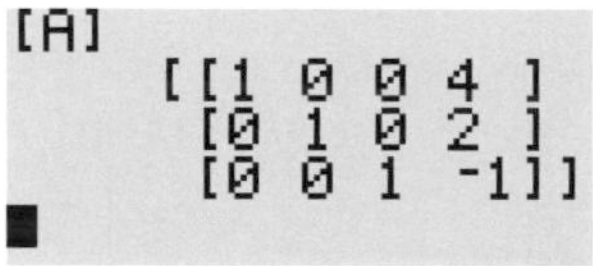 **[A]**
```
[[1 0 0 4 ]
 [0 1 0 2 ]
 [0 0 1 -1]]
```
Fig. 1

b) 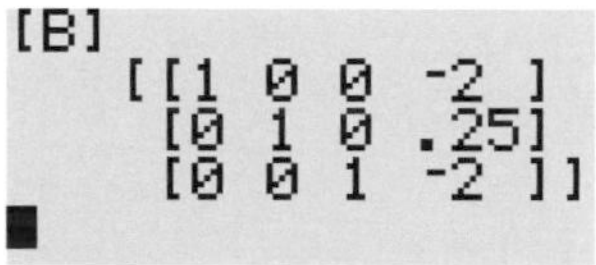 **[B]**
```
[[1 0 0 -2 ]
 [0 1 0 .25]
 [0 0 1 -2 ]]
```
Fig. 2

c) 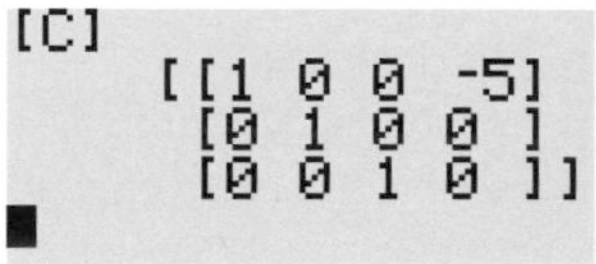 **[C]**
```
[[1 0 0 -5]
 [0 1 0 0 ]
 [0 0 1 0 ]]
```
Fig. 3

6 Lösen Sie das lineare Gleichungssystem mithilfe des GTR.

a)
$$2x_1 + 5x_2 + 2x_3 = -4$$
$$-2x_1 + 4x_2 - 5x_3 = -20$$
$$3x_1 - 6x_2 + 5x_3 = 23$$

b)
$$x_1 - 0,5x_2 + 2x_3 = -3$$
$$2x_1 + 1,2x_2 - x_3 = 4$$
$$3x_1 - 2x_2 + 2,5x_3 = -2$$

c)
$$0,4x_1 + 0,8x_2 + 1,3x_3 = 4,4$$
$$2,2x_1 - 1,4x_2 - 3,5x_3 = -8,7$$
$$-3x_1 - 1,5x_2 + x_3 = -2,5$$

Zeit zu überprüfen

7 Lösen Sie das lineare Gleichungssystem mit dem Gauß-Verfahren und mit dem GTR.

a)
$$3x_1 - x_2 + 3x_3 = -17$$
$$2x_1 - x_2 - x_3 = -8$$
$$x_1 - x_2 + 3x_3 = -7$$

b)
$$2x_1 - 3x_2 - 2x_3 = 10$$
$$-x_1 + x_2 - x_3 = 2$$
$$x_1 - 2x_3 = 7$$

c)
$$2x_1 - 3x_2 + 3x_3 = 4$$
$$5x_1 - 4x_2 + 3x_3 = 22$$
$$-4x_1 + 3x_2 + 3x_3 = 10$$

8 Welche Fehler wurden bei der Umformung des LGS gemacht?

a)

I	$2x_1 + 3x_2 - 4x_3 = 5$
II	$x_1 - 7x_2 + 12x_3 = -8$
III	$2x_1 + 5x_2 - 3x_3 = -4$
I	$2x_1 + 3x_2 - 4x_3 = 5$
II	$x_1 - 7x_2 + 12x_3 = -8$
IIIa = III – I	$2x_2 + x_3 = 4$

b)

I	$3x_1 - 4x_2 + 2x_3 = 4$
II	$6x_1 + 2x_2 + x_3 = -8$
III	$2x_1 + 5x_2 - 3x_3 = -4$
I	$3x_1 - 4x_2 + 2x_3 = 4$
IIa = II + (–2)·I	$-x_3 = -16$
III	$2x_1 + 5x_2 - 3x_3 = -4$

9 Geben Sie ein LGS an, bei dem alle Koeffizienten von Null verschieden sind und das die angegebene Lösung hat.

a) (1; 2; 3)　　　b) (–2; 5; 1)　　　c) (1; 1; 1)　　　d) (0; 3; 6)

10 Bestimmen Sie die Lösung des LGS.

a) $\begin{aligned} 4x_1 - 3x_2 + 6x_3 &= 0 \\ 2x_1 \quad\;\; - x_3 &= 5 \\ 4x_1 \qquad\qquad &= -2 \end{aligned}$

b) $\begin{aligned} 4x_1 - x_2 + 3x_3 &= 2 \\ x_1 + 3x_2 \quad\;\; &= 5 \\ 4x_2 \quad\;\; &= 8 \end{aligned}$

c) $\begin{aligned} 5x_1 \qquad\qquad &= 10 \\ 5x_2 - 3x_3 &= 9 \\ 4x_1 + x_2 \quad\;\; &= 0 \end{aligned}$

d) $\begin{aligned} x_1 + x_2 \quad\;\; &= 3 \\ x_1 + x_2 - x_3 &= 0 \\ x_2 + x_3 &= 4 \end{aligned}$

e) $\begin{aligned} x_1 + x_2 - x_3 &= 0 \\ x_1 \quad\;\; + x_3 &= 2 \\ x_1 - 2x_2 + x_3 &= 2 \end{aligned}$

f) $\begin{aligned} 5x_1 - x_2 - x_3 &= -3 \\ x_1 + 3x_2 + x_3 &= 5 \\ x_1 - 3x_2 + x_3 &= -1 \end{aligned}$

INFO → Aufgabe 11

Lineare Gleichungssysteme mit Parameter auf der rechten Seite

Auch bei linearen Gleichungssystemen mit einem Parameter auf der rechten Seite kann man das Gauß-Verfahren anwenden, zum Beispiel:

LGS

$\begin{aligned} x_1 + 2x_2 - 2x_3 &= -5 + r \\ 2x_1 + 3x_2 - 2x_3 &= -5 - 2r \\ -4x_1 - 6x_2 + 10x_3 &= -2 + 10r \end{aligned}$

LGS in Stufenform

$\begin{aligned} x_1 + 2x_2 - 2x_3 &= -5 + r \\ - x_2 + 2x_3 &= 5 - 4r \qquad \text{IIa = II + (-2)·I} \\ 6x_3 &= -12 + 6r \qquad \text{IIIa = III + 2·II} \end{aligned}$

Aus der Stufenform bestimmt man die Lösung: $x_3 = -2 + r$; $x_2 = -9 + 6r$; $x_1 = 9 - 9r$ $(9 - 9r;\; -9 + 6r;\; -2 + r)$.

Um dieses LGS mit dem GTR zu lösen, fasst man den Parameter r als eine zusätzliche Variable auf. Dabei steht die Spalte für den Parameter r rechts von den Variablen.

$\begin{aligned} x_1 + 2x_2 - 2x_3 &= -5 + r \\ 2x_1 + 3x_2 - 2x_3 &= -5 - 2r \\ -4x_1 - 6x_2 + 10x_3 &= -2 + 10r \end{aligned}$

$\begin{aligned} x_1 + 2x_2 - 2x_3 - r &= -5 \\ 2x_1 + 3x_2 - 2x_3 + 2r &= -5 \\ -4x_1 - 6x_2 + 10x_3 - 10r &= -2 \end{aligned}$

Beachten Sie:
Da zu jedem Wert von r ein anderes LGS gehört, erhält man auch für jeden Wert von r eine andere Lösung.

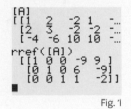

Fig. 1

11 Bestimmen Sie die Lösungen in Abhängigkeit von r.

a) $\begin{aligned} 3x_1 - 2x_2 &= 4r \\ x_1 + 3x_2 &= 5r \end{aligned}$

b) $\begin{aligned} 3x_1 + 4x_2 &= 7r \\ 5x_1 + 4x_2 &= r \end{aligned}$

c) $\begin{aligned} 6x_1 - 3x_2 &= 3r - 6 \\ 4x_1 - 3x_2 &= 2r + 4 \end{aligned}$

d) $\begin{aligned} 3x_1 + 3x_2 - 5x_3 &= 3r \\ x_1 + 6x_2 - 10x_3 &= r \\ 15x_2 + 25x_3 &= 0 \end{aligned}$

e) $\begin{aligned} 3x_1 - 2x_2 + x_3 &= 2r \\ 5x_1 - 4x_2 - x_3 &= 2 \\ x_1 + 3x_2 - 2x_3 &= 2r + 6 \end{aligned}$

f) $\begin{aligned} 2x_1 + 2x_2 + 2x_3 &= r + 2 \\ 4x_1 - 3x_2 + 2x_3 &= 0 \\ x_1 + x_2 + 3x_3 &= 2r + 6 \end{aligned}$

12 Wie muss man r wählen, damit man die angegebene Lösung erhält?

a) $\begin{aligned} 2x_1 - 2x_2 + x_3 &- 6 \\ 4x_1 + x_2 - 3x_3 &= 4r \\ 2x_1 + 3x_2 - 3x_3 &= 8r \end{aligned}$
$\left(\frac{18}{5};\; \frac{18}{5};\; 6\right)$

b) $\begin{aligned} 2x_1 - x_2 + x_3 &= 6r \\ 3x_2 - x_3 &= r - 2 \\ x_1 + 3x_2 - x_3 &= 3 \end{aligned}$
$(3;\; 3;\; 9)$

c) $\begin{aligned} 2x_1 + x_2 - 4x_3 &= -8r - 8 \\ x_1 + 2x_2 - x_3 &= -4r - 11{,}5 \\ -4x_1 + 3x_2 + 2x_3 &= 2r - 23 \end{aligned}$
$\left(0;\; -10;\; \frac{15}{2}\right)$

↖ Referat
Die Cramer'-
sche Regel
735301-2152

Zeit zu wiederholen

13 Wo würden Sie kaufen?

Fig. 2

Fig. 3

2 Lösungsmengen linearer Gleichungssysteme

Jedes Bild lässt sich mit einem Gleichungssystem in Verbindung bringen.
Wie viele Lösungen hat das jeweilige Gleichungssystem?

Wie bei linearen Gleichungssystemen mit zwei Gleichungen und zwei Variablen können auch bei LGS mit mehr als zwei Gleichungen und Variablen nur folgende drei Fälle auftreten: Das LGS hat genau eine Lösung, keine Lösung oder unendlich viele Lösungen. Die jeweiligen Lösungen fasst man in einer Menge, der so genannten Lösungsmenge, zusammen.

1. Fall: Das Gleichungssystem hat **genau eine Lösung**.

LGS

$$x_1 + 2x_2 + x_3 = 9$$
$$-2x_1 - x_2 + 5x_3 = 5$$
$$x_1 - x_2 + 3x_3 = 4$$

Stufenform

$$x_1 + 2x_2 + x_3 = 9$$
$$3x_2 + 7x_3 = 23$$
$$9x_3 = 18$$

GTR

```
rref([A])
        [[1  0  0  1]
         [0  1  0  3]
         [0  0  1  2]]
```

Fig. 1

Aus der Gleichung $9x_3 = 18$ folgt $x_3 = 2$.
Damit erhält man aus der zweiten Gleichung $x_2 = 3$ und damit aus der ersten Gleichung $x_1 = 1$.
Lösungsmenge: $L = \{(1; 3; 2)\}$

2. Fall: Das Gleichungssystem hat **keine Lösung**.

LGS

$$2x_1 - 3x_2 - x_3 = 4$$
$$x_1 + 2x_2 + 3x_3 = 1$$
$$3x_1 - 8x_2 - 5x_3 = 5$$

Stufenform

$$x_1 + 2x_2 + 3x_3 = 1$$
$$-7x_2 - 7x_3 = 2$$
$$0 \cdot x_3 = 4$$

GTR

```
rref([A])
        [[1  0  1  0]
         [0  1  1  0]
         [0  0  0  1]]
```

Fig. 2

Die Gleichung $0 \cdot x_3 = 4$ hat keine Lösung, deshalb hat das gesamte Gleichungssystem keine Lösung.
Lösungsmenge: $L = \{ \ \}$

3. Fall: Das Gleichungssystem hat **unendlich viele Lösungen**.

LGS

$$x_1 + 2x_2 - 3x_3 = 6$$
$$2x_1 - x_2 + 4x_3 = 2$$
$$4x_1 + 3x_2 - 2x_3 = 14$$

Stufenform

$$x_1 + 2x_2 - 3x_3 = 6$$
$$x_2 - 2x_3 = 2$$
$$0 \cdot x_3 = 0$$

GTR

```
rref([A])
        [[1  0  1  2]
         [0  1  -2  2]
         [0  0  0  0]]
```

Fig. 3

Es ist stets möglich, eine dieser drei Endformen zu erreichen. Eventuell muss man dazu die Reihenfolge der Gleichungen ändern.

Die Gleichung $0 \cdot x_3 = 0$ hat unendlich viele Lösungen.
Zum Beispiel erhält man für $x_3 = 1$ die Lösung $(1; 4; 1)$.
Setzt man zum Beispiel $x_3 = -4$, so erhält man als eine Lösung des LGS $(6; -6; -4)$.
Setzt man allgemein $x_3 = t$, so erhält man für jedes $t \in \mathbb{R}$ als Lösung des LGS $(2 - t; 2 + 2t; t)$.
Lösungsmenge: $L = \{(2 - t; 2 + 2t; t) \mid t \in \mathbb{R}\}$

Satz: Ein lineares Gleichungssystem hat entweder genau eine Lösung oder keine Lösung oder unendlich viele Lösungen.

Beispiel Unendlich viele Lösungen

Bestimmen Sie die Lösungsmenge des LGS

$$x_1 - 3x_2 = 1 - x_3$$
$$2x_1 + x_3 = 6 + 5x_2$$

a) mit dem Gauß-Verfahren,

b) mithilfe des GTR.

■ Lösung: a) 1. Schritt: *LGS notieren und Gleichungen „nummerieren".*

$$\begin{array}{ll} \text{I} & x_1 - 3x_2 + x_3 = 1 \\ \text{II} & 2x_1 - 5x_2 + x_3 = 6 \end{array}$$

2. Schritt: *Überführung des LGS mit dem Gauß-Verfahren in Stufenform.*

$$\begin{array}{lll} \text{I} & x_1 - 3x_2 + x_3 = 1 & \\ \text{IIa} & x_2 - x_3 = 4 & \text{IIa} = \text{II} + (-2)\cdot\text{I} \end{array}$$

3. Schritt: *Man setzt für die Variable x_3 den Parameter $t \in \mathbb{R}$ ein.*

$$\begin{array}{ll} \text{I} & x_1 - 3x_2 + t = 1 \\ \text{IIa} & x_2 - t = 4 \\ & x_3 = t \end{array}$$

4. Schritt: *Man löst nach den übrigen Variablen auf.*

$$\begin{aligned} x_3 &= t \\ x_2 &= 4 + t \\ x_1 &= 13 + 2t \end{aligned}$$

5. Schritt: *Angabe der Lösungsmenge.*

$L = \{(13 + 2t;\ 4 + t;\ t) \mid t \in \mathbb{R}\}$

b) *Der GTR liefert das nebenstehende Ergebnis.*

Die unterste Zeile entspricht der Gleichung $x_2 - x_3 = 4$. Mit $x_3 = t$ folgt dann $x_2 = 4 + t$ und $x_1 = 13 + 2t$.

$L = \{(13 + 2t;\ 4 + t;\ t) \mid t \in \mathbb{R}\}$

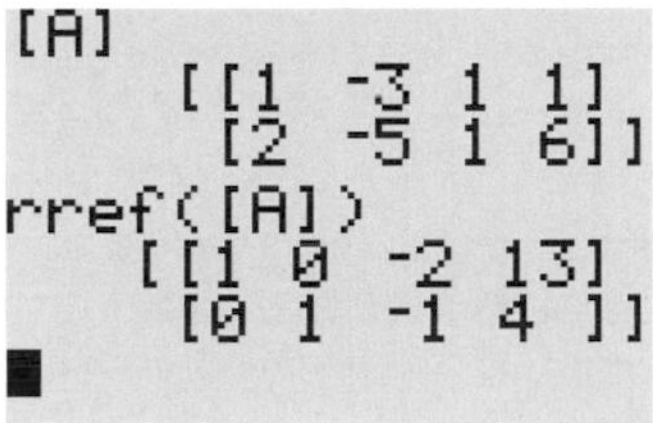
[A]
[[1 -3 1 1]
[2 -5 1 6]]
rref([A])
[[1 0 -2 13]
[0 1 -1 4]]

Fig. 1

Aufgaben

1 Bestimmen Sie die Lösungsmenge des LGS.

a) $\begin{aligned} 2x_1 - 4x_2 - x_3 &= 1 \\ 5x_2 + 2x_3 &= 16 \\ 3x_3 &= 9 \end{aligned}$

b) $\begin{aligned} 12x_1 + 5x_2 - 3x_3 &= 7 \\ 7x_2 - 3x_3 &= 1 \\ 0\cdot x_3 &= -2 \end{aligned}$

c) $\begin{aligned} 2x_1 - 4x_2 - x_3 &= 2 \\ 3x_2 - 6x_3 &= 6 \\ 0\cdot x_3 &= 0 \end{aligned}$

2 Geben Sie die Lösungsmenge des zu der GTR-Anzeige gehörenden LGS mit drei Variablen an.

a) 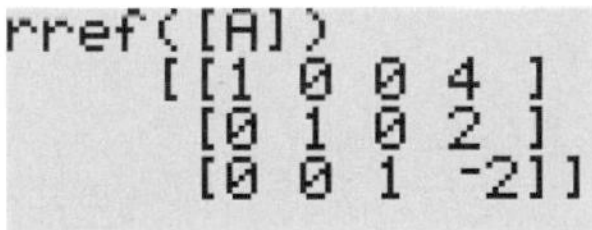
rref([A])
[[1 0 0 4]
[0 1 0 2]
[0 0 1 -2]]

Fig. 2

b) 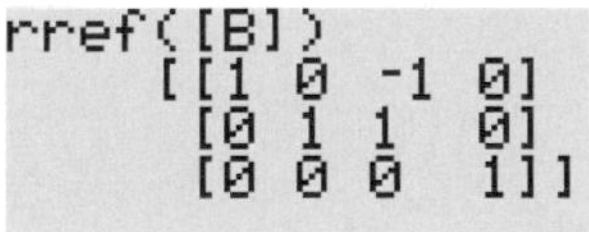
rref([B])
[[1 0 -1 0]
[0 1 1 0]
[0 0 0 1]]

Fig. 3

c) 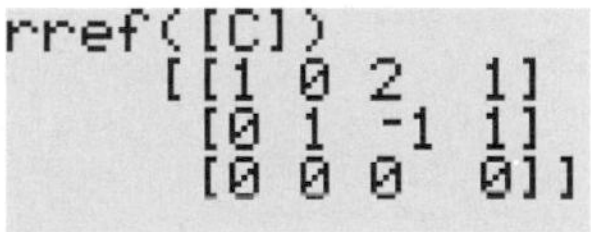
rref([C])
[[1 0 2 1]
[0 1 -1 1]
[0 0 0 0]]

Fig. 4

3 Bestimmen Sie die Lösungsmenge.

a) $\begin{aligned} x_1 - 3x_2 + 2x_3 &= 2 \\ 3x_2 - 2x_3 &= 1 \\ -6x_2 + 4x_3 &= 3 \end{aligned}$

b) $\begin{aligned} x_1 - 2x_2 - x_3 &= 2 \\ 2x_2 - 4x_3 &= 1 \\ 3x_2 - 6x_3 &= \tfrac{3}{2} \end{aligned}$

c) $\begin{aligned} x_1 + 2x_2 - 3x_3 &= 2 \\ x_1 + 2x_2 - 3x_3 &= 6 \\ -4x_3 &= 8 \end{aligned}$

4 a) $\begin{aligned} 3x_1 + 4x_2 + 2x_3 &= 5 \\ 2x_1 - 3x_2 + x_3 &= 8 \\ 2x_3 &= 6 \end{aligned}$

b) $\begin{aligned} 3x_1 + 2x_2 + 3x_3 &= 9 \\ 4x_2 - 3x_3 &= 6 \\ 2x_1 + 4x_2 &= 10 \end{aligned}$

c) $\begin{aligned} 2x_1 - 3x_2 + 4x_3 &= 1 \\ 3x_1 + x_2 - 5x_3 &= 7 \\ 4x_1 + 5x_2 - 14x_3 &= 13 \end{aligned}$

5 Bestimmen Sie die Lösungsmenge.

a) $x_1 +\quad\ \ x_3 = 2$
$\qquad\quad x_2 + x_3 = 4$
$\ x_1 + x_2\qquad = 5$
$\ x_1 + x_2 + x_3 = 0$

b) $\ x_1 +\quad x_2 +\ \ x_3 = 15$
$\ 2x_1 -\quad x_2 + 7x_3 = 50$
$\ 3x_1 + 11x_2 - 9x_3 =\ \ 1$
$\quad x_1 -\quad x_2 +\ \ x_3 =\ \ 5$

c) $7x_1 + 11x_2 + 13x_3 = 0$
$\ \ x_1 -\quad x_2 -\quad x_3 = 1$
$2x_1 +\ 3x_2 +\ 4x_3 = 0$
$9x_1 + 10x_2 + 11x_3 = 0$

Zeit zu überprüfen

6 Bestimmen Sie die Lösungsmenge ohne GTR.

a) $\quad x_1 + x_2 +\ \ x_3 = 0$
$\quad x_1 + x_2\qquad = 2$
$\ 2x_1\qquad\ + 2x_3 = 4$

b) $4x_1 +\ \ x_2 + 7x_3 =\ \ 12$
$\ 5x_1\qquad\ + 10x_3 =\quad 5$
$-x_1 - 2x_2\qquad\ \ = -2$

c) $\quad x_1 -\ \ x_2 +\ \ x_3 = -2$
$\ 4x_1 + 2x_2 +\ \ x_3 = -5$
$\ 6x_1\qquad\ \ + 3x_3 = -9$

7 Bestimmen Sie die Lösungsmenge mit dem GTR.

a) $3x_1 -\quad x_2 + 2x_3 =\qquad 7$
$\ x_1 +\quad x_2 + 3x_3 =\ \ 140$
$3x_1 - 5x_2 - 4x_3 = -21$

b) $4x_1 +\ \ x_2 +\ \ x_3 =\ \ 7$
$3x_1 +\ \ x_2 - 7x_3 =\ \ 0$
$5x_1 + 2x_2 +\ \ x_3 = -3$

c) $\ x_1 +\ \ x_2 +\ \ x_3 = 1$
$\ x_1 + 2x_2 + 2x_3 = 3$
$2x_1 +\ \ x_2 +\ \ x_3 = 1$

◎ CAS
Lineares
Gleichungssystem

8 Ein lineares Gleichungssystem hat die Lösungsmenge $L = \{(1;\ 4 + t;\ 5t)\,|\,t \in \mathbb{R}\}$. Ist das Zahlentripel Lösung des linearen Gleichungssystems?

a) $(1; 6; 10)$ \qquad b) $(1; -7; -55)$ \qquad c) $(0; 5; 5)$ \qquad d) $(1; 4; 0)$ \qquad e) $(1; 5; 5)$

9 Geben Sie ein lineares Gleichungssystem an, das die folgende Lösungsmenge hat und bei dem alle Koeffizienten von Null verschieden sind.

a) $L = \{(-2; 3; -4)\}$ \hfill b) $L = \{\ \}$

c) $L = \{(t; 2t; 3t)\,|\,t \in \mathbb{R}\}$ \hfill d) $L = \{(5; t + 1; t\,|\,t \in \mathbb{R})\}$

10 Ist die Aussage wahr? Begründen Sie Ihre Antwort.

a) Jedes lineare Gleichungssystem mit drei Variablen und zwei Gleichungen hat unendlich viele Lösungen.

b) Jedes lineare Gleichungssystem mit zwei Variablen und drei Gleichungen besitzt keine Lösung.

c) Jedes lineare Gleichungssystem mit der gleichen Anzahl von Variablen und Gleichungen besitzt genau eine Lösung.

11 a) Zeigen Sie, dass das nebenstehende LGS nur die Lösung $(0; 0; 0)$ besitzt.

$$x_1 + 2x_2 + 3x_3 = 0$$
$$-x_1 +\ \ x_2 + 2x_3 = 0$$
$$x_1 - 3x_2 +\ \ x_3 = 0$$

b) Das nebenstehende LGS hat unendlich viele Lösungen. Belegen Sie anhand selbstgewählter Beispiele, dass sowohl die Vielfachen einer Lösung als auch die Summe zweier Lösungen wieder Lösungen des LGS sind.

$$x_1 - 2x_2 + 3x_3 = 0$$
$$3x_1 +\ \ x_2 - 5x_3 = 0$$
$$2x_1 - 3x_2 + 4x_3 = 0$$

c) Das nebenstehende LGS hat unendlich viele Lösungen. Geben Sie eine Lösung an und belegen Sie anhand von Beispielen, dass man weitere Lösungen erhält, wenn man zu dieser Lösung eine der Lösungen aus Teilaufgabe b) addiert.

$$x_1 - 2x_2 + 3x_3 = 4$$
$$3x_1 +\ \ x_2 - 5x_3 = 5$$
$$2x_1 - 3x_2 + 4x_3 = 7$$

3 Bestimmung ganzrationaler Funktionen

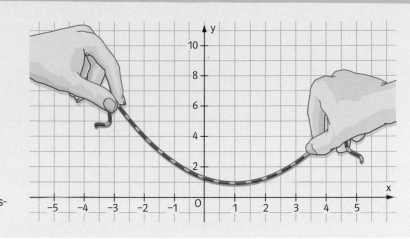

Kann man den Verlauf des Fadens näherungsweise durch eine Parabel beschreiben?

Kennt man von einer ganzrationalen Funktion genügend geeignete Eigenschaften, dann kann
man mithilfe eines linearen Gleichungssystems die Funktionsvorschrift bestimmen.

Sucht man zum Beispiel eine ganzrationale Funktion f dritten Grades, deren Graph punkt-
symmetrisch zum Ursprung ist und den Hochpunkt $A(1|2)$ hat, dann kann man so vorgehen:
Die Funktionsgleichung einer Funktion dritten Grades hat die Form $f(x) = a_3 x^3 + a_2 x^2 + a_1 x + a_0$.
Wegen der Punktsymmetrie zum Ursprung kommen in der Funktionsvorschrift von f nur unge-
rade Exponenten vor. Somit gilt: $f(x) = a_3 x^3 + a_1 x$.
Da $A(1|2)$ Hochpunkt ist, gilt: $f(1) = 2$ und $f'(1) = 0$.
Aus $f(1) = 2$ folgt: I $a_3 + a_1 = 2$.
Aus $f'(1) = 0$ folgt mit $f'(x) = 3 a_3 x^2 + a_1$: II $3 a_3 + a_1 = 0$.

Dieses LGS hat die Lösung $a_3 = -1$ und $a_1 = 3$ und man erhält die Funktionsvorschrift
$f(x) = -x^3 + 3x$.
Bei der Bestimmung der Funktionsvorschrift wurde die Bedingung $f'(1) = 0$ benutzt. Diese
Bedingung gilt auch für Tief- und Sattelpunkte. Man muss also noch überprüfen, ob $A(1|2)$ ein
Hochpunkt des Graphen von f ist. Deshalb ist bei der Ausnutzung entsprechender Angaben
unbedingt eine Probe erforderlich. Da $f''(x) = -6x$ und somit $f''(1) < 0$ ist, weiß man, dass A ein
Hochpunkt des Graphen von f ist und f die gesuchte Funktion ist.

Beispiel 1 Grad der gesuchten Funktion ist gegeben
Der Graph einer ganzrationalen Funktion dritten Grades hat an der Stelle $x = -2$ einen Tief-
punkt, eine Wendestelle bei $x = -\frac{2}{3}$ und er geht durch die Punkte $A(-1|5)$ und $B(1|-1)$.
■ Lösung: 1. Die Funktionsgleichung hat die Form: $f(x) = a_3 x^3 + a_2 x^2 + a_1 x + a_0$.
Dann ist: $f'(x) = 3 a_3 x^2 + 2 a_2 x + a_1$ und $f''(x) = 6 a_3 x + 2 a_2$.
2. Tiefpunkt an der Stelle $x = -2$ ergibt $f'(-2) = 0$; Wendestelle bei $x = -\frac{2}{3}$ ergibt $f''\left(-\frac{2}{3}\right) = 0$.
3. Ansatz: $f'(-2) = 0$ I $12 a_3 - 4 a_2 + a_1 \qquad = 0$

$f''\left(-\frac{2}{3}\right) = 0$ II $-4 a_3 + 2 a_2 \qquad = 0$

$f(-1) = 5$ III $-a_3 + a_2 - a_1 + a_0 = 5$
$f(1) = -1$ IV $a_3 + a_2 + a_1 + a_0 = -1$

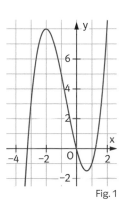

4. Man erhält: $a_3 = 1$; $a_2 = 2$; $a_1 = -4$; $a_0 = 0$. Die gesuchte Funktion ist $f(x) = x^3 + 2x^2 - 4x$.
5. Der Graph der Funktion erfüllt aber nicht die geforderten Bedingungen, da an der Stelle
$x = -2$ ein Hochpunkt ist (Fig. 1).

Fig. 1

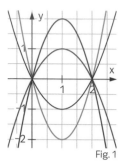

Fig. 1

Unendlich viele Lösungen
Ergebnis: Eine
Kurvenschar

Beispiel 2 Kurvenschar

Für welche ganzrationalen Funktionen zweiten Grades gilt $f(0) = f(2) = 0$ und $f'(1) = 0$?

■ Lösung: 1. Gegeben: $f(0) = 0$; $f(2) = 0$; $f'(1) = 0$

2. Ansatz: $f(x) = a_2 x^2 + a_1 x + a_0$; $f'(x) = 2a_2 x + a_1$

$f(0) = 0$	I	$a_0 = 0$
$f(2) = 0$	II	$4a_2 + 2a_1 + a_0 = 0$
$f'(1) = 0$	III	$2a_2 + a_1 = 0$
	I	$a_0 = 0$
	IIa	$2a_2 + a_1 = 0$ IIa = II:2
	IIIa	$0 = 0$ IIIa = $2 \cdot$ III + $(-1) \cdot$ II

3. Man erhält mit $a_1 = k$; $a_2 = -\frac{k}{2}$ und somit $f(x) = -\frac{k}{2}x^2 + kx$; $k \in \mathbb{R} \backslash \{0\}$.

4. Jede Funktion f mit $f(x) = -\frac{k}{2}x^2 + kx$; $k \in \mathbb{R} \backslash \{0\}$ erfüllt die gestellten Bedingungen.

Aufgaben

1 Bestimmen Sie die ganzrationale Funktion zweiten Grades, deren Graph durch die angegebenen Punkte geht.

a) $A(-1|0)$, $B(0|-1)$, $C(1|0)$ b) $A(0|0)$, $B(1|0)$, $C(2|3)$ c) $A(1|3)$, $B(-1|2)$, $C(3|2)$

2 Bestimmen Sie alle ganzrationalen Funktionen dritten Grades, deren Graphen punktsymmetrisch zum Ursprung sind, einen Tiefpunkt für $x = 1$ haben und durch den Punkt $A(2|2)$ gehen.

3 Bestimmen Sie alle ganzrationalen Funktionen zweiten Grades, deren Graphen durch die angegebenen Punkte gehen.

a) $A(-1|-3)$, $B(1|1)$, $C(-2|1)$ b) $A(2|0)$, $B(-2|0)$ c) $A(-4|0)$, $B(0|-4)$

4 Bestimmen Sie alle ganzrationalen Funktionen dritten Grades, deren Graphen durch die angegebenen Punkte gehen.

a) $A(0|1)$, $B(1|0)$, $C(-1|4)$, $D(2|-5)$ b) $A(0|-1)$, $B(1|1)$, $C(-1|7)$, $D(2|17)$

◎ CAS
Punkte durch Kurve (1)

5 Bestimmen Sie eine ganzrationale Funktion dritten Grades, deren Graph

a) durch $A(2|0)$, $B(-2|4)$ und $C(-4|8)$ geht und einen Tiefpunkt auf der y-Achse hat,

b) durch $A(2|2)$ und $B(3|9)$ geht und den Tiefpunkt $T(1|1)$ hat.

6 Gibt es eine ganzrationale Funktion dritten Grades, deren Graph durch $A(2|0)$ geht, in $W(2|0)$ einen Wendepunkt hat und an der Stelle $x = 3$ ein Maximum besitzt?

Zeit zu überprüfen ——————————————————————————

7 Bestimmen Sie eine ganzrationale Funktion dritten Grades, deren Graph durch die Punkte $A(2|6)$, $B(0|4)$, $C(3|5,5)$ und $D(-2|8)$ geht.

8 Bestimmen Sie eine ganzrationale Funktion vierten Grades mit folgenden Eigenschaften: Der Graph der Funktion ist symmetrisch zur y-Achse, schneidet die y-Achse bei $y = -1$ und $H(1|-3)$ ist ein Hochpunkt.

9 Der Graph einer ganzrationalen Funktion f vierten Grades hat den Tiefpunkt $P(-4|6)$ und den Wendepunkt $Q(4|2)$ mit waagerechter Tangente. Bestimmen Sie den Term von f.

10 Durch die Punkte P und Q gehen unendlich viele Parabeln mit den Funktionsgleichungen $f(x) = a_2 x^2 + a_1 x + a_0$. Stellen Sie ein lineares Gleichungssystem für die Koeffizienten a_2, a_1 und a_0 auf und bestimmen Sie die jeweilige Lösungsmenge. Bestimmen Sie anschließend die Gleichungen der drei dargestellten Parabeln.

⑩ CAS
Punkte durch Kurve (2)

a)

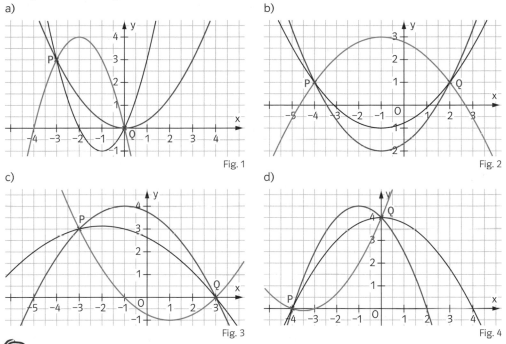

Fig. 1

b)

Fig. 2

c)

Fig. 3

d)

Fig. 4

11 Bestimmen Sie eine ganzrationale Funktion vierten Grades, deren Graph

a) den Wendepunkt $W(0|0)$ mit der x-Achse als Wendetangente und den Tiefpunkt $T(-1|-2)$ hat,

b) in $O(0|0)$ und im Wendepunkt $W(-2|2)$ Tangenten parallel zur x-Achse hat,

c) symmetrisch zur y-Achse ist, durch $A(0|2)$ geht und den Tiefpunkt $T(1|0)$ hat,

d) symmetrisch zur y-Achse ist und in $W(2|0)$ eine Wendetangente mit der Steigung $-\frac{4}{3}$ hat.

12 Der Abstand der beiden 254 m hohen Pfeiler der Store Baelt-Brücke in Dänemark beträgt 1624 m und wird von zwei Tragseilen überbrückt. Die Durchfahrtshöhe der Brücke beträgt 65 m. Beschreiben Sie die Form der Spannseile näherungsweise durch eine ganzrationale Funktion zweiten Grades. Überlegen Sie sich zuerst eine geeignete Wahl des Koordinatensystems.

Gemessen an ihrer Spannweite ist die „Storebæltsbroern" eine der größten Brücken der Welt und die größte Europas. Seit 1998 überspannt das Bauwerk die Meeresstraße zwischen den dänischen Inseln Seeland und Funen.

13 Zwei geradlinig verlaufende Eisenbahntrassen sollen miteinander verbunden werden. Die Situation kann in einem geeigneten Koordinatensystem durch zwei Geraden und eine Verbindungskurve V dargestellt werden (Fig. 5). Beschreiben Sie eine mögliche Verbindungskurve durch den Graphen einer ganzrationalen Funktion f. An den Verbindungsstellen mündet V ohne Knick und ohne Krümmungssprung in die Geraden ein.

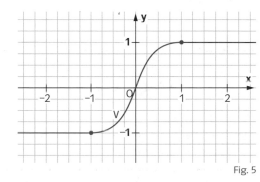

Fig. 5

Hinweis: Ohne Krümmungssprung bedeutet, dass die Bedingungen $f''(-1) = f''(1) = 0$ gelten.

14 Bestimmen Sie eine ganzrationale Funktion vierten Grades, deren Graph symmetrisch zur y-Achse ist. Ein Wendepunkt hat die Koordinaten $(1|0)$. Die beiden Wendetangenten schneiden sich senkrecht. (Es gibt zwei Lösungen.)

⑩ CAS
Eisenbahnstrecken (1)
Eisenbahnstrecken (2)

4 Anwendungen linearer Gleichungssysteme

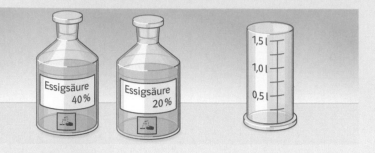

Wie viel Liter muss man jeweils aus den beiden Flaschen in das leere Gefäß gießen, um 1,5 Liter 30%ige Essigsäure zu erhalten?

Kaleidoskop (griech.):
Schönbildseher

In Bereichen wie Technik, Natur- und Wirtschaftswissenschaften gibt es Probleme, die man mithilfe linearer Gleichungssysteme lösen kann. Das folgende Beispiel zeigt, wie man dabei vorgehen kann.

Für die Herstellung von Kaleidoskopen werden eine unterschiedliche Anzahl von farbigen Quadraten, Dreiecken und Kreisen benötigt.

Kann man die Produktionszahlen der Kaleidoskope jeder Sorte so wählen, dass der Lagerbestand vollständig verbraucht wird?

	Modell 1	Modell 2	Modell 3	Lagerbestand
Quadrate	4	5	1	400
Dreiecke	3	2	5	300
Kreise	5	3	2	300

Fig. 1

1. Durch Einführen von Variablen lassen sich die beschriebenen Abhängigkeiten durch Gleichungen beschreiben.

x_1: Stückzahl von Modell 1
x_2: Stückzahl von Modell 2
x_3: Stückzahl von Modell 3

2. Man erhält folgende Gleichungen:
Anzahl der benötigten Quadrate.
Anzahl der benötigten Dreiecke.
Anzahl der benötigten Kreise.

I $\quad 4x_1 + 5x_2 + \quad x_3 = 400$
II $\quad 3x_1 + 2x_2 + 5x_3 = 300$
III $\quad 5x_1 + 3x_2 + 2x_3 = 300$

3. Bestimmung der Lösung.

L = {(8; 68; 28)}

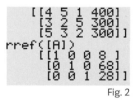

Fig. 2

4. Lösungsmenge interpretieren.

Es lassen sich 8 Kaleidoskope von Modell 1; 68 von Modell 2 und 28 von Modell 3 herstellen.

Vorgehensweise beim Lösen von Anwendungsaufgaben mithilfe linearer Gleichungssysteme:
1. Für jede gesuchte Größe eine Variable festlegen.
2. Aufstellen des zugehörigen Gleichungssystems.
3. Lösen des linearen Gleichungssystems.
4. Interpretation der Lösungsmenge.

Beispiel   Anwendung

Für Düngeversuche soll aus drei Düngesorten, die jeweils unterschiedliche Mengen an Kalium, Stickstoff und Phosphor enthalten, eine neue Mischung hergestellt werden. Wie viel Kilogramm von A, B und C muss 1 kg der Mischung enthalten, wenn sie 40 % Kalium, 35 % Stickstoff und 25 % Phosphor enthalten soll?

	A	B	C
Kalium	40 %	30 %	50 %
Stickstoff	50 %	20 %	30 %
Phosphor	10 %	50 %	20 %

Fig. 1

■ Lösung: 1. Durch Einführen von Variablen lassen sich die beschriebenen Abhängigkeiten mit Gleichungen beschreiben.

x_1: Menge von A in kg
x_2: Menge von B in kg
x_3: Menge von C in kg

2. Man erhält folgende Gleichungen:
1 kg der Mischung enthält 0,4 kg Kalium
1 kg der Mischung enthält 0,35 kg Stickstoff
1 kg der Mischung enthält 0,25 kg Phosphor

I $0,4x_1 + 0,3x_2 + 0,5x_3 = 0,4$
I $0,5x_1 + 0,2x_2 + 0,3x_3 = 0,35$
III $0,1x_1 + 0,5x_2 + 0,2x_3 = 0,25$

3. Bestimmung der Lösung.

$L = \{(0,4; 0,3; 0,3)\}$

```
[[.4 .3 .5 .4 ]
 [.5 .2 .3 .35]
 [.1 .5 .2 .25]]
rref([A])
     [[1 0 0 .4]
      [0 1 0 .3]
      [0 0 1 .3]]
■
```

Fig. 2

4. Lösungsmenge interpretieren.

Von Sorte A benötigt man 0,4 kg, von Sorte B 0,3 kg und 0,3 kg von Sorte C.

Aufgaben

1   Der tägliche Nahrungsbedarf eines Erwachsenen beträgt pro kg Körpergewicht 5 g Kohlenhydrate, etwa 0,9 g Eiweiß und 1 g Fett.
Wie kann ein Erwachsener mit 75 kg Körpergewicht mit Kabeljau, Kartoffeln und Butter seinen täglichen Nahrungsbedarf decken? Rechnen Sie mit 400 g Kohlenhydraten, 75 g Eiweiß und 75 g Fett.

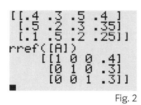

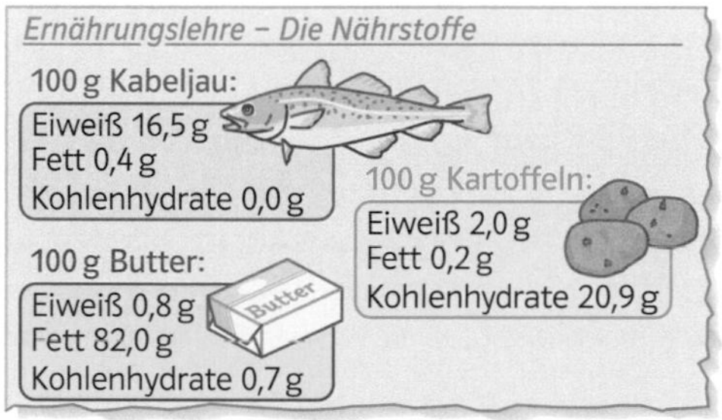

Ernährungslehre – Die Nährstoffe

100 g Kabeljau:
Eiweiß 16,5 g
Fett 0,4 g
Kohlenhydrate 0,0 g

100 g Kartoffeln:
Eiweiß 2,0 g
Fett 0,2 g
Kohlenhydrate 20,9 g

100 g Butter:
Eiweiß 0,8 g
Fett 82,0 g
Kohlenhydrate 0,7 g

Fig. 3

2   Die Tabelle gibt den Eiweiß-, Kohlenhydrate- und Fettgehalt von drei Speisebestandteilen A, B und C an.
a) Zeigen Sie, dass man aus A, B und C keine Speise mit 47 % Eiweiß, 35 % Kohlenhydrate und 18 % Fett zusammenstellen kann.

	A	B	C
Eiweiß	30 %	50 %	20 %
Kohlenhydrate	30 %	30 %	70 %
Fett	40 %	20 %	10 %

Fig. 4

b) Untersuchen Sie, ob man Speisen mit 40 % Eiweiß und 40 % Kohlenhydrate aus A, B und C herstellen kann.

3   Die Quersumme einer dreiziffrigen Zahl ist gleich dem Dreifachen der ersten Ziffer. Die Summe der ersten und dritten Ziffer ist gleich der zweiten Ziffer. Die zweite und die dritte Ziffer ergeben zusammen 8. Bestimmen Sie die Zahl.

4 Im Versuchslabor eines Getränke-
herstellers soll aus den drei angegebenen
Mischgetränken A, B und C in Fig. 1 eine neue
Sorte PLOP mit 50 % Fruchtsaftgehalt
gemischt werden.
a) Wie viele cm³ der Sorte C können für 1 Liter
PLOP höchstens verwendet werden?
b) Wie kann man 1 Liter PLOP mit 20 %
Maracujaanteil aus den drei Sorten mischen?

Fig. 1

5 Bei einem Überlebenstraining wird auf
drei Sorten A, B, C Konzentratnahrung zurückgegriffen. Jeder Konzentratwürfel wiegt 50 g.
Wie kann ein Erwachsener (75 kg) damit
seinen täglichen Nahrungsbedarf (400 g Kohlenhydrate, 75 g Eiweiß, 75 g Fett) decken?

Konzentrat	A	B	C
Eiweiß	5 g	10 g	7 g
Kohlenhydrate	40 g	30 g	30 g
Fett	5 g	10 g	13 g

Fig. 2

6 Untersuchen Sie mithilfe eines linearen Gleichungssystems, ob man aus Hartblei (91 % Blei,
9 % Antimon) und Lötzinn (40 % Blei, 60 % Zinn) eine Bleilegierung mit 80 % Blei, 15 % Zinn und
5 % Antimon herstellen kann. Bestimmen Sie gegebenenfalls die Mischungsanteile.

7 Ein Schwimmbecken kann durch drei Leitungen gefüllt werden. Um das Schwimmbecken zu
füllen, benötigen die beiden ersten Leitungen zusammen 45 Minuten. Die erste und dritte Leitung brauchen zusammen eine Stunde. Die zweite und dritte Leitung schaffen es gemeinsam in
eineinhalb Stunden. Wie lange braucht jede Leitung alleine zum Füllen? Nach wie vielen Minuten
ist das Becken gefüllt, wenn alle drei Leitungen zusammen benutzt werden?

8 Bei einem Automodell sind die Servolenkung S und die Klimaanlage K Sonderausstattungen.
Bei 100 000 ausgelieferten Autos wurde S 65 100-mal und K 12 600-mal eingebaut.
a) Warum lässt sich aus den Angaben noch nicht schließen, wie oft weder S noch K, nur S, nur K
oder beide Sonderausstattungen eingebaut wurden? Stellen Sie ein Gleichungssystem für die
vier möglichen Ausstattungskombinationen auf.
b) Welche Mindestzahl an Käufern wählten keine Sonderausstattung?
c) Wie viele Käufer wählten keine Sonderausstattung, wenn K stets mit S bestellt wurde?

9 Berechnen Sie die Koordinaten des Vektors, der durch die Linearkombination gegeben ist.

a) $\frac{1}{3} \cdot \begin{pmatrix} 6 \\ -3 \\ 12 \end{pmatrix} + \begin{pmatrix} -2 \\ 4 \\ -3 \end{pmatrix} + \begin{pmatrix} 5 \\ 0 \\ -1 \end{pmatrix}$

b) $\begin{pmatrix} 1 \\ 4 \\ -7 \end{pmatrix} + 0{,}5 \cdot \begin{pmatrix} 10 \\ -12 \\ -8 \end{pmatrix} - \begin{pmatrix} -4 \\ 3 \\ -8 \end{pmatrix}$

10 Bestimmen Sie die gegenseitige Lage der Geraden g und h und bestimmen Sie gegebenenfalls die Koordinaten des Schnittpunktes.

a) $g: \vec{x} = \begin{pmatrix} 2 \\ 2 \\ -3 \end{pmatrix} + t \cdot \begin{pmatrix} 2 \\ 4 \\ -2 \end{pmatrix}$; $h: \vec{x} = \begin{pmatrix} 8 \\ -5 \\ 3 \end{pmatrix} + t \cdot \begin{pmatrix} -6 \\ 6 \\ -15 \end{pmatrix}$

b) $g: \vec{x} = \begin{pmatrix} 2 \\ 3 \\ -2 \end{pmatrix} + t \cdot \begin{pmatrix} 2 \\ 4 \\ -2 \end{pmatrix}$; $h: \vec{x} = \begin{pmatrix} 6 \\ 12 \\ -8 \end{pmatrix} + t \cdot \begin{pmatrix} -2 \\ -6 \\ 4 \end{pmatrix}$

Wahlthema: **Die Struktur der Lösungsmenge linearer Gleichungssysteme**

Welche Lösung des LGS $\begin{cases} x_1 - 5x_2 & = 0 \\ x_2 - 3x_3 & = 0 \\ x_3 - 2x_4 = 0 \end{cases}$ kann man ohne zu rechnen sofort angeben?

Begründen Sie, dass das LGS die Lösungsmenge $L = \{(30r;\ 6r;\ 2r;\ r)\,|\,r \in \mathbb{R}\}$ besitzt.

Ein lineares Gleichungssystem, bei dem die Konstanten auf den rechten Seiten aller Gleichungen null sind, heißt **homogen**, alle anderen linearen Gleichungssysteme nennt man **inhomogen**. Jedes homogene Gleichungssystem besitzt mindestens eine Lösung, nämlich das Tupel, das aus lauter Nullen besteht, dies bezeichnet man als die „triviale" Lösung.

Auch das ist ein inhomogenes LGS:
$2x_1 + \ x_2 + 1 = 0$
$3x_1 - 2x_2 + 2 = 0.$

Für das homogene LGS
$$x_1 + 3x_2 - 5x_3 + \ x_4 = 0$$
$$x_2 - 3x_3 + 2x_4 = 0$$

erhält man als Lösung

$x_4 = s;$
$x_3 = r;$
$x_2 = 3r - 2s;$
$x_1 = -4r + 5s;$
$L = \{(-4r + 5s;\ 3r - 2s;\ r;\ s)\}$

Dies kann man auch in der Form schreiben:
$x_1 = -4r + 5s$
$x_2 = \ \ 3r - 2s$
$x_3 = \ \ 1r + 0s$
$x_4 = \ \ 0r + 1s.$

Um die Lösungsmenge übersichtlicher schreiben zu können, kann man für n-Tupel reeller Zahlen folgende Operationen definieren:
1. Multiplikation von n-Tupel:
   Für jedes $r \in \mathbb{R}$ ist $r \cdot (u_1;\ u_2;\ \ldots;\ u_n) = (r \cdot u_1;\ r \cdot u_2;\ \ldots;\ r \cdot u_n)$.
2. Addition von n-Tupel:
   $(u_1;\ u_2;\ \ldots;\ u_n) + (v_1;\ v_2;\ \ldots;\ v_n) = (u_1 + v_1;\ u_2 + v_2;\ \ldots;\ u_n + v_n)$.

Damit kann man die Lösungsmenge des linearen Gleichungssystems nun folgendermaßen als Linearkombination der Lösungen $(-4;\ 3;\ 1;\ 0)$ und $(5;\ -2;\ 0;\ 1)$ angeben:
$L = \{r \cdot (-4;\ 3;\ 1;\ 0) + s \cdot (5;\ -2;\ 0;\ 1)\,|\,r,\ s \in \mathbb{R}\}$.

Satz: Bei einem homogenen linearen Gleichungssystem gilt:
Jedes Vielfache $(r \cdot u_1;\ r \cdot u_2;\ \ldots;\ r \cdot u_n)$ einer Lösung $(u_1;\ u_2;\ \ldots;\ u_n)$ ist wieder eine Lösung. Die Summe $(u_1 + v_1;\ u_2 + v_2;\ \ldots;\ u_n + v_n)$ zweier Lösungen $(u_1;\ u_2;\ \ldots;\ u_n)$ und $(v_1;\ v_2;\ \ldots;\ v_n)$ ist wieder eine Lösung.

Hieraus folgt insbesondere, dass mit zwei Lösungen $(u_1;\ u_2;\ \ldots;\ u_n)$ und $(v_1;\ v_2;\ \ldots;\ v_n)$ eines homogenen LGS auch jede Linearkombination $r \cdot (u_1;\ u_2;\ \ldots;\ u_n) + s \cdot (v_1;\ v_2;\ \ldots;\ v_n)$ eine Lösung ist.

Man kann bei homogenen LGS somit die gesamte Lösungsmenge mithilfe von Linearkombinationen beschreiben. So ergibt sich für das LGS
$$x_1 + x_2 - 4x_3 - 7x_4 - 6x_5 = 0$$
$$x_2 - 3x_3 - 5x_4 + 7x_5 = 0$$

$L = \{(r + 2s + 13t;\ 3r + 5s - 7t;\ r;\ s;\ t)\,|\,r,\ s,\ t \in \mathbb{R}\}$
$\ = \{(r + 2s + 13t;\ 3r + 5s - 7t;\ r + 0s + 0t;\ 0r + 1s + 0t;\ 0r + 0s + 1t)\,|\,r,\ s,\ t \in \mathbb{R}\}$
$\ = \{r(1;\ 3;\ 1;\ 0;\ 0)\ + s(2;\ 5;\ 0;\ 1;\ 0) + t(13;\ -7;\ 0;\ 0;\ 1)\,|\,r,\ s,\ t \subset \mathbb{R}\}$

Die Aussagen des Satzes gelten bei einem inhomogenen LGS nicht.
So sind z. B. (3; 9; 0; 1; 0) und (2; 7; 1; 0; 0) Lösungen des inhomogenen LGS

$$x_1 + x_2 - 4x_3 - 7x_4 - 6x_5 = 5$$
$$x_2 - 3x_3 - 5x_4 + 7x_5 = 4$$

nicht aber die Summe (5; 16; 1; 1; 0) und auch nicht alle Vielfachen.
Als Lösung dieses inhomogenen LGS erhält man:

$x_1 = 1 + \quad r + 2s + 13t$

$x_2 = 4 + 3r + 5s - \quad 7t$

$x_3 = \qquad r$

$x_4 = \qquad\qquad s$

$x_5 = \qquad\qquad\qquad t.$

```
rref([A])
[[1  0  -1  -2  -13...
 [0  1  -3  -5   7  ...
■
```

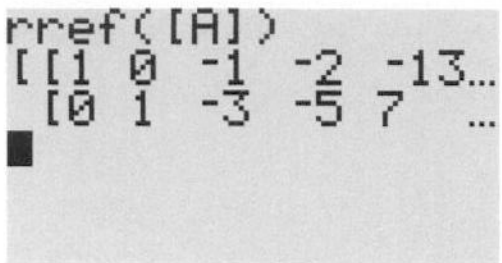

Fig. 1

Vergleicht man diese Lösung mit der Lösung des homogenen LGS, so erkennt man, dass sich die Lösung des inhomogenen LGS nur durch den Summanden (1; 4; 0; 0; 0) unterscheidet.

> **Satz:** Bei einem inhomogenen LGS mit einer Lösung $(x_1^*; x_2^*; \ldots; x_n^*)$ erhält man alle Lösungen, indem man $(x_1^*; x_2^*; \ldots; x_n^*)$ zu jeder Lösung $(u_1; u_2; \ldots; u_n)$ des zugehörigen homogenen LGS addiert.

Ein inhomogenes LGS kann also nicht mehrere Lösungen haben, wenn das zugehörige homogene LGS nur die triviale Lösung (0; 0; …; 0) besitzt.

Beispiel 1   Lösungsmenge eines inhomogenen LGS
Gegeben ist das LGS

$$x_1 - x_2 + 3x_3 \qquad = 8$$
$$2x_2 - 3x_3 \qquad = 6$$
$$x_3 + 5x_4 = 8.$$

Stellen Sie die Lösungsmenge mithilfe ganzzahliger Lösungen des homogenen LGS dar.
■ Lösung:
1. Schritt: Lösungsmenge in Kurzform angeben.   Mit $x_4 = r$ ergibt sich

$$L = \left\{ \left(-1 + \tfrac{15}{2}r; \ 15 - \tfrac{15}{2}r; \ 8 - 5r; \ r \right) \,\middle|\, r \in \mathbb{R} \right\}$$

Dabei Brüche möglichst vermeiden.   Mit $x_4 = 2r$ erhält man:
$$L = \{(-1 + 15r; \ 15 - 15r; \ 8 - 10r; \ 2r) \,|\, r \in \mathbb{R}\}$$

2. Schritt: n-Tupel umschreiben. $(-1 + 15r; \ 15 - 15r; \ 8 - 10r; \ 0 + 2r)$

3. Schritt: Linearkombination verwenden. $L = \{(-1; 15; 8; 0) + r(15; -15; -10; 2) \,|\, r \in \mathbb{R}\}$

Beispiel 2   Verschiedene Darstellungen der Lösungsmenge
Die Lösungsmenge eines homogenen LGS mit drei Variablen wurde auf zwei verschiedene Arten bestimmt. Dabei erhielt man die Lösungsmengen
$L_1 = \{r(1; 1; 1) + s(2; -1; 5) \,|\, r, s \in \mathbb{R}\}$ und $L_2 = \{p(1; 3; -1) + q(11; 2; 20) \,|\, p, q \in \mathbb{R}\}$.
Überprüfen Sie, ob $L_1 = L_2$ gilt.
■ Lösung: (1; 3; -1) gehört zu L_1,

denn das LGS $\quad \begin{aligned} r + 2s &= \ 1 \\ r - \ s &= \ 3 \\ r + 5s &= -1 \end{aligned}\quad$ hat die Lösung $r = \tfrac{7}{3}$; $s = -\tfrac{2}{3}$.

Es ist also $(1; 3; -1) = \tfrac{7}{3}(1; 1; 1) - \tfrac{2}{3}(2; -1; 5).$

(11; 2; 20) gehört zu L_1,

denn das LGS $\quad \begin{aligned} r + 2s &= 11 \\ r - \ s &= \ 2 \\ r + 5s &= 20 \end{aligned}\quad$ hat die Lösung $r = 5$, $s = 3$.

Um die Gleichheit von Mengen A und B zu zeigen, kann man nachweisen, dass sowohl $A \subseteq B$ als auch $B \subseteq A$ gilt.

Es ist also $(11; 2; 20) = 5(1; 1; 1) + 3(2; -1; 5)$.

Wegen $p(1; 3; -1) + q(11; 2; 20) = p\left[\frac{7}{3}(1; 1; 1) - \frac{2}{3}(2; -1; 5)\right] + q[5(1; 1; 1) + 3(2; -1; 5)]$

$$= \left(\frac{7}{3}p + 5q\right)(1; 1; 1) + \left(-\frac{2}{3}p + 3q\right)(11, 2, 20)$$

gehört also jedes Tripel von L_2 auch zu L_1. Damit hat man gezeigt, dass $L_2 \subseteq L_1$ gilt. Ebenso weist man nach, dass $L_1 \subseteq L_2$ gilt. Damit ergibt sich also $L_1 = L_2$.

Aufgaben

Beachten Sie:
Ein Vielfaches von $\left(\frac{1}{2}; \frac{2}{5}; \frac{2}{3}\right)$ ist auch ein Vielfaches von $(15; 12; 20)$.

1 Stellen Sie die Lösungsmenge des LGS mithilfe von ganzzahligen Lösungen dar.

a) $x_1 - 2x_2 + x_3 = 0$
$2x_1 + 3x_2 - 2x_3 = 0$
$3x_1 + 8x_2 - 3x_3 = 0$

b) $3x_1 - 4x_2 + 3x_3 = 0$
$2x_1 - x_2 - x_3 = 0$
$4x_1 + 3x_2 - 11x_3 = 0$

c) $2x_1 - 3x_2 + x_3 = 0$
$-6x_1 + 9x_2 - 3x_3 = 0$
$x_1 - 1,5x_2 + 1,5x_3 = 0$

2 Stellen Sie die Lösungsmenge des LGS mithilfe von Linearkombinationen dar.

a) $2x_1 + 3x_2 + x_3 + x_4 = 0$
$x_1 - 2x_2 + 3x_3 - x_4 = 0$

b) $5x_2 + 7x_3 = 0$
$x_1 - 2x_2 + 3x_4 = 0$

c) $5x_1 + 3x_2 + x_3 + x_4 = 0$
$2x_1 + 4x_2 + 5x_3 + 2x_4 = 0$

3 Bestimmen Sie zwei verschiedene Darstellungen der Lösungsmenge des LGS.

a) $x_1 - 2x_2 - x_3 + 3x_4 = 0$
$x_2 + 3x_3 + 2x_4 = 0$

b) $2x_1 + 5x_2 + x_3 - x_4 = 0$
$2x_2 - 3x_3 + 2x_4 = 0$

c) $5x_1 + 3x_2 + x_3 + x_4 = 0$
$2x_2 - x_3 + 3x_4 = 0$

4 Bestimmen Sie die Lösungsmenge L des inhomogenen LGS und geben Sie die Lösungsmenge U des zugehörigen homogenen LGS an.

a) $x_1 - x_2 - x_3 + 3x_4 = 5$
$x_1 + x_3 + x_4 = 10$
$2x_1 + 5x_3 = 0$

b) $x_1 + x_2 + x_3 + x_4 = 0$
$3x_2 + x_3 = 11$
$5x_1 + 2x_4 = 17$

c) $3x_1 - x_2 - 4x_3 + 2x_4 = 10$
$2x_1 - 3x_2 + 2x_3 - x_4 = 20$
$2x_1 - 2x_2 - x_3 - x_4 = 30$

5 Geben Sie ein LGS mit der Lösungsmenge L an.

a) $L = \{r(1; 3; -2) + s(4; 0; 1) \mid r, s \in \mathbb{R}\}$

b) $L = \{r(2; 5; 1; 0) + s(7; 3; 0; 1) \mid r, s \in \mathbb{R}\}$

c) $L = \{(3; 5) + r(1; 4) \mid r \in \mathbb{R}\}$

d) $L = \{(1; 3; 2) + r(4; 1; -1) \mid r \in \mathbb{R}\}$

6 Bestimmen Sie eine Darstellung der Lösungsmenge L und prüfen Sie, ob $T = L$ gilt:

a) $2x_1 + 4x_2 - x_3 - x_4 = 0$
$x_2 + x_3 + 2x_4 = 0$
$T = \{r(-7; 3; -2; 0) \mid r \in \mathbb{R}\}$

b) $x_1 - x_2 + x_3 - x_4 = 0$
$x_1 + x_2 - 2x_3 = 0$
$T = \{r(0; -6; -3; 3) + s(1; 1; 1; 1) \mid r, s \in \mathbb{R}\}$

7 Bestätigen Sie, dass $(-2; 0; 4; 2)$, $(2; -6; -7; 1)$ und $(-3; 8; 10; -1)$ Lösungen des homogenen

LGS $\begin{aligned} x_1 - x_2 + x_3 - x_4 &= 0 \\ x_1 + 2x_2 - x_3 + 3x_4 &= 0 \end{aligned}$ sind.

Stellen Sie dann jede dieser Lösungen jeweils als Linearkombination der beiden anderen dar.

8 Ein inhomogenes LGS mit zwei Variablen besitzt die Lösungen $(1; 2)$ und $(3; 4)$. Zeigen Sie, dass dann auch alle Zahlenpaare der Form $(1 + 2t; 2 + 2t)$ mit $t \in \mathbb{R}$ Lösungen sind.

9 L und L' sind Lösungsmengen von homogenen LGS. Untersuchen Sie, ob $L = L'$ gilt.

a) $L = \{r(1; 0; 4) + s(3; 7; -1) \mid r, s \in \mathbb{R}\}$
$L' = \{r(10; 7; 27) + s(-2; -7; 5) \mid r, s \in \mathbb{R}\}$

b) $L = \{r(2; 1; 3) + s(4; -7; 5) \mid r, s \in \mathbb{R}\}$
$L' = \{r(-1; 5; 1) + s(4; 14; 3) \mid r, s \in \mathbb{R}\}$

1 Bestimmen Sie die Lösungsmenge.

a) $\begin{aligned} 2x_1 - 3x_2 + x_3 &= -1 \\ x_1 + x_2 + 5x_3 &= 0 \\ -x_1 + 2x_2 - x_3 &= 2 \end{aligned}$

b) $\begin{aligned} 2x_1 - 3x_2 - x_3 &= 4 \\ x_1 + 2x_2 + 3x_3 &= 1 \\ 3x_1 - 8x_2 - 5x_3 &= 5 \end{aligned}$

c) $\begin{aligned} 2x_1 - 3x_2 + x_3 &= 0 \\ x_1 + x_2 + 5x_3 &= 0 \\ -x_1 + 2x_2 - x_3 &= 0 \end{aligned}$

d) $\begin{aligned} 10x_1 + x_2 - 2x_3 &= 2 \\ x_1 + 2x_2 + 2x_3 &= 3 \\ 4x_1 + 4x_2 + 3x_3 &= 2 \end{aligned}$

e) $\begin{aligned} 4x_1 + 5x_2 + 2x_3 &= 3 \\ -19x_1 - x_2 - 3x_3 &= 2 \\ 7x_1 + 4x_2 + x_3 &= 1 \end{aligned}$

f) $\begin{aligned} 4x_1 + x_2 + x_3 &= 1 \\ x_1 + 4x_2 + 4x_3 &= 1 \\ x_1 + x_2 + x_3 &= 1 \end{aligned}$

Beachten Sie:
Geringe Unterschiede haben große Auswirkungen.

2
a) $\begin{aligned} 2x_1 + x_2 + x_3 &= 201 \\ x_1 + x_3 &= 200 \\ - x_2 + x_3 &= 200 \end{aligned}$

b) $\begin{aligned} 2,01x_1 + x_2 + x_3 &= 201 \\ x_1 + x_3 &= 200 \\ - x_2 + x_3 &= 200 \end{aligned}$

c) $\begin{aligned} 1,99x_1 + x_2 + x_3 &= 201 \\ x_1 + x_3 &= 200 \\ - x_2 + x_3 &= 200 \end{aligned}$

3
a) $\begin{aligned} x_1 + x_2 &= -2 \\ x_2 + x_3 &= -2 \\ x_1 + x_3 &= -2 \end{aligned}$

b) $\begin{aligned} x_1 + 2x_3 &= 5 \\ -x_1 + 8x_3 &= 15 \\ x_3 &= 2 \end{aligned}$

c) $\begin{aligned} x_1 &= x_3 \\ x_2 &= x_1 \\ x_3 &= x_2 \end{aligned}$

4 Bestimmen Sie die Lösungsmenge in Abhängigkeit von r.

a) $\begin{aligned} x_1 - 2x_2 + x_3 &= 3 \\ 2x_1 + x_2 - 3x_3 &= 2r \\ x_1 + 3x_2 - 3x_3 &= 4r \end{aligned}$

b) $\begin{aligned} 2x_1 - x_2 + x_3 &= 2r \\ x_1 - 5x_2 + 2x_3 &= 6 \\ 9x_2 - 3x_3 &= r - 12 \end{aligned}$

c) $\begin{aligned} x_1 + 2x_2 + x_3 &= 0 \\ -4x_1 - 12x_2 + x_3 &= r \\ 3x_1 + 4x_2 + 2x_3 &= r + 2 \end{aligned}$

5 The college jogging team goes through jogging shoes like water. The coach usually orders three brands of jogging shoes which they obtain at cost: Gauss, Roebecks and K Scottish. Gauss cost the team $50 per pair, Roebecks $50 and K Scottish $45. One year, the team went through a total of 120 pairs at a total cost of $5,700. Given that the team went through as many pairs of Gauss as Roebecks, how many pairs of each brand of jogging shoes did they use?

6 Der Graph einer ganzrationalen Funktion vierten Grades geht durch die Punkte $A(-2|-1)$, $B(0|2)$, $C(1|-1)$, $D(2|-1)$ und $E(3|2)$. Bestimmen Sie den Funktionsterm.

7 In Fig. 1 ist der Graph einer ganzrationalen Funktion dargestellt. Bestimmen Sie den Funktionsterm, indem Sie hinreichend viele Punkte des Graphen ablesen und damit ein Gleichungssystem für die Koeffizienten des Funktionsterms aufstellen.

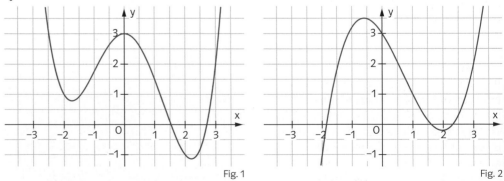

Fig. 1　　　Fig. 2

8 In Fig. 2 ist der Graph der Ableitung f' einer ganzrationalen Funktion vierten Grades gezeigt. Die Funktion f hat bei $x = 1$ eine Nullstelle. Bestimmen Sie den Funktionsterm.

Wiederholen – Vertiefen – Vernetzen

9 Eine ganzrationale Funktion vierten Grades hat bei $x = 1$ und $x = 5$ Nullstellen und für $x = 1$ einen Wendepunkt mit waagerechter Tangente. Außerdem geht der Graph durch den Punkt $(3 \,|\, 5)$. Bestimmen Sie den Funktionsterm, zeichnen Sie den Graphen und berechnen Sie das absolute Maximum der Funktion.

10 Eine ganzrationale Funktion f_2 zweiten Grades und die Kosinusfunktion haben für $x = 0$ denselben Funktionswert und dieselben Werte der 1. und 2. Ableitung.
a) Bestimmen Sie die Funktion f_2. Zeichnen Sie den Graphen von f_2 und von $\cos(x)$ für $|x| \le 0{,}5\,\pi$.
b) Bestimmen Sie die ganzrationale Funktion f_4 vierten Grades so, dass f_4 und die Kosinusfunktion für $x = 0$ denselben Funktionswert und dieselben Werte der ersten, zweiten, dritten und vierten Ableitung haben. Ergänzen Sie die Zeichnung aus Teilaufgabe a) mit den Graphen von f_4.
c) Berechnen Sie $\cos(1)$ und $f_4(1)$. Wie groß ist die Abweichung?

Man nennt Funktionen, die wie f_2 und f_4 erzeugt werden, Taylorpolynome. f_4 ist das Taylorpolynom vom Grad 4 an der Entwicklungsstelle $x = 0$.

◉ CAS
Volumen eines Bierglases

11 Eine ganzrationale Funktion vierten Grades hat bei $x = -1$ und $x = 5$ Nullstellen, eine Extremstelle bei $x = 3{,}5$ und für $x = 1$ einen Wendepunkt mit waagerechter Tangente. Bestimmen Sie einen Funktionsterm. Begründen Sie, warum es keine eindeutige Lösung gibt.
Wie gehen die Graphen der möglichen Funktionen geometrisch auseinander hervor?

12 Bestimmen Sie eine ganzrationale Funktion vierten Grades, deren Graph die in Fig. 1 angegebenen Eigenschaften hat.

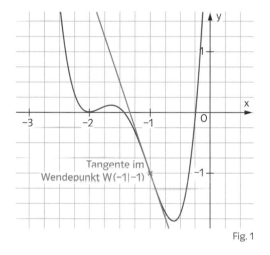

Tangente im Wendepunkt $W(-1\,|\,-1)$

Fig. 1

13 Alpaka (Neusilber) ist eine Legierung aus Kupfer, Nickel und Zink. Aus den vier in der Tabelle angegebenen Sorten kann auf verschiedene Arten $100\,g$ Alpaka mit einem Gehalt von 55 % Kupfer, 23 % Nickel und 22 % Zink hergestellt werden. Bestimmen Sie die Legierungen mit dem größten und dem kleinsten Anteil von Sorte IV.

	I	II	III	IV
Kupfer	40 %	50 %	60 %	70 %
Nickel	26 %	22 %	25 %	18 %
Zink	34 %	28 %	15 %	12 %

Fig. 2

14 Bei einem Geviert aus Einbahnstraßen (Fig. 3) sind die Verkehrsdichten (Fahrzeuge pro Stunde) für die zu- und abfließenden Verkehrsströme bekannt. Stellen Sie ein LGS für die Verkehrsdichten x_1, x_2, x_3, x_4 auf und bearbeiten Sie folgende Fragestellungen:
a) Ist eine Sperrung des Straßenstücks AD ohne Drosselung des Zuflusses möglich?
b) Welche ist die minimale Verkehrsdichte auf dem Straßenstück AB?
c) Welche ist die maximale Verkehrsdichte auf dem Straßenstück CD?

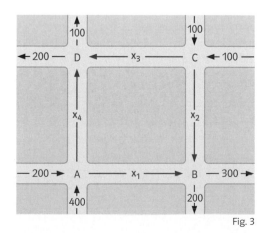

Fig. 3

Wiederholen – Vertiefen – Vernetzen

Knobeleien mit linearen Gleichungssystemen

15 Folgende Aufgaben stammen aus der „Vollständigen Anleitung zur Algebra" von Leonhard Euler. Stellen Sie jeweils ein Gleichungssystem auf und lösen Sie dieses.

a) „Ein Maulesel und ein Esel tragen jeder etliche Pud. Der Esel beschwert sich über seine Last, und sagt zum Maulesel, wenn du mir ein Pud von deiner Last gäbest, so hätte ich zweimal so viel als du. Darauf antwortet der Maulesel, wenn du mir ein Pud von deiner Last gäbest, so hätte ich dreimal so viel als du. Wieviel Pud hat jeder getragen?"

b) „Eine Gesellschaft von Männern und Frauen sind in einem Wirtshaus: Jeder Mann gibt 25 Groschen, jede Frau aber 16 Groschen aus, und es stellt sich heraus, daß sämtliche Frauen einen Groschen mehr ausgegeben haben als die Männer. Wie viele Männer und Frauen sind es gewesen?"

c) „Drei Leute haben ein Haus gekauft für 100 Rthlr.; der erste verlangt vom anderen die Hälfte seines Geldes, weil er dann das Haus allein bezahlen könnte; der andere begehrt vom dritten $\frac{1}{3}$ seines Geldes, um das Haus allein bezahlen zu können; der dritte begehrt vom ersten $\frac{1}{4}$ seines Geldes, um das Haus allein bezahlen zu können. Wieviel Geld hat nun jeder gehabt?"

d) „Jemand kauft 12 Stück Tuch für 140 Rhtlr., davon sind 2 weiß, 3 schwarz und 7 blau. Nun koste ein Stück schwarzes Tuch 2 Rhtlr. mehr als ein weißes, und ein blaues 3 Rhtlr. mehr als ein schwarzes. Die Frage ist, wieviel kostet jedes?"

16 Aus einem etwa 2000 Jahre alten chinesischen Mathematikbuch: „Jemand verkauft zwei Büffel und fünf Hammel, und er kauft 13 Schweine; dabei bleiben 1000 Münzen übrig. Verkauft er drei Büffel und drei Schweine, so kann er genau neun Hammel kaufen. Verkauft er sechs Hammel und acht Schweine, so fehlen ihm noch 600 Münzen, um fünf Büffel kaufen zu können. Wie viel kostet ein Büffel, ein Hammel, ein Schwein?"

17 Für die Innenwinkel α, β, γ eines Dreiecks gilt: α ist doppelt so groß wie β und β ist um 20° größer als γ. Bestimmen Sie die Größe von α, β, γ.

18 a) Auf einem Hof sind Enten, Hühner und Kaninchen mit zusammen 120 Füßen und 36 Köpfen. Es sind doppelt so viele Hühner wie Enten. Wie viele Enten, Hühner und Kaninchen sind es?

b) Jemand kauft Gänse zu je 10 Groschen, Hühner zu je 5 Groschen und Küken zu je 1 Groschen, insgesamt 50 Stück für 100 Groschen. Wie viele Gänse, Hühner und Küken werden gekauft?

19 Zwei ältere Ehepaare sind zusammen 290 Jahre alt. Die Männer sind zusammen 10 Jahre älter als die Frauen. Die Frauen sind gleich alt. Man schreibe ein Gleichungssystem auf und gebe mögliche Lösungen an.

20 Mit Briefmarken zu 10, 20, 30 und 50 Cent soll ein Portobetrag von 3 Euro zusammengestellt werden. Wie ist dies mit genau 10 Briefmarken möglich?

21 Ein kleines Kreuzfahrtschiff hat doppelt so viele Passagiere wie Kabinen. Die Anzahl der Passagiere zusammen mit der Anzahl des Servicepersonals ist um 30 weniger als die dreifache Anzahl der Kabinen. Die Anzahl der Kabinen, der Passagiere und des Servicepersonals beträgt zusammen das Fünffache des Alters des Kapitäns. Die Anzahl der Kabinen und des Servicepersonals zusammen mit dem Alter des Kapitäns übertrifft die Anzahl der Passagiere um 20. Berechnen Sie die Anzahl der Kabinen, der Passagiere, des Servicepersonals und das Alter des Kapitäns.

Leonhard Euler (1707–1783), ein Schweizer Mathematiker, lebte am Zarenhof in Petersburg und diktierte nach seiner Erblindung dieses Buch seinem Diener, einem ehemaligen Schneidergesellen. Der Diener soll beim Zuhören und Aufschreiben des Textes so viel gelernt haben, dass er die damalige Algebra völlig verstand!

Exkursion in die Theorie

Beschreibung von Prozessen mit Matrizen

Matrizen sind ein Hilfsmittel, mit dem sich Vorgänge, die man durch lineare Gleichungen darstellen kann, übersichtlich darstellen lassen. Da in realen Beispielen sehr viele Variablen auftreten, werden im Folgenden nur vereinfachte Modelle betrachtet.

Eine Getränkefirma stellt aus den drei Grundstoffen Wasser (W), Orangensaft (O) und Mangosaft (M) zwei Mischgetränke Oraman (G_1) und Mangor (G_2) her. Das Diagramm zeigt den Bedarf an Bestandteilen W, O und M (in Liter) für die Herstellung je eines Liters der Mischgetränke G_1 und G_2.

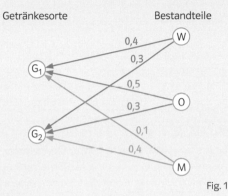

Getränkesorte   Bestandteile

Fig. 1

Die Pfeile sind zu lesen als: je Liter G_1 benötigt man 0,4 Liter W, 0,5 Liter O, 0,1 Liter M.

Die Abhängigkeiten aus dem Diagramm kann man auch in Tabellenform darstellen. Hieraus lässt sich der Bedarf je Liter Mischgetränk einfach ablesen.

Bedarf in Liter an	Getränkesorte (1 Liter)	
	Oraman (G_1)	Mangor (G_2)
Wasser (W)	0,4	0,3
Orangensaft (O)	0,5	0,3
Mangosaft (M)	0,1	0,4

Fig. 2

Sollen x_1 Liter von G_1 und x_2 Liter von G_2 hergestellt werden, so gilt für die benötigte Menge in Liter der einzelnen Bestandteile y_1, y_2, y_3:

$$y_1 = 0,4x_1 + 0,3x_2$$
$$y_2 = 0,5x_1 + 0,3x_2$$
$$y_3 = 0,1x_1 + 0,4x_2$$

Das lineare Gleichungssystem schreibt man auch in der Form:

$$\begin{pmatrix} y_1 \\ y_2 \\ y_3 \end{pmatrix} = \begin{pmatrix} 0,4x_1 + 0,3x_2 \\ 0,5x_1 + 0,3x_2 \\ 0,1x_1 + 0,4x_2 \end{pmatrix}.$$

Dies vereinfacht man weiter zu $\begin{pmatrix} y_1 \\ y_2 \\ y_2 \end{pmatrix} = \begin{pmatrix} 0,4 & 0,3 \\ 0,5 & 0,3 \\ 0,1 & 0,4 \end{pmatrix} \cdot \begin{pmatrix} x_1 \\ x_2 \end{pmatrix}.$

Man merkt sich das kurz in der Form „jede Zeile mal der Spalte" und sagt, dass alle Zeilen mit der Spalte multipliziert werden.

> Eine einspaltige Matrix x mit k Koeffizienten multipliziert man von links mit einer k-spaltigen Matrix A nach der Regel:
>
> $$\begin{pmatrix} a_{11} & a_{12} & \ldots & a_{1k} \\ a_{21} & a_{22} & \ldots & a_{2k} \\ \vdots & \vdots & \ldots & \vdots \\ a_{n1} & a_{n2} & \ldots & a_{nk} \end{pmatrix} \cdot \begin{pmatrix} x_1 \\ x_2 \\ \vdots \\ x_k \end{pmatrix} = \begin{pmatrix} a_{11}x_1 + a_{12}x_2 + \ldots + a_{1k}x_k \\ a_{21}x_1 + a_{22}x_2 + \ldots + a_{2k}x_k \\ \vdots \\ a_{n1}x_1 + a_{n2}x_2 + \ldots + a_{nk}x_k \end{pmatrix}$$

Ist X die Spalte der Eingangswerte und A die Matrix, die den jeweiligen Vorgang – auch Prozess genannt – beschreibt, so erhält man mit A·X die Spalte Y der Ausgangswerte.

Exkursion in die Theorie

Bei Produktionsprozessen nennt man die Matrix des Prozesses eine **Bedarfsmatrix**.

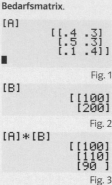

Fig. 1

[A]

[B]

[[100]
[200]]

Fig. 2

[A]*[B]

[[100]
[110]
[90]]

Fig. 3

Für die Angabe, wie viel Liter der Grundstoffe W, O und M für 100 Liter des Mischgetränks G_1 und 200 Liter des Mischgetränks G_2 benötigt werden, berechnet man somit das Produkt:

$$\begin{pmatrix} 0,4 & 0,3 \\ 0,5 & 0,3 \\ 0,1 & 0,4 \end{pmatrix} \cdot \begin{pmatrix} 100 \\ 200 \end{pmatrix} = \begin{pmatrix} 0,4\cdot100 + 0,3\cdot200 \\ 0,5\cdot100 + 0,3\cdot200 \\ 0,1\cdot100 + 0,4\cdot200 \end{pmatrix} = \begin{pmatrix} 100 \\ 110 \\ 90 \end{pmatrix}$$

Benötigt werden also: 100 l W, 110 l O, 90 l M.
Diese Rechnungen lassen sich auch mit dem GTR durchführen.

Auch andere Vorgänge, die keinen Produktionsprozessen entsprechen, lassen sich mithilfe von Matrizen beschreiben. In einem kleinen Land gibt es 900 000 Erwerbstätige. Jeder von ihnen wird jährlich einer von drei Einkommensgruppen zugeordnet. Der Stichtag für die Einordnung ist die Jahresmitte. Die Pfeile im Diagramm geben für jede Einkommensgruppe an, welche Anteile dieser Gruppe von einem Jahr zum nächsten die Gruppe wechseln bzw. in der Gruppe bleiben.

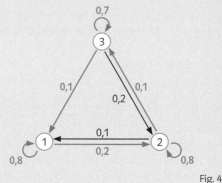

Fig. 4

Die Pfeile sind so zu lesen:
20% wechseln von 3 nach 2, 10% wechseln von 3 nach 1, 70% bleiben in 3, …

Bei diesem Beispiel sind die Eingangswerte die Anzahlen x_1, x_2, x_3 an einem Stichtag und die Ausgangswerte die Anzahlen y_1, y_2, y_3 am darauffolgenden Stichtag. Damit erhält man:

Gleichungsdarstellung:

$y_1 = 0,8 x_1 + 0,1 x_2 + 0,1 x_3$
$y_2 = 0,2 x_1 + 0,8 x_2 + 0,2 x_3$
$y_3 = \qquad\quad 0,1 x_2 + 0,7 x_3$

Matrixdarstellung:

$$\begin{pmatrix} y_1 \\ y_2 \\ y_3 \end{pmatrix} = \begin{pmatrix} 0,8 & 0,1 & 0,1 \\ 0,2 & 0,8 & 0,2 \\ 0 & 0,1 & 0,7 \end{pmatrix} \cdot \begin{pmatrix} x_1 \\ x_2 \\ x_3 \end{pmatrix}$$

Bei Austausch- und Entwicklungsprozessen nennt man die Matrix des Prozesses eine **Übergangsmatrix**.

Geht man davon aus, dass sich 300 000 Erwerbstätige in der Gruppe 1; 500 000 Erwerbstätige in Gruppe 2 und 100 000 in Gruppe 3 befinden, dann lässt sich die Verteilung am nächsten Stichtag durch folgende Rechnung bestimmen:

$$\begin{pmatrix} 0,8 & 0,1 & 0,1 \\ 0,2 & 0,8 & 0,2 \\ 0 & 0,1 & 0,7 \end{pmatrix} \cdot \begin{pmatrix} 300\,000 \\ 500\,000 \\ 100\,000 \end{pmatrix} = \begin{pmatrix} 300\,000 \\ 480\,000 \\ 120\,000 \end{pmatrix}.$$

Am nächsten Stichtag befinden sich also 300 000 Erwerbstätige in Gruppe 1; 480 000 in Gruppe 2 und 120 000 in Gruppe 3.

Auch Prozesse, die aus mehreren Schritten bestehen, lassen sich durch Matrizen beschreiben.

Ein Betrieb stellt aus drei Bauteilen T_1, T_2, T_3 zwei Zwischenprodukte Z_1, Z_2 und aus diesen drei Endprodukte E_1, E_2, E_3 her. Das Diagramm (Fig. 5) zeigt den Bedarf an. Es werden z. B. je Endbauteil E_1 zwei Zwischenteile Z_1 und drei Zwischenteile Z_2 benötigt. Je Stück Z_1 werden vier Teile T_3 und je Stück Z_2 drei Teile T_3 gebraucht. Also werden insgesamt $2\cdot4 + 3\cdot3 = 17$ Teile T_3 je Endbauteil E_1 benötigt.

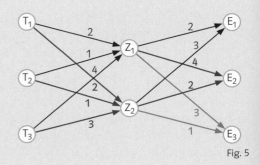

Fig. 5

Rückblick

Lösungen eines linearen Gleichungssystems

Jede Lösung eines linearen Gleichungssystems mit n Variablen besteht aus n Zahlen, die man als n-Tupel angibt.

$$\begin{aligned} 2x_1 - 3x_2 \quad\quad &= 19 \\ 4x_1 \quad\quad - 8x_3 &= 20 \\ 5x_2 - 4x_3 &= -7 \end{aligned}$$

Lösung: $(11; 1; 3)$

Gauß-Verfahren

Man bringt das lineare Gleichungssystem mithilfe der folgenden Äquivalenzumformungen auf Stufenform:

(1) Zwei Gleichungen werden miteinander vertauscht.

(2) Eine Gleichung wird mit einer Zahl $c \neq 0$ multipliziert.

(3) Eine Gleichung wird durch die Summe von ihr und einer anderen Gleichung ersetzt.

Dann bestimmt man die Lösungsmenge.

$$\begin{array}{llrrrrl} \text{I} & 2x_1 - & x_2 - & 7x_3 = & 10 \\ \text{II} & 3x_1 + & 2x_2 + & 2x_3 = & -2 \\ \text{III} & x_1 + & 3x_2 - & 4x_3 = & -10 \end{array}$$

$$\begin{array}{llrrrrl} \text{I a} & x_1 + & 3x_2 - & 4x_3 = & -10 & \text{I a = III} \\ \text{II} & 3x_1 + & 2x_2 + & 2x_3 = & -2 \\ \text{III a} & 2x_1 - & x_2 - & 7x_3 = & 10 & \text{III a = I} \end{array}$$

$$\begin{array}{llrrrrl} \text{I a} & x_1 + & 3x_2 - & 4x_3 = & -10 \\ \text{II b} & & -7x_2 + & 14x_3 = & 28 & \text{II b = II } + (-3)\,\text{I a} \\ \text{III b} & & -7x_2 + & x_3 = & 30 & \text{III b = III a} + (-2)\,\text{I a} \end{array}$$

$$\begin{array}{llrrrrl} \text{I a} & x_1 + & 3x_2 - & 4x_3 = & -10 \\ \text{II b} & & -7x_2 + & 14x_3 = & 28 \\ \text{III c} & & & -13x_3 = & 2 & \text{III c = III b} + (-1)\,\text{II b} \end{array}$$

$$L = \left\{ \left(\tfrac{30}{13}; -\tfrac{56}{13}; -\tfrac{2}{13} \right) \right\}$$

Lösungsmenge

Nach der Umformung eines LGS auf Stufenform lassen sich drei Fälle unterscheiden:

1. Bei den Umformungen ist in jeder Gleichung mindestens immer ein Koeffizient ungleich Null. Dann besitzt das LGS genau eine Lösung.

$$\begin{aligned} 2x_1 - x_2 + 2x_3 &= 11 \\ -4x_2 + 4x_3 &= -8 \\ 5x_3 &= 15 \end{aligned} \quad L = \{(5; 5; 3)\}$$

2. Bei den Umformungen ergibt sich eine Gleichung der Form $0 = c$ mit $c \neq 0$. Dann besitzt das LGS keine Lösung, die Lösungsmenge L ist leer.

$$\begin{aligned} 2x_1 - x_2 + 7x_3 &= 11 \\ -4x_2 + 4x_3 &= -8 \\ 0 &= 2 \end{aligned} \quad L = \{\ \}$$

3. Bei den Umformungen ergibt sich eine Stufenform, die abgesehen von Gleichungen der Form $0 = 0$ weniger Gleichungen als Variablen hat. Dann besitzt das LGS unendlich viele Lösungen. Die Lösungsmenge wird mit Parameter dargestellt.

$$\begin{aligned} 2x_1 - x_2 + 7x_3 &= 12 \\ -4x_2 + 4x_3 &= -8 \\ 0 &= 0 \end{aligned}$$

$$L = \{(7 - 3t; 2 + t; t) \mid t \in \mathbb{R}\}$$

Bestimmung ganzrationaler Funktionen

1. Formulierung der gegebenen Bedingungen mithilfe von f, f', f'' usw.

2. Ansatz: $f(x) = a_n x^n + a_{n-1} x^{n-1} + \ldots + a_1 x + a_0$.

3. Aufstellen und Lösen des LGS.

4. Kontrolle des Ergebnisses.

Gesucht: Ganzrationale Funktion dritten Grades mit Hochpunkt $H(0 \mid 12)$ und Wendepunkt $W(2 \mid -4)$.

1. $f(0) = 12$; $f(2) = -4$; $f'(0) = 0$; $f''(2) = 0$

2. $f(x) = a_3 x^3 + a_2 x^2 + a_1 x + a_0$

3.
$$\begin{array}{rrrrr} & & & a_0 = & 12 \\ 8a_3 + & 4a_2 + & 2a_1 + & a_0 = & -4 \\ & & a_1 = & & 0 \\ 12a_3 + & 2a_2 & & = & 0 \end{array}$$

$$L = \{(1; -6; 0; 12)\}$$

4. $f(x) = x^3 - 6x^2 + 12$ erfüllt die Bedingung, da $f''(0) = -12$.

Prüfungsvorbereitung ohne Hilfsmittel

1 Lösen Sie das lineare Gleichungssystem.

a) $2x_1 - 3x_2 \qquad = 19$
$\quad 4x_1 \qquad - 8x_3 = 20$
$\qquad \quad 5x_2 - 4x_3 = -7$

b) $x_1 + \ x_2 + 4x_3 = 14$
$\ 2x_1 + \ x_2 + 2x_3 = 10$
$\ 5x_1 + 2x_2 + 3x_3 = 18$

c) $3x_1 - 2x_2 + 5x_3 = \ \ 8$
$\ 6x_1 + 5x_2 - 2x_3 = -5$
$\ 9x_1 - 3x_2 - \ x_3 = -31$

2 Bestimmen Sie die Lösungsmenge des linearen Gleichungssystems.

a) $\quad x_1 + 2x_2 + \ x_3 = 8$
$\ -4x_1 + \ x_2 + 5x_3 = 11$

b) $2x_1 - x_2 + 4x_3 = 0$
$\ 3x_1 + x_2 + \ x_3 = 5$

c) $\ 2x_1 + 2x_2 + 6x_3 = \ \ 2$
$\ -x_1 + 3x_2 + 4x_3 = -5$

3 a) $x_1 + \ 3x_2 = \ 5$
$\ -x_1 + \ 5x_2 = 11$
$\quad x_1 + 10x_2 = 19$

b) $2x_1 + 3x_2 = \ 0$
$\ x_1 - 5x_2 = 11$
$\ x_1 - \ x_2 = \ 3$

c) $\ 2x_1 + 3x_2 = \ \ 6$
$\ -6x_1 - 9x_2 = -18$
$\ 6x_1 + 9x_2 = \ \ 18$

4 Bestimmen Sie die Lösungsmenge in Abhängigkeit vom Parameter r.

a) $2x_1 - 2x_2 + \ x_3 = 6$
$\ 4x_1 + \ x_2 - 3x_3 = 4r$
$\ 2x_1 + 3x_2 - 3x_3 = 8r$

b) $2x_1 - \ x_2 + x_3 = 6r$
$\qquad \quad 3x_2 - x_3 = r - 2$
$\ x_1 + 3x_2 - x_3 = 3$

c) $\ -x_1 - 3x_2 + 4x_3 = r$
$\ -2x_1 - 4x_2 + 3x_3 = r$
$\ 4x_1 + \ 3x_2 + 3x_3 = r + 2$

5 Bei dem Viereck ABCD in Fig. 1 sind gleich gefärbte Winkel gleich groß. Bestimmen Sie die Größe der Winkel α, β, γ, δ des Vierecks, wenn gilt:

a) α ist doppelt so groß wie β und die Winkelsumme von β und δ ist gleich 2γ,

b) α ist um 40° kleiner als β und die Winkelsumme von β und δ ist gleich 4γ.

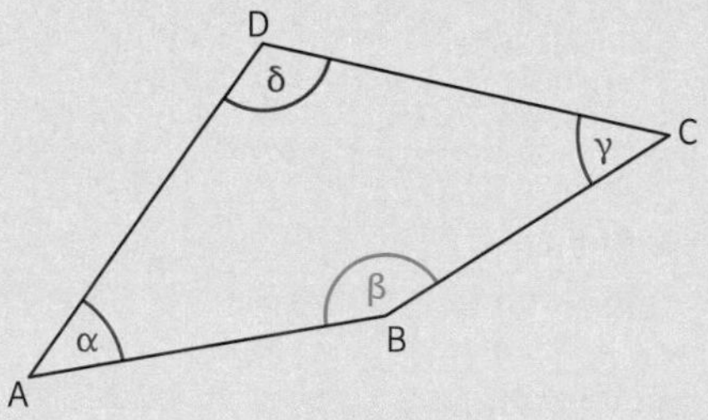

Fig. 1

6 Der Graph einer ganzrationalen Funktion zweiten Grades geht durch die Punkte $P(-1|-9)$, $Q(1|7)$ und $R(2|21)$. Bestimmen Sie den Funktionsterm und die Koordinaten des Scheitelpunktes.

7 Für eine ganzrationale Funktion f zweiten Grades gilt: $H(-1|4)$ ist der Hochpunkt und $Q(-4|5)$ ein weiterer Punkt ihres Graphen. Bestimmen Sie eine Funktionsgleichung von f.

8 Bestimmen Sie eine ganzrationale Funktion dritten Grades, deren Graph
a) den Extrempunkt $E(3|-8)$ und den Wendepunkt $W(0|0)$ hat,
b) die Extrempunkte $E_1(2|23)$ und $E_2(4|19)$ hat.

9 Geben Sie ein lineares Gleichungssystem mit drei Variablen und zwei Gleichungen an, in denen jeweils alle Variablen vorkommen und das eine leere Lösungsmenge hat.

10 Entscheiden Sie, ob die folgenden Aussagen richtig sind. Begründen Sie.
a) Ein LGS mit der gleichen Anzahl von Gleichungen und Variablen hat genau eine Lösung.
b) Ein LGS mit mehr Gleichungen als Variablen ist nicht lösbar.

11 a) Bestimmen Sie die Lösungsmenge des LGS mit der einzigen Gleichung $2x_1 + x_2 = 3$ und veranschaulichen Sie die Lösungsmenge in einem x_1x_2-Koordinatensystem.

b) Erläutern Sie, warum das LGS $\begin{aligned} 2x_1 + x_2 &= 3 \\ 2x_1 - x_2 &= 1 \end{aligned}$ eine eindeutige Lösung besitzt. Leiten Sie daraus eine allgemeine Aussage über die Lösungsmengen von linearen Gleichungssystemen mit zwei Variablen her.

Prüfungsvorbereitung mit Hilfsmitteln

1 Der Graph der Funktion mit der Gleichung $y = ax^3 + bx^2 + cx + d$ soll durch die Punkte A, B, C, D gehen. Bestimmen Sie die Koeffizienten a, b, c, d.
a) $A(-2|-24)$, $B(0|4)$, $C(2|0)$, $D(3|16)$
b) $A(-2|20)$, $B(-1|24)$, $C(1|-40)$, $D(2|-60)$

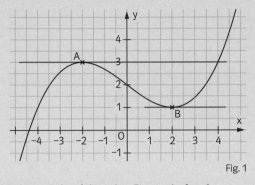

Fig. 1

2 Bestimmen Sie eine ganzrationale Funktion dritten Grades, deren Graph die in Fig. 1 angegebenen Eigenschaften hat.

3 Gibt es eine ganzrationale Funktion dritten Grades mit den folgenden Eigenschaften?
a) Der Graph der Funktion hat eine Nullstelle bei $x = -1$, einen Tiefpunkt für $x = 1{,}5$. Die Tangente im Wendepunkt $W\left(\frac{2}{3}\left|-\frac{11}{3}\right.\right)$ hat die Steigung $-\frac{34}{3}$.
b) Der Graph geht durch den Punkt $P(2|4)$, hat den Wendepunkt $W(-0{,}5|6{,}5)$ und einen Hochpunkt für $x = -2$.

4 Eine vierstellige positive ganze Zahl n hat die Quersumme 20. Die Summe der ersten beiden Ziffern ist 11, die Summe der ersten und letzten Ziffer ebenfalls. Die erste Ziffer ist um 3 größer als die letzte Ziffer. Bestimmen Sie die Zahl n.

5 Für medizinische Untersuchungen werden bestimmte Medikamente verabreicht, die anschließend im Körper abgebaut werden. Die Konzentration in $\frac{mg}{l}$ im Blut lässt sich durch den Funktionsterm $f(x) = a \cdot t \cdot e^{-kt}$ mit $a > 0$ und $k > 0$ beschreiben. Hierbei ist t die Anzahl der Stunden nach der Verabreichung des Medikaments. Bestimmen Sie die Werte für a und k, wenn der höchste Wert der Konzentration $27\frac{mg}{l}$ beträgt und 3 Stunden nach der Einnahme erreicht wird.

6 Für die Verkaufszahlen eines neuen Produktes ermittelt man die folgenden Werte.

Woche	1	2	3	4	5	6
verkaufte Stückzahl	36	61	79	94	108	117

Fig. 2

Man vermutet, dass sich die abgesetzte Stückzahl pro Woche durch den Funktionsterm $f(x) = \frac{ax + 10}{bx + 10}$ beschreiben lässt.
a) Bestimmen Sie a und b mit Werten der ersten und letzten Woche. Runden Sie a und b auf ganze Zahlen. Welche Stückzahl kann man in der 15. Woche erwarten?
b) Benutzen Sie jetzt die Werte der 3. und 4. Woche, um a und b zu bestimmen. Um wie viel Prozent weicht der damit bestimmte Wert für die 15. Woche von dem aus Teilaufgabe a) ab?

7 Die sehr widerstandsfähige Aluminiumlegierung Dural enthält außer Aluminium bis zu 5% Kupfer, bis zu 1,5% Mangan und bis zu 1,6% Magnesium.
a) Welche Legierungen mit 95% Aluminium und 3% Kupfer lassen sich aus den drei Duralsorten A, B, C in Fig. 3 herstellen? Geben Sie eine Beschreibung mithilfe einer Lösungsmenge.

	A	B	C
Aluminium	96,0%	93,0%	93,2%
Kupfer	2,5%	4,0%	3,9%
Mangan	1,1%	1,4%	1,2%
Magnesium	0,4%	1,6%	1,7%

Fig. 3

b) Lässt sich aus den Duralsorten A, B, C eine Legierung herstellen, die 95% Aluminium, 3% Kupfer, 1,2% Mangan und 0,8% Magnesium enthält?

Schlüsselkonzept: Vektoren

Geometrie mit Vektoren betreiben bedeutet, geometrische Objekte mit Gleichungen beschreiben.

Nicht Zeichnungen, sondern Rechnungen stehen im Mittelpunkt geometrischer Überlegungen.

Zeichnung oder Rechnung? Beides hat seine Berechtigung. Rechnerische Ergebnisse sind in der Regel genauer als von Zeichnungen abgelesene Werte. Zeichnungen geben meist die bessere Vorstellung von den geometrischen Situationen wieder.

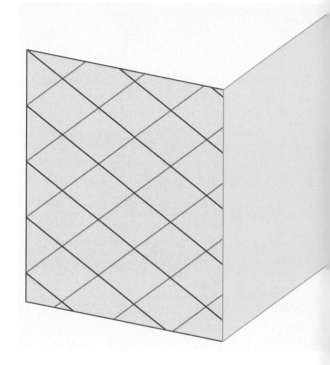

Das kennen Sie schon

- Vektoren
- Gleichungen für Geraden in der Ebene und im Raum
- Lagen und Schnitte von Geraden

Doppelturm des chinesischen Fernsehsenders CCTV, Peking
Architekten: Rem Koolhaas, Ole Scheeren

Zahl und
Maß

Daten und
Zufall

Beziehung und
Änderung

Modell und
Simulation

Muster und
Struktur

Form und
Raum

In diesem Kapitel

– werden Gleichungen für Ebenen bestimmt.
– werden Lagen und Schnitte von Geraden
  und Ebenen bestimmt.
– wird die Orthogonalität von Vektoren untersucht.

1 Wiederholung: Vektoren

Welche Informationen können die Pfeile zur momentanen Situation des Flugzeugs enthalten?

Ein **Vektor** gibt an, wie man zu einem Ausgangspunkt einen Zielpunkt erhält.

Man kann auch sagen, ein Vektor verschiebt die Punkte einer Ebene bzw. des Raumes.

Der Vektor $\begin{pmatrix} 2 \\ 3 \end{pmatrix}$ in Fig. 1 verschiebt zum Beispiel den Punkt P auf den Punkt Q und das Dreieck ABC auf das Dreieck A′B′C′.

Vektoren kennzeichnet man mithilfe von Ausgangspunkt und Zielpunkt oder kleinen Buchstaben:

$\overrightarrow{PQ} = \overrightarrow{AA'} = \overrightarrow{BB'} = \overrightarrow{CC'} = \vec{a}$.

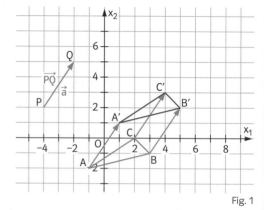

Fig. 1

Addition von Vektoren

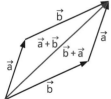

Fig. 2

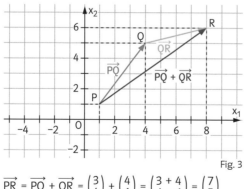

Fig. 3

$\overrightarrow{PR} = \overrightarrow{PQ} + \overrightarrow{QR} = \begin{pmatrix} 3 \\ 4 \end{pmatrix} + \begin{pmatrix} 4 \\ 1 \end{pmatrix} = \begin{pmatrix} 3+4 \\ 4+1 \end{pmatrix} = \begin{pmatrix} 7 \\ 5 \end{pmatrix}$

Multiplikation einer Zahl mit einem Vektor

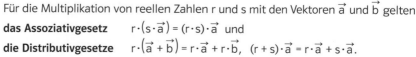

Fig. 4

$3 \cdot \begin{pmatrix} 1 \\ 2 \end{pmatrix} = \begin{pmatrix} 1 \\ 2 \end{pmatrix} + \begin{pmatrix} 1 \\ 2 \end{pmatrix} + \begin{pmatrix} 1 \\ 2 \end{pmatrix} = \begin{pmatrix} 3 \cdot 1 \\ 3 \cdot 2 \end{pmatrix} = \begin{pmatrix} 3 \\ 6 \end{pmatrix}$

Fig. 5

Für die Addition von zwei Vektoren $\vec{a}$ und $\vec{b}$ gelten

das Kommutativgesetz $\quad \vec{a} + \vec{b} = \vec{b} + \vec{a}$ und

das Assoziativgesetz $\quad \vec{a} + \left(\vec{b} + \vec{c}\right) = \left(\vec{a} + \vec{b}\right) + \vec{c}$.

Für die Multiplikation von reellen Zahlen r und s mit den Vektoren $\vec{a}$ und $\vec{b}$ gelten

das Assoziativgesetz $\quad r \cdot (s \cdot \vec{a}) = (r \cdot s) \cdot \vec{a}$ und

die Distributivgesetze $\quad r \cdot \left(\vec{a} + \vec{b}\right) = r \cdot \vec{a} + r \cdot \vec{b}, \quad (r + s) \cdot \vec{a} = r \cdot \vec{a} + s \cdot \vec{a}$.

Einen Ausdruck wie $r \cdot \vec{a} + s \cdot \vec{b} + t \cdot \vec{c}$ nennt man auch **Linearkombination** der Vektoren $\vec{a}, \vec{b}, \vec{c}$.

Beispiel Vektoren darstellen
Stellen Sie zu den Vektoren $\vec{a}$ und $\vec{b}$ in Fig. 1 den Vektor $\vec{c} = 2\vec{a} + 3\vec{b}$ zeichnerisch dar.

■ Lösung:

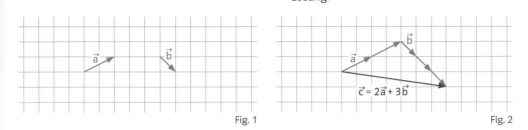

Fig. 1   Fig. 2

Aufgaben

1 Stellen Sie zu den Vektoren $\vec{a}$ und $\vec{b}$ in Fig. 3 den Vektor $\vec{c}$ zeichnerisch dar.
a) $\vec{c} = 4\vec{a} + \vec{b}$ b) $\vec{c} = 3\vec{a} + 6\vec{b}$ c) $\vec{c} = 5\vec{a} - 2\vec{b}$

Zur Erinnerung:
$\vec{a} - \vec{b} = \vec{a} + (-\vec{b})$

2 Verdeutlichen Sie mithilfe einer Zeichnung.

a) $\begin{pmatrix} 0 \\ 1 \\ 0 \end{pmatrix} + \begin{pmatrix} 1 \\ 0 \\ 0 \end{pmatrix}$

b) $\begin{pmatrix} 1 \\ 1 \\ 0 \end{pmatrix} + \begin{pmatrix} 0 \\ 0 \\ 1 \end{pmatrix}$

c) $\begin{pmatrix} 1 \\ 0 \\ 2 \end{pmatrix} + \begin{pmatrix} 0 \\ 2 \\ 0 \end{pmatrix} + \begin{pmatrix} 0 \\ 0 \\ 1 \end{pmatrix}$

d) $\begin{pmatrix} 2 \\ -2 \\ 0 \end{pmatrix} + \begin{pmatrix} 0 \\ 1 \\ 1 \end{pmatrix}$

e) $\begin{pmatrix} 0 \\ 1 \\ 0 \end{pmatrix} - \begin{pmatrix} 0 \\ 2 \\ 1 \end{pmatrix}$

f) $\begin{pmatrix} 2 \\ 0 \\ 0 \end{pmatrix} + \begin{pmatrix} 0 \\ 1 \\ 0,5 \end{pmatrix}$

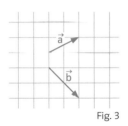

Fig. 3

3 Für Fig. 4 gilt: $\overrightarrow{AB} = \vec{a}$, $\overrightarrow{BC} = \vec{b}$ und $\overrightarrow{AE} = \vec{c}$.
Stellen Sie folgende Vektoren als Linearkombination von $\vec{a}$, $\vec{b}$ und $\vec{c}$ dar. a) $\overrightarrow{BH}$ b) $\overrightarrow{GA}$ c) $\overrightarrow{HF}$

4 Die Punkte A, B und D liegen nicht auf einer gemeinsamen Geraden.
Je ein Pfeil der Vektoren $\vec{a} = \overrightarrow{AB}$ und $\vec{b} = \overrightarrow{AD}$ legen ein Parallelogramm ABCD fest (Fig. 5).
Geben Sie mithilfe der Eckpunkte den Vektor $\vec{v}$ an.
a) $\vec{v} = \vec{a} + \vec{b}$ b) $\vec{v} = \vec{a} - \vec{b}$

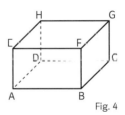

Fig. 4

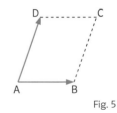

Fig. 5

5 Die Pfeile der Vektoren $\vec{a}$, $\vec{b}$ und $\vec{c}$ sind nicht zueinander parallel und liegen nicht alle in einer gemeinsamen Ebene.
Haben jeweils ein Pfeil von $\vec{a}$, ein Pfeil von $\vec{b}$ und ein Pfeil von $\vec{c}$ den gleichen Ausgangspunkt, so legen sie einen Spat ABCDEFGH fest (Fig. 6). Geben Sie mithilfe der Eckpunkte den Vektor $\vec{v}$ an.
a) $\vec{v} = \vec{a} + \vec{b} + \vec{c}$ b) $\vec{v} = \vec{a} - \vec{b} + \vec{c}$
c) $\vec{v} = \vec{a} + \vec{b} - \vec{c}$ d) $\vec{v} = \vec{a} - \vec{b} - \vec{c}$

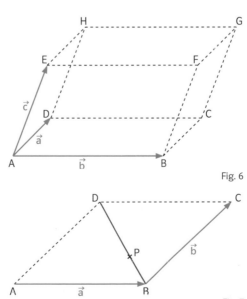

Fig. 6

6 Das Viereck ABCD in Fig. 7 ist ein Parallelogramm. Die Strecke $\overline{DP}$ ist doppelt so lang wie die Strecke $\overline{PB}$. Beschreiben Sie mithilfe einer Linearkombination der Vektoren $\vec{a}$ und $\vec{b}$ den Vektor
a) $\overrightarrow{DP}$,   b) $\overrightarrow{AP}$,
c) $\overrightarrow{CP}$,   d) $\overrightarrow{BP}$.

Fig. 7

2 Wiederholung: Geraden

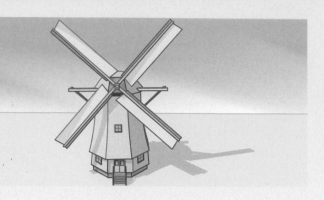

Je nach Position legen die Windmühlenflügel Geraden fest.
Führen Sie ein geeignetes Koordinatensystem ein und geben Sie Gleichungen von drei dieser Geraden an.
Worin unterscheiden sich die Gleichungen, worin sind sie gleich?

In Fig. 1 gilt:
Der Punkt P mit dem Ortsvektor $\vec{p}$ liegt auf der Geraden g. Die Pfeile des Vektors $\vec{u}$ sind parallel zu g. Die Ortsvektoren aller Punkte X, die auf g liegen, werden jeweils durch eine Gleichung $\vec{x} = \vec{p} + t \cdot \vec{u}$ $(t \in \mathbb{R})$ bestimmt.
Man sagt deshalb: Die Gerade g lässt sich durch die Gleichung $\vec{x} = \vec{p} + t \cdot \vec{u}$ beschreiben.

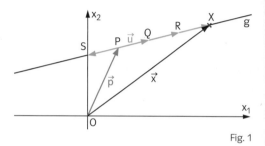

Fig. 1

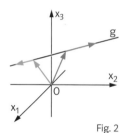

Fig. 2

> Jede Gerade lässt sich durch eine Gleichung der Form
> $$\vec{x} = \vec{p} + r \cdot \vec{u} \quad \left(r \in \mathbb{R}, \ \vec{u} \neq \vec{o}\right) \text{ beschreiben.}$$
> Der Vektor $\vec{p}$ heißt **Stützvektor.**
> Er ist der Ortsvektor eines Punktes P, der auf der Geraden g liegt.
> Der Vektor $\vec{u}$ heißt **Richtungsvektor.**
> Eine Gleichung der Form $\vec{x} = \vec{p} + r \cdot \vec{u}$ heißt **Parametergleichung.**

Eine Gerade kann durch verschiedene Stützvektoren bzw. Richtungsvektoren und damit auch durch unterschiedliche Gleichungen beschrieben werden.

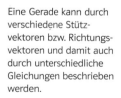

Ⓢ **Vektoris 3D**
Lage von Geraden

Zwei Geraden können sich schneiden oder zueinander parallel sein oder zueinander windschief sein.

Zueinander parallele Geraden

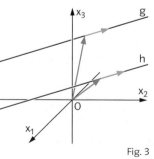

Fig. 3

Die Richtungsvektoren sind zueinander parallel.
Die Geraden haben keine gemeinsamen Punkte.

Sich schneidende Geraden

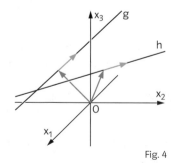

Fig. 4

Die Richtungsvektoren sind nicht zueinander parallel.
Die Geraden haben einen gemeinsamen Punkt.

Zueinander windschiefe Geraden

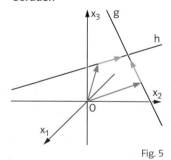

Fig. 5

Die Richtungsvektoren sind nicht zueinander parallel.
Die Geraden haben keine gemeinsamen Punkte.

Beispiel Gegenseitige Lage von Geraden

Die Punkte $A(1|-1|1)$ und $B(3|2|4)$ liegen auf der Geraden g. Die Punkte $C(1|1|0)$ und $D(2|0|1)$ liegen auf der Geraden h. Zeichnen Sie die Geraden g und h in ein Koordinatensystem und bestimmen Sie ihre gegenseitige Lage.

■ Lösung: siehe Fig. 1.

$$g:\ \vec{x} = \begin{pmatrix} 1 \\ -1 \\ 1 \end{pmatrix} + r \cdot \begin{pmatrix} 2 \\ 3 \\ 3 \end{pmatrix}; \quad h:\ \vec{x} = \begin{pmatrix} 1 \\ 1 \\ 0 \end{pmatrix} + s \cdot \begin{pmatrix} 1 \\ -1 \\ 1 \end{pmatrix}$$

Die Richtungsvektoren sind nicht zueinander parallel, also schneiden sich die Geraden g und h oder sie sind zueinander windschief.
Setzt man die Gleichungen von g und h gleich, so erhält man das lineare Gleichungssystem

$$\begin{array}{lll} 1 + 2r = 1 + s & & 2r - s = 0 \\ -1 + 3r = 1 - s\ ; & & 3r + s = 2\ . \\ 1 + 3r = \quad s & & 3r - s = -1 \end{array}$$

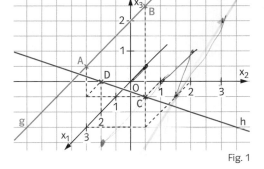

Fig. 1

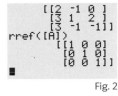

Fig. 2

Dieses Gleichungssystem hat keine Lösung (s. Fig. 2). Somit sind g und h zueinander windschief.

Aufgaben

1 Zeichnen Sie die Geraden g und h in ein Koordinatensystem und bestimmen Sie die gegenseitige Lage der Geraden g und h. Berechnen Sie gegebenenfalls die Koordinaten des Schnittpunktes.

a) $g:\ \vec{x} = \begin{pmatrix} 1 \\ 0 \end{pmatrix} + r \cdot \begin{pmatrix} 3 \\ 3 \end{pmatrix};\ h:\ \vec{x} = \begin{pmatrix} 0 \\ 2 \end{pmatrix} + s \cdot \begin{pmatrix} 1 \\ -1 \end{pmatrix}$
b) $g:\ \vec{x} = \begin{pmatrix} 1 \\ -1 \end{pmatrix} + r \cdot \begin{pmatrix} 2 \\ -3 \end{pmatrix};\ h:\ \vec{x} = \begin{pmatrix} -1 \\ 1 \end{pmatrix} + s \cdot \begin{pmatrix} -2 \\ 3 \end{pmatrix}$

c) $g:\ \vec{x} = \begin{pmatrix} 3 \\ -1 \\ 2 \end{pmatrix} + r \cdot \begin{pmatrix} -2 \\ -4 \\ 6 \end{pmatrix};\ h:\ \vec{x} = \begin{pmatrix} 5 \\ 3 \\ -8 \end{pmatrix} + s \cdot \begin{pmatrix} 11 \\ -2 \\ -13 \end{pmatrix}$
d) $g:\ \vec{x} = r \cdot \begin{pmatrix} 2 \\ 4 \\ -2 \end{pmatrix};\ h:\ \vec{x} = \begin{pmatrix} 1 \\ 1 \\ 0 \end{pmatrix} + s \cdot \begin{pmatrix} -1 \\ 2 \\ 1 \end{pmatrix}$

2 Der Quader ABCDEFGH (Skizze siehe in Fig. 3) hat die Kantenlängen $\overline{AB} = 5\,\text{cm}$, $\overline{BC} = 3\,\text{cm}$ und $\overline{CG} = 4\,\text{cm}$. Die Strecke $\overline{PE}$ ist viermal so lang wie die Strecke $\overline{AP}$. Der Punkt M ist die Mitte der Strecke $\overline{BC}$. Geben Sie in einem geeigneten Koordinatensystem Gleichungen der Geraden durch die Punkte B und H sowie durch die Punkte M und P an. Bestimmen Sie die gegenseitige Lage der Geraden.

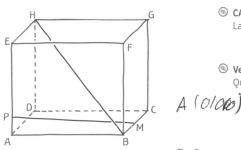

A (0|0|0)

Fig. 3

◉ **CAS**
Lage von Geraden

◉ **Vektoris 3D**
Quader mit Geraden

3 Geben Sie die Gleichungen zweier Geraden g und h im Raum an, die
a) zueinander parallel sind,   b) zueinander windschief sind,   c) sich schneiden.

◉ **CAS**
Schnittmenge von Geraden

4 Sind die Aussagen wahr? Begründen Sie Ihre jeweilige Antwort.
a) Wenn zwei Geraden zueinander windschief sind, dann sind ihre Richtungsvektoren nicht zueinander parallel.
b) Wenn die Richtungsvektoren zweier Geraden im Raum nicht zueinander parallel sind, dann sind die Geraden zueinander windschief.
c) Wenn die Richtungsvektoren zweier Geraden im Raum nicht zueinander parallel sind, dann schneiden sich die Geraden.
d) Wenn sich zwei Geraden im Raum schneiden, dann sind ihre Richtungsvektoren nicht zueinander parallel.

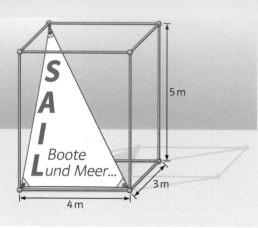

Auf dem Gelände einer Bootsmesse wurde in einen quaderförmigen Rahmen ein bedrucktes Tuch mit einem Werbetext eingespannt. Beschreiben Sie die Geraden, auf denen die Tuchkanten liegen, vektoriell.
Bestimmen Sie den Flächeninhalt und den Umfang des Tuches.

Mithilfe von Vektoren kann man Abstände von Punkten und Streckenlängen bestimmen. Hierzu muss man die Länge der Pfeile des jeweiligen Vektors kennen.

In der Geometrie versteht man unter der „Länge eines Vektors" die Länge seiner Pfeile. Diese Länge bezeichnet man als **Betrag** des jeweiligen Vektors.

Für die Länge der Pfeile des Vektors $\vec{a} = \begin{pmatrix} 2 \\ 3 \\ 4 \end{pmatrix}$ in Fig. 1 kann man mithilfe des Satzes von Pythagoras jeweils die Längen der Strecken $\overline{OB}$ und $\overline{OA}$ berechnen. Es gilt:

$\overline{OB} = \sqrt{2^2 + 3^2}$,

$\overline{OA} = \sqrt{\overline{OB}^2 + 4^2} = \sqrt{2^2 + 3^2 + 4^2}$,

$\overline{OA} = \sqrt{29} \approx 5{,}4$ (Längeneinheiten).

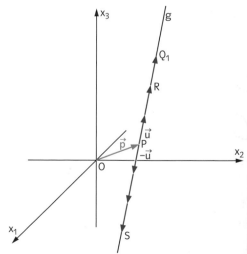

Fig. 1

Die Pfeile des Vektors $\vec{a}$ haben die Länge $\sqrt{29}$. Man sagt, der Vektor $\vec{a}$ hat den Betrag $\sqrt{29}$, und man schreibt $|\vec{a}| = \sqrt{29}$.

Vektoren mit dem Betrag 1 nennt man **Einheitsvektoren**.
Mithilfe von Einheitsvektoren lassen sich Abstände von Punkten auf einer Geraden direkt bestimmen.
In Fig. 2 ist der Richtungsvektor $\vec{u}$ der Geraden $g: \vec{x} = \vec{p} + t \cdot \vec{u}$ ein Einheitsvektor. Da $|\vec{u}| = 1$ ist, gilt
– für den Ortsvektor $\vec{r}$ des Punktes R mit $\overline{PR} = 2$: $\vec{r} = \vec{p} + 2 \cdot \vec{u}$,
– für den Ortsvektor $\vec{s}$ des Punktes S mit $\overline{PS} = 3$: $\vec{s} = \vec{p} + (-3) \cdot \vec{u}$.

Fig. 2

Den Einheitsvektor eines Vektors $\vec{a}$, der die gleiche Richtung wie $\vec{a}$ hat, bezeichnet man mit $\vec{a_0}$.

Ist zum Beispiel $\vec{a} = \begin{pmatrix} 3 \\ 2 \\ 6 \end{pmatrix}$,

so ist $|\vec{a}| = \sqrt{3^2 + 2^2 + 6^2} = 7$

und $\vec{a_0} = \frac{1}{7} \cdot \begin{pmatrix} 3 \\ 2 \\ 6 \end{pmatrix} = \begin{pmatrix} \frac{3}{7} \\ \frac{2}{7} \\ \frac{6}{7} \end{pmatrix}$.

Allgemein: Für den Einheitsvektor $\vec{a_0}$ eines Vektors $\vec{a}$ gilt $\vec{a_0} = \frac{1}{|\vec{a}|} \cdot \vec{a}$.

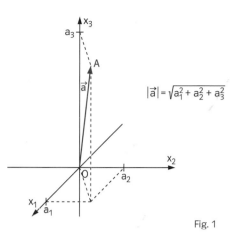

$|\vec{a}| = \sqrt{a_1^2 + a_2^2 + a_3^2}$

Fig. 1

⊚ **Vektoris 3D**
Punkte im Raum

Zum Vektor $\vec{o}$ gibt es keinen Einheitsvektor. Warum?

Definition: In der Geometrie bezeichnet man die Pfeillängen eines Vektors $\vec{a}$ als **Betrag von $\vec{a}$.** Für den Betrag eines Vektors $\vec{a}$ schreibt man $|\vec{a}|$.

Für $\vec{a} = \begin{pmatrix} a_1 \\ a_2 \end{pmatrix}$ gilt: $|\vec{a}| = \sqrt{a_1^2 + a_2^2}$.

Für $\vec{a} = \begin{pmatrix} a_1 \\ a_2 \\ a_3 \end{pmatrix}$ gilt: $|\vec{a}| = \sqrt{a_1^2 + a_2^2 + a_3^2}$.

Ein Vektor mit dem Betrag 1 heißt **Einheitsvektor.**
Ist $\vec{a} \neq \vec{o}$, so bezeichnet man den Einheitsvektor, der die gleiche Richtung wie $\vec{a}$ hat, mit $\vec{a_0}$. Man nennt $\vec{a_0}$ auch den Einheitsvektor zu $\vec{a}$ und es gilt: $\vec{a_0} = \frac{1}{|\vec{a}|} \cdot \vec{a}$.

Beispiel 1   Betrag eines Vektors, Berechnung des Einheitsvektors

Bestimmen Sie für $\vec{a} = \begin{pmatrix} 12 \\ -4 \\ 3 \end{pmatrix}$ den Betrag $|\vec{a}|$ und den Einheitsvektor $\vec{a_0}$.

■ Lösung: Berechnung des Betrages: $|\vec{a}| = \sqrt{12^2 + (-4)^2 + 3^2} = \sqrt{169} = 13$.

Einheitsvektor zu $\vec{a}$: $\vec{a_0} = \frac{1}{13}\vec{a} = \frac{1}{13}\begin{pmatrix} 12 \\ -4 \\ 3 \end{pmatrix} = \begin{pmatrix} \frac{12}{13} \\ -\frac{4}{13} \\ \frac{3}{13} \end{pmatrix}$.

Beispiel 2   Abstand zweier Punkte

Bestimmen Sie den Abstand der Punkte $P(4,5 \,|\, -3,2 \,|\, 5,7)$ und $Q(9 \,|\, -2 \,|\, 11)$.

■ Lösung: *Der Abstand von P und Q ist gleich der Länge der Strecke $\overline{PQ}$ bzw. dem Betrag des Vektors $\overrightarrow{PQ}$:*

$\overrightarrow{PQ} = \overrightarrow{OQ} - \overrightarrow{OP}$

$\overrightarrow{PQ} = \begin{pmatrix} 9 \\ -2 \\ 11 \end{pmatrix} - \begin{pmatrix} 4,5 \\ -3,2 \\ 5,7 \end{pmatrix}$; $\overrightarrow{PQ} = \begin{pmatrix} 4,5 \\ 1,2 \\ 5,3 \end{pmatrix}$.

Daraus ergibt sich:

$|\overrightarrow{PQ}| = \sqrt{4,5^2 + 1,2^2 + 5,3^2}$ und somit $|\overrightarrow{PQ}| \approx 7,06$.

Beispiel 3 Punkte und Geraden

Gegeben sind der Punkt $P(3|-1|2)$ und die Gerade $g: \vec{x} = \begin{pmatrix} 3 \\ -1 \\ 2 \end{pmatrix} + r \cdot \begin{pmatrix} -1 \\ -3 \\ 1 \end{pmatrix}$.

Die Punkte A und B liegen auf der Geraden g. Der Punkt A hat von P den Abstand 2 und B hat von P den Abstand 5. Die Punkte A und B haben den Abstand 7.
Bestimmen Sie näherungsweise die Koordinaten von A und B.

■ Lösung: *Der Punkt P liegt auf der Geraden g.*
Da $\overline{AB} > \overline{AP}$ *und* $\overline{AB} > \overline{BP}$ *ist, muss der Punkt*
P zwischen A und B liegen.
Die Skizze in Fig. 1 verdeutlicht, dass es zwei
Lösungen gibt.

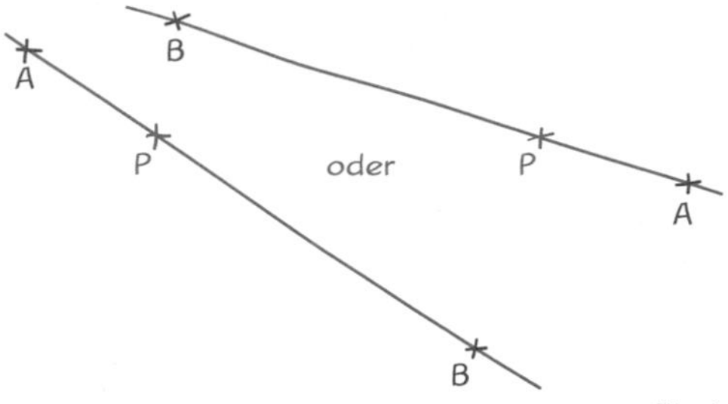

Da $\frac{1}{\sqrt{11}} \begin{pmatrix} -1 \\ -3 \\ 1 \end{pmatrix}$ ein Einheitsvektor von $\begin{pmatrix} -1 \\ -3 \\ 1 \end{pmatrix}$ ist,

gilt $g: \vec{x} = \begin{pmatrix} 3 \\ -1 \\ 2 \end{pmatrix} + r \cdot \frac{1}{\sqrt{11}} \begin{pmatrix} -1 \\ -3 \\ 1 \end{pmatrix}$.

Fig. 1

Setzt man für r nacheinander die Zahlen 2 und −2 sowie 5 und −5 ein, so erhält man die Ortsvektoren der Punkte $A_2(2,4|-2,9|2,6)$, $A_{-2}(3,6|0,9|1,4)$, $B_5(1,5|-5,5|3,5)$, $B_{-5}(4,5|3,5|0,5)$.
Erste Lösung: $A_2(2,4|-2,9|2,6)$, $B_{-5}(4,5|3,5|0,5)$.
Zweite Lösung: $A_{-2}(3,6|0,9|1,4)$, $B_5(1,5|-5,5|3,5)$.

Aufgaben

1 Berechnen Sie die Beträge der Vektoren. Bestimmen Sie jeweils den zugehörigen Einheitsvektor.

$$\vec{a} = \begin{pmatrix} 1 \\ 0 \\ 2 \end{pmatrix}, \ \vec{b} = \begin{pmatrix} 3 \\ -2 \\ 1 \end{pmatrix}, \ \vec{c} = \begin{pmatrix} 0 \\ -1 \\ 0 \end{pmatrix}, \ \vec{d} = \begin{pmatrix} 0,2 \\ 0,2 \\ 0,1 \end{pmatrix}, \ \vec{e} = \begin{pmatrix} \sqrt{2} \\ \sqrt{3} \\ \sqrt{5} \end{pmatrix}, \ \vec{f} = \frac{1}{4}\begin{pmatrix} 3 \\ 1 \\ 4 \end{pmatrix}, \ \vec{g} = 0,1\begin{pmatrix} 4 \\ 3 \\ 0 \end{pmatrix}$$

2 Bestimmen Sie zu $\vec{p} = \begin{pmatrix} 1 \\ 0 \\ -1 \end{pmatrix}$ und $\vec{q} = \begin{pmatrix} 2 \\ -1 \\ 3 \end{pmatrix}$ die Beträge von

a) $\vec{p} + \vec{q}$,   b) $3\vec{p} + \vec{q}$,   c) $\vec{p} - 2\vec{q}$,   d) $-\vec{p} + \frac{1}{2}\vec{q}$.

3 In welchen Fällen gilt für die Vektoren $\vec{a}$ und $\vec{b}$ die Gleichung $|\vec{a} + \vec{b}| = |\vec{a}| + |\vec{b}|$?

4 Untersuchen Sie, ob das Dreieck ABC gleichschenklig ist.
a) $A(1|-2|2)$, $B(3|2|1)$, $C(3|0|3)$ b) $A(7|0|-1)$, $B(5|-3|-1)$, $C(4|0|1)$

5 Berechnen Sie die Längen der drei Seitenhalbierenden des Dreiecks ABC mit
a) $A(4|2|-1)$, $B(10|-8|9)$, $C(4|0|1)$,   b) $A(1|2|-1)$, $B(-1|10|15)$, $C(9|6|-5)$.
c) Bestimmen Sie jeweils den Abstand der Ecken des Dreiecks vom Schnittpunkt der Seitenhalbierenden.

6 Die Punkte $A(1|2|3)$ und $B(-2|-3|-4)$ liegen auf der Geraden g.
a) Gibt es einen oder mehrere Punkte auf g, die von A doppelt so weit wie von B entfernt sind? Bestimmen Sie gegebenenfalls näherungsweise die Koordinaten.
b) Gibt es Punkte auf g, die sowohl von A den Abstand 10 als auch von B den Abstand 5 haben? Begründen Sie Ihre Antwort.

7 Bestimmen Sie für $\vec{a} = \begin{pmatrix} 4 \\ \sqrt{5} \\ 2 \end{pmatrix}$ den Betrag von $\vec{a}$ und den Einheitsvektor $\vec{a_0}$.

8 Bestimmen Sie den Abstand der Punkte
$P(1|1|1)$ und $Q(6,5|2|5)$.

9 Gegeben ist der Würfel ABCDEFGH in
Fig. 1 mit $D(0|0|0)$ und $B(6|6|0)$.
Bestimmen Sie den Abstand des Schnittpunktes S der Geraden durch B und H sowie der
Geraden durch A und G mit den Eckpunkten
des Würfels.

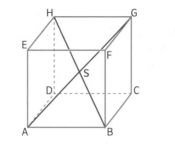

Fig. 1

---

10 Geben Sie eine Gleichung der Geraden durch die Punkte $A(2|1|2)$ und $B(4|3|3)$ so an, dass
der Richtungsvektor ein Einheitsvektor ist. Bestimmen Sie die Koordinaten aller Punkte auf g, die
von A den folgenden Abstand haben: a) 12,   b) 13,   c) 14,   d) 15.

11 Ein Flugzeug hebt im Punkt S von der
Landebahn ab (Fig. 2).
Die Flugbahn für die ersten fünf Flugminuten
kann durch die Gleichung
$\vec{x} = \begin{pmatrix} 300 \\ 400 \\ 0 \end{pmatrix} + t \cdot \begin{pmatrix} 2500 \\ 1600 \\ 1500 \end{pmatrix}$ beschrieben werden.

Setzt man für t die Flugzeit in Minuten seit
dem Abheben am Punkt S $(300|400|0)$ ein, so
erhält man den Ortsvektor zum jeweiligen
Positionspunkt des Flugzeugs (alle Angaben
sind in Meter). Wie weit ist das Flugzeug fünf
Minuten nach dem Abheben vom Punkt S entfernt? Welche Höhe hat es zu diesem Zeitpunkt erreicht?

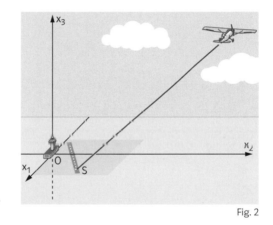

Fig. 2

12 Die Wege zweier Boote können durch die Gleichungen $\vec{x} = \begin{pmatrix} 44 \\ 20 \end{pmatrix} + t \cdot \begin{pmatrix} 4 \\ 10 \end{pmatrix}$ und $\vec{x} = t \cdot \begin{pmatrix} 8 \\ 5 \end{pmatrix}$

beschrieben werden. Hierbei wird ihre Fahrzeit t in Stunden gemessen.
Zur Zeit $t = 0$ befindet sich Boot I an dem Punkt $P(44|20)$ und Boot II im Hafen.
a) Geben Sie die Koordinaten des Punktes an, an dem sich das Boot II im Hafen befindet.
b) Geben Sie die Koordinaten des Punktes S an, in dem sich die Wege der Boote schneiden.
Wann erreichen die beiden Boote diesen Punkt S? Wie weit ist der Punkt S vom Hafen entfernt?

13 Die geradlinigen Flugbahnen zweier Flugzeuge F_1 und F_2 können mithilfe eines Koordinaten
systems angegeben werden. Die Flugbahn von F_1 ist durch die Punkte $P(2|3|1)$ und $Q(0|0|1,05)$
festgelegt, die Flugbahn von F_2 wird durch $R(-2|3|0,05)$ und $T(2|-3|0,07)$ festgelegt.
Die Koordinaten geben die Entfernungen zum Koordinatenursprung in Kilometer an. Es ist wind-
still. F_1 fliegt mit der Geschwindigkeit $350\frac{km}{h}$ und F_2 mit der Geschwindigkeit $250\frac{km}{h}$ relativ zur Luft.
F_1 befindet sich am Punkt P und F_2 befindet sich zeitgleich am Punkt R. Betrachtet wird die Situation 20 Minuten später.
a) Wo befinden sich die beiden Flugzeuge? In welcher Höhe befinden sie sich?
b) Wie weit sind die Flugzeuge voneinander entfernt?

4 Ebenen im Raum

Ein dreibeiniger Tisch wackelt nie …
… oder doch?

Ähnlich wie man mithilfe von Vektoren Geraden beschreiben kann, kann man auch Ebenen angeben. Dies wird in Fig. 1 und Fig. 2 verdeutlicht.

In Fig. 1 und Fig. 2 ist der Einfachheit halber statt des gesamten Koordinatensystems zur Orientierung jeweils nur der Koordinatenursprung eingezeichnet.

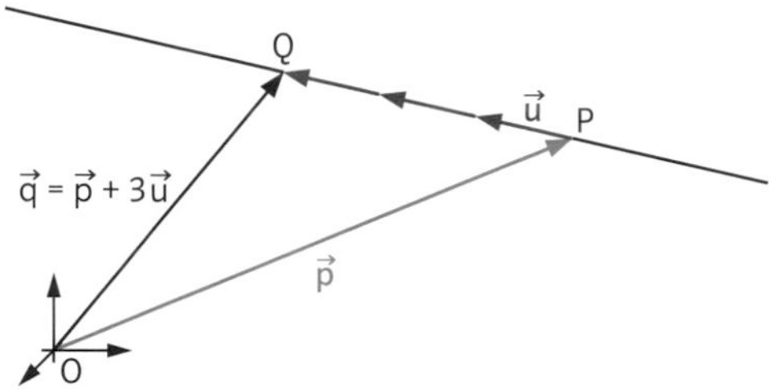

Fig. 1

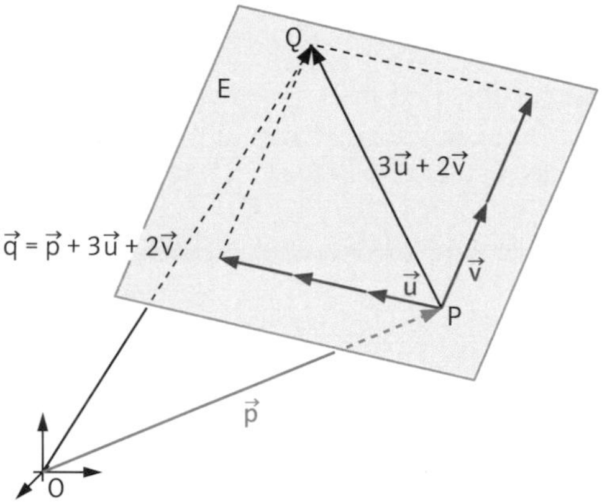

Fig. 2

Warum dürfen die Spannvektoren nicht zueinander parallel sein?

Eine Gerade g kann durch einen Stützvektor $\vec{p}$ und einen Richtungsvektor $\vec{u}$ beschrieben werden:
g: $\vec{x} = \vec{p} + t \cdot \vec{u}$.

Setzt man in die Gleichung $\vec{x} = \vec{p} + r \cdot \vec{u}$ für r reelle Zahlen ein, dann erhält man jeweils Ortsvektoren, die zu Punkten auf der Geraden g gehören.
Für jeden Punkt Q der Geraden g gibt es eine reelle Zahl r, sodass der Vektor $\vec{q}$ mit $\vec{q} = \vec{p} + r \cdot \vec{u}$ Ortsvektor von Q ist.

Eine Ebene E kann durch einen Stützvektor $\vec{p}$ und zwei nicht zueinander parallele Vektoren $\vec{u}$ und $\vec{v}$ beschrieben werden:
E: $\vec{x} = \vec{p} + r \cdot \vec{u} + s \cdot \vec{v}$.
Die Vektoren $\vec{u}$ und $\vec{v}$ heißen **Spannvektoren.**
Setzt man in die Gleichung $\vec{x} = \vec{p} + r \cdot \vec{u} + s \cdot \vec{v}$ für r und s reelle Zahlen ein, dann erhält man jeweils Ortsvektoren, die zu Punkten der Ebene E gehören.
Für jeden Punkt Q der Ebene E gibt es reelle Zahlen r und s, sodass der Vektor $\vec{q}$ mit $\vec{q} = \vec{p} + r \cdot \vec{u} + s \cdot \vec{v}$ Ortsvektor von Q ist.

⑨ **Vektoris 3D**
Ebene in
Parameterform

Definition: Jede Ebene lässt sich durch eine Gleichung der Form
$$\vec{x} = \vec{p} + r \cdot \vec{u} + s \cdot \vec{v} \qquad (r, s \in \mathbb{R}, \ \vec{u} \neq \vec{o}, \ \vec{v} \neq \vec{o})$$ beschreiben.
Hierbei sind die Vektoren $\vec{u}$ und $\vec{v}$ nicht zueinander parallel.
Der Vektor $\vec{p}$ heißt Stützvektor und die beiden Vektoren $\vec{u}$ und $\vec{v}$ heißen Spannvektoren.
Die Gleichung $\vec{x} = \vec{p} + r \cdot \vec{u} + s \cdot \vec{v}$ heißt **Parametergleichung** der Ebene.

Beachten Sie:

Drei Punkte A, B und C legen eine Ebene E fest, wenn diese Punkte A, B und C nicht auf einer Geraden liegen (Fig. 1). Als Stützvektor kann man den Ortsvektor einer dieser Punkte wählen, z. B. den Ortsvektor $\vec{a}$ des Punktes A. Als Spannvektoren kann man dann z. B. die Vektoren $\overrightarrow{AB}$ und $\overrightarrow{AC}$ wählen. In diesem Fall ist $\vec{x} = \overrightarrow{OA} + r \cdot \overrightarrow{AB} + s \cdot \overrightarrow{AC}$ eine Parametergleichung von E.

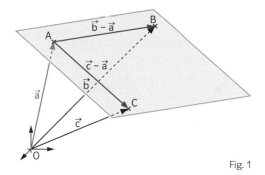

Fig. 1

Beispiel 1 Parametergleichung einer Ebene aufstellen

Geben Sie, falls möglich, eine Parametergleichung der Ebene E an, die durch die Punkte A, B und C festgelegt ist.

a) $A(1|-1|1)$, $B(1,5|1|0)$, $C(0|1|1)$ b) $A(1|-1|1)$, $B(-2|2|-2)$, $C(3|-3|3)$.

■ Lösung: a) Wählt man als Stützvektor $\overrightarrow{OA}$ und als Spannvektoren $\overrightarrow{AB}$ und $\overrightarrow{AC}$, so erhält man

$$E: \vec{x} = \begin{pmatrix} 1 \\ -1 \\ 1 \end{pmatrix} + r \cdot \begin{pmatrix} 0,5 \\ 2 \\ -1 \end{pmatrix} + s \cdot \begin{pmatrix} -1 \\ 2 \\ 0 \end{pmatrix}.$$

Da die Spannvektoren nicht parallel sind, erhält man eine Ebenengleichung.

b) $\overrightarrow{AB} = \begin{pmatrix} -3 \\ 3 \\ -3 \end{pmatrix}$ und $\overrightarrow{BC} = \begin{pmatrix} 5 \\ -5 \\ 5 \end{pmatrix}$ sind zueinander parallel.

Die Punkte A, B und C liegen somit auf einer Geraden. Sie legen keine Ebene fest.

Beispiel 2 Punktprobe

Gegeben ist die Ebene $E: \vec{x} = \begin{pmatrix} 2 \\ 0 \\ 1 \end{pmatrix} + r \cdot \begin{pmatrix} 1 \\ 3 \\ 5 \end{pmatrix} + s \cdot \begin{pmatrix} 2 \\ -1 \\ 1 \end{pmatrix}.$

Überprüfen Sie, ob der folgende Punkt in der Ebene liegt.

a) $A(7|5|-3)$

b) $B(7|1|8)$

■ Lösung: a) Der Gleichung $\begin{pmatrix} 7 \\ 5 \\ -3 \end{pmatrix} = \begin{pmatrix} 2 \\ 0 \\ 1 \end{pmatrix} + r \cdot \begin{pmatrix} 1 \\ 3 \\ 5 \end{pmatrix} + s \cdot \begin{pmatrix} 2 \\ -1 \\ 1 \end{pmatrix}$

entspricht das LGS

$$\begin{array}{lll} 7 = 2 + \ r + 2s & & r + 2s = \ 5 \\ 5 = \quad\ 3r - \ s, & \text{das heißt} & 3r - \ s = \ 5. \\ -3 = 1 + 5r + \ s & & 5r + \ s = -4 \end{array}$$

Dieses LGS hat keine Lösung.

Der Punkt A liegt nicht in der Ebene E.

b) Der Gleichung $\begin{pmatrix} 7 \\ 1 \\ 8 \end{pmatrix} = \begin{pmatrix} 2 \\ 0 \\ 1 \end{pmatrix} + r \cdot \begin{pmatrix} 1 \\ 3 \\ 5 \end{pmatrix} + s \cdot \begin{pmatrix} 2 \\ -1 \\ 1 \end{pmatrix}$ entspricht das LGS

$$\begin{array}{lll} 7 = 2 + \ r + 2s & & r + 2s = 5 \\ 1 = \quad\ 3r - \ s, & \text{das heißt} & 3r - \ s = 1. \\ 8 = 1 + 5r + \ s & & 5r + \ s = 7 \end{array}$$

Dieses LGS hat die Lösung (1; 2) (s. Fig. 2).

Es gilt: $\begin{pmatrix} 7 \\ 1 \\ 8 \end{pmatrix} = \begin{pmatrix} 2 \\ 0 \\ 1 \end{pmatrix} + 1 \cdot \begin{pmatrix} 1 \\ 3 \\ 5 \end{pmatrix} + 2 \cdot \begin{pmatrix} 2 \\ -1 \\ 1 \end{pmatrix}.$ Der Punkt B liegt in der Ebene E.

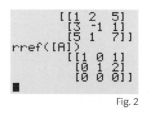

Fig. 2

Aufgaben

Vektoris 3D
Ebene durch 3 Punkte

1 Geben Sie, falls möglich, eine Parametergleichung der Ebene E an, die durch die Punkte A, B und C festgelegt ist.

a) $A(3|0|2)$, $B(5|-1|7)$, $C(0|-2|0)$

b) $A(1|0|0)$, $B(0|1|0)$, $C(1|0|1)$

c) $A(2|1|7)$, $B(-7|-1|2)$, $C(1|-1|1)$

d) $A(1|0|3)$, $B(1|3|0)$, $C(1|-3|0)$

2 Die Ebene E ist durch die Punkte A, B und C festgelegt. Geben Sie zwei verschiedene Parametergleichungen der Ebene E an.

a) $A(2|0|3)$, $B(1|-1|5)$, $C(3|-2|0)$

b) $A(0|0|0)$, $B(2|1|5)$, $C(-3|1|-3)$

c) $A(1|1|1)$, $B(2|2|2)$, $C(-2|3|5)$

d) $A(2|5|7)$, $B(7|5|2)$, $C(1|2|3)$

3 Der sehr hohe Raum in Fig. 1 wurde durch das dreieckige Segeltuch, das an den Stellen A, B und C befestigt wurde, wohnlicher gestaltet. Das Tuch ist so gespannt, dass seine Oberfläche als Ausschnitt einer Ebene angesehen werden kann. Geben Sie eine Parametergleichung der Ebene E an, die durch die Befestigungspunkte des Segeltuches festgelegt wird. Legen Sie hierzu ein geeignetes Koordinatensystem fest.

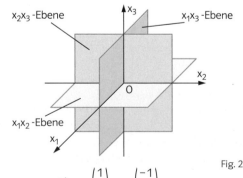

Fig. 1

4 Gegeben ist eine Ebene $E: \vec{x} = \begin{pmatrix} 3 \\ 0 \\ 2 \end{pmatrix} + r \cdot \begin{pmatrix} 2 \\ 1 \\ 7 \end{pmatrix} + s \cdot \begin{pmatrix} 3 \\ 2 \\ 5 \end{pmatrix}$.

a) Liegen die Punkte $A(8|3|14)$, $B(1|1|0)$, $C(4|0|11)$ in der Ebene E?

b) Bestimmen Sie für p eine Zahl so, dass der Punkt P in der Ebene E liegt.

(1) $P(4|1|p)$ (2) $P(p|0|7)$ (3) $P(p|2|-2)$ (4) $P(0|p|p)$

5 Liegen die Punkte A, B, C und D in einer gemeinsamen Ebene?

a) $A(0|1|-1)$, $B(2|3|5)$, $C(-1|3|-1)$, $D(2|2|2)$

b) $A(3|0|2)$, $B(5|1|9)$, $C(6|2|7)$, $D(8|3|14)$

c) $A(5|0|5)$, $B(6|3|2)$, $C(2|9|0)$, $D(3|12|-3)$

d) $A(1|2|3)$, $B(2|4|6)$, $C(3|6|9)$, $D(2|0|2)$

6 a) Stellen Sie jeweils eine Parametergleichung der x_1x_2-Ebene, der x_1x_3-Ebene und der x_2x_3-Ebene auf (Fig. 2).

b) Geben Sie zu der x_1x_2-Ebene, der x_1x_3-Ebene und der x_2x_3-Ebene jeweils eine weitere Parametergleichung an.

c) Beschreiben Sie, wie man an einer Parametergleichung erkennen kann, ob sie zu der x_1x_2-Ebene, der x_1x_3-Ebene bzw. der x_2x_3-Ebene gehört.

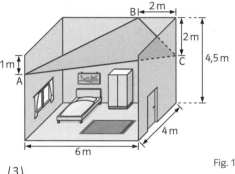

Fig. 2

7 Gegeben ist die Ebene E mit der Parametergleichung $E: \vec{x} = r \cdot \begin{pmatrix} 1 \\ 1 \\ 1 \end{pmatrix} + s \cdot \begin{pmatrix} -1 \\ -1 \\ 1 \end{pmatrix}$.

a) Beschreiben Sie die Lage der Ebene E im Koordinatensystem.

b) Geben Sie Gleichungen zweier verschiedener Ebenen an, die zur Ebene E parallel sind.

c) Geben Sie eine Gleichung der Ebene E an, bei der der Stützvektor nicht der Nullvektor ist.

d) Geben Sie eine Gleichung der Ebene E an, bei der die Spannvektoren nicht parallel zu den Vektoren $\begin{pmatrix} 1 \\ 1 \\ 1 \end{pmatrix}$ und $\begin{pmatrix} -1 \\ -1 \\ 1 \end{pmatrix}$ sind.

8 Gegeben ist die Ebene E, in der die Punkte A(1|0|0), B(0|1|0) und C(0|0|1) liegen.
a) Geben Sie zwei Parametergleichungen von E an, bei denen weder die Stützvektoren noch die Spannvektoren übereinstimmen.
b) Liegen die Punkte P(1|1|1) und Q(2|2|2) in der Ebene E?

9 Eine Ebene kann nicht nur durch drei geeignete Punkte festgelegt werden, sondern auch durch einen Punkt und eine Gerade.
a) Welche Bedingung müssen der Punkt und die Gerade erfüllen, damit sie eindeutig eine Ebene festlegen? Begründen Sie Ihre Antwort.
b) Geben Sie die Koordinaten eines Punktes P und die Parametergleichung einer Geraden g an, die eindeutig eine Ebene E festlegen. Bestimmen Sie eine Parametergleichung dieser Ebene E.

10 Eine Ebene E ist durch den Punkt P und die Gerade g eindeutig bestimmt. Geben Sie eine Parametergleichung der Ebene E an.

Vektoris 3D
Ebene durch Gerade und Punkt

a) $g: \vec{x} = \begin{pmatrix} 1 \\ 0 \\ 1 \end{pmatrix} + t \cdot \begin{pmatrix} 2 \\ 1 \\ 3 \end{pmatrix}$; $P(5|-5|3)$

b) $g: \vec{x} = \begin{pmatrix} 2 \\ 0 \\ 1 \end{pmatrix} + t \cdot \begin{pmatrix} 3 \\ 1 \\ 5 \end{pmatrix}$; $P(2|7|11)$

c) $g: \vec{x} = \begin{pmatrix} 1 \\ 2 \\ 5 \end{pmatrix} + t \cdot \begin{pmatrix} -1 \\ 2 \\ 7 \end{pmatrix}$; $P(2|5|-3)$

d) $g: \vec{x} = \begin{pmatrix} 1 \\ 0 \\ 3 \end{pmatrix} + t \cdot \begin{pmatrix} 2 \\ 1 \\ 0 \end{pmatrix}$; $P(6|3|-1)$

11 a) Begründen Sie: Zwei sich schneidende Geraden sowie zwei verschiedene, zueinander parallele Geraden legen jeweils eine Ebene fest.
b) Geben Sie Gleichungen von zwei sich schneidenden Geraden an. Diese Geraden legen eine Ebene fest. Bestimmen Sie eine Parametergleichung dieser Ebene.
c) Geben Sie Gleichungen von zwei verschiedenen, zueinander parallelen Geraden an. Diese Geraden legen eine Ebene fest. Bestimmen Sie eine Parametergleichung dieser Ebene.

Welche dieser Gleichungen legt keine Ebene fest?

a) $\vec{x} = r \cdot \begin{pmatrix} 1 \\ 2 \\ 3 \end{pmatrix} + s \cdot \begin{pmatrix} 2 \\ 1 \\ 1 \end{pmatrix}$

b) $\vec{x} = \begin{pmatrix} 4 \\ 5 \\ -7 \end{pmatrix} + r \cdot \begin{pmatrix} 1 \\ 2 \\ 3 \end{pmatrix}$ $+ s \cdot \begin{pmatrix} -2 \\ -4 \\ -6 \end{pmatrix}$

12 Prüfen Sie, ob die beiden Geraden g_1 und g_2 sich schneiden. Geben Sie, falls möglich, eine Parametergleichung der Ebene an, die eindeutig durch die Geraden g_1 und g_2 festgelegt wird.

Vektoris 3D
Ebene durch zwei Geraden

a) $g_1: \vec{x} = \begin{pmatrix} 1 \\ 1 \\ 2 \end{pmatrix} + t \cdot \begin{pmatrix} 2 \\ 3 \\ 1 \end{pmatrix}$; $g_2: \vec{x} = \begin{pmatrix} 3 \\ 4 \\ 3 \end{pmatrix} + t \cdot \begin{pmatrix} 1 \\ 0 \\ 1 \end{pmatrix}$

b) $g_1: \vec{x} = \begin{pmatrix} 2 \\ 0 \\ 2 \end{pmatrix} + t \cdot \begin{pmatrix} 1 \\ 1 \\ 1 \end{pmatrix}$; $g_2: \vec{x} = \begin{pmatrix} 0 \\ -2 \\ 0 \end{pmatrix} + t \cdot \begin{pmatrix} 1 \\ 2 \\ 3 \end{pmatrix}$

c) $g_1: \vec{x} = \begin{pmatrix} 3 \\ 0 \\ 7 \end{pmatrix} + t \cdot \begin{pmatrix} 2 \\ 5 \\ 1 \end{pmatrix}$; $g_2: \vec{x} = \begin{pmatrix} 7 \\ 10 \\ 9 \end{pmatrix} + t \cdot \begin{pmatrix} 1 \\ 0 \\ 1 \end{pmatrix}$

d) $g_1: \vec{x} = \begin{pmatrix} 1 \\ 2 \\ 5 \end{pmatrix} + t \cdot \begin{pmatrix} 3 \\ 4 \\ 0 \end{pmatrix}$; $g_2: \vec{x} = \begin{pmatrix} 2 \\ 3 \\ 1 \end{pmatrix} + t \cdot \begin{pmatrix} 3 \\ 4 \\ 5 \end{pmatrix}$

13 Die Ebene E ist festgelegt durch die Punkte A(1|-1|1), B(1|0|1) und den Koordinatenursprung O(0|0|0).
a) Geben Sie eine Gleichung der Ebene E an.
b) Geben Sie die Parametergleichungen zweier Geraden g und h an, die in der Ebene E liegen und zueinander parallel sind.
c) Geben Sie die Parametergleichungen zweier Geraden k und l an, die in der Ebene E liegen und sich schneiden.
d) Geben Sie die Parametergleichungen zweier Geraden m und n an, die mit der Ebene E jeweils einen einzigen Punkt gemeinsam haben und zueinander parallel sind.

14 Gegeben ist die Gerade g, die durch die Punkte P(1|2|3) und Q(2|3|1) geht.
Geben Sie die Parametergleichungen zu drei verschiedenen Ebenen E_1, E_2 und E_3 an, in denen jeweils die Gerade g liegt.

5 Zueinander orthogonale Vektoren – Skalarprodukt

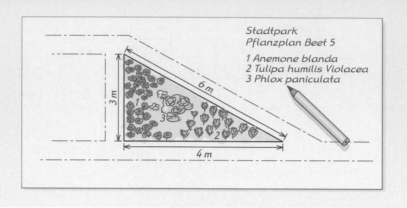

Stadtpark
Pflanzplan Beet 5

1 Anemone blanda
2 Tulipa humilis Violacea
3 Phlox paniculata

Ein Praktikant der Stadtgärtnerei hat von einem Blumenbeet im Stadtpark eine nicht maßstäbliche Skizze angefertigt. Hier stimmt etwas nicht.

Sehr oft ist bei alltäglichen Fragestellungen ebenso wie bei rein geometrischen Aufgaben zu klären, ob zwei Geraden zueinander orthogonal (das heißt senkrecht) sind. Wie solche Problemstellungen auch vektoriell gelöst werden können, wird im Folgenden erarbeitet.

orthos (griech.): richtig, recht (vgl. auch Orthografie)

gonia (griech.): Ecke

Orthogonal bedeutet wörtlich „rechteckig", wird aber in der Mathematik als Synonym für senkrecht verwendet.

Zwei Vektoren $\vec{a}$, $\vec{b}$ $(\neq \vec{o})$ heißen zueinander **orthogonal,** wenn ihre zugehörigen Pfeile mit gleichem Anfangspunkt ebenfalls zueinander orthogonal (das heißt senkrecht) sind.
In Zeichen: $\vec{a} \perp \vec{b}$.

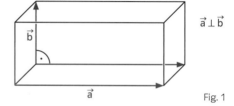

$\vec{a} \perp \vec{b}$

Fig. 1

Die Orthogonalität zweier Vektoren $\vec{a}$ und $\vec{b}$ kann man mithilfe ihrer Koordinaten überprüfen.

Nach dem Satz von Pythagoras gilt: Die Pfeile zweier Vektoren $\vec{a}$ mit $\vec{a} = \begin{pmatrix} a_1 \\ a_2 \end{pmatrix}$ und $\vec{b}$ mit $\vec{b} = \begin{pmatrix} b_1 \\ b_2 \end{pmatrix}$ wie in Fig. 2 sind genau dann zueinander orthogonal,

wenn $|\vec{a} - \vec{b}|^2 = |\vec{a}|^2 + |\vec{b}|^2$.

Es ist $|\vec{a} - \vec{b}|^2 = (a_1 - b_1)^2 + (a_2 - b_2)^2 = \left(a_1^2 - 2a_1 b_1 + b_1^2\right) + \left(a_2^2 - 2a_2 b_2 + b_2^2\right)$.

Und somit $|\vec{a} - \vec{b}|^2 = \left(a_1^2 + a_2^2\right) + \left(b_1^2 + b_2^2\right) - 2 \cdot (a_1 b_1 + a_2 b_2)$.

Weiterhin ist $|\vec{a}|^2 + |\vec{b}|^2 = \left(a_1^2 + a_2^2\right) + \left(b_1^2 + b_2^2\right)$.

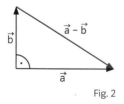

Fig. 2

Die Vektoren $\vec{a}$ und $\vec{b}$ sind also genau dann zueinander orthogonal, wenn für ihre Koordinaten gilt: $2 \cdot (a_1 b_1 + a_2 b_2) = 0$, also $a_1 b_1 + a_2 b_2 = 0$. Entsprechendes gilt für Vektoren im Raum.

Die Bezeichnung **Skalarprodukt** erinnert daran, dass dieses Produkt der Vektoren kein Vektor, sondern ein „Skalar" (das heißt eine Maßzahl) ist.

> Zu den Vektoren $\vec{a} = \begin{pmatrix} a_1 \\ a_2 \\ a_3 \end{pmatrix}$ und $\vec{b} = \begin{pmatrix} b_1 \\ b_2 \\ b_3 \end{pmatrix}$ heißt
>
> der Term $a_1 b_1 + a_2 b_2 + a_3 b_3$ **Skalarprodukt** $\vec{a} \cdot \vec{b}$ der Vektoren $\vec{a}$ und $\vec{b}$.
>
> Man schreibt $\vec{a} \cdot \vec{b} = a_1 b_1 + a_2 b_2 + a_3 b_3$.
> Es gilt:
> Zwei Vektoren $\vec{a} = \begin{pmatrix} a_1 \\ a_2 \\ a_3 \end{pmatrix}$ und $\vec{b} = \begin{pmatrix} b_1 \\ b_2 \\ b_3 \end{pmatrix}$ sind genau dann zueinander orthogonal,
>
> wenn für ihre Koordinaten gilt $a_1 b_1 + a_2 b_2 + a_3 b_3 = 0$.

Für das Skalarprodukt von Vektoren $\vec{a}, \vec{b}$ und $\vec{c}$ gilt:

1. $\vec{a} \cdot \vec{b} = \vec{b} \cdot \vec{a}$, (Kommutativgesetz)
2. $r \cdot \vec{a} \cdot \vec{b} = r \cdot (\vec{a} \cdot \vec{b})$ für jede reelle Zahl r,
3. $(\vec{a} + \vec{b}) \cdot \vec{c} = \vec{a} \cdot \vec{c} + \vec{b} \cdot \vec{c}$, (Distributivgesetz)
4. $\vec{a} \cdot \vec{a} = |\vec{a}|^2$.

Zum Nachweis dieser Regeln siehe Aufgabe 19.

Beispiel 1 Orthogonalität bei Geraden nachprüfen

Die Geraden g und h schneiden sich. Sind sie zueinander orthogonal?

a) $g: \vec{x} = \begin{pmatrix} 8 \\ -9 \\ 7 \end{pmatrix} + s \cdot \begin{pmatrix} -4 \\ 1 \\ 1 \end{pmatrix}$; $h: \vec{x} = \begin{pmatrix} 8 \\ -10 \\ 3 \end{pmatrix} + s \cdot \begin{pmatrix} 2 \\ 9 \\ -1 \end{pmatrix}$

b) $g: \vec{x} = \begin{pmatrix} 8 \\ -9 \\ 7 \end{pmatrix} + s \cdot \begin{pmatrix} 2 \\ 13 \\ 1 \end{pmatrix}$; $h: \vec{x} = \begin{pmatrix} 8 \\ -9 \\ -5 \end{pmatrix} + s \cdot \begin{pmatrix} 1 \\ -2 \\ 1 \end{pmatrix}$

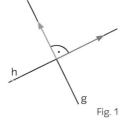

h

g

Fig. 1

■ Lösung: *Zwei sich schneidende Geraden sind immer dann zueinander orthogonal, wenn ihre Richtungsvektoren zueinander orthogonal sind.*

a) $\begin{pmatrix} -4 \\ 1 \\ 1 \end{pmatrix} \cdot \begin{pmatrix} 2 \\ 9 \\ -1 \end{pmatrix} = -4 \cdot 2 + 1 \cdot 9 + 1 \cdot (1) = 0$

Die Geraden g und h sind zueinander orthogonal.

b) $\begin{pmatrix} 2 \\ 13 \\ 1 \end{pmatrix} \cdot \begin{pmatrix} 1 \\ -2 \\ 1 \end{pmatrix} = 2 \cdot 1 + 13 \cdot (-2) + 1 \cdot 1 = -23$

Die Geraden g und h sind nicht zueinander orthogonal.

Beispiel 2 Bestimmung zueinander orthogonaler Vektoren

Bestimmen Sie alle Vektoren, die sowohl zum Vektor $\vec{a} = \begin{pmatrix} 3 \\ 2 \\ 4 \end{pmatrix}$ als auch zum Vektor

$\vec{b} = \begin{pmatrix} 6 \\ 5 \\ 4 \end{pmatrix}$ orthogonal sind.

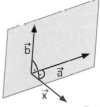

$\vec{b}$

$\vec{a}$

$\vec{x}$

Fig. 2

■ Lösung: Ist $\vec{x} = \begin{pmatrix} x_1 \\ x_2 \\ x_3 \end{pmatrix}$ zu $\vec{a}$ und zu $\vec{b}$ orthogonal, so gilt: $\begin{aligned} 3x_1 + 2x_2 + 4x_3 &= 0 \\ 6x_1 + 5x_2 + 4x_3 &= 0 \end{aligned}$.

Umwandlung in Stufenform: $\begin{aligned} 3x_1 + 2x_2 + 4x_3 &= 0 \\ x_2 - 4x_3 &= 0 \end{aligned}$.

Wählt man $x_3 = t$ als Parameter, so erhält man als Lösungsmenge $L = \{(-4t; 4t; t) \mid t \in \mathbb{R}\}$.

Für die gesuchten Vektoren gilt damit $\vec{x} = \begin{pmatrix} -4t \\ 4t \\ t \end{pmatrix} = t \cdot \begin{pmatrix} -4 \\ 4 \\ 1 \end{pmatrix}$ $(t \in \mathbb{R})$.

Damit sind alle Vektoren mit der gleichen bzw. entgegengesetzten Richtung wie $\begin{pmatrix} -4 \\ 4 \\ 1 \end{pmatrix}$ zu $\vec{a}$ und zu $\vec{b}$ orthogonal.

Aufgaben

1 Überprüfen Sie, ob die sich schneidenden Geraden g und h zueinander orthogonal sind.

a) $g: \vec{x} = \begin{pmatrix} 2 \\ -2 \end{pmatrix} + s \cdot \begin{pmatrix} -5 \\ 1 \end{pmatrix}$; $h: \vec{x} = \begin{pmatrix} 5 \\ -1 \end{pmatrix} + s \cdot \begin{pmatrix} -2 \\ 2 \end{pmatrix}$ b) $g: \vec{x} = \begin{pmatrix} 8 \\ 6 \\ -9 \end{pmatrix} + s \cdot \begin{pmatrix} 2 \\ -9 \\ -4 \end{pmatrix}$; $h: \vec{x} = \begin{pmatrix} 0 \\ 0 \\ 7 \end{pmatrix} + s \cdot \begin{pmatrix} 5 \\ 2 \\ -2 \end{pmatrix}$

2 Bestimmen Sie die fehlende Koordinate so, dass $\vec{a} \perp \vec{b}$.

a) $\vec{a} = \begin{pmatrix} 2 \\ 3 \end{pmatrix}$, $\vec{b} = \begin{pmatrix} b_1 \\ -4 \end{pmatrix}$ b) $\vec{a} = \begin{pmatrix} 1 \\ a_2 \\ 3 \end{pmatrix}$, $\vec{b} = \begin{pmatrix} 2 \\ -1 \\ 1 \end{pmatrix}$ c) $\vec{a} = \begin{pmatrix} -1 \\ 4 \\ 2 \end{pmatrix}$, $\vec{b} = \begin{pmatrix} 3 \\ 0 \\ b_3 \end{pmatrix}$

3 Geben Sie eine Gleichung einer Geraden h an, die die Gerade g orthogonal schneidet.

a) $g: \vec{x} = \begin{pmatrix} 3 \\ 3 \end{pmatrix} + s \cdot \begin{pmatrix} 7 \\ 17 \end{pmatrix}$
b) $g: \vec{x} = \begin{pmatrix} -1 \\ 11 \\ -6 \end{pmatrix} + s \cdot \begin{pmatrix} 1 \\ 2 \\ 3 \end{pmatrix}$
c) $g: \vec{x} = s \cdot \begin{pmatrix} 2 \\ -2 \\ 2 \end{pmatrix}$

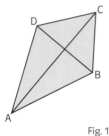

Fig. 1

4 Beschreiben Sie mithilfe eines geeigneten Skalarproduktes, dass
a) das Dreieck ABC bei C rechtwinklig ist,
b) das Dreieck ABC bei A rechtwinklig ist,
c) das Viereck ABCD ein Rechteck ist,
d) das Viereck ABCD ein Quadrat ist.

5 Drücken Sie die Diagonalen des Vierecks ABCD mit $A(-2|-2)$, $B(0|3)$, $C(3|3)$ und $D(3|0)$ durch Vektoren aus. Sind sie zueinander orthogonal?

6 Zeichnen Sie eine Figur so, dass gilt:
a) $\overrightarrow{PQ} \cdot \overrightarrow{QR} = 0$,
b) $\overrightarrow{PQ} \cdot \overrightarrow{PR} = 0$,
c) $\left(\overrightarrow{AC} - \overrightarrow{AB}\right) \cdot \overrightarrow{AB} = 0$,
d) $\left(\overrightarrow{AC} - \overrightarrow{AB}\right) \cdot \left(\overrightarrow{AC} - \overrightarrow{AD}\right) = 0$.

7 Zeigen Sie, dass es zu den Punkten $A(-2|2|3)$, $B(2|10|4)$ und $D(5|-2|7)$ einen Punkt C gibt, sodass das Viereck ABCD ein Quadrat ist. Bestimmen Sie die Koordinaten von C.

8 Bestimmen Sie alle Vektoren, die zu $\vec{a}$ und zu $\vec{b}$ orthogonal sind.

a) $\vec{a} = \begin{pmatrix} 1 \\ 2 \\ 3 \end{pmatrix}$, $\vec{b} = \begin{pmatrix} 2 \\ 0 \\ 3 \end{pmatrix}$
b) $\vec{a} = \begin{pmatrix} 2 \\ 3 \\ -1 \end{pmatrix}$, $\vec{b} = \begin{pmatrix} 5 \\ -1 \\ -2 \end{pmatrix}$
c) $\vec{a} = \begin{pmatrix} 1 \\ 2 \\ 5 \end{pmatrix}$, $\vec{b} = \begin{pmatrix} 4 \\ -1 \\ 5 \end{pmatrix}$

Fig. 2

9 Bestimmen Sie die fehlenden Koordinaten so, dass die Vektoren $\vec{a}$, $\vec{b}$ und $\vec{c}$ paarweise zueinander orthogonal sind.

a) $\vec{a} = \begin{pmatrix} 1 \\ 0 \\ 2 \end{pmatrix}$, $\vec{b} = \begin{pmatrix} 3 \\ b_2 \\ b_3 \end{pmatrix}$, $\vec{c} = \begin{pmatrix} c_1 \\ 1 \\ 4 \end{pmatrix}$
b) $\vec{a} = \begin{pmatrix} 1 \\ 1 \\ 1 \end{pmatrix}$, $\vec{b} = \begin{pmatrix} b_1 \\ b_2 \\ 1 \end{pmatrix}$, $\vec{c} = \begin{pmatrix} c_1 \\ 2 \\ -5 \end{pmatrix}$

10 Überprüfen Sie, ohne zu zeichnen, ob das Viereck ABCD mit $A(2|5)$, $B(5|2)$, $C(8|4)$ und $D(4|8)$ ein Rechteck ist.

Zeit zu überprüfen ─────────────────────

11 Welche dieser Vektoren sind zueinander orthogonal?

$\vec{a} = \begin{pmatrix} 1 \\ 1 \\ \sqrt{2} \end{pmatrix}$, $\vec{b} = \begin{pmatrix} 1 \\ 1 \\ \sqrt{3} \end{pmatrix}$, $\vec{c} = \begin{pmatrix} 1 \\ 1 \\ -\sqrt{2} \end{pmatrix}$, $\vec{d} = \begin{pmatrix} \sqrt{2} \\ -\sqrt{2} \\ 0 \end{pmatrix}$, $\vec{e} = \begin{pmatrix} -1 \\ -2 \\ \sqrt{3} \end{pmatrix}$

12 Überprüfen Sie, ohne zu zeichnen, ob das Viereck ABCD ein Rechteck ist.
a) $A(3|5)$, $B(5|3)$, $C(8|6)$, $D(6|8)$
b) $A(5|5)$, $B(6|4)$, $C(8|7)$, $D(7|8)$

13 Bestimmen Sie alle Vektoren, die sowohl zum Vektor $\vec{a} = \begin{pmatrix} 1 \\ 0 \\ 4 \end{pmatrix}$ als auch zum Vektor $\vec{b} = \begin{pmatrix} 4 \\ -1 \\ 2 \end{pmatrix}$ orthogonal sind.

14 Gegeben ist ein Dreieck ABC mit $A(-4|8)$, $B(5|-4)$ und $C(7|10)$.
Bestimmen Sie eine Gleichung der Mittelsenkrechten der Strecke $\overline{BC}$ und eine Gleichung der Mittelsenkrechten der Strecke $\overline{AB}$.
Berechnen Sie daraus den Umkreismittelpunkt des Dreiecks ABC.

15 Gegeben ist die Ebene E: $\vec{x} = \begin{pmatrix} 3 \\ 1 \\ 4 \end{pmatrix} + r \cdot \begin{pmatrix} 2 \\ -1 \\ 5 \end{pmatrix} + s \cdot \begin{pmatrix} 1 \\ 0 \\ 1 \end{pmatrix}$.

a) Geben Sie die Bedingungen für den Richtungsvektor einer Geraden an, die orthogonal zur Ebene E ist.

b) Geben Sie eine Gleichung der Geraden g an, die die Ebene E im Punkt P(3|1|4) schneidet und orthogonal zur Ebene E ist.

16 Sind die Ebene E und die Gerade g zueinander orthogonal?

a) E: $\vec{x} = \begin{pmatrix} 1 \\ 1 \\ 1 \end{pmatrix} + r \cdot \begin{pmatrix} 2 \\ 3 \\ 4 \end{pmatrix} + s \cdot \begin{pmatrix} 4 \\ 3 \\ 2 \end{pmatrix}$; g: $\vec{x} = \begin{pmatrix} 3 \\ 3 \\ 4 \end{pmatrix} + t \cdot \begin{pmatrix} 1 \\ -2 \\ 1 \end{pmatrix}$

b) E: $\vec{x} = r \cdot \begin{pmatrix} -2 \\ 3 \\ 4 \end{pmatrix} + s \cdot \begin{pmatrix} 4 \\ 3 \\ 3 \end{pmatrix}$; g: $\vec{x} = t \cdot \begin{pmatrix} 1 \\ -2 \\ 2 \end{pmatrix}$

17 Gegeben ist ein Dreieck ABC mit

$A\left(4\left|2\right|-\tfrac{1}{2}\right), B\left(9\left|2\right|3\tfrac{1}{4}\right), C\left(6\left|9\tfrac{1}{2}\right|1\right)$.

a) Bestimmen Sie die Fußpunkte F_a, F_b, F_c der drei Höhen (Fig. 1).
Anleitung: Es ist $\overrightarrow{AF_c} = r \cdot \overrightarrow{AB}$, wobei r aus $(\overrightarrow{AC} - r \cdot \overrightarrow{AB}) \cdot \overrightarrow{AB} = 0$ bestimmt werden kann.

b) Berechnen Sie die Koordinaten des Höhenschnittpunktes H.

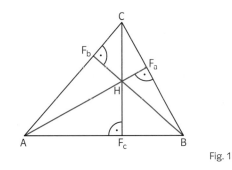

Fig. 1

18 Auf einer ebenen Wiese ist ein rechtwinkliges Dreieck ABC mit dem rechten Winkel bei B abgesteckt. In der Ecke A wird ein Pfahl lotrecht eingeschlagen. Von der Spitze S des Pfahls werden dann Seile zu B und C gespannt (Fig. 2). Zeigen Sie, dass man zwischen die Seile eine Zeltplane in Form eines rechtwinkligen Dreiecks so spannen kann, dass eine Kante der Plane den Boden berührt. (Sie brauchen hierzu kein Koordinatensystem!)

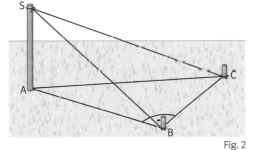

Fig. 2

19 Zeigen Sie, dass allgemein für drei Vektoren $\vec{a} = \begin{pmatrix} a_1 \\ a_2 \\ a_3 \end{pmatrix}$, $\vec{b} = \begin{pmatrix} b_1 \\ b_2 \\ b_3 \end{pmatrix}$ und $\vec{c} = \begin{pmatrix} c_1 \\ c_2 \\ c_3 \end{pmatrix}$ gilt:

Verwenden Sie hierzu das Skalarprodukt.

a) $\vec{a} \cdot \vec{b} = \vec{b} \cdot \vec{a}$,

b) $r \cdot \vec{a} \cdot \vec{b} = r \cdot (\vec{a} \cdot \vec{b})$ für jede reelle Zahl r,

c) $(\vec{a} + \vec{b}) \cdot \vec{c} = \vec{a} \cdot \vec{c} + \vec{b} \cdot \vec{c}$,

d) $\vec{a} \cdot \vec{a} = |\vec{a}|^2$.

Zeit zu wiederholen

20 Es gibt zwei Grundformeln für die Berechnung der Volumina geometrischer Körper.
Formel I: Volumen ist gleich Grundfläche mal Höhe.
Formel II: Volumen ist gleich ein Drittel Grundfläche mal Höhe.
Ordnen Sie die beiden Formeln verschiedenen geometrischen Körpern zu.

21 Ein Kegel passt genau in einen gleich hohen, hohlen Zylinder. Der Kegel hat eine $10\,\text{cm}^2$ große Grundfläche, der Zylinder ist 15 cm hoch. Wie viel Liter Flüssigkeit kann man maximal zwischen Kegel und Zylinderwand gießen?

6 Normalengleichung und Koordinatengleichung einer Ebene

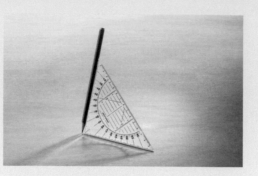

Steht der Bleistift senkrecht zum Tisch?

ⓢ **Vektoris 3D**
Ebene in
Normalenform

Bisher wurde eine Ebene mithilfe eines Stützvektors und zweier Spannvektoren beschrieben. Fig. 1 verdeutlicht, dass man eine Ebene auch durch einen Stützvektor und einen Vektor, der „orthogonal zur Ebene ist", beschreiben kann: Sind ein Stützvektor $\vec{p}$ und ein Vektor $\vec{n}$ gegeben, so bilden alle Punkte X, für deren Ortsvektor $\vec{x}$ gilt: $(\vec{x} - \vec{p}) \cdot \vec{n} = 0$ eine Ebene E. Wenn umgekehrt ein Ortsvektor $\vec{x}$ die Gleichung $(\vec{x} - \vec{p}) \cdot \vec{n} = 0$ erfüllt, dann liegt der dazugehörende Punkt X in der Ebene E.

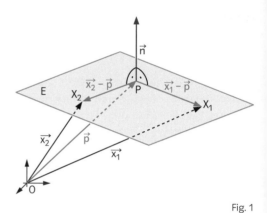

Fig. 1

normalis (lat.):
rechtwinklig

Eine Gleichung der Form $(\vec{x} - \vec{p}) \cdot \vec{n} = 0$ nennt man eine **Normalengleichung** der Ebene E. Der Vektor $\vec{n}$ heißt **Normalenvektor** der Ebene E.

Eine Ebene E kann auch durch eine Gleichung ohne Vektoren beschrieben werden, denn, geht man von einer Normalengleichung $(\vec{x} - \vec{p}) \cdot \vec{n} = 0$ aus, so gilt $\vec{x} \cdot \vec{n} - \vec{p} \cdot \vec{n} = 0$ und somit $\vec{x} \cdot \vec{n} = \vec{p} \cdot \vec{n}$.

Mit $\vec{x} = \begin{pmatrix} x_1 \\ x_2 \\ x_3 \end{pmatrix}$ und $\vec{n} = \begin{pmatrix} a \\ b \\ c \end{pmatrix}$ erhält man aus $\vec{x} \cdot \vec{n} = \vec{p} \cdot \vec{n}$ die **Koordinatengleichung** $a x_1 + b x_2 + c x_3 = d$ der Ebene E, wobei $d = \vec{p} \cdot \vec{n}$ eine reelle Zahl ist.

Vergleichen Sie hierzu
Beispiel 3.

Ist umgekehrt zum Beispiel $2x_1 + 5x_2 + 3x_3 = 12$ eine Koordinatengleichung einer Ebene E, so ist der Vektor $\begin{pmatrix} 2 \\ 5 \\ 3 \end{pmatrix}$ ein Normalenvektor der Ebene E.

Im Gegensatz zu einer
Parametergleichung
$\vec{x} = \vec{p} + r \cdot \vec{u} + s \cdot \vec{v}$
(mit den Parametern
r und s) wird eine
Normalengleichung
als **parameterfreie
Gleichung** bezeichnet.

Satz: Jede Ebene E lässt sich beschreiben durch
- eine Normalengleichung $(\vec{x} - \vec{p}) \cdot \vec{n} = 0$
mit einem Stützvektor $\vec{p}$ und einem Normalenvektor $\vec{n}$.
- eine Koordinatengleichung $a x_1 + b x_2 + c x_3 = d$,
bei der mindestens einer der Koeffizienten a, b, c ungleich Null ist.

Ist $a x_1 + b x_2 + c x_3 = d$ eine Koordinatengleichung der Ebene E, so ist $\begin{pmatrix} a \\ b \\ c \end{pmatrix}$ ein Normalenvektor der Ebene E.

Beispiel 1 Von der Normalengleichung zur Koordinatengleichung

Eine Ebene durch $P(4\,|\,1\,|\,3)$ hat den Normalenvektor $\vec{n} = \begin{pmatrix} 2 \\ -1 \\ 5 \end{pmatrix}$.

a) Geben Sie eine Normalengleichung der Ebene an.

b) Bestimmen Sie aus der Normalengleichung eine Koordinatengleichung der Ebene.

c) Liegt der Punkt $A(1\,|\,1\,|\,1)$ in der Ebene?

■ Lösung: a) Einsetzen von $\vec{p} = \overrightarrow{OP}$ und $\vec{n}$ in $(\vec{x} - \vec{p}) \cdot \vec{n} = 0$ ergibt:

Ebenengleichung in Normalenform: $\left[\vec{x} - \begin{pmatrix} 4 \\ 1 \\ 3 \end{pmatrix} \right] \cdot \begin{pmatrix} 2 \\ -1 \\ 5 \end{pmatrix} = 0$.

b) Einsetzen von $\vec{x} = \begin{pmatrix} x_1 \\ x_2 \\ x_3 \end{pmatrix}$ in $\left[\vec{x} - \begin{pmatrix} 4 \\ 1 \\ 3 \end{pmatrix} \right] \cdot \begin{pmatrix} 2 \\ -1 \\ 5 \end{pmatrix} = 0$ ergibt $\begin{pmatrix} x_1 \\ x_2 \\ x_3 \end{pmatrix} \cdot \begin{pmatrix} 2 \\ -1 \\ 5 \end{pmatrix} = \begin{pmatrix} 4 \\ 1 \\ 3 \end{pmatrix} \cdot \begin{pmatrix} 2 \\ -1 \\ 5 \end{pmatrix}$.

Ausrechnen der Skalarprodukte ergibt die Koordinatengleichung: $2x_1 - x_2 + 5x_3 = 22$.

c) $2 \cdot 1 - 1 \cdot 1 + 5 \cdot 1 = 6 \neq 22$. Der Punkt A liegt nicht in der Ebene.

Beispiel 2 Aufstellen einer Koordinatengleichung

Die Punkte $A(1\,|\,1\,|\,0)$, $B(1\,|\,0\,|\,1)$ und $C(0\,|\,1\,|\,1)$ legen eine Ebene E fest. Bestimmen Sie eine Koordinatengleichung dieser Ebene E.

■ Lösung: Man setzt in die Koordinatengleichung $a_1 x_1 + a_2 x_2 + a_3 x_3 = b$ die Koordinaten der Punkte A, B, C ein.

Man erhält das LGS
$$\begin{array}{rcl} a_1 + a_2 & = & b \\ a_1 + + a_3 & = & b \\ a_2 + a_3 & = & b \end{array}$$

Wählt man b als Parameter, so erhält man als Lösung $a_1 = a_2 = a_3 = 0{,}5\,b$ (Fig. 1) und somit die Gleichung $0{,}5x_1 + 0{,}5x_2 + 0{,}5x_3 = 1$.

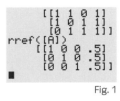

Fig. 1

Beispiel 3 Von der Koordinatengleichung zur Normalengleichung

Bestimmen Sie für die Ebene mit der Koordinatengleichung $2x_1 + 5x_2 + 3x_3 = 12$ eine Normalengleichung.

■ Lösung: Bestimmung eines Stützvektors $\vec{p}$:

Es ist geschickt, zwei Koordinaten als 0 zu wählen, z.B. x_2 und x_3. Die fehlende Koordinate ergibt sich durch Einsetzen in die Koordinatengleichung.

Aus $x_2 = x_3 = 0$ folgt $2x_1 + 5 \cdot 0 + 3 \cdot 0 = 12$, also $x_1 = 6$. Damit ist $\vec{p} = \begin{pmatrix} 6 \\ 0 \\ 0 \end{pmatrix}$.

Die Koeffizienten 2, 5 und 3 der Koordinatengleichung $2x_1 + 5x_2 + 3x_3 = 12$ sind die Koordinaten eines Normalenvektors $\vec{n} = \begin{pmatrix} 2 \\ 5 \\ 3 \end{pmatrix}$. Daraus ergibt sich die Normalengleichung $\left[\vec{x} - \begin{pmatrix} 6 \\ 0 \\ 0 \end{pmatrix} \right] \cdot \begin{pmatrix} 2 \\ 5 \\ 3 \end{pmatrix} = 0$.

Ist in der Koordinatengleichung der Koeffizient von x_1 gleich Null und der Koeffizient von x_3 ungleich Null, so setzt man $x_1 = x_2 = 0$.

Aufgaben

1 Die Ebene E geht durch den Punkt P und hat den Normalenvektor $\vec{n}$. Geben Sie eine Normalengleichung der Ebene E an. Bestimmen Sie daraus eine Koordinatengleichung von E.

a) $P(-1\,|\,2\,|\,1)$; $\vec{n} = \begin{pmatrix} 3 \\ -2 \\ 7 \end{pmatrix}$
b) $P(9\,|\,1\,|\,-2)$; $\vec{n} = \begin{pmatrix} 0 \\ 8 \\ 3 \end{pmatrix}$
c) $P(0\,|\,0\,|\,0)$; $\vec{n} = \begin{pmatrix} 7 \\ -7 \\ 3 \end{pmatrix}$

2 Eine Ebene E geht durch den Punkt $P(2\,|\,-5\,|\,7)$ und hat den Normalenvektor $\begin{pmatrix} 2 \\ 1 \\ -2 \end{pmatrix}$. Prüfen Sie, ob die folgenden Punkte in der Ebene E liegen.

a) $A(2\,|\,7\,|\,1)$
b) $B(0\,|\,-1\,|\,7)$
c) $C(3\,|\,-1\,|\,10)$
d) $D(4\,|\,6\,|\,-2)$

3 Bestimmen Sie für die Ebene E eine Normalengleichung.
a) $E: 2x_1 + 3x_2 + 5x_3 = 10$
b) $E: x_1 - x_2 + x_3 = 1$
c) $E: 4x_1 + 3x_2 = 17$
d) $E: 4x_2 - 5x_3 = 11$
e) $E: x_1 + x_2 + x_3 = 100$
f) $E: x_2 = -5$

4 Die Punkte A, B und C legen eine Ebene E fest. Bestimmen Sie eine Koordinatengleichung und eine Normalengleichung von E. Liegt der Punkt $D(-7|1|3)$ in der Ebene E?
a) $A(1|1|1)$, $B(1|0|1)$, $C(0|1|1)$
b) $A(-1|2|0)$, $B(-3|1|1)$, $C(1|-1|-1)$

Zeit zu überprüfen ————————————————————

5 Geben Sie jeweils eine Normalengleichung der Ebene E an.
a) $E: 2x_1 + 3x_2 + x_3 = 9$
b) $E: x_1 + x_2 = 4$
c) $E: x_1 - x_2 = 0$

6 Bestimmen Sie eine Koordinatengleichung der Ebene E, in der die Punkte $P(1|0|0)$, $Q(0|-5|0)$ und $R(0|0|2)$ liegen.

7 Setzt man in $3ax_1 + 5ax_2 - 2ax_3 = 4$ für a verschiedene reelle Zahlen ungleich Null ein, so erhält man verschiedene Ebenen E_a (man sagt auch: man erhält eine Ebenenschar).
a) Geben Sie für $a = 2$, $a = -1$ und $a = 5$ jeweils einen Normalenvektor von E_a an.
b) Wie liegen diese Ebenen aus Teilaufgabe a) zueinander? Begründen Sie Ihre Antwort.
c) Geben Sie eine Normalengleichung für eine Ebenenschar an, deren Ebenen alle zueinander parallel sind. Erläutern Sie, warum Ihre Lösung eine solche Ebenenschar festlegt.

8 Die Ebene E ist parallel zur x_2x_3-Ebene und hat vom Koordinatenursprung den Abstand 3. Geben Sie eine Normalengleichung und eine Koordinatengleichung der Ebene E an.

9 👥 a) Schreiben Sie gemeinsam mit Ihrem Tischnachbarn auf, wie man an der Gleichung einer Geraden g und einer Normalengleichung bzw. Koordinatengleichung einer Ebene E erkennen kann, ob g und E zueinander I: senkrecht sind, II: parallel sind.
b) Erstellen Sie Gleichungen verschiedener Geraden und Ebenen, die zueinander senkrecht bzw. parallel sind. Geben Sie diese Gleichungen mit Ihren Vorschriften von Teilaufgabe a) an den Nachbartisch weiter. Ihre Mitschülerinnen und Mitschüler sollen nun die Lagen der Geraden und Ebenen zueinander mithilfe Ihrer Vorschriften bestimmen.

10 a) Welche der Ebenen E_1, E_2, E_3, E_4 sind zueinander parallel?
$E_1: 2x_1 - x_2 + 3x_3 = 10$
$E_2: 3x_1 + 5x_2 + 3x_3 = 1$
$E_3: -4x_1 + 2x_2 - 3x_3 = -19$
$E_4: -3x_1 - 5x_2 - 3x_3 = -1$
b) Geben Sie eine Gleichung einer Ebene F an, die parallel zu E_1 ist und durch $P(2|3|7)$ geht.

11 Ist die Gerade g zur Ebene E parallel?
a) $g: \vec{x} = \begin{pmatrix} 1 \\ 0 \\ 2 \end{pmatrix} + t \cdot \begin{pmatrix} -2 \\ 1 \\ 1 \end{pmatrix}$; $E: 2x_1 - x_2 + x_3 = 1$
b) $g: \vec{x} = t \cdot \begin{pmatrix} 1 \\ -2 \\ 3 \end{pmatrix}$; $E: x_1 - 3x_2 + 2x_3 = 4$

12 a) Warum muss bei einer Koordinatengleichung $ax_1 + bx_2 + cx_3 = d$ einer Ebene E mindestens einer der Koeffizienten a, b, c ungleich Null sein?
b) Begründen Sie: Unterscheiden sich die Koordinatengleichungen der Form $ax_1 + bx_2 + cx_3 = d$ von zwei Ebenen nur in der Konstanten d, dann sind die Ebenen zueinander parallel.

13 Wie liegen die Ebenen der Schar E_a im Koordinatensystem? Begründen Sie Ihre Antwort.
a) $E_a: 5x_2 = a$
b) $E_a: -x_1 = a$
c) $E_a: 3x_3 = a$

7 Ebenengleichungen im Überblick

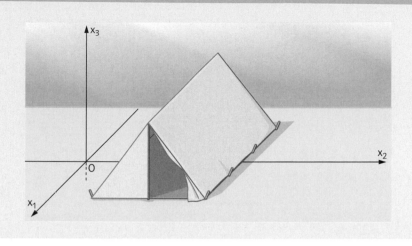

Welche Art von Ebenengleichung würden Sie wählen, um die jeweiligen Ebenen, die durch den Zeltboden bzw. die Zeltwände festgelegt sind, zu beschreiben?

Eine Ebene kann durch drei Punkte festgelegt werden.

Eine Ebene kann durch einen Punkt und einen Normalenvektor festgelegt werden.

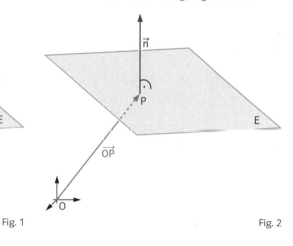

Fig. 1   Fig. 2

Sind drei Punkte A, B und C einer Ebene E bekannt, die nicht auf einer gemeinsamen Geraden liegen, dann ist

$$\vec{x} = \overrightarrow{OA} + r \cdot \overrightarrow{AB} + s \cdot \overrightarrow{AC}$$

eine **Parametergleichung** der Ebene E.

Aus $\overrightarrow{AB} \cdot \vec{n} = 0$ und $\overrightarrow{AC} \cdot \vec{n} = 0$ kann man die Koordinaten eines Normalenvektors $\vec{n}$ bestimmen und dann eine Normalengleichung $(\vec{x} - \overrightarrow{OA}) \cdot \vec{n} = 0$ von E aufstellen.

Sind ein Punkt P einer Ebene E und ein Normalenvektor $\vec{n}$ dieser Ebene bekannt, dann ist

$$(\vec{x} - \overrightarrow{OP}) \cdot \vec{n} = 0$$

eine **Normalengleichung** der Ebene E.

Durch Ausmultiplizieren von $(\vec{x} - \vec{p}) \cdot \vec{n} = 0$ erhält man eine **Koordinatengleichung**
$a x_1 + b x_2 + c x_3 = d.$
Durch Einsetzen von Zahlen in diese Gleichung kann man zwei weitere Punkte R und S der Ebene E bestimmen und dann eine Parametergleichung
$$\vec{x} = \overrightarrow{OP} + r \cdot \overrightarrow{PR} + s \cdot \overrightarrow{PS}$$ von E aufstellen.

Beispiel 1 Parametergleichung gegeben, Normalengleichung gesucht

Die Ebene E kann mit der Parametergleichung $E: \vec{x} = \begin{pmatrix} 1 \\ 0 \\ 0 \end{pmatrix} + r \cdot \begin{pmatrix} 0 \\ 0 \\ 1 \end{pmatrix} + s \cdot \begin{pmatrix} 1 \\ 1 \\ 1 \end{pmatrix}$ beschrieben werden.
Bestimmen Sie eine Normalengleichung von E.

■ Lösung: *Ein Normalenvektor* $\vec{n} = \begin{pmatrix} n_1 \\ n_2 \\ n_3 \end{pmatrix}$ *muss zu den Spannvektoren* $\begin{pmatrix} 0 \\ 0 \\ 1 \end{pmatrix}$ *und* $\begin{pmatrix} 1 \\ 1 \\ 1 \end{pmatrix}$ *orthogonal*

sein, also ist $\begin{pmatrix} n_1 \\ n_2 \\ n_3 \end{pmatrix} \cdot \begin{pmatrix} 0 \\ 0 \\ 1 \end{pmatrix} = 0$ *und* $\begin{pmatrix} n_1 \\ n_2 \\ n_3 \end{pmatrix} \cdot \begin{pmatrix} 1 \\ 1 \\ 1 \end{pmatrix} = 0$, *hieraus folgt* $\begin{matrix} n_3 = 0 \\ n_1 + n_2 + n_3 = 0 \end{matrix}$, *also* $\begin{matrix} n_3 = 0 \\ n_1 = -n_2 \end{matrix}$.

Setzt man zum Beispiel für n_2 *die Zahl 1 ein, so erhält man die Lösung* $n_1 = -1$, $n_2 = 1$, $n_3 = 0$

und die Normalengleichung $\left[\vec{x} - \begin{pmatrix} 1 \\ 0 \\ 0 \end{pmatrix} \right] \cdot \begin{pmatrix} -1 \\ 1 \\ 0 \end{pmatrix} = 0.$

Beispiel 2 Ebenengleichungen
Die Ebene E ist festgelegt durch den Punkt P(1|1|1) und den Normalenvektor $\vec{n} = \begin{pmatrix} 1 \\ 2 \\ 1 \end{pmatrix}$.
Bestimmen Sie eine Parametergleichung der Ebene E.

■ Lösung: $\left[\vec{x} - \begin{pmatrix} 1 \\ 1 \\ 1 \end{pmatrix} \right] \cdot \begin{pmatrix} 1 \\ 2 \\ 1 \end{pmatrix} = 0$ ist eine Normalengleichung der Ebene E.

Multipliziert man die Normalengleichung $\left[\vec{x} - \begin{pmatrix} 1 \\ 1 \\ 1 \end{pmatrix} \right] \cdot \begin{pmatrix} 1 \\ 2 \\ 1 \end{pmatrix} = 0$ aus,

so erhält man $(x_1 - 1) \cdot 1 + (x_2 - 1) \cdot 2 + (x_3 - 1) \cdot 1 = 0$ und hieraus die Koordinatengleichung
$x_1 + 2x_2 + x_3 = 4$ von E.

Setzt man $x_1 = 0$ *und* $x_2 = 0$ *in die Koordinatengleichung ein, so erhält man* $x_3 = 4$.
Der Punkt A(0|0|4) liegt somit in E.
Setzt man $x_2 = 0$ *und* $x_3 = 0$ *in die Koordinatengleichung ein, so erhält man* $x_1 = 4$.
Der Punkt B(4|0|0) liegt somit in E.
Setzt man $x_1 = 0$ *und* $x_3 = 0$ *in die Koordinatengleichung ein, so erhält man* $x_2 = 2$.
Der Punkt C(0|2|0) liegt somit in E.
Die Punkte A, B und C liegen nicht auf einer Geraden.

Hieraus ergibt sich die Parametergleichung $E: \vec{x} = \begin{pmatrix} 0 \\ 0 \\ 4 \end{pmatrix} + r \cdot \begin{pmatrix} 4 \\ 0 \\ -4 \end{pmatrix} + s \cdot \begin{pmatrix} 0 \\ 2 \\ -4 \end{pmatrix}$.

Aufgaben

◎ CAS
Normalengleichung

1 Die Ebene E ist durch die Punkte A, B und C festgelegt. Bestimmen Sie eine Parametergleichung, eine Normalengleichung und eine Koordinatengleichung der Ebene E.
a) A(0|2|−1), B(6|−5|0), C(1|0|1) b) A(7|2|−1), B(4|1|3), C(1|3|2)
c) A(1|2|−1), B(6|−5|11), C(3|2|0) d) A(9|3|−3), B(8|4|−9), C(11|13|−7)

2 Bestimmen Sie eine Normalengleichung der Ebene E.
a) Die Ebene E hat den Normalenvektor mit den Koordinaten $x_1 = 3$, $x_2 = -3$ und $x_3 = 5$.
Der Punkt P(−2|7|−1) liegt in der Ebene E.
b) Die Ebene E ist parallel zur $x_1 x_3$-Ebene und der Punkt P(11|21|32) liegt in der Ebene E.
c) Die Gerade g durch O(0|0|0) und A(2|−1|2) ist orthogonal zu E und schneidet E im Punkt P(4|−2|4).
d) Die Ebene E ist festgelegt durch die Gerade $g: \vec{x} = \begin{pmatrix} -1 \\ 1 \\ 1 \end{pmatrix} + t \cdot \begin{pmatrix} 2 \\ -2 \\ -2 \end{pmatrix}$ und den Punkt A(3|0|−3).
e) Die Ebene E hat vom Koordinatenursprung O den Abstand 4 und ist parallel zur $x_1 x_2$-Ebene.

3 Bestimmen Sie eine Parametergleichung der Ebene E.

a) $E: 2x_1 - 3x_2 + x_3 = 6$ b) $E: 5x_1 - 3x_2 + 6x_3 = 1$ c) $E: x_1 + x_2 + x_3 = 3$

d) $E: 2x_1 - 3x_2 + 4x_3 = 5$ e) $E: 2x_1 - x_2 = 25$ f) $E: 3x_2 + x_3 = 7$

g) $E: x_1 = 9$ h) $E: 2x_2 = 13$ i) $E: 5x_3 = 11$

j) $E: x_1 - x_2 = 0$ k) $E: x_1 + 2x_2 + 3x_3 = 0$ l) $E: x_1 = 0$

4 Bestimmen Sie eine Normalengleichung der Ebene E und daraus eine Koordinatengleichung.

a) $E: \vec{x} = \begin{pmatrix} 2 \\ 1 \\ 2 \end{pmatrix} + r \cdot \begin{pmatrix} 1 \\ 3 \\ 0 \end{pmatrix} + s \cdot \begin{pmatrix} -2 \\ 1 \\ 3 \end{pmatrix}$ b) $E: \vec{x} = \begin{pmatrix} 6 \\ 9 \\ 1 \end{pmatrix} + r \cdot \begin{pmatrix} 4 \\ 1 \\ -4 \end{pmatrix} + s \cdot \begin{pmatrix} 1 \\ -2 \\ -4 \end{pmatrix}$ c) $E: \vec{x} = r \cdot \begin{pmatrix} 2 \\ 1 \\ 2 \end{pmatrix} + s \cdot \begin{pmatrix} 1 \\ 1 \\ 5 \end{pmatrix}$

Zeit zu überprüfen —————————————————————————————————————

5 Die Ebene E ist festgelegt durch $A(0|1|0)$, $B(2|0|1)$ und $C(0|0|3)$. Bestimmen Sie jeweils eine Parametergleichung, eine Normalengleichung und eine Koordinatengleichung der Ebene E.

6 Der Richtungsvektor der Geraden durch $O(0|0|0)$ und $P(1|1|1)$ ist ein Normalenvektor der Ebene E. Der Punkt $Q(2|1|3)$ liegt in der Ebene E. Bestimmen Sie eine Parametergleichung der Ebene.

———

7 Bestimmen Sie für die Ebene E in Fig. 1 eine Gleichung.
Bestimmen Sie die gemeinsamen Punkte der Ebene mit den Koordinatenachsen.

8 Beschreiben Sie alle Ebenen, die zu einer

Geraden mit dem Richtungsvektor $\begin{pmatrix} 2 \\ 1 \\ 3 \end{pmatrix}$ parallel sind.

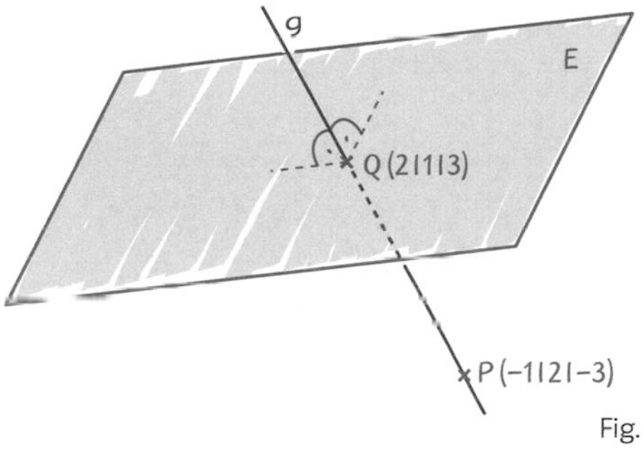

Fig. 1

9 🧑‍🤝‍🧑 Geben Sie die Koordinaten dreier Punkte A, B und C an, die auf den drei Koordinatenachsen liegen. Ihr Tischnachbar soll eine Gleichung der Ebene E_1 angeben, in der die drei Punkte A, B und C liegen.
Stellen Sie nun eine Gleichung einer Geraden auf, die orthogonal zur Ebene E_1 ist.
Ihr Tischnachbar soll die Gleichung einer Ebene E_2 erarbeiten, die keinen gemeinsamen Punkt mit der Geraden g besitzt.

10 Bestimmen Sie eine Parametergleichung, eine Normalengleichung und eine Koordinatengleichung

a) der $x_1 x_2$-Ebene,   b) der $x_1 x_3$-Ebene,   c) der $x_2 x_3$-Ebene.

11 Eine kreisförmige Zielscheibe ist gegen den Boden geneigt aufgestellt (Fig. 2).
Der Mittelpunkt der Zielscheibe befindet sich 2 m über dem Boden.
Ein Pfeil hat die Zielscheibe rechtwinklig in ihrem Mittelpunkt getroffen.
Das Pfeilende P ist 60 cm von der Zielscheibe und 2,30 m vom Boden entfernt.
Legen Sie ein geeignetes Koordinatensystem fest und

a) bestimmen Sie eine Gleichung für die Gerade, die durch den Pfeil festgelegt ist,

b) bestimmen Sie eine Normalengleichung und eine Koordinatengleichung der Ebene, die durch die Oberfläche der Zielscheibe festgelegt ist.

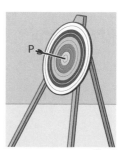

Fig. 2

8 Lagen von Ebenen erkennen und Ebenen zeichnen

Ein großer Spiegel soll auf dem Fußboden leicht nach hinten gekippt aufgestellt werden. Ein sogenannter Dreifuß stützt den Spiegel an der Rückseite.
Geben Sie weitere Stützmöglichkeiten für den Spiegel an.

Um Ebenenausschnitte in ein Koordinatensystem zu zeichnen, orientiert man sich an den jeweiligen Schnittpunkten der Ebene mit den Koordinatenachsen.
Hierbei können drei Fälle auftreten:

Die Spurpunkte und die Spurgeraden sind sozusagen die „Spuren", die eine Ebene bei den Koordinatenachsen bzw. in den Koordinatenebenen „hinterlässt".

◉ **Vektoris 3D**
Ebene 3 Spurpunkte

◉ **Vektoris 3D**
Ebene
2 Spurpunkte_x1
2 Spurpunkte_x2
2 Spurpunkte_x3

◉ **Vektoris 3D**
Ebene
1 Spurpunkt_x1
1 Spurpunkt_x2
1 Spurpunkt_x3

Eine Ebene E, die durch eine Gleichung der Form $ax_1 + bx_2 + cx_3 = 0$ beschrieben wird, kann nicht wie in Fig. 1 bis Fig. 3 gezeichnet werden. Warum?
Siehe auch Aufgabe 9 auf der nächsten Seite.

Die Ebene schneidet alle drei Koordinatenachsen

Die Ebene E ist durch die Gleichung $2x_1 + 6x_2 + 3x_3 = 12$ gegeben. Die gemeinsamen Punkte der Ebene E und der Koordinatenachsen heißen **Spurpunkte**. Um den Spurpunkt der Ebene E mit der x_1-Achse zu erhalten, setzt man in die Gleichung $x_2 = x_3 = 0$ ein. Man erhält $x_1 = 6$ und somit den Spurpunkt $S_1(6|0|0)$. Analog bestimmt man die Spurpunkte $S_2(0|2|0)$ und $S_3(0|0|4)$. Die Geraden s_{12}, s_{23} und s_{13} nennt man **Spurgeraden** (Fig. 1).

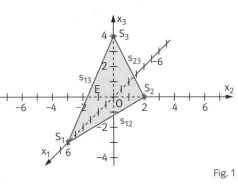

Fig. 1

Die Ebene schneidet genau zwei Koordinatenachsen

Die Ebene E ist durch die Gleichung $2x_1 + 6x_2 = 12$ gegeben. Um den Spurpunkt der Ebene E mit der x_1-Achse zu erhalten, setzt man in die Gleichung $x_2 = 0$ ein.
Man erhält $x_1 = 6$ und somit den Spurpunkt $S_1(6|0|0)$. Analog bestimmt man den Spurpunkt $S_2(0|2|0)$ mit der x_2-Achse.
Die Ebene ist parallel zur x_3-Achse (Fig. 2).

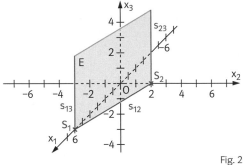

Fig. 2

Die Ebene schneidet eine einzige Koordinatenachse

Die Ebene E ist durch die Gleichung $4x_1 = 12$ gegeben. Die Ebene schneidet die x_1-Achse im Punkt $S_1(3|0|0)$ und ist parallel zur x_2x_3-Ebene (Fig. 3).

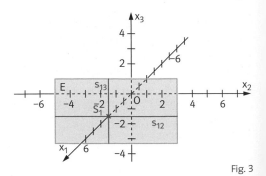

Fig. 3

Aufgaben

1 Veranschaulichen Sie die Ebene E in einem Koordinatensystem.

a) $E: x_1 + x_2 + x_3 = 3$ b) $E: 2x_1 + 2x_2 + 3x_3 = 6$ c) $E: -1x_1 - 3x_2 - 2x_3 = -6$

d) $E: -3,5x_2 + 7x_3 = 7$ e) $E: 5x_1 = 10$ f) $E: 3x_1 - 4,5x_3 = -9$

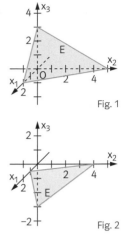

Fig. 1

2 Welche besondere Lage hat die Ebene E?

a) $E: x_1 = 0$ b) $E: x_2 = 0$ c) $E: x_3 = 0$ d) $E: x_1 = 5$

e) $E: x_2 = -3$ f) $E: x_3 = 4$ g) $E: x_1 + x_2 = 3$ h) $E: x_2 + x_3 = -7$

i) $E: 2x_1 + 3x_3 = 1$ j) $E: 3x_1 - 9x_2 = 5$ k) $E: -2x_1 - 7x_2 = -1$ l) $E: x_1 + x_3 = 0$

3 Bestimmen Sie jeweils eine Koordinatengleichung für die Ebene E in Fig. 1 und Fig. 2.

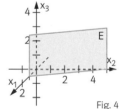

Fig. 2

4 Eine Spurgerade der Ebene E geht durch die Punkte $P(1|0|0)$ und $R(0|5|0)$, eine andere Spurgerade der Ebene E geht durch die Punkte $S(0|0|4)$ und $R(0|5|0)$.
Bestimmen Sie eine Normalengleichung und eine Parametergleichung der Ebene E.

5 Veranschaulichen Sie die Ebene E in einem Koordinatensystem.

a) $E: \vec{x} = \begin{pmatrix} 1 \\ 2 \\ 3 \end{pmatrix} + r \cdot \begin{pmatrix} -1 \\ 2 \\ 0 \end{pmatrix} + s \cdot \begin{pmatrix} 1 \\ 0 \\ 3 \end{pmatrix}$ b) $E: \vec{x} = \begin{pmatrix} 1 \\ 1 \\ 1 \end{pmatrix} + r \cdot \begin{pmatrix} 5 \\ 0 \\ 5 \end{pmatrix} + s \cdot \begin{pmatrix} 0 \\ 1 \\ 4 \end{pmatrix}$

Zeit zu überprüfen _____

6 Welche besondere Lage hat jeweils die Ebene E in Fig. 3 und Fig. 4?
Bestimmen Sie für diese Ebenen jeweils eine Koordinatengleichung.

7 Veranschaulichen Sie die Ebene E in einem Koordinatensystem.

a) $E: -2x_1 - 4x_2 + 2x_3 = -8$ b) $E: 2x_1 + x_3 = 4$ c) $E: \vec{x} = \begin{pmatrix} 1 \\ 2 \\ 3 \end{pmatrix} + r \cdot \begin{pmatrix} -1 \\ 2 \\ 0 \end{pmatrix} + s \cdot \begin{pmatrix} 1 \\ 0 \\ 3 \end{pmatrix}$

d) $O(0|0|0)$ liegt in der Ebene E und die x_2-Achse ist ein Normalenvektor der Ebene E.

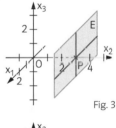

Fig. 3

8 Die Geraden $g: \vec{x} = \begin{pmatrix} 0 \\ 0 \\ 3 \end{pmatrix} + r \cdot \begin{pmatrix} 4 \\ 0 \\ -3 \end{pmatrix}$ und $h: \vec{x} = \begin{pmatrix} 0 \\ 0 \\ 3 \end{pmatrix} + r \cdot \begin{pmatrix} 0 \\ 2 \\ -3 \end{pmatrix}$ legen die Ebene E fest.
Bestimmen Sie eine Normalengleichung und eine Koordinatengleichung der Ebene E.
Veranschaulichen Sie die Lage der Ebene in einem Koordinatensystem.

Fig. 4

9 a) Gegeben ist die Ebene $E: x_1 + x_2 + x_3 = 0$. Bestimmen Sie zu E eine Normalengleichung. Zeichnen Sie einen Ausschnitt der Ebene E.
b) Welche besonderen Lagen haben Ebenen, die mit Gleichungen der Form $ax_1 + bx_2 + cx_3 = 0$ beschrieben werden können? Begründen Sie Ihre Anwort.

10 Ist die Aussage wahr? Begründen Sie Ihre Antwort.
a) Ist von der Ebene E ein Normalenvektor parallel zur x_1-Achse und von der Ebene F ein Normalenvektor parallel zur x_3-Achse, dann sind E und F zueinander orthogonal.
b) Jede Ebene hat mindestens zwei Spurgeraden.

11 Bestimmen Sie eine Gleichung einer Ebene, deren Spurpunkte
a) die Ecken eines gleichseitigen Dreiecks bilden,
b) die Ecken eines gleichschenkligen, jedoch nicht gleichseitigen Dreiecks bilden.

9 Gegenseitige Lage von Ebenen und Geraden

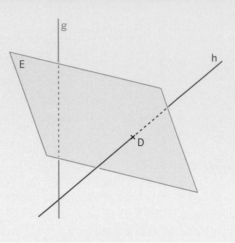

Welche Gleichung gehört zu g, h bzw. E? Begründen Sie Ihre Antwort.

(I) $4x_1 + x_2 + 3x_3 = 24$

(II) $\vec{x} = \begin{pmatrix} 4 \\ 0 \\ -4 \end{pmatrix} + s \cdot \begin{pmatrix} 2 \\ -5 \\ 0 \end{pmatrix}$

(III) $\vec{x} = \begin{pmatrix} 0 \\ 3 \\ 0 \end{pmatrix} + t \cdot \begin{pmatrix} 1 \\ -1 \\ -1 \end{pmatrix}$

Vektoris 3D
Lage Gerade Ebene

Eine Gerade g und eine Ebene E können
- einen einzigen gemeinsamen Punkt besitzen. Die Gerade g schneidet die Ebene E.
- keinen gemeinsamen Punkt besitzen. Die Gerade g ist parallel zur Ebene E.
- unendlich viele gemeinsame Punkte besitzen. Die Gerade g liegt in der Ebene E.

Die Lage und gegebenenfalls der Durchstoßpunkt von g und E können rechnerisch bestimmt werden.

Gegeben sind die Geraden g: $\vec{x} = \begin{pmatrix} 3 \\ 4 \\ 7 \end{pmatrix} + t \cdot \begin{pmatrix} 2 \\ 1 \\ -1 \end{pmatrix}$, h: $\vec{x} = \begin{pmatrix} 3 \\ 4 \\ 7 \end{pmatrix} + t \cdot \begin{pmatrix} 2 \\ -1 \\ -1 \end{pmatrix}$

und j: $\vec{x} = \begin{pmatrix} 3 \\ 8 \\ -3 \end{pmatrix} + t \cdot \begin{pmatrix} 2 \\ -1 \\ -1 \end{pmatrix}$ sowie die Ebene E: $2x_1 + 5x_2 - x_3 = 49$.

Der Gleichung der Geraden g: $\vec{x} = \begin{pmatrix} 3 \\ 4 \\ 7 \end{pmatrix} + t \cdot \begin{pmatrix} 2 \\ 1 \\ -1 \end{pmatrix}$ entspricht $\begin{aligned} x_1 &= 3 + 2t \\ x_2 &= 4 + t \\ x_3 &= 7 - t \end{aligned}$.

Setzt man dies in $2x_1 + 5x_2 - x_3 = 49$ ein, so erhält man $2(3 + 2t) + 5(4 + t) - (7 - t) = 49$.

$6 + 4t + 20 + 5t - 7 + t = 49$

$10t = 30$

Hieraus folgt: $t = 3$.

Setzt man $t = 3$ in die Geradengleichung ein, dann erhält man den Ortsvektor des Durchstoßpunktes D(9|7|4).

Die analogen Rechnungen ergeben
- für die Gerade h die Gleichung $0 \cdot t = 30$. Diese Gleichung hat keine Lösung, das heißt, die Gerade h und die Ebene E sind zueinander parallel.
- für die Gerade j die Gleichung $0 \cdot t = 0$. Diese Gleichung hat unendlich viele Lösungen, das heißt, die Gerade j liegt ganz in E.

Sind die Gerade und die Ebene in Parametergleichung gegeben, so setzt man die rechten Seiten gleich und löst dieses LGS (siehe Beispiel auf der folgenden Seite).

> Gegeben sind eine Gerade g: $\vec{x} = \begin{pmatrix} p_1 \\ p_2 \\ p_3 \end{pmatrix} + t \cdot \begin{pmatrix} u_1 \\ u_2 \\ u_3 \end{pmatrix}$ und eine Ebene E: $ax_1 + bx_2 + cx_3 = d$.
>
> Falls die Gleichung $a(p_1 + t \cdot u_1) + b(p_2 + t \cdot u_2) + c(p_3 + t \cdot u_3) = d$
> - genau eine Lösung hat, **schneiden** sich die Gerade g und die Ebene E.
> - keine Lösung hat, sind die Gerade g und die Ebene E **zueinander parallel**.
> - unendlich viele Lösungen hat, **liegt** die Gerade g **in der Ebene E**.

Beispiel Gemeinsame Punkte einer Geraden und einer Ebene bestimmen

Bestimmen Sie die gemeinsamen Punkte der Geraden g: $\vec{x} = \begin{pmatrix} 2 \\ 2 \\ 1 \end{pmatrix} + t \cdot \begin{pmatrix} 1 \\ -1 \\ 1 \end{pmatrix}$ und der

Ebene E: $\vec{x} = \begin{pmatrix} 1 \\ 1 \\ 5 \end{pmatrix} + r \cdot \begin{pmatrix} 2 \\ 0 \\ 1 \end{pmatrix} + s \cdot \begin{pmatrix} -1 \\ -1 \\ 3 \end{pmatrix}$.

▪ Lösung: *Um die gemeinsamen Punkte zu bestimmen, setzt man die rechten Seiten der Geradengleichung und der Ebenengleichung gleich. Die Anzahl der Lösungen des dazugehörenden LGS entspricht der Anzahl der gemeinsamen Punkte.*

$\begin{pmatrix} 2 \\ 2 \\ 1 \end{pmatrix} + t \cdot \begin{pmatrix} 1 \\ -1 \\ 1 \end{pmatrix} = \begin{pmatrix} 1 \\ 1 \\ 5 \end{pmatrix} + r \cdot \begin{pmatrix} 2 \\ 0 \\ 1 \end{pmatrix} + s \cdot \begin{pmatrix} -1 \\ -1 \\ 3 \end{pmatrix}$, *dies entspricht dem LGS* $\begin{array}{l} 2 + t = 1 + 2r - s \\ 2 - t = 1 \quad\quad - s \\ 1 + t = 5 + \quad r + 3s \end{array}$.

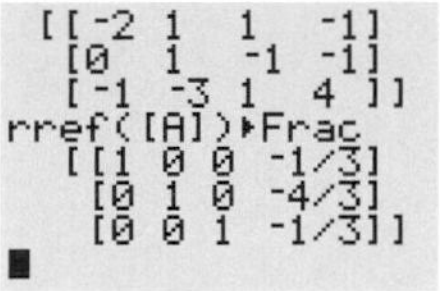

Dieses LGS hat die Lösung $t = -\frac{1}{3}$, $s = -\frac{4}{3}$, $r = -\frac{1}{3}$ (siehe Fig. 1).

Setzt man $t = -\frac{1}{3}$ in die Geradengleichung oder $r = -\frac{1}{3}$ und $s = -\frac{4}{3}$ in die Ebenengleichung ein,

so erhält man jeweils den Ortsvektor des Durchstoßpunktes $D\left(1\frac{2}{3} \,\middle|\, 2\frac{1}{3} \,\middle|\, \frac{2}{3}\right)$.

```
[[-2  1   1  -1]
 [ 0  1  -1  -1]
 [-1 -3   1   4 ]]
rref([A])▶Frac
[[1  0  0  -1/3]
 [0  1  0  -4/3]
 [0  0  1  -1/3]]
■
```

Fig. 1

Aufgaben

1 Bestimmen Sie die gemeinsamen Punkte der Geraden g: $\vec{x} = \begin{pmatrix} 4 \\ 6 \\ 2 \end{pmatrix} + t \cdot \begin{pmatrix} 1 \\ 2 \\ 3 \end{pmatrix}$ und der Ebene E.

a) E: $2x_1 + 4x_2 + 6x_3 = 16$ b) E: $5x_2 - 7x_3 = 13$ c) E: $2x_1 + 4x_2 + 6x_3 = 16$
d) E: $3x_1 - x_3 = 10$ e) E: $3x_1 - x_3 = 12$ f) E: $4x_1 - 5x_2 = 11$

2 Untersuchen Sie die Anzahl der gemeinsamen Punkte von g und E. Bestimmen Sie gegebenenfalls den Durchstoßpunkt.

a) g: $\vec{x} = \begin{pmatrix} -2 \\ 1 \\ 4 \end{pmatrix} + t \cdot \begin{pmatrix} 7 \\ 8 \\ 6 \end{pmatrix}$; E: $\vec{x} = \begin{pmatrix} 1 \\ 4 \\ 3 \end{pmatrix} + r \cdot \begin{pmatrix} 0 \\ -1 \\ 1 \end{pmatrix} + s \cdot \begin{pmatrix} 1 \\ 0 \\ 3 \end{pmatrix}$

b) g: $\vec{x} = \begin{pmatrix} 22 \\ -18 \\ -7 \end{pmatrix} + t \cdot \begin{pmatrix} 4 \\ 1 \\ -5 \end{pmatrix}$; E: $\vec{x} = \begin{pmatrix} 2 \\ 1 \\ 0 \end{pmatrix} + r \cdot \begin{pmatrix} 4 \\ -7 \\ 1 \end{pmatrix} + s \cdot \begin{pmatrix} 0 \\ 4 \\ -3 \end{pmatrix}$

c) g: $\vec{x} = t \cdot \begin{pmatrix} -1 \\ -1 \\ -1 \end{pmatrix}$; E: $\vec{x} = \begin{pmatrix} 0 \\ 0 \\ 2 \end{pmatrix} + r \cdot \begin{pmatrix} 2 \\ 0 \\ 0 \end{pmatrix} + s \cdot \begin{pmatrix} 0 \\ 2 \\ 0 \end{pmatrix}$

Zeit zu überprüfen

3 Bestimmen Sie die gegenseitige Lage der Geraden g: $\vec{x} = \begin{pmatrix} 3 \\ 4 \\ -1 \end{pmatrix} + t \cdot \begin{pmatrix} 2 \\ 4 \\ 6 \end{pmatrix}$ und der Ebene E.
Bestimmen Sie gegebenenfalls den Schnittpunkt.

a) E: $2x_1 + x_2 + 3x_3 = 0$ b) E: $x_1 + x_2 - x_3 = 7$ c) E: $x_1 + x_2 - x_3 = 8$
d) E: $2x_1 + x_2 = 1$ e) E: $x_2 - x_3 = 7$ f) E: $x_1 - x_3 = 8$

4 Bestimmen Sie die gegenseitige Lage der Geraden g: $\vec{x} = \begin{pmatrix} 4 \\ 4 \\ 4 \end{pmatrix} + t \cdot \begin{pmatrix} 1 \\ -2 \\ 1 \end{pmatrix}$ und der Ebene
E: $\vec{x} = \begin{pmatrix} 1 \\ 0 \\ 2 \end{pmatrix} + r \cdot \begin{pmatrix} -1 \\ 2 \\ -1 \end{pmatrix} + s \cdot \begin{pmatrix} 0 \\ 3 \\ -2 \end{pmatrix}$.

Die **Spurpunkte einer Geraden** sind die Schnittpunkte der Geraden mit den Koordinatenebenen.

⊚ Vektoris 3D
Gerade
Spurpunkte

5 Bestimmen Sie, falls möglich, die Spurpunkte der Geraden g (Fig. 1).

a) $g: \vec{x} = \begin{pmatrix} 2 \\ 4 \\ 1 \end{pmatrix} + t \cdot \begin{pmatrix} -2 \\ 2 \\ 1 \end{pmatrix}$
b) $g: \vec{x} = \begin{pmatrix} 2 \\ 2 \\ 2 \end{pmatrix} + t \cdot \begin{pmatrix} 1 \\ 3 \\ 0 \end{pmatrix}$

c) $g: \vec{x} = \begin{pmatrix} 2 \\ 1 \\ 7 \end{pmatrix} + t \cdot \begin{pmatrix} -1 \\ 2 \\ 1 \end{pmatrix}$
d) $g: \vec{x} = \begin{pmatrix} 7 \\ 0 \\ 7 \end{pmatrix} + t \cdot \begin{pmatrix} 1 \\ 1 \\ 1 \end{pmatrix}$

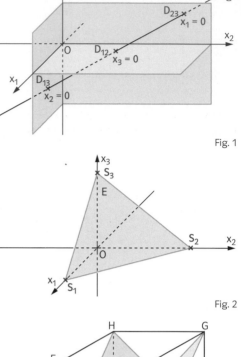

Fig. 1

6 Bestimmen Sie die Schnittpunkte der Koordinatenachsen mit der Ebene E (Fig. 2).

a) $E: \vec{x} = \begin{pmatrix} 4 \\ 6 \\ 0 \end{pmatrix} + r \cdot \begin{pmatrix} 1 \\ 1 \\ 1 \end{pmatrix} + s \cdot \begin{pmatrix} 1 \\ 0 \\ 3 \end{pmatrix}$

b) $E: \vec{x} = \begin{pmatrix} 0 \\ 5 \\ 0 \end{pmatrix} + r \cdot \begin{pmatrix} 0 \\ 10 \\ -6 \end{pmatrix} + s \cdot \begin{pmatrix} 2 \\ 0 \\ -1 \end{pmatrix}$

c) $E: -9x_1 - 7x_2 + 11x_3 = -7$
d) $E: x_1 - 2x_2 - 5x_3 = 0$

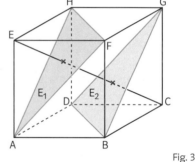

Fig. 2

7 Der Würfel in Fig. 3 hat die Eckpunkte $A(0|0|0)$, $B(0|8|0)$, $C(-8|8|0)$, $E(0|0|8)$. Die Ebene E_1 ist durch die Punkte A, F und H, die Ebene E_2 durch die Punkte B, D und G festgelegt. Bestimmen Sie die Schnittpunkte der Geraden durch C und E mit den Ebenen E_1 und E_2.

8 Geben Sie jeweils eine Gleichung einer Geraden g und einer Ebene E an,
a) die sich schneiden,
b) die zueinander parallel sind.

Fig. 3

9 Die Ebene E ist festgelegt durch die Punkte $A(1|0|0)$, $B(0|2|0)$ und $C(0|0|3)$.
a) Bestimmen Sie die Gleichung einer Geraden, die zur Ebene E parallel ist.
b) Bestimmen Sie die Gleichung einer Geraden, die E im Punkt $S(-1|2|3)$ orthogonal schneidet.

10 Sind $g: \vec{x} = \begin{pmatrix} -2 \\ 0 \\ 1 \end{pmatrix} + t \cdot \begin{pmatrix} 3 \\ 0 \\ -5 \end{pmatrix}$ bzw. $h: \vec{x} = \begin{pmatrix} 2 \\ 4 \\ 6 \end{pmatrix} + t \cdot \begin{pmatrix} 6 \\ 3 \\ 12 \end{pmatrix}$ orthogonal zur Ebene E?

a) $E: 2x_1 + x_2 + 4x_3 = 5$
b) $E: 9x_1 + 7x_3 = 1$
c) $E: 3x_2 = -10$
d) $E: 4x_1 + 2x_2 + 8x_3 = -15$
e) $E: 2x_1 - x_3 = 6$
f) $E: x_1 = 4$

11 Ist die Aussage wahr? Begründen Sie Ihre Antwort.
a) Falls das Skalarprodukt eines Normalenvektors einer Ebene mit einem Richtungsvektor einer Geraden gleich Null ist, dann sind die Ebene und die Gerade zueinander parallel.
b) Falls das Skalarprodukt eines Normalenvektors einer Ebene mit einem Richtungsvektor einer Geraden ungleich Null ist, dann schneidet die Gerade die Ebene.
c) Falls ein Normalenvektor einer Ebene zu einem Richtungsvektor einer Geraden parallel ist, dann sind die Gerade und die Ebene zueinander orthogonal.
d) Falls ein Richtungsvektor einer Geraden orthogonal zu jedem der beiden Spannvektoren einer Ebene ist, dann schneidet die Gerade die Ebene.

10 Gegenseitige Lage von Ebenen

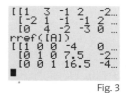

GTR-Hinweise
735301-1651

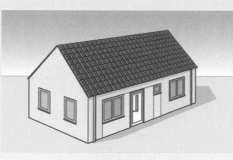

Beschreiben Sie die gegenseitigen Lagen der Ebenen, die durch die Seitenflächen festgelegt sind.

Zwei verschiedene Ebenen sind genau dann zueinander parallel, wenn ihre entsprechenden Normalenvektoren zueinander parallel sind.

Zwei verschiedene Ebenen schneiden sich genau dann, wenn ihre entsprechenden Normalenvektoren nicht zueinander parallel sind.

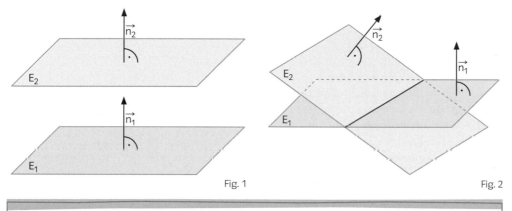

Fig. 1

Fig. 2

⑨ Vektoris 3D
Lage von Ebenen

> Zwei verschiedene Ebenen sind entweder **zueinander parallel** oder sie haben eine **gemeinsame Schnittgerade**.

Beispiel 1   Lage zweier Ebenen, zwei Parametergleichungen

Schneiden sich die Ebenen E_1: $\vec{x} = \begin{pmatrix} 1 \\ 3 \\ 2 \end{pmatrix} + r \cdot \begin{pmatrix} 1 \\ -2 \\ 0 \end{pmatrix} + s \cdot \begin{pmatrix} 3 \\ 1 \\ 4 \end{pmatrix}$ und E_2: $\vec{x} = \begin{pmatrix} -1 \\ 5 \\ 2 \end{pmatrix} + u \cdot \begin{pmatrix} 1 \\ 1 \\ 2 \end{pmatrix} + v \cdot \begin{pmatrix} -2 \\ 1 \\ 3 \end{pmatrix}$?

Bestimmen Sie gegebenenfalls eine Gleichung der Schnittgeraden.

■ Lösung: *Um die gegenseitige Lage zu bestimmen, kann man die rechten Seiten der Gleichungen gleichsetzen.*

Der Gleichung $\begin{pmatrix} 1 \\ 3 \\ 2 \end{pmatrix} + r \cdot \begin{pmatrix} 1 \\ -2 \\ 0 \end{pmatrix} + s \cdot \begin{pmatrix} 3 \\ 1 \\ 4 \end{pmatrix} = \begin{pmatrix} -1 \\ 5 \\ 2 \end{pmatrix} + u \cdot \begin{pmatrix} 1 \\ 1 \\ 2 \end{pmatrix} + v \cdot \begin{pmatrix} -2 \\ 1 \\ 3 \end{pmatrix}$

entspricht das LGS mit drei Gleichungen und vier Variablen:

$$
\begin{array}{ll}
1 + r + 3s = -1 + u - 2v & r + 3s - u + 2v = -2 \\
3 - 2r + s = 5 + u + v \quad \text{bzw.} & -2r + s - u - v = 2 \; . \\
2 \qquad + 4s = 2 + 2u + 3v & 4s - 2u - 3v = 0
\end{array}
$$

$$
\begin{array}{l}
r - \quad 4v = 0 \\
\text{Mithilfe des Gauß-Verfahrens erhält man} \quad s + \;\; 7{,}5v = -2 \quad \text{(vgl. Fig. 3).} \\
u + 16{,}5v = -4
\end{array}
$$

Damit hat das LGS unendlich viele Lösungen. Das heißt, die Ebenen schneiden sich.

```
[[1   3  -1  2  -2...
 [-2  1  -1  -1  2...
 [0   4  -2  -3  0...
rref([A])
[[1  0  0  -4    0...
 [0  1  0  7.5  -2...
 [0  0  1  16.5 -4...
■
```

Fig. 3

Aus $u + 16{,}5v = -4$ folgt $u = -4 - 16{,}5v$.

Setzt man dies in die Gleichung von E_2 ein, so erhält man eine Gleichung der Schnittgeraden:

$$g: \vec{x} = \begin{pmatrix} -5 \\ 1 \\ -6 \end{pmatrix} + v \cdot \begin{pmatrix} -18{,}5 \\ -15{,}5 \\ -30 \end{pmatrix} \text{ bzw. mit } v = -2t \text{ die Gleichung } g: \vec{x} = \begin{pmatrix} -5 \\ 1 \\ -6 \end{pmatrix} + t \cdot \begin{pmatrix} 37 \\ 31 \\ 60 \end{pmatrix}.$$

Beispiel 2   Lage zweier Ebenen, zwei Parametergleichungen

Schneiden sich die Ebenen $E_1: \vec{x} = \begin{pmatrix} 1 \\ 1 \\ 1 \end{pmatrix} + r \cdot \begin{pmatrix} 1 \\ 0 \\ 0 \end{pmatrix} + s \cdot \begin{pmatrix} 0 \\ 1 \\ 0 \end{pmatrix}$ und $E_2: \vec{x} = \begin{pmatrix} -1 \\ -2 \\ 3 \end{pmatrix} + u \cdot \begin{pmatrix} 2 \\ 1 \\ 0 \end{pmatrix} + v \cdot \begin{pmatrix} 1 \\ 2 \\ 0 \end{pmatrix}$?

Bestimmen Sie gegebenenfalls eine Gleichung der Schnittgeraden.

■ Lösung: *Erste Möglichkeit:*

Man erkennt an den Spannvektoren, dass E_1 und E_2 parallel zur $x_1 x_2$-Ebene sind.

E_1 und E_2 sind zueinander parallel.

Zweite Möglichkeit:

Aus der Gleichung $\begin{pmatrix} 1 \\ 1 \\ 1 \end{pmatrix} + r \cdot \begin{pmatrix} 1 \\ 0 \\ 0 \end{pmatrix} + s \cdot \begin{pmatrix} 0 \\ 1 \\ 0 \end{pmatrix} = \begin{pmatrix} -1 \\ -2 \\ 3 \end{pmatrix} + u \cdot \begin{pmatrix} 2 \\ 1 \\ 0 \end{pmatrix} + v \cdot \begin{pmatrix} 1 \\ 2 \\ 0 \end{pmatrix}$ erhält man das LGS

$\begin{aligned} r - \quad 2u - \quad v &= -2 \\ s - \quad u - 2v &= -3 \\ 0 &= \quad 2 \end{aligned}$. Das LGS hat keine Lösung. Das heißt, E_1 und E_2 sind zueinander parallel.

Beispiel 3   Lage zweier Ebenen, zwei Koordinatengleichungen

Schneiden sich die Ebenen $E_1: 3x_1 - 4x_2 + x_3 = 1$ und $E_2: 5x_1 + 2x_2 - 3x_3 = 6$?

Bestimmen Sie gegebenenfalls eine Gleichung der Schnittgeraden.

■ Lösung: *Man fasst die beiden Ebenengleichungen als ein LGS auf. Die Lösungen für x_1, x_2, x_3 beschreiben die Schnittgerade.*

Das LGS $\begin{aligned} 3x_1 - 4x_2 + \quad x_3 &= 1 \\ 5x_1 + 2x_2 - 3x_3 &= 6 \end{aligned}$ ist äquivalent zu $\begin{aligned} 13x_1 \quad\quad - 5x_3 &= 13 \\ 5x_1 + 2x_2 - 3x_3 &= \ 6 \end{aligned}$.

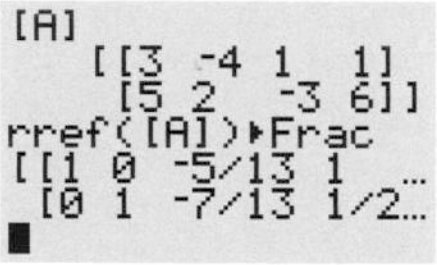

Fig. 1

Setzt man in die erste Gleichung $13x_1 - 5x_3 = 13$ für $x_3 = t$ ein, so erhält man $x_1 = 1 + \frac{5}{13}t$.

Setzt man $x_3 = t$ und $x_1 = 1 + \frac{5}{13}t$ in die zweite Gleichung $5x_1 + 2x_2 - 3x_3 = 6$ ein, so erhält man $x_2 = \frac{1}{2} + \frac{7}{13}t$ (s. Fig. 1).

Insgesamt gilt:

$$\begin{pmatrix} x_1 \\ x_2 \\ x_3 \end{pmatrix} = \begin{pmatrix} 1 + \frac{5}{13}t \\ \frac{1}{2} + \frac{7}{13}t \\ t \end{pmatrix}. \text{ Damit hat die Schnittgerade die Gleichung } g: \vec{x} = \begin{pmatrix} 1 \\ \frac{1}{2} \\ 0 \end{pmatrix} + t \cdot \begin{pmatrix} \frac{5}{13} \\ \frac{7}{13} \\ 1 \end{pmatrix}.$$

◎ **CAS**
Schnittmenge
Ebene

Beispiel 4   Lage zweier Ebenen, eine Koordinatengleichung und eine Parametergleichung

Schneiden sich die Ebenen $E_1: x_1 - x_2 + 3x_3 = 12$ und $E_2: \vec{x} = \begin{pmatrix} 8 \\ 0 \\ 2 \end{pmatrix} + r \cdot \begin{pmatrix} -4 \\ 1 \\ 1 \end{pmatrix} + s \cdot \begin{pmatrix} 5 \\ 0 \\ -1 \end{pmatrix}$?

Bestimmen Sie gegebenenfalls eine Gleichung der Schnittgeraden.

■ Lösung: Der Parametergleichung von E_2 entsprechen die Gleichungen:

$x_1 = 8 - 4r + 5s$, $x_2 = r$ und $x_3 = 2 + r - s$.

Eingesetzt in $x_1 - x_2 + 3x_3 = 12$ ergibt: $(8 - 4r + 5s) - r + 3(2 + r - s) = 12$.

Hieraus folgt: $s = r - 1$.

Ersetzt man in der Gleichung von E_2 den Parameter s durch $r - 1$,

so erhält man die Gleichung der Schnittgeraden: $g: \vec{x} = \begin{pmatrix} 3 \\ 0 \\ 3 \end{pmatrix} + r \cdot \begin{pmatrix} 1 \\ 1 \\ 0 \end{pmatrix}$.

Aufgaben

1 Bestimmen Sie die Schnittgeraden der Ebenen E_1 und E_2.

a) $E_1: \vec{x} = \begin{pmatrix} 1 \\ 0 \\ 3 \end{pmatrix} + r \cdot \begin{pmatrix} 1 \\ 0 \\ 0 \end{pmatrix} + s \cdot \begin{pmatrix} 1 \\ 1 \\ 0 \end{pmatrix}$; $E_2: \vec{x} = \begin{pmatrix} 2 \\ 3 \\ 2 \end{pmatrix} + r \cdot \begin{pmatrix} 0 \\ 1 \\ 1 \end{pmatrix} + s \cdot \begin{pmatrix} 2 \\ 0 \\ 1 \end{pmatrix}$

b) $E_1: \vec{x} = r \cdot \begin{pmatrix} 1 \\ 2 \\ 3 \end{pmatrix} + s \cdot \begin{pmatrix} -1 \\ 1 \\ 0 \end{pmatrix}$; $E_2: \vec{x} = r \cdot \begin{pmatrix} 2 \\ 0 \\ 7 \end{pmatrix} + s \cdot \begin{pmatrix} 1 \\ -1 \\ 1 \end{pmatrix}$

c) $E_1: \vec{x} = \begin{pmatrix} 1 \\ 7 \\ 3 \end{pmatrix} + r \cdot \begin{pmatrix} 1 \\ -1 \\ 2 \end{pmatrix} + s \cdot \begin{pmatrix} 2 \\ -5 \\ 8 \end{pmatrix}$; $E_2: \vec{x} = \begin{pmatrix} 3 \\ 5 \\ 7 \end{pmatrix} + r \cdot \begin{pmatrix} 2 \\ 3 \\ 0 \end{pmatrix} + s \cdot \begin{pmatrix} 1 \\ 1 \\ 2 \end{pmatrix}$

d) $E_1: x_1 - x_2 + 2x_3 = 7$; $E_2: 6x_1 + x_2 - x_3 = -7$

e) $E_1: 3x_1 + 2x_2 - 2x_3 = -1$; $E_2: x_1 - 4x_2 - 2x_3 = 9$

f) $E_1: x_1 + 5x_3 = 8$; $E_2: x_1 + x_2 + x_3 = 1$

g) $E_1: 4x_2 = 5$; $E_2: 6x_1 + 5x_3 = 0$

2 Bestimmen Sie die Schnittgerade der Ebene E mit der Ebene $E_1: \vec{x} = \begin{pmatrix} 3 \\ 1 \\ 5 \end{pmatrix} + r \cdot \begin{pmatrix} 2 \\ -1 \\ 0 \end{pmatrix} + s \cdot \begin{pmatrix} -1 \\ 0 \\ 3 \end{pmatrix}$.

a) $E: 2x_1 - x_2 - x_3 = 1$

b) $E: 5x_1 + 2x_2 + x_3 = -6$

c) $E: 4x_2 + 5x_3 = 20$

d) $E: \left[\vec{x} - \begin{pmatrix} 0 \\ 0 \\ 2 \end{pmatrix} \right] \cdot \begin{pmatrix} 3 \\ -1 \\ -5 \end{pmatrix} = 0$

e) $E: \left[\vec{x} - \begin{pmatrix} 0 \\ 1 \\ -2 \end{pmatrix} \right] \cdot \begin{pmatrix} 2 \\ 5 \\ 1 \end{pmatrix} = 0$

f) $E: \left[\vec{x} - \begin{pmatrix} 2 \\ 3 \\ 1 \end{pmatrix} \right] \cdot \begin{pmatrix} 3 \\ 9 \\ 6 \end{pmatrix} = 0$

3 Schneiden sich die Ebenen E_1 und E_2? Bestimmen Sie gegebenenfalls die Schnittgerade.

a) $E_1: \vec{x} = \begin{pmatrix} 2 \\ 5 \\ 3 \end{pmatrix} + r \cdot \begin{pmatrix} 1 \\ 0 \\ 1 \end{pmatrix} + s \cdot \begin{pmatrix} 0 \\ 1 \\ 0 \end{pmatrix}$; $E_2: \vec{x} = \begin{pmatrix} 4 \\ 0 \\ 0 \end{pmatrix} + r \cdot \begin{pmatrix} 1 \\ 1 \\ 1 \end{pmatrix} + s \cdot \begin{pmatrix} 1 \\ 3 \\ 1 \end{pmatrix}$

b) $E_1: \vec{x} = \begin{pmatrix} -1 \\ 0 \\ 0 \end{pmatrix} + r \cdot \begin{pmatrix} 1 \\ 3 \\ 1 \end{pmatrix} + s \cdot \begin{pmatrix} 0 \\ 2 \\ 1 \end{pmatrix}$; $E_2: \vec{x} = \begin{pmatrix} 1 \\ 4 \\ 1 \end{pmatrix} + r \cdot \begin{pmatrix} 1 \\ 1 \\ 0 \end{pmatrix} + s \cdot \begin{pmatrix} 2 \\ 8 \\ 3 \end{pmatrix}$

Kommen in zwei Parametergleichungen die gleichen Bezeichnungen für die Parameter vor, so muss man in einer Gleichung die Parameter umbenennen.

Zeit zu überprüfen

4 Bestimmen Sie die Lage der beiden Ebenen und bestimmen Sie gegebenenfalls eine Gleichung der Schnittgeraden.

a) $E_1: \vec{x} = \begin{pmatrix} 8 \\ 0 \\ 2 \end{pmatrix} + r \cdot \begin{pmatrix} -4 \\ 1 \\ 1 \end{pmatrix} + s \cdot \begin{pmatrix} 5 \\ 0 \\ -1 \end{pmatrix}$; $E_2: \vec{x} = \begin{pmatrix} 1 \\ 0 \\ 1 \end{pmatrix} + r \cdot \begin{pmatrix} -3 \\ 0 \\ 1 \end{pmatrix} + s \cdot \begin{pmatrix} 1 \\ 4 \\ 1 \end{pmatrix}$

b) $E_1: \vec{x} = \begin{pmatrix} 8 \\ 0 \\ 2 \end{pmatrix} + r \cdot \begin{pmatrix} -4 \\ 1 \\ 1 \end{pmatrix} + s \cdot \begin{pmatrix} 5 \\ 0 \\ -1 \end{pmatrix}$; $E_2: x_1 - x_2 + 5x_3 = 6$

c) $E_1: 3x_1 + 2x_2 + 5x_3 = 6$; $E_2: 3x_1 - 2x_2 + 4x_3 = 10$

5 Geben Sie die Gleichungen zweier sich schneidenden Ebenen E_1 und E_2 an, deren Schnittgerade die Gerade g ist.

a) $g: \vec{x} = \begin{pmatrix} 1 \\ 0 \\ 1 \end{pmatrix} + t \cdot \begin{pmatrix} 0 \\ 1 \\ 0 \end{pmatrix}$

b) $g: \vec{x} = \begin{pmatrix} 1 \\ 2 \\ 3 \end{pmatrix} + t \cdot \begin{pmatrix} 3 \\ 2 \\ 1 \end{pmatrix}$

c) $g: \vec{x} = \begin{pmatrix} -2 \\ 7 \\ -12 \end{pmatrix} + t \cdot \begin{pmatrix} 5 \\ -4 \\ 5 \end{pmatrix}$

d) $g: \vec{x} = t \cdot \begin{pmatrix} 0 \\ 0 \\ 1 \end{pmatrix}$

e) $g: \vec{x} = t \cdot \begin{pmatrix} 3 \\ 2 \\ 1 \end{pmatrix}$

f) $g: \vec{x} = t \cdot \begin{pmatrix} a \\ -a \\ 0 \end{pmatrix}$
mit $a \in \mathbb{R}$, $a \neq 0$

6 ⚇ a) Bestimmen Sie für zwei zueinander parallele Ebenen E_1 und E_2 entsprechende Gleichungen. Die Ebenen sollen ausschnittweise leicht zu zeichnen sein.
Kann Ihr Tischnachbar aufgrund Ihrer Gleichungen diese Ebenen zeichnen?
b) Bestimmen Sie für zwei sich schneidende Ebenen E_1 und E_2 entsprechende Gleichungen.
Die Ebenen sollen ausschnittweise leicht zu zeichnen sein. Kann Ihr Tischnachbar aufgrund Ihrer Gleichungen diese Ebenen und ihre Schnittgerade zeichnen?

7 a) Bestimmen Sie die Schnittgerade der beiden Ebenen E_1 und E_2 in Fig. 1.
b) Fig. 2 zeigt einen Würfel mit zwei abgeschnittenen Ecken. Die Schnittflächen legen zwei Ebenen fest. Bestimmen Sie die Schnittgerade dieser beiden Ebenen.
c) Zeigen Sie, dass in Fig. 3 die Punkte A, B, E, F und C, D, G, H jeweils in einer Ebene liegen, und bestimmen Sie die Schnittgeraden dieser Ebenen.
d) Bestimmen Sie die Schnittgeraden der Ebenen, die in Fig. 3 durch die Punkte A, F, H und B, E, G festgelegt werden.

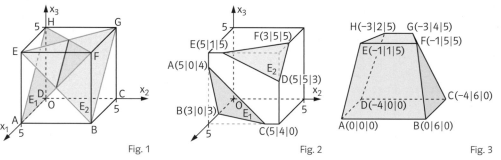

Fig. 1   Fig. 2   Fig. 3

8 Wie kann man an den Koordinatengleichungen zweier Ebenen erkennen, ob diese Ebenen zueinander orthogonal sind?

ⓥ **Vektoris 3D**
Lage von 3 Ebenen

9 Geben Sie für jeden der Fälle in Fig. 4 Gleichungen von drei entsprechenden Ebenen an.

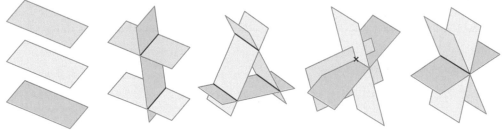

Fig. 4

ⓥ **Vektoris 3D**
Ebene und LGS

10 Untersuchen Sie die Lage der drei Ebenen E_1, E_2 und E_3. Bestimmen Sie die gemeinsamen Punkte der drei Ebenen.

a) $E_1: -x_1 + 3x_2 + 2x_3 = 7$
$E_2: 3x_1 - 2x_2 + 4x_3 = -17$
$E_3: 2x_1 + x_2 - 4x_3 = 0$

b) $E_1: 2x_1 - 3x_2 + x_3 = 1$
$E_2: -4x_1 + 3x_2 - x_3 = 7$
$E_3: -3x_1 + x_3 = 9$

c) $E_1: 4x_1 + 9x_2 = 1$
$E_2: -8x_1 - 2x_3 = 2$
$E_3: -3x_2 - 2x_3 = -5$

11 Kai behauptet: „Eine Gleichung wie $y = 2x + 1$ legt eine Gerade in einem ebenen Koordinatensystem mit einer x-Achse und einer y-Achse fest. Bezeichnet man die x-Achse als x_1-Achse und die y-Achse als x_2-Achse, dann lautet diese Gleichung $x_2 = 2x_1 + 1$ bzw. $2x_1 - x_2 = -1$.
Dies kann man als Koordinatengleichung einer Geraden in der x_1x_2-Ebene auffassen. Ebenso muss man doch auch eine Koordinatengleichung für eine Gerade im Raum aufstellen können."
Johanna antwortet nach kurzer Überlegung: „Für eine Gerade im Raum benötigt man zwei Koordinatengleichungen, denn …" Wer hat recht? Begründen Sie Ihre Antwort.

Wiederholen – Vertiefen – Vernetzen

1 Die Punkte A$(1|2|3)$ und B$(-2|-1|-3)$ liegen auf der Geraden g.
a) Bestimmen Sie die Koordinaten des Mittelpunktes M der Strecke $\overline{AB}$.
b) Geben Sie die Koordinaten eines Punktes P an, der nicht auf der Geraden g liegt und von A den Abstand 2 hat.

2 Eine Spinne hat einen Faden zwischen dem Waldboden und dem Baumstamm gespannt (Fig. 1).
a) Wählen Sie ein geeignetes Koordinatensystem und bestimmen Sie die Gleichung der Geraden, die durch den Spinnfaden festgelegt ist.
b) Die Spinne bewegt sich gleichmäßig auf dem Faden. Sie kommt in einer Sekunde 2 cm weit. Die Gleichung der Geraden soll so gestaltet werden, dass Folgendes möglich ist: Setzt man für t die Anzahl der Sekunden ein, die die Spinne unterwegs ist, so erhält man den Ortsvektor des Punktes, den die Spinne nach dieser Zeit erreicht.

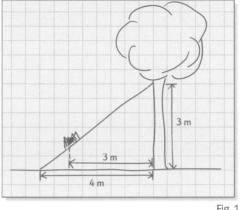

Fig. 1

Wie gut sind Ihre Kenntnisse aus der Mittelstufe? Teilaufgabe 2c) lässt sich auch ohne Vektorrechnung lösen. Probieren Sie es.

c) Wo befindet sich die Spinne zwei Minuten nach der in Fig. 1 gezeigten Situation? Wie hoch ist dann die Spinne über dem Waldboden?

3 Gegeben ist die Ebene E mit der Parametergleichung $\vec{x} = r \cdot \begin{pmatrix} 0 \\ 0 \\ 9 \end{pmatrix} + s \cdot \begin{pmatrix} 0 \\ -7 \\ 0 \end{pmatrix}$.

a) Beschreiben Sie die Lage der Ebene E im Koordinatensystem.
b) Geben Sie Gleichungen zweier verschiedener Ebenen an, die zur Ebene E parallel sind.
c) Geben Sie eine Gleichung der Ebene E an, bei der der Stützvektor nicht der Nullvektor ist.
d) Geben Sie eine Parametergleichung der Ebene E an, bei der die Spannvektoren nicht parallel zu den Vektoren $\begin{pmatrix} 0 \\ 0 \\ 1 \end{pmatrix}$ und $\begin{pmatrix} 0 \\ 1 \\ 0 \end{pmatrix}$ sind.

4 Die Gleichungen geben jeweils eine Gerade der Zeichenebene an. Bestimmen Sie jeweils einen Richtungsvektor der Geraden und entscheiden Sie, ob die Geraden sich schneiden. Bestimmen Sie gegebenenfalls die Koordinaten des jeweiligen Schnittpunktes.
a) g: $3x_1 - 4x_2 + 25 = 0$ b) g: $4x_2 = 3x_1 - 14$ c) g: $0,2x_1 - 0,5x_2 = 1$ d) g: $\sqrt{2}x_1 - x_2 = 1$
   h: $4x_2 = 3x_1 - 10$ h: $x_1 - x_2 - 7 = 0$ h: $0,5x_1 - 1,25x_2 = 2,5$ h: $2x_1 - \sqrt{2}x_2 = 1$

5 Betrachtet wird die Gleichung $3x_2 + 4x_3 = 5$.
a) Geben Sie eine Begründung für die Behauptung: „Dies ist eine Gleichung einer Geraden."
b) Geben Sie eine Begründung für die Behauptung: „Dies ist eine Gleichung einer Ebene."
c) Wie hängen die in Teilaufgabe a) angesprochene Gerade und die in Teilaufgabe b) angesprochene Ebene zusammen?

6 Gegeben ist die Ebene E: $4x_1 + x_2 = 8$ (E: $2x_1 - 3x_3 = 6$).
a) Wie kann man an der Ebenengleichung erkennen, dass eine Koordinatenachse parallel zu dieser Ebene ist?
b) Zeichnen Sie einen Ebenenausschnitt.

7 Gegeben ist die Ebene $E: 3x_1 + 4x_2 + 6x_3 = 0$.

a) Begründen Sie: Die Spurgeraden gehen alle durch den Ursprung.

b) Zeichnen Sie die Spurgeraden. Geben Sie mithilfe von Parallelen zu den Spurgeraden einen Ebenenausschnitt an.

c) Geben Sie eine Gleichung einer Ebene F an, die zur Ebene E parallel ist, und bestimmen Sie die Spurgeraden der Ebene F.

8 Zeichnen Sie die Ebenen E_1 und E_2 und ihre Schnittgerade in ein Koordinatensystem wie in Fig. 1.

a) $E_1: x_1 + x_2 + x_3 = 4$; $E_2: 15x_1 + 10x_2 + 6x_3 = 30$ b) $E_1: 3x_1 + 2x_2 + x_3 = 6$; $E_2: x_1 + x_2 + 2x_3 = 4$

c) $E_1: 3x_1 + 4x_2 + 6x_3 = 12$; $E_2: 2x_1 + 5x_2 = 10$ d) $E_1: 3x_1 + 5x_3 = 15$; $E_2: x_1 + x_2 + x_3 = 4$

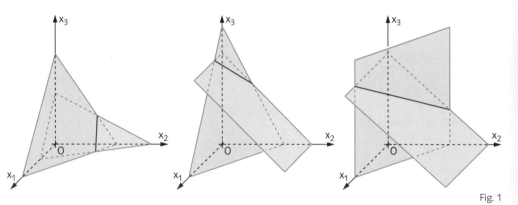

Fig. 1

⊚ **Vektoris 3D**
Lage Gerade Ebene
(Parameter)

Geraden und Ebenen mit Parameter

9 Bestimmen Sie a, b, c für $g: \vec{x} = \begin{pmatrix} a \\ 2 \\ -1 \end{pmatrix} + t \cdot \begin{pmatrix} 1 \\ b \\ 1 \end{pmatrix}$ und $E: \vec{x} = \begin{pmatrix} 2 \\ 2 \\ 2 \end{pmatrix} + r \cdot \begin{pmatrix} 1 \\ 1 \\ 0 \end{pmatrix} + s \cdot \begin{pmatrix} 1 \\ 2 \\ c \end{pmatrix}$ so, dass

a) die Gerade g parallel zur Ebene E ist, aber nicht in E liegt,

b) die Gerade g in der Ebene E liegt,

c) die Gerade g die Ebene E schneidet.

10 Gegeben sind die Geraden

$$g_a: \vec{x} = \begin{pmatrix} 2 \\ 7 \\ 3 \end{pmatrix} + t \cdot \begin{pmatrix} 4 + 2a \\ -1 + 5a \\ 1 + 3a \end{pmatrix} \text{ mit } a \in \mathbb{R}$$

und die Ebene E, die durch die Punkte P(1|0|2), Q(2|0|3) und R(0|2|2) festgelegt wird.

Die Schnittpunkte S_a dieser Geraden mit der Ebene E bilden eine Gerade h (Fig. 2).

a) Bestimmen Sie eine Gleichung der Geraden h.

b) Für welche a schneidet die Gerade g_a die Ebene E nicht?

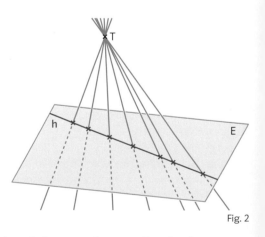

Fig. 2

11 Gegeben sind drei Punkte A, B und C, die nicht auf einer gemeinsamen Geraden liegen. Bestimmen Sie mithilfe einer Zeichnung, welche Punkte der Ebene $E: \vec{x} = \overrightarrow{OA} + r \cdot \overrightarrow{AB} + s \cdot \overrightarrow{AC}$ festgelegt sind durch

a) $r + s = 1$,   b) $r - s = 0$,   c) $0 \le r \le 1$,   d) $0 \le r \le 1$ und
                                                                                $0 \le s \le 1$.

Wiederholen – Vertiefen – Vernetzen

Geraden und Ebenen in Körpern

12 Fig. 1 zeigt einen Pyramidenstumpf mit quadratischer Grundfläche.

a) Die Gerade durch die Punkte B und H schneidet das Trapez CDEF im Punkt S. Berechnen Sie die Koordinaten von S.

b) Die Punkte F und G legen eine Gerade fest. Die Parallele zu dieser Geraden durch den Punkt S schneidet die Trapeze ABFE und CDHG in den Punkten S_1 und S_2. Berechnen Sie die Koordinaten von S_1 und S_2.

c) Liegt der Punkt S auf der Geraden durch die Punkte E und C?

d) Liegen die Punkte S_1 und S_2 in der Ebene, die durch die Punkte C, E und H festgelegt ist?

13 Zeichnen Sie die quadratische Pyramide aus Fig. 2. Kennzeichnen Sie die Schnittfläche dieser Pyramide und der Ebene E.

a) E: $2x_1 - 3x_2 + x_3 = 3$ b) E: $-x_1 + 2x_2 + 3x_3 = 12$ c) E: $x_1 + 2x_2 = 2$

d) E ist festgelegt durch die Punkte P(0|0|4), Q(1|1|6) und R(1|3|4).

e) E ist festgelegt durch die Punkte P(1|2|3), Q(0|6|3) und R(−1|4|0).

® **Vektoris 3D**
Schnitt Pyramide
Ebene

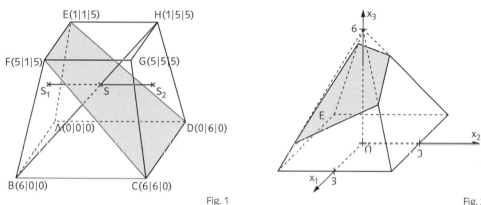

Fig. 1

Fig. 2

14 a) Zeichnen Sie einen Würfel ABCDEFGH wie in Fig. 3. Tragen Sie in diesen Würfel die Dreiecke ACF, BDE und AFH ein.

b) Kennzeichnen Sie die Strecken, in denen sich die Dreiecke schneiden, und bestimmen Sie jeweils eine Gleichung derjenigen Geraden, auf denen die Schnittstrecken liegen.

c) Der Würfel ist durchsichtig. Die Dreiecke sind nicht durchsichtig. Schraffieren Sie die sichtbaren Teile.

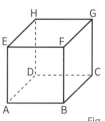

Fig. 3

15 Fig. 4 zeigt die Front eines Schrebergartenhauses. Das Haus hat eine Tiefe von 5 m.

a) Legen Sie Punkte des Hauses in einem Koordinatensystem fest und zeichnen Sie die Front von Fig. 4 in ein Koordinatensystem.

b) Bestimmen Sie das Gesamtvolumen des Hauses.

c) Man kann das Dach des Hauses bis auf den Boden verlängern, um zum Beispiel Stauraum für Kaminholz zu erhalten.
Wie groß ist das Volumen dieses Stauraumes?

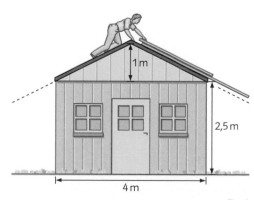

Fig. 4

16 Die Punkte $A(1|3|9)$ und $B(1|7|12)$ sind die Endpunkte der Strecke $\overline{AB}$.
Im Punkt $P(2|4|15)$ befindet sich eine punktförmige Lichtquelle, die einen Schatten der Strecke $\overline{AB}$ auf die Ebene $E: x_1 + 3x_2 - 4x_3 + 6 = 0$ wirft.
a) Verdeutlichen Sie die Situation durch eine Skizze.
b) Berechnen Sie die Länge des Schattens der Strecke $\overline{AB}$.

17 Gegeben sind die Geraden g und h mit den Gleichungen

$$g: \vec{x} = \begin{pmatrix} 1 \\ a \\ 2 \end{pmatrix} + r \cdot \begin{pmatrix} b \\ 3 \\ 4 \end{pmatrix} \quad \text{und} \quad h: \vec{x} = \begin{pmatrix} c \\ 0 \\ 3 \end{pmatrix} + r \cdot \begin{pmatrix} 3 \\ 1 \\ d \end{pmatrix}.$$

Überprüfen Sie, ob es für die Variablen a, b und c Zahlen gibt, sodass
a) die Geraden g und h identisch sind,
b) die Geraden g und h zueinander parallel sind,
c) die Geraden g und h sich schneiden,
d) die Geraden g und h zueinander windschief sind.

○ Vektoris 3D
Schnitt Würfel
Ebene

18 In Fig. 1 ist im Schrägbild eines Würfels der Kantenlänge 4 die Schnittfläche mit der Ebene $E: x_1 + x_2 + x_3 = 5$ eingezeichnet. Zeichnen Sie im Schrägbild eines Würfels der Kantenlänge 4 die Schnittflächen mit der Ebene $E: x_1 + x_2 + x_3 = d$ für $d = 2, 4, 6, 8, 10$ ein.

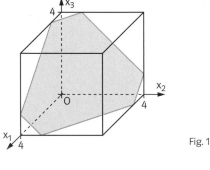

Fig. 1

19 Betrachtet wird der Quader in Fig. 2. Zeichnen Sie einen solchen Quader in Ihr Heft. Der Quader wird von der Ebene E geschnitten. Bestimmen Sie die Koordinaten der Schnittpunkte des Quaders mit der Ebene E. Kennzeichnen Sie den Ebenenausschnitt, der in dem Quader liegt.
a) $E: x_1 + x_2 + x_3 = 6$
b) $E: 3x_1 + 2x_2 + x_3 = 9$
c) $E: 4x_1 + 3x_2 = 8$

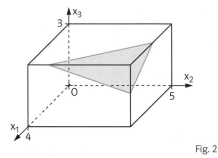

Fig. 2

Zeit zu wiederholen

20 Bestimmen Sie jeweils den Flächeninhalt der grünen Fläche.

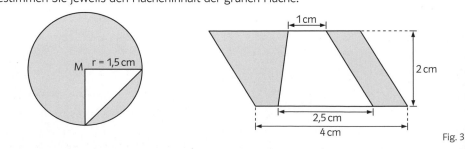

Fig. 3

21 Für welche geometrischen Figuren wird der Flächeninhalt so berechnet:
a) Grundlinie mal Höhe,
b) $\frac{1}{2}$ mal Grundlinie mal Höhe?

Exkursion

René Descartes – Die Geometrie wird berechenbar

Mit Vektoren werden geometrische Probleme rechnerisch statt zeichnerisch gelöst.
Man kann hierbei so vorgehen:

Vor nicht ganz 400 Jahren stellte dieses Vorgehen aktuelle mathematische Forschung dar.
Wesentliche Forschungsergebnisse hierzu verdanken wir einem sehr gut ausgebildeten, intelligenten jungen Adligen. Er hieß René Descartes. René Descartes beschäftigte sich unter anderem mit Philosophie und Mathematik und speziell mit geometrischen Problemen. Seine neue mathematische Idee bestand darin, geometrische Probleme und ihre Lösungen ausschließlich mit Zahlen zu beschreiben. Hierzu entwickelte er eine Art Vorläufer unserer Koordinatensysteme.

Dieses Koordinatensystem bestand aus einer Halbgeraden und Strecken mit gleicher Richtung. Fig. 1 verdeutlicht, wie Descartes somit Punkte durch Zahlenpaare beschreiben konnte.

Die Strecken gleicher Richtung nannte er auf Französisch „appliquées par ordre" und auf Latein „omnes ordiam applicante".
Man kann dies mit „alle der Reihe nach hinzugefügt" übersetzen. Hieraus entstand die Bezeichnung Ordinate für den sogenannten y-Wert bzw. x_2-Wert. Später wurde zusätzlich der Begriff „Koordinate" (lat. die Zugeordnete) eingeführt.
Die lateinische Übersetzung des Namens Descartes lautet Cartesius. Hieraus leitet sich die Bezeichnung kartesisches Koordinatensystem ab.

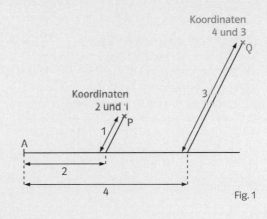

Fig. 1

Joseph Louis Lagrange, ein bedeutender Mathematiker des 18. Jahrhunderts, schrieb über Descartes:

> „Algebra und Geometrie machten, solange sie getrennt blieben, geringe Fortschritte, und ihre Anwendungen waren beschränkt; jedoch seit die Trennung dieser beiden Disziplinen aufgehört hat, sind sie durch gegenseitige Unterstützung mit Riesenschritten ihrer Vollendung entgegengeeilt.
> Die Anwendung der Algebra auf die Geometrie verdankt man Descartes, und sie hat die größten Entdeckungen in allen Teilen der Mathematik hervorgerufen."

Vektorielle Beschreibung von Bewegungen

Man kann Bewegungen mithilfe von Vektoren beschreiben. Maximal drei Koordinaten eines solchen Vektors geben den jeweiligen Ort eines Gegenstandes an und eine vierte Koordinate gibt den jeweiligen Zeitpunkt an, zu dem sich dieser Gegenstand an dem entsprechenden Ort befindet.

Bewegungen in eine Richtung

Der Löwe in Fig. 1 läuft mit konstanter Geschwindigkeit geradeaus. Die grafische Darstellung ist so gewählt, dass seine Bewegung in Richtung der x_1-Achse verläuft. Auf der zweiten Koordinatenachse sind die Zeitpunkte der Bewegung abgetragen. Die Koordinaten der Punkte der roten Linie geben jeden Ort an, den der Löwe erreicht, und den dazugehörenden Zeitpunkt. Diese Linie heißt Weltlinie (des Löwen). Die Ortsvektoren dieser Punkte haben zwei Koordinaten $\vec{x} = \begin{pmatrix} a \text{ (in m)} \\ a \text{ (in s)} \end{pmatrix}$ mit $a \in \mathbb{R}$.

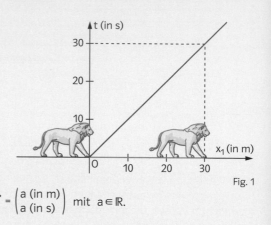

Fig. 1

1 Woran erkennt man an der Weltlinie in Fig. 1, dass der Löwe sich mit konstanter Geschwindigkeit bewegt?

Bewegungen in zwei Richtungen

Der Löwe in Fig. 2 geht einen bogenförmigen Weg in der x_1x_2-Ebene. Dieser Weg ist mit der blauen Linie gekennzeichnet. Die Koordinaten der Punkte der Weltlinie geben jeden Ort der x_1x_2-Ebene an, den der Löwe erreicht, und den dazugehörenden Zeitpunkt. Die Ortsvektoren dieser Punkte haben drei Koordinaten, zwei für die jeweilige Position in der x_1x_2-Ebene und eine für den dazugehörenden Zeitpunkt.

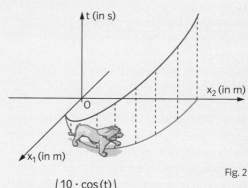

Fig. 2

2 Für die Ortsvektoren der Weltlinie des Löwen gilt: $\vec{x} = \begin{pmatrix} 10 \cdot \cos(t) \\ 10 \cdot \sin(t) \\ t \end{pmatrix}$ für $t = 0$ bis $t = 4{,}5$. Wie sieht die Weltlinie des Löwen aus?

Bewegungen in drei Richtungen

Fig. 3 zeigt die Flugbahn eines Schmetterlings im Raum. Man kann aus der Grafik nicht entnehmen, zu welchen Zeitpunkten der Schmetterling die einzelnen Raumpunkte erreicht. Man müsste hierzu ein vierdimensionales Koordinatensystem zeichnen. Dies ist jedoch nicht möglich. Die Ortsvektoren der Weltlinie kann man allerdings angeben, sie haben die

Form: $\vec{x} = \begin{pmatrix} x_1(t) \\ x_2(t) \\ x_3(t) \\ t \end{pmatrix}$. Das heißt, die Koordinaten

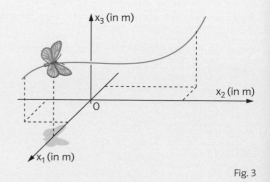

Fig. 3

der Punkte der Flugbahn sind Funktionen der Zeit.

Rückblick

Betrag eines Vektors $\vec{a}$

Für $\vec{a} = \begin{pmatrix} a_1 \\ a_2 \\ a_3 \end{pmatrix}$ gilt: $|\vec{a}| = \sqrt{a_1^2 + a_2^2 + a_3^2}$.

Ein Vektor mit dem Betrag 1 heißt **Einheitsvektor.**

Ist $\vec{a} \neq \vec{o}$, so ist $\vec{a_0} = \frac{1}{|\vec{a}|} \cdot \vec{a}$ der Einheitsvektor von $\vec{a}$, der die gleiche Richtung wie $\vec{a}$ besitzt.

$\vec{a} = \begin{pmatrix} 3 \\ 2 \\ 6 \end{pmatrix}$

$|\vec{a}| = \sqrt{3^2 + 2^2 + 6^2} = 7$

$\vec{a_0} = \frac{1}{7}\begin{pmatrix} 3 \\ 2 \\ 6 \end{pmatrix}$

Skalarprodukt, zueinander orthogonale Vektoren

Für zwei Vektoren $\vec{a} = \begin{pmatrix} a_1 \\ a_2 \\ a_3 \end{pmatrix}$ und $\vec{b} = \begin{pmatrix} b_1 \\ b_2 \\ b_3 \end{pmatrix}$ $(\vec{a} \neq \vec{o}$ und $\vec{b} \neq \vec{o})$ gilt:

- Der Term $a_1 b_1 + a_2 b_2 + a_3 b_3$ ist das **Skalarprodukt** $\vec{a} \cdot \vec{b}$ von $\vec{a}$ und $\vec{b}$.
- $\vec{a}$ und $\vec{b}$ sind genau dann zueinander **orthogonal,** wenn $\vec{a} \cdot \vec{b} = 0$.

$\vec{a} = \begin{pmatrix} 1 \\ 3 \\ 4 \end{pmatrix}; \ \vec{b} = \begin{pmatrix} 4 \\ 3 \\ 2 \end{pmatrix}$

$\vec{a} \cdot \vec{b} = \begin{pmatrix} 1 \\ 3 \\ 4 \end{pmatrix} \cdot \begin{pmatrix} 4 \\ 3 \\ 2 \end{pmatrix} = 1 \cdot 4 + 3 \cdot 3 + 4 \cdot 2 = 21$

$\vec{a} = \begin{pmatrix} 2 \\ -9 \\ 4 \end{pmatrix}; \ \vec{b} = \begin{pmatrix} 5 \\ 2 \\ 2 \end{pmatrix}$

$\vec{a} \cdot \vec{b} = \begin{pmatrix} 2 \\ -9 \\ 4 \end{pmatrix} \cdot \begin{pmatrix} 5 \\ 2 \\ 2 \end{pmatrix} = 0$

Geraden

Jede Gerade lässt sich beschreiben durch eine Parametergleichung der Form $\vec{x} = \vec{p} + r \cdot \vec{u}$.
Der Vektor $\vec{u}$ heißt Richtungsvektor.
Der Vektor $\vec{p}$ heißt Stützvektor.

$g: \vec{x} = \begin{pmatrix} 3 \\ 2 \\ 1 \end{pmatrix} + r \cdot \begin{pmatrix} 5 \\ 7 \\ -3 \end{pmatrix}$

Ebenen

Jede Ebene lässt sich beschreiben durch:
- eine Parametergleichung der Form $\vec{x} = \vec{p} + r \cdot \vec{u} + s \cdot \vec{v}$ (Fig. 1).
Hierbei sind die Spannvektoren $\vec{u}$ und $\vec{v}$ nicht zueinander parallel.
Der Vektor $\vec{p}$ heißt Stützvektor.
- eine Normalengleichung $(\vec{x} - \vec{p}) \cdot \vec{n} = 0$ mit einem Stützvektor $\vec{p}$ und einem Normalenvektor $\vec{n}$ der Ebene (Fig. 2).
- eine Koordinatengleichung $a x_1 + b x_2 + c x_3 = d$, bei der mindestens einer der Koeffizienten a, b, c ungleich Null ist.

Ist $a x_1 + b x_2 + c x_3 = d$ eine Koordinatengleichung einer Ebene E, so ist $\begin{pmatrix} a \\ b \\ c \end{pmatrix}$ ein Normalenvektor von E.

$E: \vec{x} = \begin{pmatrix} 5 \\ 2 \\ 3 \end{pmatrix} + r \cdot \begin{pmatrix} 1 \\ 0 \\ 2 \end{pmatrix} + s \cdot \begin{pmatrix} 0 \\ -5 \\ 8 \end{pmatrix}$

$E: \left[\vec{x} - \begin{pmatrix} 5 \\ 2 \\ 3 \end{pmatrix} \right] \cdot \begin{pmatrix} -10 \\ 8 \\ 5 \end{pmatrix} = 0$

$E: -10 x_1 + 8 x_2 + 5 x_3 = -19$

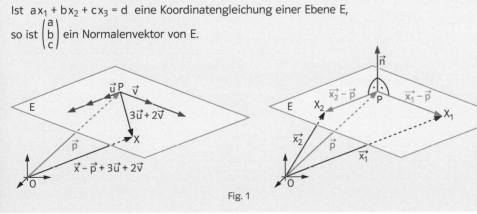

Fig. 1

Fig. 2

Prüfungsvorbereitung ohne Hilfsmittel

1 Zeichnen Sie die Geraden g und h in ein Koordinatensystem und bestimmen Sie die gegenseitige Lage der Geraden g und h. Berechnen Sie gegebenenfalls die Koordinaten des Schnittpunktes.

a) $g: \vec{x} = \begin{pmatrix} 7 \\ -1 \end{pmatrix} + r \cdot \begin{pmatrix} 5 \\ -4 \end{pmatrix}$; $h: \vec{x} = \begin{pmatrix} -3 \\ -4 \end{pmatrix} + s \cdot \begin{pmatrix} -4 \\ 5 \end{pmatrix}$
b) $g: \vec{x} = \begin{pmatrix} 1 \\ -5 \\ 8 \end{pmatrix} + r \cdot \begin{pmatrix} -2 \\ -4 \\ 6 \end{pmatrix}$; $h: \vec{x} = \begin{pmatrix} 5 \\ 3 \\ -8 \end{pmatrix} + s \cdot \begin{pmatrix} 11 \\ -2 \\ -13 \end{pmatrix}$

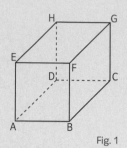

Fig. 1

2 Gegeben ist der Quader ABCDEFGH von Fig. 1 mit D(0|0|0) und F(6|4|2). Bestimmen Sie die Abstände des Schnittpunktes S der Raumdiagonalen von den Kantenmitten des Quaders.

3 Geben Sie eine Gleichung der Geraden durch A(1|1|1) und B(−1|5|−2) so an, dass der Richtungsvektor ein Einheitsvektor ist. Bestimmen Sie die Koordinaten aller Punkte auf g, die von A den folgenden Abstand haben: a) 5; b) 2,5; c) 20.

4 Legen die Punkte A, B und C eine Ebene fest? Geben Sie, falls möglich, eine Parametergleichung der Ebene an.

a) A(3|0|2), B(5|−1|7), C(0|−2|0)
b) A(1|0|3), B(1|3|0), C(1|−3|0)
c) A(2|1|7), B(−7|−1|2), C(1|−1|1)
d) A(2|1|3), B(−5|7|2), C(6|2|3)

5 Die Punkte A(1|1|0) und B(0|1|0) sind gegeben.
a) Bestimmen Sie die Koordinaten zweier Punkte C und D so, dass die Punkte A, B, C und D ein Quadrat bilden.
b) Bestimmen Sie die Koordinaten zweier Punkte C und D so, dass die Punkte A, B, C und D ein Parallelogramm bilden, das nicht zugleich ein Quadrat ist.

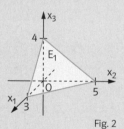

Fig. 2

6 Welche dieser Vektoren sind zueinander orthogonal?

$\vec{a} = \begin{pmatrix} \sqrt{2} \\ 1 \\ \sqrt{2} \end{pmatrix}$; $\vec{b} = \begin{pmatrix} 1 \\ \sqrt{3} \\ 1 \end{pmatrix}$; $\vec{c} = \begin{pmatrix} \sqrt{2} \\ 0 \\ -\sqrt{2} \end{pmatrix}$; $\vec{d} = \begin{pmatrix} \sqrt{2} \\ -\sqrt{2} \\ 0 \end{pmatrix}$; $\vec{e} = \begin{pmatrix} -1 \\ -1 \\ \sqrt{3} \end{pmatrix}$

7 Die Punkte A, B und C legen eine Ebene E fest. Bestimmen Sie eine Normalengleichung und eine Koordinatengleichung von E. Liegt der Punkt D(5|3|2) in der Ebene E?

a) A(1|0|0), B(0|1|0), C(0|0|1)
b) A(−2|−1|7), B(3|4|−1), C(1|0|−1)

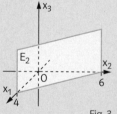

Fig. 3

8 a) Welche der Ebenen E_1, E_2, E_3, E_4 sind zueinander parallel?

$E_1: 3x_1 - 5x_2 + x_3 = 10$ $E_2: 2x_1 + 6x_2 + 6x_3 = 11$
$E_3: -6x_1 + 10x_2 - 2x_3 = -12$ $E_4: -x_1 - 3x_2 - 3x_3 = -13$

b) Geben Sie eine Gleichung einer Ebene F an, die parallel zu E_1 ist und durch P(2|3|7) geht.

9 Sind die Gerade g und die Ebene E zueinander orthogonal?

a) $g: \vec{x} = \begin{pmatrix} 1 \\ 0 \\ 2 \end{pmatrix} + t \cdot \begin{pmatrix} -3 \\ 1 \\ -4 \end{pmatrix}$; $E: 3x_1 - x_2 + 4x_3 = 1$
b) $g: \vec{x} = \begin{pmatrix} 1 \\ -2 \\ 3 \end{pmatrix} + t \cdot \begin{pmatrix} -7 \\ -9 \\ 0 \end{pmatrix}$; $E: x_1 - 3x_2 + 2x_3 = 4$

10 Erläutern Sie, wie man an der Parametergleichung einer Geraden und an der Koordinatengleichung einer Ebene erkennen kann, ob die Gerade und die Ebene sich schneiden.

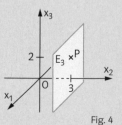

Fig. 4

11 Bestimmen Sie die Lage und gegebenenfalls den Schnittpunkt von $g: \vec{x} = \begin{pmatrix} 2 \\ 3 \\ 1 \end{pmatrix} + t \cdot \begin{pmatrix} -2 \\ 2 \\ -3 \end{pmatrix}$ und E.

a) $E: 4x_1 - 4x_2 + 6x_3 = 16$ b) $E: x_2 - x_3 = 3$ c) $E: -8x_1 + 8x_2 - 12x_3 = -4$

12 In Fig. 2, Fig. 3 und Fig. 4 ist jeweils ein Ausschnitt einer Ebene gezeichnet. Der Punkt P(0|3|2) liegt in E_3. Bestimmen Sie für die Ebenen E_1, E_2 und E_3 jeweils eine Gleichung.

Prüfungsvorbereitung mit Hilfsmitteln

1 Der Würfel in Fig. 1 hat die Kantenlänge 6 cm. Die Punkte A, B, C, D, E und F sind jeweils 2 cm von der am nächsten gelegenen Ecke entfernt. Bestimmen Sie eine Gleichung der Schnittgeraden der beiden in Fig. 1 gekennzeichneten Ebenen.

2 Der Würfel in Fig. 2 hat die Kantenlänge 1. Bestimmen Sie das Volumen der Pyramide mit der Grundfläche BDE und der Spitze G.

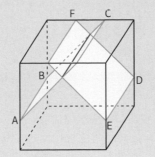

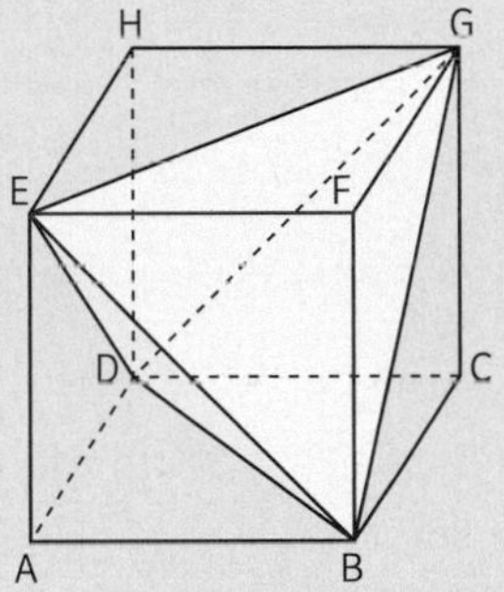

Fig. 1

3 Die Punkte A(7|0|0), B(7|7|0) und D(7|0|7) legen eine Ebene E fest.
a) Bestimmen Sie eine Koordinatengleichung der Ebene E.
b) Zeigen Sie, dass das Dreieck ABD gleichschenklig ist.
c) Bestimmen Sie die Koordinaten des Punktes C so, dass das Viereck ABCD ein Quadrat ist.
d) Berechnen Sie die Koordinaten des Diagonalschnittpunktes M dieses Quadrates.

Fig. 2

4 Zwei Schiffe, die Mary und die Jenny, befinden sich mitten auf einem Ozean. In einem kartesischen Koordinatensystem (Längeneinheit 1 km) hat die Mary die Position P(60|0).
Die Jenny hat zum gleichen Zeitpunkt die Position Q(40|60). Die x_1-Achse des Koordinatensystems zeigt nach Osten und die x_2-Achse nach Norden. Beide Schiffe bewegen sich mit jeweils konstanter Geschwindigkeit auf geradlinigen Kursen.
Die Mary kommt in jeder Stunde 20 km weiter nach Osten und 10 km weiter nach Norden.
Die Jenny kommt in jeder Stunde 10 km weiter nach Osten und 15 km weiter nach Süden.
a) Zeichnen Sie die beiden Schiffsrouten in ein Koordinatensystem ein.
b) Wie weit sind die Schiffe auf ihren Positionen P und Q voneinander entfernt?
c) Kreuzen sich die Schiffsrouten, nachdem die Schiffe die Positionen P und Q verlassen haben?
d) Bestimmen Sie die Positionen der beiden Schiffe fünf Stunden, nachdem sie die Positionen P und Q verlassen haben. Wie weit sind sie zu diesem Zeitpunkt voneinander entfernt?

5 Der Koordinatenursprung O und die Punkte A(7|3|0) und B(0|3|0) sind Ecken der Grundfläche einer dreiseitigen Pyramide. Der Punkt S(0|0|7) ist die Spitze der Pyramide. Zeichnen Sie die Pyramide und bestimmen Sie das Volumen der Pyramide.

6 Gegeben sind die Punkte A(1|0) und B(4|2) sowie die Gerade $g: \vec{x} = \begin{pmatrix} 0 \\ 2 \end{pmatrix} + t \cdot \begin{pmatrix} 3 \\ 1 \end{pmatrix}$.
Bestimmen Sie die Koordinaten aller Punkte P auf der Geraden g so, dass das jeweilige Dreieck ABP rechtwinklig ist.
a) Mithilfe einer Zeichnung.   b) Mithilfe einer Rechnung.

7 Eine Leuchtkugel fliegt vom Punkt P(4|0|0) geradlinig in Richtung des Punktes Q(0|0|3). Eine zweite Leuchtkugel startet gleichzeitig vom Punkt R(0|3|0) und fliegt geradlinig in Richtung des Punktes T(0|0|7). Beide Kugeln fliegen gleich schnell. Wie weit sind die Kugeln zu dem Zeitpunkt voneinander entfernt, bei dem die erste Kugel den Punkt Q erreicht?

Geometrische Probleme lösen

Bei vielen Fragestellungen sollte man nicht „probieren", sondern besser vorher rechnen – und zwar mit Vektoren.

Wo ist die Symmetrieebene?

Die Große Pyramide – eine der Pyramiden von Gizeh – hat eine quadratische Grundfläche. Bedeutet dies, dass die Seitenflächen im rechten Winkel zueinander stehen?

Die Grabkammer der Pyramide soll von allen Wänden gleich weit entfernt sein. Wo liegt sie?

Das kennen Sie schon

– Betrag eines Vektors
– Orthogonalitätsbedingungen für Vektoren im Raum
– Schnitt von Geraden und Ebenen

Halten die Flugzeuge den Sicherheitsabstand ein?

Moais sind rätselhafte Steindenkmäler auf den Osterinseln.

Um 14 Uhr ist der Schatten des Maois 4 m lang. Wie sieht der Schatten zwei Stunden später aus?

Zahl und
Maß

Modell und
Simulation

Daten und
Zufall

Muster und
Struktur

Beziehung und
Änderung

Form und
Raum

In diesem Kapitel

- werden die Abstände zwischen verschiedenen Objekten im Raum bestimmt.
- werden Winkel zwischen Vektoren, Ebenen und Geraden berechnet.
- werden Punkte an Punkten, Geraden und Ebenen im Raum gespiegelt.

1 Abstand eines Punktes von einer Ebene

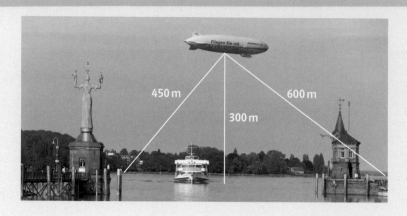

Wie groß ist die Entfernung des Zeppelins von der Wasseroberfläche des Bodensees?

Bisher wurden die Lagen von Punkten, Geraden und Ebenen zueinander betrachtet. Nun werden Abstände zwischen diesen geometrischen Objekten berechnet.

Die Strecke $\overline{FR}$ heißt Lot. Die Gerade, die durch das Lot festgelegt wird, heißt Lotgerade. Der Punkt F heißt Lotfußpunkt.

Ⓥ **Vektoris 3D**
Abstand Punkt Ebene

Ein Punkt R, der nicht in der Ebene E liegt, hat verschiedene Entfernungen zu Punkten der Ebene. Die kleinste dieser Entfernungen nennt man den **Abstand des Punktes R von der Ebene E**. Dieser Abstand ist die Länge d des Lotes von R auf E, das heißt die Länge der Strecke vom Punkt R zum Lotfußpunkt F (Fig. 1). Um die Koordinaten des Lotfußpunktes F zu berechnen, schneidet man die Lotgerade g mit der Ebene E. Ein möglicher Richtungsvektor der Lotgeraden ist der Normalenvektor der Ebene E, als Stützvektor kann man den Orts-vektor des Punktes R verwenden.

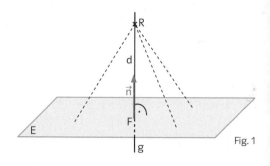

Fig. 1

Definition: Unter dem Abstand eines Punktes R von der Ebene E versteht man die kleinste Entfernung von R zu E.

Wenn der Punkt R mit dem Ortsvektor $\vec{r}$ und die Ebene E mit dem Normalenvektor $\vec{n}$ gegeben sind, kann man den Abstand d des Punktes R von der Ebene E so bestimmen:
1. Aufstellen einer Gleichung der zu E orthogonalen Geraden g durch R, z. B.
   g: $\vec{x} = \vec{r} + t \cdot \vec{n}$.
2. Berechnen der Koordinaten des Lotfußpunktes F der Lotgeraden g mit der Ebene E.
3. Berechnen des Betrags des Vektors $\overrightarrow{RF}$. Es gilt: d = $|\overrightarrow{RF}|$.

Beispiel 1   Abstand eines Punktes von einer Ebene bestimmen
Bestimmen Sie den Abstand des Punktes R (2 | 0 | 1) von der Ebene E: $x_1 + 8x_2 - 4x_3 = 25$.
■ Lösung: 1. Lotgerade g zu E durch R. *Man wählt den Ortsvektor von R als Stützvektor und*

den Normalenvektor der Ebene als Richtungsvektor von g. g: $\vec{x} = \begin{pmatrix} 2 \\ 0 \\ 1 \end{pmatrix} + r \cdot \begin{pmatrix} 1 \\ 8 \\ -4 \end{pmatrix}$

2. Schnittpunkt von g mit E. $(2 + r) + 8 \cdot (8r) - 4 \cdot (1 - 4r) = 25$ ergibt $r = \frac{1}{3}$.
Einsetzen in die Geradengleichung ergibt den Lotfußpunkt F $\left(\frac{7}{3} \left| \frac{8}{3} \right| -\frac{1}{3} \right)$.

3. Berechnung von $|\overrightarrow{RF}|$:

$|\overrightarrow{RF}| = \sqrt{\left(\frac{7}{3} - 2\right)^2 + \left(\frac{8}{3} - 0\right)^2 + \left(-\frac{1}{3} - 1\right)^2} = 3$. Der Abstand von R zu E beträgt 3 LE.

Beispiel 2 Punkt mit vorgegebenem Abstand bestimmen

Gegeben ist ein Quadrat ABCD, das in der
Ebene E: $2x_1 + x_2 + 2x_3 = 9$ liegt. Der Punkt
$M(4|1|0)$ ist der Mittelpunkt des Quadrats.
Bestimmen Sie den Punkt S so, dass ABCDS
eine senkrechte Pyramide mit der Höhe 6 ist.

■ Lösung: *Es gibt zwei Lösungen. Man findet
die Spitzen S_1 und S_2, indem man von M aus
6 LE in Richtung des Normalenvektors bzw. in
die entgegengesetzte Richtung geht.*

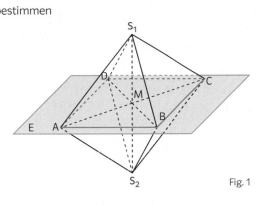

Fig. 1

Es gilt: $|\vec{n}| = \left|\begin{pmatrix} 2 \\ 1 \\ 2 \end{pmatrix}\right| = 3$, also $\vec{n_0} = \frac{1}{3} \cdot \begin{pmatrix} 2 \\ 1 \\ 2 \end{pmatrix}$.

$\overrightarrow{OS_1} = \overrightarrow{OM} + 6 \cdot \vec{n_0} = \begin{pmatrix} 4 \\ 1 \\ 0 \end{pmatrix} + 6 \cdot \frac{1}{3} \cdot \begin{pmatrix} 2 \\ 1 \\ 2 \end{pmatrix} = \begin{pmatrix} 8 \\ 3 \\ 4 \end{pmatrix}$ bzw. $\overrightarrow{OS_2} = \overrightarrow{OM} - 6 \cdot \vec{n_0} = \begin{pmatrix} 4 \\ 1 \\ 0 \end{pmatrix} - 2 \cdot \begin{pmatrix} 2 \\ 1 \\ 2 \end{pmatrix} = \begin{pmatrix} 0 \\ -1 \\ -4 \end{pmatrix}$

Man erhält $S_1(8|3|4)$ und $S_2(0|-1|-4)$.

Aufgaben

1 Bestimmen Sie den Abstand der Punkte A, B und C von der Ebene E.

a) F: $3x_2 + 4x_3 = 0$; $A(3|-1|7)$, $B(6|8|19)$, $C(-3|-3|\;4)$

b) E: $\left[\vec{x} - \begin{pmatrix} 1 \\ 2,5 \\ 3,5 \end{pmatrix}\right] \cdot \begin{pmatrix} 12 \\ 6 \\ -4 \end{pmatrix} = 0$; $A(-2|0|3)$, $B(13|8,5|-0,5)$, $C(-33|\;20|14,25)$

c) E: $\vec{x} = \begin{pmatrix} 2 \\ 1 \\ -2 \end{pmatrix} + r \cdot \begin{pmatrix} 5 \\ 5 \\ -1 \end{pmatrix} + s \cdot \begin{pmatrix} -1 \\ 0 \\ 0 \end{pmatrix}$; $A(2|4|13)$, $B(8|-6|-11)$, $C(3|-2|9)$

— Punkt gegeben

2 Gegeben sind der Punkt $R(5|-4|3)$ und die Ebene E: $2x_1 - 2x_2 + x_3 = 0$.

a) Bestimmen Sie den Abstand des Punktes R von der Ebene E sowie drei weitere Punkte, die
den gleichen Abstand von E haben.

b) Wo liegen alle Punkte, die den Abstand 7 von E haben?

◎ Vektoris 3D
Parallele Ebenen

3 Die Punkte $A(1|1|-2)$, $B(3|0|0)$, $C(-2|3|-3)$ und $D(0|3|3)$ liegen in der Ebene
E: $3x_1 + 4x_2 - x_3 = 9$.
Bestimmen Sie unter den Punkten A, B, C und D denjenigen Punkt, der vom Punkt $P(1|7|-4)$ die
kleinste Entfernung hat.

4 a) Bestimmen Sie den Abstand des Punktes $P(1|-2|-3)$ von den Koordinatenebenen.

b) Wie kann man an den Koordinaten eines Punktes seinen Abstand von den Koordinatenebenen ablesen?

◎ Vektoris 3D
Abstand Punkt
Koordinatenebenen

— ohne Punkt gegeben

5 a) Bestimmen Sie die zur Ebene E: $4x_1 + 4x_2 - 7x_3 = 40,5$ orthogonale Gerade g durch
$O(0|0|0)$ und den Schnittpunkt F der Geraden g mit der Ebene E.

b) Bestimmen Sie alle Punkte auf g, die von der Ebene E den Abstand 3 haben.

6 Bestimmen Sie den Abstand des Ursprungs von der Ebene $E: x_1 + 3x_2 - 5x_3 = 15$.

7 Die Gerade g ist orthogonal zur Ebene $E: 2x_1 + 6x_2 - 9x_3 = -6$ und durchstößt die Ebene im Punkt $P(0|2|2)$. Bestimmen Sie alle Punkte auf der Geraden g, die von der Ebene E den Abstand 11 haben.

8 a) In Fig. 1 ist ein Ausschnitt der Ebene E_1 und der Punkt P dargestellt. Bestimmen Sie den Abstand des Punktes P von der Ebene E_1.
b) Gegeben sind die Ebene
$E_2: 2x_1 + 3x_2 - 4x_3 = 12$ und der Punkt
$Q(5|8|-9)$. Bestimmen Sie den Lotfußpunkt F von Q auf E_2. Zeichnen Sie einen Ausschnitt der Ebene E_2 sowie die Punkte Q und F in ein Koordinatensystem.

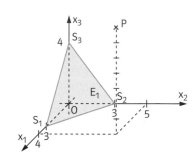

Fig. 1

Vektoris 3D
Geradenpunkt in gleichem Abstand

9 Bestimmen Sie alle Punkte der x_3-Achse, die von der Ebene $E: 4x_1 - x_2 + 8x_3 = 7$ den Abstand 9 haben.

10 Der Punkt $P(3|1|1)$ liegt auf der Geraden $g: \vec{x} = \begin{pmatrix} -6 \\ 4 \\ 4 \end{pmatrix} + r \cdot \begin{pmatrix} -3 \\ 1 \\ 1 \end{pmatrix}$.

a) Bestimmen Sie den Abstand d des Punktes P von der Ebene $E: 2x_1 + 10x_2 + 11x_3 = 252$.
b) Es gibt einen weiteren Punkt auf der Geraden g, der von E den Abstand d hat. Berechnen Sie seine Koordinaten.

11 a) A und B sind Punkte auf der zur Ebene E parallelen Geraden g. Was lässt sich über die Abstände der Punkte A und B von der Ebene E aussagen?
b) Die Punkte A und B liegen auf einer Geraden g. A und B haben den gleichen Abstand zu einer Ebene E. Kann man daraus schließen, dass g parallel zu E ist? Begründen Sie Ihre Antwort.
c) Wo liegen alle Punkte, die von der x_1x_2-Ebene den Abstand 3 haben?
d) Geben Sie alle Punkte an, die von den drei Koordinatenebenen den Abstand 3 haben.

12 A tent has a 7 foot square base and it is 4 foot 4 inches high.
In the middle of the tent someone has attached a pakerosene lamp that hangs down 1 foot from the top.
For safety reasons, the lamp must not be any closer than 8 inches to the canvas.
Find out if the tent is safe.

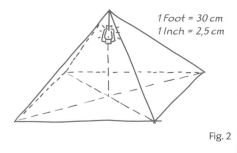

1 Foot = 30 cm
1 Inch = 2,5 cm

Fig. 2

13 Bestimmen Sie die Lösung.
a) $2^3 \cdot 2^2 = 2^x$ b) $(2^2)^3 = 2^x$ c) $2^3 \cdot 3^3 = x^3$ d) $4^3 = 2^x$

14 Fassen Sie sinnvoll zusammen.
a) $2^x \cdot 2^3$ b) $(e^x)^2$ c) $(4^x)^3$ d) $3^{2x} \cdot 9^5$

2 Die Hesse'sche Normalenform

Bestimmen Sie jeweils das Skalarprodukt der Vektoren $\vec{a_1} = \begin{pmatrix} 0 \\ 2,5 \end{pmatrix}$, $\vec{a_2} = \begin{pmatrix} 2 \\ 4 \end{pmatrix}$, $\vec{a_3} = \begin{pmatrix} 4 \\ 5,5 \end{pmatrix}$

mit dem Vektor $\vec{b} = \begin{pmatrix} -0,6 \\ 0,8 \end{pmatrix}$.

Die Zeichnung zeigt, wie man das Skalarprodukt $\vec{a} \cdot \vec{b}$ „konstruieren" kann, wenn einer der Vektoren (hier der Vektor $\vec{b}$) ein Einheitsvektor ist.

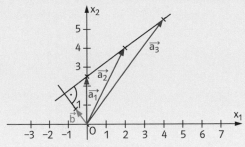

Bei der Bestimmung des Abstandes eines Punktes von einer Ebene mithilfe des Lotes müssen bisher mehrere Schritte durchgeführt werden.

Wenn man als Normalenvektor einer Ebene F einen Vektor der Länge 1, das heißt einen Normaleneinheitsvektor, wählt, heißt die Ebenengleichung $E: (\vec{x} - \vec{p}) \cdot \vec{n_0} = 0$ **Hesse'sche Normalenform**.

In Fig. 1 gilt für den Abstand d des Punktes R von der Ebene E:

$d = (\vec{r} - \vec{p}) \cdot \vec{n_0}$.

Denn:

$(\vec{r} - \vec{p}) \cdot \vec{n_0}$ $\vec{r}$ und $\vec{p}$ sind die Ortsvektoren der Punkte R und P.

$= \overrightarrow{PR} \cdot \vec{n_0}$ Der Vektor $\overrightarrow{PR}$ wird aufgeteilt in einen zu $\vec{n_0}$ orthogonalen Anteil $\overrightarrow{PF}$ und einen zu $\vec{n_0}$ parallelen Anteil $\overrightarrow{FR}$.

$= (\overrightarrow{PF} + \overrightarrow{FR}) \cdot \vec{n_0}$

$= \overrightarrow{PF} \cdot \vec{n_0} + \overrightarrow{FR} \cdot \vec{n_0}$ Wegen $\overrightarrow{PF} \perp \vec{n_0}$, ist $\overrightarrow{PF} \cdot \vec{n_0} = 0$.

$= \overrightarrow{FR} \cdot \vec{n_0}$ Da $\overrightarrow{FR}$ in Fig. 1 in dieselbe Richtung zeigt wie $\vec{n_0}$ und $|\vec{n_0}| = 1$, ist in diesem Fall $\overrightarrow{FR} = |\overrightarrow{FR}| \cdot \vec{n_0}$.

$= |\overrightarrow{FR}| \cdot \vec{n_0} \cdot \vec{n_0}$ $\vec{n_0}$ ist ein Einheitsvektor, also gilt $\vec{n_0} \cdot \vec{n_0} = 1$.

$= |\overrightarrow{FR}| \cdot 1$ In Fig. 1 ist $|\overrightarrow{FR}| = d$.

$= d$

Ludwig Otto Hesse
(1811–1874),
deutscher Mathematiker

Beachten Sie: Wenn $\overrightarrow{FR}$ und $\vec{n_0}$ in entgegengesetzte Richtungen zeigen, ist $\overrightarrow{FR} = -|\overrightarrow{FR}| \cdot \vec{n_0} = -d \cdot \vec{n_0}$ und damit $(\vec{r} - \vec{p}) \cdot \vec{n_0} = -d$.
Allgemein kann man damit den Abstand d eines Punktes R von der Ebene E mit folgender Formel berechnen: $d = |(\vec{r} - \vec{p}) \cdot \vec{n_0}|$.

Wenn $a_1 x_1 + a_2 x_2 + a_3 x_3 = b$ eine Koordinatengleichung der Ebene E ist, dann ist

$\vec{n_0} = \dfrac{1}{\sqrt{a_1^2 + a_2^2 + a_3^2}} \cdot \begin{pmatrix} a_1 \\ a_2 \\ a_3 \end{pmatrix}$ ein Normaleneinheitsvektor dieser Ebene.

Man erhält mit $R(r_1 | r_2 | r_3)$ und der Formel $d = |(\vec{r} - \vec{p}) \cdot \vec{n_0}|$ für den Abstand d des Punktes R

von der Ebene E: $d = \left| \dfrac{a_1 r_1 + a_2 r_2 + a_3 r_3 - b}{\sqrt{a_1^2 + a_2^2 + a_3^2}} \right|$.

Beispiel 1 Abstandsberechnung mithilfe der Hesse'schen Normalenform
Bestimmen Sie den Abstand des Punktes $R(1|6|2)$ von der Ebene E.

a) $E: \left[\vec{x} - \begin{pmatrix} 3 \\ 2 \\ 0 \end{pmatrix} \right] \cdot \begin{pmatrix} 2 \\ -2 \\ 1 \end{pmatrix} = 0$

b) $E: x_1 - 2x_2 + 4x_3 = 1$

■ Lösung: a) $|\vec{n}| = \sqrt{2^2 + (-2)^2 + 1^2} = 3$. *Damit ist* $\vec{n_0} = \frac{1}{3} \begin{pmatrix} 2 \\ -2 \\ 1 \end{pmatrix}$.

$d(R; E) = \left| \left(\begin{pmatrix} 1 \\ 6 \\ 2 \end{pmatrix} - \begin{pmatrix} 3 \\ 2 \\ 0 \end{pmatrix} \right) \cdot \frac{1}{3} \begin{pmatrix} 2 \\ -2 \\ 1 \end{pmatrix} \right| = \left| \frac{1}{3} \begin{pmatrix} -2 \\ 4 \\ 2 \end{pmatrix} \cdot \begin{pmatrix} 2 \\ -2 \\ 1 \end{pmatrix} \right| = \left| \frac{1}{3}(-4 + (-8) + 2) \right| = \frac{10}{3}$

b) $d(R; E) = \left| \frac{1 \cdot 1 - 2 \cdot 6 + 4 \cdot 2 - 1}{\sqrt{1^2 + (-2)^2 + 4^2}} \right| = \frac{4}{\sqrt{21}} \approx 0{,}87$

Die Schreibweise $d(R; E)$ bedeutet:
„Abstand des Punktes R von der Ebene E".

Beispiel 2 Parallele Ebenen in vorgegebenem Abstand bestimmen
Gegeben ist die Ebene $E: 12x_1 + 6x_2 - 4x_3 = 5$. Bestimmen Sie zur Ebene E parallele Ebenen, die von E den Abstand 3 haben.

■ Lösung: *Die gesuchten Ebenen haben denselben Normalenvektor wie E.*
Ansatz: $F: 12x_1 + 6x_2 - 4x_3 = k$.
$R(r_1|r_2|r_3)$ sei ein Punkt der Ebene F.

Es gilt: $d(R; E) = \left| \frac{12r_1 + 6r_2 - 4r_3 - 5}{\sqrt{12^2 + 6^2 + (-4)^2}} \right| = \left| \frac{k - 5}{14} \right|$.

$d(R; E) = 3$, also $\frac{k-5}{14} = 3$ oder $\frac{k-5}{14} = -3$.

Daraus folgt $k_1 = 47$ und $k_2 = -37$.
Die Ebenen $F_1: 12x_1 + 6x_2 - 4x_3 = 47$ und $F_2: 12x_1 + 6x_2 - 4x_3 = -37$ haben von der Ebene E den Abstand 3.

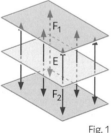
Fig. 1

Aufgaben

1 Berechnen Sie die Abstände der Punkte A, B und C von der Ebene E.

a) $E: 2x_1 - 10x_2 + 11x_3 = 0$; $A(1|1|-2)$, $B(5|1|0)$, $C(1|3|3)$

b) $E: 4x_1 - 16x_2 + 13x_3 = 15$; $A(2|2|-5)$, $B(1|0|0)$, $C(3|4|17)$

c) $E: \left[\vec{x} - \begin{pmatrix} 5 \\ 1 \\ 0 \end{pmatrix} \right] \cdot \begin{pmatrix} 4 \\ -4 \\ 2 \end{pmatrix} = 0$; $A(2|-1|2)$, $B(2|10|6)$, $C(4|6|8)$

d) $E: \vec{x} = \begin{pmatrix} 3 \\ 4 \\ -1 \end{pmatrix} + r \cdot \begin{pmatrix} -4 \\ 1 \\ 0 \end{pmatrix} + s \cdot \begin{pmatrix} 2 \\ 3 \\ 3 \end{pmatrix}$; $A(0|0|1)$, $B(-7|5|2)$, $C(2|2|4)$

2 Berechnen Sie die Abstände der Punkte A, B und C von der Ebene, die durch die Punkte P, Q und R festgelegt ist.

a) $A(3|3|-4)$, $B(-4|-8|-18)$, $C(1|0|19)$, $P(2|0|4)$, $Q(6|7|1)$, $R(-2|3|7)$

b) $A(4|4|-4)$, $B(5|-8|-1)$, $C(0|0|10)$, $P(1|2|6)$, $Q(3|3|4)$, $R(4|5|6)$

3 Gegeben ist die Ebene $E: 2x_1 - x_2 + 5x_3 = 7$. Untersuchen Sie, ob die Ebene F parallel zur Ebene E ist und berechnen Sie gegebenenfalls den Abstand der Ebenen.

a) $F: 4x_1 - 2x_2 + 10x_3 = 18$

b) $F: \left[\vec{x} - \begin{pmatrix} 2 \\ 3 \\ 4 \end{pmatrix}\right] \cdot \begin{pmatrix} 2 \\ 1 \\ -5 \end{pmatrix} = 0$

c) $F: \vec{x} = \begin{pmatrix} 0 \\ -6 \\ 6 \end{pmatrix} + r \cdot \begin{pmatrix} 1 \\ 3 \\ -1 \end{pmatrix} + s \cdot \begin{pmatrix} 1 \\ 1 \\ -1 \end{pmatrix}$

4 Gegeben sind die Ebene $E: 2x_1 - x_2 - 2x_3 = 8$ und die Gerade $g: \vec{x} = \begin{pmatrix} 2 \\ 3 \\ -5 \end{pmatrix} + r \cdot \begin{pmatrix} 1 \\ 1 \\ 0 \end{pmatrix}$.

Bestimmen Sie diejenigen Punkte auf g, die von der Ebene E den Abstand 3 haben.

Zeit zu überprüfen

5 Welcher der Punkte $A(3|2|-1)$, $B(4|4|0)$, $C(7|3|2)$ ist am weitesten von der Ebene E entfernt?

a) $E: \left[\vec{x} - \begin{pmatrix} 1 \\ 2 \\ 4 \end{pmatrix}\right] \cdot \begin{pmatrix} 10 \\ -11 \\ 2 \end{pmatrix} = 0$

b) $E: 3x_1 + 5x_2 - x_3 = 20$

c) $E: x_1 = 4$

6 Die Punkte $A(2|3|-6)$, $B(5|7|-3)$ und $C(2|1|0)$ haben alle den gleichen Abstand zur Ebene $E: 2x_1 + 3x_2 - 6x_3 = 28$. Geben Sie alle Punkte an, die diesen Abstand zur Ebene E haben.

7 Bestimmen Sie alle Punkte auf den Koordinatenachsen, die von der Ebene $E: 10x_1 + 2x_2 - 11x_3 = 30$ den Abstand 5 haben.

8 Die Punkte $A(2|-2|0)$, $B(2|2|0)$, $C(-2|2|0)$ und $D(-2|-2|0)$ sind die Ecken der Grundfläche einer Pyramide. Es gibt zwei Pyramiden mit dem Volumen $V = 192$, deren Spitzen auf der

Geraden $g: \vec{x} = r \cdot \begin{pmatrix} 1 \\ -2 \\ 1 \end{pmatrix}$ liegen. Berechnen Sie die Koordinaten der Spitzen.

9 Gegeben ist die quadratische Pyramide ABCDS mit $A(2|0|0)$, $B(0|2|0)$, $C(-2|0|0)$, $D(0|-2|0)$ und der Spitze $S(0|0|6)$. Bestimmen Sie den Punkt im Innern der Pyramide, der zu allen Seitenflächen und der Grundfläche den gleichen Abstand hat.

10 Gegeben ist der Punkt $A(3|2|3)$. Geben Sie drei Ebenen an, die vom Punkt A den Abstand 3 haben. Gegeben sind der Punkt $B(4|4|-2)$ und die Ebene $E: 2x_1 + 2x_2 - x_3 = -4$. Geben Sie zwei zu E parallele Ebenen an, die zum Punkt B den Abstand 5 haben.

11 Von zwei Punkten A und B wird der Abstand zur Ebene $E: (\vec{x} - \vec{p}) \cdot \vec{n_0} = 0$ mit der Hesse'schen Normalenform berechnet. Dabei ist der Ausdruck $(\vec{a} - \vec{p}) \cdot \vec{n_0}$ positiv und der Ausdruck $(\vec{b} - \vec{p}) \cdot \vec{n_0}$ negativ.

a) Welche Aussage kann man damit über die Lage der Punkte A und B zur Ebene E treffen?

b) Untersuchen Sie, ob der Ursprung auf der Seite liegt, in welche der Normalenvektor der Ebene $F: 4x_1 - 3x_2 = 7$ zeigt.

12 Geben Sie für die Koordinatenebenen Gleichungen in der Hesse'schen Normalenform an.

Wenn man sich die Punkte im Koordinatensystem vorstellt, kann man die Ebene, in der die Grundfläche liegt, ohne Rechnung bestimmen.

Wo muss der gesuchte Punkt aus Symmetriegründen liegen?

◉ CAS
Volumen einer Pyramide

◉ Vektoris 3D
Lage Punkt
Normalenvektor

3 Abstand eines Punktes von einer Geraden

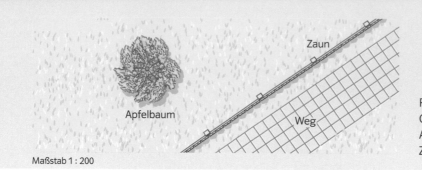

Maßstab 1 : 200

Zaun

Apfelbaum

Weg

Für Bäume gelten Mindestabstände zu den Grundstücksgrenzen. Bestimmen Sie den Abstand der Mitte des Baumstammes vom Zaun.

Wie beim Abstandsproblem Punkt – Ebene versteht man unter dem **Abstand eines Punktes R von einer Geraden g** die kleinste Entfernung von R zu g. Solche Abstandsüberlegungen spielen unter anderem bei Flugschneisen eine Rolle.

Eine vereinfachte Darstellung der Problematik findet sich in Fig. 1. Das Flugzeug befindet sich bezogen auf das eingezeichnete Koordinatensystem im Steigflug längs der Geraden

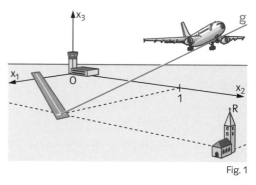

Fig. 1

$$g: \vec{x} = \begin{pmatrix} 1 \\ 1 \\ 0 \end{pmatrix} + t \cdot \begin{pmatrix} 2 \\ 3 \\ 1 \end{pmatrix} \text{ (1 Koordinateneinheit = 1 km)}.$$

Es soll untersucht werden, ob das Flugzeug einen Sicherheitsabstand von 500 m zur Kirchturmspitze mit den Koordinaten R(1|2|0,08) einhält.

Die Punkte der Geraden g erhält man, wenn man in $P_t(1 + 2t|1 + 3t|t)$ für t reelle Zahlen einsetzt. Der Abstand des Flugzeugs zur Spitze entspricht dann der Länge des Vektors

$$\overrightarrow{P_tR} = \begin{pmatrix} 1 & - (1 + 2t) \\ 2 & - (1 + 3t) \\ 0,08 - & t \end{pmatrix} = \begin{pmatrix} - 2t \\ 1 & - 3t \\ 0,08 - & t \end{pmatrix}.$$

Von allen Vektoren $\overrightarrow{P_tR}$, $t \in \mathbb{R}$ wird nun derjenige gesucht, dessen Betrag am kleinsten ist.

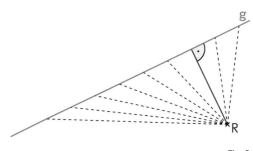

Fig. 2

Eine dritte Möglichkeit, den Abstand eines Punktes von einer Geraden zu berechnen, wird auf Seite 288 vorgestellt.

1. Möglichkeit (Extremwertbedingung)

Die Funktion d mit der Gleichung $d(t) = \left| \overrightarrow{P_tR} \right|$ gibt für jedes t den Betrag des Vektors $\overrightarrow{P_tR}$ an. Es gilt:

$$d(t) = \sqrt{(-2t)^2 + (1 - 3t)^2 + (0,08 - t)^2}$$

und somit $d(t) = \sqrt{14t^2 - 6,16t + 1,0064}$.

Mit dem GTR erhält man das Minimum $d(0,22) \approx 0,573$.

2. Möglichkeit (Orthogonalitätsbedingung)

Der gesuchte Vektor ist orthogonal zum Richtungsvektor der Geraden g (vgl. Fig. 2). In diesem Fall gilt: $\overrightarrow{P_tR} \cdot \vec{u} = 0$.

Die Gleichung $\begin{pmatrix} - 2t \\ 1 & - 3t \\ 0,08 - & t \end{pmatrix} \cdot \begin{pmatrix} 2 \\ 3 \\ 1 \end{pmatrix} = 0$

ist gleichbedeutend mit

$-2t \cdot 2 + (1 - 3t) \cdot 3 + (0,08 - t) \cdot 1 = 0$ und liefert $t = 0,22$ und $\left| \overrightarrow{P_{0,22}R} \right| = \sqrt{0,3288} \approx 0,573$.

Das Flugzeug kommt der Kirchturmspitze nicht näher als 0,573 km. Der Sicherheitsabstand wird also eingehalten.

> **Definition:** Unter dem Abstand eines Punktes R von einer Geraden g versteht man die kleinste Entfernung von R zu g.
>
> Zur Berechnung des Abstandes des Punktes R von der Geraden g verwendet man einen Punkt $P_t(p_1 + t \cdot u_1 \mid p_2 + t \cdot u_2 \mid p_3 + t \cdot u_3)$ der Geraden $g: \vec{x} = \vec{p} + t \cdot \vec{u}$.
> 1. Möglichkeit: Man berechnet das Minimum der Funktion d mit $d(t) = |\overrightarrow{P_tR}|$.
> 2. Möglichkeit: Aus der Orthogonalitätsbedingung $\overrightarrow{P_tR} \cdot \vec{u} = 0$ erhält man einen Parameterwert t und bestimmt für dieses t die Länge des Vektors $\overrightarrow{P_tR}$.

Beispiel Berechnung des Abstandes

Berechnen Sie auf zwei Arten den Abstand des Punktes $R(2 \mid -3 \mid 5)$ von der Geraden

$g: \vec{x} = \begin{pmatrix} 4 \\ 3 \\ 3 \end{pmatrix} + t \cdot \begin{pmatrix} 2 \\ 1 \\ -1 \end{pmatrix}$.

Geben Sie die Koordinaten des Geradenpunktes an, der die kleinste Entfernung zum Punkt R hat.

■ Lösung: $P_t(4 + 2t \mid 3 + t \mid 3 - t)$, Vektor $\overrightarrow{P_tR} = \begin{pmatrix} 2 - (4 + 2t) \\ -3 - (3 + t) \\ 5 - (3 - t) \end{pmatrix} = \begin{pmatrix} -2 - 2t \\ -6 - t \\ 2 + t \end{pmatrix}$

1. Möglichkeit: Extremwertbedingung

$d(t) = |\overrightarrow{P_tR}| = \sqrt{(-2 - 2t)^2 + (-6 - t)^2 + (2 + t)^2} = \sqrt{6t^2 + 24t + 44}$

$d(t)$ wird minimal für $t = -2$. Der Abstand ist $d(-2) \approx 4{,}47$ (s. Fig. 1).
$P_{-2}(0 \mid 1 \mid 5)$ ist der Punkt auf g mit der kleinsten Entfernung zum Punkt R.

2. Möglichkeit: Orthogonalitätsbedingung

$\overrightarrow{P_tR} \cdot \vec{u} = \begin{pmatrix} -2 - 2t \\ -6 - t \\ 2 + t \end{pmatrix} \cdot \begin{pmatrix} 2 \\ 1 \\ -1 \end{pmatrix} = (-2 - 2t) \cdot 2 + (-6 - t) \cdot 1 + (2 + t) \cdot (-1) - -6t - 12$

$\overrightarrow{P_tR} \cdot \vec{u} = 0$ für $t = -2$. $P_{-2}(0 \mid 1 \mid 5)$ ist der Punkt auf g mit der kleinsten Entfernung zu R.
Der Abstand beträgt $|\overrightarrow{P_{-2}R}| = \sqrt{(2 - 0)^2 + (-3 - 1)^2 + (5 - 5)^2} = \sqrt{20} \approx 4{,}47$.

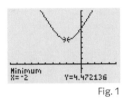

Minimum
X=-2   Y=4.472136

Fig. 1

Statt d(t) kann man auch den quadratischen Term $(d(t))^2 = 6t^2 + 24t + 44$ untersuchen und erst nach der Bestimmung des Minimums die Wurzel ziehen.

Aufgaben

1 Berechnen Sie den Abstand des Punktes R von der Geraden g mithilfe der Extremwertbedingung.

a) $R(6 \mid 7 \mid -3)$; $g: \vec{x} = \begin{pmatrix} 2 \\ 1 \\ 4 \end{pmatrix} + t \cdot \begin{pmatrix} 3 \\ 0 \\ -2 \end{pmatrix}$

b) $R(-2 \mid -6 \mid 1)$; $g: \vec{x} - \begin{pmatrix} 5 \\ 9 \\ 1 \end{pmatrix} + t \cdot \begin{pmatrix} 3 \\ 2 \\ 2 \end{pmatrix}$

⊚ **Vektoris 3D**
Abstand Punkt
Gerade

2 Berechnen Sie den Abstand des Punktes R von der Geraden g mithilfe der Orthogonalitätsbedingung.

a) $R(9 \mid 11 \mid 6)$; $g: \vec{x} = \begin{pmatrix} -1 \\ 1 \\ -7 \end{pmatrix} + t \cdot \begin{pmatrix} 2 \\ -1 \\ 2 \end{pmatrix}$

b) $R(9 \mid 4 \mid 9)$; $g: \vec{x} = \begin{pmatrix} 4 \\ -9 \\ -2 \end{pmatrix} + t \cdot \begin{pmatrix} 3 \\ -4 \\ 1 \end{pmatrix}$

3 Berechnen Sie den Flächeninhalt des Dreiecks ABC.

a) $A(1 \mid 1 \mid 1)$, $B(7 \mid 4 \mid 7)$, $C(5 \mid 6 \mid -1)$

b) $A(1 \mid -6 \mid 0)$, $B(5 \mid -8 \mid 4)$, $C(5 \mid 7 \mid 7)$

c) $A(4 \mid -2 \mid 1)$, $B(-2 \mid 7 \mid 7)$, $C(6 \mid 6 \mid 8)$

d) $A(2 \mid 1 \mid 0)$, $B(1 \mid 1 \mid 0)$, $C(5 \mid 1 \mid 1)$

4 Berechnen Sie den Abstand der zueinander parallelen Geraden mit den Gleichungen

a) $\vec{x} = \begin{pmatrix} -5 \\ 6 \\ 8 \end{pmatrix} + t \cdot \begin{pmatrix} 1 \\ 0 \\ -2 \end{pmatrix}$; $\vec{x} = \begin{pmatrix} 6 \\ 4 \\ 1 \end{pmatrix} + t \cdot \begin{pmatrix} -1 \\ 0 \\ 2 \end{pmatrix}$,

b) $\vec{x} = \begin{pmatrix} 5 \\ 8 \\ -7 \end{pmatrix} + t \cdot \begin{pmatrix} -3 \\ 4 \\ 4 \end{pmatrix}$; $\vec{x} = \begin{pmatrix} 6 \\ -1 \\ 13 \end{pmatrix} + t \cdot \begin{pmatrix} 3 \\ -4 \\ -4 \end{pmatrix}$.

5 Welcher Punkt auf der Geraden g hat vom Punkt R die kleinste Entfernung?

a) $R(-2|-1|1)$; $g: \vec{x} = \begin{pmatrix} 1 \\ 1 \\ 0 \end{pmatrix} + t \cdot \begin{pmatrix} 1 \\ -1 \\ 1 \end{pmatrix}$
b) $R(1|2|-3)$; $g: \vec{x} = \begin{pmatrix} 2 \\ 3 \\ 2 \end{pmatrix} + t \cdot \begin{pmatrix} 2 \\ 1 \\ -1 \end{pmatrix}$

6 Die Punkte $A(-7|-5|2)$, $B(1|9|6)$, $C(5|-2|-1)$ und $D(-2|0|9)$ sind die Ecken einer dreiseitigen Pyramide. Berechnen Sie das Volumen der Pyramide.

7 Gegeben sind der Punkt $A(2|3|19)$ sowie die Gerade g durch die Punkte $B(4|9|11)$ und $C(3|4|7)$. Begründen Sie, dass B derjenige Punkt der Geraden g ist, der die kleinste Entfernung vom Punkt A hat.

INFO → Aufgabe 8

⊛ Vektoris 3D
Abstand Punkt
Gerade
Hilfsebene

Abstandsbestimmung mit einer Hilfsebene
Eine dritte Möglichkeit zur Berechnung des Abstandes des Punktes R von der Geraden g verwendet eine Hilfsebene (Fig. 1).
1. Man bestimmt eine Gleichung der Ebene,
   – die zur Geraden g orthogonal ist und
   – in der der Punkt R liegt.
2. Man berechnet den Schnittpunkt F der Ebene E mit der Geraden g.
3. Man berechnet den Betrag des Vektors $\overrightarrow{FR}$.

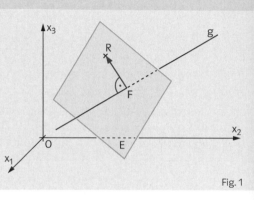

Fig. 1

---

8 Berechnen Sie die Abstände aus Aufgabe 1 mithilfe der im Infokasten angegebenen Methode und vergleichen Sie die Methoden. Geben Sie jeweils auch die Koordinaten des Lotfußpunktes an.

9 Bestimmen Sie den Abstand der Geraden g von der Spitze S der quadratischen Pyramide in Fig 2.

10 Geben Sie drei verschiedene, zur Geraden
$g: \vec{x} = \begin{pmatrix} 2 \\ 4 \\ 7 \end{pmatrix} + t \cdot \begin{pmatrix} 2 \\ 1 \\ 0 \end{pmatrix}$ parallele Geraden an, die
den Abstand 3 vom Punkt $R(2|4|9)$ haben.

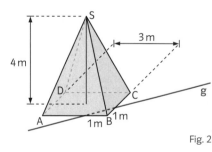

Fig. 2

11 a) Berechnen Sie die Abstände des Punktes $A(2|11|-5)$ von den Koordinatenachsen.
b) Erklären Sie allgemein, wie man mithilfe des Satzes von Pythagoras direkt den Abstand eines Punktes von den Koordinatenachsen berechnen kann (Fig. 3).

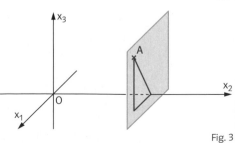

Fig. 3

4 Abstand windschiefer Geraden

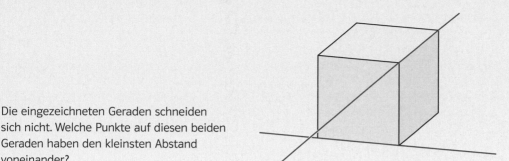

Die eingezeichneten Geraden schneiden sich nicht. Welche Punkte auf diesen beiden Geraden haben den kleinsten Abstand voneinander?

Unter dem **Abstand zweier windschiefer Geraden g und h** versteht man die kleinste Entfernung zwischen den Punkten von g und den Punkten von h.

In Fig. 1 ist die Strecke $\overline{GH}$ die kürzeste Verbindungsstrecke zwischen den Geraden g und h. Deshalb ist $\overline{GH}$ sowohl das Lot vom Punkt G auf die Gerade h als auch das Lot vom Punkt H auf die Gerade g.

⑨ **Vektoris 3D**
Abstand windschiefer Geraden

Fig. 1

Man sagt, die Strecke $\overline{GH}$ ist das gemeinsame Lot der windschiefen Geraden g und h.

Für die Lotfußpunkte G und H gilt:
$\overrightarrow{GH} \perp g$ und $\overrightarrow{GH} \perp h$

Um den Abstand der windschiefen Geraden g und h zu berechnen, bestimmt man diese Punkte G und H.

Hierzu kann man so vorgehen:

Man bezeichnet mit G_s die Punkte der Geraden g: $\vec{x} = \vec{p} + s \cdot \vec{u}$ und mit H_t die Punkte der Geraden h: $\vec{x} = \vec{q} + t \cdot \vec{v}$ $(s, t \in \mathbb{R})$.

Damit gilt $G_s(p_1 + s \cdot u_1 \,|\, p_2 + s \cdot u_2 \,|\, p_3 + s \cdot u_3)$ und $H_t(q_1 + t \cdot v_1 \,|\, q_2 + t \cdot v_2 \,|\, q_3 + t \cdot v_3)$.

Nun bestimmt man s und t so, dass
$\overline{G_s H_t} \perp g$ und $\overline{G_s H_t} \perp h$.

Das ist gleichbedeutend damit, dass der Vektor $\overrightarrow{G_s H_t}$ orthogonal zu dem Richtungsvektor $\vec{u}$ der Geraden g und zu dem Richtungsvektor $\vec{v}$ der Geraden h sein soll.

Daraus folgt das LGS
$\begin{array}{ll} (1) & \overrightarrow{G_s H_t} \cdot \vec{u} = 0 \\ (2) & \overrightarrow{G_s H_t} \cdot \vec{v} = 0 \end{array}$.

Mit der Lösung dieses LGS kann man die Koordinaten der gesuchten Punkte G und H berechnen.

Definition: Unter dem Abstand zweier windschiefer Geraden g und h versteht man die kleinste Entfernung zwischen den Punkten von g und den Punkten von h.

Sind G bzw. H Punkte auf den Geraden g: $\vec{x} = \vec{p} + s \cdot \vec{u}$ bzw. h: $\vec{x} = \vec{q} + t \cdot \vec{v}$ und gilt:
$\qquad$ (1) $\overrightarrow{GH} \cdot \vec{u} = 0$ und
$\qquad$ (2) $\overrightarrow{GH} \cdot \vec{v} = 0$,
dann ist $|\overrightarrow{GH}|$ der Abstand der beiden Geraden g und h.

Beispiel Abstand windschiefer Geraden berechnen

Berechnen Sie den Abstand der Geraden $g: \vec{x} = \begin{pmatrix} 0 \\ -1 \\ 1 \end{pmatrix} + s \cdot \begin{pmatrix} 1 \\ -1 \\ 0 \end{pmatrix}$ und $h: \vec{x} = \begin{pmatrix} 9 \\ -8 \\ 6 \end{pmatrix} + t \cdot \begin{pmatrix} 2 \\ -3 \\ 2 \end{pmatrix}$.

■ Lösung: *Für jedes s ist $G_s(s \mid -1 - s \mid 1)$ ein Punkt auf g und für jedes t ist $H_t(9 + 2t \mid -8 - 3t \mid 6 + 2t)$ ein Punkt auf h.*

Also ist: $\overrightarrow{G_sH_t} = \begin{pmatrix} 9 + 2t & -s \\ -8 - 3t - (-1 - s) \\ 6 + 2t - 1 \end{pmatrix} = \begin{pmatrix} -s + 2t + 9 \\ s - 3t - 7 \\ 2t + 5 \end{pmatrix}$.

(1) $\begin{pmatrix} -s + 2t + 9 \\ s - 3t - 7 \\ 2t + 5 \end{pmatrix} \cdot \begin{pmatrix} 1 \\ -1 \\ 0 \end{pmatrix} = 0$ und (2) $\begin{pmatrix} -s + 2t + 9 \\ s - 3t - 7 \\ 2t + 5 \end{pmatrix} \cdot \begin{pmatrix} 2 \\ -3 \\ 2 \end{pmatrix} = 0$

führen auf das LGS $\begin{matrix} (1) & -2s + 5t = -16 \\ (2) & -5s + 17t = -49 \end{matrix}$ mit den Lösungen $s = 3$ und $t = -2$.

Das Einsetzen in g bzw. h liefert die Geradenpunkte $G(3 \mid -4 \mid 1)$ und $H(5 \mid -2 \mid 2)$.

$d(g; h) = \left| \overrightarrow{GH} \right| = \sqrt{(5 - 3)^2 + (-2 - (-4))^2 + (2 - 1)^2} = 3$.

Aufgaben

◎ Vektoris 3D

Abstand windschiefer Geraden g und h

In den Teilaufgaben b) und c) muss jeweils ein Parameter umbenannt werden.

1 Berechnen Sie den Abstand der Geraden g und h.

a) $g: \vec{x} = \begin{pmatrix} 7 \\ 7 \\ 4 \end{pmatrix} + s \cdot \begin{pmatrix} 1 \\ -2 \\ 6 \end{pmatrix}$; $h: \vec{x} = \begin{pmatrix} -3 \\ 0 \\ 5 \end{pmatrix} + t \cdot \begin{pmatrix} 1 \\ 0 \\ -3 \end{pmatrix}$ b) $g: \vec{x} = \begin{pmatrix} 1 \\ 1 \\ 1 \end{pmatrix} + t \cdot \begin{pmatrix} -3 \\ 0 \\ 2 \end{pmatrix}$; $h: \vec{x} = \begin{pmatrix} 6 \\ 6 \\ 18 \end{pmatrix} + t \cdot \begin{pmatrix} 3 \\ -4 \\ 1 \end{pmatrix}$

c) $g: \vec{x} = \begin{pmatrix} 3 \\ 1 \\ 4 \end{pmatrix} + t \cdot \begin{pmatrix} 1 \\ 1 \\ 0 \end{pmatrix}$; $h: \vec{x} = \begin{pmatrix} 5 \\ 5 \\ 8 \end{pmatrix} + t \cdot \begin{pmatrix} 0 \\ -1 \\ 1 \end{pmatrix}$ d) $g: \vec{x} = \begin{pmatrix} 3 \\ 2 \\ 5 \end{pmatrix} + t \cdot \begin{pmatrix} -3 \\ 1 \\ 1 \end{pmatrix}$; $h: \vec{x} = \begin{pmatrix} 6 \\ 5 \\ 11 \end{pmatrix} + s \cdot \begin{pmatrix} 1 \\ 1 \\ -2 \end{pmatrix}$

2 Zeichnen Sie ein Schrägbild eines Würfels mit der Kantenlänge 3. Bestimmen Sie den Abstand einer Raumdiagonalen und einer Bodendiagonalen, die sich nicht schneiden.

3 Untersuchen Sie die gegenseitige Lage der Geraden g und h. Bestimmen Sie ihren Abstand.

a) $g: \vec{x} = \begin{pmatrix} 2 \\ 5 \\ 5 \end{pmatrix} + t \cdot \begin{pmatrix} 1 \\ 1 \\ 3 \end{pmatrix}$; $h: \vec{x} = t \cdot \begin{pmatrix} -1 \\ -1 \\ -3 \end{pmatrix}$ b) $g: \vec{x} = \begin{pmatrix} 0 \\ 1 \\ 2 \end{pmatrix} + t \cdot \begin{pmatrix} 0 \\ 1 \\ 1 \end{pmatrix}$; $h: \vec{x} = \begin{pmatrix} 0 \\ 1 \\ 2 \end{pmatrix} + t \cdot \begin{pmatrix} 4 \\ 3 \\ -2 \end{pmatrix}$

Zeit zu überprüfen

4 Berechnen Sie den Abstand der Geraden g und h.

a) $g: \vec{x} = \begin{pmatrix} 4 \\ 2 \\ 25 \end{pmatrix} + t \cdot \begin{pmatrix} 0 \\ -3 \\ 1 \end{pmatrix}$; $h: \vec{x} = \begin{pmatrix} 3 \\ 2 \\ 5 \end{pmatrix} + t \cdot \begin{pmatrix} 6 \\ 2 \\ -1 \end{pmatrix}$ b) $g: \vec{x} = \begin{pmatrix} 1 \\ 4 \\ -1 \end{pmatrix} + t \cdot \begin{pmatrix} 0 \\ 3 \\ -2 \end{pmatrix}$; $h: \vec{x} = \begin{pmatrix} 9 \\ 5 \\ 10 \end{pmatrix} + t \cdot \begin{pmatrix} 3 \\ -1 \\ 0 \end{pmatrix}$

5 Bestimmen Sie den Punkt G auf $g: \vec{x} = \begin{pmatrix} 0 \\ 1 \\ 2 \end{pmatrix} + t \cdot \begin{pmatrix} 0 \\ 1 \\ 1 \end{pmatrix}$ und den Punkt H auf $h: \vec{x} = \begin{pmatrix} 7 \\ 7 \\ 0 \end{pmatrix} + t \cdot \begin{pmatrix} 4 \\ -5 \\ 2 \end{pmatrix}$ so, dass $\overline{GH}$ die kürzeste Verbindungsstrecke zwischen den beiden Geraden ist.

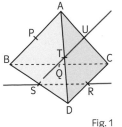

Fig. 1

6 Gegeben ist eine Pyramide mit den Ecken $A(-9 \mid 3 \mid -3)$, $B(-3 \mid -6 \mid 0)$, $C(-7 \mid 5 \mid 5)$ und $D(4 \mid 8 \mid 0)$. Die Punkte P, Q, R, S, T, U sind jeweils die Kantenmitten der Pyramide (Fig. 1). Berechnen Sie den Abstand der Geraden durch A und C zur Geraden durch B und D und den Abstand der Geraden durch T und U zur Geraden durch R und S.

7 a) Die Geraden mit den Gleichungen $\vec{x} = \begin{pmatrix} 5 \\ 11 \\ 17 \end{pmatrix} + t \cdot \begin{pmatrix} 1 \\ 2 \\ 0 \end{pmatrix}$ und $\vec{x} = \begin{pmatrix} 7 \\ 12 \\ 23 \end{pmatrix} + t \cdot \begin{pmatrix} 9 \\ 11 \\ 0 \end{pmatrix}$ sind beide

parallel zu einer Koordinatenebene. Erläutern Sie, wie man den Gleichungen direkt entnehmen kann, dass der Abstand der Geraden 6 beträgt.

b) Bestimmen Sie entsprechend den Abstand der Geraden mit den Gleichungen

$\vec{x} = \begin{pmatrix} -14 \\ 7 \\ 112 \end{pmatrix} + t \cdot \begin{pmatrix} 23 \\ 0 \\ 47 \end{pmatrix}$ und $\vec{x} = \begin{pmatrix} 113 \\ 27 \\ -45 \end{pmatrix} + t \cdot \begin{pmatrix} 17 \\ 0 \\ 37 \end{pmatrix}$ bzw. $\vec{x} = \begin{pmatrix} 3 \\ 7 \\ 5 \end{pmatrix} + t \cdot \begin{pmatrix} 1 \\ 0 \\ 0 \end{pmatrix}$ und $\vec{x} = \begin{pmatrix} 2 \\ 1 \\ 9 \end{pmatrix} + t \cdot \begin{pmatrix} 0 \\ 1 \\ 0 \end{pmatrix}$.

INFO → Aufgabe 8

® Vektoris 3D
Abstand windschiefer
Geraden Hilfsebene

Abstandsbestimmung mit einer Hilfsebene

Wenn zwei Geraden g und h windschief sind, gibt es eine Ebene E, sodass
- die Gerade g in der Ebene E liegt und
- die Gerade h parallel zur Ebene E ist.

Der Abstand der Geraden g und h ist dann gleich dem Abstand eines beliebigen Punktes von h zur Ebene E. Mit der Hesse'schen Normalenform erhält man folgende Formel für den Abstand d der Geraden g und h: $d = |(\vec{q} - \vec{p}) \cdot \vec{n_0}|$. Dabei sind $\vec{p}$ und $\vec{q}$ die Ortsvektoren der Geradenpunkte P und Q und $\vec{n_0}$ ein Normaleneinheitsvektor der Ebene E.

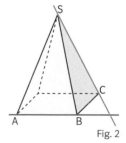

Fig. 1

---

8 Die Gerade g liegt in der Ebene E und die Gerade h ist parallel zur Ebene E. Bestimmen Sie eine Gleichung der Ebene E in Hesse'scher Normalenform und berechnen Sie mit der Formel aus dem Infokasten den Abstand zwischen den Geraden g und h.

Welche der Aufgaben 1–9 kann man nicht mit der Formel aus dem Infokasten lösen?

a) g: $\vec{x} = \begin{pmatrix} 2 \\ 1 \\ 5 \end{pmatrix} + t \cdot \begin{pmatrix} 1 \\ 1 \\ 4 \end{pmatrix}$; h: $\vec{x} = \begin{pmatrix} 3 \\ 0 \\ 2 \end{pmatrix} + t \cdot \begin{pmatrix} 2 \\ -1 \\ 7 \end{pmatrix}$ b) g: $\vec{x} = \begin{pmatrix} 6 \\ 1 \\ 4 \end{pmatrix} + t \cdot \begin{pmatrix} -3 \\ 1 \\ 1 \end{pmatrix}$; h: $\vec{x} = \begin{pmatrix} 5 \\ 4 \\ 13 \end{pmatrix} + t \cdot \begin{pmatrix} 1 \\ 1 \\ -2 \end{pmatrix}$

9 Eine senkrechte quadratische Pyramide besitzt als Grundfläche ein Quadrat mit der Seitenlänge 4. Die Höhe beträgt 6 (Fig. 2).

a) Bestimmen Sie den Abstand der Geraden durch die Punkte A und B von der Geraden durch die Punkte C und S.

b) Welcher Punkt auf der roten Gerade ist der blauen Gerade am nächsten?

10 Vergleichen Sie die im Lehrtext vorgestellte Methode zur Berechnung des Abstandes zweier windschiefer Geraden mit der Methode aus dem Infokasten.

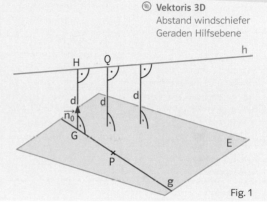

Fig. 2

11 Der Ursprung eines Koordinatensystems mit der Längeneinheit 1 m liegt in der linken unteren Ecke des Zimmers aus Fig. 3. Auf einer Höhe von 1,55 m verläuft in der Hinterwand in 5 cm Tiefe eine Wasserleitung mit einem Durchmesser von 1,5 cm. Ein Heimwerker bohrt mit einem 6-mm-Bohrer ein Loch längs der Geraden g: $\vec{x} = \begin{pmatrix} 0 \\ 2 \\ 1,53 \end{pmatrix} + t \cdot \begin{pmatrix} -10 \\ -1 \\ 1 \end{pmatrix}$.

Untersuchen Sie, ob der Bohrer die Wasserleitung beschädigen kann.

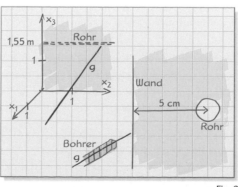

Fig. 3

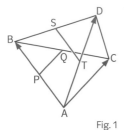

Fig. 1

12 Gegeben ist eine Pyramide mit den Ecken A(1|−2|−7), B(−8|−2|5), C(17|−2|5) und D(1|6|−7) und den Kantenmitten P, Q, S, T wie in Fig. 1.

a) Untersuchen Sie die Lage der Vektoren $\overrightarrow{AB}$, $\overrightarrow{AC}$ und $\overrightarrow{AD}$ zueinander.

b) In welcher Ebene liegen die Punkte A, B und C? Bestimmen Sie den Abstand dieser Ebene zum Punkt D. Erläutern Sie Ihre Vorgehensweise.

c) Berechnen Sie den Flächeninhalt des Dreiecks ABC und das Volumen der Pyramide.

d) Berechnen Sie den Abstand der Geraden durch P und Q zur Geraden durch S und T. Stellen Sie Überlegungen an, wie man diesen Abstand auch ohne Rechnung bestimmen kann.

13 a) Ein Oktaeder ist eine quadratische Doppelpyramide, deren Kanten alle die gleiche Länge a haben (Fig. 2). Bestimmen Sie den Abstand zueinander windschiefer Kanten.

b) Ein Tetraeder ist eine dreiseitige Pyramide, deren Kanten alle die gleiche Länge a haben (Fig. 3). Bestimmen Sie den Abstand gegenüberliegender Kanten.

Tipp zu Aufgabe 13 b):
Wenn a die Seitenlänge eines gleichseitigen Dreiecks ist, dann gilt für die Höhe h: $h = \frac{1}{2}a\sqrt{3}$. Der Fußpunkt der Höhe des Tetraeders teilt die Höhe der Grundfläche im Verhältnis 2:1.

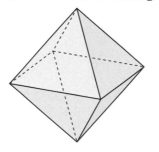

Fig. 2

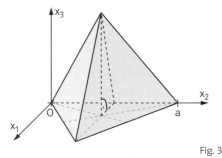

Fig. 3

14 Das „alte Dach" in Fig. 4 benötigt zur Verstärkung einen Stützbalken zwischen der „Windrispe" $\overline{BD}$ und der Grundkante $\overline{OA}$. Er soll zu $\overline{BD}$ und $\overline{OA}$ orthogonal sein. Bestimmen Sie die Koordinaten der Befestigungspunkte des Stützbalkens und berechnen Sie auch seine Länge.

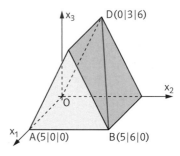

Fig. 4

◎ CAS
Flugbahnen berechnen

15 Bezogen auf ein geeignetes Koordinatensystem mit der Einheit 1 km befindet sich ein erstes Flugzeug zu Beobachtungsbeginn im Koordinatenursprung und bewegt sich geradlinig mit einer Geschwindigkeit von $300\frac{km}{h}$ in Richtung des Vektors $\begin{pmatrix} 1 \\ 2 \\ 1 \end{pmatrix}$. Ein zweites Flugzeug befindet sich zu Beobachtungsbeginn im Punkt (20|34,2|15,3) und bewegt sich mit einer Geschwindigkeit von $400\frac{km}{h}$ in Richtung des Vektors $\begin{pmatrix} -2 \\ 2 \\ 3 \end{pmatrix}$.

a) Untersuchen Sie, in welchen Punkten sich ihre Flugbahnen am nächsten kommen, und berechnen Sie den Abstand der beiden Punkte. Wie lange nach Beobachtungsbeginn befinden sich die Flugzeuge jeweils an diesem Punkt?

b) Zu welchem Zeitpunkt ist der Abstand zwischen den beiden Flugzeugen am kleinsten?

◎ Vektoris 3D
Windschiefe Geraden Parameter

16 a) Für welche Werte von a sind die Gerade $g: \vec{x} = \begin{pmatrix} 0 \\ 0 \\ 1 \end{pmatrix} + t \cdot \begin{pmatrix} 1 \\ 0 \\ a \end{pmatrix}$ und die x_2-Achse zueinander windschief?

b) Welche Werte kann a annehmen, damit der Abstand der Geraden g zur x_2-Achse mindestens 0,5 beträgt?

5 Winkel zwischen Vektoren – Skalarprodukt

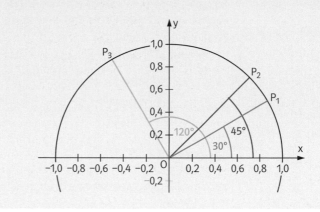

In der Grafik ist ein Teil eines Einheitskreises abgebildet. Bestimmen Sie die Koordinaten der Vektoren $\overrightarrow{OP_1}$, $\overrightarrow{OP_2}$ und $\overrightarrow{OP_3}$ sowie deren Skalarprodukte mit dem Vektor $\begin{pmatrix} 1 \\ 0 \end{pmatrix}$.

Zeichnet man zu einem gemeinsamen Anfangspunkt Pfeile zweier Vektoren $\vec{a}$ und $\vec{b}$, die nicht zueinander parallel sind, so entstehen zwei Winkel. Den kleineren dieser beiden Winkel bezeichnet man als den **Winkel zwischen den Vektoren** $\vec{a}$ und $\vec{b}$ (Fig. 1).
Die Größe des Winkels zwischen zwei Vektoren kann man mithilfe des Skalarproduktes bestimmen.

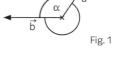

Fig. 1

Wenn für zwei Vektoren $\vec{a}$ und $\vec{b}$ das Skalarprodukt $\vec{a} \cdot \vec{b}$ gleich Null ist, dann sind die Vektoren $\vec{a}$ und $\vec{b}$ zueinander orthogonal, das heißt, der Winkel zwischen den Vektoren $\vec{a}$ und $\vec{b}$ beträgt 90°.

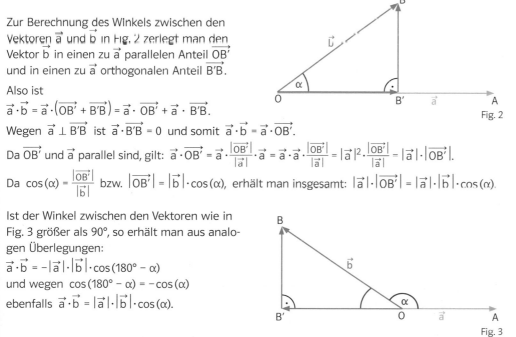

Zur Berechnung des Winkels zwischen den Vektoren $\vec{a}$ und $\vec{b}$ in Fig. 2 zerlegt man den Vektor $\vec{b}$ in einen zu $\vec{a}$ parallelen Anteil $\overrightarrow{OB'}$ und in einen zu $\vec{a}$ orthogonalen Anteil $\overrightarrow{B'B}$.

Also ist
$\vec{a} \cdot \vec{b} = \vec{a} \cdot \left(\overrightarrow{OB'} + \overrightarrow{B'B} \right) = \vec{a} \cdot \overrightarrow{OB'} + \vec{a} \cdot \overrightarrow{B'B}$.
Wegen $\vec{a} \perp \overrightarrow{B'B}$ ist $\vec{a} \cdot \overrightarrow{B'B} = 0$ und somit $\vec{a} \cdot \vec{b} = \vec{a} \cdot \overrightarrow{OB'}$.

Da $\overrightarrow{OB'}$ und $\vec{a}$ parallel sind, gilt: $\vec{a} \cdot \overrightarrow{OB'} = \vec{a} \cdot \dfrac{|\overrightarrow{OB'}|}{|\vec{a}|} \cdot \vec{a} = \vec{a} \cdot \vec{a} \cdot \dfrac{|\overrightarrow{OB'}|}{|\vec{a}|} = |\vec{a}|^2 \cdot \dfrac{|\overrightarrow{OB'}|}{|\vec{a}|} = |\vec{a}| \cdot |\overrightarrow{OB'}|$.

Da $\cos(\alpha) = \dfrac{|\overrightarrow{OB'}|}{|\vec{b}|}$ bzw. $|\overrightarrow{OB'}| = |\vec{b}| \cdot \cos(\alpha)$, erhält man insgesamt: $|\vec{a}| \cdot |\overrightarrow{OB'}| = |\vec{a}| \cdot |\vec{b}| \cdot \cos(\alpha)$.

Fig. 2

Sonderfälle:
Wenn die Pfeile der Vektoren in dieselbe Richtung zeigen, gilt $\alpha = 0°$.

Wenn die Pfeile der Vektoren in entgegengesetzte Richtungen zeigen, gilt $\alpha = 180°$.

Ist der Winkel zwischen den Vektoren wie in Fig. 3 größer als 90°, so erhält man aus analogen Überlegungen:
$\vec{a} \cdot \vec{b} = -|\vec{a}| \cdot |\vec{b}| \cdot \cos(180° - \alpha)$
und wegen $\cos(180° - \alpha) = -\cos(\alpha)$
ebenfalls $\vec{a} \cdot \vec{b} = |\vec{a}| \cdot |\vec{b}| \cdot \cos(\alpha)$.

Fig. 3

Satz: Für den **Winkel α zwischen den Vektoren** $\vec{a}$ und $\vec{b}$ gilt:
$\vec{a} \cdot \vec{b} = |\vec{a}| \cdot |\vec{b}| \cdot \cos(\alpha)$ bzw. $\cos(\alpha) = \dfrac{\vec{a} \cdot \vec{b}}{|\vec{a}| \cdot |\vec{b}|}$ mit $0° \leq \alpha \leq 180°$.

Beispiel Winkelberechnung

Gegeben sind die Punkte A$(1|-1|-5)$, B$(3|2|-4)$ und C$(5|-1|-2)$.

Bestimmen Sie jeweils die Größe des Winkels zwischen den Vektoren $\overrightarrow{AB}$ und $\overrightarrow{AC}$ bzw. $\overrightarrow{BA}$ und $\overrightarrow{AC}$.

■ Lösung: $\overrightarrow{AB} = \begin{pmatrix} 2 \\ 3 \\ 1 \end{pmatrix}$; $\overrightarrow{BA} = \begin{pmatrix} -2 \\ -3 \\ -1 \end{pmatrix}$; $|\overrightarrow{AB}| = |\overrightarrow{BA}| = \sqrt{14}$; $\overrightarrow{AC} = \begin{pmatrix} 4 \\ 0 \\ 3 \end{pmatrix}$; $|\overrightarrow{AC}| = 5$

α: Winkel zwischen $\overrightarrow{AB}$ und $\overrightarrow{AC}$,

$\cos(\alpha) = \dfrac{\overrightarrow{AB} \cdot \overrightarrow{AC}}{|\overrightarrow{AB}| \cdot |\overrightarrow{AC}|} = \dfrac{8+0+3}{\sqrt{14} \cdot 5} = \dfrac{11}{5\sqrt{14}}$; $\alpha \approx 54{,}0°$

β: Winkel zwischen $\overrightarrow{BA}$ und $\overrightarrow{AC}$

$\cos(\beta) = \dfrac{\overrightarrow{BA} \cdot \overrightarrow{AC}}{|\overrightarrow{BA}| \cdot |\overrightarrow{AC}|} = \dfrac{-8+0-3}{\sqrt{14} \cdot 5} = \dfrac{-11}{5\sqrt{14}}$; $\beta \approx 126{,}0°$

```
cos⁻¹(11/(5√(14)))
           53.98657961
cos⁻¹(-11/(5√(14)
)
           126.0134204
■
```
Fig. 1

Aufgaben

1 Bestimmen Sie die Größe des Winkels zwischen den Vektoren $\vec{a}$ und $\vec{b}$.

a) $\vec{a} = \begin{pmatrix} 5 \\ 0 \end{pmatrix}$; $\vec{b} = \begin{pmatrix} 1 \\ 3 \end{pmatrix}$

b) $\vec{a} = \begin{pmatrix} 1 \\ 3 \\ 1 \end{pmatrix}$; $\vec{b} = \begin{pmatrix} 2 \\ 5 \\ 1 \end{pmatrix}$

c) $\vec{a} = \begin{pmatrix} 1 \\ 3 \\ 5 \end{pmatrix}$; $\vec{b} = \begin{pmatrix} 5 \\ 3 \\ 1 \end{pmatrix}$

d) $\vec{a} = \begin{pmatrix} -11 \\ 4 \\ 1 \end{pmatrix}$; $\vec{b} = \begin{pmatrix} 1 \\ 2 \\ 3 \end{pmatrix}$

⊚ CAS
Längen im Dreieck

2 Berechnen Sie die Längen der Seiten und die Größen der Winkel im Dreieck ABC. Zeichnen Sie für Teilaufgabe a) und b) das Dreieck und messen Sie nach.

a) A$(2|1)$, B$(5|-1)$, C$(4|3)$

b) A$(1|1)$, B$(9|-2)$, C$(3|8)$

c) A$(5|0|4)$, B$(3|0|0)$, C$(5|4|0)$

d) A$(5|1|5)$, B$(5|5|3)$, C$(3|3|5)$

3 Der Winkel zwischen den Vektoren $\vec{a}$ und $\vec{b}$ ist α. Bestimmen Sie die fehlende Koordinate.

a) $\vec{a} = \begin{pmatrix} 3 \\ 2 \\ a \end{pmatrix}$; $\vec{b} = \begin{pmatrix} 1 \\ -2 \\ 2 \end{pmatrix}$; $\alpha = 90°$

b) $\vec{a} = \begin{pmatrix} 0 \\ 1 \\ 0 \end{pmatrix}$; $\vec{b} = \begin{pmatrix} \sqrt{3} \\ b \\ 0 \end{pmatrix}$; $\alpha = 30°$

c) $\vec{a} = \begin{pmatrix} 0 \\ 0{,}5 \\ 0{,}5 \end{pmatrix}$; $\vec{b} = \begin{pmatrix} 1 \\ 0 \\ c \end{pmatrix}$; $\alpha = 60°$

4 Gegeben sind die Vektoren $\vec{a} = \begin{pmatrix} 2 \\ 3 \end{pmatrix}$ und $\vec{b} = \begin{pmatrix} -1 \\ 5 \end{pmatrix}$. Bestimmen Sie jeweils die Größe des Winkels zwischen $\vec{a}$ und $\vec{b}$, $-\vec{a}$ und $\vec{b}$, $\vec{a}$ und $-\vec{b}$ sowie $-\vec{a}$ und $-\vec{b}$.

Zeit zu überprüfen ────────────────

5 Ein Viereck hat die Eckpunkte O$(0|0|0)$, P$(2|3|5)$, Q$(5|5|6)$ und R$(1|4|9)$. Berechnen Sie die Längen der Seiten und die Größen der Winkel ⊲ ROP, ⊲ OPQ, ⊲ PQR und ⊲ ORQ.

────────────────

6 Gegeben ist ein gleichseitiges Dreieck ABC mit der Seitenlänge 3. Berechnen Sie $\overrightarrow{AB} \cdot \overrightarrow{AC}$.

7 a) Zeichnen Sie das Viereck ABCD mit A$(2|-2|-2)$, B$(-2|5{,}5|-2)$, C$(-6|2|4)$ und D$(1|-2|1)$ in ein Koordinatensystem und berechnen Sie die Größe der Innenwinkel des Vierecks.

b) Bestimmen Sie die Winkelsumme. Was fällt Ihnen auf? Geben Sie dazu eine Erklärung.

c) Bestimmen Sie zu den Punkten A, B und C aus Teilaufgabe a) einen vierten Punkt E so, dass die Winkelsumme im Viereck ABCE 360° beträgt.

8 In Fig. 2 ist ein Würfel mit der Kantenlänge 5 dargestellt.

Berechnen Sie die Seitenlängen und die
Größen der Winkel

a) des roten Dreiecks,

b) des blauen Dreiecks.

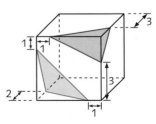

Fig. 2

6 Schnittwinkel

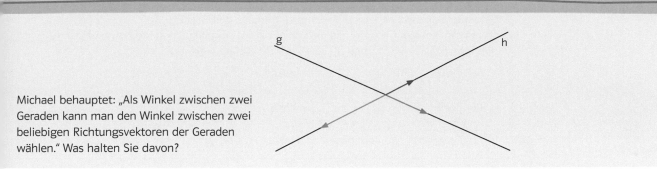

Michael behauptet: „Als Winkel zwischen zwei Geraden kann man den Winkel zwischen zwei beliebigen Richtungsvektoren der Geraden wählen." Was halten Sie davon?

Schnittwinkel Gerade – Gerade

Wenn zwei Geraden sich schneiden, entstehen vier Winkel, je zwei der Größe α ($\alpha \le 90°$) und je zwei der Größe $180° - \alpha$ (Fig. 1). Unter dem **Schnittwinkel zweier Geraden** versteht man den Winkel der kleiner oder gleich 90° ist. Sind $\vec{u}$ und $\vec{v}$ Richtungsvektoren der Geraden, dann kann man den Schnittwinkel α der Geraden mit der Formel $\cos(\alpha) = \dfrac{|\vec{u} \cdot \vec{v}|}{|\vec{u}| \cdot |\vec{v}|}$ berechnen.

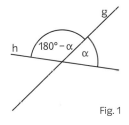

Fig. 1

Schnittwinkel Ebene – Ebene

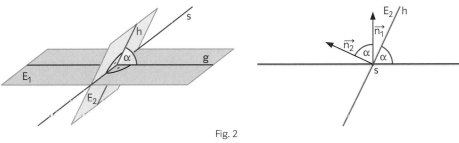

Fig. 2   Fig. 3

Die Betragsstriche im Zähler der Formeln sichern, dass $\cos(\alpha) \ge 0$ und damit $0° \le \alpha \le 90°$ ist.

Unter dem **Schnittwinkel α zweier Ebenen E_1 und E_2** versteht man den Schnittwinkel zweier Geraden g und h, die in E_1 bzw. E_2 liegen und orthogonal zur Schnittgeraden s der beiden Ebenen sind (Fig. 2). Dieser Winkel ist gleich dem Winkel zwischen den Normalenvektoren $\vec{n_1}$ und $\vec{n_2}$ der Ebenen E_1 und E_2 in Fig. 3. Deshalb kann man den Schnittwinkel α der Ebenen E_1 und E_2 mit der Formel $\cos(\alpha) = \dfrac{|\vec{n_1} \cdot \vec{n_2}|}{|\vec{n_1}| \cdot |\vec{n_2}|}$ berechnen.

Schnittwinkel Gerade – Ebene

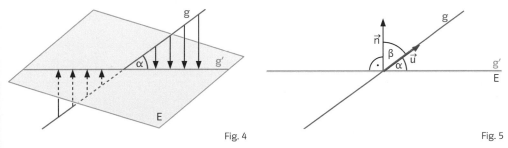

Fig. 4   Fig. 5

Fällt man von jedem Punkt einer Geraden g das Lot auf die Ebene E, so erhält man in E eine Gerade g'. Unter dem **Schnittwinkel α der Geraden g und der Ebene E** versteht man den Winkel zwischen den Geraden g und g' (Fig. 4). Der Winkel β zwischen dem Normalenvektor $\vec{n}$ der Ebene E und dem Richtungsvektor $\vec{u}$ der Geraden g in Fig. 5 ergänzt den Schnittwinkel α zu 90°.

Daher kann man den Schnittwinkel α direkt mit der Formel $\sin(\alpha) = \dfrac{|\vec{u} \cdot \vec{n}|}{|\vec{u}| \cdot |\vec{n}|}$ berechnen.

Es ist $\cos(\beta) = \dfrac{|\vec{u} \cdot \vec{n}|}{|\vec{u}| \cdot |\vec{n}|}$.
Wegen $\beta = 90° - \alpha$ und $\cos(90° - \alpha) = \sin(\alpha)$ erhält man:
$\sin(\alpha) = \dfrac{|\vec{u} \cdot \vec{n}|}{|\vec{u}| \cdot |\vec{n}|}$.

Satz: Schnittwinkel bei sich schneidenden Geraden und Ebenen

Haben die Geraden g_1 und g_2 die Richtungsvektoren $\vec{u_1}$ und $\vec{u_2}$ und die Ebenen E_1 und E_2 die Normalenvektoren $\vec{n_1}$ und $\vec{n_2}$, so gilt für den **Schnittwinkel** α

- der Geraden g_1 und g_2: $\qquad\qquad \cos(\alpha) = \dfrac{|\vec{u_1}\cdot\vec{u_2}|}{|\vec{u_1}|\cdot|\vec{u_2}|}, \quad 0° \leq \alpha \leq 90°$

- der Ebenen E_1 und E_2: $\qquad\qquad \cos(\alpha) = \dfrac{|\vec{n_1}\cdot\vec{n_2}|}{|\vec{n_1}|\cdot|\vec{n_2}|}, \quad 0° \leq \alpha \leq 90°$

- der Geraden g_1 und der Ebene E_1: $\quad \sin(\alpha) = \dfrac{|\vec{u_1}\cdot\vec{n_1}|}{|\vec{u_1}|\cdot|\vec{n_1}|}, \quad 0° \leq \alpha \leq 90°.$

Beispiel Schnittwinkel berechnen

Gegeben sind die sich schneidenden Geraden $g\colon \vec{x} = \begin{pmatrix} 2 \\ 1 \\ -1 \end{pmatrix} + r\cdot\begin{pmatrix} 1 \\ 3 \\ 2 \end{pmatrix}$ und $h\colon \vec{x} = \begin{pmatrix} 5 \\ 3 \\ 0 \end{pmatrix} + s\cdot\begin{pmatrix} -2 \\ 1 \\ 1 \end{pmatrix}$

sowie die Ebenen $E_1\colon 2x_1 + x_2 - x_3 = 12$ und $E_2\colon \left[\vec{x} - \begin{pmatrix} 1 \\ 5 \\ 5 \end{pmatrix}\right]\cdot\begin{pmatrix} -3 \\ 1 \\ 1 \end{pmatrix} = 0.$

Bestimmen Sie die Größe des Schnittwinkels

a) der Geraden g und h,   b) der Ebenen E_1 und E_2,   c) der Geraden g und der Ebene E_1.

■ Lösung: a) $\cos(\alpha) = \dfrac{\left|\begin{pmatrix} 1 \\ 3 \\ 2 \end{pmatrix}\cdot\begin{pmatrix} -2 \\ 1 \\ 1 \end{pmatrix}\right|}{\sqrt{1^2 + 3^2 + 2^2}\cdot\sqrt{(-2)^2 + 1^2 + 1^2}} = \dfrac{3}{\sqrt{14}\cdot\sqrt{6}}.$ Somit ist $\alpha \approx 70{,}9°$ (s. Fig. 1).

Der Schnittwinkel beträgt 70,9°.

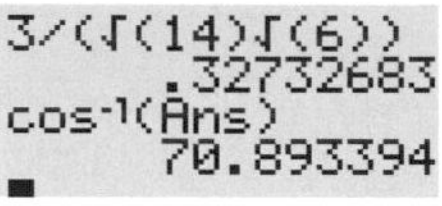

b) $\cos(\alpha) = \dfrac{\left|\begin{pmatrix} 2 \\ 1 \\ -1 \end{pmatrix}\cdot\begin{pmatrix} -3 \\ 1 \\ 1 \end{pmatrix}\right|}{\sqrt{2^2 + 1^2 + (-1)^2}\cdot\sqrt{(-3)^2 + 1^2 + 1^2}} = \dfrac{6}{\sqrt{6}\cdot\sqrt{11}}.$ Somit ist $\alpha \approx 42{,}4°$.

```
3/(√(14)√(6))
            .32732683
cos⁻¹(Ans)
            70.893394
■
```
Fig. 1

Der Schnittwinkel beträgt 42,4°.

c) $\sin(\alpha) = \dfrac{\left|\begin{pmatrix} 1 \\ 3 \\ 2 \end{pmatrix}\cdot\begin{pmatrix} 2 \\ 1 \\ -1 \end{pmatrix}\right|}{\sqrt{1^2 + 3^2 + 2^2}\cdot\sqrt{2^2 + 1^2 + (-1)^2}} = \dfrac{3}{\sqrt{14}\cdot\sqrt{6}}.$ Somit ist $\alpha \approx 19{,}1°$.

Der Schnittwinkel beträgt 19,1°.

Aufgaben

1 Gegeben sind die sich schneidenden Geraden g und h. Bestimmen Sie die Größe des Schnittwinkels.

a) $g\colon \vec{x} = \begin{pmatrix} 1 \\ 1 \\ 0 \end{pmatrix} + r\cdot\begin{pmatrix} 1 \\ 0 \\ 3 \end{pmatrix}$; $h\colon \vec{x} = \begin{pmatrix} 2 \\ 2 \\ 3 \end{pmatrix} + s\cdot\begin{pmatrix} 1 \\ -1 \\ 3 \end{pmatrix}$ b) $g\colon \vec{x} = \begin{pmatrix} 2 \\ 0 \\ 7 \end{pmatrix} + r\cdot\begin{pmatrix} 1 \\ 1 \\ 1 \end{pmatrix}$; $h\colon \vec{x} = \begin{pmatrix} 0 \\ 4 \\ -5 \end{pmatrix} + s\cdot\begin{pmatrix} 5 \\ 2 \\ 10 \end{pmatrix}$

c) $g\colon \vec{x} = \begin{pmatrix} 2 \\ 7 \\ 11 \end{pmatrix} + r\cdot\begin{pmatrix} 3 \\ 9 \\ -1 \end{pmatrix}$; $h\colon \vec{x} = \begin{pmatrix} 0 \\ 6 \\ -5 \end{pmatrix} + s\cdot\begin{pmatrix} 1 \\ 2 \\ 3 \end{pmatrix}$ d) $g\colon \vec{x} = r\cdot\begin{pmatrix} 4 \\ 5 \\ 7{,}5 \end{pmatrix}$; $h\colon \vec{x} = \begin{pmatrix} 6 \\ 4 \\ 7 \end{pmatrix} + s\cdot\begin{pmatrix} -2 \\ 1 \\ 0{,}5 \end{pmatrix}$

2 Bestimmen Sie die Größe des Schnittwinkels zwischen den Ebenen E_1 und E_2.

a) $E_1\colon \left[\vec{x} - \begin{pmatrix} 1 \\ 2 \\ 0 \end{pmatrix}\right]\cdot\begin{pmatrix} 5 \\ 0 \\ 1 \end{pmatrix} = 0$; $E_2\colon \left[\vec{x} - \begin{pmatrix} 2 \\ 3 \\ 7 \end{pmatrix}\right]\cdot\begin{pmatrix} 6 \\ 1 \\ 0 \end{pmatrix} = 0$ b) $E_1\colon x_1 + x_2 + x_3 = 10$; $E_2\colon x_1 - x_2 + 7x_3 = 0$

c) $E_1\colon 3x_1 + 5x_2 = 0$; $E_2\colon 2x_1 - 3x_2 - 3x_3 = 13$ d) $E_1\colon x_2 = 3$; $E_2\colon x_1 = 5$

3 Bestimmen Sie die Größe des Schnittwinkels der Geraden $g: \vec{x} = \begin{pmatrix} 1 \\ 4 \\ 9 \end{pmatrix} + t \cdot \begin{pmatrix} 1 \\ 2 \\ 1 \end{pmatrix}$ mit der Ebene E.

a) $E: 3x_1 + 5x_2 - 2x_3 = 7$
b) $E: x_1 + 2x_2 + x_3 = 5$
c) $E: 6x_1 - 3x_2 = 8$
d) $E: 2x_1 - 3x_2 + 4x_3 = 12$

4 a) Berechnen Sie den Winkel zwischen der x_3-Achse und der Ebene $E: 2x_1 + x_3 = -4$.

b) Berechnen Sie die Schnittwinkel der Geraden $g: \vec{x} = \begin{pmatrix} 3 \\ 1 \\ 1 \end{pmatrix} + t \cdot \begin{pmatrix} 2 \\ 1 \\ 0 \end{pmatrix}$ mit den Koordinatenebenen.

Zeit zu überprüfen ————————————————————————————

5 Gegeben sind die sich schneidenden Geraden $g: \vec{x} = \begin{pmatrix} 2 \\ 1 \\ -5 \end{pmatrix} + r \cdot \begin{pmatrix} 1 \\ 1 \\ 0 \end{pmatrix}$ und

$h: \vec{x} = \begin{pmatrix} 3 \\ 2 \\ -5 \end{pmatrix} + r \cdot \begin{pmatrix} -2 \\ 3 \\ 7 \end{pmatrix}$ sowie die Ebenen $E: x_1 - 2x_2 + 5x_3 = 7$ und $F: x_2 + x_3 = 0$.

a) Berechnen Sie die Größe des Schnittwinkels zwischen den Geraden g und h.

b) Berechnen Sie die Größe des Schnittwinkels zwischen den Ebenen E und F.

c) Berechnen Sie die Größe des Schnittwinkels der Geraden g mit der Ebene E.

————————————————————————————

6 Betrachtet werden drei Fälle: Der Winkel zwischen zwei Vektoren $\vec{a}$ und $\vec{b}$ beträgt 60° bzw. 90° bzw. 120°.
Geben Sie für jeden dieser Fälle die Größe des Schnittwinkels an zwischen
a) zwei sich schneidenden Geraden mit den Richtungsvektoren $\vec{a}$ und $\vec{b}$,
b) zwei Ebenen mit den Normalenvektoren $\vec{a}$ und $\vec{b}$,
c) einer Geraden mit dem Richtungsvektor $\vec{a}$ und einer Ebene mit dem Normalenvektor $\vec{b}$.

7 Bestimmen Sie für die dreiseitige Pyramide in Fig. 1
a) die Winkel zwischen den Kanten $\overline{AD}$, $\overline{BD}$, $\overline{CD}$ und der Dreiecksfläche ABC,
b) die Winkel zwischen den Kanten $\overline{AC}$, $\overline{BC}$, $\overline{CD}$ und der Dreiecksfläche ABD,
c) den Winkel zwischen den Dreiecksflächen ABC und ABD,
d) den Winkel zwischen den Dreiecksflächen ABD und BCD.

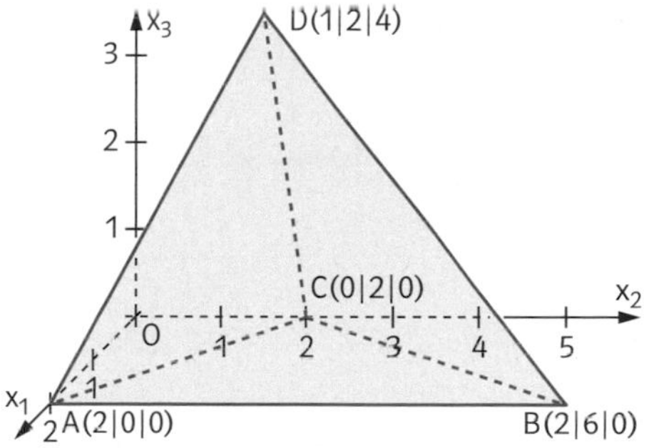

Fig. 1

8 Der Winkel zwischen den Vektoren $\vec{a} = \begin{pmatrix} -3 \\ 2 \\ 5 \end{pmatrix}$ und $\vec{b} = \begin{pmatrix} 4 \\ 2 \\ 7 \end{pmatrix}$ ist α.

a) Geben Sie Gleichungen zweier Geraden mit dem Schnittwinkel α an.
b) Geben Sie Gleichungen zweier Ebenen mit dem Schnittwinkel α an.
c) Geben Sie die Gleichung einer Ebene und einer Geraden mit dem Schnittwinkel α an.

9 Die Gerade g geht durch die Punkte A und B, die Gerade h geht durch die Punkte C und D. Berechnen Sie, falls möglich, die Größe des Schnittwinkels der Geraden g und h.
a) $A(0|2|1)$, $B(-1|3|3)$, $C(2|-6|4)$, $D(-1|3|-2)$
b) $A(0|0|0)$, $B(1|1|2)$, $C(4|4|11)$, $D(2|2|4)$
c) $A(1|2|1)$, $B(-1|8|3)$, $C(1|0|1)$, $D(2|-3|0)$
d) $A(0|0|0)$, $B(1|1|3)$, $C(2|2|6)$, $D(5|2|5)$

Auch bei den Aufgaben 9 und 10 kann man mit den Formeln von Seite 296 einen Winkel berechnen. Dabei handelt es sich aber nicht immer um den Schnittwinkel.

10 Geben Sie, falls möglich, die Größe des Schnittwinkels zwischen der Geraden g und der Ebene E an.

a) $g: \vec{x} = \begin{pmatrix} 1 \\ 1 \\ 2 \end{pmatrix} + t \cdot \begin{pmatrix} 1 \\ 2 \\ 3 \end{pmatrix}$; $E: x_1 - 2x_2 + x_3 = 1$
b) $g: \vec{x} = \begin{pmatrix} 2 \\ 3 \\ 1 \end{pmatrix} + t \cdot \begin{pmatrix} 1 \\ 9 \\ 3 \end{pmatrix}$; $E: 3x_1 - x_2 + 2x_3 = 2$

c) $g: \vec{x} = \begin{pmatrix} 0 \\ 3 \\ 1 \end{pmatrix} + t \cdot \begin{pmatrix} 1 \\ 2 \\ 3 \end{pmatrix}$; $E: x_1 + 2x_2 - 3x_3 = 4$
d) $g: \vec{x} = t \cdot \begin{pmatrix} 4 \\ 1 \\ 2 \end{pmatrix}$; $E: x_1 - x_2 - x_3 = 1$

11 Eine Ebene $E: a_1x_1 + a_2x_2 + a_3x_3 = b$ soll durch den Ursprung gehen und mit den drei Koordinatenebenen jeweils den gleichen Winkel einschließen.
Bestimmen Sie die Koeffizienten a_1, a_2 und a_3 sowie b. Berechnen Sie auch die Größe des Winkels.

12 a) Geben Sie vereinfachte Formeln für die Berechnung von Schnittwinkeln an, wenn man nur Einheitsvektoren verwendet.
b) Philipp behauptet, dass man bei allen Formeln für die Schnittwinkel die Betragsstriche im Zähler auch weglassen kann, wenn man hinterher nur das Ergebnis richtig deutet. Nehmen Sie dazu Stellung.
c) Albrecht bezweifelt, dass man bei der Berechnung von Schnittwinkeln immer denselben Wert erhält: „Schließlich gibt es ja zu jeder Geraden unendlich viele Richtungsvektoren und zu jeder Ebene unendlich viele Normalenvektoren." Was meinen Sie dazu?

13 Das Haus in Fig. 1 ist 6 m hoch.
a) Bestimmen Sie die Größe der Winkel zwischen den Dachflächen und den angrenzenden Hauswänden.
b) Bestimmen Sie die Größe des Winkels zwischen zwei benachbarten Dachflächen.

14 Dem Würfel in Fig. 2 ist eine gerade Pyramide einbeschrieben.
a) Bestimmen Sie die Größe des Winkels zwischen der Grundfläche und einer Seitenfläche der Pyramide.
b) Bestimmen Sie die Größe des Winkels zwischen benachbarten Seitenflächen der Pyramide.

Der Winkel zwischen den Flächen geometrischer Körper muss nicht unbedingt gleich dem Schnittwinkel der Ebenen sein. So ergibt die Formel für den Schnittwinkel von Ebenen stets einen spitzen Winkel. Der Winkel zwischen zwei Flächen kann aber auch der Nebenwinkel dieses Schnittwinkels sein.

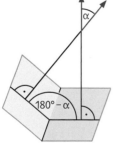
Fig. 3

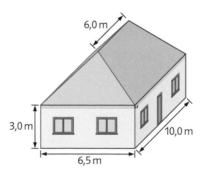

6,0 m

3,0 m

10,0 m

6,5 m

Fig. 1

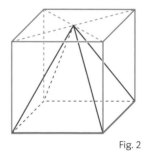
Fig. 2

15 Bestimmen Sie alle Ebenen, die mit der Ebene $E: 3x_1 + 4x_3 = 0$ die Punkte $A(0|0|0)$ und $B(4|0|-3)$ gemeinsam haben und die Ebene E unter einem Winkel von 30° schneiden.

16 a) Bestimmen Sie c so, dass der Winkel zwischen der x_1x_2-Ebene und der Geraden $g: \vec{x} = r \cdot \begin{pmatrix} 3 \\ 4 \\ c \end{pmatrix}$ die Größe 45° hat.
b) Betrachten Sie alle Ursprungsgeraden, die mit der x_1x_2-Ebene einen Winkel von 45° bilden. Beschreiben Sie die Lage der Schnittpunkte dieser Geraden mit der Ebene $E: x_3 = 5$.

Schnittwinkelberechnungen elementargeometrisch

Die Winkel zwischen den Flächen geometrischer Körper kann man auch ohne Vektorrechnung bestimmen.

Im Oktaeder aus Fig. 1 soll der Winkel zwischen den Flächen ABE und BCE bestimmt werden. Man betrachtet hierfür das Dreieck ABM. Wenn man M so wählt, dass die Strecken $\overline{AM}$ und $\overline{MC}$ orthogonal zur Kante $\overline{BE}$ sind, dann ist der Winkel α in Fig. 1 gleich dem Winkel zwischen den beiden Flächen. Weil die Dreiecke ABE und BCE gleichseitig sind, ist der Punkt M der Mittelpunkt der Strecke $\overline{BE}$.
Wenn man als Seitenlänge des Oktaeders z.B. 1 wählt, ergeben sich für das Dreieck ABC mithilfe elementargeometrischer Überlegungen die Seitenlängen in Fig. 2.

Es gilt dann: $\sin\left(\frac{\alpha}{2}\right) = \frac{\frac{1}{2}\sqrt{2}}{\frac{1}{2}\sqrt{3}}$ und somit $\alpha \approx 109{,}5°$.

„Elementargeometrisch" bedeutet hier: mit den Mitteln der Geometrie bis einschließlich Klasse 9.

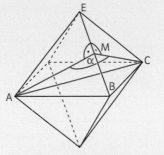

Fig. 1

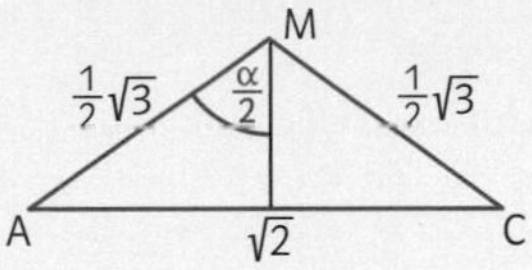

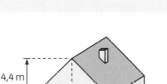

Fig. 2

17 Berechnen Sie für das Haus aus Fig. 3 den Winkel
a) zwischen den beiden Dachflächen,
b) zwischen einer Dachfläche und der Hauswand,
c) zwischen einer Kante des Kamins und der Dachfläche.

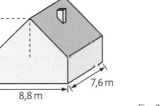

4,4 m
3,0 m
8,8 m
7,6 m

Fig. 3

18 Die Grundseiten einer quadratischen senkrechten Pyramide sind 5 m lang. Die Höhe der Pyramide ist 6 m.
a) Berechnen Sie den Winkel, den die Seitenflächen der Pyramide mit der Grundfläche bilden.
b) Berechnen Sie den Winkel zwischen zwei benachbarten Seitenflächen.

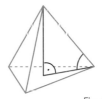

Fig. 4

19 Ein Tetraeder ist eine dreiseitige Pyramide, bei der alle Seiten gleich lang sind.
a) Bestimmen Sie die Größe des Winkels, unter dem eine Kante zur anstoßenden Fläche geneigt ist (Fig. 4).
b) Bestimmen Sie die Größe des Winkels zwischen zwei Seitenflächen (Fig. 5).

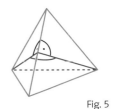

Fig. 5

Zeit zu wiederholen

20 Von einer senkrechten quadratischen Pyramide fehlt die Spitze (Fig. 6). Die Grundseitenlänge ist 6 m, die Seitenlänge der Deckfläche 4 m. Der Stumpf ist 5 m hoch.
a) Bestimmen Sie die Höhe der ursprünglichen Pyramide.
b) Bestimmen Sie die Länge einer Mantelkante (rote Strecke in Fig. 6).
c) Geben Sie den Volumenanteil des Stumpfes an der ganzen Pyramide in Prozent an.

21 a) Erklären Sie, eventuell anhand einer Skizze, wie man ein regelmäßiges Sechseck nur mit Zirkel und Lineal konstruieren kann.
b) Wie groß sind die Innenwinkel bei einem regelmäßigen Fünfeck, Sechseck und Achteck?

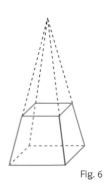

Fig. 6

7 Spiegelung und Symmetrie

Die Kerze „brennt" auch unter Wasser.

Die Vorgehensweisen bei Punkt- beziehungsweise Achsenspiegelungen in der Ebene lassen sich direkt auf die entsprechenden Abbildungen im Raum übertragen.

⑧ Vektoris 3D
  Punktspiegelung

Punktspiegelung

Wird bei einer Punktspiegelung im Raum mit dem Zentrum Z ein Punkt P auf den Bildpunkt P' abgebildet, so liegen die Punkte P, P' und Z auf einer Geraden und es gilt: $\overline{PZ} = \overline{ZP'}$. Deshalb gilt für den Ortsvektor von P':
$$\overrightarrow{OP'} = \overrightarrow{OZ} + \overrightarrow{PZ}.$$

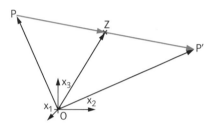

Fig. 1

Spiegelung an einer Geraden

Spiegelung an einer Ebene

Bei der Spiegelung eines Punktes P an einer Geraden bzw. Ebene fällt man das Lot des Punktes P auf die Gerade bzw. Ebene.

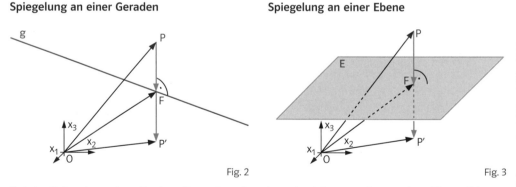

Fig. 2

Fig. 3

Bei der Spiegelung eines Punktes P an einer Geraden g beziehungsweise an einer Ebene E im Raum liegen der Punkt P und der Bildpunkt P' auf einer Geraden. Diese Gerade schneidet die Gerade g bzw. die Ebene E im rechten Winkel. Wenn F der Schnittpunkt von g bzw. E mit der Strecke $\overline{PP'}$ ist, gilt: $\overline{PF} = \overline{FP'}$. Deshalb gilt für den Ortsvektor von P': $\overrightarrow{OP'} = \overrightarrow{OF} + \overrightarrow{PF}$.

Satz 1: Für eine Punktspiegelung an einem Punkt Z gilt:
1. Ein Punkt P, sein Bildpunkt P' und das Zentrum Z liegen auf einer Geraden.
2. $\overrightarrow{OP'} = \overrightarrow{OZ} + \overrightarrow{PZ}$

Satz 2: Für eine Spiegelung an einer Geraden g bzw. an einer Ebene E gilt:
1. Ein Punkt P, sein Bildpunkt P' und der Lotfußpunkt F des Lotes von P auf g bzw. E liegen auf einer Geraden.
2. $\overrightarrow{OP'} = \overrightarrow{OF} + \overrightarrow{PF}$

Beispiel 1 Spiegelung an einem Punkt, einer Geraden und einer Ebene

Spiegeln Sie den Punkt $P(3|3|0)$

a) an dem Punkt $Z(1|-2|5)$,

b) an der Geraden $g: \vec{x} = \begin{pmatrix} -2 \\ -4 \\ 9 \end{pmatrix} + t \cdot \begin{pmatrix} 1 \\ -2 \\ 2 \end{pmatrix}$,

c) an der Ebene $E: 3x_1 + 2x_2 + x_3 = 8$.

■ *Lösung:* a) $\vec{PZ} = \begin{pmatrix} -2 \\ -5 \\ 5 \end{pmatrix}$; $\vec{OP'} = \begin{pmatrix} 1 \\ -2 \\ 5 \end{pmatrix} + \begin{pmatrix} -2 \\ -5 \\ 5 \end{pmatrix} = \begin{pmatrix} -1 \\ -7 \\ 10 \end{pmatrix}$. Also ist $P'(-1|-7|10)$.

b) *Berechnung des Lotfußpunktes F:*

$F_t(-2+t|-4-2t|9+2t)$, $\vec{PF_t} = \begin{pmatrix} -2+t-3 \\ -4-2t-3 \\ 9+2t-0 \end{pmatrix} = \begin{pmatrix} t-5 \\ -2t-7 \\ 2t+9 \end{pmatrix}$.

$d(t) = \left| \vec{PF_t} \right| = \sqrt{(t-5)^2 + (-2t-7)^2 + (2t+9)^2} = \sqrt{9t^2 + 54t + 155}$

$d(t)$ wird minimal für $t = -3$. Einsetzen von $t = -3$ in F_t ergibt $F(-5|2|3)$.

Berechnung des Spiegelpunktes P':

$\vec{PF} = \begin{pmatrix} -8 \\ -1 \\ 3 \end{pmatrix}$; $\vec{OP'} = \begin{pmatrix} -5 \\ 2 \\ 3 \end{pmatrix} + \begin{pmatrix} -8 \\ -1 \\ 3 \end{pmatrix} = \begin{pmatrix} -13 \\ 1 \\ 6 \end{pmatrix}$. Also ist $P'(-13|1|6)$.

c) *Berechnung des Lotfußpunktes F:*

Lotgerade $h: \vec{x} = \begin{pmatrix} 3 \\ 3 \\ 0 \end{pmatrix} + t \cdot \begin{pmatrix} 3 \\ 2 \\ 1 \end{pmatrix}$.

Der Punkt F ist der Durchstoßpunkt der Geraden h durch die Ebene E.

Aus $3(3 + 3t^*) + 2(3 + 2t^*) + t^* = 8$ folgt $t^* = -\frac{1}{2}$. Einsetzen in h ergibt $F(1,5|2|-0,5)$.

Berechnung des Spiegelpunktes P':

$\vec{PF} = \begin{pmatrix} -1,5 \\ -1 \\ -0,5 \end{pmatrix}$; $\vec{OP'} = \begin{pmatrix} 1,5 \\ 2 \\ -0,5 \end{pmatrix} + \begin{pmatrix} -1,5 \\ -1 \\ -0,5 \end{pmatrix} = \begin{pmatrix} 0 \\ 1 \\ -1 \end{pmatrix}$. Also ist $P'(0|1|-1)$.

Man kann den Bildpunkt P' auch direkt berechnen, indem man in die Lotgerade den Parameterwert $t = 2 \cdot t^* = 2 \cdot \left(-\frac{1}{2}\right) = -1$ einsetzt.

Beispiel 2 Symmetrieebene

Gegeben ist der Punkt $A(3|1|5)$ und sein Bildpunkt $A'(2|2|-1)$. Bestimmen Sie eine Gleichung der Ebene E, an der A gespiegelt wurde.

■ *Lösung:* $\vec{AA'} = \begin{pmatrix} -1 \\ 1 \\ -6 \end{pmatrix}$ ist ein Normalenvektor der Ebene.

Ansatz für die Ebenengleichung: $E: -x_1 + x_2 - 6x_3 = b$.

Der Mittelpunkt M der Strecke $\overline{AA'}$ liegt in E. $\vec{OM} = \frac{1}{2}\left(\vec{OA} + \vec{OA'}\right) = \frac{1}{2}\left(\begin{pmatrix} 3 \\ 1 \\ 5 \end{pmatrix} + \begin{pmatrix} 2 \\ 2 \\ -1 \end{pmatrix} \right) = \frac{1}{2}\begin{pmatrix} 5 \\ 3 \\ 4 \end{pmatrix} = \begin{pmatrix} 2,5 \\ 1,5 \\ 2 \end{pmatrix}$.

Einsetzen von M in E ergibt: $b = -13$, also $E: -x_1 + x_2 - 6x_3 = -13$.

Aufgaben

1 Gegeben ist der Punkt $A(4|-3|7)$. Berechnen Sie die Koordinaten des Bildpunktes A', wenn der Punkt A gespiegelt wird an

a) dem Punkt $Z(-2|5|3)$,   b) der Ebene $E: x_1 + x_2 - x_3 + 8 = 0$,

c) der Geraden g durch die Punkte $P(4|12|1)$ und $Q(10|45|13)$.

◉ Vektoris 3D
Spiegelung an einer Geraden

◉ Vektoris 3D
Spiegelung an einer Ebene

2 Der Punkt P' ist der Bildpunkt von P bei der Spiegelung an Z.
Bestimmen Sie jeweils die Koordinaten des fehlenden Punktes.
a) $P(1|2|2)$, $Z(3|4|-2)$ b) $P'(2|1|8)$, $Z(4|2|3)$ c) $P(1|4|5)$, $P'(4|4|9)$

◎ **Vektoris 3D**
Symmetrieebene

3 Die Ebene E liegt symmetrisch zu den Punkten $A(1|1|0)$ und $B(2|4|9)$.
Bestimmen Sie eine Gleichung der Ebene E.

Zeit zu überprüfen ──────────────────────────────

4 Die Gerade g durch die Punkte $A(4|-2|3)$ und $B(3|3|1)$ wird gespiegelt

a) am Ursprung,

b) an der Ebene $E: \left[\vec{x} - \begin{pmatrix} 4 \\ -2 \\ 3 \end{pmatrix} \right] \cdot \begin{pmatrix} 1 \\ 2 \\ 3 \end{pmatrix} = 0$,

c) an der Geraden $h: \vec{x} = \begin{pmatrix} 4 \\ -2 \\ 3 \end{pmatrix} + r \cdot \begin{pmatrix} 1 \\ 1 \\ 0 \end{pmatrix}$.

Bestimmen Sie jeweils eine Gleichung der Bildgeraden g'.

──────────────────────────────

5 Welche der Punkte $A(3|1|5)$, $B(2|2|8)$, $C(11|3|9)$ und $D(1|8|10)$ liegen symmetrisch
bezüglich der Ebene $E: 4x_1 + x_2 + 2x_3 = 44$?
Geben Sie mindestens zwei verschiedene Wege an, wie man dies untersuchen kann.

6 Die Geraden $g: \vec{x} = \begin{pmatrix} 1 \\ -2 \\ 3 \end{pmatrix} + r \cdot \begin{pmatrix} 2 \\ 1 \\ 2 \end{pmatrix}$ und $h: \vec{x} = \begin{pmatrix} 1 \\ 2 \\ 7 \end{pmatrix} + r \cdot \begin{pmatrix} 2 \\ 1 \\ 2 \end{pmatrix}$ sind zueinander parallel.

Bestimmen Sie eine Gleichung der Mittelparallelen, das heißt der Geraden, die von g und h
denselben Abstand hat.

7 a) Die Ebenen $E: 3x_1 + x_2 - 4x_3 = 8$ und $F: 3x_1 + x_2 - 4x_3 = -5$ sind zueinander parallel.
Geben Sie eine Gleichung der Symmetrieebene an.
b) Die x_1x_2-Ebene wird am Punkt $Z(3|4|2)$ gespiegelt. Geben Sie eine Gleichung der Bildebene
E' an.

8 Der Punkt $A(3|1|5)$ ist der Bildpunkt von $A'(1|-5|7)$.
a) Berechnen Sie die Koordinaten des Punktes Z, wenn A an Z gespiegelt wurde.
b) Bestimmen Sie eine Gleichung der Ebene E, wenn A an E gespiegelt wurde.
c) Es gibt unendlich viele Geraden, bei denen der Punkt A bei Spiegelung an einer Geraden auf
A' abgebildet wird. Wo liegen diese Geraden?

9 a) Zu welcher Ebene sind die Punkte $A(3|1|-5)$ und $A'(3|1|5)$ symmetrisch?
b) Wie kann man an einem Punktepaar erkennen, dass es symmetrisch zu einer Koordinatenebene liegt? Geben Sie für jede Koordinatenebene je ein solches Punktepaar an.
c) Wie kann man ohne Rechnung einen Punkt am Ursprung spiegeln?
d) Der Punkt $P(2|1|-3)$ wird an der x_1-Achse gespiegelt. Bestimmen Sie die Koordinaten
des Bildpunktes P'.
e) Wie kann man die Koordinaten des Bildpunktes bestimmen, wenn ein Punkt an einer
Koordinatenachse gespiegelt wird?

10 a) An welcher Ebene muss man die x_2x_3-Ebene spiegeln, um sie auf die x_1x_2-Ebene abzu-
bilden?
b) Geben Sie die Gleichung einer Geraden g an, sodass die Punkte der x_2x_3-Ebene bei Spiegelung an der Geraden g auf die x_1x_2-Ebene abgebildet werden.

Wahlthema: **Das Vektorprodukt**

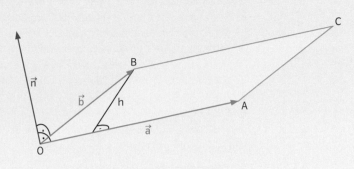

Das Parallelogramm OABC wird im Koordinatenursprung von den

Vektoren $\vec{a} = \begin{pmatrix} 3 \\ 6 \\ 6 \end{pmatrix}$ und $\vec{b} = \begin{pmatrix} 5 \\ -2 \\ 4 \end{pmatrix}$ aufgespannt.

Wie kann man seinen Flächeninhalt bestimmen?

Bestimmen Sie einen zu den Vektoren $\vec{a}$ und $\vec{b}$ orthogonalen Vektor $\vec{n}$, dessen Betrag gleich dem Flächeninhalt des Parallelogramms ist.

Wenn man eine Ebenengleichung in Parameterform in eine Ebenengleichung in Normalen- bzw. Koordinatenform umwandeln möchte, bestimmt man einen Vektor, der zu den beiden Richtungsvektoren orthogonal ist. Auch zur Lösung anderer Probleme in der analytischen Geometrie benötigt man häufig einen Vektor, der zu zwei vorgegebenen Vektoren orthogonal ist.

Sind die Vektoren $\vec{a} = \begin{pmatrix} a_1 \\ a_2 \\ a_3 \end{pmatrix}$ und $\vec{b} = \begin{pmatrix} b_1 \\ b_2 \\ b_3 \end{pmatrix}$ gegeben, so erhält man aus den Bedingungen $\vec{a} \perp \vec{c}$

und $\vec{b} \perp \vec{c}$ das LGS $\begin{array}{l} (1) \quad a_1 x_1 + a_2 x_2 + a_3 x_3 = 0 \\ (2) \quad b_1 x_1 + b_2 x_2 + b_3 x_3 = 0 \end{array}$ für die Koordinaten x_1, x_2 und x_3 des Vektors $\vec{c}$

und damit die Matrix $\begin{pmatrix} a_1 & a_2 & a_3 & | & 0 \\ b_1 & b_2 & b_3 & | & 0 \end{pmatrix}$ bzw. die Matrix in Stufenform:

$$\begin{pmatrix} a_1 & a_2 & a_3 & | & 0 \\ 0 & a_1 b_2 - a_2 b_1 & a_1 b_3 - a_3 b_1 & | & 0 \end{pmatrix}.$$

Setzt man $x_3 = a_1 b_2 - a_2 b_1$, so ist $(a_2 b_3 - a_3 b_2;\ a_3 b_1 - a_1 b_3;\ a_1 b_2 - a_2 b_1)$ eine Lösung dieses LGS

und somit ist $\vec{c} = \begin{pmatrix} a_2 b_3 - a_3 b_2 \\ a_3 b_1 - a_1 b_3 \\ a_1 b_2 - a_2 b_1 \end{pmatrix}$ ein möglicher Vektor mit der gewünschten Eigenschaft.

Definition: Für die Vektoren $\vec{a} = \begin{pmatrix} a_1 \\ a_2 \\ a_3 \end{pmatrix}$ und $\vec{b} = \begin{pmatrix} b_1 \\ b_2 \\ b_3 \end{pmatrix}$ heißt $\vec{a} \times \vec{b} = \begin{pmatrix} a_2 b_3 - a_3 b_2 \\ a_3 b_1 - a_1 b_3 \\ a_1 b_2 - a_2 b_1 \end{pmatrix}$

(lies: „a Kreuz b") das **Vektorprodukt** von $\vec{a}$ und $\vec{b}$.

Satz: $\vec{a} \times \vec{b}$ ist orthogonal zu $\vec{a}$ und $\vec{a} \times \vec{b}$ ist orthogonal zu $\vec{b}$.

$\vec{a} \times \vec{b}$ ist also ein Normalenvektor zu den Vektoren $\vec{a}$ und $\vec{b}$.

Wenn die Vektoren $\vec{a}$ und $\vec{b}$ parallel sind, dann ist $\vec{a} \times \vec{b} = \vec{o}$.

Man kann nachrechnen, dass $|\vec{a} \times \vec{b}| = |\vec{a}| \cdot |\vec{b}| \cdot \sin(\alpha)$, wenn α der Winkel zwischen den Vektoren $\vec{a}$ und $\vec{b}$ ist. Deshalb ist der Betrag von $\vec{a} \times \vec{b}$ gleich dem Flächeninhalt des von den Vektoren $\vec{a}$ und $\vec{b}$ aufgespannten Parallelogramms.

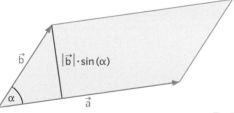

Fig. 1

Beispiel Bestimmung eines Normalenvektors und eines Flächeninhalts

Gegeben ist eine Ebene E durch die Punkte A(2|5|−1), B(3|7|2) und C(9|6|3).

a) Bestimmen Sie mithilfe eines Vektorproduktes einen Normalenvektor der Ebene E.

b) Berechnen Sie den Flächeninhalt des Dreiecks ABC mithilfe des Vektorproduktes.

■ Lösung: a) $\overrightarrow{AB}$ und $\overrightarrow{AC}$ sind Spannvektoren der Ebene E.

Es gilt z. B. $\vec{n} = \overrightarrow{AB} \times \overrightarrow{AC} = \begin{pmatrix} 1 \\ 2 \\ 3 \end{pmatrix} \times \begin{pmatrix} 7 \\ 1 \\ 4 \end{pmatrix} = \begin{pmatrix} 2\cdot 4 - 3\cdot 1 \\ 3\cdot 7 - 1\cdot 4 \\ 1\cdot 1 - 2\cdot 7 \end{pmatrix} = \begin{pmatrix} 5 \\ 17 \\ -13 \end{pmatrix}$.

b) *Der Flächeninhalt des Dreiecks ist die Hälfte des Flächeninhalts des Parallelogramms, das von den Vektoren $\overrightarrow{AB}$ und $\overrightarrow{AC}$ aufgespannt wird.*

Flächeninhalt des Dreiecks: $A = \frac{1}{2} \cdot |\overrightarrow{AB} \times \overrightarrow{AC}|$.

Somit ist $A = \frac{1}{2} \cdot |\overrightarrow{AB} \times \overrightarrow{AC}| = \frac{1}{2}\sqrt{5^2 + 17^2 + (-13)^2} = \frac{1}{2}\sqrt{483} \approx 10{,}99$.

Aufgaben

1 Berechnen Sie für $\vec{a} = \begin{pmatrix} 2 \\ 1 \\ 5 \end{pmatrix}$, $\vec{b} = \begin{pmatrix} 3 \\ 2 \\ 1 \end{pmatrix}$ und $\vec{c} = \begin{pmatrix} -1 \\ 5 \\ 0 \end{pmatrix}$ die Vektoren

a) $\vec{a} \times \vec{b}$, $\vec{b} \times \vec{c}$ und $\vec{c} \times \vec{a}$, b) $\vec{a} \times (\vec{b} \times \vec{c})$ und $(\vec{a} \times \vec{b}) \times \vec{c}$.

2 Stellen Sie mithilfe des Vektorproduktes eine Ebenengleichung in Normalenform und in Koordinatenform auf.

a) $E: \vec{x} = \begin{pmatrix} 2 \\ 1 \\ 1 \end{pmatrix} + r \cdot \begin{pmatrix} 2 \\ -1 \\ 3 \end{pmatrix} + s \cdot \begin{pmatrix} 5 \\ 5 \\ 4 \end{pmatrix}$ b) $E: \vec{x} = \begin{pmatrix} 1 \\ -1 \\ 0 \end{pmatrix} + r \cdot \begin{pmatrix} 2 \\ 5 \\ 8 \end{pmatrix} + s \cdot \begin{pmatrix} 1 \\ 2 \\ -4 \end{pmatrix}$ c) $E: \vec{x} = \begin{pmatrix} 5 \\ -3 \\ 7 \end{pmatrix} + s \cdot \begin{pmatrix} 1 \\ 1 \\ 1 \end{pmatrix} + t \cdot \begin{pmatrix} 3 \\ -2 \\ 4 \end{pmatrix}$

3 Berechnen Sie den Flächeninhalt des Parallelogramms, das von den Vektoren $\vec{a}$ und $\vec{b}$ aufgespannt wird.

a) $\vec{a} = \begin{pmatrix} 3 \\ 2 \\ -1 \end{pmatrix}$; $\vec{b} = \begin{pmatrix} 1 \\ 1 \\ 0 \end{pmatrix}$ b) $\vec{a} = \begin{pmatrix} 5 \\ -2 \\ 2 \end{pmatrix}$; $\vec{b} = \begin{pmatrix} 8 \\ 9 \\ -2 \end{pmatrix}$ c) $\vec{a} = \begin{pmatrix} 1 \\ 5 \\ -7 \end{pmatrix}$; $\vec{b} = \begin{pmatrix} -3 \\ -15 \\ 21 \end{pmatrix}$

4 Berechnen Sie den Flächeninhalt des Dreiecks ABC.

a) A(4|7|5), B(0|5|9), C(8|7|3) b) A(−1|0|5), B(2|2|2), C(2|2|0)

5 a) In Fig. 1 ist $\overrightarrow{u_0}$ ein Einheitsvektor zum Richtungsvektor $\vec{u}$ der Geraden g. Zeigen Sie, dass die Maßzahl für den Flächeninhalt des Parallelogramms PP'R'R dem Abstand des Punktes R von der Geraden g entspricht.

b) Nutzen Sie Teilaufgabe a), um mithilfe des Vektorproduktes eine Formel für den Abstand eines Punktes R von einer Geraden g: $\vec{x} = \vec{p} + t \cdot \vec{u}$ aufzustellen.

c) Berechnen Sie mit der Formel aus b) den Abstand des Punktes R von der Geraden g.

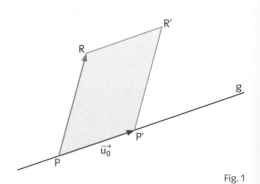

Fig. 1

(1) $g: \vec{x} = \begin{pmatrix} 1 \\ 1 \\ 0 \end{pmatrix} + t \cdot \begin{pmatrix} 2 \\ 1 \\ -1 \end{pmatrix}$; R(−2|−1|1)

(2) $g: \vec{x} = \begin{pmatrix} 2 \\ 3 \\ 2 \end{pmatrix} + t \cdot \begin{pmatrix} 2 \\ -3 \\ -6 \end{pmatrix}$; R(1|2|−3)

Volumen mithilfe des Vektorprodukts berechnen

Die Vektoren $\vec{a}$, $\vec{b}$ und $\vec{c}$ spannen einen Spat auf, dessen Volumen mithilfe des Vektorproduktes und des Skalarproduktes berechnet werden kann.

Die Grundfläche des Spats ist ein Parallelogramm mit dem Flächeninhalt $A = |\vec{a} \times \vec{b}|$.

Die Höhe des Spats ist gleich dem Abstand des Punktes R von der Ebene E in Fig. 1, die von den Vektoren $\vec{a}$ und $\vec{b}$ aufgespannt wird.

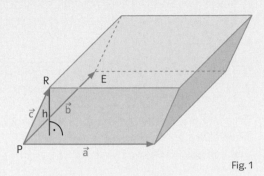

Fig. 1

Da $\vec{n_0} = \dfrac{\vec{a} \times \vec{b}}{|\vec{a} \times \vec{b}|}$ ein Normaleneinheitsvektor dieser Ebene ist, erhält man für die Höhe h mit der Hesse'schen Normalenform: $h = |(\vec{r} - \vec{p}) \cdot \vec{n_0}| = \left| \vec{c} \cdot \dfrac{\vec{a} \times \vec{b}}{|\vec{a} \times \vec{b}|} \right|$.

Insgesamt ergibt sich für das Volumen des Spats: $V = A \cdot h = |\vec{a} \times \vec{b}| \cdot \left| \vec{c} \cdot \dfrac{\vec{a} \times \vec{b}}{|\vec{a} \times \vec{b}|} \right| = |\vec{c} \cdot (\vec{a} \times \vec{b})|$.

6 Berechnen Sie das Volumen des von den Vektoren $\vec{a}$, $\vec{b}$ und $\vec{c}$ aufgespannten Spats und der von den Vektoren $\vec{a}$, $\vec{b}$ und $\vec{c}$ aufgespannten dreiseitigen Pyramide.

a) $\vec{a} = \begin{pmatrix} -1 \\ 5 \\ 6 \end{pmatrix}$; $\vec{b} = \begin{pmatrix} 8 \\ 2 \\ 1 \end{pmatrix}$; $\vec{c} = \begin{pmatrix} -2 \\ 0 \\ 5 \end{pmatrix}$

b) $\vec{a} = \begin{pmatrix} 1 \\ 7 \\ 1 \end{pmatrix}$; $\vec{b} = \begin{pmatrix} -8 \\ 8 \\ 18 \end{pmatrix}$; $\vec{c} = \begin{pmatrix} 7 \\ 2 \\ 2 \end{pmatrix}$

c) $\vec{a} = \begin{pmatrix} 7 \\ 3 \\ 8 \end{pmatrix}$; $\vec{b} = \begin{pmatrix} 5 \\ 6 \\ 0 \end{pmatrix}$; $\vec{c} = \begin{pmatrix} 17 \\ -9 \\ -10 \end{pmatrix}$

d) $\vec{a} = \begin{pmatrix} 2 \\ 3 \\ 5 \end{pmatrix}$; $\vec{b} = \begin{pmatrix} 2 \\ -1 \\ 7 \end{pmatrix}$; $\vec{c} = \begin{pmatrix} 3 \\ 9 \\ 2 \end{pmatrix}$

> Tipp zur Berechnung des Pyramidenvolumens: Die Grundfläche der Pyramide ist ein Dreieck.
>
> Für das Volumen gilt:
> $V = \frac{1}{3} G \cdot h$

7 Berechnen Sie das Volumen einer Pyramide mit den Ecken
a) $A(0|0|0)$, $B(1|7|3)$, $C(2|-3|4)$, $D(6|1|10)$,
b) $A(1|-2|12)$, $B(11|3|5)$, $C(3|5|8)$, $D(19|4|4)$.

8 Gegeben ist eine dreiseitige Pyramide mit den Ecken $A(3|6|-1)$, $B(-2|-2|13)$, $C(6|-2|5)$ und der Spitze $S(-6|12|1)$.
a) Bestimmen Sie einen Normalenvektor der Ebene durch die Punkte A, B, C.
b) Berechnen Sie den Flächeninhalt der Grundfläche ABC.
c) Berechnen Sie das Volumen der Pyramide.
d) Bestimmen Sie mithilfe der Teilaufgaben b) und c) die Höhe der Pyramide.

9 Gegeben sind der Punkt $P(4|7|-2)$ und die Ebenen E: $x_1 - 2x_2 + x_3 = 2$ und F: $3x_1 + x_2 - x_3 = 5$. Eine Gerade g durch den Punkt P ist parallel zu E und F. Bestimmen Sie mithilfe eines Vektorproduktes eine Gleichung von g.

10 Beweisen oder widerlegen Sie.
a) Der Flächeninhalt eines Parallelogramms, das von zwei Vektoren mit ganzzahligen Koordinaten aufgespannt wird, ist ganzzahlig.
b) Das Volumen eines Spats, der von drei Vektoren mit ganzzahligen Koordinaten aufgespannt wird, ist ganzzahlig.

Abstände und Winkel bei Ebenen und Geraden

1   Bestimmen Sie die Koordinate a_2 des Punktes $A(3|a_2|0)$ so, dass A den Abstand 5 von der Ebene E: $2x_1 + x_2 - 2x_3 = 4$ hat.

2   Bestimmen Sie alle Punkte auf der x_1-Achse, die von den Ebenen E: $2x_1 + 2x_2 - x_3 = 6$ und F: $6x_1 + 9x_2 + 2x_3 = -22$ den gleichen Abstand haben.

3   Für je zwei reelle Zahlen r und s erhält man einen Punkt $P(2r + 3s|r - 2s|4r - s)$. Zeigen Sie auf zwei Arten, dass alle diese Punkte von der Ebene E: $x_1 + 2x_2 - x_3 = 6$ den gleichen Abstand haben. Wo liegen alle diese Punkte?

4   Gegeben sind die Ebenen E: $4x_2 + 3x_3 = 15$ und F: $6x_1 - 2x_2 + 3x_3 = 15$. Die Menge aller Punkte, die von E den Abstand 3 und von F den Abstand 6 haben, liegen auf vier Geraden. Bestimmen Sie Parametergleichungen dieser vier Geraden.

5   Gegeben sind die Gerade g: $\vec{x} = \begin{pmatrix} 2 \\ 1 \\ -1 \end{pmatrix} + t \cdot \begin{pmatrix} 4 \\ -3 \\ 5 \end{pmatrix}$ und der Punkt $P(0|0|p_3)$.

Bestimmen Sie den Abstand des Punktes P von der Geraden g in Abhängigkeit von p_3. Für welchen Wert von p_3 ist der Abstand am geringsten?

6   Gegeben ist die Gerade g: $\vec{x} = \begin{pmatrix} 0 \\ 11 \\ 3 \end{pmatrix} + t \cdot \begin{pmatrix} 0 \\ 1 \\ 1 \end{pmatrix}$.

a) Bestimmen Sie alle Punkte der x_1-Achse, die von der Geraden g den Abstand 9 haben.
b) Bestimmen Sie ohne Rechnung den Punkt der x_1-Achse mit dem geringsten Abstand von der Geraden g.

Referat ✍
Untersuchungen am
Tetraeder
735301-3061

Flächen- und Volumenberechnungen

7   Gegeben ist das Viereck ABCD mit $A(3|-1|2)$, $B(0|3|4)$, $C(5|5|6)$ und $D(8|1|4)$.
a) Zeigen Sie, dass das Viereck ein Parallelogramm ist.
b) Berechnen Sie den Flächeninhalt des Vierecks ABCD.

8   Gegeben ist das Viereck ABCD mit $A(-2|4|6)$, $B(6|4|4)$, $C(4|0|8)$ und $D(8|0|7)$.
a) Zeigen Sie, dass das Viereck ein Trapez ist.
b) Berechnen Sie den Flächeninhalt des Vierecks ABCD.

9   Gegeben ist der Punkt $S(8|14|8)$ und die Ebene E: $4x_1 + 7x_2 + 4x_3 = 40{,}5$.
Der Punkt M ist der Fußpunkt des Lotes von S auf die Ebene E.
Der Punkt R der Ebene E ist so gewählt, dass $r = |\overrightarrow{MR}| = \sqrt{65}$ (Fig. 1).
a) Die Strecke $\overline{RS}$ rotiert um das Lot von S auf E. Berechnen Sie das Volumen des so entstehenden Kegels.
b) Bestimmen Sie mögliche Koordinaten r_2 und r_3 des Punktes $R(2|r_2|r_3)$ in E.

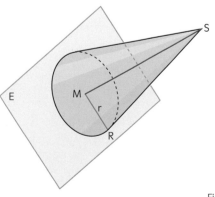

Fig. 1

Wiederholen – Vertiefen – Vernetzen

10 Gegeben sind die Punkte A(0|0|0), B(15|21|3), C(37|5|5) und D(22|−16|2).

a) Zeigen Sie, dass das Viereck ABCD in einer Ebene liegt. Um welches spezielle Viereck handelt es sich?

b) Das Viereck ABCD ist die Grundfläche einer Pyramide, deren Höhe durch den Diagonalenschnittpunkt des Vierecks geht. Die Spitze S liegt in der x_1x_3-Ebene. Bestimmen Sie die Koordinaten von S und berechnen Sie das Volumen der Pyramide.

c) Berechnen Sie auch den Oberflächeninhalt der Pyramide.

Abstände und Winkel bei Geradenscharen und Ebenenscharen

11 Gegeben sind die Gerade

$$g: \vec{x} = \begin{pmatrix} -5 \\ -2 \\ 6 \end{pmatrix} + t \cdot \begin{pmatrix} 2 \\ 1 \\ -2 \end{pmatrix}$$

und für jede reelle Zahl a eine Gerade

$$h_a: \vec{x} = \begin{pmatrix} 0 \\ -3 \\ 0 \end{pmatrix} + t \cdot \begin{pmatrix} -2 \\ 1 \\ a \end{pmatrix}.$$

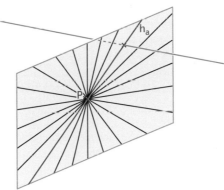

Fig. 1

⊚ Vektoris 3D
Gerade Ebene
Parameter

a) Die Geraden h_a liegen alle in einer Ebene. Geben Sie eine Gleichung dieser Ebene an.

b) Die Geraden h_a gehen alle durch einen Punkt P. Bestimmen Sie den Abstand des Punktes P zur Geraden g.

c) Bestimmen Sie den Abstand der Geraden h_a von der Geraden g in Abhängigkeit von a.

d) Für welche reelle Zahl a schneidet die Gerade h_a die Gerade g? Berechnen Sie auch die Koordinaten des Schnittpunktes.

e) Für welche reelle Zahl a ist die Gerade h_a zur Geraden g orthogonal? Welchen Abstand haben die Geraden in diesem Fall?

12 Zu jeder reellen Zahl a sind zwei Geraden gegeben:

$$g_a: \vec{x} = \begin{pmatrix} 0 \\ 0 \\ 7 \end{pmatrix} + t \cdot \begin{pmatrix} a \\ 4 \\ -8 \end{pmatrix} \quad \text{und} \quad h_a: \vec{x} = \begin{pmatrix} 0 \\ 0 \\ 7 \end{pmatrix} + t \cdot \begin{pmatrix} -2 \\ a \\ 2 \end{pmatrix}.$$

⊚ Vektoris 3D
Lage von Geraden mit
Parameter

a) Berechnen Sie den Winkel zwischen den Geraden g_0 und h_0.

b) Für welche reelle Zahl a sind die Geraden g_a und h_a zueinander orthogonal?

c) Gibt es eine reelle Zahl a, sodass die Geraden g_a und h_a zueinander parallel sind?

13 Gegeben ist eine gerade quadratische Pyramide, deren Höhe h r-mal so lang wie die Grundkante a ist.

a) Skizzieren Sie eine solche Pyramide in einem Koordinatensystem. Stellen Sie in Abhängigkeit von a und r Gleichungen der Ebenen auf, in denen die Seitenflächen liegen.

b) Bestimmen Sie r so, dass der Winkel zwischen je zwei Seitenflächen 120° beträgt.

c) Warum ist ein Winkel von 90° zwischen den Seitenflächen nicht möglich?

14 Gegeben sind die Ebenen $E_k: x_1 + (k − 1)x_2 + (k + 1)x_3 = 5$ mit $k \in \mathbb{R}$ und die Gerade g durch die Punkte A(−4|5|4) und B(−3|7|2).

⊚ Vektoris 3D
Lage Gerade Ebene
Parameter

a) Für welche reelle Zahl k schneiden sich die Ebene E_k und die Gerade g in einem Winkel von 30°?

b) Wie groß kann der Schnittwinkel zwischen den Geraden g und der Ebene E höchstens werden?

Bewegungsaufgaben

15 Bezogen auf ein geeignetes Koordinatensystem mit der Einheit 100 m befindet sich die Talstation einer Seilbahn im Punkt O(0|0|0) und die Bergstation im Punkt P(3|12|4).
Die Tal- bzw. Bergstation einer zweiten Seilbahn befinden sich in den Punkten A(0|2|5) bzw. B(0|10|15). Die Ortskurven der Gondeln können als geradlinig angenommen werden.

Entspricht der in Teilaufgabe a) berechnete Abstand dem minimalen Abstand zweier Gondeln?

a) Berechnen Sie den Abstand der Geraden, auf denen sich die Gondeln bewegen.
b) Berechnen Sie den minimalen Abstand der Gondeln, wenn die zweite Gondel ihre Fahrt nach unten genau zu dem Zeitpunkt antritt, zu dem die erste Gondel in der Talstation startet und beide Seilbahnen gleich schnell fahren.

16 Die Karte in Fig. 1 zeigt die Positionen der Flugzeuge F_1 und F_2 relativ zum Tower T (500 m ü.M.) zum Zeitpunkt $t = 0$. F_1 fliegt in einer Höhe von 5 km in südwestlicher Richtung. F_2 befindet sich im Steigflug mit einem Winkel von 15° in nördlicher Richtung und hat zum Zeitpunkt $t = 0$ die Höhe 3 km (alle Höhenangaben bezüglich Meeresspiegelhöhe).

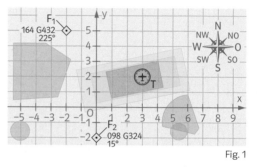
Fig. 1

a) Bestimmen Sie die Entfernungen der Flugzeuge zum Tower zum Zeitpunkt $t = 0$.
b) Bestimmen Sie die kleinste Entfernung der Flugzeuge zum Tower während des Vorbeiflugs.
c) Wie nahe kommen sich die Flugzeuge im ungünstigsten Fall?
d) Wie weit sind die beiden Flugzeuge mindestens voneinander entfernt, wenn F_1 mit einer Geschwindigkeit von $800 \frac{km}{h}$ und F_2 mit einer Geschwindigkeit von $600 \frac{km}{h}$ fliegt?

Spiegelung und Symmetrie

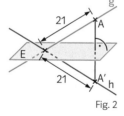
Fig. 2

17 Gegeben sind die Geraden $g: \vec{x} = \begin{pmatrix} 1 \\ 2 \\ -3 \end{pmatrix} + r \cdot \begin{pmatrix} 3 \\ 2 \\ 6 \end{pmatrix}$ und $h: \vec{x} = \begin{pmatrix} 4 \\ 4 \\ 3 \end{pmatrix} + s \cdot \begin{pmatrix} 1 \\ 2 \\ 2 \end{pmatrix}$.

a) Bestimmen Sie den Schnittpunkt der Geraden g und h.
b) Man kann g an zwei verschiedenen Ebenen spiegeln, um h zu erhalten. Bestimmen Sie für jede dieser Ebenen eine Gleichung.
c) Man kann g an zwei Geraden spiegeln, um h zu erhalten. Bestimmen Sie für jede dieser Geraden eine Gleichung.

18 Eine Gerade g wird an der Ebene E gespiegelt. Sind die folgenden Aussagen wahr? Begründen Sie Ihre Antwort.
a) Die Gerade g und ihre Bildgerade g' schneiden sich immer in der Ebene E.
b) Der Schnittwinkel zwischen der Geraden g und der Ebene E ist immer halb so groß wie der Schnittwinkel zwischen der Geraden g und ihrer Bildgeraden g'.

19 Der Punkt A(2|0|10) wird an der Ebene E: $2x_1 + 3x_2 + 6x_3 = 15$ gespiegelt, der Bildpunkt ist A'. Welcher der Punkte A, A' liegt auf derselben Seite von E wie der Ursprung?

Komplexere Aufgaben

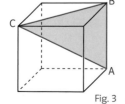
Fig. 3

20 Dem Würfel in Fig. 3 ist ein Dreieck ABC einbeschrieben.
a) Berechnen Sie die Innenwinkel des Dreiecks ABC.
b) Vergleichen Sie den Inhalt der Dreiecksfläche mit dem Inhalt einer Seitenfläche des Würfels. Geben Sie den Anteil in Prozent an.

Wiederholen – Vertiefen – Vernetzen

21 Ein 2,60 m langes und 1,00 m breites Brett liegt schräg an einer Wand. Die Befestigung befindet sich in 1 m Höhe. Wie groß darf der Durchmesser eines Balls höchstens sein, damit der Ball noch unter das Brett passt (Fig. 1)?

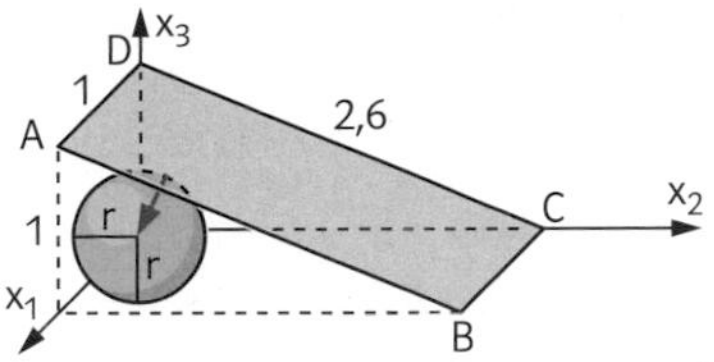

Fig. 1

Anleitung:
Bestimmen Sie die Koordinaten des Mittelpunktes M der Kugel. Setzen Sie den Abstand von M zur „Brettebene" gleich r.

22 a) Berechnen Sie die Winkel zwischen der Ebene E in Fig. 2 und den Koordinatenebenen.
b) Unter welchen Winkeln schneiden die Koordinatenachsen die Ebene E?
c) Berechnen Sie die Innenwinkel des Schnittvierecks ABCD.
d) Berechnen Sie den Flächeninhalt des Vierecks ABCD. Zerlegen Sie es dazu in die Dreiecke ABD und CDB. Wählen Sie jeweils $\overline{BD}$ als Grundseite.

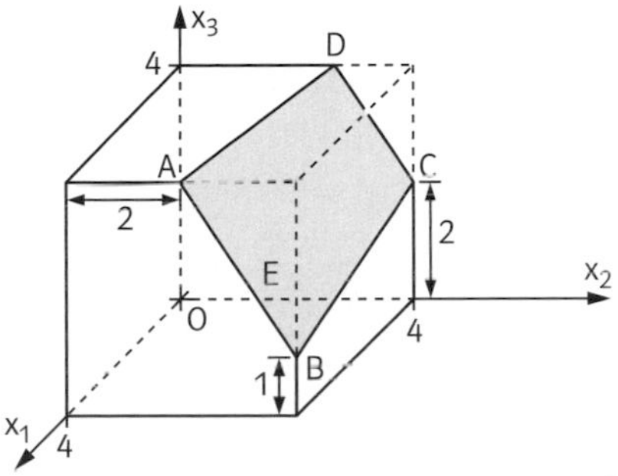

Fig. 2

23 Fig. 3 zeigt einen Denkmalsockel.
a) Beschreiben Sie die geometrische Form dieses Sockels.
b) Berechnen Sie den Inhalt der Oberfläche des Sockels.
c) Berechnen Sie den Winkel zwischen jeweils zwei Seitenflächen sowie zwischen den Seitenflächen und der Deckfläche.
d) Sonnenlicht fällt aus der Richtung des

Vektors $\begin{pmatrix} -2 \\ 3 \\ -2 \end{pmatrix}$ auf den Sockel. Berechnen Sie

die Koordinaten der Schattenpunkte in der

x_1x_2-Ebene und fertigen Sie eine Zeichnung des Sockels und seines Schattens an.

e) Bestimmen Sie die Seitenlängen und die Winkel der Schattenfigur.

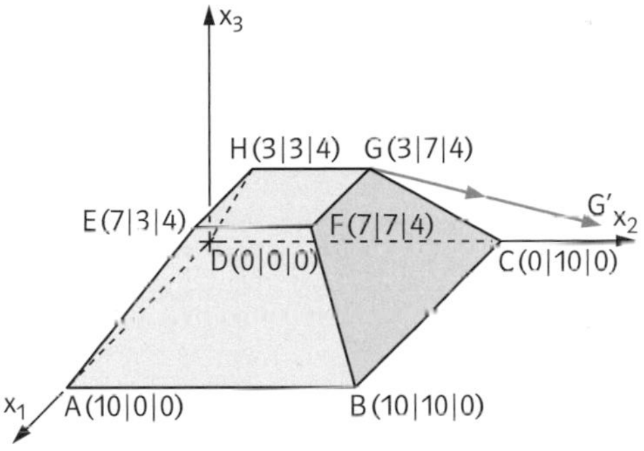

H(3|3|4) G(3|7|4)
E(7|3|4) F(7|7|4)
D(0|0|0) C(0|10|0)
A(10|0|0) B(10|10|0)

Fig. 3

24 Gegeben ist ein Quader ABCDEFGH (Fig. 4). Für welchen Punkt P auf der Kante $\overline{EH}$ sind die Strecken $\overline{BP}$ und $\overline{GP}$ zueinander orthogonal?

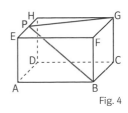

Fig. 4

Zeit zu wiederholen

25 In Fig. 5 sind die Geraden g und h parallel. A ist der Mittelpunkt des Kreises.
a) Bestimmen Sie α_2, β und γ_1, γ_2 und γ_3.
b) Untersuchen Sie, ob die Gerade durch die Punkte A und B orthogonal ist zur Geraden durch die Punkte C und D.
c) Wie muss man α_1 wählen, damit α_2, β und γ_1, γ_2 und γ_3 gleich groß sind?

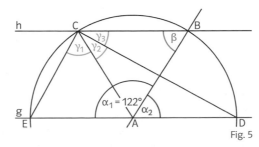

$\alpha_1 = 122°$

Fig. 5

Exkursion

Vektoris 3D

Geometrische Fragestellungen in der Ebene lassen sich häufig mithilfe einer Zeichnung leichter lösen als durch Rechnung.

Bei der räumlichen Geometrie ist die zeichnerische Darstellung auf einem zweidimensionalen Blatt Papier häufig problematisch und aufwendig. Deshalb wird auf eine Visualisierung zumeist verzichtet.

Mit *Vektoris 3D* kann man geometrische Objekte im Raum visualisieren und rechnerische Lösungen überprüfen. Nachfolgend wird in das Arbeiten mit *Vektoris 3D* eingeführt.

Zur Installation des Programms führen Sie einfach die Setup-Datei aus.

Die Arbeitsoberfläche

Die Vektoris-Arbeitsoberfläche besteht aus einem Visualisierungsfenster links und einem Bereich zur Verwaltung der geometrischen Objekte rechts.

Um neue Elemente zu erzeugen, wechselt man rechts zur Ansicht *Skripteditor*, wählt die gewünschten Vorlagen aus und macht dann die entsprechenden Eingaben. Dann kann man die Elemente links einzeichnen lassen.

Die gegenseitige Lage und die Abstände zwischen den einzelnen Objekten können rechts unter den Ansichten *Schnittgebilde*, *Abstände* und *Schnittwinkel* berechnet und zum Teil auch visualisiert werden.

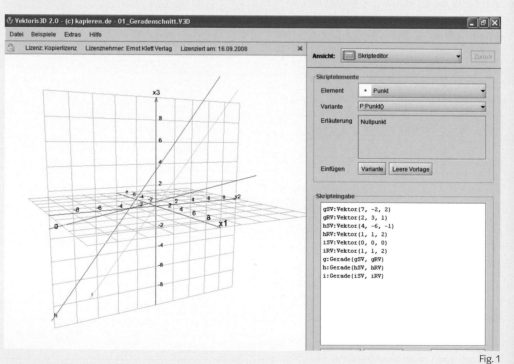

Fig. 1

Geraden und ihre Lage

Die Geraden $g: \vec{x} = \begin{pmatrix} 7 \\ -2 \\ 2 \end{pmatrix} + r \cdot \begin{pmatrix} 2 \\ 3 \\ 1 \end{pmatrix}$; $h: \vec{x} = \begin{pmatrix} 4 \\ -6 \\ -1 \end{pmatrix} + t \cdot \begin{pmatrix} 1 \\ 1 \\ 2 \end{pmatrix}$ und $i: \vec{x} = s \cdot \begin{pmatrix} 1 \\ 1 \\ 2 \end{pmatrix}$ sollen in einem räumlichen Koordinatensystem veranschaulicht und ihre gegenseitige Lage bestimmt werden.

Exkursion

Vorgehensweise:

In der Ansicht *Skripteditor* werden zunächst die Stützvektoren und die Richtungsvektoren der Geraden g, h und i und dann mit ihrer Hilfe die drei Geraden eingegeben.

Folgende Syntax wird verwendet:

bei Vektoren: *Bezeichnung: Vektor(x1, x2, x3)*

(also z.B. für die Vektoren der Geraden g: *gSV:Vektor(7, -2, 2)*

bzw. *gRV:Vektor(2, 3, 1)*),

bei Geraden: *Bezeichnung: Gerade(Stützvektor, Richtungsvektor)*

(also z.B. für die Gerade g: *g: Gerade(gSV, gRV)*).

Jede Eingabe steht in einer neuen Zeile. Die Objekte werden visualisiert, sobald man den Button *Einzeichnen* anklickt (siehe auch Fig. 1 auf Seite 310).

Vektoris 3D bietet neben der genannten Möglichkeit noch weitere Varianten zur Angabe von Geraden.

In der Ansicht *Schnittgebilde* kann dann die gegenseitige Lage der Geraden abgefragt werden.

Die Geraden g und h schneiden sich z.B. im Punkt S(5|-5|1) (Fig. 1), die Geraden g und i sind windschief und die Geraden h und i sind parallel.

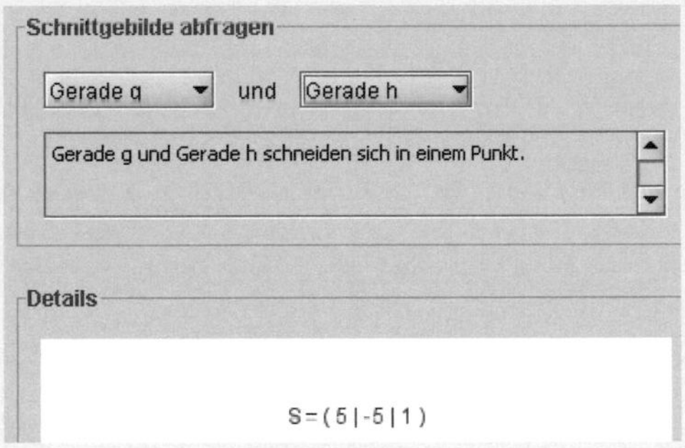

Fig. 1

Ebenen und ihre Lage

Die Ebene E: $2x_1 + 2x_2 + x_3 = 7$ soll mit ihren Spurgeraden eingezeichnet werden.

Vorgehensweise:

In der Ansicht *Skripteditor* werden die Ebene E und die Koordinatenebenen eingegeben.

Folgende Syntax wird für Ebenen in Koordinatenform verwendet:

Bezeichnung: EbeneKF(a, b, c, d),

also z.B. für die Ebene E:

E: EbeneKF(2, 2, 1, 7).

In der Ansicht *Schnittgebilde* wählt man die Option *Schnittgebilde visualisieren*. Zusätzlich kann man in der Ansicht *Darstellung* für die Koordinatenebenen die Farbe Grau wählen, sodass die Ebene E und die rot eingezeichneten Spurgeraden deutlich sichtbar hervortreten (Fig. 2).

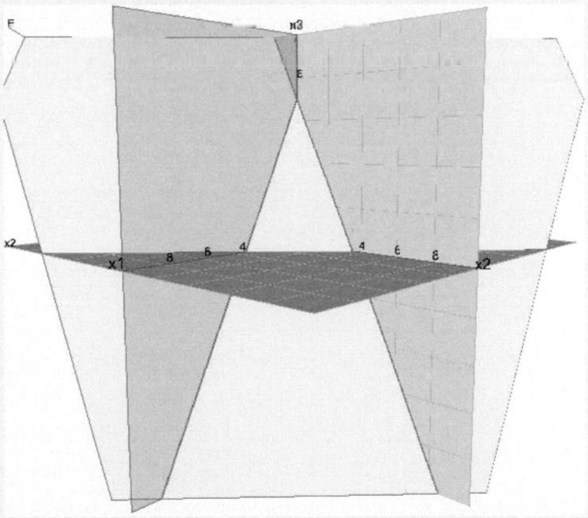

Ebenen können auch über drei Punkte, in Normalenform oder in Parameterform eingegeben werden.

Fig. 2

Symmetrieebene und Spiegelung

Es soll diejenige Ebene bestimmt werden, zu der die Punkte A(-3|1|-4) und A'(5|3|2) symmetrisch liegen. Der Punkt B(2|2|4) soll an dieser Ebene gespiegelt werden.

Vorgehensweise:

Die Punkte A und A' werden eingegeben und dann der Mittelpunkt M der Strecke $\overline{AA'}$ bestimmt. Gleichzeitig wird der Ortsvektor zum Punkt M erzeugt.

A:Punkt(-3, 1, -4)

A2:Punkt(5, 3, 2)

M:Mittelpunkt(A, A2)

OM:Vektor(M)

Vektoris 3D akzeptiert keine Sonderzeichen im Namen, deshalb wird der Punkt A' mit A2 bezeichnet.

Die Symmetrieebene E geht durch den Mittelpunkt M der Strecke $\overline{AA2}$ und hat den Vektor $\overrightarrow{AA2}$ als Normalenvektor.

nv:Vektor(A, A2)

E:EbeneNF(QM, nv)

Die Gleichung der Ebene E kann in der Ansicht *Ebenenrechner* abgelesen werden:

E: $8x_1 + 2x_2 + 6x_3 = 6$.

Um den Punkt B an der Ebene E zu spiegeln, muss man das Lot von B auf die Ebene E fällen und erhält so den Lotfußpunkt F. Nun addiert man zum Ortsvektor $\overrightarrow{OF}$ des Punktes F den Vektor $\overrightarrow{BF}$ und erhält so den Ortsvektor $\overrightarrow{OB2}$ zum Punkt B2.

B:Punkt(2, 2, 4)

F:Lotpunkt(B, E)

BF:Vektor(B, F)

OF:Vektor(F)

OB2:Summenvektor(OF, BF)

Die Koordinaten des Vektors $\overrightarrow{OB2}$ können in der Ansicht *Darstellung* abgelesen werden. Man erhält für den Bildpunkt B2 gerundet die Koordinaten $(-3,85 \mid 0,54 \mid -0,38)$.

Hinweis:
Wenn man den Ortsvektor $\overrightarrow{OB2}$ ermittelt hat, kann man nicht direkt den Punkt B2 eingeben. Dies geht über folgenden „Trick":
Verwenden Sie die Hilfsebene EHilf:
EbeneNF(OB2, OB2) und geben Sie dann den Punkt B2
B2: Lotpunkt(0, 0, 0, EHilf) ein.

1 Untersuchen Sie die Lage der Geraden g: $\vec{x} = \begin{pmatrix} 3 \\ 6 \\ 4 \end{pmatrix} + t \cdot \begin{pmatrix} 4 \\ 8 \\ 2 \end{pmatrix}$ und h: $\vec{x} = \begin{pmatrix} 1 \\ 0 \\ 3 \end{pmatrix} + s \cdot \begin{pmatrix} -4 \\ -6 \\ 2 \end{pmatrix}$.

Ändern Sie jeweils einen Vektor so, dass eine andere Lagebeziehung entsteht.

2 Geben Sie in Vektoris 3D die Koordinatenebenen als Ebenen in Koordinatenform und die Koordinatenachsen als Geraden ein.

a) Ermitteln Sie mit Vektoris 3D zur Ebene E: $2x_1 + 3x_2 + 4x_3 = 12$ die Spurpunkte und die Gleichungen der Spurgeraden.

b) Beschreiben Sie, wie die Lage der Ebene, der Spurpunkte und der Spurgeraden sich verändert, wenn man jeweils eine Koordinate des Normalenvektors von E durch 0 ersetzt.

Betrachten Sie in der Ansicht Ebenenrechner auch Parametergleichungen der verschiedenen Ebenen und beschreiben Sie, wie sich die Änderungen auf die Parametergleichungen auswirken.

c) Welche besondere Lage ergibt sich, wenn man die rechte Seite der Koordinatengleichung gleich Null setzt?

Wieso ist es schwierig, diese Ebene mithilfe ihrer Spurpunkte in einem räumlichen Koordinatensystem darzustellen?

3

a) Spiegeln Sie die Ebene E: $-x_1 + 2x_2 - 3x_3 = 6$ an der Geraden g: $\vec{x} = \begin{pmatrix} 1 \\ 1 \\ 0 \end{pmatrix} + t \cdot \begin{pmatrix} -2 \\ 1 \\ 3 \end{pmatrix}$.

Beschreiben Sie Ihre Vorgehensweise.

b) Die Ebene und die Bildebene schneiden sich in einer Geraden h. Bestimmen Sie mit Vektoris 3D eine Gleichung für die Gerade h.

c) In welchem Punkt schneiden sich die Geraden g und h? Wie liegen die Geraden g und h zueinander?

® **Vektoris 3D**
Schattenwurf Quader

4 Ein Quader besitzt die Kantenlängen 3, 6 und 4. Seine linke untere Ecke befindet sich im Koordinatenursprung. Sonnenlicht fällt in Richtung des Vektors $\vec{v} = \begin{pmatrix} 2 \\ -3 \\ -2 \end{pmatrix}$ ein. Bestimmen Sie den Schatten, den der Quader auf die x_1x_2-Ebene wirft.

Rückblick

Abstand eines Punktes von einer Ebene

Der Punkt $R(r_1|r_2|r_3)$ hat von der Ebene E mit $E: (\vec{x} - \vec{p}) \cdot \vec{n} = 0$ bzw.
$E: a_1x_1 + a_2x_2 + a_3x_3 = b$ den Abstand d:

$d = \left| (\vec{r} - \vec{p}) \cdot \vec{n_0} \right|$ bzw. $d = \left| \dfrac{a_1r_1 + a_2r_2 + a_3r_3 - b}{\sqrt{a_1^2 + a_2^2 + a_3^2}} \right|$.

Gegeben:

$E: 2x_1 + 2x_2 - x_3 = 9;\ R(2|3|4)$

$d = \left| \dfrac{2 \cdot 2 + 2 \cdot 3 - 1 \cdot 4 - 9}{\sqrt{2^2 + 2^2 + 1^2}} \right| = \left| \dfrac{-3}{3} \right| = 1$

Abstand eines Punktes von einer Geraden

Gegeben ist eine Gerade $g: \vec{x} = \vec{p} + t \cdot \vec{u}$. Für jedes $t \in \mathbb{R}$ sei P_t ein
Punkt der Geraden g.
Berechnung des Abstandes eines Punktes R von der Geraden g:
Der Abstand ist das Minimum der Funktion mit der Gleichung
$d(t) = \left| \overrightarrow{P_tR} \right|$. (1. Variante)
Man bestimmt t so, dass gilt $\overrightarrow{P_tR} \cdot \vec{u} = 0$ und berechnet für dieses t die
Länge des Vektors $\overrightarrow{P_tR}$. (2. Variante)

Gegeben:

$g: \vec{x} = \begin{pmatrix} 2 \\ 0 \\ 1 \end{pmatrix} + t \cdot \begin{pmatrix} -4 \\ 1 \\ 1 \end{pmatrix};\ R(0|5|6)$

Mit der 1. Variante:

$d(t) = \left\| \begin{pmatrix} 0 - 2 - (-4t) \\ 5 - t \\ 6 - 1 - t \end{pmatrix} \right\| = \sqrt{18t^2 - 36t + 54}$

Minimum für $t = 1$: $d(1) = 6$

Abstand windschiefer Geraden

Gegeben sind die zueinander windschiefen Geraden $g: \vec{x} = \vec{p} + t \cdot \vec{u}$
und $h: \vec{x} = \vec{q} + t \cdot \vec{v}$.
Die Geraden haben den Abstand $d = \left| \overrightarrow{GH} \right|$, wobei G auf g und H auf h
liegt und gilt:
(1) $\overrightarrow{GH} \cdot \vec{u} = 0$ und (2) $\overrightarrow{GH} \cdot \vec{v} = 0$. (1. Variante)
Die Geraden haben den Abstand $d = \left| (\vec{q} - \vec{p}) \cdot \vec{n_0} \right|$, wobei $\vec{n_0}$ ein
Einheitsvektor ist, der orthogonal zu den beiden Richtungsvektoren
$\vec{u}$ und $\vec{v}$ ist. (2. Variante)

Gegeben:

$g: \vec{x} = \begin{pmatrix} 6 \\ 1 \\ -4 \end{pmatrix} + t \cdot \begin{pmatrix} 4 \\ 1 \\ -6 \end{pmatrix};\ h: \vec{x} = \begin{pmatrix} 4 \\ 0 \\ 3 \end{pmatrix} + t \cdot \begin{pmatrix} 0 \\ -1 \\ 3 \end{pmatrix}$

Mit der 2. Variante:

$\vec{n_0} = \dfrac{1}{13} \begin{pmatrix} 3 \\ 12 \\ 4 \end{pmatrix};\ d = \left\| \left(\begin{pmatrix} 4 \\ 0 \\ 3 \end{pmatrix} - \begin{pmatrix} 6 \\ 1 \\ -4 \end{pmatrix} \right) \cdot \dfrac{1}{13} \begin{pmatrix} 3 \\ 12 \\ 4 \end{pmatrix} \right\| = \dfrac{10}{13}$

Winkel zwischen Vektoren

Für den Winkel α zwischen den Vektoren $\vec{a}$ und $\vec{b}$ gilt:

$\cos(\alpha) = \dfrac{\vec{a} \cdot \vec{b}}{|\vec{a}| \cdot |\vec{b}|}$.

Gegeben: $\vec{a} = \begin{pmatrix} 1 \\ 1 \\ 1 \end{pmatrix};\ \vec{b} = \begin{pmatrix} 2 \\ -3 \\ -7 \end{pmatrix}$

$\cos(\alpha) = \dfrac{\begin{pmatrix} 1 \\ 1 \\ 1 \end{pmatrix} \cdot \begin{pmatrix} 2 \\ -3 \\ -7 \end{pmatrix}}{\sqrt{3} \cdot \sqrt{62}} = \dfrac{-8}{\sqrt{186}};\ \alpha \approx 125,9°$

Schnittwinkel

Haben die Geraden g_1 und g_2 die Richtungsvektoren $\vec{u_1}$ und $\vec{u_2}$
und die Ebenen E_1 und E_2 die Normalenvektoren $\vec{n_1}$ und $\vec{n_2}$,
so gilt für den Schnittwinkel α
- der Geraden g_1 und g_2: $\quad \cos(\alpha) = \dfrac{|\vec{u_1} \cdot \vec{u_2}|}{|\vec{u_1}| \cdot |\vec{u_2}|}$,
- der Ebenen E_1 und E_2: $\quad \cos(\alpha) = \dfrac{|\vec{n_1} \cdot \vec{n_2}|}{|\vec{n_1}| \cdot |\vec{n_2}|}$,
- der Geraden g_1 und der Ebene E_1: $\sin(\alpha) = \dfrac{|\vec{u_1} \cdot \vec{n_1}|}{|\vec{u_1}| \cdot |\vec{n_1}|}$.

Gegeben:

$g: \vec{x} = \begin{pmatrix} 2 \\ 1 \\ -5 \end{pmatrix} + t \cdot \begin{pmatrix} 2 \\ 2 \\ 1 \end{pmatrix}$ und $h: \vec{x} = \begin{pmatrix} 4 \\ 3 \\ 7 \end{pmatrix} + t \cdot \begin{pmatrix} 3 \\ -4 \\ 0 \end{pmatrix}$;

$E: 2x_1 + 3x_2 + 6x_3 = 12$ und
$F: x_1 + 4x_2 + 8x_3 = 17$

Winkel zwischen g und h:

$\cos(\alpha) = \dfrac{\left| \begin{pmatrix} 2 \\ 2 \\ 1 \end{pmatrix} \cdot \begin{pmatrix} 3 \\ -4 \\ 0 \end{pmatrix} \right|}{\sqrt{9} \cdot \sqrt{25}} = \dfrac{|-2|}{15} = \dfrac{2}{15};\ \alpha \approx 82,3°$

Winkel zwischen E und F:

$\cos(\alpha) = \dfrac{\left| \begin{pmatrix} 2 \\ 3 \\ 6 \end{pmatrix} \cdot \begin{pmatrix} 1 \\ 4 \\ 8 \end{pmatrix} \right|}{\sqrt{49} \cdot \sqrt{81}} = \dfrac{62}{63};\ \alpha \approx 10,2°$

Winkel zwischen g und E:

$\sin(\alpha) = \dfrac{\left| \begin{pmatrix} 2 \\ 2 \\ 1 \end{pmatrix} \cdot \begin{pmatrix} 2 \\ 3 \\ 6 \end{pmatrix} \right|}{\sqrt{9} \cdot \sqrt{49}} = \dfrac{16}{21};\ \alpha \approx 49,6°$

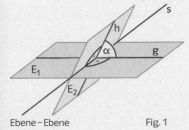

Ebene – Ebene Fig. 1

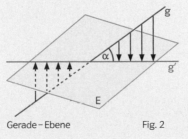

Gerade – Ebene Fig. 2

Prüfungsvorbereitung ohne Hilfsmittel

1 a) Was versteht man unter dem Abstand eines Punktes von einer Ebene?

b) Berechnen Sie den Abstand des Punktes $R(-2|3|5)$ von der Ebene $E: 2x_1 - x_2 + 2x_3 = 0$ mithilfe des Lotfußpunktes und zur Kontrolle mithilfe der Hesse'schen Normalenform.

2 Zeigen Sie, dass die Gerade $g: \vec{x} = \begin{pmatrix} 4 \\ 4 \\ 6 \end{pmatrix} + t \cdot \begin{pmatrix} 1 \\ 1 \\ 0 \end{pmatrix}$ parallel zur Ebene $E: -6x_1 + 6x_2 + 7x_3 = 9$

ist und berechnen Sie den Abstand der Geraden g zur Ebene E.

3 Bestimmen Sie drei Punkte, die von der x_1x_3-Ebene, der x_2x_3-Ebene und der Ebene $E: 2x_1 + 2x_2 - x_3 = 8$ den Abstand 2 haben.

4 a) Was versteht man unter dem Abstand eines Punktes von einer Geraden?

b) Berechnen Sie den Abstand der Geraden $g: \vec{x} = \begin{pmatrix} 3 \\ 4 \\ 4 \end{pmatrix} + t \cdot \begin{pmatrix} 0 \\ 1 \\ 0 \end{pmatrix}$ von der x_2-Achse.

5 Die Geraden $g: \vec{x} = \begin{pmatrix} 6 \\ 1 \\ 3 \end{pmatrix} + r \cdot \begin{pmatrix} 2 \\ 1 \\ -2 \end{pmatrix}$ und $h: \vec{x} = \begin{pmatrix} 4 \\ 5 \\ -3 \end{pmatrix} + s \cdot \begin{pmatrix} 0 \\ 1 \\ 2 \end{pmatrix}$ sind zueinander windschief.

a) Bestimmen Sie eine Gleichung der Ebene E, die g enthält und zu h parallel ist.

b) Berechnen Sie mithilfe der Ebene E den Abstand der Geraden g und h.

6 In Fig. 1 liegt der Punkt A in der x_1x_2-Ebene, der Punkt B in der x_2x_3-Ebene und der Punkt C in der x_1x_3-Ebene.

a) Berechnen Sie die Innenwinkel des Dreiecks ABC.

b) Um welche besondere Art von Dreieck handelt es sich?

c) Geben Sie einen Punkt D so an, dass ABCD ein Quadrat ist.

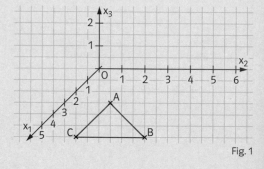

Fig. 1

7 Gegeben sind die Geraden $g: \vec{x} = \begin{pmatrix} -2 \\ 5 \\ 7 \end{pmatrix} + t \cdot \begin{pmatrix} -2 \\ 3 \\ 8 \end{pmatrix}$ und $h: \vec{x} = \begin{pmatrix} 1 \\ 1 \\ 0 \end{pmatrix} + t \cdot \begin{pmatrix} -8 \\ 2 \\ 3 \end{pmatrix}$.

Mit welcher Geraden hat die Ebene $E: x_1 + 2x_3 = 5$ den größeren Schnittwinkel?

8 Gegeben sind die Punkte $A(1|-2|-7)$, $B(17|-2|5)$, $C(-8|-2|5)$ und $D(1|6|7)$.

a) Welche besondere Form und Lage hat das Dreieck ABC?

b) Berechnen Sie den Flächeninhalt des Dreiecks ABC.

c) Bestimmen Sie den Abstand des Punktes D von der Ebene durch A, B und C.

d) Berechnen Sie das Volumen der dreiseitigen Pyramide mit den Ecken A, B, C, D.

9 a) Der Punkt $A(2|-1|3)$ wird an der x_3-Achse gespiegelt. Geben Sie die Koordinaten des Bildpunktes A' an.

b) Beschreiben Sie allgemein, wie man die Koordinaten des Bildpunktes berechnen kann, wenn ein Punkt P an einer Geraden g gespiegelt wird.

10 Der Punkt $P(p_1|p_2|p_3)$ wird an der x_2x_3-Ebene gespiegelt. Geben Sie die Koordinaten des Bildpunktes P' an.

Prüfungsvorbereitung mit Hilfsmitteln

1 Gegeben sind die Gerade $g: \vec{x} = \begin{pmatrix} 3 \\ 0 \\ -1 \end{pmatrix} + t \cdot \begin{pmatrix} 5 \\ -2 \\ 3 \end{pmatrix}$ und der Punkt $P(0|5|1)$.

a) Die Lotgerade von P auf die Gerade g rotiert um g. Stellen Sie eine Gleichung für die so entstehende Ebene auf.

b) Bestimmen Sie den Abstand des Punktes P von der Geraden g.

c) Der Punkt $Q(10,5|-3|3,5)$ liegt auf g. Berechnen Sie das Volumen des Kegels, der entsteht, wenn die Strecke $\overline{PQ}$ um die Gerade g rotiert. Es gibt einen Punkt Q' auf g, der so liegt, dass ein Kegel mit demselben Volumen entsteht. Bestimmen Sie die Koordinaten des Punktes Q'.

2 Gegeben sind die Ebene $E: 2x_1 - x_2 + 3x_3 = 5$ und für jedes $a \in \mathbb{R}$ eine Gerade

$g_a: \vec{x} = \begin{pmatrix} 0 \\ 1 \\ 1 \end{pmatrix} + t \cdot \begin{pmatrix} 1 \\ a \\ 2 \end{pmatrix}$.

a) Bestimmen Sie die Koordinaten des Schnittpunktes S_a der Geraden g_a mit der Ebene E in Abhängigkeit von a. Für welchen Wert von a gibt es keine Lösung? Interpretieren Sie das Ergebnis geometrisch.

b) Für welchen Wert von a liegt der Schnittpunkt S_a in der x_1x_2-Ebene?

3 Gegeben sind eine quadratische Pyramide mit den Ecken $A(-3|-3|0)$, $B(3|-3|0)$, $C(3|3|0)$, $D(-3|3|0)$ und der Spitze $S(0|0|9)$ sowie die Ebene $E: 3x_2 + 4x_3 = 21$.

a) Berechnen Sie die Koordinaten der Schnittpunkte der Pyramidenkanten mit der Ebene E.

b) Zeichnen Sie die Pyramide mit der Schnittfläche als Schrägbild in ein Koordinatensystem. Beschreiben Sie die Form der Schnittfläche.

c) Berechnen Sie den Flächeninhalt der Schnittfläche.

d) Berechnen Sie den Abstand der Spitze S von der Ebene E.

e) Bestimmen Sie das Volumen der Pyramide und der beiden Teilkörper, in die die Pyramide durch die Ebene E zerlegt wurde.

4 Ein 20 m hoher Maibaum steht auf einem flachen Grundstück vor einem Hang.
Die Ebene $E: 2x_1 + 6x_2 + 9x_3 = 54$ stellt für $x_1, x_2, x_3 \geq 0$ diesen Hang dar, der aus der x_1x_2-Ebene aufsteigt. Im Punkt $P(18|13|0)$ steht der 20 m hohe Maibaum (1 LE entspricht 1 m).

a) Stellen Sie die Situation in einem räumlichen Koordinatensystem dar (1 cm entspricht 3 LE).

b) Der Maibaum wird auf 15 m Höhe mit einem möglichst kurzen Stahlseil am Hang verankert. Bestimmen Sie die Länge des Stahlseils.

c) Es fällt Sonnenlicht aus der Richtung $\begin{pmatrix} -1 \\ -4 \\ -6 \end{pmatrix}$ auf den Maibaum. Zeichnen Sie den Schatten in das vorhandene Koordinatensystem ein und berechnen Sie seine Länge.

5 a) Zeigen Sie, dass die Pyramide in Fig. 1 ein gleichseitiges Dreieck als Grundfläche hat.
Begründen Sie, dass $M\left(\frac{a}{6}\sqrt{3} \middle| \frac{a}{2} \middle| 0\right)$ der Schnittpunkt der Seitenhalbierenden des Dreiecks ABC ist.

b) $S\left(\frac{a}{6}\sqrt{3} \middle| \frac{a}{2} \middle| h\right)$ ist die Spitze der Pyramide. Bestimmen Sie die Höhe h in Abhängigkeit von a so, dass die Seitenflächen OAS und OSB der Pyramide zueinander orthogonal sind.

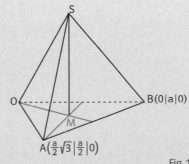

Fig. 1

Beweisen in der Geometrie

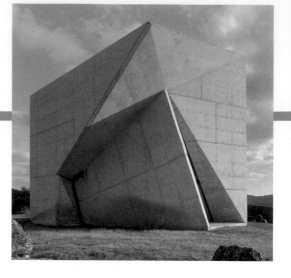

Geometrische Zusammenhänge können oft auf unterschiedliche Weise nachgewiesen werden. Durch das Rechnen mit Vektoren gelingt in vielen Fällen ein sehr kurzer und gut nachvollziehbarer Beweis.

Es soll gezeigt werden: Wenn in einem Viereck zwei Seiten parallel und gleich lang sind, dann trifft dies auch für die beiden anderen Seiten zu.

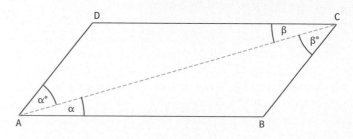

Elementargeometrischer Beweis:

AB ∥ CD	(Voraussetzung)
α = β	(Wechselwinkel an Parallelen)
△ACD ≅ △ABC	(Nach sws)
$\overline{AD}$ = $\overline{BC}$	
α* = β*	
AD ∥ BC	

Vektorieller Beweis:

$\overrightarrow{AB}$ = $\overrightarrow{DC}$	(Voraussetzung)
$\overrightarrow{AB}$ + $\overrightarrow{BD}$ = $\overrightarrow{DC}$ + $\overrightarrow{BD}$	(Beidseitig + $\overrightarrow{BD}$)
= $\overrightarrow{BD}$ + $\overrightarrow{DC}$	(Vertauschen)
$\overrightarrow{AD}$ = $\overrightarrow{BC}$	(Zusammenfassen)

Das kennen Sie schon

- Rechengesetze anwenden
- Skalarprodukte
- Linearkombination von Vektoren

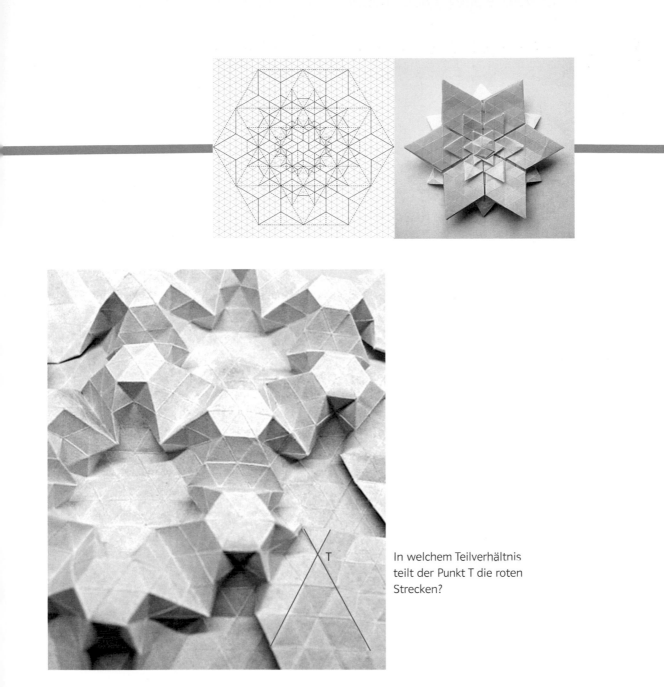

In welchem Teilverhältnis
teilt der Punkt T die roten
Strecken?

In diesem Kapitel

- wird mithilfe von Vektoren bewiesen.
- werden Vektoren auf lineare Abhängigkeit und
  Unabhängigkeit untersucht.
- wird die Abhängigkeit von Vektoren anschaulich
  bestimmt.
- werden Teilverhältnisse bestimmt.

Zahl und
Maß

Daten und
Zufall

Beziehung und
Änderung

Modell und
Simulation

Muster und
Struktur

Form und
Raum

317

1 Eine neue Beweisidee

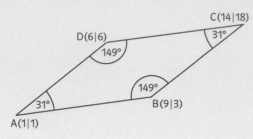

$\overline{AB} \parallel \overline{DC}$
Versuchen Sie auf unterschiedlichen Wegen zu begründen.

Bisher wurde zum Beweisen eines geometrischen Satzes auf bekannte geometrische Aussagen zurückgegriffen, mit deren Hilfe die Richtigkeit der zu beweisenden Behauptung gezeigt wurde. Für dieses Vorgehen benötigt man einen umfassenden Überblick über die bekannten geometrischen Zusammenhänge, um das für den Beweis passende Hilfsmittel auszuwählen. Wird der Beweis mithilfe von Vektoren geführt, so sind die Beweisschritte eindeutiger festgelegt. Nach der Beschreibung des Sachverhaltes mit Vektoren, ist die Behauptung durch das Rechnen mit den Vektoren herzuleiten. Der Unterschied wird an einem Beispiel gezeigt: Die Verbindungsstrecke zweier Seitenmitten in einem Dreieck ist parallel zur dritten Dreiecksseite.

Bisheriger Beweis:

Man verwendet als Hilfsmittel einen Satz über die Ähnlichkeit von Dreiecken: Wenn in zwei Dreiecken für zwei Seiten die entsprechenden Seitenlängen das gleiche Verhältnis haben und der eingeschlossene Winkel gleich groß ist, dann sind die Dreiecke ähnlich. Nach diesem Satz sind die Dreiecke APQ und ABC ähnlich, sie stimmen also in allen entsprechenden Winkeln überein. Insbesondere ist in Fig. 1 ⊲ APQ = ⊲ ABC und damit $\overline{PQ} \parallel \overline{BC}$.

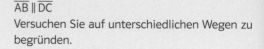

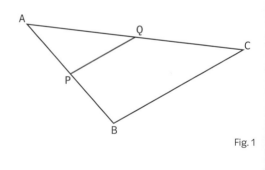

Fig. 1

Beweis mit Vektoren:

Bei diesem Beweis werden alle Aussagen mit möglichst wenigen Vektoren ausgedrückt. In der Ebene gelingt dies mit zwei Vektoren, wenn diese nicht parallel sind.
Hier wird $\vec{a} = \overrightarrow{AB}$ und $\vec{b} = \overrightarrow{AC}$ gewählt.
Voraussetzung („Wenn"-Teil des Satzes):
$\overrightarrow{AP} = \overrightarrow{PB} = \frac{1}{2}\vec{a}$ und $\overrightarrow{AQ} = \overrightarrow{QC} = \frac{1}{2}\vec{b}$.
Behauptung („Dann"-Teil des Satzes):
$\overrightarrow{PQ} = k \cdot \overrightarrow{BC}, \ k \in \mathbb{R}$.

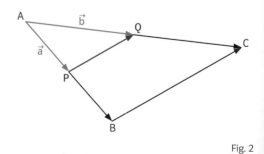

Fig. 2

Die Behauptung wird nun unter Nutzung der Voraussetzung hergeleitet, in dem alle Vektoren der Behauptung als Linearkombination der Vektoren $\vec{a}$ und $\vec{b}$ ausgedrückt werden.
$\overrightarrow{PQ} = -\frac{1}{2}\vec{a} + \frac{1}{2}\vec{b}$ und $\overrightarrow{BC} = -\vec{a} + \vec{b}$. Also: $\overrightarrow{PQ} = \frac{1}{2}\left(-\vec{a} + \vec{b}\right) = \frac{1}{2}\overrightarrow{BC}$.
Die Vektoren $\overrightarrow{PQ}$ und $\overrightarrow{BC}$ sind Vielfache voneinander, das heißt $\overrightarrow{PQ}$ und $\overrightarrow{BC}$ sind parallel.

Zum Beweisen mit Vektoren geht man folgendermaßen vor:

1. Skizze anfertigen.
2. Die zu beweisende Aussage in „Wenn-Dann-Form" angeben.
3. Auswahl zweier nichtparalleler Vektoren $\vec{a}$ und $\vec{b}$, mit deren Hilfe die Voraussetzungen und die Behauptung formuliert werden.
4. Die Behauptung wird durch das Rechnen mit Vektoren hergeleitet, wobei alle Vektoren als Linearkombination von $\vec{a}$ und $\vec{b}$ ausgedrückt werden.

Beispiel Beweis zur Parallelität
Beweisen Sie: Die Mittellinie $\overline{M_1 M_2}$ eines Trapezes ABCD mit den parallelen Seiten $\overline{AB}$ und $\overline{CD}$ sowie den Mitten M_1 und M_2 der beiden anderen Seiten ist parallel zur Grundseite $\overline{AB}$.

■ Lösung: 1. Skizze (Fig. 1)

2. Aussage in „Wenn-Dann-Form":
Wenn in einem Trapez ABCD die Seiten $\overline{AB}$ und $\overline{CD}$ zueinander parallel sind und M_1 und M_2 die Seitenmitten von $\overline{AD}$ bzw. $\overline{BC}$ sind, dann ist $\overline{M_1 M_2}$ parallel zur Grundseite $\overline{AB}$.

3. Mit $\vec{a} = \overrightarrow{AB}$ und $\vec{b} = \overrightarrow{AD}$ (Fig. 2) gilt:

Voraussetzungen:

$\overrightarrow{AM_1} = \overrightarrow{M_1 D} = \frac{1}{2}\vec{b}$ $\left(M_1 \text{ ist die Mitte von } \overline{AD}\right)$

$\overrightarrow{BM_2} = \overrightarrow{M_2 C} = \frac{1}{2}\overrightarrow{BC}$ $\left(M_2 \text{ ist die Mitte von } \overline{BC}\right)$

$\overrightarrow{DC} = t \cdot \overrightarrow{AB} = t \cdot \vec{a}$ $\left(\overline{AB} \text{ und } \overline{CD} \text{ sind parallel}\right)$

Behauptung:

$\overrightarrow{M_1 M_2} = k \cdot \overrightarrow{AB}$ $\left(\overline{M_1 M_2} \text{ und } \overline{AB} \text{ sind parallel}\right)$

4. $\overrightarrow{M_1 M_2} = -\frac{1}{2}\vec{b} + \vec{a} + \frac{1}{2}\overrightarrow{BC}$

$\overrightarrow{M_1 M_2} = -\frac{1}{2}\vec{b} + \vec{a} + \frac{1}{2}\left(-\vec{a} + \vec{b} + \overrightarrow{DC}\right)$

$\overrightarrow{M_1 M_2} = -\frac{1}{2}\vec{b} + \vec{a} + \frac{1}{2}\left(-\vec{a} + \vec{b} + t \cdot \vec{a}\right)$

$\overrightarrow{M_1 M_2} = \left(\frac{1}{2} + \frac{1}{2}t\right)\vec{a}$

Die Vektoren $\overrightarrow{M_1 M_2}$ und $\overrightarrow{AB}$ sind Vielfache voneinander, das heißt, die Strecken $\overline{M_1 M_2}$ und $\overline{AB}$ sind parallel.

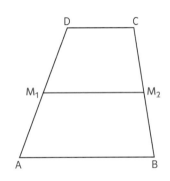

Fig. 1

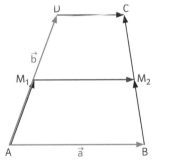

Fig. 2

Aufgaben

1 Beweisen Sie mithilfe der vorgegebenen Vektoren $\vec{a}$ und $\vec{b}$:
In einem Viereck, bei dem sich die Diagonalen halbieren, sind die gegenüberliegenden Seiten parallel.

Fig. 3

2 Beweisen Sie: Sind M_1, M_2, M_3 und M_4 die Mittelpunkte der Seiten eines Parallelogramms, dann ist das Viereck $M_1 M_2 M_3 M_4$ auch ein Parallelogramm.

3 Im Dreieck ABC (Fig. 1) sind die Punkte P und Q doppelt so weit von A entfernt wie vom Punkt B beziehungsweise C.
Beweisen Sie:
$\overline{PQ}$ ist parallel zur Dreiecksseite $\overline{BC}$.

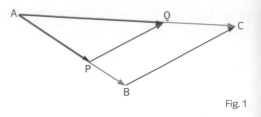

Fig. 1

Zeit zu überprüfen ────────────────────

4 In einem Parallelogramm ABCD (Fig. 2) wird $\overline{CD}$ durch die Punkte P_1, P_2 und P_3 geviertelt und $\overline{AB}$ durch M halbiert. Zeigen Sie, dass $\overline{AP_1}$ parallel zu $\overline{MP_3}$ ist.

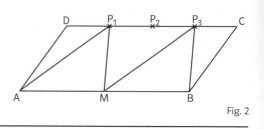

Fig. 2

──────────────────────────────────

5 Gegeben ist eine Strecke $\overline{AB}$ mit dem Mittelpunkt M. P ist ein Punkt, der nicht auf der Strecke $\overline{AB}$ liegt.
Beweisen Sie, dass gilt:
$2 \cdot \overrightarrow{PM} = \overrightarrow{PA} + \overrightarrow{PB}$.

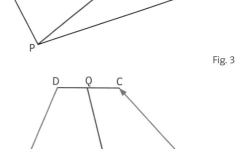

Fig. 3

6 In Fig. 4 ist ein Trapez ABCD abgebildet. Die Punkte P und Q sind die jeweiligen Mittelpunkte der Seiten $\overline{AB}$ und $\overline{CD}$.
Beweisen Sie, dass gilt:
$2 \cdot \overrightarrow{QP} = \overrightarrow{DA} + \overrightarrow{CB}$.

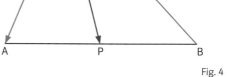

Fig. 4

7 Zeichnen Sie drei beliebig gewählte Vierecke. Verbinden Sie jeweils die Seitenmitten zu einem neuen Viereck. Stellen Sie eine Vermutung auf und beweisen Sie diese.

8 In Fig. 5 wird die Strecke $\overline{AC}$ durch den Punkt B und die Strecke $\overline{AE}$ durch den Punkt D jeweils im Verhältnis 1:r geteilt.
Zeigen Sie, dass die Strecken $\overline{BD}$ und $\overline{CE}$ parallel sind.

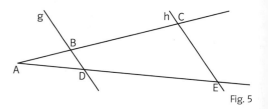

Fig. 5

9 B und C sind Eckpunkte, A und D sind Mittelpunkte einer Kante des Quaders (Fig. 6). Die Punkte ABCD bilden ein Viereck.
Beweisen Sie unter Verwendung der Vektoren $\vec{a}$, $\vec{b}$ und $\vec{c}$: Verbindet man die Mittelpunkte der Viereckseiten des Vierecks ABCD, so entsteht ein Parallelogramm.

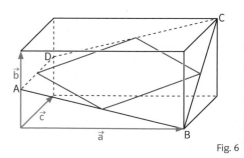

Fig. 6

2 Lineare Abhängigkeit und Unabhängigkeit von Vektoren

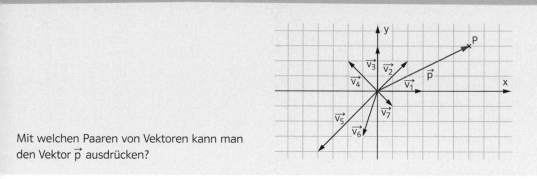

Mit welchen Paaren von Vektoren kann man den Vektor $\vec{p}$ ausdrücken?

Ein wesentlicher Punkt beim Beweisen mit Vektoren in der Ebene ist die Auswahl von zwei Vektoren $\vec{a}$ und $\vec{b}$, mit deren Hilfe alle Sachverhalte dargestellt werden. $\vec{a}$ und $\vec{b}$ sind dabei nicht parallel, damit jeder Vektor der Ebene darstellbar ist. Diese Eigenschaft von Vektoren soll nun näher betrachtet und auf Vektoren im Raum übertragen werden.

Sind zwei Vektoren $\vec{a}$ und $\vec{b}$ Vielfache voneinander, so sagt man auch: $\vec{a}$ und $\vec{b}$ sind linear abhängig (Fig. 1).
Anderenfalls bezeichnet man die beiden Vektoren als linear unabhängig (Fig. 2).

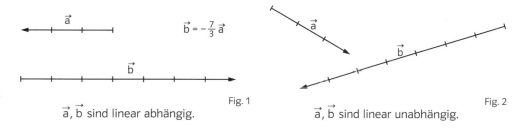

$$\vec{b} = -\tfrac{7}{3}\vec{a}$$

Fig. 1

$\vec{a}$, $\vec{b}$ sind linear abhängig.

Fig. 2

$\vec{a}$, $\vec{b}$ sind linear unabhängig.

Betrachtet man mehrere Vektoren und kann man einen von ihnen als Linearkombination der anderen Vektoren ausdrücken, so sagt man, die Vektoren sind linear abhängig (Fig. 3). Ansonsten sagt man, die Vektoren sind linear unabhängig (Fig. 4).

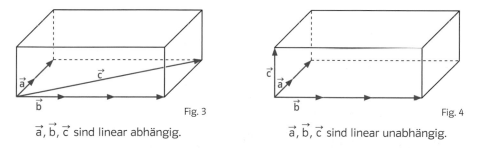

Fig. 3

$\vec{a}$, $\vec{b}$, $\vec{c}$ sind linear abhängig.

Fig. 4

$\vec{a}$, $\vec{b}$, $\vec{c}$ sind linear unabhängig.

Definition: Die Vektoren $\vec{a_1}$, $\vec{a_2}$, ..., $\vec{a_n}$ nennt man **linear abhängig**, wenn mindestens einer dieser Vektoren als Linearkombination der anderen Vektoren darstellbar ist.
Anderenfalls nennt man die Vektoren **linear unabhängig.**

Sind mehrere Vektoren $\vec{a}$, $\vec{b}$ und $\vec{c}$ linear abhängig, so muss nicht jeder Vektor als Linearkombination der anderen darstellbar sein, jedoch für mindestens einen Vektor ist dies möglich: $\vec{c} = 2 \cdot \vec{a} + 0 \cdot \vec{b}$ (Fig. 1). Hieraus erhält man auch die Gleichung $\vec{o} = 2 \cdot \vec{a} + 0 \cdot \vec{b} - \vec{c}$, in der der Nullvektor als Linearkombination der Vektoren $\vec{a}$, $\vec{b}$ und $\vec{c}$ mit von Null verschiedenen Koeffizienten dargestellt wird.

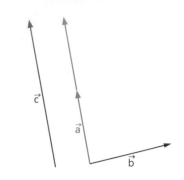

Fig. 1

Umgekehrt gilt, wenn sich der Nullvektor durch eine Linearkombination von Vektoren $\vec{o} = r_1 \cdot \vec{a} + r_2 \cdot \vec{b} + r_3 \cdot \vec{c}$ mit von Null verschiedenen Koeffizienten darstellen lässt, dann sind die Vektoren $\vec{a}$, $\vec{b}$ und $\vec{c}$ linear abhängig. Dies kann zur Überprüfung auf lineare Abhängigkeit bzw. lineare Unabhängigkeit genutzt werden.

Zur Untersuchung der Vektoren $\vec{a_1}$, $\vec{a_2}$, $\vec{a_3}$, ..., $\vec{a_n}$ auf lineare Unabhängigkeit bzw. Abhängigkeit betrachtet man die Gleichung: $r_1 \cdot \vec{a_1} + r_2 \cdot \vec{a_2} + r_3 \cdot \vec{a_3} + ... + r_n \cdot \vec{a_n} = \vec{o}$.

Satz:
a) Wenn die Vektoren $\vec{a_1}$, $\vec{a_2}$, $\vec{a_3}$, ..., $\vec{a_n}$ linear unabhängig sind, dann ist $r_1 = r_2 = r_3 = ... = r_n = 0$ die einzige Lösung der Gleichung.
b) Wenn $r_1 = r_2 = r_3 = ... = r_n = 0$ die einzige Lösung der Gleichung ist, dann sind die Vektoren $\vec{a_1}$, $\vec{a_2}$, $\vec{a_3}$, ..., $\vec{a_n}$ linear unabhängig.

Beispiel 1   Lineare Abhängigkeit und Unabhängigkeit von drei Vektoren

$\text{rref}\left(\begin{bmatrix} 1 & -2 & 3 & 0 \\ 2 & 2 & -1 & 0 \\ 3 & 1 & 1 & 0 \end{bmatrix}\right)$

$\begin{bmatrix} 1 & 0 & 0 & 0 \\ 0 & 1 & 0 & 0 \\ 0 & 0 & 1 & 0 \end{bmatrix}$

Untersuchen Sie die Vektoren $\begin{pmatrix} 1 \\ 2 \\ 3 \end{pmatrix}$; $\begin{pmatrix} -2 \\ 2 \\ 1 \end{pmatrix}$ und $\begin{pmatrix} 3 \\ -1 \\ 1 \end{pmatrix}$ auf lineare Abhängigkeit.

■ Lösung: $r_1 \cdot \begin{pmatrix} 1 \\ 2 \\ 3 \end{pmatrix} + r_2 \cdot \begin{pmatrix} -2 \\ 2 \\ 1 \end{pmatrix} + r_3 \cdot \begin{pmatrix} 3 \\ -1 \\ 1 \end{pmatrix} = \begin{pmatrix} 0 \\ 0 \\ 0 \end{pmatrix}$; LGS $\begin{matrix} r_1 - 2r_2 + 3r_3 = 0 \\ 2r_1 + 2r_2 - r_3 = 0 \\ 3r_1 + r_2 + r_3 = 0 \end{matrix}$

Als einzige Lösung des LGS erhält man $r_1 = 0$; $r_2 = 0$; $r_3 = 0$.
Die drei Vektoren sind linear unabhängig.

Beispiel 2   Lineare Abhängigkeit und Linearkombination

$\text{rref}\left(\begin{bmatrix} 1 & 2 & 3 & 0 \\ -1 & 4 & 6 & 0 \\ 2 & -2 & -3 & 0 \end{bmatrix}\right)$

$\begin{bmatrix} 1 & 0 & 0 & 0 \\ 0 & 1 & \frac{3}{2} & 0 \\ 0 & 0 & 0 & 0 \end{bmatrix}$

Untersuchen Sie die Vektoren $\vec{a} = \begin{pmatrix} 1 \\ -1 \\ 2 \end{pmatrix}$, $\vec{b} = \begin{pmatrix} 2 \\ 4 \\ -2 \end{pmatrix}$ und $\vec{c} = \begin{pmatrix} 3 \\ 6 \\ -3 \end{pmatrix}$ auf lineare Abhängigkeit.

Stellen Sie, falls möglich, jeden Vektor als Linearkombination der anderen Vektoren dar.

■ Lösung: $r_1 \cdot \begin{pmatrix} 1 \\ -1 \\ 2 \end{pmatrix} + r_2 \cdot \begin{pmatrix} 2 \\ 4 \\ -2 \end{pmatrix} + r_3 \cdot \begin{pmatrix} 3 \\ 6 \\ -3 \end{pmatrix} = \begin{pmatrix} 0 \\ 0 \\ 0 \end{pmatrix}$

Als Lösung erhält man: $r_1 = 0$; $r_2 = -\frac{3}{2}t$; $r_3 = t$; $t \in \mathbb{R}$.
Die drei Vektoren sind linear abhängig.
Es gilt: $0 \cdot \vec{a} - \frac{3}{2}t \cdot \vec{b} + t \cdot \vec{c} = \vec{o}$.
Durch Umformen der Gleichung erhält man die Darstellung der Vektoren als Linearkombination der anderen:

$\begin{pmatrix} 2 \\ 4 \\ -2 \end{pmatrix} = 0 \cdot \begin{pmatrix} 1 \\ -1 \\ 2 \end{pmatrix} + \frac{2}{3} \cdot \begin{pmatrix} 3 \\ 6 \\ -3 \end{pmatrix}$; $\begin{pmatrix} 3 \\ 6 \\ -3 \end{pmatrix} = 0 \cdot \begin{pmatrix} 1 \\ -1 \\ 2 \end{pmatrix} + \frac{3}{2} \cdot \begin{pmatrix} 2 \\ 4 \\ -2 \end{pmatrix}$; $\begin{pmatrix} 1 \\ -1 \\ 2 \end{pmatrix}$ ist nicht mit $\vec{b}$ und $\vec{c}$ darstellbar.

Aufgaben

Für Vektoren gilt:
In der Ebene ($\mathbb{R}^2$) gibt es höchstens zwei linear unabhängige Vektoren. Im Anschauungsraum ($\mathbb{R}^3$) gibt es höchstens drei linear unabhängige Vektoren.

1 Untersuchen Sie die Vektoren auf lineare Abhängigkeit bzw. Unabhängigkeit.

a) $\begin{pmatrix} 1 \\ 2 \end{pmatrix}$; $\begin{pmatrix} 3 \\ 6 \end{pmatrix}$

b) $\begin{pmatrix} -4 \\ 3 \end{pmatrix}$; $\begin{pmatrix} 16 \\ 12 \end{pmatrix}$

c) $\begin{pmatrix} \frac{5}{6} \\ \frac{3}{4} \end{pmatrix}$; $\begin{pmatrix} \frac{5}{9} \\ \frac{1}{2} \end{pmatrix}$; $\begin{pmatrix} -5 \\ 3 \end{pmatrix}$

d) $\begin{pmatrix} 2 \\ \frac{3}{5} \end{pmatrix}$; $\begin{pmatrix} 0 \\ 0 \end{pmatrix}$

2 Untersuchen Sie die Vektoren auf lineare Abhängigkeit bzw. Unabhängigkeit.

a) $\begin{pmatrix} 2 \\ -1 \\ 4 \end{pmatrix}$; $\begin{pmatrix} 3 \\ 5 \\ 7 \end{pmatrix}$

b) $\begin{pmatrix} 0 \\ 0 \\ 0 \end{pmatrix}$; $\begin{pmatrix} 3 \\ -1 \\ \frac{1}{2} \end{pmatrix}$

c) $\begin{pmatrix} -3 \\ 6 \\ 12 \end{pmatrix}$; $\begin{pmatrix} 5 \\ -10 \\ -20 \end{pmatrix}$

d) $\begin{pmatrix} \frac{2}{3} \\ 0,5 \\ -\frac{4}{5} \end{pmatrix}$; $\begin{pmatrix} 3 \\ 2,25 \\ 4 \end{pmatrix}$

3 Überprüfen Sie die Vektoren auf lineare Abhängigkeit beziehungsweise Unabhängigkeit. Stellen Sie, falls möglich, jeweils den ersten Vektor als Linearkombination der anderen Vektoren dar.

⊚ CAS
lineare Unabhängigkeit

a) $\begin{pmatrix} 1 \\ 0 \\ 3 \end{pmatrix}$; $\begin{pmatrix} 2 \\ 1 \\ 1 \end{pmatrix}$; $\begin{pmatrix} 4 \\ 1 \\ 5 \end{pmatrix}$

b) $\begin{pmatrix} 7 \\ -1 \\ 3 \end{pmatrix}$; $\begin{pmatrix} 1 \\ -2 \\ 1 \end{pmatrix}$; $\begin{pmatrix} 3 \\ -6 \\ 3 \end{pmatrix}$

c) $\begin{pmatrix} -1 \\ 2 \\ -3 \end{pmatrix}$; $\begin{pmatrix} 3 \\ 1 \\ 2 \end{pmatrix}$; $\begin{pmatrix} 2 \\ 3 \\ 1 \end{pmatrix}$

d) $\begin{pmatrix} 1 \\ 1 \\ 1 \end{pmatrix}$; $\begin{pmatrix} -6 \\ -4 \\ 2 \end{pmatrix}$; $\begin{pmatrix} -6 \\ -3 \\ 6 \end{pmatrix}$

e) $\begin{pmatrix} -1 \\ 3 \\ 1 \end{pmatrix}$; $\begin{pmatrix} -2 \\ 3 \\ 2 \end{pmatrix}$; $\begin{pmatrix} 4 \\ -3 \\ 2 \end{pmatrix}$; $\begin{pmatrix} 2 \\ 4 \\ -1 \end{pmatrix}$

f) $\begin{pmatrix} 4 \\ -3 \\ \frac{1}{2} \end{pmatrix}$; $\begin{pmatrix} -1 \\ \frac{3}{2} \\ 2 \end{pmatrix}$; $\begin{pmatrix} 2 \\ 2 \\ 1 \end{pmatrix}$; $\begin{pmatrix} \frac{1}{2} \\ -2 \\ -\frac{1}{2} \end{pmatrix}$

4 Betrachten Sie Figur 1 und entscheiden Sie, ob die Vektoren linear abhängig oder unabhängig sind.

a) $\overrightarrow{GJ}$, $\overrightarrow{DA}$

b) $\overrightarrow{AB}$, $\overrightarrow{DF}$

c) $\overrightarrow{AE}$, $\overrightarrow{GJ}$

d) $\overrightarrow{LA}$, $\overrightarrow{KE}$

e) $\overrightarrow{FK}$, $\overrightarrow{AF}$, $\overrightarrow{AK}$

f) $\overrightarrow{AB}$, $\overrightarrow{AD}$, $\overrightarrow{AL}$

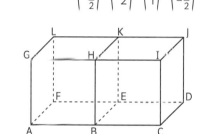

Fig. 1

5 Geben Sie zu den vorgegebenen Vektoren aus Fig. 1 jeweils noch einen weiteren Vektor an, sodass die Vektoren linear abhängig (linear unabhängig) sind.

a) $\overrightarrow{AB}$

b) $\overrightarrow{DJ}$

c) $\overrightarrow{AF}$, $\overrightarrow{AC}$

d) $\overrightarrow{CD}$, $\overrightarrow{CH}$

e) $\overrightarrow{BH}$, $\overrightarrow{AJ}$

Zeit zu überprüfen

6 Untersuchen Sie, ob die Vektoren linear unabhängig sind.

a) $\begin{pmatrix} -2 \\ 4 \\ 1 \end{pmatrix}$; $\begin{pmatrix} 4 \\ -8 \\ -3 \end{pmatrix}$

b) $\begin{pmatrix} 3 \\ -6 \\ 0 \end{pmatrix}$; $\begin{pmatrix} 0,5 \\ -1 \\ 0,6 \end{pmatrix}$

c) $\begin{pmatrix} 1 \\ 1 \\ 1 \end{pmatrix}$; $\begin{pmatrix} -4 \\ -2 \\ 2 \end{pmatrix}$; $\begin{pmatrix} -7 \\ -2 \\ 8 \end{pmatrix}$

d) $\begin{pmatrix} 4 \\ -1 \\ 2 \end{pmatrix}$; $\begin{pmatrix} 1 \\ 4 \\ 1 \end{pmatrix}$; $\begin{pmatrix} -2 \\ 3 \\ -1 \end{pmatrix}$

7 Sind die angegebenen Vektoren linear abhängig oder linear unabhängig? Begründen Sie Ihre Aussage.

a) $\vec{a}$, $\vec{b}$, $\overrightarrow{AH}$

b) $\vec{a}$, $\vec{b}$, $\overrightarrow{DG}$

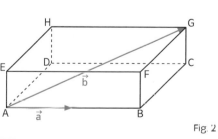

Fig. 2

8 Welche Zahl muss für a eingesetzt werden, damit die Vektoren linear abhängig sind?

a) $\begin{pmatrix} 2 \\ 5 \end{pmatrix}$; $\begin{pmatrix} a \\ 3 \end{pmatrix}$　　　　　b) $\begin{pmatrix} 3 \\ -6 \end{pmatrix}$; $\begin{pmatrix} -2 \\ a \end{pmatrix}$　　　　　c) $\begin{pmatrix} a \\ 3 \end{pmatrix}$; $\begin{pmatrix} 2a \\ 5 \end{pmatrix}$

Warum findet man für die „☐" keine Zahlen, sodass die Vektoren linear unabhängig werden?

d) $\begin{pmatrix} 2 \\ a \end{pmatrix}$; $\begin{pmatrix} 4a \\ \frac{1}{2} \end{pmatrix}$　　　　　e) $\begin{pmatrix} 2 \\ -1 \\ 1 \end{pmatrix}$; $\begin{pmatrix} -6 \\ a \\ -3 \end{pmatrix}$　　　　　f) $\begin{pmatrix} -3 \\ 4 \\ 2 \end{pmatrix}$; $\begin{pmatrix} 1 \\ -2 \\ a \end{pmatrix}$; $\begin{pmatrix} 3 \\ 1 \\ -1 \end{pmatrix}$

a) $\begin{pmatrix} ☐ \\ 0 \\ ☐ \end{pmatrix}$, $\begin{pmatrix} ☐ \\ 0 \\ ☐ \end{pmatrix}$, $\begin{pmatrix} ☐ \\ 0 \\ ☐ \end{pmatrix}$

b) $\begin{pmatrix} 4 \\ -3 \\ 2 \end{pmatrix}$, $\begin{pmatrix} 0 \\ 0 \\ 0 \end{pmatrix}$, $\begin{pmatrix} ☐ \\ 7 \\ ☐ \end{pmatrix}$

c) $\begin{pmatrix} 1 \\ ☐ \end{pmatrix}$, $\begin{pmatrix} ☐ \\ 1 \end{pmatrix}$, $\begin{pmatrix} ☐ \\ ☐ \end{pmatrix}$

9 Für welche Werte von a ist $\begin{pmatrix} a \\ 2 \\ -8 \end{pmatrix}$ als Linearkombination der Vektoren $\begin{pmatrix} 2 \\ 3 \\ -2 \end{pmatrix}$ und $\begin{pmatrix} -1 \\ 1 \\ 2 \end{pmatrix}$ darstellbar?

10 Begründen Sie folgende Aussagen.
a) Ist einer von mehreren Vektoren der Nullvektor, so sind diese Vektoren linear abhängig.
b) Zwei parallele Vektoren sind linear abhängig.
c) Lässt man von drei linear unabhängigen Vektoren einen weg, so sind die verbleibenden zwei Vektoren auch linear unabhängig.
d) Fügt man zu n linear abhängigen Vektoren $(n \geq 2)$ einen weiteren hinzu, so sind die $n + 1$ Vektoren auch linear abhängig.
e) Liegen vier Punkte A, B, C und D in einer Ebene, so sind die Vektoren $\overrightarrow{AB}$, $\overrightarrow{AC}$ und $\overrightarrow{AD}$ linear abhängig.

11 a) Begründen Sie: Die Vektoren $\overrightarrow{e_1}$, $\overrightarrow{e_2}$, $\overrightarrow{e_3}$ (Fig. 1) sind linear unabhängig.
b) Stellen Sie jeden der Vektoren $\overrightarrow{OP}$, $\overrightarrow{E_1Q}$, $\overrightarrow{E_2R}$, $\overrightarrow{E_3S}$ als Linearkombination der Vektoren $\overrightarrow{e_1}$, $\overrightarrow{e_2}$, $\overrightarrow{e_3}$ dar.
c) Begründen Sie: Jeweils drei der Vektoren $\overrightarrow{OP}$, $\overrightarrow{E_1Q}$, $\overrightarrow{E_2R}$, $\overrightarrow{E_3S}$ sind linear unabhängig.
d) Stellen Sie jeden der Vektoren $\overrightarrow{OP}$, $\overrightarrow{E_1Q}$, $\overrightarrow{E_2R}$, $\overrightarrow{E_3S}$ als Linearkombination der drei anderen dar.

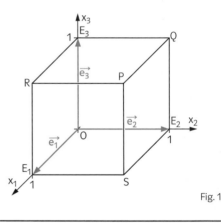

Fig. 1

Zeit zu wiederholen

12 Eine Zufallsvariable X ist binomial verteilt mit den Parametern $n = 10$ und $p = 0{,}2$.
a) Bestimmen Sie $P(X = 8)$ und $P(X \leq 8)$.
b) Bestimmen Sie $P(X \geq 5$ und $X \leq 7)$.
c) Ab welcher Zahl a ist $P(X \leq a)$ größer als 0,9?

13 Die Produktion von Glühlampen wird auf einer Fertigungsstraße mit einer Ausfallquote von 0,4 % angegeben.
a) Aus einer Palette von 1000 Glühlampen werden zufällig fünf zum Testen entnommen. Wie groß ist die Wahrscheinlichkeit, dass mindestens eine defekte Glühlampe dabei ist?
b) Wie viele Glühlampen muss man dem Stapel zufällig entnehmen, um mit einer Wahrscheinlichkeit von 0,5 mindestens eine defekte Glühlampe dabei zu haben?

14 Vereinfachen Sie die Terme so weit wie möglich.
a) $(x + 2)^2 - x(x - 4)$　　　　　b) $(x + 3)^2 - (x - 3)^2$
c) $(x - 1)(x + 1) + 1$　　　　　d) $x(2x - 2) - (2x + 1)(x - 1)$

15 Bestimmen Sie die Werte des Terms $(2x + 1)^2 - 2x(2x + 2)$ für x gleich -5; 1; 3 und 5.

3 Vektorielle Beweise zur Orthogonalität

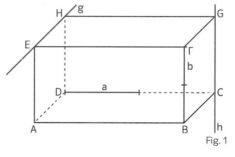

Um ein Regal so anzubringen, dass es gut aussieht, muss man auf einiges achten. Die Kriterien dafür kann man als geometrische Sachverhalte ausdrücken.

Bisher wurde Orthogonalität nur bei sich schneidenden Geraden betrachtet.

Darüber hinaus gibt es Strecken, die sich nicht schneiden, und windschiefe Geraden, die als zueinander orthogonal bezeichnet werden.

In Fig. 1 sind dies zum Beispiel die Gerade g und h und die Strecken a und b. In diesen Fällen sind die jeweiligen Richtungsvektoren zueinander orthogonal.

Als Richtungsvektor der Strecke $\overline{AB}$ bezeichnet man kurz den Richtungsvektor der Geraden, auf der die Strecke $\overline{AB}$ liegt.

Fig. 1

Definition: Zwei Geraden bzw. Strecken bezeichnet man als **orthogonal**, wenn ihre jeweiligen Richtungsvektoren zueinander orthogonal sind.

Zwei Richtungsvektoren $\vec{a}$ und $\vec{b}$ sind genau dann zueinander orthogonal, wenn gilt: $\vec{a} \cdot \vec{b} = 0$.

Auch Strecken oder Geraden, die sich nicht schneiden, können orthogonal sein.

Beispiel   Beweis der Orthogonalität

Beweisen Sie die Aussage: In einem Quader mit quadratischer Grundfläche sind jeweils sich nicht schneidende Raumdiagonalen und Diagonalen der Grundfläche zueinander orthogonal.

■ Lösung: 1. Skizze (Fig. 2)

2. Aussage in „Wenn-Dann-Form":

Wenn ABCDEFGH ein Quader mit quadratischer Grundfläche ist, dann sind die Raumdiagonale $\overline{DF}$ und die Flächendiagonale $\overline{AC}$ zueinander orthogonal.

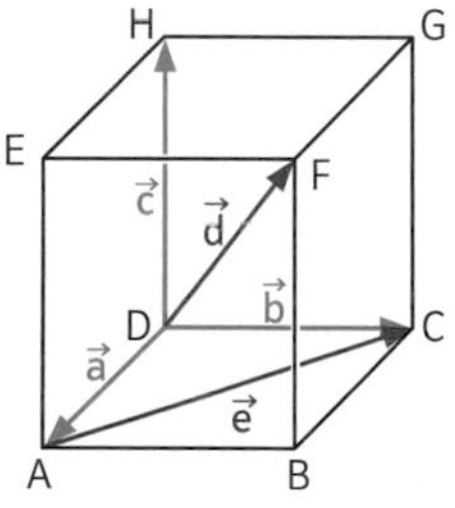

3. Mit $\vec{a} = \overrightarrow{DA}$, $\vec{b} = \overrightarrow{DC}$ und $\vec{c} = \overrightarrow{DH}$ gilt:

Fig. 2

Voraussetzungen:

$\vec{a} \cdot \vec{b} = 0$,

$\vec{a} \cdot \vec{c} = 0$,

$\vec{b} \cdot \vec{c} = 0$.

$|\vec{a}| = |\vec{b}|$ *Quader bedeutet insbesondere* $\vec{a} \perp \vec{b},\ \vec{a} \perp \vec{c},\ \vec{b} \perp \vec{c}$

Behauptung:

$\vec{d} \perp \vec{e}$, also $\vec{d} \cdot \vec{e} = 0$.

4. $\vec{e} = \vec{b} - \vec{a}$ und $\vec{d} = \vec{a} + \vec{b} + \vec{c}$.

Für das Skalarprodukt gilt: $\vec{d} \cdot \vec{e} = (\vec{a} + \vec{b} + \vec{c}) \cdot (\vec{b} - \vec{a}) = \vec{a} \cdot \vec{b} - \vec{a}^2 + \vec{b}^2 - \vec{b} \cdot \vec{a} + \vec{c} \cdot \vec{b} - \vec{c} \cdot \vec{a}$.

$\vec{d} \cdot \vec{e} = 0 - |\vec{a}|^2 + |\vec{b}|^2 - 0 + 0 - 0 = 0$. Somit sind die Diagonalen zueinander orthogonal.

Aufgaben

1 In einem Würfel mit der Kantenlänge a (Fig. 1) sind M_1, M_2 und M_3 jeweils Seitenmitten. Beweisen Sie, dass die Strecken $\overline{BM_1}$ und $\overline{M_2M_3}$ zueinander orthogonal sind.

2 Für das Viereck ABCD in Fig. 2 gilt: $\overline{AC} = \overline{AD}$ und $\overline{CB} = \overline{DB}$. Beweisen Sie: Die Diagonalen sind zueinander orthogonal.
a) Nutzen Sie für den Nachweis die in Fig. 2 eingezeichneten Vektoren.
b) Wählen Sie andere Vektoren aus und beweisen Sie die Aussage.

3 Gegeben sind zwei aneinander liegende gleichgroße Quadrate mit der Kantenlänge a. Der Punkt P ist der Mittelpunkt einer Quadratseite (Fig. 3). Beweisen Sie, dass die Strecken $\overline{PQ}$ und $\overline{PR}$ zueinander orthogonal sind.

4 Eine Raute ist ein Parallelogramm mit gleich langen Seiten. Zeigen Sie, dass in der Raute die Diagonalen zueinander orthogonal sind.

Zeit zu überprüfen

5 Im gleichschenkligen Dreieck sind die Seitenhalbierende der Grundseite und die Grundseite zueinander orthogonal. Beweisen Sie diese Aussage mithilfe von Vektoren.

6 Zwei sich schneidende Geraden g und h mit den Einheitsvektoren $\vec{u_0}$ und $\vec{v_0}$ als Richtungsvektoren bilden zwei Schnittwinkel. Die Winkelhalbierenden seien w_1 und w_2. Beweisen Sie: Die Winkelhalbierenden w_1 und w_2 sind zueinander orthogonal.

7 A tetrahedon has edges which are all the same length and internal angles which are all the same size. Using the vectors shown in Fig. 6, prove that any pair of opposed edges is orthogonal.

8 Beweisen Sie: Sind die Raumdiagonalen in einem Spat gleich lang, so ist der Spat ein Quader.

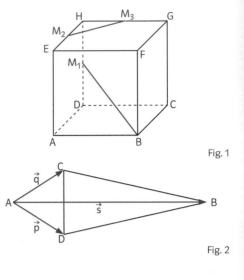

Fig. 1

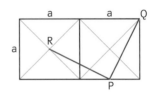

Fig. 2

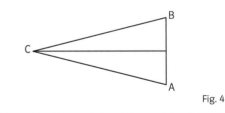

Fig. 3

Fig. 4

Fig. 5

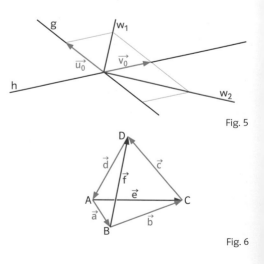

Fig. 6

4 Teilverhältnisse

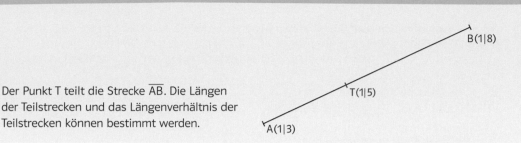

Der Punkt T teilt die Strecke $\overline{AB}$. Die Längen der Teilstrecken und das Längenverhältnis der Teilstrecken können bestimmt werden.

Viele Sätze der Geometrie verwenden Längenverhältnisse von Strecken. Um solche Sätze mit Vektoren zu beweisen, benötigt man eine Darstellung von Längenverhältnissen mit Vektoren. Liegt ein Punkt T auf einer Strecke $\overline{AB}$, so können die Längenverhältnisse der Teilstrecken mit Vektoren ausgedrückt werden.

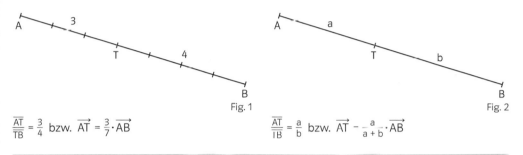

Fig. 1

Fig. 2

$\dfrac{\overline{AT}}{\overline{TB}} = \dfrac{3}{4}$ bzw. $\overrightarrow{AT} = \dfrac{3}{7} \cdot \overrightarrow{AB}$

$\dfrac{\overline{AT}}{\overline{TB}} = \dfrac{a}{b}$ bzw. $\overrightarrow{AT} = \dfrac{a}{a+b} \cdot \overrightarrow{AB}$

> Ist T ein Punkt der Strecke AB und gilt: $\dfrac{\overline{AT}}{\overline{TB}} = \dfrac{a}{b}$, dann nennt man die Zahl $\dfrac{a}{b}$ Teilverhältnis des Punktes T bezüglich der Strecke $\overline{AB}$.
>
> Es gilt: $\overrightarrow{AT} = \dfrac{a}{b} \cdot \overrightarrow{TB}$ bzw. $\overrightarrow{AT} = \dfrac{a}{a+b} \overrightarrow{AB}$.

Beispiel 1   Teilverhältnisse bestimmen
Die Strecke $\overline{AB}$ mit $A(3|-5|7)$ und $B(17|16|14)$ wird durch den Punkt $T(13|10|12)$ geteilt.
In welches Teilverhältnis teilt T die Strecke $\overline{AB}$?

■ Lösung: $\overrightarrow{AT} = \begin{pmatrix} 13 \\ 10 \\ 12 \end{pmatrix} - \begin{pmatrix} 3 \\ -5 \\ 7 \end{pmatrix} = \begin{pmatrix} 10 \\ 15 \\ 5 \end{pmatrix}$ und $\overrightarrow{TB} = \begin{pmatrix} 17 \\ 16 \\ 14 \end{pmatrix} - \begin{pmatrix} 13 \\ 10 \\ 12 \end{pmatrix} = \begin{pmatrix} 4 \\ 6 \\ 2 \end{pmatrix}$

Damit gilt: $\overrightarrow{AT} = \dfrac{5}{2} \cdot \overrightarrow{TB}$ bzw. $\overrightarrow{AT} = \dfrac{5}{7} \overrightarrow{AB}$.
Das Teilverhältnis ist $\dfrac{5}{2}$. Man sagt auch, der Punkt T teilt $\overline{AB}$ im Verhältnis 5:2.

Teilverhältnisse können in folgenden Schreibweisen angegeben werden: z.B. $\dfrac{2}{5} = 2:5 = 0,4$.

Beispiel 2   Teilpunkt bestimmen
Bestimmen Sie die Koordinaten des Punktes T, der die Strecke $\overline{AB}$ (Fig. 3) im Verhältnis 3:2 teilt.

■ Lösung: Aus $\overrightarrow{AT} = \dfrac{3}{3+2} \overrightarrow{AB} = \dfrac{3}{5} \overrightarrow{AB}$ ergibt

sich $\overrightarrow{AT} = \dfrac{3}{5} \begin{pmatrix} 20 \\ -5 \\ 15 \end{pmatrix} = \begin{pmatrix} 12 \\ -3 \\ 9 \end{pmatrix}$.

Man erhält den Punkt T aus $\overrightarrow{OT} = \begin{pmatrix} -9 \\ 3 \\ 2 \end{pmatrix} + \dfrac{3}{5} \begin{pmatrix} 20 \\ -5 \\ 15 \end{pmatrix} = \begin{pmatrix} 3 \\ 0 \\ 11 \end{pmatrix}$.

Der gesuchte Punkt ist $T(3|0|11)$.

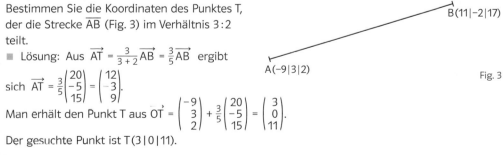

Fig. 3

Wir sagen T teilt die Strecke $\overline{AB}$ im Verhältnis 3:1, wenn dieser Fall vorliegt:

Fig. 4

und 1:3 wenn dieser Fall vorliegt:

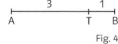

Fig. 5

Aufgaben

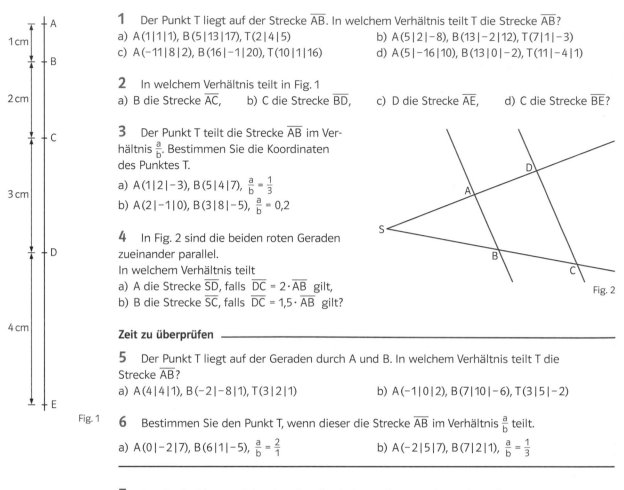

1 Der Punkt T liegt auf der Strecke $\overline{AB}$. In welchem Verhältnis teilt T die Strecke $\overline{AB}$?
a) $A(1|1|1)$, $B(5|13|17)$, $T(2|4|5)$ b) $A(5|2|-8)$, $B(13|-2|12)$, $T(7|1|-3)$
c) $A(-11|8|2)$, $B(16|-1|20)$, $T(10|1|16)$ d) $A(5|-16|10)$, $B(13|0|-2)$, $T(11|-4|1)$

2 In welchem Verhältnis teilt in Fig. 1
a) B die Strecke $\overline{AC}$, b) C die Strecke $\overline{BD}$, c) D die Strecke $\overline{AE}$, d) C die Strecke $\overline{BE}$?

3 Der Punkt T teilt die Strecke $\overline{AB}$ im Verhältnis $\frac{a}{b}$. Bestimmen Sie die Koordinaten des Punktes T.

a) $A(1|2|-3)$, $B(5|4|7)$, $\frac{a}{b} = \frac{1}{3}$
b) $A(2|-1|0)$, $B(3|8|-5)$, $\frac{a}{b} = 0{,}2$

4 In Fig. 2 sind die beiden roten Geraden zueinander parallel.
In welchem Verhältnis teilt
a) A die Strecke $\overline{SD}$, falls $\overline{DC} = 2 \cdot \overline{AB}$ gilt,
b) B die Strecke $\overline{SC}$, falls $\overline{DC} = 1{,}5 \cdot \overline{AB}$ gilt?

Fig. 2

Zeit zu überprüfen ────────────────────

5 Der Punkt T liegt auf der Geraden durch A und B. In welchem Verhältnis teilt T die Strecke $\overline{AB}$?
a) $A(4|4|1)$, $B(-2|-8|1)$, $T(3|2|1)$ b) $A(-1|0|2)$, $B(7|10|-6)$, $T(3|5|-2)$

Fig. 1

6 Bestimmen Sie den Punkt T, wenn dieser die Strecke $\overline{AB}$ im Verhältnis $\frac{a}{b}$ teilt.

a) $A(0|-2|7)$, $B(6|1|-5)$, $\frac{a}{b} = \frac{2}{1}$ b) $A(-2|5|7)$, $B(7|2|1)$, $\frac{a}{b} = \frac{1}{3}$

7 Der Punkt T liegt auf der Geraden durch die Punkte A und B und es gilt
$\overrightarrow{AT} = \frac{a}{b} \cdot \overrightarrow{TB}$ und $\overrightarrow{AT} = \frac{c}{d} \cdot \overrightarrow{AB}$.

a) Bestimmen Sie $\frac{a}{b}$ für $\frac{c}{d} = 0{,}5$. b) Bestimmen Sie $\frac{c}{d}$ für $\frac{a}{b} = -\frac{1}{3}$.

8 Der Punkt T soll auf der Strecke $\overline{AB}$ mit $A(2|2|2)$ und $B(10|-5|4)$ liegen. Bestimmen Sie die Koordinaten von T und das dazugehörige Teilverhältnis.
a) $T(3|\square|\square)$ b) $T(\square|1|\square)$ c) $T(\square|\square|3)$

9 In einem Quader (Fig. 3) mit den Kantenlängen $a = 4$, $b = 8$ und $c = 6$ sind die Punkte A, B, D und F Kantenmittelpunkte. Die Strecken $\overline{CD}$ und $\overline{EF}$ schneiden die Strecke $\overline{AB}$ in den Punkten T_1 und T_2. In welchem Verhältnis teilen die Punkte T_1 beziehungsweise T_2 die Strecke $\overline{AB}$?

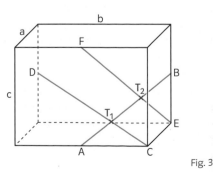

Fig. 3

5 Vektorielle Beweise zu Teilverhältnissen

Die Seitenhalbierenden eines Dreiecks schneiden sich immer in einem gemeinsamen Punkt. Dieser Schnittpunkt teilt die Seitenhalbierenden. Bestimmen Sie mithilfe selbst gewählter Beispiele in welchem Verhältnis dieser Schnittpunkt die Seitenhalbierenden jeweils teilt.

Sind Teilverhältnisse auf Strecken bekannt, so können diese mit Vektoren beschrieben werden. Oft vermutet man jedoch nur Teilverhältnisse, ohne das genaue Verhältnis zu kennen. Nun soll eine Methode betrachtet werden, die es erlaubt, auf Teilverhältnisse zu schließen. Dabei wird im Wesentlichen die lineare Unabhängigkeit genutzt.

Das Vorgehen wird an folgender Behauptung dargestellt:

In allen Rechtecken ABCD, bei denen wie in Fig. 1 die Punkte P und Q Seitenmitten sind, teilt der Schnittpunkt S der Strecken $\overline{AP}$ und $\overline{BQ}$ die Strecke $\overline{AP}$ im selben Verhältnis.

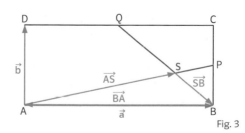

Fig. 1

Beweis:
1. Skizze
2. Aussage in „Wenn-Dann-Form":
Wenn ABCD ein Rechteck mit den Seitenmitten P und Q ist, dann teilt der Schnittpunkt S der Strecken $\overline{AP}$ und $\overline{BQ}$ die Strecken $\overline{AP}$ und $\overline{BQ}$ in einem festen Verhältnis.

3. Mit den linear unabhängigen Vektoren $\vec{a} = \overrightarrow{AB}$ und $\vec{b} = \overrightarrow{AD}$ gilt:

Voraussetzung:
$\overrightarrow{AB} = \overrightarrow{DC} = \vec{a}$ und $\overrightarrow{AD} = \overrightarrow{BC} = \vec{b}$

$\overrightarrow{QC} = \frac{1}{2}\overrightarrow{DC} = \frac{1}{2}\vec{a}$ und $\overrightarrow{BP} = \frac{1}{2}\overrightarrow{BC} = \frac{1}{2}\vec{b}$

Behauptung:
$\overrightarrow{AS} = k \cdot \overrightarrow{AP}$ und $\overrightarrow{BS} = r \cdot \overrightarrow{BQ}$

4. Für den Nachweis ist es hilfreich, eine geschlossene Vektorekette (Fig. 3) aufzustellen, die bei S abknickt, das heißt eine Linearkombination von Vektoren, die den Nullvektor ergeben, zu bilden.
$\overrightarrow{AS} + \overrightarrow{SB} + \overrightarrow{BA} = \vec{o}$

Die geschlossene Vektorkette kann als Linearkombination der linear unabhängigen Vektoren $\vec{a}$ und $\vec{b}$ ausgedrückt werden.
$k \cdot \overrightarrow{AP} - r \cdot \overrightarrow{QB} - \overrightarrow{AB} = \vec{o}$
$k \left(\vec{a} + \frac{1}{2}\vec{b} \right) + r \left(\frac{1}{2}\vec{a} - \vec{b} \right) - \vec{a} = \vec{o}$

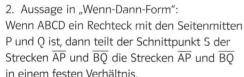

Fig. 2

ABCD ist ein Rechteck.

P und Q sind Seitenmitten.

S teilt $\overrightarrow{AP}$ bzw. $\overrightarrow{BQ}$ in einem festen Verhältnis.

Eine Linearkombination von Vektoren, die den Nullvektor ergibt, nennt man **geschlossene Vektorkette**.

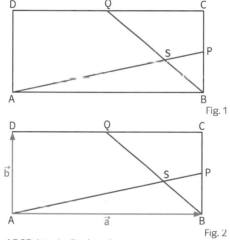

Fig. 3

$\left(k + \frac{1}{2}r - 1\right)\vec{a} + \left(\frac{1}{2}k - r\right)\vec{b} = \vec{o}$

5. Da $\vec{a}$ und $\vec{b}$ linear unabhängige Vektoren sind, müssen ihre Koeffizienten beide Null sein. Dies ergibt das folgende LGS, aus welchem k und r berechnet werden.

$k + \frac{1}{2}r - 1 = 0$

$\frac{1}{2}k - r \quad = 0.$ Somit ist $k = \frac{4}{5}$ und $r = \frac{2}{5}$.

Aus $k = \frac{4}{5}$ folgt, dass S in allen diesen Rechtecken die Strecke $\overline{AP}$ im Verhältnis 4:1 teilt. Zusätzlich ergibt sich aus $r = \frac{2}{5}$, dass S die Strecke $\overline{BQ}$ stets im Verhältnis 2:3 teilt.

In geometrischen Figuren können Teilverhältnisse mithilfe geschlossener Vektorketten linear unabhängiger Vektoren nachgewiesen werden. Man geht wie folgt vor:
1. Skizze anfertigen.
2. Die zu beweisende Aussage in „Wenn-Dann-Form" angeben.
3. Auswahl zweier linear unabhängiger Vektoren $\vec{a}$ und $\vec{b}$, mit deren Hilfe die Voraussetzung und die Behauptung formuliert werden.
4. Einen geschlossenen Vektorzug mit einem „Knick" am Teilungspunkt auswählen und diesen als Linearkombination von linear unabhängigen Vektoren ausdrücken.
5. Die Koeffizienten der Vektorgleichung ergeben ein lineares Gleichungssystem, aus deren Lösung sich das nachzuweisende Teilverhältnis bestimmen lässt.

Beispiel   Teilverhältnis bestimmen

Beweisen Sie: Wenn ein Viereck ein Parallelogramm ist, dann werden die Diagonalen durch ihren Schnittpunkt in einem festen Verhältnis geteilt (Fig. 1). Bestimmen Sie dieses Teilverhältnis.

■ Lösung:

2. Aussage in „Wenn-Dann-Form" bereits gegeben.

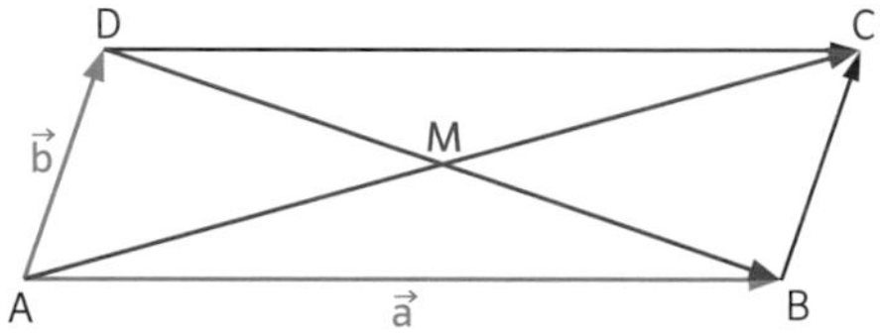

3. Mit den linear unabhängigen Vektoren $\vec{a} = \overrightarrow{AB}$ und $\vec{b} = \overrightarrow{AD}$ gilt:

Voraussetzung:
$\overrightarrow{AB} = \overrightarrow{DC} = \vec{a}$ und $\overrightarrow{AD} = \overrightarrow{BC} = \vec{b}$.

Behauptung:
$\overrightarrow{AM} = k \cdot \overrightarrow{AC}$ und $\overrightarrow{MB} = r \cdot \overrightarrow{DB}$

4. $\overrightarrow{AM} + \overrightarrow{MB} + \overrightarrow{BA} = \vec{o}$
$k \cdot \overrightarrow{AC} + r \cdot \overrightarrow{DB} + \overrightarrow{BA} = \vec{o}$
$k \cdot (\vec{b} + \vec{a}) + r(-\vec{b} + \vec{a}) - \vec{a} = \vec{o}$
$(k + r - 1)\vec{a} + (k - r)\vec{b} = \vec{o}$

5. *Da $\vec{a}$ und $\vec{b}$ linear unabhängig sind, ergibt sich das lineare Gleichungssystem:*
$k + r - 1 = 0$
$\quad k - r = 0$
$k = \frac{1}{2}$ und $r = \frac{1}{2}$

Aus der Lösung des Gleichungssystems folgt, M teilt die Diagonalen $\overline{AC}$ und $\overline{BD}$ jeweils im Verhältnis 1:1.

1. Skizze

M teilt auch $\overrightarrow{DB}$.

Fig. 1

Aufgaben

1   In jedem Dreieck schneiden sich die Seitenhalbierenden in einem Punkt S. Zeigen Sie, dass der Punkt S die Seitenhalbierende in einem festen Verhältnis teilt. Geben Sie das Teilverhältnis an.

2 In jedem Parallelogramm ABCD (Fig. 1), in dem ein Punkt P die Strecke $\overline{BC}$ halbiert, teilt der Schnittpunkt S der Strecken $\overline{AP}$ und $\overline{BD}$ die jeweiligen Strecken. Bestimmen Sie das Teilverhältnis mit dem S die Strecken $\overline{AP}$ und $\overline{BD}$ teilt.

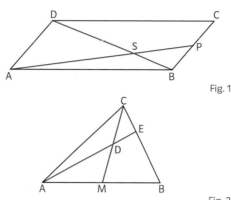

Fig. 1

3 In jedem Dreieck ABC (Fig. 2), in dem D der Mittelpunkt der Seitenhalbierenden von $\overline{AB}$ ist, schneidet die Gerade durch A und D die Stecke $\overline{BC}$ in E. Bestimmen Sie das Verhältnis, in dem E die Strecke $\overline{BC}$ teilt.

Fig. 2

4 In einem Parallelogramm ABCD teilt der Punkt P die Strecke $\overline{BC}$ im Verhältnis 2:1. Der Punkt Q halbiert die Strecke $\overline{AB}$. In welchem Verhältnis teilt der Schnittpunkt S der Strecken $\overline{AP}$ und $\overline{DQ}$ die Strecke $\overline{AP}$ bzw. $\overline{DQ}$?

Zeit zu überprüfen

5 Verbindet man eine Ecke eines Parallelogramms mit den Mitten der nicht anliegenden Seiten, so teilen diese Strecken die Diagonale des Parallelogramms in drei Abschnitte (Fig. 3). Bestimmen Sie die Teilverhältnisse auf der Diagonalen.

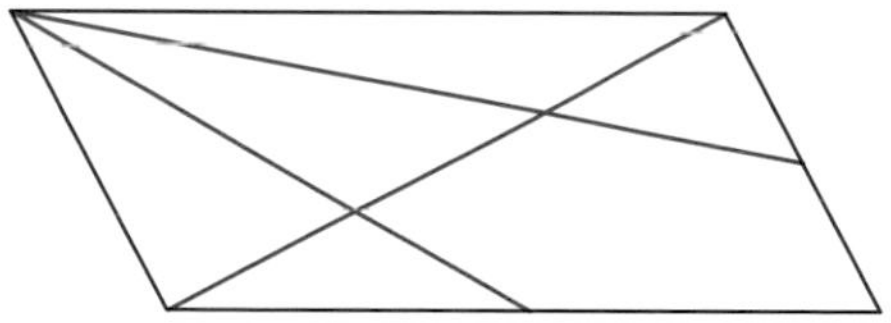

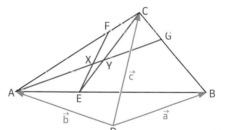

Fig. 3

6 In der dreieckigen Pyramide (Fig. 4) wird die Kante $\overline{AB}$ durch den Punkt E im Verhältnis 1:2 geteilt. Der Punkt G teilt die Kante $\overline{BC}$ im Verhältnis 2:1 und der Punkt F die Kante $\overline{AC}$ im Verhältnis 3:1. Es entstehen die Schnittpunkte X und Y.
a) In welchem Verhältnis teilt Y die Strecke $\overline{EC}$?
b) Zeigen Sie, dass der Punkt X die Strecke $\overline{EF}$ im Verhältnis 8:9 teilt.

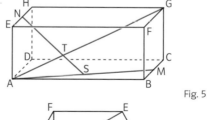

Fig. 4

7 In einem Quader ABCDEFGH (Fig. 5) sind M und N die Mittelpunkte der Kanten $\overline{BC}$ und $\overline{EH}$. Der Punkt S halbiert die Strecke $\overline{AM}$. Zeigen Sie, dass die Strecke $\overline{NS}$ die Diagonale $\overline{AG}$ schneidet und bestimmen Sie das Verhältnis, in dem der Schnittpunkt T die Diagonale teilt.

Fig. 5

8 In einem regelmäßigen Sechseck ABCDEF werden $\overline{AE}$ und $\overline{BF}$ wie in Fig. 6 abgebildet eingezeichnet. In welchem Verhältnis teilt S die Strecke $\overline{BF}$?

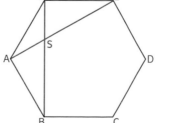

Fig. 6

Viele aus dem Mathematikunterricht bekannte Sätze kann man mit Vektoren beweisen.

1 Satz des Thales

Wenn ein Punkt C auf dem Thaleskreis über der Strecke $\overline{AB}$ liegt (Fig. 1), dann hat das Dreieck ABC bei C einen rechten Winkel.

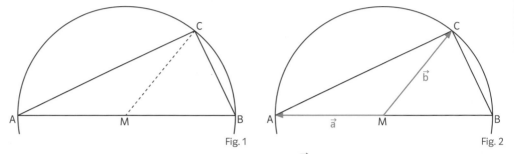

Fig. 1   Fig. 2

a) In Fig. 2 sind die linear unabhängigen Vektoren $\vec{a}$ und $\vec{b}$ eingezeichnet. Beweisen Sie unter Verwendung dieser Vektoren den Satz des Thales.
b) Durch die Hilfslinie $\overline{MC}$ entstehen in Fig. 1 zwei Dreiecke. Beweisen Sie den Satz des Thales durch Winkelbetrachtungen.
c) Formulieren Sie die Umkehrung des Satzes und beweisen Sie diese mithilfe von Vektoren.

2 Erster Strahlensatz

Wenn zwei von einem Punkt S ausgehende Strahlen von zwei parallelen Geraden geschnitten werden, dann verhalten sich die Längen der Abschnitte auf einem Strahl genauso wie die entsprechenden Längen der Abschnitte auf dem anderen Strahl.

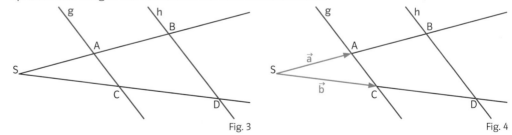

Fig. 3   Fig. 4

a) In der Strahlensatzfigur (Fig. 3) sind ähnliche Dreiecke zu erkennen. Weisen Sie die Ähnlichkeit der Dreiecke nach und beweisen Sie mit deren Hilfe den ersten Strahlensatz.
b) In Fig. 4 sind zwei linear unabhängige Vektoren in die Strahlensatzfigur eingezeichnet. Formulieren Sie den Strahlensatz mithilfe dieser Vektoren und beweisen Sie ihn dann.
c) Formulieren Sie die Umkehrung des Satzes und beweisen Sie diese mihilfe von Vektoren.

3 Second intercept theorem

S is the point of intersection of two lines. A and B are the intersections of the two lines with two parallels, such that B is further away from S than A, and similarly are C and D the intersections of the second line with the two parallels, such that D is further away from S than C. The ratio of the two segments one the same line starting at S is then equal to the ratio of the segments on the parallels: $|\overrightarrow{SA}| : |\overrightarrow{SB}| = |\overrightarrow{AC}| : |\overrightarrow{BD}|$.

a) Use Fig. 3 and prove the second intercept theorem on the basis of the similarity of triangles.
b) Use Fig. 4 and prove the second intercept theorem on the basis of vector calculus.
c) Formulate the conversion of the second intercept theorem and prove it using the vectors shown in Fig 4.

Wiederholen – Vertiefen – Vernetzen

4 Satz vom gleichschenkligen Dreieck

In einem gleichschenkligen Dreieck ABC (Fig. 1) mit der Basis $\overline{AB}$ ist die Seitenhalbierende von $\overline{AB}$ gleich der Mittelsenkrechten von $\overline{AB}$.

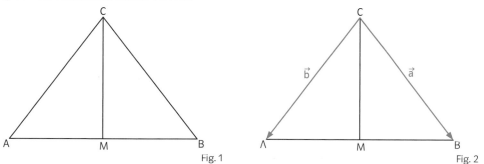

Fig. 1   Fig. 2

a) Die Dreiecke ACM und BCM in Fig. 1 sind kongruent. Weisen Sie die Kongruenz dieser Dreiecke nach. Beweisen Sie die Aussage des Satzes vom gleichschenkligen Dreieck unter Verwendung der kongruenten Dreiecke.

b) Nutzen Sie die Vektoren aus Fig. 2, um den Satz vom gleichschenkligen Dreieck zu beweisen.

5

Kann man zu einem Teilverhältnis in einer Figur eine Vermutung aufstellen, so verkürzt sich der Beweis, da das LGS nicht mehr gelöst werden muss. Die Vermutung, dass sich in einem Rechteck die Diagonalen halbieren, kann wie folgt nachgewiesen werden:
Aufstellen einer geschlossenen Vektorkette mit den Bezeichnungen aus Fig. 3.

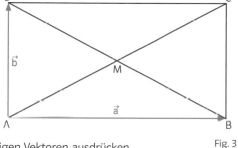

Fig. 3

$$\overrightarrow{AM} + \overrightarrow{MB} + \overrightarrow{BA} = \vec{o}$$

Die geschlossene Vektorkette mit linear unabhängigen Vektoren ausdrücken.

$$k \cdot \overrightarrow{AC} + r \cdot \overrightarrow{DB} + \overrightarrow{BA} = \vec{o}$$
$$k \cdot (\vec{a} + \vec{b}) + r \cdot (-\vec{b} + \vec{a}) - \vec{a} = \vec{o}$$
$$(k + r - 1)\vec{a} + (k - r)\vec{b} = \vec{o} \qquad \vec{a} \text{ und } \vec{b} \text{ sind linear unabhängige Vektoren.}$$

Durch Einsetzen der Vermutung $k = \frac{1}{2}$ und $r = \frac{1}{2}$ überprüfen der Aussage.

$$\vec{o} = \vec{o} \qquad \text{Die wahre Aussage bestätigt die Vermutung.}$$

Beweisen Sie analog: In jedem Dreieck schneiden sich die Seitenhalbierenden in einem Punkt S. Der Punkt S teilt die Seitenhalbierenden im Verhältnis 1:2.

6

In einem Dreieck ABC (Fig. 4) in dem M der Mittelpunkt von $\overline{BC}$ und $\overline{AD}:\overline{DB} = 2:1$ ist, teilt T die Strecke $\overline{AM}$ im Verhältnis 4:1 und die Strecke $\overline{CD}$ im Verhältnis 3:2. Beweisen Sie dies.

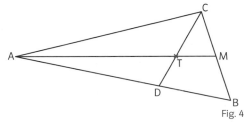

Fig. 4

7

Gegeben sind die linear unabhängigen Vektoren $\vec{a}$, $\vec{b}$ und $\vec{c}$. Überprüfen Sie, ob die folgenden Vektoren auch linear unabhängig sind.

a) $\vec{a}$, $\vec{a} + \vec{b}$, $\vec{a} - \vec{b}$

b) $\vec{a} + \vec{b}$, $\vec{a} + \vec{c}$, $\vec{b} + \vec{c}$

Exkursion in die Theorie

Eine übergeordnete Beweismethode: Die vollständige Induktion

n	S
1	0
2	1
3	3
4	6
5	10
n	$\frac{n^2 - n}{2}$

Stephan malt in der Stunde verträumt Linien auf sein Blatt, als ihn seine Banknachbarin anstößt: „Man pass doch mal auf, Herr Müller schaut schon immer rüber zu dir." Anne stutzt: „Hey, entstehen bei deinem Gekritzel nicht immer mehr Schnittpunkte?" Stephan: „Ich glaube schon!" „Hast du schon mal nachgedacht, wie viele das sind?" „Nee!" Anne: „Ich glaube, das sind $\frac{n^2 - n}{2}$ Schnittpunkte." „Wie kommst du denn darauf?" „Schau doch mal an die Tafel, die Tabelle dort vorn passt doch genau zu deiner Zeichnung!" Stephan: „Mmh, stimmt! Ob das wirklich immer so ist?" „Na, dann pass doch mal auf!"

Soll eine Aussage, die für alle natürlichen Zahlen gilt, bewiesen werden, so stößt man auf Schwierigkeiten. Man kann eine solche Aussage meist für konkrete natürliche Zahlen bestimmen, aber ein Beweis für alle natürlichen Zahlen ist damit noch nicht erbracht.

Beim Ausrechnen der maximalen Anzahl von Schnittpunkten für 30 nicht parallele Geraden, stellt man fest, dass die Anzahl einfach zu berechnen ist, wenn man die Anzahl von 406 Schnittpunkten für 29 Geraden bereits kennt. Die 30. Gerade kann nämlich jede der 29 bereits vorhandenen Geraden genau ein Mal schneiden. Es ergibt sich eine neue Anzahl von Schnittpunkten aus $406 + 29 = 435$.

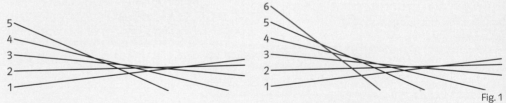

Fig. 1

Eine solche Überlegung kann man auch allgemein durchführen. Ist die Anzahl der Schnittpunkte für k Geraden $\frac{k^2 - k}{2}$, so kommen für die (k + 1)-te Gerade noch genau k neue Schnittpunkte dazu. Insgesamt erhält man:

$$\frac{k^2 - k}{2} + k = \frac{k^2 - k}{2} + \frac{2k}{2} = \frac{k^2 + k}{2}.$$

Auf diese Anzahl von Schnittpunkten kommt man auch, wenn man die von Anne vorgeschlagene Formel zur Berechnung mit k + 1 Geraden benutzt:

$$\frac{(k + 1)^2 - (k + 1)}{2} = \frac{k^2 + 2k + 1 - k - 1}{2} = \frac{k^2 + k}{2}.$$

Diese allgemeine Überlegung ist jedoch noch nicht der ganze Beweis, aber mit deren Hilfe kann auf die Gültigkeit der Aussage für alle natürlichen Zahlen gefolgert werden.

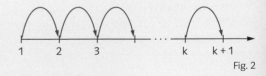

Fig. 2

Für eine Gerade, also k = 1, gilt die Aussage offensichtlich. Dann gilt wegen der allgemeinen Überlegung die Aussage auch für k = 2 Geraden, also auch für k = 3 Geraden usw. Im Kettenschluss folgt, dass die Aussage für alle natürlichen Zahlen gilt.

Exkursion in die Theorie

Die Überlegungen führen zu folgendem Beweisverfahren:

> **Beweisverfahren der vollständigen Induktion**
> Eine Aussage gilt für alle natürlichen Zahlen:
> (I) Induktionsanfang: Die Aussage gilt für eine erste natürliche Zahl $n = 1$.
> (II) Induktionsschritt: Wenn man annimmt, dass die Aussage für eine Zahl $k \in \mathbb{N}$ gilt, so kann bewiesen werden, dass die Aussage auch für die nachfolgende Zahl $k + 1$ gilt.
> (III) Kettenschluss: Da die Aussage für eine erste natürliche Zahl gilt und mit jeder natürlichen Zahl auch für deren Nachfolgerzahl, so gilt sie für alle natürlichen Zahlen.

Hinweis: Im Induktionsschritt wird nicht gezeigt, dass die betrachtete Aussage für k richtig ist. Vielmehr wird die Aussage für k als richtig vorausgesetzt, um die Gültigkeit für $k + 1$ nachzuweisen.

Am **Dominoprinzip** kann man sich das Beweisverfahren der vollständigen Induktion noch einmal gut veranschaulichen. Alle Steine sind wie folgt aufgestellt:
(1) Induktionsanfang: Der erste Stein fällt beim Anstoßen um.
(2) Induktionsschritt: Wenn ein beliebiger Stein umfällt, dann stößt er den nachfolgenden Stein so an, dass dieser auch umfällt.
(3) Kettenschluss: Der erste Stein wird umgestoßen und nacheinander fallen alle Dominosteine um.

1 In einem Rechteck sind Punkte so angeordnet, dass drei Punkte nie auf einer gemeinsamen Geraden liegen. Durch das Verbinden von den Punkten untereinander und den Eckpunkten entstehen Dreiecke.
a) Wie viele Dreiecke entstehen bei elf Punkten?
b) Suchen Sie eine allgemeine Formel für die Anzahl der Dreiecke in Abhängigkeit von der Anzahl der Punkte und beweisen Sie die Formel mithilfe der vollständigen Induktion.

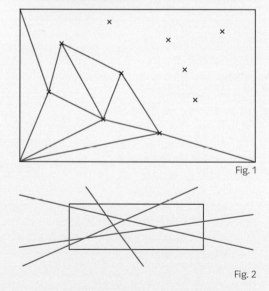

Fig. 1

2 Ein Rechteck wird durch n Geraden in Dreiecke, Vierecke, Fünfecke usw. zerlegt. Wie viele Teile entstehen höchstens? Beweisen Sie ihre Vermutung mithilfe der vollständigen Induktion.

Fig. 2

Das Beweisverfahren der vollständigen Induktion ist immer dann anwendbar, wenn eine Aussage auf der Grundlage von natürlichen Zahlen bewiesen werden soll.
Solche Aussagen findet man beispielsweise auch beim Aufsummieren von Zahlen. Die Summe aller natürlichen Zahlen von 1 bis n ist wohl die bekannteste Formel dieser Art. Ihrer Entstehungsgeschichte wegen wird sie auch Gauß'sche Summenformel oder kleiner Gauß genannt.

Es gilt: $1 + 2 + 3 + 4 + \ldots + (n - 1) + n = \dfrac{n \cdot (n + 1)}{2}$, $n \in \mathbb{N}$

Beweis:

Induktionsanfang:

$n = 1$; $1 = \dfrac{1 \cdot (1 + 1)}{2}$ Für die Zahl $n = 1$ ist die Aussage offensichtlich richtig.

Induktionsschritt:

Voraussetzung: Die Formel ist für $n = k$ richtig: $\quad 1 + 2 + 3 + \ldots + k \quad = \dfrac{k \cdot (k + 1)}{2}$

Behauptung: Die Formel gilt dann auch für $n = k + 1$: $\quad 1 + 2 + 3 + \ldots + k + (k + 1) = \dfrac{(k + 1) \cdot (k + 2)}{2}$

$1 + 2 + 3 + \ldots + k = \dfrac{k \cdot (k + 1)}{2} \quad | + k + 1 \qquad$ Letzter Summand wird addiert

$1 + 2 + 3 + \ldots + k + k + 1 = \dfrac{k \cdot (k + 1)}{2} + k + 1 \qquad$ Hauptnenner bilden, zu einem Bruch

$1 + 2 + 3 + \ldots + k + k + 1 = \dfrac{k \cdot (k + 1) + 2(k + 1)}{2} \qquad$ zusammenfassen

$1 + 2 + 3 + \ldots + k + k + 1 = \dfrac{(k + 1) \cdot (k + 2)}{2} \qquad$ Ausklammern

Kettenschluss:

Die Formel gilt für eine erste natürliche Zahl 1. Wenn die Formel für eine natürliche Zahl gilt, so gilt sie auch für deren Nachfolger. Damit gilt die Formel für alle natürlichen Zahlen.

3 Zeigen Sie mit vollständiger Induktion, dass für alle $n \in \mathbb{N}$ und $n \geq 1$ gilt:

a) $2 + 4 + 6 + \ldots + 2n = n \cdot (n + 1)$ \qquad b) $1 + 3 + 5 + \ldots + (2 \cdot n - 1) = n^2$

c) $1 + 4 + 7 + \ldots + (3n - 2) = \frac{1}{2} n \cdot (3n - 1)$ \qquad d) $1^2 + 2^2 + 3^2 + \ldots + n^2 = \frac{1}{6} n \cdot (n + 1) \cdot (2n + 1)$

4 Für Potenzfunktionen mit natürlichen Exponenten $f(x) = x^n$, $n \in \mathbb{N}$, kann die Ableitung in der Form $f'(x) = n \cdot x^{n-1}$ angegeben werden. Beweisen Sie diese Ableitungsregel mithilfe des Beweisverfahrens der vollständigen Induktion.

5 Untersuchen Sie die Ableitungen der Funktion $f(x) = x \cdot e^{2x}$.

a) Bestimmen Sie die ersten vier Ableitungen zur Funktion f.

b) Beweisen Sie mit vollständiger Induktion, dass $f^{(n)}(x) = \left(2^n x + n \cdot 2^{n-1} \right) \cdot e^{2x}$ die n-te Ableitung der Funktion f ist.

Die „vollständige Induktion im Alltag", nämlich der Schluss von wenigen Beispielen auf die Gesamtheit, führt häufig zu Problemen in der Gesellschaft.
Einige Beispiele:
– Die Politiker sind geldgierig.
– Die Schüler heute sind unfähig, sich zu konzentrieren.
– Die Beamten sind faul.
Bei den Aussagen wird das Wort „die" synonym für „alle" verwendet.

Fehlschlüsse gibt es bei der vollständigen Induktion nur, wenn man den Induktionsschritt oder den Induktionsanfang vergisst oder sich verrechnet.

a) Fehlender Induktionsschritt:

Es wird behauptet, dass für alle $n \in \mathbb{N}$ die Zahl $p(n) = n^2 + n + 11$ eine Primzahl ist.

Der Induktionsanfang $p(1) = 13$ ist richtig. Weitere Einsetzungen bis neun sind ebenfalls richtig. Trotzdem ist die Aussage falsch. Für $n = 10$ liegt mit $p(10) = 121$ keine Primzahl vor.

b) Fehlender Induktionsanfang:

Es wird behauptet, dass für alle $n \in \mathbb{N}$ gilt: $1 + 2 + 3 + 4 + \ldots + n = \frac{1}{2} n \cdot (n + 1) + 3$.

Der Induktionsschritt ist richtig.

Voraussetzung: Die Formel gilt für $n = k$: $\qquad 1 + 2 + 3 + \ldots + k = \frac{1}{2} k \cdot (k + 1) + 3$

Behauptung: Die Formel gilt für $n = k + 1$: $\qquad 1 + 2 + 3 + \ldots + k + (k + 1) = \frac{1}{2} \cdot (k + 1) \cdot (k + 2) + 3$

Aus der Voraussetzung folgt

$1 + 2 + 3 + \ldots + k + (k + 1) = \frac{1}{2} k \cdot (k + 1) + 3 + (k + 1) = \frac{1}{2} \cdot (k + 1) \cdot (k + 2) + 3$

Vergisst man den Induktionsanfang (für $n = 1$ ist $1 \neq 4$), so hält man die Aussage für richtig. Die Aussage ist aber offensichtlich falsch.

Rückblick

Lineare Abhängigkeit und lineare Unabhängigkeit von Vektoren

Die Vektoren $\vec{a_1}, \vec{a_2}, \dots, \vec{a_n}$ heißen linear abhängig, wenn mindestens einer der Vektoren als Linearkombination der anderen dastellbar ist. Anderenfalls heißen die Vektoren linear unabhängig.

Die Vektoren $\vec{a}$, $\vec{b}$ und $\vec{c}$ sind linear unabhängig, wenn die Gleichung $r \cdot \vec{a} + s \cdot \vec{b} + t \cdot \vec{c} = \vec{o}$ mit $r, s, t \in \mathbb{R}$ genau eine Lösung mit $r = s = t = 0$ besitzt.

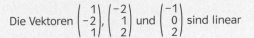

Die Vektoren $\begin{pmatrix} 1 \\ -2 \\ 1 \end{pmatrix}$, $\begin{pmatrix} -2 \\ 1 \\ 2 \end{pmatrix}$ und $\begin{pmatrix} -1 \\ 0 \\ 2 \end{pmatrix}$ sind linear unabhängig, da die Gleichung

$$r \cdot \begin{pmatrix} 1 \\ -2 \\ 1 \end{pmatrix} + s \cdot \begin{pmatrix} -2 \\ 1 \\ 2 \end{pmatrix} + t \cdot \begin{pmatrix} -1 \\ 0 \\ 2 \end{pmatrix} = \begin{pmatrix} 0 \\ 0 \\ 0 \end{pmatrix}$$

die einzige Lösung $r = s = t = 0$ hat.

Teilverhältnis

Ist T ein Punkt der Strecke $\overline{AB}$ mit $\frac{\overline{AT}}{\overline{TB}} = \frac{a}{b}$, so nennt man die Zahl $\frac{a}{b}$ Teilverhältnis des Punktes T bezüglich der Strecke $\overline{AB}$.

Es gilt: $\overrightarrow{AT} = \frac{a}{b} \cdot \overrightarrow{TB}$ und $\overrightarrow{AT} = \frac{a}{a+b} \cdot \overrightarrow{AB}$.

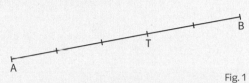

Fig. 1

$$\overrightarrow{AT} = \frac{3}{2} \cdot \overrightarrow{TB} \quad \text{und} \quad \overrightarrow{AT} = \frac{3}{5} \cdot \overrightarrow{AB}$$

Orthogonale Geraden bzw. Strecken

Zwei Geraden bzw. Strecken bezeichnet man als orthogonal zueinander, wenn ihre Richtungsvektoren zueinander orthogonal sind.

$h \perp g$, da $\overrightarrow{DC} \cdot \overrightarrow{MS} = 0$

$\overrightarrow{AB} \perp \overrightarrow{SM}$, da $\overrightarrow{AB} \cdot \overrightarrow{SM} = 0$

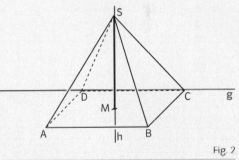

Fig. 2

Geschlossene Vektorkette

Eine Summe von Vektoren, die den Nullvektor ergibt, nennt man geschlossene Vektorkette.

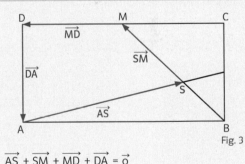

Fig. 3

$$\overrightarrow{AS} + \overrightarrow{SM} + \overrightarrow{MD} + \overrightarrow{DA} = \vec{o}$$

Beweis mithilfe der geschlossenen Vektorkette

1. Skizze anfertigen.
2. Die zu beweisende Aussage in „Wenn-Dann-Form" angeben.
3. Auswahl zweier linear unabhängiger Vektoren $\vec{a}$ und $\vec{b}$, mit deren Hilfe die Voraussetzung und die Behauptung formuliert wird.
4. Eine geschlossene Vektorkette mit einem „Knick" am Teilungspunkt auswählen und diese als Linearkombination der linear unabhängigen Vektoren ausdrücken.
5. Die Koeffizienten der Vektorgleichung ergeben ein lineares Gleichungssystem aus deren Lösung sich das nachzuweisende Teilverhältnis bestimmen lässt.

Prüfungsvorbereitung ohne Hilfsmittel

1 Prüfen Sie, welche der Vektoren zueinander orthogonal sind.

a) $\begin{pmatrix} 1 \\ 3 \\ -2 \end{pmatrix}$; $\begin{pmatrix} -2 \\ 4 \\ 5 \end{pmatrix}$; $\begin{pmatrix} 23 \\ 1 \\ 10 \end{pmatrix}$
b) $\begin{pmatrix} 4 \\ -1 \\ 2 \end{pmatrix}$; $\begin{pmatrix} -2 \\ -4 \\ 1 \end{pmatrix}$; $\begin{pmatrix} 7 \\ -8 \\ -18 \end{pmatrix}$
c) $\begin{pmatrix} -1 \\ 1 \\ -1 \end{pmatrix}$; $\begin{pmatrix} -1 \\ -3 \\ -2 \end{pmatrix}$; $\begin{pmatrix} 4 \\ -2 \\ 1 \end{pmatrix}$

2 Für die Vektoren $\vec{a}, \vec{b}$ und $\vec{c}$ gilt, dass sie jeweils paarweise zueinander orthogonal und ihre Beträge gleich groß sind. Prüfen Sie, ob die Vektoren zueinander orthogonal sind.

a) $\vec{a} + \vec{b}, \ \vec{b} + \vec{c}$
b) $2\vec{a} + \vec{b} - \vec{c}, \ \vec{a} + 2\vec{c}$
c) $\vec{a} - \vec{b}, \ \vec{a} + \vec{b} + \vec{c}$

3 Die Punkte ABCDS mit A(0|0|0), B(4|0|2), C(4|6|4), D(0|6|2) und S(−1|1|8) bilden eine Pyramide mit der Spitze S. Bestimmen Sie M als Diagonalenschnittpunkt des Rechtecks ABCD und zeigen Sie, dass die Strecke $\overline{SM}$ die Höhe der Pyramide ist.

4 Sind die Vektoren linear abhängig? Stellen Sie, falls möglich, einen Vektor als Linearkombination der anderen Vektoren dar.

a) $\begin{pmatrix} 3 \\ -2 \\ 1 \end{pmatrix}$; $\begin{pmatrix} 1 \\ -1 \\ 1 \end{pmatrix}$; $\begin{pmatrix} 0 \\ 1 \\ \frac{1}{2} \\ -1 \end{pmatrix}$
b) $\begin{pmatrix} 1 \\ -2 \\ 2 \end{pmatrix}$; $\begin{pmatrix} -2 \\ 1 \\ -2 \end{pmatrix}$; $\begin{pmatrix} -1 \\ 2 \\ 1 \end{pmatrix}$
c) $\begin{pmatrix} 4 \\ -1 \\ 2 \end{pmatrix}$; $\begin{pmatrix} -3 \\ 6 \\ 3 \end{pmatrix}$; $\begin{pmatrix} 4 \\ -8 \\ -4 \end{pmatrix}$

5 Geben Sie jeweils einen Vektor an, der zu allen vorgegebenen Vektoren orthogonal ist.

a) $\begin{pmatrix} 2 \\ 2 \\ -4 \end{pmatrix}$
b) $\begin{pmatrix} -2 \\ 3 \\ -1 \end{pmatrix}$; $\begin{pmatrix} 0 \\ 2 \\ 1 \end{pmatrix}$
c) $\begin{pmatrix} 2 \\ -4 \\ 4 \end{pmatrix}$; $\begin{pmatrix} -3 \\ 0 \\ 6 \end{pmatrix}$; $\begin{pmatrix} 7 \\ -10 \\ 6 \end{pmatrix}$
d) $\begin{pmatrix} -1 \\ 1 \\ 3 \end{pmatrix}$; $\begin{pmatrix} 0 \\ -2 \\ 1 \end{pmatrix}$; $\begin{pmatrix} 1 \\ -1 \\ -2 \end{pmatrix}$

6 Gegeben ist die Strecke $\overline{AB}$ mit den Punkten A und B. Bestimmen Sie den Punkt T so, dass die Strecke $\overline{AB}$ im Verhältnis $\frac{a}{b}$ geteilt wird.

a) A(3|−4|12), B(11|8|−4), $\frac{a}{b} = \frac{3}{5}$
b) A(−2|3|1), B(3|−7|6), $\frac{a}{b} = 0{,}25$

7 Der Punkt T liegt auf der Stecke $\overline{AB}$. In welchem Verhältnis teilt T die Strecke $\overline{AB}$?

a) A(−8|1|3), B(6|8|−4), T(−2|4|0)
b) A(15|−6|5), B(−6|22|−9), T(9|2|1)

8 Der Körper ABCDEFGH ist ein Spat. M_1 und M_2 sind Kantenmitten und F_1, F_2 und F_3 sind Flächenmittelpunkte. Geben Sie die Vektoren $\overrightarrow{F_1B}$, $\overrightarrow{M_2F_3}$ und $\overrightarrow{F_2M_1}$ als Linearkombination der Vektoren $\vec{a}, \vec{b}$ und $\vec{c}$ an.

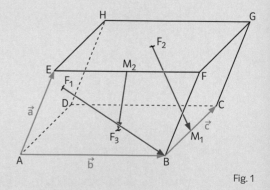

Fig. 1

9 Gegeben ist die Gerade g: $\vec{x} = \vec{p} + t \cdot \vec{u}$ und die Ebene E: $\vec{x} = \vec{p} + r \cdot \vec{v} + s \cdot \vec{w}$. Welche geometrische Lage müssen g und E haben, damit die Vektoren $\vec{u}, \vec{v}$ und $\vec{w}$ linear unabhängig (linear abhängig) sind?

10 Welche Werte haben die Variablen r und s, wenn die Vektoren $\vec{a}$ und $\vec{b}$ linear unabhängig sind?

a) $(2r + 3s)\vec{a} + (r - s + 1)\vec{b} = \vec{o}$
b) $(2s - r + 2)\vec{a} + (r + 2s)\vec{b} = \vec{o}$

11 Die Vektoren $\vec{a}, \vec{b}$ und $\vec{c}$ sind linear unabhängig. Prüfen Sie, ob die gegebenen Linearkombinationen der Vektoren ebenfalls linear unabhängig sind.

a) $2\vec{a} + \vec{b}, \ \vec{a} - \vec{b}$
b) $2\vec{a} - \vec{c}, \ 2\vec{b} + \vec{c}, \ \vec{a} + \vec{b}$

Prüfungsvorbereitung mit Hilfsmitteln

1 Für das Viereck ABCD in Fig. 1 gilt:
$\overrightarrow{AC} = 0{,}3 \cdot \overrightarrow{AB} + \overrightarrow{AD}$.

a) Weisen Sie nach, dass das Viereck ABCD ein Trapez ist.

b) Der Punkt M ist der Schnittpunkt der Diagonalen des Vierecks ABCD. In welchem Verhältnis teilt der Punkt M die Diagonalen $\overline{AC}$ und $\overline{BD}$?

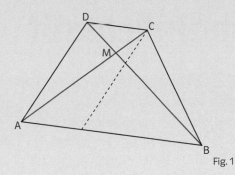

Fig. 1

2 Die zwei Quadrate ABCD und BEFG berühren sich wie in Fig. 2 dargestellt. Eine Seite des großen Quadrates ist genau doppelt so groß wie eine Seite des kleinen Quadrates. Der Punkt H liegt auf der Strecke $\overline{AE}$. Bestimmen Sie die Lage des Punktes H so, dass die Strecken $\overline{HF}$ und $\overline{HM}$ orthogonal zueinander sind.

In welchem Verhältnis teilt H die Strecke $\overline{AE}$ in diesen Fällen?

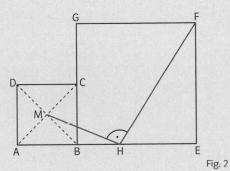

Fig. 2

3 Das Dreieck ABC ist rechtwinklig und gleichschenklig. Die Punkte P und Q sind die Schnittpunkte der Quadratdiagonalen. Der Punkt M halbiert die Strecke $\overline{AB}$.

a) Zeigen Sie, dass die Strecken $\overline{MQ}$ und $\overline{MP}$ gleich lang sind.

b) Beweisen Sie, dass die Strecken $\overline{MQ}$ und $\overline{MP}$ orthogonal zueinander sind.

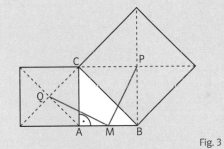

Fig. 3

4 In dem Parallelogramm ABCD in Fig. 4 teilt der Punkt P die Strecke $\overline{BC}$ im Verhältnis 2:1 und der Punkt M halbiert die Strecke $\overline{AB}$. In welchem Verhältnis teilt der Schnittpunkt S der Strecken $\overline{AP}$ und $\overline{MC}$ die jeweiligen Strecken?

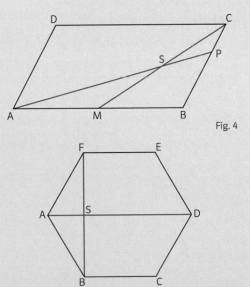

Fig. 4

5 In einem regelmäßigen Sechseck ABCDEF werden die Strecken $\overline{AD}$ und $\overline{BF}$ eingezeichnet (Fig. 5).

a) Zeigen Sie, dass der Schnittpunkt S der Strecken $\overline{FB}$ und $\overline{AD}$ die Strecken in einem festen Verhältnis teilt. Geben Sie das Teilverhältnis an.

b) Weisen Sie nach, dass die Strecken $\overline{AD}$ und $\overline{BF}$ orthogonal zueinander sind.

Fig. 5

Schlüsselkonzept: Wahrscheinlichkeit

In der beschreibenden Statistik sammelt man Daten. In der Wahrscheinlichkeits-Rechnung berechnet man Modelle. In der beurteilenden Statistik prüft man Modelle.

Trotz aller Mühe bleibt die Vorhersage des nächsten Münzwurfs Glückssache. Ist denn in der Stochastik gar nichts sicher?

Münzen sollen kein Gedächtnis haben. Nun gut, warum auch. Aber wie schaffen sie es dann, dass bei 1000 Münzwürfen rund 500 mal Wappen fällt?

... und was ist, wenn sie es einmal nicht schaffen und 842 von ihnen zeigen Wappen?

Das kennen Sie schon

– Wahrscheinlichkeit
– Binomialverteilung und ihre Darstellung
– Erwartungswert

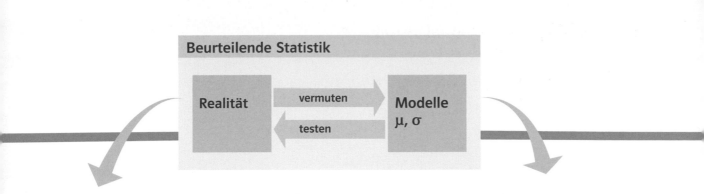

Beurteilende Statistik

Realität $\xrightarrow{\text{vermuten}}$ Modelle μ, σ

$\xleftarrow{\text{testen}}$

ganzzahlig – Summenbildung

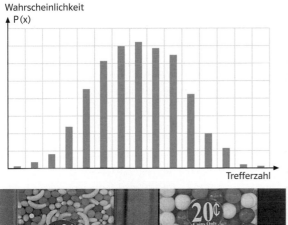

Wahrscheinlichkeit
$\blacktriangle P(x)$

Trefferzahl

Binomialverteilung

$$\mu = np, \quad \sigma = \sqrt{npq}, \quad B_{np}(r) = \binom{n}{k} \cdot p^r \cdot q^{n-r}$$

reellwertig – Integral

Körpergrößen
$\blacktriangle \varphi_{\mu;\sigma}$

Größe

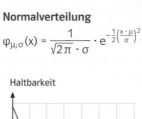
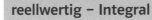

Normalverteilung

$$\varphi_{\mu;\sigma}(x) = \frac{1}{\sqrt{2\pi} \cdot \sigma} \cdot e^{-\frac{1}{2}\left(\frac{x\cdot\mu}{\sigma}\right)^2}$$

Haltbarkeit

Dauer

Exponentialverteilung

$$\mu = \frac{1}{\lambda}, \quad \sigma = \frac{1}{\lambda}, \quad f_\lambda(x) - \lambda \cdot e^{-\lambda x}$$

 Zahl und Maß

 Daten und Zufall

 Beziehung und Änderung

 Modell und Simulation

 Muster und Struktur

Form und Raum

In diesem Kapitel

– lernen Sie weitere Eigenschaften von Binomialverteilungen kennen.
– werden Hypothesen mithilfe von Binomialverteilungen getestet.
– lernen Sie stetige Zufallsvariablen kennen.
– lernen Sie Wahrscheinlichkeiten mit Integralen zu berechnen.

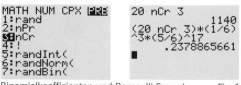
1 Wiederholung: Binomialverteilung

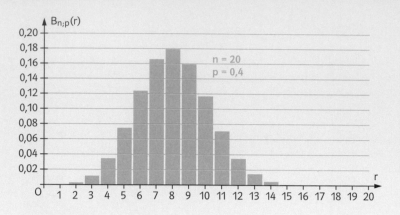

Die Grafik zeigt das Säulendiagramm einer Binomialverteilung mit den Parametern $n = 20$ und $p = 0{,}4$. Wie ändert es sich, wenn man n verändert?
Wie ändert es sich, wenn man p verändert?

Die Ausgänge eines Bernoulli-Versuchs werden mit Treffer und Niete bezeichnet.

Ein Zufallsversuch mit genau zwei Ausgängen heißt **Bernoulli-Versuch**. Wenn man einen Bernoulli-Versuch n-mal wiederholt, sodass die Durchführungen voneinander unabhängig sind, erhält man eine **Bernoulli-Kette** der Länge n.

> Wenn eine Zufallsvariable X sich als Trefferzahl bei einer Bernoulli-Kette der Länge n und Trefferwahrscheinlichkeit p beschreiben lässt, dann heißt die zugehörige Wahrscheinlichkeitsverteilung **Binomialverteilung** mit den Parametern n und p. Die Wahrscheinlichkeit $P(X = r)$ für r Treffer bei einer Bernoulli-Kette der Länge n berechnet man mit der
> **Bernoulli-Formel:** $P(X = r) = B_{n;p}(r) = \binom{n}{r} \cdot p^r \cdot (1 - p)^{n-r}$.
> Der **Erwartungswert** von X ist $\mu = n \cdot p$.

Referat ⟋
Ziehen ohne Zurücklegen: Hypergeometrische Verteilung
735301-3422

Beispiel 1   Erkennen eines Bernoulli-Versuchs
Ein Würfel wird zwanzigmal geworfen. Die Zufallsvariable X zählt die Anzahl der Sechsen.
a) Begründen Sie, dass ein Bernoulli-Versuch vorliegt.
b) Geben Sie an, was dabei Treffer bedeutet.
c) Was sind dabei die Parameter n und p?
d) Wie groß ist der Erwartungswert μ von X? Welche Bedeutung hat μ hier?
▪ Lösung: a) Bei jedem Würfeln werden nur die zwei Ergebnisse „Sechs" und „keine Sechs" betrachtet. Die einzelnen Würfe beeinflussen sich nicht, die Ergebnisse sind also unabhängig voneinander.
b) Ein Treffer liegt vor, wenn eine Sechs gewürfelt wird.
c) Beim Würfeln ist $\frac{1}{6}$ die Wahrscheinlichkeit für eine Sechs, also ist die Trefferwahrscheinlichkeit $p = \frac{1}{6}$. Da man zwanzigmal würfelt, ist $n = 20$. Die Zahl X der Sechsen ist binomialverteilt mit den Parametern $n = 20$ und $p = \frac{1}{6}$.
d) Der Erwartungswert ist $\mu = n \cdot p = 20 \cdot \frac{1}{6} \approx 3{,}3$. Bei μ bzw. einer benachbarten ganzen Zahl erhält man die größte aller Wahrscheinlichkeiten $P(X = 0); \ldots; P(X = 20)$. Da μ keine ganze Zahl ist, untersucht man hier die Wahrscheinlichkeiten

Beachten Sie: Es gibt auch Wahrscheinlichkeitsverteilungen, für die beim Erwartungswert nicht die größte Wahrscheinlichkeit vorliegt.

$P(X = 3) = \binom{20}{3} \cdot \left(\frac{1}{6}\right)^3 \cdot \left(\frac{5}{6}\right)^{17} = 0{,}2379$ (Fig. 1)

bzw. $P(X = 4) = \binom{20}{4} \cdot \left(\frac{1}{6}\right)^4 \cdot \left(\frac{5}{6}\right)^{16} = 0{,}2022$.

$P(X = 3)$ ist am größten. Es ist am wahrscheinlichsten, drei Sechsen zu erzielen.

```
MATH NUM CPX PRB
1:rand
2:nPr
3:nCr
4:!
5:randInt(
6:randNorm(
7:randBin(
```

```
20 nCr 3
              1140
(20 nCr 3)*(1/6)
^3*(5/6)^17
       .2378865661
▪
```

Binomialkoeffizienten und Bernoulli-Formel   Fig. 1
am GTR

Beispiel 2   Wahrscheinlichkeiten mit dem GTR berechnen
Berechnen Sie die Wahrscheinlichkeit, beim zwanzigmaligen Würfeln
a) genau sieben Sechsen zu werfen,
b) höchstens fünf Sechsen zu werfen,
c) mindestens fünf Sechsen zu werfen,
d) mindestens drei und höchstens fünf Sechsen zu werfen.

■ Lösung: Die Zahl X der Sechsen ist binomialverteilt mit den Parametern $n = 20$ und $p = \frac{1}{6}$.

a) $P(X = 7) = \binom{20}{7} \cdot \left(\frac{1}{6}\right)^7 \cdot \left(\frac{5}{6}\right)^{13} = 0{,}0259$ (Fig. 2)

b) $P(X \leq 5) = P(X = 0) + P(X = 1) + P(X = 2) + P(X = 3) + P(X = 4) + P(X = 5) = 0{,}8982$ (Fig. 3)

c) $P(X \geq 5) = 1 - P(X \leq 4) = 0{,}2313$, denn $X \leq 4$ ist das Gegenereignis zu $X \geq 5$ (Fig. 3).

d) $P(3 \leq X \leq 5) = P(X = 3) + P(X = 4) + P(X = 5) = P(X \leq 5) - P(X \leq 2) = 0{,}5695$ (Fig. 4)

Der GTR besitzt für alle Berechnungen bei Binomialverteilungen zwei Funktionen (Fig. 1):
– Es können **Wahrscheinlichkeiten wie $P(X = 7)$** berechnet werden (Fig. 2).
– Es können **kumulierte Wahrscheinlichkeiten wie $P(X \leq 5)$** berechnet werden (Fig. 3). Wahrscheinlichkeiten wie $P(3 \leq X \leq 5)$ werden wie in Fig. 4 berechnet.

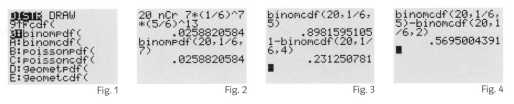

Fig. 1   Fig. 2   Fig. 3   Fig. 4

Beispiel 3   Tabelle und Graphen einer Binomialverteilung mit dem GTR erstellen
Erstellen Sie mit dem GTR eine Tabelle und einen Graphen der Binominalverteilung mit den Parametern $n = 20$ und $p = 0{,}4$.

■ Lösung: *Man gibt den Funktionsterm $B_{20;0,4}(x)$ ein und erhält die Wertetabelle.*
Wenn man auch den Graphen anzeigen lassen will, muss man die „x-Werte" auf ganze Zahlen runden, weil bei einer binomialverteilten Zufallsvariablen nur ganzzahlige Werte auftreten.

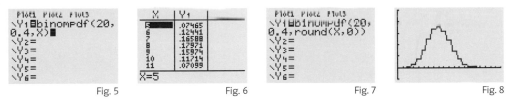

Fig. 5   Fig. 6   Fig. 7   Fig. 8

Für das Zeichenfenster wird die Einstellung xmin = 0; xmax = 20; ymin = −0,1; ymax = 0,25 gewählt.
Der GTR zeichnet kein vollständiges Säulendiagramm, sondern nur die „Kontur" des Graphen (Fig. 8), die man als Skizze ins Heft übertragen kann (Fig. 9).

Aufgaben

1   Eine Münze wird hundertmal geworfen. X zählt die Anzahl der Wappen.
a) Begründen Sie, dass ein Bernoulli-Versuch vorliegt.
b) Geben Sie an, was dabei Treffer bedeutet.
c) Was sind dabei die Parameter n und p?
d) Wie groß ist der Erwartungswert μ von X? Berechnen Sie $P(X = \mu)$, $P(X = \mu - 1)$ und $P(X = \mu + 1)$. Erläutern Sie das Ergebnis.

2   Berechnen Sie bei einer Binomialverteilung mit den Parametern $n = 50$ und $p = 0{,}8$ die Wahrscheinlichkeiten $P(X = 40)$; $P(X \leq 40)$; $P(X > 40)$; $P(X \geq 40)$; $P(40 \leq X \leq 45)$.

3   Erstellen Sie eine Tabelle und einen Graphen der Binomialverteilung wie in Beispiel 3.
a) n = 8; p = 0,4   b) n = 8; p = 0,6   c) n = 10; p = 0,5

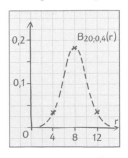

Fig. 9

4 Ein Glücksrad (Fig. 1) wird 50-mal gedreht. Es wird gezählt, wie oft Blau erscheint.

a) Begründen Sie, dass ein Bernoulli-Versuch vorliegt, und geben Sie an, was dabei Treffer bedeutet. Was sind dabei die Parameter n und p?

b) Berechnen Sie die Wahrscheinlichkeit, dass

I: genau siebenmal Blau erscheint,

II: höchstens siebenmal Blau erscheint,

III: mindestens siebenmal Blau erscheint,

IV: mindestens dreimal und höchstens zehnmal Blau erscheint,

V: mindestens zwanzigmal Rot erscheint.

Fig. 1

5 Eine Zufallsvariable ist binomialverteilt mit den Parametern n = 25 und p = 0,75.

a) Bestimmen Sie $P(X = 18)$ und $P(X \leq 18)$.

b) Erklären Sie, wieso man $P(X \geq 15)$ mithilfe des Terms $1 - P(X \leq 14)$ berechnen kann.

Statt P(X ≥ 15 und X ≤ 20) schreibt man kurz P(15 ≤ X ≤ 20).

c) Bestimmen Sie $P(X \geq 15$ und $X \leq 20)$; $P(X \leq 15$ oder $X \geq 20)$.

Zeit zu überprüfen

6 Eine Zufallsvariable X ist binomialverteilt mit den Parametern n = 30 und p = 0,3.

a) Bestimmen Sie $P(X = 4)$; $P(X \leq 10)$; $P(X < 8)$; $P(X \geq 8)$ und $P(6 \leq X \leq 10)$.

b) Wie groß ist der Erwartungswert μ von X? Was kann man über $P(X = \mu)$ aussagen?

7 Ein Basketballspieler, der eine Trefferquote von 70 Prozent hat, führt im Training zehn Freiwürfe aus. Die Zufallsvariable X zählt die Anzahl der Treffer.

a) Begründen Sie, dass man die Folge der Freiwürfe als Bernoulli-Versuch interpretieren kann. Was sind dabei die Parameter n und p?

b) Wie groß ist der Erwartungswert μ von X? Berechnen Sie $P(X = \mu)$ und $P(X = \mu - 4)$. Erläutern Sie das Ergebnis.

c) Erstellen Sie am GTR eine Tabelle der zugehörigen Binomialverteilung und skizzieren Sie die Kontur des Graphen.

8 Suchen Sie aus der Tabelle einer Binomialverteilung mit den Parametern n = 50 und p = 0,6 alle ganzen Zahlen r heraus, für die $P(X = r)$ mindestens 0,1 beträgt.

9 Erstellen Sie wie in Beispiel 3, Seite 343, bei einer Binomialverteilung mit den Parametern n = 50 und p = 0,6 eine Tabelle der Werte $P(X \leq r)$ für alle ganzen Zahlen r mit $0 \leq r \leq n$. Suchen Sie aus der Tabelle die kleinste Zahl r heraus, für die $P(X \leq r)$ mindestens 0,9 beträgt. Für welche Zahlen r gilt $P(X \geq r) \leq 0,05$?

Hier bietet es sich an, die Teilaufgaben in Gruppen zu bearbeiten.

10 Geben Sie – falls möglich – zu dem Zufallsversuch eine binomialverteilte Zufallsvariable an.

a) Eine verbeulte Münze wird 50-mal geworfen.

b) Man fragt eine Reihe zufällig ausgewählter Personen nach ihrem Wahlverhalten.

c) Man wirft eine Münze so lange, bis Wappen erscheint.

d) In ein Regal mit 18 Fächern werden zufällig 12 Bücher gelegt.

e) Auf dem Volksfest werden bei einer Tombola 500 Lose ausgegeben, ein Drittel davon sind Gewinnlose.

2 Problemlösen mit der Binomialverteilung

Die Abbildungen zeigen drei GTR-Diagramme.
Auf der x-Achse ist jeweils die Trefferwahrscheinlichkeit p (0 ≤ p ≤ 1) bei einer Binomialverteilung mit n = 20 abgetragen.
Bei welchem der Diagramme ist auf der
y-Achse die Wahrscheinlichkeit $P(X \leq 5)$ bzw.
$P(X \leq 7)$ bzw. $P(X \leq 11)$ abgetragen?

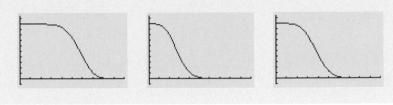

Mit **Binomialverteilungen** $B_{n;\,p}$ lassen sich viele Probleme lösen, die sich auf folgende drei
Fragestellungen reduzieren lassen:
– Berechnung von **Wahrscheinlichkeiten** bei gegebener Anzahl n und Trefferwahrscheinlich-
keit p
– Bestimmen der unbekannten **Anzahl n** bei gegebener Trefferwahrscheinlichkeit p
– Bestimmen der unbekannten **Trefferwahrscheinlichkeit p** bei gegebener Anzahl n
Diese Fragestellungen werden an Beispielen behandelt.

Beispiel 1   Wahrscheinlichkeit bei gegebenen Parametern n und p berechnen
Ein Flugzeug hat 194 Plätze. Die Fluggesellschaft verkauft aber 200 Tickets, weil laut ihrer
Statistik durchschnittlich nur 95 % aller Gäste, die gebucht haben, zum Flug erscheinen.
a) Mit welcher Wahrscheinlichkeit finden alle erscheinenden Fluggäste einen Platz?
b) Mit welcher Wahrscheinlichkeit muss mehr als ein Fluggast entschädigt werden?
■ Lösung: *Man macht die Modellannahme, dass die 200 Fluggäste unabhängig voneinander mit
einer Wahrscheinlichkeit von 0,95 zum Flug erscheinen. Dann gilt:*
Die Anzahl X der erscheinenden Fluggäste ist binomialverteilt mit den Parametern n = 200 und
p = 0,95. Treffer bedeutet, dass ein Fluggast zum Flug erscheint.
a) $P(X \leq 194) = 0,9377$
Mit fast 94 % Wahrscheinlichkeit erhält jeder Fluggast einen Platz.
b) *Wenn mindestens 196 Fluggäste erscheinen, muss mehr als ein Fluggast entschädigt
werden.* $P(X \geq 196) = 1 - P(X \leq 195) = 0,0264$
Mit nur etwa 2,6 % Wahrscheinlichkeit ist mehr als ein Fluggast zu entschädigen.

© **CAS**
Simulation: Buchung
eines Flugs

Beispiel 2   Parameter n bestimmen
In einem Land sind 4 % der männlichen Bevölkerung farbenblind. Wie groß muss eine
Gruppe von Männern in dem Land mindestens
sein, damit mit mindestens 90 Prozent Wahrscheinlichkeit mindestens
a) einer aus der Gruppe farbenblind ist,
b) fünf aus der Gruppe farbenblind sind?
■ Lösung: Die Zufallsvariable F zählt die
Anzahl der Farbenblinden in einer Gruppe von
n männlichen Personen. F ist binomialverteilt
mit p = 0,04 und gesuchtem n.
a) Es soll gelten:
$P(F \geq 1) \geq 0,9$ bzw. $P(F = 0) \leq 0,1$.
*Man gibt die $P(F = 0)$ entsprechende Funktion
y_1 mit $y_1(x) = B_{x;\,0,04}(0)$ ein.*
Aus der Tabelle (Y_1 in Fig. 2) ergibt sich die Mindestanzahl n = 57.

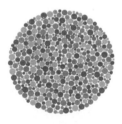

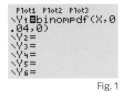

Fig. 1

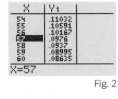

Fig. 2

Zur Berechnung der
Lösung siehe Aufgabe 10.

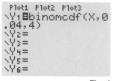

Fig. 1

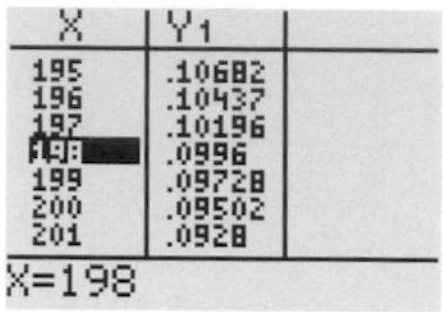

Fig. 2

b) Es soll gelten: $P(F \geq 5) \geq 0,9$ bzw. $P(F \leq 4) \leq 0,1$.

Die Funktion y_2 mit $y_2(x) = B_{x;0,04}(0) + \ldots + B_{x;0,04}(4)$ entspricht $P(F \leq 4)$. Am GTR wird für diese Summe von Wahrscheinlichkeiten die Funktion binomcdf(X, 0.04,0) verwendet.

Aus der Tabelle (Y_1 in Fig. 2) ergibt sich die Mindestzahl $n = 198$.

Beispiel 3 Parameter p bestimmen

Jedes Bauteil in einer Produktionsserie fällt mit Wahrscheinlichkeit p aus. Die Bauteile werden unabhängig voneinander produziert. Wie groß darf p höchstens sein, damit mit einer Wahrscheinlichkeit von mindestens 80 Prozent höchstens zehn von 100 Bauteilen ausfallen?

■ Lösung: Die Zufallsvariable A zähle die ausfallenden Bauteile bei einer Produktionsserie von $n = 100$. A ist binomialverteilt mit $n = 100$ und gesuchtem p.

Es muss gelten: $P(A \leq 10) \geq 0,8$.

Die Funktion y_1 mit $y_1(x) = B_{100;x}(0) + \ldots + B_{100;x}(10)$ entspricht $P(A \leq 10)$. Der GTR verwendet für solche kumulierte Wahrscheinlichkeiten eine eigene Funktion (vgl. Fig. 1). Man stellt y_1 grafisch dar und ermittelt den Schnittpunkt des Graphen von y_1 mit der Geraden $y_2 = 0,8$.

Einen Näherungswert für p kann man auch aus der zugehörigen Funktionstabelle ablesen.

Funktionen eingeben	Fenster einstellen	Schnittpunkt bestimmen
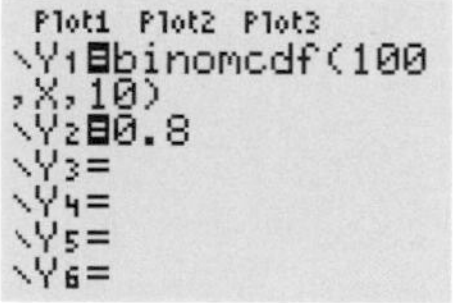 Plot1 Plot2 Plot3 \Y1■binomcdf(100 ,X,10) \Y2■0.8 \Y3= \Y4= \Y5= \Y6=	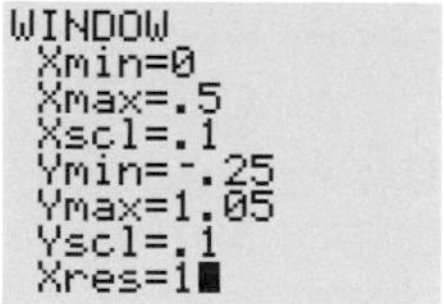 WINDOW Xmin=0 Xmax=.5 Xscl=.1 Ymin=-.25 Ymax=1.05 Yscl=.1 Xres=1■	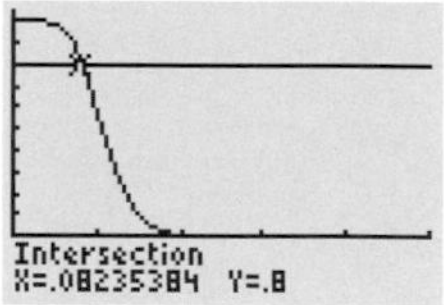 Intersection X=.08235384 Y=.8

Man erhält als Schnittstelle $x \approx 0,082$.

Die gesuchte Wahrscheinlichkeit darf höchstens etwa 8,2 % betragen.

Aufgaben

1 Bei einem Mathetest gibt es zehn Fragen mit jeweils vier Antworten, von denen nur eine richtig ist. Felix kreuzt bei jeder Frage rein zufällig eine Antwort an.

Mit welcher Wahrscheinlichkeit hat er

a) genau drei richtige Antworten?

b) mindestens drei richtige Antworten?

c) höchstens zwei richtige Antworten?

d) mehr als drei richtige Antworten?

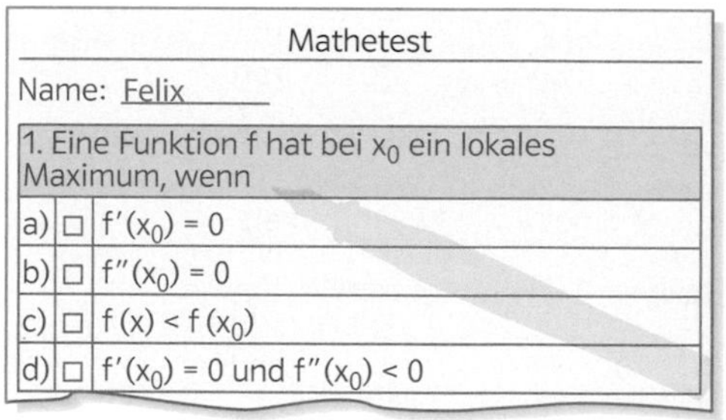

Mathetest
Name: _Felix_
1. Eine Funktion f hat bei x_0 ein lokales Maximum, wenn
a) ☐ $f'(x_0) = 0$
b) ☐ $f''(x_0) = 0$
c) ☐ $f(x) < f(x_0)$
d) ☐ $f'(x_0) = 0$ und $f''(x_0) < 0$

Fig. 3

2 Die Zufallsvariable X ist binomialverteilt mit dem Parameter $p = 0,25$.
Bestimmen Sie den zweiten Parameter n als möglichst kleine Zahl, sodass gilt:

a) $P(X = 0) \leq 0,05$;   b) $P(X \leq 5) \leq 0,5$;   c) $P(X \geq 5) \geq 0,5$;   d) $P(5 \leq X \leq 10) \geq 0,25$.

3 Für welchen Wert von p ist $B_{100;p}(10)$ am größten?

4 Wie oft muss man mindestens würfeln, damit mit mindestens 99 % Wahrscheinlichkeit das angegebene Ereignis erzielt wird?

a) eine Sechs   b) sechs Sechsen   c) zehn gerade Zahlen   d) 20 Zahlen unter sechs

5 Bei einer Binomialverteilung ist p so groß, dass es mit mindestens 75 % Wahrscheinlichkeit höchstens zehn Treffer gibt. Welche Werte kann p annehmen für

a) $n = 20$;   b) $n = 50$;   c) $n = 100$;   d) $n = 500$?

6 Die Wahrscheinlichkeit für die Geburt eines Jungen beträgt etwa 0,51.

a) In einem Jahr werden in einer Großstadt 8000 Kinder geboren. Berechnen Sie die Wahrscheinlichkeit, dass mindestens 4000 Jungen geboren werden. Berechnen Sie die Wahrscheinlichkeit, dass die Zahl der Jungengeburten mindestens 4000 und höchstens 4200 beträgt.

b) Wie viele Kinder müssen mindestens geboren werden, damit mit mindestens 99 % Wahrscheinlichkeit mindestens fünf Jungen dabei sind?

7 Über einen Nachrichtenkanal werden Zeichen übertragen. Durch Störeinflüsse wird jedes Zeichen mit der unbekannten Wahrscheinlichkeit p falsch übertragen. Die Störung der einzelnen Zeichen erfolgt unabhängig voneinander.

Wie groß darf p höchstens sein, wenn die Wahrscheinlichkeit, dass bei 100 übertragenen Zeichen mehr als drei falsch übertragen werden, höchstens 1 % betragen darf?

8 Ein Reiseunternehmer nimmt 150 Buchungen für ein Feriendorf mit 140 Betten an, da erfahrungsgemäß 11 % der Buchungen wieder rückgängig gemacht werden.

a) Mit welcher Wahrscheinlichkeit hat er zu viele Buchungen angenommen?

b) Mit welcher Wahrscheinlichkeit hat er sogar noch mehr als einen Platz übrig?

c) Wieso kann man dem Unternehmer empfehlen, noch mehr Buchungen entgegenzunehmen?

9 Die Firma ElSafe stellt Sicherungen mit einer Ausschussquote von 6 % her. Der Produktion werden 80 Sicherungen zu Prüfzwecken entnommen.

a) Bestimmen Sie die Wahrscheinlichkeit für die Ereignisse

A: Genau drei Sicherungen sind defekt,

B: Höchstens drei Sicherungen sind defekt,

C: Alle Sicherungen sind in Ordnung,

D: Nur die letzten drei entnommenen Sicherungen sind defekt.

b) Ein Elektrogroßhändler erhält von ElSafe ein Dutzend Sendungen. Jeder Sendung entnimmt er drei Sicherungen und überprüft sie. Er nimmt eine Sendung nur an, wenn er bei der Kontrolle nur einwandfreie Sicherungen findet.

Wie groß ist die Wahrscheinlichkeit, dass die erste Sendung angenommen wird?

Mit welcher Wahrscheinlichkeit werden mindestens zehn Sendungen angenommen?

10 Die Lösung in Beispiel 2 a) kann man auch berechnen. Begründen Sie dazu, dass $P(F = 0) = 0,96^n$ gilt, und lösen Sie die Ungleichung $0,96^n \leq 0,1$ durch Logarithmieren.

11 Ein Würfel hat das Netz von Fig. 1.

a) Der Würfel wird zehnmal geworfen.

Wie oft ist dabei durchschnittlich eine gerade Zahl zu erwarten?

Mit welcher Wahrscheinlichkeit tritt mindestens achtmal eine gerade Zahl auf?

Bestimmen Sie die kleinste Zahl k, für welche die Anzahl der geraden Augenzahlen mit mindestens 80 % Wahrscheinlichkeit in das Intervall $[5 - k; 5 + k]$ fällt.

b) Wie oft muss man den Würfel mindestens werfen, damit mit mindestens 95 % Wahrscheinlichkeit mindestens eine Vier fällt? Berechnen Sie die Lösung.

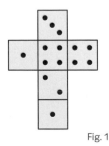

Fig. 1

12 Ein Glücksrad mit den Feldern Rot und Grün soll so eingeteilt werden, dass bei 20 Drehungen die Wahrscheinlichkeit dafür, dass höchstens zehnmal Rot erscheint, 5 % beträgt. Welche Mittelpunktswinkel erhalten die Felder?

3 Binomialverteilung – Standardabweichung

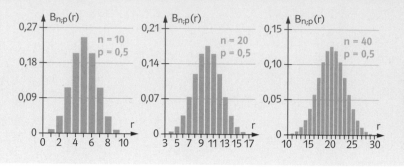

Die Abbildungen zeigen Säulendiagramme von Binomialverteilungen mit den Parametern p = 0,5 und n = 10 bzw. n = 20 bzw. n = 40.
Formulieren Sie möglichst viele Aussagen, die Sie den Diagrammen entnehmen können.

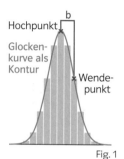

Fig. 1

Die Wendepunkte der Glockenkurve lassen sich näherungsweise bestimmen.

In Fig. 1 ist bei dem Säulendiagramm einer Binomialverteilung eine glockenförmige Kurve als Kontur eingezeichnet. Ihr Hochpunkt liegt beim Erwartungswert μ. Nun wird untersucht, wie die Breite dieser Glockenkurve von n und p abhängt. Als Maß für die Glockenbreite verwendet man den Abstand b der Wendestellen der Glockenkurve zur Extremstelle μ (Fig. 1).
In Fig. 2 sind für verschiedene Säulendiagramme Messwerte für b angegeben. Man erhält z. B. b ≈ 4 für n = 80. Bei allen Diagrammen ist p = 0,3.

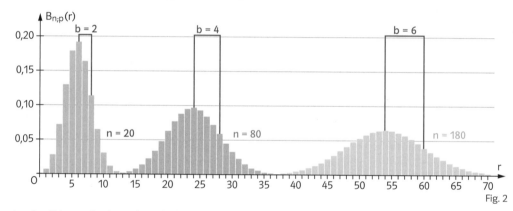

Fig. 2

An den Werten für b in der Tabelle erkennt man, dass sich b verdoppelt bzw. verdreifacht, wenn n vervierfacht bzw. verneunfacht wird. Daher lässt sich vermuten, dass b zu $\sqrt{n}$ proportional ist: $b = c \cdot \sqrt{n}$. Weitere Untersuchungen für andere Werte von p ergeben für den

n	b	$\frac{b}{\sqrt{n}}$
20	2	0,45
80	4	0,45
180	6	0,45

Proportionalitätsfaktor $c \approx \sqrt{p \cdot (1 - p)}$ (vgl. Aufgaben 11 und 12, Seite 351). Für p = 0,3 ergibt sich damit c ≈ 0,46 (vgl. Tabelle). Insgesamt gilt also $b \approx \sqrt{p \cdot (1 - p)} \cdot \sqrt{n} = \sqrt{n \cdot p \cdot (1 - p)}$. Das begründet folgende

Der griechische Buchstabe σ wird „Sigma" gelesen.

> **Definition:** Bei einer binomialverteilten Zufallsvariablen mit den Parametern n und p nennt man $\sigma = \sqrt{n \cdot p \cdot (1 - p)}$ **Standardabweichung**.

Statt „Wahrscheinlichkeit, dass ein Wert in ein Intervall fällt" sagt man kurz „Wahrscheinlichkeit für ein Intervall".

Die Standardabweichung σ ist ein Maß für die Breite der glockenförmigen Konturkurve der zugehörigen Binomialverteilung. Die Bedeutung der Standardabweichung zeigt sich bei der Berechnung von Wahrscheinlichkeiten $P(\mu - \sigma \le X \le \mu + \sigma)$, das heißt für Wahrscheinlichkeiten, dass Treffer X im Intervall $[\mu - \sigma; \mu + \sigma]$ liegen. Das zum Erwartungswert μ symmetrische Intervall $[\mu - \sigma; \mu + \sigma]$ nennt man **σ-Intervall**.

Die folgenden Tabellen zeigen für verschiedene Parameter n und p die Wahrscheinlichkeiten für ein σ-Intervall (in den Tabellen kurz mit P_σ benannt).

Man erkennt, dass die Wahrscheinlichkeiten alle etwa 68 % betragen. Mit etwa 68 % Wahrscheinlichkeit weichen also die Werte einer binomialverteilten Zufallsvariablen höchstens um die Standardabweichung σ vom Erwartungswert μ ab.

p = 0,5

n	400	800	1200	1600	2000
P_σ	0,7218	0,6948	0,6877	0,6946	0,6857

p = 0,1

n	400	800	1200	1600	2000
P_σ	0,7218	0,6837	0,6878	0,7025	0,6858

Entsprechendes gilt auch für die 2σ-Intervalle $[\mu - 2\cdot\sigma; \mu + 2\cdot\sigma]$ bzw. 3σ-Intervalle $[\mu - 3\cdot\sigma; \mu + 3\cdot\sigma]$. Dies zeigen die Tabellen der Funktionen Y_2 bzw. Y_3 in Fig. 2. Der beobachtete Sachverhalt wird durch die **Sigma-Regeln** beschrieben.

Mit dem GTR berechnete Wahrscheinlichkeiten für σ-Umgebungen, hier für p = 0,4.

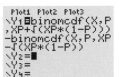

Fig. 1

Fig. 2

Sigma-Regeln

Für eine binomialverteilte Zufallsvariable X mit den Parametern n und p, dem Erwartungswert $\mu = n \cdot p$ und der Standardabweichung $\sigma = \sqrt{n \cdot p \cdot (1-p)}$ erhält man folgende Näherungen:

1. $P(\mu - \sigma \le X \le \mu + \sigma) \approx 68{,}3\,\%$
2. $P(\mu - 2\sigma \le X \le \mu + 2\sigma) \approx 95{,}4\,\%$
3. $P(\mu - 3\sigma \le X \le \mu + 3\sigma) \approx 99{,}7\,\%$

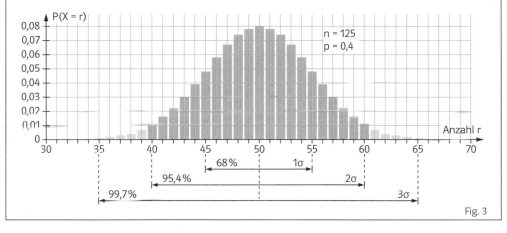

Fig. 3

Exkursion ⤢
Die Gesetze der großen Zahlen
735301-3492

Je größer n ist und je näher p bei 0,5 liegt, desto besser wird im Allgemeinen die Näherung. Nach einer Faustregel sollte $\sigma > 3$ sein, damit die Näherung brauchbar ist.

Bezüglich der Abhängigkeit der Näherung von n und p vgl. Aufgabe 3, Seite 350.

Beispiel Erwartungswert, Standardabweichungen, σ-Intervall

Ein Würfel wird 600-mal geworfen. X zählt die Anzahl der Sechsen.

a) Berechnen Sie den Erwartungswert und die Standardabweichung von X.

b) Bestimmen Sie das 2σ-Intervall. Vergleichen Sie die Wahrscheinlichkeit des 2σ-Intervalls mit dem Näherungswert, den die Sigma-Regel liefert.

■ Lösung: X ist binomialverteilt mit den Parametern n = 600 und $p = \frac{1}{6}$.

a) Erwartungswert $\mu = np = 100$; Standardabweichung $\sigma = \sqrt{n \cdot p \cdot (1-p)} \approx 9{,}1$.

b) 2σ-Intervall $[\mu - 2\sigma; \mu + 2\sigma] = [100 - 18{,}2; 100 + 18{,}2] = [82; 118]$

Wahrscheinlichkeit des 2σ-Intervalls: $P(82 \le X \le 118) = 0{,}9575$ (Fig. 3).

Die Näherung mit der Sigma-Regel ergibt fast denselben Wert: 0,954.

Die Grenzen der σ-Intervalle werden als ganze Zahlen angegeben, weil X nur ganzzahlige Werte annimmt. Dabei wird die linke Grenze 81,8 auf 82 aufgerundet und die rechte Grenze 118,2 auf 118 abgerundet.

Fig. 4

Aufgaben

1 Berechnen Sie den Erwartungswert und die Standardabweichung bei einer binomialverteilten Zufallsvariable X mit den angegebenen Parametern.
a) n = 50; p = 0,7 b) n = 20; p = 0,1 c) n = 35; p = 0,9 d) n = 90; p = 0,86

2 Bestimmen Sie für eine binomialverteilte Zufallsvariable mit den angegebenen Parametern das σ-Intervall. Vergleichen Sie die Wahrscheinlichkeit für das σ-Intervall mit dem Näherungswert, den die Sigma-Regel liefert.
a) n = 100; p = 0,7 b) n = 200; p = 0,7 c) n = 400; p = 0,7 d) n = 800; p = 0,7
e) n = 500; p = 0,5 f) n = 500; p = 0,4 g) n = 500; p = 0,25 h) n = 500; p = 0,1

3 Eine binomialverteilte Zufallsvariable hat die angegebenen Parameter. Berechnen Sie Erwartungswert, Standardabweichung und die $k \cdot \sigma$-Intervalle für k = 1; 2; 3. Skizzieren Sie die Kontur des Säulendiagramms mit den σ-Intervallen. Vergleichen Sie die Wahrscheinlichkeit für das $k \cdot \sigma$-Intervall mit dem Näherungswert, den die Sigma-Regel liefert.
a) n = 10; p = 0,4 b) n = 20; p = $\frac{1}{3}$ c) n = 50; p = 0,6 d) n = 100; p = 0,2

4 Das Glücksrad in Fig. 1 wird n-mal gedreht. Die Zufallsvariable X zählt, wie oft Rot erscheint (Treffer).
a) Bestimmen Sie jeweils das σ-Intervall und die zugehörige Wahrscheinlichkeit für n = 200; 400; 600; 800; 1000.
Interpretieren Sie das Ergebnis.
b) Man dreht das Glücksrad 500-mal. In welchem Bereich wird mit etwa 95 % (99 %) Wahrscheinlichkeit die Zahl der Treffer liegen?
c) Simulieren Sie 100-mal 200 Drehungen. Wie oft liegt die Trefferzahl außerhalb des σ-Intervalls?

Fig. 1

5 Wie oft muss man einen Zufallsversuch mit zwei Ausgängen 0 und 1 und den Wahrscheinlichkeiten p und q mindestens durchführen, damit die Standardabweichung größer als drei ist, sodass die Sigma-Regeln brauchbare Näherungen liefern?
a) p = 0,5 b) p = 0,25 c) p = 0,75 d) p = 0,1

Zeit zu überprüfen ──────────────────────────────

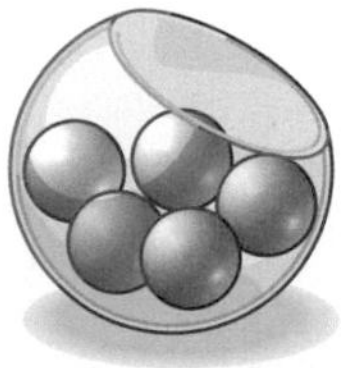

6 Aus der Urne in Fig. 2 werden 60 Kugeln mit Zurücklegen gezogen. X zählt die Anzahl der roten Kugeln.
a) Berechnen Sie den Erwartungswert und die Standardabweichung von X.
b) Geben Sie das 2σ-Intervall an und berechnen Sie exakt die zugehörige Wahrscheinlichkeit. Vergleichen Sie mit den Werten der Sigma-Regel.

Fig. 2

7 Eine Münze mit den Seiten Wappen und Zahl wird 500-mal geworfen. Die Zufallsvariable X zählt, wie oft Wappen fällt.
a) Berechnen Sie die Standardabweichung σ von X. Beschreiben Sie die Bedeutung von σ.
b) Geben Sie ein Intervall an, in dem die Werte von X mit etwa 68 % Wahrscheinlichkeit liegen.

──────────────────────────────

8 Wie groß ist die Wahrscheinlichkeit, dass man bei 100 Durchführungen eines Bernoulli-Versuchs
a) kein Ergebnis erhält, das außerhalb des 2σ-Intervalls liegt?
b) mindestens zehnmal ein Ergebnis erhält, das außerhalb des 2σ-Intervalls liegt?

9 Das Säulendiagramm in Fig. 1 stellt eine Binomialverteilung $B_{n;\,p}$ mit Erwartungswert $\mu = 20$ dar. Bestimmen Sie daraus das σ-Intervall. Geben Sie auch n und p an.

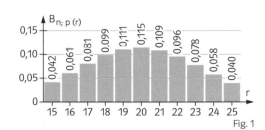

Fig. 1

Tipp:
Im σ-Intervall liegen 68% der Werte

ⓢ **CAS**
Standardabweichung

INFO → Aufgabe 10

Theorie und Praxis

Erwartungswert und Standardabweichung sind theoretische Kenngrößen von Wahrscheinlichkeitsverteilungen. In der Praxis verwendet man entsprechende empirische Kenngrößen. Treten z.B. bei einer Messreihe Werte $x_1, \ldots, x_k$ mit den relativen Häufigkeiten $h_1, \ldots, h_k$ auf, so berechnet man in der Statistik **Mittelwert $\bar{x}$** und **empirische Standardabweichung s** mit den Formeln $\bar{x} = x_1 \cdot h_1 + \ldots + x_k \cdot h_k$ und $s = \sqrt{(x_1 - \bar{x})^2 \cdot h_1 + \ldots + (x_k - \bar{x})^2 \cdot h_k}$.

In Fig. 2 sind die Körpergrößen x_i der Schülerinnen und Schüler eines Mathekurses und die zugehörigen Häufigkeiten m_i in Listen eingegeben worden. Mittelwert und empirische Standardabweichung werden mit dem GTR berechnet. Die Formeln können auf eine Zufallsvariable X, welche die Werte $x_1, \ldots, x_k$ annimmt, übertragen werden.

Statt $\bar{x}$ ergibt sich der Erwartungswert $\mu = x_1 \cdot P(X = x_1) + \ldots + x_k \cdot P(X = x_k)$ und statt s die Standardabweichung $\sigma = \sqrt{(x_1 - \mu)^2 \cdot P(X = x_1) + \ldots + (x_k - \mu)^2 \cdot P(X = x_k)}$.
Man kann zeigen, dass sich diese Formeln für μ und σ bei einer Binomialverteilung mit den Parametern n und p auf die bekannten Formeln $\mu = n \cdot p$ und $\sigma = \sqrt{n \cdot p \cdot (1 - p)}$ umformen lassen.

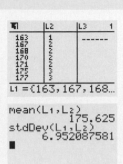

Fig. 2

Die relativen Häufigkeiten n_i erhält man, indem man die Werte m_i in L2 durch die Anzahl der Kursteilnehmer dividiert.

---

10 Bestimmen Sie Erwartungswert und Standardabweichung für eine binomialverteilte Zufallsvariable X. Was erhalten Sie mit den Formeln im Infokasten?
a) $n = 4$; $p = 0,6$ b) $n = 10$; $p = 0,8$ c) $n = 1$; p variabel

11 In der Tabelle bezeichnet b näherungsweise den Abstand zwischen μ und der Wendestelle der Glockenkurve bei binomialverteilten Zufallsvariablen mit demselben Parameter $p = 0,2$ und verschiedenen Werten für n. (Vgl. Fig. 1 auf Seite 348.)

n	20	80	180	320	500	720	980	1280	1620
b	2	4	6	7	9	11	13	15	16

Bestätigen Sie anhand der Daten in der Tabelle, dass $b \approx \sqrt{n \cdot p \cdot (1 - p)}$ gilt.

12 In der Tabelle bezeichnet b näherungsweise den Abstand zwischen μ und der Wendestelle der Glockenkurve bei binomialverteilten Zufallsvariablen mit jeweils demselben Parameter $n = 1000$ und verschiedenen Werten für p. Bestätigen Sie anhand der Daten in der Tabelle, dass $b \approx \sqrt{n \cdot p \cdot (1 - p)}$ gilt.

p	0	0,1	0,25	0,4	0,5	0,7	0,8	0,95	1
b	0	9	14	15	16	14	13	7	0

In Aufgabe 11 und 12 können Sie die Glockenbreite durch Messen bestimmen.
Alternative: Sie bestimmen mit dem GTR den Abstand der r-Werte, für die
$P(X = r + 1) - P(X = r - 1)$ einen möglichst großen Betrag hat. Wieso erhalten Sie damit auch einen Näherungswert für die Glockenbreite?

13 Fig. 3 zeigt Glockenkurven von Binomialverteilungen für $p = 0,5$ und $n = 10; 20; \ldots; 90$. Die Fensterbreite beträgt 60 Einheiten. Bestimmen Sie die Hochpunkte der „Kurven" durch Messen oder Rechnen. Zeigen Sie, dass die Hochpunkte näherungsweise auf dem Graphen einer Funktion f mit $f(x) = \frac{c}{\sqrt{x}}$ mit einem geeigneten Parameter c liegen. Was schließen Sie daraus?

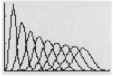

Fig. 3

4 Zweiseitiger Signifikanztest

Manuela:	00000011001011001110010010110001110100110010011011
Hannes:	11101011000010010101001100001110010011001011000001
Sina:	00100111001000001100010100110010000101000010010001
Mathis:	01000101100110110100011100000111101011101110010101

Hausaufgabe: Werfen Sie 50-mal eine Münze mit den Seiten 0 und 1. Notieren Sie die Folge der Würfe. Lisa behauptet, dass Manuela oder Hannes oder Sina oder Mathis statt einer Münze einen Knopf verwendet haben. Wer war's wohl?

Ein Test ist ein Rezept, sich für oder gegen eine Hypothese zu entscheiden.

Bisher war bei Bernoulli-Versuchen die Trefferwahrscheinlichkeit p immer bekannt oder berechenbar. Es gibt auch Situationen, in denen man p nicht kennt, aber eine Vermutung **(Hypothese)** zur Trefferwahrscheinlichkeit hat. Ob die Hypothese haltbar ist, kann man mithilfe einer **Stichprobe** testen.

Ein Treffer liegt hier vor, wenn die bedruckte Seite oben liegen bleibt. X – die Testvariable mit den Parametern n und $p = \frac{1}{6}$ – zählt die Treffer.

Beim Rollen eines Bleistifts vermutet man, dass die bedruckte Seite mit der Wahrscheinlichkeit $\frac{1}{6}$ oben liegen bleibt. Man stellt also die Hypothese $p = \frac{1}{6}$ für diese Wahrscheinlichkeit auf. Wenn die Hypothese zutrifft, dann ergibt nach den Sigma-Regeln eine Stichprobe mit etwa 95 % Wahrscheinlichkeit einen Wert im Intervall $[\mu - 2\sigma; \mu + 2\sigma]$.
Für $n = 100$ ergibt sich mit $\mu = 16{,}7$ und $\sigma = 3{,}73$ das Intervall [10; 24]. Wenn die Stichprobe einen Wert außerhalb dieses Intervalls liefert, so zweifelt man an der Hypothese.

μ und σ sind Erwartungswert bzw. Standardabweichung von X.

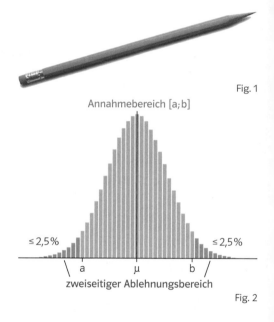

Fig. 1

Annahmebereich [a; b]

Der Test heißt zweiseitiger Signifikanztest, weil der Ablehnungsbereich zweiseitig ist.

Diese Überlegung liegt dem sogenannten **zweiseitigen Signifikanztest** zugrunde. Man bestimmt als **Annahmebereich** ein Intervall [a; b]. Alle anderen Werte bilden den **Ablehnungsbereich**. Wenn ein Stichprobenwert in den Annahmebereich fällt, wird die Hypothese angenommen, sonst verworfen.

≤ 2,5 %   ≤ 2,5 %

a   μ   b

zweiseitiger Ablehnungsbereich

Fig. 2

Verwerfen der Hypothese bedeutet nicht, dass die Hypothese falsch ist, sie ist nur sehr zweifelhaft.

Die Wahrscheinlichkeit für den Ablehnungsbereich soll höchstens 5 % betragen, sodass sich links von a und rechts von b jeweils höchstens 2,5 % Wahrscheinlichkeit ergeben (Fig. 2). Dazu wählt man die linke Grenze a als die kleinste Zahl mit der Eigenschaft $P(X \le a) > 2{,}5\,\%$. Denn dann gilt für den Bereich links von a: $P(X < a) \le 2{,}5\,\%$.
Als rechte Grenze b wählt man die kleinste Zahl mit der Eigenschaft $P(X \le b) > 97{,}5\,\%$. Denn dann gilt auch für den Bereich rechts von b: $P(X > b) = 1 - P(X \le b) \le 2{,}5\,\%$ (Fig. 2).

In der Tabelle der kumulierten Wahrscheinlichkeiten von X ist a die kleinste Zahl, bei der die 0,025 überschritten wird, b die kleinste Zahl, bei der 0,975 überschritten wird.

Formel eingeben	Suche nach a		Suche nach b	
Plot1 Plot2 Plot3 \Y1▪binomcdf(100 ,1/6,X)■ \Y2= \Y3= \Y4= \Y5= \Y6=	X	Y1	X	Y1
	9	.02129	19	.78025
	10	.0427	20	.84811
	11	.07772	21	.89982
	12	.12967	22	.93695
	13	.20001	23	.96214
	14	.28742	**24**	.9783
	15	.38766	25	.98812
	X=10		X=24	

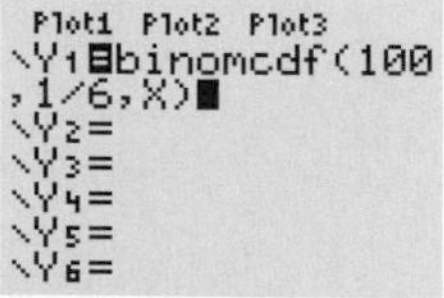

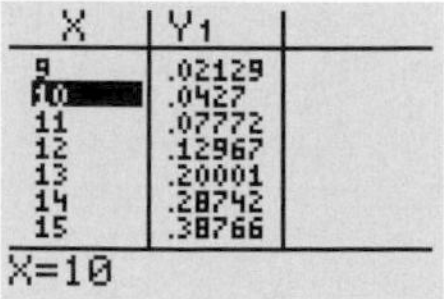

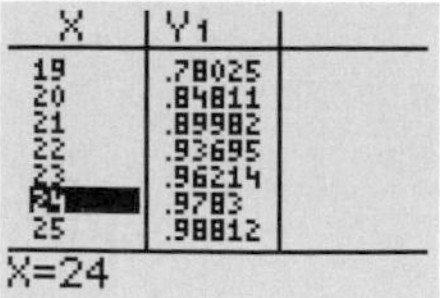

Suchhilfe für die Tabelle: $a \approx \mu - 2\sigma$; $b \approx \mu + 2\sigma$ (GTR: bei TBL SET einstellen).

Aus der Tabelle der kumulierten Wahrscheinlichkeiten von X sucht man a und b heraus. Als Annahmebereich für die Hypothese „$p = \frac{1}{6}$" erhält man so das Intervall [10; 24]. Das 2σ-Intervall ist eine gute Näherung für den Annahmebereich, stimmt aber nicht immer damit überein.

Die Wahrscheinlichkeit, die Hypothese zu verwerfen, obwohl sie zutrifft, nennt man **Irrtumswahr-scheinlichkeit**. Sie ist die Wahrscheinlichkeit des Ablehnungsbereichs und beträgt daher höchstens 5 %. Die maximale Irrtumswahrscheinlichkeit 5 % nennt man das **Signifikanzniveau**. Die Hypothese, die getestet wird, nennt man auch **Nullhypothese** H_0, ihr Gegenteil **Alternative** H_1. Beim Rollen des Bleistifts ist H_0: $p = \frac{1}{6}$ und H_1: $p \neq \frac{1}{6}$.

Zweiseitiger Signifikanztest zum Testen einer Nullhypothese H_0: $p = p_0$
Alternative H_1: $p \neq p_0$
1. Man legt den Stichprobenumfang n und das Signifikanzniveau (z. B. 5 %) fest.
2. Als Testvariable X verwendet man die Trefferzahl für die Parameter n und p_0.
3. Man bestimmt den Annahmebereich [a; b] der Nullhypothese. Dazu sucht man aus der Tabelle der kumulierten Wahrscheinlichkeiten von X die kleinsten Zahlen a und b heraus, sodass $P(X \leq a) > 2,5\%$ und $P(X \leq b) > 97,5\%$.
Die Irrtumswahrscheinlichkeit beträgt dann höchstens 5 %.
4. Man führt eine Stichprobe vom Umfang n durch. H_0 wird angenommen, wenn das Stichprobenergebnis im Annahmebereich liegt, sonst wird H_0 verworfen.

> Man schreibt p_0, weil auf einen bestimmten Wert getestet wird.

Man kann auch ein anderes Signifikanzniveau α wählen. Dann hat der Annahmebereich [a; b] die Grenzen a und b, wobei a und b die kleinsten Zahlen sind mit $P(X \leq a) > \frac{\alpha}{2}$ und $P(X \leq b) > 1 - \frac{\alpha}{2}$. Die Irrtumswahrscheinlichkeit ist dann höchstens α.

> Als Suchhilfe für a bzw. b stellt man die Startwerte $\mu - 2\sigma$ bzw. $\mu + 2\sigma$ in der GTR-Tabelle ein.

Seite	1	2	3	4	5	6
mm²	288	144	512	512	144	288

Beispiel Legoachter
Ein Legoachter ist 32 mm lang, 16 mm breit
und 9 mm hoch. Die Seitenflächen mit den aufgedruckten Zahlen haben daher die Flächeninhalte in der Tabelle. Die Summe aller Seitenflächen beträgt 1888 mm².
Marcel behauptet daher, dass sich die Wahrscheinlichkeit für eine Sechs als Anteil $\frac{288}{1888} \approx 15\%$ berechnen lässt.
a) Beschreiben Sie einen Test von Marcels Hypothese für das Signifikanzniveau 5 %.
b) Untersuchen Sie, für welche Stichprobenergebnisse man bei den Signifikanzniveaus 5 % und 1 % unterschiedliche Testergebnisse erhält.

■ Lösung: Nullhypothese ist H_0: $p = 0,15$. Es werden z. B. n = 1000 Würfe mit einem Legoachter durchgeführt. Die Testvariable X zählt die Anzahl der Sechsen. X ist binomialverteilt mit den Parametern n = 1000 und p = 0,15. Für X erhält man den Erwartungswert $\mu = 150$ und die Standardabweichung $\sigma = 11,29$. Da das Signifikanzniveau 5 % betragen soll, erhält man als Näherung für den Annahmebereich $[\mu - 2\sigma; \mu + 2\sigma] = [128; 172]$. Nach dem oben beschriebenen Verfahren erhält man ebenso A = [128; 172] (Fig. 2). Bei einem Stichprobenergebnis von z. B. 116 wird H_0 verworfen.
b) Bei dem Signifikanzniveau 1 % erhält man als Annahmebereich A' = [122; 180] (Fig. 3). Bei Stichprobenergebnissen von 122; …; 127 bzw. 173; …; 180 wird H_0 auf dem Signifikanzniveau 5 % verworfen, auf dem Signifikanzniveau 1 % dagegen angenommen.

Fig. 1

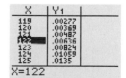

Fig. 2

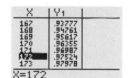

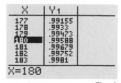

Fig. 3

Aufgaben

1 Bei einem Bernoulli-Versuch wird ein Signifikanztest mit Stichprobenumfang n durchgeführt. Bestimmen Sie den Annahmebereich, den Ablehnungsbereich und die Irrtumswahrscheinlichkeit für die Signifikanzniveaus 5 % und 1 %.
a) H_0: p = 0,5; n = 100   b) H_0: p = 0,5; n = 200   c) H_0: $p = \frac{2}{3}$; n = 100   d) H_0: $p = \frac{2}{3}$; n = 200
e) Beschreiben Sie einen Bernoulli-Versuch, bei dem die Hypothese aus Aufgabe a) getestet wird.

Verwenden Sie die Null-hypothese H_0: $p = \frac{1}{6}$, auch wenn Sie glauben, dass die Alternative stimmt.

Fig. 1

Recherchieren Sie, was „repräsentativ" bedeutet.

2 Laura behauptet, dass Lukas mit einem gezinkten Würfel würfelt, der nicht die zu erwartende Anzahl Sechsen würfelt. Um die Behauptung zu testen, wirft sie Lukas' Würfel n-mal. Wie ist beim Signifikanzniveau 5 % zu entscheiden, wenn dabei k Sechsen fallen?

a) n = 50; k = 12   b) n = 100; k = 24   c) n = 200; k = 48

3 Bei einer Lotterie zieht eine „Lotto-Fee" aus der Urne in Fig. 1 eine Kugel. Falls eine rote Kugel gezogen wird, gewinnt man einen Preis. Ein Spieler zweifelt, ob die Kugel von der Fee wirklich zufällig gezogen wird.
Bestimmen Sie für einen Signifikanztest auf dem Signifikanzniveau 5 % bei einem Stichprobenumfang von n = 50 (n = 500) den Annahmebereich für die Hypothese „Die Fee arbeitet einwandfrei". Wie groß ist die Irrtumswahrscheinlichkeit?

4 Eine Partei hatte bei der letzten Wahl einen Stimmenanteil von 32 %. Ein Meinungsforschungsinstitut wird beauftragt, zu untersuchen, ob sich der Stimmenanteil verändert hat. Das Institut führt einen Signifikanztest auf dem Signifikanzniveau 5 % mithilfe einer repräsentativen Umfrage bei 1000 Wählern durch. Davon geben 305 an, dass sie die Partei bei der nächsten Wahl wählen wollen. Welches Ergebnis liefert der Signifikanztest für die Nullhypothese „Der Stimmenanteil ist gleich geblieben"? Beurteilen Sie das Ergebnis.

5 Eine Nussmischung soll 30 % Walnüsse und 70 % Haselnüsse enthalten. Eine Maschine füllt die Nüsse in Tüten von je 50 Nüssen ab. Man greift drei Tüten heraus und zählt 120 Haselnüsse. Entscheiden Sie mithilfe eines Signifikanztests auf einem Signifikanzniveau von 5 %, ob man diese Abweichung tolerieren kann.

Zeit zu überprüfen ─────────────────────────────────────

6 a) Bei einem Bernoulli-Versuch wird ein zweiseitiger Signifikanztest für die Nullhypothese H_0: p = 0,3 auf dem Signifikanzniveau 5 % bzw. 1 % durchgeführt. Bestimmen Sie den Annahmebereich und die Irrtumswahrscheinlichkeit für einen Stichprobenumfang von n = 200.
b) Beschreiben Sie eine Situation, bei der die Hypothese aus Aufgabe a) getestet wird.

7 Ein Zufallszahlengenerator soll mit gleicher Wahrscheinlichkeit ganze Zahlen zwischen 1 und 5 erzeugen. Es wird behauptet, dass die Zahl 1 nicht mit 20 % Wahrscheinlichkeit vorkommt. Daher wird ein Signifikanztest zur Prüfung dieser Behauptung auf dem Signifikanzniveau 5 % durchgeführt. Der Generator liefert 500 Zahlen. Wie ist zu entscheiden, wenn

a) 115-mal,   b) 81-mal die Zahl 1 dabei ist?

───

8 Ein Losverkäufer wirbt damit, dass bei ihm jedes vierte Los gewinnt.
Eine Gruppe Jugendlicher kauft 53 Lose, von denen acht Gewinnlose sind.
a) Stimmt die Angabe des Losverkäufers bei einem Signifikanzniveau von 5 %?
b) Zu welchem Ergebnis kommt man, wenn bei 530 Losen 80 Gewinnlose dabei sind?

9 Von Reißnägeln wird behauptet, dass sie mit 55 % Wahrscheinlichkeit auf dem Kopf landen. Führen Sie in Ihrem Kurs einen Signifikanztest durch, der diese Hypothese auf einem Signifikanzniveau von 5 % testet. Jede Kursteilnehmerin und jeder Kursteilnehmer soll für die Stichprobe 50 Reißnägel werfen.

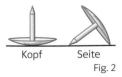

Kopf   Seite
Fig. 2

a) Jeder Teilnehmer führt für seine Stichprobe einen Test durch.
b) Alle Stichproben werden zusammengerechnet, und dann wird der Test durchgeführt.
c) Vergleichen Sie die Ergebnisse aus den Aufgaben a) und b).

10 Wahr oder falsch?

a) Verwerfen einer Hypothese bedeutet nicht unbedingt, dass die Hypothese falsch ist.

b) Wenn bei einem Signifikanztest das Stichprobenergebnis in den Annahmebereich fällt, ist die Nullhypothese wahr.

c) Die Irrtumswahrscheinlichkeit ist bei einem Signifikanztest nie größer als das Signifikanzniveau.

d) Wenn bei einem Signifikanztest das Stichprobenergebnis nicht in den Annahmebereich fällt, ist die Nullhypothese falsch.

e) Ein Signifikanztest kann je nach Festlegung des Signifikanzniveaus bei demselben Stichprobenergebnis zu gegenteiligen Entscheidungen führen.

11 Einfluss des Signifikanzniveaus bei gleichem Stichprobenumfang

Bei einem Signifikanztest lautet die Nullhypothese über eine Trefferquote H_0: $p = 0,5$. Als Stichprobenumfang wird $n = 250$ gewählt. Das Signifikanzniveau beträgt A: $\alpha = 5\%$; B: $\alpha = 1\%$; C: $\alpha = 10\%$; D: $\alpha = 2,5\%$.

a) Wie ist jeweils bei einem Stichprobenergebnis von 108 Treffern zu entscheiden?

b) Ein Mediziner führt bei einem Test für ein Medikament zunächst eine Stichprobe durch und wählt dann das Signifikanzniveau. Was halten Sie von diesem Vorgehen?

> Liegt ein Stichprobenergebnis im Ablehnungsbereich, so spricht man bei $\alpha = 5\%$ von einer signifikanten und bei $\alpha = 1\%$ sogar von einer hochsignifikanten Abweichung.

12 Einfluss des Stichprobenumfangs bei gleicher absoluter Abweichung

Bei einem Signifikanztest lautet die Nullhypothese H_0: $p = 0,5$. Als Signifikanzniveau wird 5% gewählt. Der Stichprobenumfang beträgt A: $n = 100$; B: $n = 200$; C: $n = 400$; D: $n = 500$.

a) Das Stichprobenergebnis weicht um 20 vom Erwartungswert der Testvariablen ab. Wie ist jeweils zu entscheiden?

b) Wie wirkt sich die Wahl des Stichprobenumfangs bei gleicher absoluter Abweichung aus?

13 Einfluss des Stichprobenumfangs bei gleicher prozentualer Abweichung

Bei einem Signifikanztest lautet die Nullhypothese H_0: $p = 0,5$. Als Signifikanzniveau wird 5% gewählt. Der Stichprobenumfang beträgt A: $n = 100$; B: $n = 200$; C: $n = 400$; D: $n = 500$.

a) Das Stichprobenergebnis weicht um 10% vom Erwartungswert der Testvariable ab. Wie ist jeweils zu entscheiden?

b) Wie wirkt sich die Wahl des Stichprobenumfangs bei gleicher prozentualer Abweichung aus?

Zeit zu wiederholen

14 Bringen Sie die Terme auf einen gemeinsamen Nenner.

a) $\frac{1}{2} - \frac{1}{x}$ b) $1 + \frac{2}{x^2}$ c) $\frac{1}{x} + \frac{1}{x-1}$ d) $x - \frac{x^2}{x+1}$

15 Wie verhalten sich die Funktionen für $x \to \pm\infty$?

a) $f(x) = \frac{1}{2}x^3 - x^2$ b) $f(x) = 1 - \frac{1}{x^2+1}$ c) $f(x) = x \cdot e^{-x}$ d) $f(x) = \frac{1}{1+2e^{-2x}}$

16 Ordnen Sie jedem skizzierten Graphen eine der folgenden Funktionen richtig zu. Begründen Sie Ihr Vorgehen.

Die Einheiten auf den GTR-Bildern sind in beiden Achsenrichtungen jeweils 1.

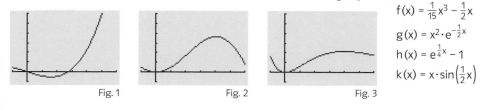

Fig. 1   Fig. 2   Fig. 3

$f(x) = \frac{1}{15}x^3 - \frac{1}{2}x$

$g(x) = x^2 \cdot e^{-\frac{1}{2}x}$

$h(x) = e^{\frac{1}{4}x} - 1$

$k(x) = x \cdot \sin\left(\frac{1}{2}x\right)$

5 Einseitiger Signifikanztest

Ein bewährtes Mittel gegen eine Krankheit heilt erfahrungsgemäß 70 % der behandelten Patienten. Ein Arzneimittelhersteller behauptet, dass sein neues Präparat noch besser heile. Es wird ein Signifikanztest auf dem Signifikanzniveau 5 % mit Stichprobenumfang 200 durchgeführt. Das neue Mittel heilt 155 Patienten. Wie ist zu entscheiden?

Wird von einem Würfel behauptet, dass bei ihm nicht die zu erwartende Anzahl von Sechsen fällt, dann testet man die Nullhypothese H_0: $p = \frac{1}{6}$ gegen die Alternative H_1: $p \neq \frac{1}{6}$ (zweiseitiger Signifikanztest). Wird dagegen behauptet, der Würfel liefert zu wenige bzw. zu viele Sechsen, so wird die Nullhypothese H_0: $p = \frac{1}{6}$ gegen die Alternative $p < \frac{1}{6}$ bzw. $p > \frac{1}{6}$ getestet.

Die Behauptung wird beim einseitigen Test als Alternative zum „Normalfall" H_0 definiert.

Linksseitiger Test

Es wird behauptet, der Würfel liefert zu wenige Sechsen.

Nullhypothese H_0: $p = \frac{1}{6}$

Alternative H_1: $p < \frac{1}{6}$

H_0 wird abgelehnt, wenn deutlich weniger Sechsen fallen, als zu erwarten sind. Der Ablehnungsbereich von H_0 liegt links vom Erwartungswert. Der zugehörige Annahmebereich hat die Form $A = [a; n]$.

Rechtsseitiger Test

Es wird behauptet, der Würfel liefert zu viele Sechsen.

Nullhypothese H_0: $p = \frac{1}{6}$

Alternative H_1: $p > \frac{1}{6}$

H_0 wird abgelehnt, wenn deutlich mehr Sechsen fallen, als zu erwarten sind. Der Ablehnungsbereich von H_0 liegt rechts vom Erwartungswert. Der zugehörige Annahmebereich hat die Form $A = [0; b]$.

Beim linksseitigen Test ist $[0; a-1]$ der Ablehnungsbereich, beim rechtsseitigen Test ist $[b+1; n]$ der Ablehnungsbereich.

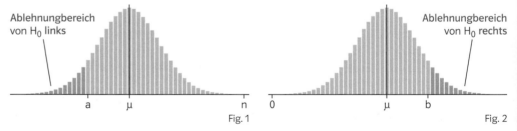

Ablehnungbereich von H_0 links

a μ n

Fig. 1

Ablehnungbereich von H_0 rechts

0 μ b

Fig. 2

Die Irrtumswahrscheinlichkeit, das heißt, die Wahrscheinlichkeit dafür, dass man H_0 verwirft, obwohl H_0 gilt, soll höchstens so groß sein wie das Signifikanzniveau.
Die Irrtumswahrscheinlichkeit gibt die Wahrscheinlichkeit an, dass das Stichprobenergebnis im Ablehnungsbereich liegt.

Wie beim zweiseitigen Signifikanztest wird das Signifikanzniveau, z.B. 5 %, sowie die Zahl n der Würfe, z.B. n = 300, vorgegeben. Als Testvariable wird die Zahl X der Sechsen bei n Würfen und die Trefferwahrscheinlichkeit $p = \frac{1}{6}$ verwendet. Damit die Irrtumswahrscheinlichkeit höchstens 5 % beträgt, ist

a die kleinste Zahl mit $P(X \leq a) > 5\%$, denn dann gilt $P(X < a) \leq 5\%$. Aus der Tabelle auf der nächsten Seite oben ergibt sich für n = 300 der Annahmebereich $A = [40; 300]$. Die Irrtumswahrscheinlichkeit beträgt $P(X \leq 39) = 0{,}0486$.

b die kleinste Zahl mit $P(X \leq b) > 95\%$, denn dann gilt $P(X > b) \leq 5\%$. Aus der Tabelle auf der nächsten Seite oben ergibt sich für n = 300 der Annahmebereich $A = [0; 61]$. Die Irrtumswahrscheinlichkeit beträgt $P(X \geq 62) = 0{,}0402$.

Fallen z.B. bei einer Stichprobe von 300 Würfen nur 35 Sechsen, so wird man die Nullhypothese beim linksseitigen Test verwerfen. Fallen bei 300 Würfen dagegen z.B. 64 Sechsen, so wird man die Nullhypothese beim rechtsseitigen Test verwerfen.

Formel der Summenwerte	Linksseitiger Test	Rechtsseitiger Test
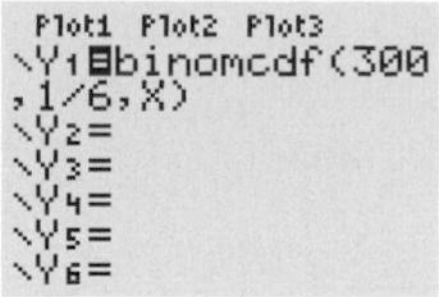 Plot1 Plot2 Plot3 \Y1⊟binomcdf(300 ,1/6,X) \Y2= \Y3= \Y4= \Y5= \Y6=	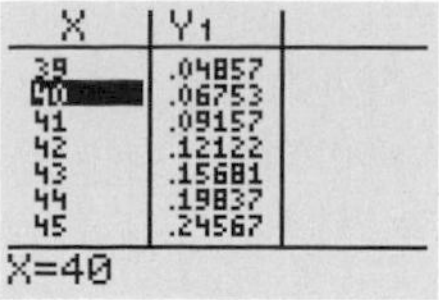 X | Y1 39 | .04857 **40** | .06753 41 | .09157 42 | .12122 43 | .15681 44 | .19837 45 | .24567 X=40	X | Y1 56 | .84308 57 | .87631 58 | .90416 59 | .92701 **60** | .94536 61 | .9598 62 | .97093 X=61

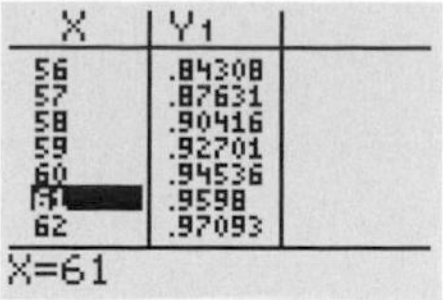

Beim linksseitigen Test ist a die kleinste Zahl, bei der 5% überschritten wird. Beim rechtsseitigen Test ist b die kleinste Zahl, bei der 95% überschritten wird.

Einseitiger Signifikanztest zum Testen einer Nullhypothese H_0: $p = p_0$

1. Man legt den Stichprobenumfang n und das Signifikanzniveau (die maximale Irrtumswahrscheinlichkeit, z. B. 5%) fest.
2. Als Testvariable X verwendet man die Trefferzahl für die Parameter n und p_0.
3.

Linksseitiger Test	Rechtsseitiger Test
Nullhypothese: H_0: $p = p_0$ Alternative: H_1: $p < p_0$	Nullhypothese: H_0: $p = p_0$ Alternative: H_1: $p > p_0$
Man bestimmt den Annahmebereich [a; n] der Nullhypothese. Dazu sucht man aus der Tabelle der kumulierten Wahrscheinlichkeiten von X die kleinste Zahl a heraus, sodass $P(X \le a) > 5\%$.	Man bestimmt den Annahmebereich [0; b] der Nullhypothese. Dazu sucht man aus der Tabelle der kumulierten Wahrscheinlichkeiten von X die kleinste Zahl b heraus, sodass $P(X \le b) > 95\%$.

4. Man führt eine Stichprobe vom Umfang n durch. H_0 wird beibehalten, wenn das Stichprobenergebnis im Annahmebereich liegt, sonst wird H_0 verworfen.

Alternative $p < p_0$: Ablehnungsbereich links.
Alternative $p > p_0$: Ablehnungsbereich rechts.

Man kann auch ein anderes Signifikanzniveau α vorgeben. Dann sind a und b die kleinsten Zahlen mit $P(X \le a) > \alpha$ bzw. $P(X \le b) > 1 - \alpha$.

Beispiel   Auf den Standpunkt kommt es an

Nach einer früheren Umfrage befürworten 70% die Sommerzeit. Zwei Bürgergruppen meinen, dass sich der Anteil in der Zwischenzeit verändert hat. Die Gruppe „Pro Kind" behauptet, dass der Anteil der Befürworter geringer sei und es deshalb besser sei, die Sommerzeit abzuschaffen. Die Gruppe „Freizeit für alle" behauptet, die Sommerzeit habe noch mehr Befürworter und sei unbedingt beizubehalten. Beide Gruppen führen einen Test mit der Nullhypothese H_0: $p = 0,7$ durch mit Stichprobenumfang n = 100 und Signifikanzniveau 5%.

a) Wieso verwendet die Gruppe „Pro Kind" als Alternative H_1: $p < 0,7$? Bestimmen Sie den Annahme- und den Ablehnungsbereich für H_0. Wie würde man bei einem Ergebnis von 60 Befürwortern entscheiden? Wie groß ist die Irrtumswahrscheinlichkeit?

b) Welche Alternative verwendet „Freizeit für alle"? Bei welchen Ergebnissen würde H_0 von der Gruppe „Freizeit für alle" akzeptiert? Wie groß ist die Irrtumswahrscheinlichkeit?

■ Lösung: Beide Gruppen verwenden die binomialverteilte Testvariable
X = „Anzahl der Befürworter der Sommerzeit" mit den Parametern n = 100 und p = 0,7.

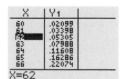

Fig. 1

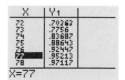

Fig. 2

a) „Pro Kind" verwendet die Alternative H_1: $p < 0,7$, weil H_0 verworfen wird, wenn es deutlich weniger als 70 Befürworter gibt. Annahmebereich (siehe Fig. 1): [62; 100], Ablehnungsbereich: [0; 61].
Die Gruppe „Pro Kind" sieht ihre Behauptung bei nur 60 Befürwortern als bestätigt an (*H_0 wird verworfen*). Die Irrtumswahrscheinlichkeit beträgt $P(X \le 61) = 3,40\%$.

b) „Freizeit für alle" verwendet die Alternative H_1: $p > 0,7$, sodass H_0 verworfen wird, wenn es deutlich mehr als 70 Befürworter gibt. Annahmebereich (siehe Fig. 2): [0; 77], Ablehnungsbereich: [78; 100].
H_0 würde von „Freizeit für alle" bei höchstens 77 Befürwortern akzeptiert.
Die Irrtumswahrscheinlichkeit beträgt $P(X \ge 78) = 1 - P(X \le 77) = 4,79\%$.

Aufgaben

Rechtsseitig testen:
Ablehnungsbereich
rechts.
Linksseitig testen:
Ablehnungsbereich links.

1 Bestimmen Sie bei einem rechtsseitigen Test (r-T) bzw. linksseitigen Test (l-T) auf dem Signifikanzniveau α mit dem Stichprobenumfang n den Annahmebereich und die Irrtumswahrscheinlichkeit der Nullhypothese H_0: $p = p_0$.

a) r-T: $p_0 = 0{,}5$; $n = 125$; $\alpha = 5\%$ b) l-T: $p_0 = 0{,}5$; $n = 125$; $\alpha = 5\%$

c) r-T: $p_0 = 0{,}5$; $n = 125$; $\alpha = 1\%$ d) l-T: $p_0 = \frac{2}{3}$; $n = 125$; $\alpha = 5\%$

2 Bei einem rechtsseitigen Test (r-T) bzw. linksseitigen Test (l-T) der Nullhypothese H_0: $p = p_0$ auf dem Signifikanzniveau α beträgt der Stichprobenumfang n und das Stichprobenergebnis k. Wie ist zu entscheiden?

a) r-T: $p_0 = \frac{2}{3}$; $\alpha = 5\%$ $n = 125$; $k = 90$ b) l-T: $p_0 = 0{,}5$; $\alpha = 1\%$; $n = 125$; $k = 50$

c) r-T: $p_0 = 0{,}5$; $\alpha = 1\%$; $n = 250$; $k = 145$ d) l-T: $p_0 = 0{,}5$; $\alpha = 5\%$; $n = 500$; $k = 265$

3 Die Nullhypothese „Eine Münze zeigt beim Münzwurf mit 50% Wahrscheinlichkeit Kopf als Ergebnis" soll bei dem Stichprobenumfang 300 auf dem Signifikanzniveau 5% getestet werden. Bestimmen Sie den Annahmebereich für einen

a) linksseitigen Test,   b) zweiseitigen Test,   c) rechtsseitigen Test.

4 In einem Zeitungsbericht wird behauptet, dass sich nur 70% der Autofahrer angurten. Ein Autoklub behauptet, dass der Anteil in Wirklichkeit höher ist. Die Polizei meint dagegen, dass der Anteil in Wirklichkeit kleiner ist. Es wird ein Test der Nullhypothese H_0: $p = 0{,}7$ (Stichprobenumfang 134; Signifikanzniveau 5%) durchgeführt.

a) Welche Alternative H_1 und welchen Annahmebereich geben der Autoklub bzw. die Polizei an?

b) Die Stichprobe ergibt, dass 104 Fahrer angegurtet sind. Wie fällt die Entscheidung des Autoklubs bzw. der Polizei aus?

Auch wenn der Geschäftsführer behauptet, dass *mindestens* 96% der Kugelschreiber in Ordnung sind, testet man auf den ungünstigsten Fall 96%. Man schreibt dann auch H_0: $p \geq 0{,}96$.

5 Eine Firma stellt für Werbezwecke billige Kugelschreiber her. Der Geschäftsführer behauptet, dass mindestens 96% der Kugelschreiber in Ordnung sind. Ein Großabnehmer meint, dass es weniger sind. Mit einer Stichprobe von 250 Stück führt der Großabnehmer einen Signifikanztest durch.

a) Bestimmen Sie für ein Signifikanzniveau von 5% den Ablehnungsbereich für die Nullhypothese „Es sind 96% der Kugelschreiber in Ordnung".

b) Wie groß ist die Irrtumswahrscheinlichkeit?

Zusatz
Einseitiger
Signifikanztest
735301-3581

6 Der Bürgermeister einer Stadt plant, den Bau eines Fußballstadions zu bezuschussen, wenn mindestens 65% der Bürger zustimmen. Die Stadtverwaltung behauptet, dass dies der Fall ist. Eine Bürgerinitiative glaubt dagegen, dass der tatsächliche Prozentsatz der Befürworter weniger als 65% beträgt. Zur Überprüfung der Behauptungen wird ein Signifikanztest der Nullhypothese H_0: $p = 0{,}65$ auf dem Signifikanzniveau 5% mit dem Stichprobenumfang $n = 600$ durchgeführt.

a) Wie testet die Stadtverwaltung? Bei welchen Ergebnissen sieht sie sich bestätigt?

b) Wie testet die Bürgerinitiative? Bei welchen Ergebnissen sieht sie sich bestätigt?

c) Bei welchen Stichprobenergebnissen kann weder die Stadtverwaltung noch die Bürgerinitiative die Nullhypothese verwerfen?

7 a) Beschreiben Sie, wie bei einem Bernoulli-Versuch ein rechtsseitiger Signifikanztest auf dem Signifikanzniveau 5% mit dem Stichprobenumfang 250 für die Nullhypothese H_0: $p = 0{,}3$ durchgeführt wird.
b) Wie entscheiden Sie bei einem Stichprobenergebnis von 85 Treffern?
c) Wie groß ist die Irrtumswahrscheinlichkeit?

Fig. 1

8 Alexandra hat das Glücksrad in Fig. 1 gebaut. Yannick behauptet, dass das Rad eiert und dass daher Blau mit geringerer Wahrscheinlichkeit als $\frac{1}{4}$ erscheint. Yannick führt einen Signifikanztest auf dem Signifikanzniveau 5% durch, um seine Behauptung zu überprüfen.
a) Der Stichprobenumfang beträgt 150. Bei welchen Stichprobenergebnissen sieht Yannick seine Behauptung bestätigt?
b) Wie ist bei dem Test zu entscheiden, wenn man 300-mal dreht und 64-mal Blau erscheint?
c) Wie ist bei dem Test zu entscheiden, wenn man 600-mal dreht und 128-mal Blau erscheint?

Wo bleibt der faire Zufall?
Skandalös: Euromünze zeigt häufiger Kopf als Zahl

Die *Süddeutsche Zeitung* hat es mit einem spektakulären Selbsttest ans Tageslicht gezerrt: Die deutschen Ein-Euro-Münzen versagen angeblich beim bewährten „Kopf-oder-Zahl-Spiel". Von 250 Würfen brachten bei den Bayern 141 das Ergebnis „Kopf" und nur 109-mal schillerte die Zahl. Das kann doch nicht wahr sein, dachten wir, und wiederholten das Experiment – mit der gleichen erschreckenden Tendenz: 135-mal kam der Adler und 115-mal die Zahl. Nicht auszudenken, wie leicht sich mit diesem Wissen alle möglichen Spiele manipulieren lassen. Dumm wären Mannschaftskapitäne beim Fußball, wenn sie nicht stets beim Furowurf vor dem Anpfiff auf den grimmig schauenden Geier setzten. Die Chance, sich den Anstoß oder die beliebtere Spielrichtung für die erste oder zweite Halbzeit zu sichern, steigt mit der überdurchschnittlichen Kopf-Rate. Oder die Tennisspielerin wählt zuerst die Schattenseite des Platzes, weil bis zum Wechsel auf die andere Platzhälfte die ärgste Hitze vorüber ist. Vielleicht startet auch jemand eine „Initiative für fairen Zufall" und bringt zum Glückswurf wieder eine Deutsche Mark ins Spiel. Die sollte sich schließlich strikt an die Wahrscheinlichkeitstheorie halten. Oder haben die Journalisten jahrzehntelang noch einen anderen Skandal verschlafen?

Lutz Kosbach

9 Testen Sie die Hypothese „Ein-Euro-Münzen zeigen beim Münzwurf bevorzugt das Ergebnis Kopf" in Ihrem Kurs rechtsseitig auf dem Signifikanzniveau 5%.
Jede(r) Kursteilnehmer(in) soll 25-mal eine Ein-Euro-Münze werfen.

10 Ein Medikament A heilt eine Krankheit bei 85% der Patienten. Ein konkurrierender Arzneimittelhersteller behauptet, dass sein Medikament B noch besser wirkt, und führt eine Testreihe an 108 Patienten durch. Bei wie vielen Patienten muss das Medikament B die Krankheit mindestens heilen, damit man auf einem Signifikanzniveau von 5% bzw. 1% bzw. 0,1% bei Medikament B von einer besseren Wirkung als bei Medikament A ausgehen kann?

11 Die Umfrageergebnisse einer Partei P lagen bisher bei 36%. Nach einer Werbekampagne hofft der Parteivorstand, dass nun der Wähleranteil größer geworden ist.
Sie sollen untersuchen, ob der Wähleranteil nach der Kampagne gestiegen ist.
a) Beschreiben Sie, wie Sie dabei mithilfe eines Signifikanztests vorgehen.
b) Sie führen zu Ihrem Test eine Befragung durch. Zu welchem Ergebnis gelangen Sie, wenn 39% der Befragten angeben, dass sie Wähler der Partei P sind?

12 Wahr oder falsch?
a) Wenn man die Nullhypothese annimmt, ist sie auch richtig. Denn sonst könnte man ja gar nicht den Annahmebereich bestimmen.
b) Bei größerem Signifikanzniveau wird auch der Annahmebereich größer.
c) Die Irrtumswahrscheinlichkeit gibt an, mit welcher Wahrscheinlichkeit die Nullhypothese falsch ist.
d) Wenn man zweimal nacheinander den gleichen Signifikanztest durchführt, kann es sein, dass man unterschiedlich entscheidet.

13 Bei einem Bernoulli-Versuch lautet die Nullhypothese
a) H_0: $p = 0{,}5$;   b) H_0: $p = 0{,}4$;   c) H_0: $p = 0{,}25$;   d) H_0: $p = 0{,}1$.
Es soll ein linksseitiger Signifikanztest auf dem Signifikanzniveau 5% durchgeführt werden. Beginnen Sie mit $n = 100$ und erhöhen Sie den Stichprobenumfang n schrittweise um 100, bis die Nullhypothese zu verwerfen ist, wenn ein Stichprobenergebnis um mindestens 10% vom Erwartungswert abweicht. Bei welchem Stichprobenumfang ist das zum ersten Mal der Fall?

6 Stetige Zufallsvariable: Integrale besuchen die Stochastik

Zufallszahlen mit dem GTR

```
MATH NUM CPX PRB
1:rand
2:nPr
3:nCr
4:!
5:randInt(
6:randNorm(
7:randBin(
```

Taschenrechner und Tabellenkalkulationen erzeugen Zufallszahlen zwischen 0 und 1.
– Wie oft erhält Ihr ganzer Kurs in zwei Minuten die 0,7 die 0,72, die 0,723, die 0,272 33 oder die 0,272 333 333?
– Welche Rolle spielt die Anzahl der eingestellten Nachkommastellen?
– Wie groß sind die zugehörigen Wahrscheinlichkeiten?

Bisher ging es in der Stochastik um **ganzzahlige Zufallsvariable** wie Trefferzahlen oder Punkt-summen. Deren Wahrscheinlichkeiten konnte man oft mit der Pfad- und der Summenregel berechnen und in Tabellen darstellen. In den folgenden Abschnitten wird es um **reellwertige Zufallsvariable** X wie Zufallsdezimalzahlen, Körpergrößen, Geschwindigkeiten, Wartezeiten … mit prinzipiell **beliebig vielen Nachkommastellen** gehen.

Um solche Zufallsvariablen durch Wahrscheinlichkeiten beschreiben zu können, greift man auf Integrale zurück und erweitert damit auch den Einsatzbereich der Integralrechnung erheblich. Das wird an einem anschaulichen Beispiel erläutert:
Es regnet auf einen runden Gartentisch mit Radius 10 (in Dezimeter). Fig. 1 vermittelt einen Ein-druck von den auf dem Tischtuch gleichmäßig verteilten Tropfen. Wie sich die Abstände X der Regentropfen zum Tischmittelpunkt verteilen, zeigt Fig. 2 für Kreisringe der Breite 1. Große Abstände scheinen wahrscheinlicher zu sein als kleine.

® Excel
Simulation:
Kreisregen.xls

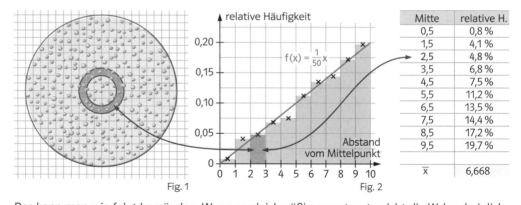

Mitte	relative H.
0,5	0,8 %
1,5	4,1 %
2,5	4,8 %
3,5	6,8 %
4,5	7,5 %
5,5	11,2 %
6,5	13,5 %
7,5	14,4 %
8,5	17,2 %
9,5	19,7 %
$\overline{x}$	6,668

Fig. 1 Fig. 2

Das kann man wie folgt begründen: Wenn es gleichmäßig regnet, entspricht die Wahrscheinlich-keit, dass der Abstand X (das ist eine reellwertige Zufallsvariable) im Intervall $[x - 0{,}5;\ x + 0{,}5]$ liegt, dem Flächenanteil des Kreisrings (mit der Länge $\approx 2\pi x$ und der Breite 1) an der gesamten Kreisfläche $10^2\pi = 100\pi$, es gilt $P(x - 0{,}5 \le X \le x + 0{,}5) \approx \frac{2\pi x \cdot 1}{100\pi} = \frac{1}{50} \cdot x$. Diese Wahrscheinlichkeit nimmt proportional mit dem Radius x zu. Man kann sie im Sinne einer Integralnäherung als Rechtecksfläche mit Breite 1 und Höhe $f(x) = \frac{1}{50} x$ deuten. (In Fig. 2 haben die Rechtecksflächen die Bedeutung der zugehörigen relativen Häufigkeiten.)
Man erkennt: Die Wahrscheinlichkeit, dass der Abstand X in einem beliebigen Intervall [r; s] liegt, lässt sich als Integral $P(r \le X \le s) = \int_r^s f(x)\,dx = \int_r^s \frac{1}{50} x\,dx = \frac{1}{100}(s^2 - r^2)$ berechnen.

Tatsächlich stimmt das Integrationsergebnis mit dem Anteil des Kreisrings an der gesamten Kreisfläche $P(r \le X \le s) = \frac{\text{Kreisringfläche}}{\text{Kreisfläche}} = \frac{s^2\pi - r^2\pi}{100\pi} = \frac{1}{100}(s^2 - r^2)$ überein.

Eine Funktion f, aus der man Wahrscheinlichkeiten durch Integration erhält, bezeichnet man als **Wahrscheinlichkeitsdichte**.
Die Funktionswerte $f(x)$ sind aber – anders als im diskreten Fall – keine Wahrscheinlichkeiten mehr. Die Wahrscheinlichkeit, dass die Zufallsvariable X genau den Wert x annimmt, ist exakt null. Das wird auch am Regentropfenbeispiel klar: Die Kreislinie mit Radius x hat keine Fläche. Deswegen sind auch die Wahrscheinlichkeiten zu offenen und geschlossenen Intervallen gleich, es gilt $P(r \leq X \leq s) = P(r < X < s)$.

Wahrscheinlichkeitsdichten kann man deuten als „Wahrscheinlichkeit je Intervallbreite" (vgl. Aufgabe 6, Seite 381).

Definition: Eine Funktion f heißt **Wahrscheinlichkeitsdichte** über einem Intervall I, z.B. $I = [a; b]$ oder $I = (a; b)$, wenn gilt:

(1) $f(x) \geq 0$ für alle x aus I und

(2) $\int_a^b f(x)\,dx = 1$.

Eine reellwertige Zufallsvariable X mit Werten im Intervall I heißt **stetig verteilt** mit der Wahrscheinlichkeitsdichte f, wenn für alle r, s aus I gilt $P(r \leq X \leq s) = \int_r^s f(x)\,dx$.

Die Bedingung (1) stellt sicher, dass die Wahrscheinlichkeiten der Teilintervalle nicht negativ sind.
Wegen (2) beträgt die Wahrscheinlichkeit des gesamten Intervalls 100 %.

Statt Wahrscheinlichkeitsdichte sagt man auch kurz **Dichtefunktion**.

Empirische Größen – Prognosen

Der mittlere Abstand $\overline{x} = \frac{1}{1000}(x_1 + x_2 + \ldots + x_{1000})$ der 1000 Regentropfen vom Ursprung in Fig. 1, Seite 360, beträgt 6,668 (dm). Diesen **Mittelwert** hätte man vorab mithilfe der Wahrscheinlichkeitsdichte (bis auf Zufallsschwankungen) durch das Integral

$$\mu = \int_0^{10} x \cdot f(x)\,dx = \int_0^{10} x \cdot \frac{1}{50}x\,dx = \left[\frac{1}{150}x^3\right]_0^{10} = 6\frac{2}{3} \text{ vorhersagen können.}$$

Deswegen nennt man μ den **erwarteten Mittelwert** oder kurz den **Erwartungswert**.
Begründung: Die Regentropfen z.B. im dritten Kreisring $2 < X < 3$ (mit Mittellinie bei $m_3 = 2{,}5$ und relativer Häufigkeit $h_3 = 4{,}8\,\%$) liefern zum Mittelwert $\overline{x}$ den Beitrag $\approx m_3 \cdot h_3 = 2{,}5 \cdot 0{,}048$. Entsprechendes gilt für die anderen Kreisringe. Man erkennt, dass man den Mittelwert über die Häufigkeitsverteilung näherungsweise berechnen kann als:
$\overline{x} \approx m_1 \cdot h_1 + \ldots + m_{10} \cdot h_{10} = 0{,}5 \cdot 0{,}008 + \ldots + 9{,}5 \cdot 0{,}197$.
Diese Summe ist eine Rechtecknäherung zum Integral $\int_0^{10} x \cdot f(x)\,dx$.

Neben dem Erwartungswert ist auch die **Standardabweichung** $\sigma = \sqrt{\int_0^{10}(x-\mu)^2 \cdot f(x)\,dx}$ eine gebräuchliche Kenngröße. Sie „misst", wie sehr die Werte der Zufallsvariablen X um den Erwartungswert μ schwanken, und sagt voraus, welchen Wert die **empirische Standardabweichung** $s_X = \sqrt{\frac{1}{1000}\left((x_1 - \overline{x})^2 + (x_2 - \overline{x})^2 + \ldots + (x_{1000} - \overline{x})^2\right)}$ ungefähr haben wird.

Erwartungswert und Standardabweichung sind „theoretische Modellgrößen", die sich aus der Wahrscheinlichkeitsdichte berechnen lassen. Mittelwert und empirische Standardabweichung ergeben sich dagegen im Anschluss an eine Datenerhebung.

Man beachte die Analogie zu den entsprechenden Kenngrößen ganzzahliger (diskreter) Zufallsvariablen:
$\mu = x_1 \cdot p(X = x_1) + \ldots$
$\qquad \ldots + x_n \cdot p(X = x_n)$
$\sigma = \sqrt{(x_1 - \mu)^2 \cdot p(X = x_1)}$
$\qquad \overline{}$
$\qquad \overline{(x_n - \mu)^2 \cdot p(X = x_n)}$
Im Regentropfenbeispiel hat man
$\sigma = \sqrt{\int_0^{10}\left(x - 6\frac{2}{3}\right)^2 \cdot \frac{1}{50}x\,dx}$
$= 2{,}36.$
und $s = 2{,}41$.

Definition: Eine Zufallsvariable X mit Werten zwischen a und b und der Wahrscheinlichkeitsdichte f besitzt den

Erwartungswert $\mu = \int_a^b x \cdot f(x)\,dx$ und die

Standardabweichung $\sigma = \sqrt{\int_a^b(x-\mu)^2 \cdot f(x)\,dx}$.

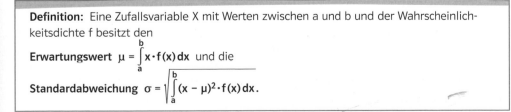

Beispiel 1 Wahrscheinlichkeitsdichte

Die Länge von Natursteinen weicht nach Angaben des Herstellers vom Sollmaß um maximal ±1 (cm) ab, wobei die Wahrscheinlichkeiten von Abweichungen (die Abweichungen sind hier die Werte einer Zufallsvariablen) durch die Wahrscheinlichkeitsdichte f mit $f(x) = k \cdot (1 - x^2)$ über dem Intervall $[-1; 1]$ beschrieben werden soll.

a) Bestimmen Sie k so, dass f eine Wahrscheinlichkeitsdichte wird.

X ist die stetige Zufalls-variable mit Dichte f.

b) Wie groß ist die Wahrscheinlichkeit $P(0,4 < X ≤ 0,9)$ einer Abweichung zwischen 0,4 und 0,9 cm, wenn Sie für k den Wert aus a) verwenden?

c) Berechnen Sie den Erwartungswert μ und die Standardabweichung σ.

■ Lösung: a) Es gilt $f(x) ≥ 0$ für $-1 ≤ x ≤ 1$

und wegen $\int_{-1}^{1} k(1 - x^2)\, dx = k \cdot \left[x - \frac{1}{3}x^3\right]_{-1}^{1} = k \cdot \frac{4}{3} = 1$ muss gelten $k = \frac{3}{4}$.

b) Wegen $P(0,4) = 0$ gilt

$P(0,4 < X ≤ 0,9) = P(0,4 ≤ X ≤ 0,9) = \int_{0,4}^{0,9} \frac{3}{4}(1 - x^2)\, dx$

$\quad = \frac{3}{4} \cdot \left[x - \frac{1}{3}x^3\right]_{0,4}^{0,9} = 0,20875$ (Fig. 1)

c) Erwartungswert: $\mu = \int_{-1}^{1} \frac{3}{4}x(1 - x^2)\, dx = 0$,

Standardabweichung: $\sigma = \sqrt{\int_{-1}^{1} \frac{3}{4} \cdot (x - 0)^2 \cdot (1 - x^2)\, dx} = \sqrt{\frac{1}{5}} \approx 0,45$.

![∫f(x)dx=.20875]
Fig. 1

Beispiel 2 Theorie und Experiment: Ein Vergleich mit dem GTR

Taschenrechner liefern über $[0; 1]$ gleichmäßig verteilte Zufallszahlen X, wobei X eine Zufallsvariable mit Wahrscheinlichkeitsdichte $f(x) = 1$ ist.

Der GTR liefert Zufalls-dezimalzahlen $0 < X < 1$.

```
rand(100)→L₁
(.911 .774 .777…
mean(L₁)
          .468
stdDev(L₁)
          .299
■
```
Annes Simulation   Fig. 2

a) Bestimmen Sie den Erwartungswert μ und die Standardabweichung σ.

b) Erzeugen Sie eine Liste mit 100 solcher Zufallszahlen und vergleichen Sie deren Mittelwert $\bar{x}$ mit μ und deren empirische Standardabweichung s mit σ.

■ Lösung: a) $\mu = \int_{0}^{1} x \cdot 1\, dx = \left[\frac{1}{2}x^2\right]_{0}^{1} = \frac{1}{2}$

$\sigma = \sqrt{\int_{0}^{1} \left(x - \frac{1}{2}\right)^2 \cdot 1\, dx} \approx 0,29$

```
rand(100)→L₁
(.984 .890 .149…
mean(L₁)
          .524
stdDev(L₁)
          .293
```
Noras Simulation   Fig. 3

b) Wie die Simulationen von Anne und Nora zeigen, schwanken die Mittelwerte 0,468 und 0,524 um den „theoretischen" Erwartungswert $\mu = 0,5$, die empirischen Standardabweichungen 0,299 und 0,293 schwanken um die „theoretische" Standardabweichung $\sigma = 0,29$.

Aufgaben

1 a) Weisen Sie nach, dass $f(x) = 0,5$ über $[0; 2]$ eine Wahrscheinlichkeitsdichte zu einer Zufallsvariaben X ist.

b) Berechnen Sie $P(X = 1)$ und $P(1 < X < 2)$.

c) Begründen Sie, dass gilt: $\mu = 1$ und $\sigma = \sqrt{\frac{1}{3}}$.

d) Durch welche Wahrscheinlichkeitsdichten lassen sich Zufallsvariable beschreiben, die über dem Intervall I gleichmäßig verteilt sind, wenn gilt $I = [0; 5]$; $I = [0; 10]$; $I = [-5; 5]$; $I = [0; 0,2]$? Verallgemeinern Sie.

Die folgenden GTR-Befehle erzeugen gleichmäßig verteilte Zufallszahlen:
2*rand über [0; 2]
5*rand über [0; 5]
10*rand über [0; 10]
10*rand −5 über [−5; 5]
0,2*rand über [0; 0,2]

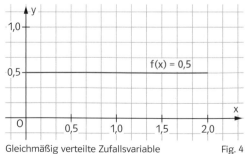
Gleichmäßig verteilte Zufallsvariable   Fig. 4
haben konstante Wahrscheinlichkeitsdichten.

2 Dreiecksverteilung

a) Weisen Sie nach, dass die „Dreiecks-
funktion" f mit $f(x) = \begin{cases} x; & 0 \leq x \leq 1 \\ 2 - x; & 1 \leq x \leq 2 \end{cases}$
über [0; 2] eine Wahrscheinlichkeitsdichte ist.

b) Lesen Sie die folgenden Wahrscheinlichkeiten ab: $P(X = 0)$; $P(X = 1)$; $P(X < 0,5)$;
$P(0,5 \leq X \leq 1,5)$.

c) Berechnen Sie den Erwartungswert μ und
die Standardabweichung σ.

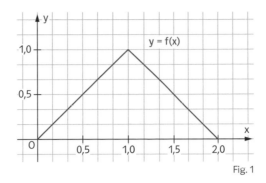

Fig. 1

Die Zufallsvariable X, die entsteht, wenn man zwei Zufallszahlen addiert, hat die Wahrscheinlichkeits-dichte f. Das können Sie experimentell mit dem GTR prüfen.

3 Runder Bierfilz

Es regnet gleichmäßig auf einen kreisförmigen Bierfilz mit Radius 5 (cm).

a) Bestimmen Sie die Wahrscheinlichkeitsdichte des Abstands X eines Regentropfens vom
Mittelpunkt.

b) Bestimmen Sie den zur Wahrscheinlichkeitsdichte aus a) gehörenden Erwartungswert μ.

c) Bestimmen Sie zur Wahrscheinlichkeitsdichte aus a) die Standardabweichung σ.

Orientieren Sie sich an dem Beispiel aus dem Lehrtext.

4 Quadratischer Tisch

Es regnet gleichmäßig auf einen quadratischen Tisch mit der Seitenlänge 20 (in Dezimeter). Die Zufallsvariable $S = X + Y$ ist die
Summe der Koordinaten eines Regentropfens.

a) Markieren Sie alle Punkte, für die gilt
$S = 0$; $S = 20$; $S = 40$; $1 < S < 2$. Bestimmen
Sie $P(0 < S < 10)$ und $P(10 < S < 20)$.

b) Begründen Sie: Die Wahrscheinlichkeitsdichte des Abstands X eines Regentropfens
vom Eckpunkt des Tisches links unten (Fig. 2)
ist gegeben durch $f(x) = \frac{1}{400}x$ für $0 \leq x \leq 20$ und $\frac{1}{10} - \frac{1}{400}x$ für $20 \leq x \leq 40$.

c) Bestimmen Sie den Erwartungswert μ und die Standardabweichung σ.

P(19|10)

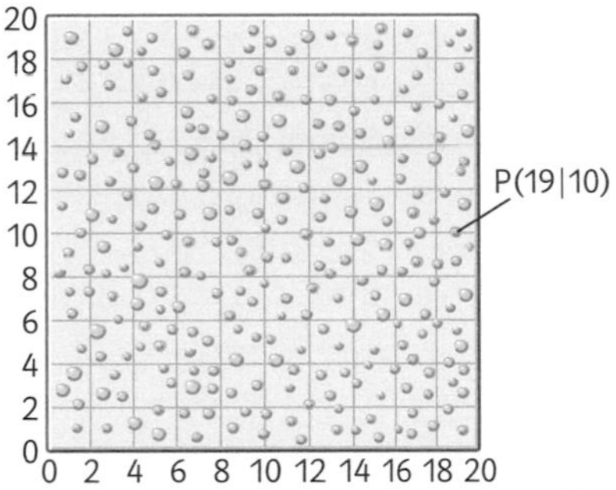

Fig. 2

Wer weiter forschen möchte, untersucht
$T = X - Y$.
Vgl. dazu:

Ⓔ Excel
Quadratregen.xls

5 Münzenwerfen

Niki wirft Münzen so, dass sie möglichst nahe
an einer Wand zu liegen kommen. Die Münzen
prallen aber oft ab und rollen zurück. Der
Abstand X (in Meter) von der Wand ist eine
Zufallsvariable, die man durch die Wahrscheinlichkeitsdichte f mit $f(x) = 3(x - 1)^2$ über [0; 1]
beschreibt.

a) Begründen Sie, dass f tatsächlich eine
Wahrscheinlichkeitsdichte ist, obwohl die
Funktionswerte teilweise größer als 1 sind.

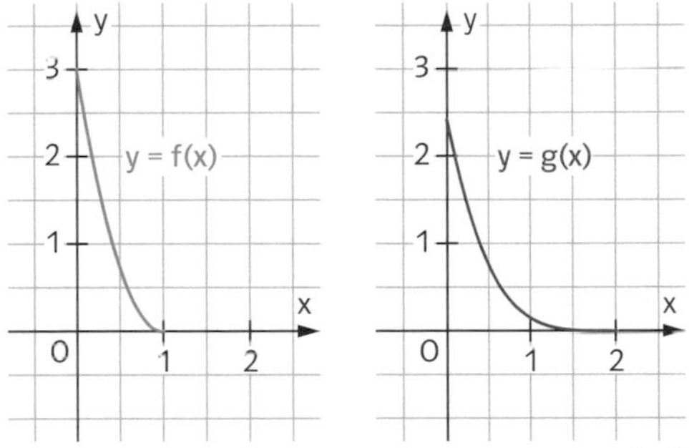

y = f(x)

y = g(x)

Fig. 3

b) Wie groß ist die Wahrscheinlichkeit, dass eine Münze weniger als 0,1 m bzw. weniger als 0,5 m
von der Wand liegen bleibt?

c) Berechnen Sie den Erwartungswert und die Standardabweichung des Abstands X.

d) Tim wirft auch Münzen, seine Abstandsvariable X möchte er aber über [0; 2] durch die
Wahrscheinlichkeitsdichte $g(x) = k(x - 2)^4$ modellieren. Finden Sie durch eine Integration
heraus, welchen Wert k haben muss (vgl. Beispiel 1).

e) Auf den ersten Blick sieht es so aus, als wäre Tim weniger erfolgreich als Niki.
Überprüfen Sie den Eindruck mithilfe von Vergleichsrechnungen wie in den Aufgaben b) und c).

6 Die Dauer X (in min) von Telefonaten in einer Firma wird durch die Wahrscheinlichkeitsdichte f mit $f(x) = e^{-x}$ beschrieben.

a) Bestätigen Sie: f ist über $\mathbb{R}^+$ eine Wahrscheinlichkeitsdichte.

b) Berechnen und deuten Sie $P(1 < X < 2)$.

c) Berechnen Sie den Erwartungswert μ und die Standardabweichung σ.

d) Wie wahrscheinlich ist es, dass ein Gespräch genau „eine Minute" dauert, wenn

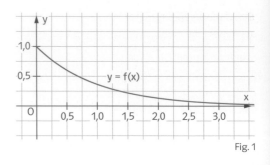

Fig. 1

man die Gesprächsdauer auf Minuten bzw. auf Sekunden bzw. gar nicht rundet?

e) Die Gesprächsdauer in einer anderen Firma wird durch $g(x) = k \cdot e^{-2x}$ beschrieben. Wie muss man k wählen, damit g eine Wahrscheinlichkeitsdichte über $\mathbb{R}^+$ ist?

f) Beantworten Sie die Fragen aus c) und d) für die Wahrscheinlichkeitsdichte g.

<table>
<tr><td>Zur Integration benötigt man den GTR. Wenn man von $-\infty$ bis 3 integrieren möchte, reicht es, als untere Grenze -1000 oder -100 einzusetzen.</td></tr>
</table>

7 Gegeben ist $\varphi(x) = \frac{1}{\sqrt{2\pi}} \cdot e^{-\frac{x^2}{2}}$.

a) Bestätigen Sie, dass $f(x)$ eine Wahrscheinlichkeitsdichte über $\mathbb{R}$ ist.

b) Berechnen Sie $P(2 \le X \le 4)$ und $P(X \le 3)$.

c) Kontrollieren Sie, dass gilt $\mu = 0$ und $\sigma = 1$.

d) Zufällige Messfehler sind oft „glockenförmig verteilt" wie in Fig. 2 mit Dichte φ. Wie wahrscheinlich ist es, dass ein Messwert höchstens zwei Einheiten von 0 abweicht?

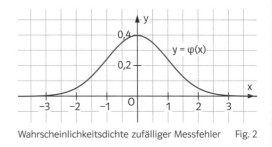

Wahrscheinlichkeitsdichte zufälliger Messfehler   Fig. 2

Zeit zu überprüfen ———————————————————————————————

8 Gegeben ist $f(x) = k(x - x^3)$ mit dem konstanten Faktor k.

a) Wie muss man k wählen, damit $f(x)$ zu einer Wahrscheinlichkeitsdichte über $[0; 1]$ wird?

b) Berechnen Sie $P(0,1 \le X \le 0,2)$. Verwenden Sie dafür das in Aufgabe a) bestimmte k.

c) Berechnen Sie den zugehörigen Erwartungswert und die zugehörige Standardabweichung.

9 a) Stellen Sie Ihren GTR auf 1, 2 oder 3 Nachkommastellen ein. Wie groß ist jeweils die Wahrscheinlichkeit, dass die Anzeige nach Aufruf der Zufallsfunktion über $[0; 1]$ die Zahl 0,2 anzeigt? Stellen Sie diese Wahrscheinlichkeiten als Integrale mithilfe einer Dichtefunktion dar.

b) Wie ändert sich das Ergebnis, wenn Sie die Zufallszahlen statt über $[0; 1]$ über $[0; 2]$ bzw. über $[0; 0,5]$ berechnen lassen?

——

10 Fiffi (F), Gully (G) und Hasso (H) sind Computerspiel-Wachhunde, die sich zufallsabhängig zwischen der linken (-1) und der rechten ($+1$) Begrenzung eines Grundstücks aufhalten. Ihre Position wird durch die Zufallsvariablen F, G und H mit den Dichten f, g und h beschrieben.

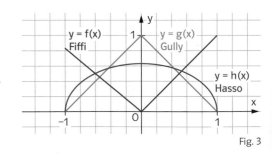

Fig. 3

a) Fassen Sie das unterschiedliche Wachverhalten der Hunde in Worte.

b) Maika meint, dass man Fiffi im Gegensatz zu Gully und Hasso überhaupt nicht dort erwartet, wo der Erwartungswert liegt. Nehmen Sie Stellung.

c) Bestimmen Sie nach Augenmaß für jeden der Hunde $P(-0,1 \le X \le 0,1)$; $P(0,9 < X)$.

Simulation von Zufallszahlen

11 Wenn der GTR für X gleichmäßig über [0; 1] verteilte Zufallszahlen liefert, dann liefert $Y = X*6 + 1$ über [1; 7] gleich verteilte Zufallszahlen.

a) Bestimmen Sie die Wahrscheinlichkeitsdichte, den Erwartungswert und die Standardabweichung zu Y.

b) Überprüfen Sie durch Simulationen, dass der Mittelwert und die empirische Standardabweichung tatsächlich in der Nähe von Erwartungswert und Standardabweichung liegen.

```
rand(100)*6+1→L₁
{3.207 3.528 1.…
mean(L₁)
            4.057
stdDev(L₁)
            1.742
```
Fig. 1

INFO → Aufgabe 12, 13

1. „Neue" Zufallszahlen erzeugen

Wenn man gleichmäßig über [0; 1] verteilte Zufallszahlen X radiziert $(Y = \sqrt{X})$, erhält man wieder Zufallszahlen Y zwischen 0 und 1 (Fig. 2). Y liegt immer dann in [a; b], wenn X in $[a^2; b^2]$ liegt. Damit gilt

$$P(a \leq Y \leq b) = b^2 - a^2 = [x^2]_a^b = \int_a^b 2 \cdot x \, dx.$$

Die zu $Y = \sqrt{X}$ gehörende Wahrscheinlichkeitsdichte ist also $f(x) = 2x$.

2. Mittelwert – Erwartungswert

Wenn man von der Wahrscheinlichkeitsverteilung ausgeht, ist der Erwartungswert $\mu = \int x \cdot f(x) \, dx$ eine Prognose für den zu erwartenden Mittelwert $\bar{x}$.

Wenn man umgekehrt von der Datenerhebung ausgeht, ist der Mittelwert $\bar{x}$ ein Schätzwert für den Erwartungswert der bei der Modellierung zu findenden Wahrscheinlichkeitsverteilung.

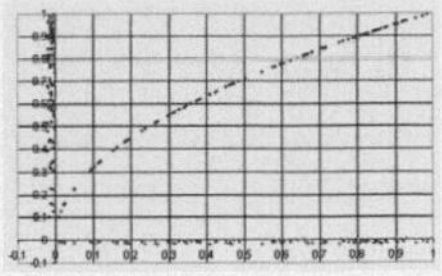

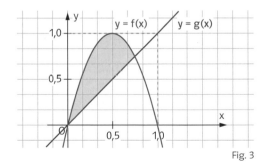

Fig. 2

Während die Zufallszahlen X auf der x-Achse gleichmäßig verteilt sind, häufen sich deren Funktionswerte $Y = \sqrt{X}$ auf der y-Achse bei 1.

---

12 a) Überprüfen Sie durch eine GTR-Simulation die 1. Aussage aus dem Infokasten.

b) Erläutern Sie an diesem Beispiel die 2. Aussage im Infokasten durch Berechnung des Erwartungswertes und Vergleich mit den Mittelwerten.

c) Übertragen Sie die 2. Aussage des Infokastens auf Standardabweichungen.

Die Aufgabe 12 lässt sich gut in Gruppen bearbeiten.

13 a) Bestimmen Sie (arbeitsteilig) die Wahrscheinlichkeitsdichte der Verteilung zu den Zufallszahlen „$X = \text{rand}^2$", „$Y = \text{rand}^4$", „$Z = \text{rand}^{\frac{1}{4}}$" und allgemein „$U = \text{rand}^r$" analog zum Infokasten.

b) Berechnen Sie die Wahrscheinlichkeiten, mit denen sich diese Zufallszahlen auf die Intervalle [0; 0,1]; [0,1; 0,2]; …, [0,9; 1] verteilen. Berechnen Sie die Wahrscheinlichkeitsdichte.

c) Überprüfen Sie Ihre Wahrscheinlichkeiten durch Simulation.

d) Berechnen Sie Erwartungswerte und Standardabweichungen und vergleichen Sie mit Mittelwerten und Stichprobenstandardabweichungen aus Ihren Simulationen.

14 Zufallszahlen und Integrale

X liefert über [0; 1] gleichmäßig verteilte Zufallszahlen. Jan lässt mit seinem Taschenrechner Regentropfen gleichmäßig auf das Einheitsquadrat fallen. Immer dann, wenn der Tropfen im Inneren der Fläche zwischen den Graphen von $f(x) = -4(x - 0,5)^2 + 1$ und $g(x) = x$ landet, nimmt er die erste Koordinate als Zufallszahl X, sonst lässt er den nächsten Tropfen fallen.

Fig. 3

a) Erzeugen Sie mit Ihrem Taschenrechner 20 Zufallszahlen nach Jans Methode und berechnen Sie den Mittelwert und die empirische Standardabweichung.

b) Bestimmen Sie die Wahrscheinlichkeitsdichte zu X und berechnen Sie Erwartungswert und Standardabweichung.

c) Welche Aussagen können Sie ohne Rechnung über die Dichte der Y-Koordinate von Jans Zufallspunkten machen?

7 Die Analysis der Gauß'schen Glockenfunktion

Carl Friedrich Gauß
(1777–1855), einer der
bedeutendsten Mathe-
matiker und Naturwissen-
schaftler aller Zeiten.

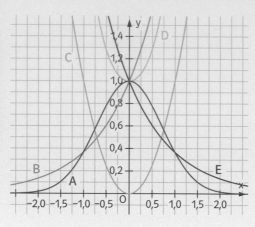

Ordnen Sie die Funktionsterme den nebenstehenden Graphen zu:

$f(x) = e^x$ $\qquad$ $g(x) = x^2$

$h(x) = e^{-x}$ $\qquad$ $i(x) = e^{x^2}$

$k(x) = e^{-x^2}$ $\qquad$ $l(x) = e^{(-x)^2}$

$m(x) = e^{-(x^2)}$

Gauß entdeckte, dass sich z.B. die Wahrscheinlichkeiten zufälliger Messfehler durch glockenförmige Wahrscheinlichkeitsdichten der Form $\varphi_{\mu;\sigma}(x) = \frac{1}{\sigma\sqrt{2\pi}} \cdot e^{-\frac{(x-\mu)^2}{2\sigma^2}}$ beschreiben lassen. Dabei sind μ und σ konstante Parameter.

Die Funktionen werden ihrem Entdecker zu Ehren **Gauß'sche Glockenfunktion** genannt.

Für $\mu = 0$ und $\sigma = 1$ vereinfacht sich die Funktionsgleichung zu $\varphi(x) = \frac{1}{\sqrt{2\pi}} \cdot e^{-\frac{x^2}{2}}$.

Man spricht dann von der **Standard-Glockenfunktion**. Mit ihrer Hilfe kann man auch die Konturen von Binomialverteilungen beschreiben und die Sigma-Regeln begründen.
Hier werden sie zunächst nur aus dem Blickwinkel der Analysis beleuchtet.

Die Konturen der
Binomialverteilungen
sind glockenförmig mit
Wendestellen bei
$\mu \pm \sigma = n \cdot p \pm \sqrt{n\,p(1-p)}$.

Die Bezeichnung μ
(Erwartungswert) und σ
(Standardabweichung)
für die Parameter der
Gauß'schen Glockenfunk-
tion sind damit begrün-
det (vgl. Aufgabe 9).

```
Plot1 Plot2 Plot3
\Y1 normalpdf(X)
\Y2 normalpdf(X,
3,2)
\Y3 normalcdf(-1
00,X,0,1)
\Y4=
```
Fig. 2

Die Grenze $-\infty$ ersetzt
man in der GTR-Praxis
durch negative Zahlen
mit großem Betrag in
Fig. 2 durch „–100".

```
normalcdf(1,3,3,
2)
            .341
```
Fig. 4

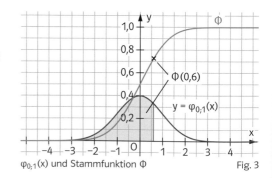
Fig. 5

Die **Graphen der Glockenfunktionen** $\varphi_{\mu;\sigma}$
haben eine Maximalstelle bei $x = \mu$ mit dem

Maximalwert $y_{max} = \frac{1}{\sigma\sqrt{2\pi}} \approx \frac{0{,}4}{\sigma}$;

zwei Wendestellen bei $x = \mu \pm \sigma$ mit dem

Funktionswert $y_w = \frac{1}{\sigma\sqrt{2\pi}} \cdot e^{-\frac{1}{2}} \approx 0{,}6\,y_{max}$.

Je größer σ ist, desto „breiter" und „flacher" ist
der Graph.
Auf dem GTR berechnet man $\varphi_{0;1}$ und $\varphi_{3;2}$ wie
in Fig. 2.

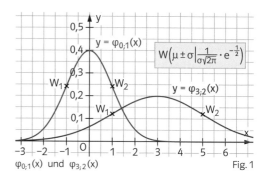

$\varphi_{0;1}(x)$ und $\varphi_{3;2}(x)$ $\qquad$ Fig. 1

Die Gauß'schen Glockenfunktionen $\varphi_{\mu;\sigma}$
kann man nur **numerisch integrieren**.

Wie man $\int_a^b \varphi_{\mu;\sigma}(x)\,dx$ auf dem GTR berechnen
kann, zeigen Fig. 4 und Fig. 5.

Auch die **Integralfunktion** $\Phi(z) = \int_{-\infty}^{z} \varphi_{0;1}(x)\,dx$
der Standard-Glockenfunktion berechnet man
numerisch. Ihr Graph bzw. die zugehörige
Fläche sind in Fig. 3 abgebildet.

$\varphi_{0;1}(x)$ und Stammfunktion Φ $\qquad$ Fig. 3

GTR-Hinweise
735301-3671

Definition: Funktionen $\varphi_{\mu;\sigma}$ mit $\varphi_{\mu;\sigma}(x) = \frac{1}{\sigma\sqrt{2\pi}} \cdot e^{-\frac{(x-\mu)^2}{2\sigma^2}}$ heißen Gauß'sche Glockenfunktionen.

Sie haben eine Maximalstelle bei $x = \mu$ und zwei Wendestellen bei $x = \mu \pm \sigma$.

Es gilt $\int\limits_{-\infty}^{+\infty} \varphi_{\mu;\sigma}(x)\,dx = 1$.

Man kann die Gauß'schen Glockenfunktionen nur numerisch integrieren.

Bemerkung: Aus der *einen* Integralfunktion $\Phi(x) = \int\limits_{-\infty}^{x} \varphi(t)\,dt$ der Standard-Glockenfunktion erhält man Stammfunktionen *aller* Glockenfunktionen $\varphi_{\mu;\sigma}$ durch $\Phi\left(\frac{x-\mu}{\sigma}\right)$. Nach der Kettenregel gilt nämlich $\left(\Phi\left(\frac{x-\mu}{\sigma}\right)\right)' = \Phi'\left(\frac{x-\mu}{\sigma}\right) \cdot \frac{1}{\sigma} = \varphi\left(\frac{x-\mu}{\sigma}\right) \cdot \frac{1}{\sigma} = \varphi_{\mu;\sigma}(x)$.

Damit gilt $\int\limits_{a}^{b} \varphi_{\mu;\sigma}(x)\,dx = \Phi\left(\frac{b-\mu}{\sigma}\right) - \Phi\left(\frac{a-\mu}{\sigma}\right)$. Das ermöglichte früher, mit nur einer Tabelle für Φ alle Glockenfunktionen zu integrieren. Diese Beziehung zwischen den verschiedenen Glockenfunktionen kann man nutzen, um die Sigma-Regeln zu begründen.

Beispiel Skizzieren der Glockenfunktion

a) Bestimmen Sie die Hoch- und Wendepunkte des Graphen von $\varphi_{4;2}$ und skizzieren Sie diesen.

b) Berechnen Sie $\int\limits_{2}^{6} \varphi_{4;2}(x)\,dx$ sowie $\int\limits_{0,5}^{\infty} \varphi_{4;2}(x)\,dx$.

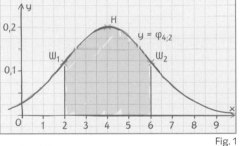

Fig. 1

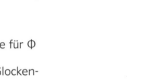

```
normalpdf(4,4,2)
                .20
```
Fig. 2

■ Lösung: a) Man setzt die Maximalstelle $\mu = 4$ in den Funktionsterm $\varphi_{4;2}(x) = \frac{1}{2\sqrt{2\pi}} \cdot e^{-\frac{(x-4)^2}{2\cdot 2^2}}$ ein und erhält den Hochpunkt $H\left(4; \frac{0,4}{2}\right) = (4; 0,2)$.
Zwei Einheiten rechts und links von der Maximalstelle erhält man die Wendepunkte $W_1(2; 0,12)$, $W_2(6; 0,12)$ und damit eine Skizze wie in Fig. 1.

b) $\int\limits_{2}^{6} \varphi_{4;2}(x)\,dx \approx 0,68$ (Fig. 3 bzw. Fig. 4) und

direkte Berechnung

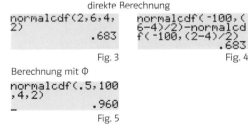

```
normalcdf(2,6,4,
2)
               .683
```
Fig. 3

```
normalcdf(-100,(
6-4)/2)-normalcd
f(-100,(2-4)/2)
               .683
```
Fig. 4

$\int\limits_{0,5}^{\infty} \varphi_{4;2}(x)\,dx = 1 - \int\limits_{0}^{0,5} \varphi_{4;2}(x)\,dx \approx 0,96$ (Fig. 5)

Berechnung mit Φ

```
normalcdf(.5,100
,4,2)
               .960
```
Fig. 5

Aufgaben

1 Bestimmen Sie die Funktionswerte an den Stellen x_1, x_2, x_3, x_4 durch Einsetzen in den Funktionsterm. Kontrollieren Sie anschließend Ihre Ergebnisse mit dem GTR.

a) zu $\varphi(x) = \frac{1}{\sqrt{2\pi}} \cdot e^{-\frac{x^2}{2}}$ für $x_1 = 0$; $x_2 = 1$; $x_3 = 2$; $x_4 = -1,3$

b) zu $\varphi_{3;2}(x) = \frac{1}{2\sqrt{2\pi}} \cdot e^{-\frac{(x-3)^2}{2\cdot 2^2}}$ für $x_1 = 1$; $x_2 = 3$; $x_3 = 4$ und $x_4 = 5$

In Excel berechnet man z. B. $\varphi_{2;3}(1)$ mit =NORMALV(2;3;1;0). Der letzte Parameter 0 bedeutet, dass die Dichte berechnet wird, bei 1 erhält man die Verteilungsfunktion.

2 Skizzieren Sie die Graphen der Funktionen mithilfe der Hoch- und Wendepunkte mit Papier und Bleistift. Kontrollieren Sie Ihre Skizzen anschließend mithilfe von GTR-Plots.

a) $\varphi_{0;1}$ b) $\varphi_{-2;1}$ c) $\varphi_{2;1}$ d) $\varphi_{0;2}$
e) $\varphi_{2;4}$ f) $\varphi_{3;0,5}$ g) $\varphi_{4;0,2}$ h) $\varphi_{4;0,1}$

3 Welche dieser „Glockengraphen" könnten zu Gauß'schen Glockenfunktionen gehören? Begründen Sie Ihre Antwort und schätzen Sie gegebenenfalls die Parameter μ und σ aus der Zeichnung (Fig. 1).

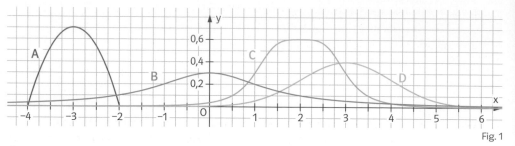

Fig. 1

Tipp:
∞ auf dem GTR durch große Zahlen ersetzen.

4 Schätzen Sie anhand einer Skizze, kontrollieren Sie dann mit dem GTR.

a) $\int_{-\infty}^{1,2} \varphi_{0;1}(x)\,dx$ 　　 b) $\int_{1,15}^{\infty} \varphi_{0;1}(x)\,dx$ 　　 c) $\int_{-0,9}^{0,9} \varphi_{0;1}(x)\,dx$ 　　 d) $\int_{10}^{14} \varphi_{12;1,5}(x)\,dx$ 　　 e) $\int_{-\infty}^{14} \varphi_{12;1,5}(x)\,dx$

5 Bestimmen Sie die ersten beiden Ableitungen der Funktion $\varphi_{0;1}$ und bestätigen Sie die Angaben über Extrem- und Wendepunkte aus dem Lehrtext (Seite 366).

Zeit zu überprüfen ──────────────────────────────

6 a) Bestimmen Sie die Hoch- und Wendepunkte von $\varphi_{12;1,5}$ und skizzieren Sie $\varphi_{12;1,5}$.

b) Schätzen Sie ohne Rechner $\int_{11}^{13} \varphi_{12;1,5}(x)\,dx$.

c) Kontrollieren Sie Ihre Skizze und Ihre Schätzung mithilfe des GTR.

──

Sie sollten zum Zeichnen einen GTR einsetzen.

7 a) Untersuchen Sie an selbst gewählten Funktionstermen wie z.B. $f(x) = 1 - x^2$, wie die Graphen von $f(x)$, $g(x) = f\left(\frac{x}{\sigma}\right)$ und $h(x) = f\left(\frac{x-\mu}{\sigma}\right)$ zusammenhängen.

Sie können sich dabei auf $\sigma = 4$ und $\mu = 2$ beschränken.

b) Begründen Sie: Die Graphen von $\varphi_{\mu;\sigma}$ kann man schrittweise aus dem Graphen von $\varphi_{0;1}$ erzeugen durch

(1) Strecken in x-Richtung mit Faktor σ,

(2) Stauchen in y-Richtung mit Faktor $\frac{1}{\sigma}$ und

(3) Verschieben um μ in x-Richtung.

8 **Integralfunktionen**

Weitere Information zu Integralfunktionen, siehe Seite 381, Aufgabe 7.

a) Skizzieren Sie die Gauß'sche Glockenfunktion $\varphi_{\mu;2}(x)$ für $\mu = 1$ und $\mu = 3$ und die

Integralfunktion $F(x) = \int_{-\infty}^{x} \varphi_{\mu;2}(x)\,dx$ in ein Koordinatensystem.

b) Skizzieren Sie die Gauß'sche Glockenfunktion $\varphi_{2;\sigma}(x)$ für $\sigma = 1$ und $\sigma = 3$ samt

Integralfunktion $F(x) = \int_{-\infty}^{x} \varphi_{2;\sigma}(x)\,dx$ in ein Koordinatensystem.

c) Fassen Sie in eigenen Worten alle Informationen zusammen, die Sie über die Integralfunktionen der Gauß'schen Glockenfunktionen zusammentragen können. Dokumentieren Sie Ihre Ausführungen mithilfe des GTR.

9 Überprüfen Sie mit dem GTR anhand selbst gewählter Werte für μ und σ.

(1) $\int_{-\infty}^{+\infty} x \cdot \varphi_{\mu;\sigma}(x) = \mu$ 　　　　　　　 (2) $\sqrt{\int_{-\infty}^{+\infty} (x-\mu)^2 \cdot \varphi_{\mu;\sigma}(x)\,dx} = \sigma$

8 Die Normalverteilung

Tropfender Wasserhahn

Die Diagramme zeigen die glockenförmigen Häufigkeitsverteilungen der Wartezeit auf den nächsten Tropfen (in Sekunden) bei zwei tropfenden Wasserhähnen. Welcher Hahn tropft „schneller", welcher tropft „regelmäßiger"?

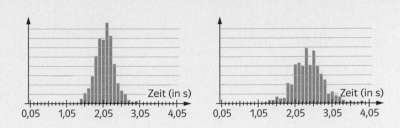

Die Gauß'schen Glockenfunktionen dienen einerseits als **Wahrscheinlichkeitsdichten reellwertiger Zufallsvariablen**. Andererseits beschreiben sie die **Kontur von Binomialverteilungen** und erlauben eine Begründung der Sigma-Regeln bei der Binomialverteilung.
Beide Aspekte werden im Folgenden beleuchtet.

Gauß'sche Glockenfunktion als Wahrscheinlichkeitsdichte (Normalverteilung)

Aufgrund von Messungen weiß man, dass sich die Diagramme zur Verteilung der Körpergröße X (in cm) bei Schülern der Stufe 12 durch die Gauß'sche Glockenfunktion mit $\mu = 173$ und $\sigma = 8$ beschreiben lassen. Fig. 2 zeigt ein Diagramm der Daten sowie den Graphen von $\varphi_{173;8}$.

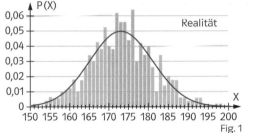

Fig. 1

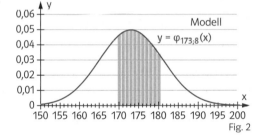

Fig. 2

Von der relativen Häufigkeit zur Normalverteilung siehe:

🔟 **Excel**
Simulieren – Normalverteilung – Modellieren – Normalverteilung – Kaffeebohnengewicht

Relative Häufigkeiten und Gauß-Glocke

Da in Fig. 1 die Breite der Rechtecke über den Körpergrößen jeweils 1 ist, entsprechen die Flächen der Rechtecke den relativen Häufigkeiten. Die Glockenfunktion begrenzt die erwarteten relativen Häufigkeiten, also die **Wahrscheinlichkeiten** (Fig. 2). Daher beträgt die Wahrscheinlichkeit, dass ein zufällig ausgewählter Schüler eine Körpergröße X zwischen 170 und 180 besitzt,

$$P(170 \leq X \leq 180) = \int_{170}^{180} \varphi_{173;8}(x)\,dx = \Phi\left(\frac{180-173}{8}\right) - \Phi\left(\frac{170-173}{8}\right) \approx 45{,}5\,\%.$$

```
normalcdf(170,18
0,173,8)
            .455
■
```
Fig. 3

Die Gauß'sche Glockenfunktion $\varphi_{173;8}$ ist damit die Wahrscheinlichkeitsdichte der Körpergröße X. Da viele Zufallsvariable solche Wahrscheinlichkeitsdichten haben, definiert man:

> **Definition:** Eine stetige Zufallsvariable X heißt **normalverteilt** mit den Parametern μ und σ, wenn sie eine Gauß'sche Glockenfunktion $\varphi_{\mu;\sigma}$ als Wahrscheinlichkeitsdichte besitzt.

Man kann nachrechnen, dass bei der Normalverteilung der Parameter μ der Erwartungswert und der Parameter σ die Standardabweichung ist (siehe Randspalte). Darüber hinaus gelten für jede normalverteilte Zufallsvariable X die Sigma-Regeln exakt, denn man hat

$$P(\mu - \sigma \leq X \leq \mu + \sigma) = \int_{\mu-\sigma}^{\mu+\sigma} \varphi_{\mu;\sigma}(x)\,dx = \Phi\left(\frac{\mu+\sigma-\mu}{\sigma}\right) - \Phi\left(\frac{\mu-\sigma-\mu}{\sigma}\right) = \Phi(1) - \Phi(-1) \approx 68{,}3\,\%,$$

$$P(\mu - 2\sigma \leq X \leq \mu + 2\sigma) = \Phi(2) - \Phi(-2) \approx 95{,}4\,\%;\quad P(\mu - 3\sigma \leq X \leq \mu + 3\sigma) = \Phi(3) - \Phi(-3) \approx 99{,}7\,\%.$$

Nach Aufgabe 9, Seite 368 gilt:
$$\int_{-\infty}^{+\infty} x \cdot \varphi_{\mu;\sigma}(x) = \mu,$$

$$\sqrt{\int_{-\infty}^{+\infty} (x-\mu)^2 \cdot \varphi_{\mu;\sigma}(x)\,dx} = \sigma.$$

Gauß'sche Glockenfunktion und Binomialverteilung

Kurz: Der Graph von $\varphi_{\mu;\sigma}$ ist die früher anschaulich benutzte Kontur der Binomialverteilung.

```
binompdf(50,0.4,
22)
            .0959
normalpdf(22,20,
√(12))
            .0975
            .0975
binomcdf(50,0.4,
23)-binomcdf(50,
0.4,16)
            .6877
normalcdf(16,5,2
3,5,20,√(12))
            .6877
```
Fig. 2

Die glockenförmigen Konturen der Binomialverteilungen mit den Parametern n und p haben ein Maximum beim Erwartungswert np und Wendestellen bei $np \pm \sqrt{n \cdot p(1-p)}$ – genau wie die Graphen von $\varphi_{\mu;\sigma}$ mit $\mu = np$ und $\sigma = \sqrt{n \cdot p(1-p)}$. Da auch die Flächen jeweils den Wert 1 besitzen, passen Binomialverteilungen und zugehörige Gauß'sche Glockenfunktionen gut zusammen.
So stimmt in Fig. 1 für die binomialverteilte Zufallsvariable X mit $n = 50$; $p = 0,4$; $\mu = 20$; $\sigma = \sqrt{12} \approx 3,46$ die Wahrscheinlichkeit $P(X = 22) = B_{20;\,0,4}(22) = 0,0959$ mit dem Funktionswert $\varphi_{20;\sqrt{12}}(22) = 0,0975$ gut überein. Ebenso kann man die Wahrscheinlichkeit, dass X in einem Intervall liegt, durch Integrale annähern. In Fig. 1 gilt $P(17 \le X \le 23) \approx \int\limits_{16,5}^{23,5} \varphi_{20;\sqrt{12}}(x)\,dx$ (vgl. Fig. 2).

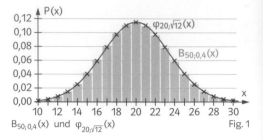

$B_{50;0,4}(x)$ und $\varphi_{20;\sqrt{12}}(x)$ Fig. 1

© CAS
Binomialverteilung und Gaußglocke

Dabei beachtet man, dass die Säulen der „Binomialdiagramme" bei 16,5 beginnen und bei 23,5 enden, die Integration also über [16,5; 23,5] erfolgt. Diese Vergrößerung des Integrationsintervalls bezeichnet man als **Stetigkeitskorrektur**, die man verwendet, wenn mit der Gauß'schen Glockenfunktion ganzzahlige Zufallsvariable beschrieben werden sollen.

Binomialverteilte Zufallsvariablen sind annähernd normalverteilt.

Satz: Für binomialverteilte Zufallsvariable X mit $\mu = np$ und $\sigma = \sqrt{np \cdot (1-p)}$ gilt die Näherung (a) $P(X = k) = B_{n;p}(k) \approx \varphi_{\mu;\sigma}(k)$ und (b) $P(a \le X \le b) \approx \int\limits_{a-0,5}^{b+0,5} \varphi_{\mu;\sigma}(x)\,dx$.

Weitere nützliche Werte:

Intervall-radius	zugehörige Wahrscheinlichkeit
$0,674\,\sigma$	50%
$1,281\,\sigma$	80%
$1,645\,\sigma$	90%
$1,960\,\sigma$	95%
$2,576\,\sigma$	99%

```
normalcdf(-100,5
2,54,2)
            .1587
```
Fig. 3

Die Aufgaben a) und b) haben die gleiche Lösung.

Die Annäherung der Binomialverteilung durch die Normalverteilung macht im Nachhinein verständlich, warum man die Standardabweichung bei Binomialverteilungen über den Wendepunktabstand „definieren" kann – und begründet auch die auf der Seite 349 experimentell gewonnene Sigma-Regel für binomialverteilte Zufallsvariable.

$$P(\mu - \sigma \le X \le \mu + \sigma) \approx \int\limits_{\mu-\sigma-0,5}^{\mu+\sigma+0,5} \varphi_{\mu;\sigma}(x)\,dx \approx \int\limits_{\mu-\sigma}^{\mu+\sigma} \varphi_{\mu;\sigma}(x)\,dx \approx 0,68$$

Beispiel 1 Stetige Zufallsvariable
Das Gewicht X (in Gramm) von Rosinenbrötchen lässt sich durch eine Normalverteilung mit $\mu = 54$ und $\sigma = 2$ beschreiben.
Wie groß ist die Wahrscheinlichkeit, dass für ein zufällig herausgegriffenes Brötchen gilt
a) $X < 52$; b) $X \le 52$; c) $52 \le X \le 54$; d) $56 \le X$?

■ Lösung: a), b) $\int\limits_{-\infty}^{52} \varphi_{54;2}(x)\,dx \approx 15{,}87\%$; c) $\int\limits_{52}^{54} \varphi_{54;2}(x)\,dx \approx 34{,}13\%$; d) $\int\limits_{56}^{\infty} \varphi_{54;2}(x)\,dx \approx 15{,}87\%$

Beispiel 2 Ganzzahlige Zufallsvariable
Die Anzahl Z der Rosinen in Rosinenbrötchen lässt sich näherungsweise durch eine Normalverteilung mit $\mu = 14{,}2$ und $\sigma = 3{,}5$ beschreiben. Wie groß ist die Wahrscheinlichkeit, dass ein zufällig ausgesuchtes Brötchen
a) genau 14 Rosinen enthält, b) zwischen 12 und 16 Rosinen enthält?
■ Lösung: *Wegen der ganzzahligen Zufallsvariablen rechnet man mit Stetigkeitskorrektur.*

a) $\int\limits_{13,5}^{14,5} \varphi_{14,2;\,3,5}(x)\,dx \approx 11\%$
b) $\int\limits_{11,5}^{16,5} \varphi_{14,2;\,3,5}(x)\,dx \approx 52\%$

Aufgaben

1 Eine stetige Zufallsvariable X ist normalverteilt mit $\mu = 120$ und $\sigma = 10$. Berechnen Sie.

a) $P(X < 120)$ b) $P(X \leq 120)$ c) $P(110 \leq X \leq 130)$

d) $P(120 < X < 140)$ e) $P(130 \leq X)$ f) $P(130 = X)$

2 Eine ganzzahlige Zufallsvariable X lässt sich näherungsweise durch eine Normalverteilung mit $\mu = 120$ und $\sigma = 10$ beschreiben.
Berechnen Sie mit Stetigkeitskorrektur näherungsweise.

a) $P(X < 120)$ b) $P(X \leq 120)$ c) $P(110 \leq X \leq 130)$

d) $P(120 < X < 140)$ e) $P(130 \leq X)$ f) $P(130 = X)$

3 Franziska sagt: Die Anzahl der Schokoladenstückchen in Keksen ist normalverteilt mit $\mu = 15$ und $\sigma = 3$. Welche Informationen können Sie dieser Aussage entnehmen?

4 Ein Zufallsvariable X ist normalverteilt mit $\mu = 20$ und $\sigma = 10$.
Mit welcher Wahrscheinlichkeit ist ein Stichprobenwert negativ?

5 Eine stetige Zufallsvariable X ist normalverteilt mit $\mu = 30$ und $\sigma = 2$.

a) Berechnen Sie die Wahrscheinlichkeit, dass ein Stichprobenwert von X im Intervall [26; 34] liegt.

b) Wie ändert sich die Wahrscheinlichkeit in Teilaufgabe a), wenn man σ verändert?

c) Wie ändert sich die Wahrscheinlichkeit in Teilaufgabe a), wenn man μ verändert?

Normalverteilung als Modell für Reaktionszeiten? Siehe:
ⓈExcel
   Messen – Reaktion – Messen – Takt

6 Überprüfen Sie die Angaben des Zeitungsartikels unter Beachtung der Tatsache, dass Intelligenztests so konstruiert sind, dass der IQ der Gesamtpopulation (hier: „die Deutschen") den Erwartungswert $\mu = 100$ hat und die Standardabweichung den Wert $\sigma = 15$ besitzt.

> Wie schlau sind die Deutschen? Gut zwei Drittel haben einen Durchschnitts-IQ zwischen 85 und 115. Überdurchschnittlich intelligent sind 16 Prozent. Wer den Test vergeigt, darf sich trösten: Nur 2 % sind mit einem weit überdurchschnittlichen IQ über 130 gesegnet.

Zeit zu überprüfen

7 Eine Zufallsvariable ist normalverteilt mit dem Erwartungswert $\mu = 25$ und der Standardabweichung $\sigma = 5$.

a) Skizzieren Sie die zugehörige Glockenfunktion.

b) Berechnen Sie die Wahrscheinlichkeiten der Intervalle (10; 15]; (15; 20]; …; (35; 40].

c) Stellen Sie die Wahrscheinlichkeiten aus Aufgabe b) grafisch dar.

8 Der Spritverbrauch eines Pkw (in Liter/100 km) im Stadtverkehr ist normalverteilt mit $\mu = 8{,}2$ und $\sigma = 1{,}8$. In welchem Intervall mit Mittelpunkt μ liegt der Spritverbrauch mit der angegebenen Wahrscheinlichkeit?

a) 50 %   b) 80 %   c) 90 %   d) 95 %   e) 99 %

9 Eine stetige Zufallsvariable X ist normalverteilt mit dem Erwartungswert $\mu = 12$ und $\sigma = 5$.

a) Berechnen Sie die Wahrscheinlichkeiten $P(11 < X < 13)$; $P(11{,}5 < X < 12{,}5)$; $P(11{,}9 < X < 12{,}1)$; $P(X = 12)$.

b) Multiplizieren Sie $\varphi_{12;5}(12)$ mit 2; mit 1; mit 0,2.
Veranschaulichen Sie den Zusammenhang mit den Ergebnissen von Teilaufgabe a).

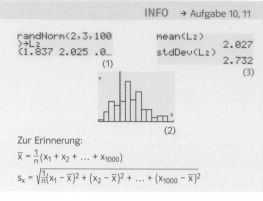

randNorm(2,3,100
)→L₂
{1.837 2.025 .0…
(1)

Zur Erinnerung:

$\bar{x} = \frac{1}{n}(x_1 + x_2 + \ldots + x_{1000})$

$s_x = \sqrt{\frac{1}{n}(x_1 - \bar{x})^2 + (x_2 - \bar{x})^2 + \ldots + (x_{1000} - \bar{x})^2}$

mean(L₂)   2.027
stdDev(L₂) 2.732
(3)

INFO → Aufgabe 10, 11

Von der Realität zum Modell
Oft nimmt man im Zuge einer „Modellbildung" an, dass Daten mit glockenförmiger Häufigkeitsverteilung normalverteilt sind. Wegen $\bar{x} \approx \mu$ und $s \approx \sigma$ kann man die unbekannten Modellparameter μ und σ aus den Daten schätzen. Das kann man auch mit dem GTR simulieren: Mit dem Befehl (1) erzeugt man eine Liste mit 100 Zahlen, die normalverteilt sind, mit $\mu = 2$ und $\sigma = 3$. (2) veranschaulicht die Zahlen grafisch. Wenn man mit (3) den Mittelwert und die empirische Standardabweichung aus der Liste berechnet, ergeben sich Werte, mit denen man die Parameter $\mu = 2$ und $\sigma = 3$ gut voraussagen kann.

10 Fig. 1 zeigt die glockenförmige Gewichtsverteilung von Kaffeebohnen, wobei das Gewicht X in Milligramm gemessen wird.
a) Schätzen Sie aus der Grafik den Mittelwert $\bar{x}$ und die empirische Standardabweichung s des Bohnengewichts.
b) Berechnen Sie $\bar{x}$ und s, wobei Sie die einzelnen Messwerte durch die auf der x-Achse abzulesenden Zahlen annähern können.

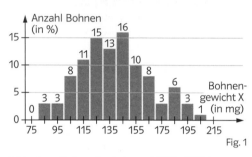

Fig. 1

c) Mit welcher Wahrscheinlichkeit würde das Gewicht einer Bohne im Intervall [110; 120] bzw. [120; 160] liegen, wenn man von einer Normalverteilung mit $\mu = \bar{x}$ und $\sigma = s$ ausgeht? Vergleichen Sie mit den relativen Häufigkeiten.

11 a) Erzeugen Sie mit dem GTR eine Liste aus 100 normalverteilten Zufallszahlen mit $\mu = 4$ und $\sigma = 2$. Stellen Sie die Häufigkeitsverteilung dar.
b) Ermitteln Sie den Mittelwert und die empirische Standardabweichung der Listenwerte und vergleichen Sie mit dem Erwartungswert μ und der Standardabweichung σ der zugrunde liegenden Normalverteilung.
c) Mit welcher Wahrscheinlichkeit müssten die Listenwerte im Intervall [1,5; 2,5] liegen, mit welcher Wahrscheinlichkeit müssten sie negativ sein?
d) Zählen Sie Ihre Liste aus und vergleichen Sie die Häufigkeiten mit den in Teilaufgabe c) berechneten Wahrscheinlichkeiten.

12 a) Erläutern Sie, warum die Aussage des letzten Satzes des Zeitungstextes „völlig normal" ist.
b) Die Abweichungen vom „200-ml-Soll" betrugen: +1 ml; +2 ml; +3,2 ml; +7,8 ml; +7,4 ml; +2 ml; +3,8 ml; +2 ml; 0 ml; −5,6 ml; −2 ml. Berechnen Sie den Mittelwert $\bar{x}$ und die Standardabweichung s der Abweichungen.
c) Nehmen Sie an, die Abweichungen aus b) sind normalverteilt mit dem Erwartungswert $\mu = \bar{x}$ und der Standardabweichung $\sigma = s$.

An den Kölner Theken gibt's derzeit nur ein Diskussionsthema: Habe ich zu viel oder zu wenig Kölsch im Glas? Der EXPRESS hatte gestern berichtet, dass ein Wirt aus St. Augustin die Kölner XY-Brauerei verklagen will. Grund: Die Füllstriche an den Stangen waren falsch, er schenkte jahrelang zu viel Kölsch aus. Jetzt wollte EXPRESS es wissen: Sind die Kölsch-Stangen falsch geeicht? Die Gläser von 11 Marken ließen wir gestern im Kölner Eichamt überprüfen. Ergebnis: Es gibt kaum ein Glas ohne Abweichung nach oben oder unten …

Wie groß ist dann die Wahrscheinlichkeit, dass der Kunde aus einem Glas trinkt, bei dem der Füllstrich um mindestens 6 ml zu viel Inhalt „vorgibt" (Unmut beim Wirt)? Wie groß ist nun die Wahrscheinlichkeit, dass er um mindestens 6 ml zu wenig Inhalt „vorgibt" (Unmut beim Kunden)?

9 Die Exponentialverteilung

Die Abbildung zeigt die „Verteilung von Hausnummern" in einer bundesweiten Adressen-
stichprobe. Das Säulendiagramm gibt an, wie
viele Einwohner unter einer Adresse mit einer
Hausnummer kleiner 10, kleiner 20 ... wohnen.
a) Wie kann man überprüfen, ob es sich um
eine „exponentielle Abnahme" handelt?
b) Suchen Sie (jeder Kursteilnehmer für sich)
in einem (elektronischen) Telefonbuch Ihres
Wohnortes oder einer benachbarten Großstadt die Hausnummern von 100 zufällig aus-
gewählten Adressen und erstellen Sie ein entsprechendes Diagramm wie in der Abbildung.
Untersuchen Sie gemeinsam, ob auch in Ihrem Wohnort die Verteilung der Hausnummern wie
eine „fallende Exponentialfunktion" aussieht.

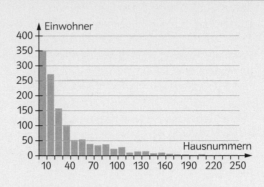

Viele reellwertige Zufallsvariablen wie die
Dauer von Telefongesprächen oder die
Lebensdauer von Industrieprodukten sind
nicht normalverteilt. So zeigt das Diagramm
von Fig. 1, wie viel Prozent der Telefongesprä-
che in einer großen Firma im Lauf eines Tages
maximal eine Minute, zwischen einer und
zwei Minuten, zwischen zwei und drei Minuten usw. gedauert haben.

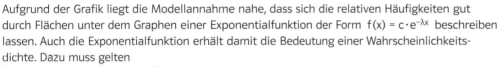

Von der relativen Häufig-
keit zur Exponentialver-
teilung. Siehe:

Ⓢ **Excel**
  Modellieren – Telefon
  – Gesprächsdauer
  Simulieren – Expo-
  nentialverteilung

Fig. 1

Aufgrund der Grafik liegt die Modellannahme nahe, dass sich die relativen Häufigkeiten gut
durch Flächen unter dem Graphen einer Exponentialfunktion der Form $f(x) = c \cdot e^{-\lambda x}$ beschreiben
lassen. Auch die Exponentialfunktion erhält damit die Bedeutung einer Wahrscheinlichkeitsdichte. Dazu muss gelten

$$\int_0^\infty f(x)\,dx = 1, \text{ also } \int_0^\infty f(x)\,dx = \int_0^\infty c \cdot e^{-\lambda x}\,dx = \frac{c}{\lambda} - 1, \text{ also } c = \lambda.$$

In der Tat stimmen in Fig. 1 (z.B. vierte und fünfte Säule bei einem geschätzten Wert von
$c = 0{,}24$) die Wahrscheinlichkeit

$$P(3 \le X \le 5) = \int_3^5 0{,}24 \cdot e^{-0{,}24x}\,dx = \left[-e^{-0{,}24x}\right]_3^5 = 0{,}186$$

und die zugehörige relative Häufigkeit $0{,}11 + 0{,}08 = 0{,}19$ gut überein.

Die Gesprächsdauer ist
eine stetige Größe.
Daher ist keine Stetig-
keitskorrektur erforder-
lich.

Definition: Eine Zufallsvariable X mit positiven Werten heißt exponentialverteilt mit dem
Parameter $\lambda > 0$, wenn sich die Wahrscheinlichkeit dafür, dass X zwischen a und b liegt,

berechnen lässt durch $P(a \le X \le b) = \int_a^b \lambda \cdot e^{-\lambda x}\,dx = \left[-e^{-\lambda x}\right]_a^b$

insbesondere gilt $P(0 \le X \le b) = \int_0^b \lambda \cdot e^{-\lambda x}\,dx = 1 - e^{-\lambda b}$.

Eine exponentialverteilte Zufallsvariable X mit dem Parameter λ hat den Erwartungswert

$\mu = \int_0^\infty \lambda \cdot e^{-\lambda x}\,dx = \frac{1}{\lambda}$ und die Standardabweichung $\sigma = \sqrt{\int_0^\infty (x - \mu)^2 \cdot \lambda \cdot e^{-\lambda x}\,dx} = \frac{1}{\lambda}$.

Auch bei exponentialverteilten Daten liegen der Mittelwert $\bar{x}$ und die empirische Standardabweichung s in der Nähe des Erwartungswertes µ bzw. der Standardabweichung σ. Damit lässt sich der Modellparameter λ auch hier aus erhobenen Daten schätzen $\left(\lambda \approx \frac{1}{\bar{x}} \approx \frac{1}{\sigma}\right)$.

Beispiel Exponentialverteilte Wahrscheinlichkeiten berechnen
Von einem Maschinentyp ist bekannt, dass seine Lebensdauer exponentialverteilt ist. Der Erwartungswert für die Lebensdauer beträgt fünf Jahre. Bestimmen Sie
a) den Parameter λ der Exponentialverteilung,
b) die Wahrscheinlichkeit, dass eine Maschine des Typs höchstens 7,5 Jahre funktioniert,
c) die Halbwertszeit T_H bis zu der eine Maschine mit 50 % Wahrscheinlichkeit ausfällt.
■ Lösung: X sei die Zufallsvariable, die die Lebensdauer der Maschine beschreibt.
a) Aus $\mu = \frac{1}{\lambda} = 5$ folgt λ = 0,2.
b) $P(X \le 7{,}5) = 1 - e^{-0{,}2 \cdot 7{,}5} = 0{,}7769$
Mit einer Wahrscheinlichkeit von etwa 78 % hält die Maschine höchstens 7,5 Jahre.
c) $P\left(X \le t_{\frac{1}{2}}\right) = 0{,}5$; daraus folgt $1 - e^{-0{,}2 \cdot t_{\frac{1}{2}}} = 0{,}5$ mit der Lösung $t_{\frac{1}{2}} = 3{,}466$.
Die Halbwertszeit der Maschine beträgt 3,5 Jahre.

Aufgaben

1 Gegeben ist eine exponentialverteilte Zufallsvariable T mit dem Parameter λ = 0,5.
a) Berechnen Sie $P(T \le 1)$; $P(T > 3)$; $P(T \le \mu)$; $P(1 < T \le 3)$.
b) Berechnen Sie $P(|T - \mu| \le \sigma)$; $P(|T - \mu| \le 2\sigma)$; $P(|T - \mu| \le 3\sigma)$.
c) Für welche t ist $P(T \le t) \ge 0{,}9$?

2 Gegeben ist eine exponentialverteilte Zufallsvariable T mit dem Parameter λ.
Mit welcher Wahrscheinlichkeit nimmt T einen Wert an, der größer als µ ist?

3 Normale Glühlampen haben eine mittlere Brenndauer von etwa 1000 Stunden, Sparlampen dagegen etwa 6000 Stunden. Angenommen, die Brenndauer ist exponentialverteilt, mit welcher Wahrscheinlichkeit hält eine normale Glühlampe (eine Sparlampe)
a) mehr als 3000 Stunden,
b) mindestens 1000 und höchstens 6000 Stunden?

4 Untersuchen Sie, wie die Wahrscheinlichkeit, dass die Werte einer exponentialverteilten Zufallsvariablen im 1σ-Intervall [µ − σ; µ + σ] um den Erwartungswert liegen, vom Parameter λ abhängt.

Tipp:
$P(X > x) = \int_{x}^{\infty} \lambda \cdot e^{-\lambda x}\, dx$
$= e^{-\lambda \cdot x}$

5 Die Lebensdauer von Seifenblasen ist exponentialverteilt. Eine Blase platzt „in der nächsten Sekunde" mit einer Wahrscheinlichkeit von 2 %.
a) Mit welcher Wahrscheinlichkeit lebt sie länger als zehn Sekunden?
b) Bestimmen Sie die Wahrscheinlichkeitsdichte der Lebensdauer.

Tipp:
Nutzen und begründen Sie dazu
$P(X > t) = \frac{P(X > t_0 + t)}{P(X > t_0)}$.

6 Man nennt die Exponentialverteilung auch „Verteilung ohne Gedächtnis". Das hat folgenden Grund: Angenommen, die Lebensdauer einer neuen Maschine wird durch eine exponentialverteilte Zufallsvariable X mit dem Parameter λ beschrieben, das heißt, $P(X > t) = e^{-\lambda t}$. Wenn eine Maschine dieses Typs nun bereits bis zum Zeitpunkt t_0 funktioniert hat, dann gilt für die Zufallsvariable Y, die die Lebensdauer der Maschine ab dem Zeitpunkt t_0 beschreibt, ebenfalls $P(Y > t) = e^{-\lambda t}$. Die restliche Lebensdauer der Maschine hängt also nicht von der schon verstrichenen Zeit ab. Beweisen Sie das.

Wahlthema: **Fehler beim Testen von Binomialverteilungen**

Frau Neumann glaubt dem Wetterbericht und nimmt bei ihrem Ausflug keinen Regenschirm mit. Doch dann regnet es.

Herr Altmann misstraut dem Wetterbericht und nimmt bei seinem Ausflug einen Regenschirm mit. Doch dann regnet es nicht.

Beide machen einen Fehler.

Beschreiben Sie die Fehler mithilfe der Hypothesen A: „Morgen regnet es" und B: „Morgen regnet es nicht".

Beim Testen von Binomialverteilungen wird die Nullhypothese akzeptiert oder verworfen. Dabei können Fehlentscheidungen vorkommen. Wenn die Nullhypothese verworfen wird, obwohl sie richtig ist, spricht man von einem **Fehler 1. Art**. Wenn sie akzeptiert wird, obwohl sie falsch ist, spricht man von einem **Fehler 2. Art**. Die Abbildung zeigt eine Übersicht.

		Zustand der Wirklichkeit	
		Nullhypothese wahr	Nullhypothese falsch
Nullhypothese wird …	verworfen	Fehler 1. Art	richtige Entscheidung
	akzeptiert	richtige Entscheidung	Fehler 2. Art

Die Wahrscheinlichkeit für einen Fehler 1. Art ist dasselbe wie die Irrtumswahrscheinlichkeit (siehe Seite 353).

Franziska behauptet, dass sie bei Euromünzen nur durch Ertasten erkennt, ob es deutsche Münzen sind. Zur Überprüfung wird die Nullhypothese H_0: p = 0,5 mit dem Stichprobenumfang von n = 20 auf dem Signifikanzniveau 5 % rechtsseitig getestet. Die Testvariable X zählt die Anzahl der richtig ertasteten Münzen. X ist, wenn H_0 gilt, binomialverteilt mit den Parametern n = 20 und p = 0,5. Für H_0 ergibt sich der Annahmebereich [0; 14].

Die Wahrscheinlichkeit für den Fehler 1. Art beträgt $1 - P(X \le 14) = 0,0207$ (in Fig. 1 blau gekennzeichnet). Sie ist höchstens so groß wie das Signifikanzniveau.

Die Wahrscheinlichkeit für den Fehler 2. Art hängt von der Wahrscheinlichkeit p ab, mit der Franziska wirklich die Münzen ertastet. Bezeichnet X_p die Zufallsvariable mit den Parametern n = 20 und variablem p, so beträgt die Wahrscheinlichkeit für den Fehler 2. Art $P(X_p \le 14)$, siehe Tabelle. Sie ist sehr groß, wenn sich p nur wenig von 0,5 unterscheidet.

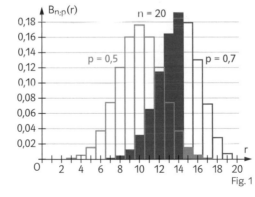

Fig. 1

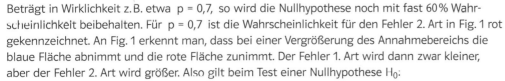

n = 20, p variabel

p	$P(X_p \le 14)$
0,6	0,8744
0,7	0,5836
0,8	0,1957
0,9	0,0113

Die Wahrscheinlichkeit für den Fehler 2. Art ist die Wahrscheinlichkeit des Annahmebereichs, aber bezogen auf die tatsächliche Trefferwahrscheinlichkeit der Alternative.

Beträgt in Wirklichkeit z.B. etwa p = 0,7, so wird die Nullhypothese noch mit fast 60 % Wahrscheinlichkeit beibehalten. Für p = 0,7 ist die Wahrscheinlichkeit für den Fehler 2. Art in Fig. 1 rot gekennzeichnet. An Fig. 1 erkennt man, dass bei einer Vergrößerung des Annahmebereichs die blaue Fläche abnimmt und die rote Fläche zunimmt. Der Fehler 1. Art wird dann zwar kleiner, aber der Fehler 2. Art wird größer. Also gilt beim Test einer Nullhypothese H_0:

Wenn man den Annahmebereich von H_0 vergrößert, um die Wahrscheinlichkeit für den Fehler 1. Art zu verkleinern, dann wird die Wahrscheinlichkeit für den Fehler 2. Art vergrößert. Wenn man den Annahmebereich von H_0 verkleinert, um die Wahrscheinlichkeit für den Fehler 2. Art zu verkleinern, dann wird die Wahrscheinlichkeit für den Fehler 1. Art vergrößert.

Wie kann man beide Fehlerarten verkleinern? Der einzige Parameter, den man dafür beim Testen zur Verfügung hat, ist der Stichprobenumfang n. Die Tabelle und Fig. 1 zeigen die Verhältnisse bei n = 50.
Für p = 0,5 ergibt sich der Annahmebereich [0; 31]. In Fig. 1 ist die Wahrscheinlichkeit für den Fehler 1. Art blau und bei p = 0,7 die Wahrscheinlichkeit für den Fehler 2. Art rot dargestellt.
Man erkennt durch Vergleich mit Fig. 1 auf der vorigen Seite:

n = 50

p	$P(X_p \leq 31)$
0,6	0,6644
0,7	0,1406
0,8	0,0025
0,9	≈ 0

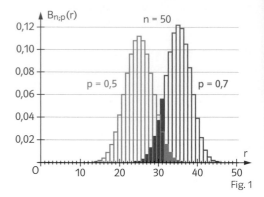

Fig. 1

Wenn man man den Stichprobenumfang erhöht, kann man gleichzeitig die Wahrscheinlichkeit für den Fehler 1. Art und die Wahrscheinlichkeit für den Fehler 2. Art verkleinern.

Referat ⚡
Die Gütefunktion eines Tests
735301-3761

Treffer bedeutet, dass Friedrich bei den 30 Schokoladenproben schmecken kann, ob es jeweils seine Lieblingsschokolade ist oder nicht.

$X_{0,7}$ zählt die richtig erkannten Stücke, hat aber statt p = 0,5 den Parameter p = 0,7.

Beispiel Geschmackstest mit Alternative
Friedrich behauptet, dass er seine Lieblingsschokolade am Geschmack erkennen kann. Es wird dazu ein rechtsseitiger Test von H_0: p = 0,5 (Signifikanzniveau 5 %) durchgeführt.
a) Der Stichprobenumfang beträgt 30 Stück Schokolade, d.h. n = 30. Wie groß ist die Wahrscheinlichkeit für den Fehler 1. Art? Wie groß ist die Wahrscheinlichkeit für den Fehler 2. Art, wenn Friedrich tatsächlich mit 70 % Wahrscheinlichkeit seine Lieblingsschokolade schmeckt?
b) Wie ändern sich die Wahrscheinlichkeiten für die Fehler in a) für n = 60?
■ Lösung: a) Testvariable X: Anzahl der richtig erkannten Schokoladenstücke,
Parameter p = 0,5 und n = 30; Annahmebereich = [0; 19],
Wahrscheinlichkeit für den Fehler 1. Art: $1 - P(X \leq 19) \approx 4,9\%$
Wahrscheinlichkeit für den Fehler 2. Art bei p = 0,7: $P(X_{0,7} \leq 19) \approx 27\%$
b) Testvariable X: Anzahl der richtig erkannten Stücke, Parameter p = 0,5 und n = 60;
Annahmebereich: [0; 36]
Wahrscheinlichkeit für den Fehler 1. Art: $1 - P(X \leq 36) \approx 4,6\%$
Wahrscheinlichkeit für den Fehler 2. Art bei p = 0,7: $1 - P(X_{0,7} \leq 36) \approx 6,3\%$

Aufgaben

1 Die Nullhypothese H_0: p = 0,5 soll bei einem Stichprobenumfang n = 25 auf dem Signifikanzniveau 5 % rechtsseitig getestet werden.
a) Bestimmen Sie die Wahrscheinlichkeit für den Fehler 1. Art.
b) Wie groß ist die Wahrscheinlichkeit für den Fehler 2. Art, falls p = 0,6 (0,75; 0,9)?
c) Welche Wahrscheinlichkeiten erhält man in den Teilaufgaben a) und b) für das Signifikanzniveau 1 % bei dem Stichprobenumfang n = 25?
d) Welche Wahrscheinlichkeiten erhält man in den Teilaufgaben a) und b) für das Signifikanzniveau 5 % und den Stichprobenumfang n = 100?

2 Die Nullhypothese H_0: $p_0 = 0{,}6$ soll bei einem Stichprobenumfang $n = 50$ auf dem Signifikanzniveau 5% linksseitig getestet werden.

a) Stellen Sie in einer Skizze wie in Fig. 1 auf Seite 375 die Wahrscheinlichkeit für den Fehler 1. Art sowie die Wahrscheinlichkeit für den Fehler 2. Art dar, falls $p = 0{,}5$ (0,4; 0,25).

b) Beschreiben Sie die Unterschiede, die sich bei einer entsprechenden Skizze für das Signifikanzniveau 1% bei dem Stichprobenumfang $n = 50$ ergeben würden.

c) Fertigen Sie eine Vergleichsskizze für das Signifikanzniveau 5% bei dem Stichprobenumfang $n = 100$ an und beschreiben Sie die Unterschiede.

3 Die Behauptung, ein bestimmter Würfel sei ideal, soll geprüft werden.

a) Testen Sie die Nullhypothese H_0: $p_0 = \frac{1}{6}$ zweiseitig auf dem Signifikanzniveau 5%. Der Würfel wird 50-mal (500-mal) geworfen; er zeigt dabei sechsmal (60-mal) Sechs. Wie groß ist die Wahrscheinlichkeit für den Fehler 1. Art?

b) Bei einem anderen Test nimmt man an, der Würfel sei ideal, wenn bei 50 Würfen (500 Würfen) mindestens fünfmal und höchstens zwölfmal (mindestens 50-mal und höchstens 120-mal) die Sechs fällt. Wie groß ist bei diesem Test die Wahrscheinlichkeit für den Fehler 1. Art?

c) Berechnen Sie für die Tests in den Teilaufgaben a) bzw. b) die Wahrscheinlichkeit für den Fehler 2. Art, wenn in Wirklichkeit die Sechs mit der Wahrscheinlichkeit $\frac{1}{4}$ fällt.

> Bei einem idealen Würfel fällt jede Seite mit der gleichen Wahrscheinlichkeit.

4 Nach Umstellung im Produktionsgang eines Werkstücks vermutet der Hersteller, den Ausschussanteil auf höchstens 3% reduziert zu haben. Diese Vermutung soll an 100 Werkstücken überprüft werden.

a) Nennen Sie die Nullhypothese und die Alternative. Welcher Test wird verwendet?

b) Geben Sie den Annahmebereich für das Signifikanzniveau 5% an. Wie groß ist die Irrtumswahrscheinlichkeit? Wie groß ist die Wahrscheinlichkeit für den Fehler 2. Art, wenn in Wirklichkeit der Ausschussanteil 4% (5%; 6%) beträgt?

5 Lord Snowdon behauptet, am Geschmack feststellen zu können, ob in eine Tasse der Tee auf den Zucker gegossen oder umgekehrt der Zucker in den Tee gerührt worden ist. Bei 20 Versuchen entscheidet er 13-mal richtig.

a) Wie lauten die Hypothesen? Wie groß ist der Annahmebereich (Signifikanzniveau 5%).

b) Wie wird entschieden? Welchen Fehler kann man bei dieser Entscheidung begehen?

c) Wie groß ist die Wahrscheinlichkeit für den Fehler 2. Art, wenn der Lord die Reihenfolge tatsächlich in 60% (70%; 80%; 90%) der Versuche richtig erkennt?

6 Auf einem Tisch befindet sich gut durchgemischt eine größere Menge von Perlen der Größen 1 und 2.
Die Hypothese lautet: Ihre Anzahlen verhalten sich zueinander wie 7 zu 3. Die Alternativhypothese lautet: Ihre Anzahlen verhalten sich zueinander wie 3 zu 7.

Fig. 1

Um zu testen, welches der beiden Verhältnisse zutrifft, werden vom Tisch zehn Perlen zufällig entnommen. Sind mehr als vier Perlen der Größe 1 in der Stichprobe, so entscheidet man sich für die Hypothese, ansonsten für die Alternativhypothese.

a) Welche Fehler können auftreten? Wie groß sind ihre Fehlerwahrscheinlichkeiten?

b) Der Fehler 1. Art soll bei gleichbleibendem Stichprobenumfang nicht mehr als 10% betragen. Außerdem soll der Fehler 2. Art möglichst klein bleiben. Wie lautet die Entscheidungsregel?

c) Beide Fehlerwahrscheinlichkeiten sollen 10% nicht überschreiten. Geben Sie einen möglichst kleinen Stichprobenumfang an, für den das möglich ist. Wie lautet die Entscheidungsregel?

Wahlthema: **Testen bei der Normalverteilung**

Die Höhe h (in m) einer Klippe kann man aus der Fallzeit t (in s) nach der Formel $h = 5t^2$ berechnen. Die gemessene Fallzeit streut bei einer Stoppuhr um den wahren Wert normalverteilt mit der Standardabweichung $\sigma = 0{,}2$. Es wurden 2,1 s; 1,8 s; 2,0 s; 2,3 s; 1,9 s gemessen. Beurteilen Sie, ob die Messwerte zur angenommenen Klippenhöhe von 25 m passen können.

Perspektivwechsel: Der Mittelwert wird zu einer neuen Zufallsvariablen. GTR-Simulation:

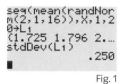

Fig. 1

Messungenauigkeiten versucht man durch Mittelwertbildung aus möglichst vielen Messwerten zu reduzieren:
Die Mittelwerte aus je 16 mit $\mu = 2$ und $\sigma = 1$ normalverteilten Zufallszahlen schwanken mit Standardabweichung $\frac{1}{\sqrt{16}} = \frac{1}{4}$ um den Erwartungswert 2:
Mittelwert aus 16 Daten → Viertel Streuung.

Zweiseitiger Signifikanztest: nützliche Werte

Inter-vallradius	zugehörige Wahr-scheinl.
$0{,}674\,\sigma$	50 %
$1{,}281\,\sigma$	80 %
$1{,}645\,\sigma$	90 %
$1{,}960\,\sigma$	95 %
$2{,}576\,\sigma$	99 %

Beim Test auf dem 1-%-Signifikanzniveau verwendet man statt 1,96 den Faktor 2,576 und fürs 10-%-Niveau den Faktor 1,645. Wir beschränken uns im Folgenden aber auf das 5-%-Niveau.

Das Testen von Hypothesen gehört zum Kern der beurteilenden Statistik. So verwirft man bei Bernoulli-Ketten eine Hypothese über die Trefferwahrscheinlichkeit, wenn die beobachtete Trefferzahl „zu weit" vom Erwartungswert entfernt ist. Entsprechend verwirft man bei einer normalverteilten Zufallsvariablen X mit Dichte $\varphi_{\mu;\sigma}$ eine Hypothese über den Erwartungswert µ, wenn der Mittelwert $\bar{x} = \frac{1}{n} \cdot (x_1 + \ldots + x_n)$ „zu weit" vom Erwartungswert entfernt ist. Um zu beurteilen was „zu weit" bedeutet, nutzt man:

> **Satz:** Wenn eine Zufallsvariable X normalverteilt ist mit dem Erwartungswert µ und der Standardabweichung σ_X , dann ist auch der **Mittelwert** $\bar{x}$ aus n beobachteten Werten normalverteilt mit dem gleichen Erwartungswert µ, aber der kleineren Standardabweichung $\sigma_{\bar{x}} = \frac{\sigma_X}{\sqrt{n}}$.

Die Schwankung des Mittelwertes wird also bei großem Stichprobenumfang sehr klein: Sie nimmt mit der Wurzel des Stichprobenumfanges n ab. Das nutzt man für Testverfahren.

Im Jahr 1948 war die Körpergröße (in cm) von jungen Männern normalverteilt mit dem Erwartungswert $\mu = 172$ und der Standardabweichung $\sigma = 8$. Man testet die Hypothese „Diese Normalverteilung beschreibt die Körpergröße auch heute noch" auf dem 5-%-Signifikanzniveau wie folgt:
a) Man misst die Körpergröße bei einer Stichprobe, beispielsweise bei $n = 24$ Abiturienten, und bestimmt den Mittelwert $\bar{x}$.
b) Wenn die Hypothese gelten würde, würde dieser Mittelwert $\bar{x}$ mit der Standardabweichung $\frac{8}{\sqrt{24}}$ um µ schwanken. Er läge mit 95 % Wahrscheinlichkeit im 1,96 σ-Intervall $\left[172 - 1{,}96 \cdot \frac{8}{\sqrt{24}};\ 172 + 1{,}96 \cdot \frac{8}{\sqrt{24}}\right] = [168{,}8;\ 175{,}2]$.

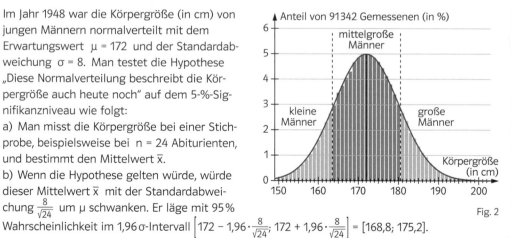

Fig. 2

c) Wenn der beobachtete Mittelwert $\bar{x}$ außerhalb dieses Intervalls liegt, verwirft man die Hypothese, andernfalls hält man die Hypothese für „vereinbar mit der Wirklichkeit", das Intervall $A = [168{,}8;\ 175{,}2]$ bezeichnet man als Annahmebereich.

> Die Hypothese, dass eine normalverteilte Zufallsvariable X mit bekannter Standardabweichung σ den Erwartungswert µ besitzt, testet man auf dem **5-%-Signifikanzniveau** so:
> a) Man wählt einen Stichprobenumfang n und berechnet den Mittelwert $\bar{x}$ aus n Daten.
> b) Man berechnet den Annahmebereich $A = \left[\mu - 1{,}96\frac{\sigma}{\sqrt{n}};\ \mu + 1{,}96\frac{\sigma}{\sqrt{n}}\right]$.
> c) Man verwirft die Hypothese, wenn $\bar{x}$ außerhalb des Annahmebereichs liegt.

Beispiel 1 Unbekannter Erwartungswert

Die Speicherkapazität fabrikneuer Akkus (in mAh) ist normalverteilt mit $\mu = 650$ und $\sigma = 12$. Man hört mitunter die Behauptung, dass Akkumulatoren ihre volle Kapazität erst nach einigen Ladezyklen erreichen. Eine Stichprobe von 16 dieser Akkumulatoren hatte nach zehn Ladezyklen das mittlere Speichervermögen $\bar{x} = 660$ mAh. Testen Sie die Hypothese „Der Erwartungswert des Speichervermögens beträgt unverändert $\mu = 650$ mAh".

Die Kapazität 500 mAh bedeutet, dass der Akku Strom der Stärke 500 mA über 1h (oder 250 mA über 2h) abgeben kann.

■ Lösung: a) Der beobachtete Mittelwert $\bar{x} = 660$ liegt außerhalb des 95-%-Intervalls

$$\left[650 - 1,96 \cdot \frac{12}{\sqrt{16}}; \ 650 + 1,96 \cdot \frac{12}{\sqrt{16}}\right] = [644,1; 655,8].$$ Die Hypothese kann verworfen werden.

Beispiel 2 Unbekannte Anzahl

Das Gewicht (in g) einer Erbsensorte ist normalverteilt mit dem Erwartungswert 0,3 und der Standardabweichung 0,066. Testen Sie die Hypothese „Eine 250-g-Tüte enthält $n = 800$ Erbsen".

■ Lösung: Bei 800 Erbsen wäre das mittlere Gewicht einer Erbse $\bar{x} = \frac{250}{800} = 0,3152$. Dieser Wert liegt außerhalb des 95-%-Intervalls:

$$\left[0,3 - 1,96 \cdot \frac{0,066}{\sqrt{800}}; \ 0,3 + 1,96 \cdot \frac{0,066}{\sqrt{800}}\right] = [0,295; 0,305].$$

Die Hypothese, dass die Tüte $n = 800$ Erbsen enthält, muss verworfen werden.

Aufgaben

1 Eine Zufallsvariable X ist normalverteilt mit der Standardabweichung σ. Eine Stichprobe vom Umfang n liefert den Mittelwert $\bar{x}$. Kann die Hypothese über die Größe des angegebenen Erwartungswertes μ verworfen werden?

a) $\bar{x} = 39$; $\sigma = 5$; $n = 5$; $\mu = 40$

b) $\bar{x} = 35$; $\sigma = 5$; $n = 5$; $\mu = 40$

c) $\bar{x} = 39$; $\sigma = 5$; $n = 45$; $\mu = 40$

d) $\bar{x} = 38$; $\sigma = 5$; $n = 5$; $\mu = 40$

e) $\bar{x} = 39$; $\sigma = 5$; $n = 200$; $\mu = 40$

f) $\bar{x} = 39$; $\sigma = 5$; $n = 5$; $\mu = 40$

2 Pralinenbeutel werden mit einem Sollgewicht von $\mu = 500$ g bei einer Standardabweichung von $\sigma = 5$ g befüllt. Bei einer Produktionskontrolle wird das Gewicht einer Stichprobe aus zehn Tüten kontrolliert. Das mittlere Gewicht betrug 495 g.
Muss man die Hypothese $\mu = 500$ verwerfen und die Maschine neu einstellen?

3 Vor acht Jahren war der Spritverbrauch von Bauer Knolles Traktor (in Liter/100 km) normalverteilt mit $\mu = 15$ und $\sigma = 3$. In diesem Jahr ist er 3200 km gefahren und hat dabei schon 530 l Sprit verbraucht. Ist der Spritverbrauch des Traktors inzwischen gestiegen? Führen Sie einen Test durch.

4 Das Gewicht von Früchten ist normalverteilt mit dem Erwartungswert μ und der Standardabweichung σ (beides in g). Die Anzahl n der Früchte in einem 10-g-Beutel ist unbekannt. Man erwartet im Beutel $\mu = \frac{10\,000}{40} = 250$ Früchte. Kann man die folgende Hypothese über die Anzahl n der Früchte auf dem 5-%-Signifikanzniveau verwerfen?

a) $\mu = 40$; $\sigma = 10$; $n = 242$

b) $\mu = 40$; $\sigma = 10$; $n = 243$

c) $\mu = 40$; $\sigma = 10$; $n = 260$

d) $\mu = 40$; $\sigma = 5$; $n = 240$

e) $\mu = 40$; $\sigma = 10$; $n = 240$

f) $\mu = 40$; $\sigma = 20$; $n = 240$

5 Anjas Schulweg ist 850 m lang. Ihre Schrittlänge beträgt 65 cm mit einer Standardabweichung von 5 cm. Man schätzt, dass sie $\frac{850}{0,65} = 1307,7$ Schritte macht.

a) Überprüfen Sie auf dem 5-%-Signifikanzniveau, ob die folgendenen Hypothesen über Anjas benötigte Schritte auf dem 5-%-Signifikanzniveau noch haltbar sind:

b) $n = 1314$;

c) $n = 1313$;

d) $n = 1303$;

e) $n = 1304$.

f) Beziehen Sie zu den Annahmen, die der Aufgabe zugrunde liegen, kritisch Stellung.

Binomialverteilung, Normalverteilung, Signifikanztest

1 Bei Meinungsumfragen werden erfahrungsgemäß nur sieben von zehn der ausgesuchten Personen angetroffen. Mit welcher Wahrscheinlichkeit
a) werden von 100 ausgesuchten Personen mehr als 70 angetroffen?
b) werden von 500 ausgesuchten Personen weniger als 350 angetroffen?
c) werden von 1000 ausgesuchten Personen mindestens 650 und höchstens 750 angetroffen?
d) weicht jeweils die Anzahl der angetroffenen Personen höchstens um die Standardabweichung vom Erwartungswert ab, wenn 100 bzw. 200 bzw. 400 Personen ausgesucht werden?
Bestimmen Sie das Ergebnis jeweils exakt und näherungsweise mithilfe der Normalverteilung.

2 Eine Zufallsvariable X ist binomialverteilt mit den Parametern $n = 200$ und $p = 0{,}5$. Es wird 20-mal zufällig ein Wert von X bestimmt. Wie groß ist die Wahrscheinlichkeit, dass mindestens einer dieser Werte außerhalb des 2σ-Intervalls liegt?
Diskutieren Sie, wie sich das Ergebnis ändert, wenn man n vergrößert.

3 Jan behauptet, man könne die Wahrscheinlichkeit, dass eine faire Münze beim 20fachen Werfen genau zehnmal auf der Seite Zahl landet, berechnen durch
$\varphi_{10;\,2{,}2361}(10) = 17{,}84\,\%$.
a) Das Ergebnis scheint ihm viel zu klein. Kontrollieren Sie die Rechnung. Kommentieren Sie.
b) Berechnen Sie die gefragte Wahrscheinlichkeit genau.

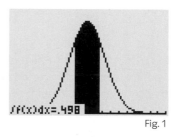
Fig. 1

c) In der Abbildung wurde die obige Gauß-Funktion von 8,5 bis 11,5 integriert. Führen Sie Kontrollrechnungen durch und interpretieren Sie das Ergebnis so, dass man erkennt, dass Sie den Zusammenhang zwischen Normal- und Binomialverteilung verstanden haben.

4 Auf einer Vanillesoßen-Tüte liest man: „Geben Sie 25 g Zucker hinzu (2 Esslöffel)".
Eine Kontrolle ergab: Das Gewicht (in Gramm) von Zuckerportionen, die mit „zwei Esslöffeln" abgemessen werden, ist normalverteilt mit $\mu = 28{,}3$ und $\sigma = 5{,}2$ g.
Wie groß ist die Wahrscheinlichkeit, dass eine Soße mit mindestens 35 g Zucker zubereitet wird?

5 Eine Firma hat eine Werbeagentur beauftragt, durch eine Kampagne den Bekanntheitsgrad ihres Produktes von aktuell 30 % auf 40 % zu steigern. Nur bei Erfolg der Kampagne bekommt die Agentur das Honorar von 10 000 €.
a) Der Firmenchef beauftragt Sie, einen Test für das Signifikanzniveau 5 % und den Stichprobenumfang 100 zu entwickeln. Schlagen Sie ihm eine Entscheidungsregel vor und begründen Sie diese.
b) Berechnen Sie die Irrtumswahrscheinlichkeit und vergleichen Sie mit dem Signifikanzniveau.
c) Erläutern Sie ohne Rechnung, was sich ändern würde, wenn man beim Signifikanzniveau 5 % bleibt, aber den Stichprobenumfang von 100 auf 400 vervierfachen würde.
d) Der von der Werbeagentur beauftragte Statistiker schlägt vor, $H_0: p = 0{,}4$ zugunsten von $H_1: p = 0{,}3$ erst dann zu verwerfen, wenn bei den 100 Befragten 33 oder weniger Personen das Produkt nicht kennen.
Bestimmen Sie das Signifikanzniveau dieses Tests.
e) Vergleichen und bewerten Sie die Testverfahren der beiden Statistiker.

Wiederholen – Vertiefen – Vernetzen

Veranschaulichung von stochastischen Begriffen

6 Wahrscheinlichkeitsdichte

Fig. 1 zeigt den Verlauf der Verkehrsdichte, gemessen in Kfz pro Stunde auf den drei Spuren an einer Autobahnmessstelle (0:00 Uhr bis 23:00 Uhr).

a) Vergleichen Sie das Verkehrsgeschehen auf den drei Spuren in einem kurzen Text.

b) Der Funktionswert für die Überholspur um 12:00 Uhr beträgt 1130. Schätzen Sie: Wie viele Autos haben auf der Überholspur

– zwischen 12:00 Uhr und 12:30 Uhr,

– zwischen 12:00 Uhr und 12:05 Uhr,

– zwischen 12:00 Uhr und 12:01 Uhr,

– genau um Punkt 12:00 Uhr die Messstelle passiert?

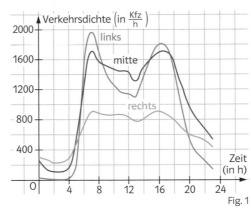

Fig. 1

c) Wenn eine Zufallsvariable X die Wahrscheinlichkeitsdichte f auf dem Intervall [a; b] hat, gilt

$$P(a \leq X \leq b) = \int_a^b f(x)\,dx.$$ Formulieren Sie eine entsprechende Gleichung für die Situation auf der Autobahn und vergleichen Sie die Begriffe „Wahrscheinlichkeitsdichte" und „Verkehrsdichte".

d) Wie könnte man die Verkehrsdichte auf der rechten Fahrspur zu einer Wahrscheinlichkeitsdichte abändern?

7 Stetig verteilt

X sei eine Zufallsvariable. Die Funktion F, deren Funktionswerte $F(x) = P(X \leq x)$ angeben, mit welcher Wahrscheinlichkeit X einen Wert annimmt, der kleiner ist als x, bezeichnet man als **Verteilungsfunktion** der Zufallsvariablen X.

Die Figuren 2–4 zeigen die Verteilungsfunktion für eine (diskrete) binomialverteilte, eine exponential- und eine normalverteilte Zufallsvariable.

Verteilungsfunktionen für die Binomialverteilung mit n = 10; p = 0,6

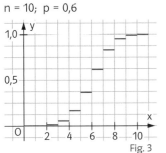

Fig. 3

Exponentialverteilung mit Dichte $f(x) = 0,4 \cdot e^{-0,4x}$

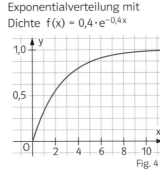

Fig. 4

Normalverteilung mit Dichte $\varphi_{5;2}$

Fig. 5

Verteilungsfunktionen mit GTR berechnet:

Fig. 2

a) Überprüfen Sie die Zeichnungen, indem Sie jeweils F(4) und F(8) berechnen.

b) Anscheinend steigen die Verteilungsfunktionen monoton von y = 0 auf y = 1 an. Begründen Sie ohne Rechnung, dass das bei allen Wahrscheinlichkeitsverteilungen so ist.

c) Zeichnen Sie die Verteilungsfunktion, die zur Augenzahl X eines Würfels (1 ≤ X ≤ 6), und eine, die zu einer gleichmäßig über [0; 1] verteilten Zufallsvariablen X (0 ≤ X ≤ 1) gehört.

d) Erklären Sie anschaulich, dass Verteilungsfunktionen diskreter Zufallsvariablen (Augenzahl beim Münzwurf, binomialverteilte Zufallsvariable) Sprünge haben, Verteilungsfunktionen stetig verteilter Zufallsvariablen X mit einer Dichte f aber keine Sprünge besitzen können.

Terminologie: Funktionen ohne Sprünge nennt man **stetig**. Da Zufallsvariablen mit einer Dichte f Verteilungsfunktionen ohne Sprünge haben, nennt man sie **stetig verteilt**.

Wiederholen – Vertiefen – Vernetzen

Exponentialverteilung – Normalverteilung – geometrische Verteilung

8 Der radioaktive Zerfall von Thoron lässt sich durch eine Exponentialverteilung beschreiben. Die Messwerte, die durch Punkte in dem Diagramm gekennzeichnet sind, wurden nach jeweils 30 Sekunden aufgenommen. Sie geben an, wie viele Zerfälle in einer Sekunde jeweils registriert wurden.
a) Bestimmen Sie die Gleichung der Dichtefunktion $f(t)$ mithilfe der angegebenen Halbwertszeit.
b) Wie viele Zerfälle wurden insgesamt etwa gemessen?

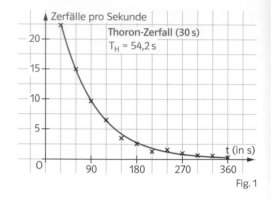

Fig. 1

INFO → Aufgabe 9

Sie kennen die geometrische Verteilung vom Würfeln: „Warten auf die Sechs". Für die Wartezeit gilt z.B.
$$P(X = 3) = \left(\tfrac{5}{6}\right)^2 \cdot \left(\tfrac{1}{6}\right)$$
$$P(X \leq 7) = 1 - \left(\tfrac{5}{6}\right)^7.$$

(1) Eine **reellwertige** Zufallsvariable X ist **exponentialverteilt** mit dem Parameter λ, wenn gilt $P(X \leq t) = 1 - e^{-\lambda t} = 1 - (e^{-\lambda})^t$. X hat den Erwartungswert $\mu = \frac{1}{\lambda}$.

(2) Eine **ganzzahlige** Zufallsgröße Z ist **geometrisch verteilt** mit dem Parameter $q < 1$, wenn gilt $P(Z \leq t) = 1 - q^t$. Z hat den Erwartungswert $\mu = \frac{1}{p}$, wobei $p = 1 - q$ gilt.

(3) Wenn man eine exponentialverteilte (reellwertige) Zufallsvariable X mit dem Parameter λ aufrundet, entsteht eine ganzzahlige Zufallsvariable Z, die geometrisch verteilt ist mit dem Parameter $q = \frac{1}{e^\lambda}$ $\left(\text{bzw. } \lambda = \ln\left(\frac{1}{q}\right)\right)$. Für $t \in \mathbb{Z}$ sind nämlich die Bedingungen $Z \leq t$ und $X \leq t$ gleichwertig und es gilt $P(Z \leq t) = P(X \leq t) = 1 - e^{-\lambda t} = 1 - \left(\frac{1}{e^\lambda}\right)^t = 1 - q^t$.

---

9 Compunet und Hotwire verlangen für jede Minute einer Datenverbindung 1€. Compunet berechnet nur die tatsächliche Verbindungszeit, Hotwire jede angefangene Minute voll.
a) Welche Kosten hat man bei Compunet und Hotwire pro Verbindung zu erwarten, wenn die Verbindungsdauern exponentialverteilt sind mit dem Parameter $\lambda = 0{,}01$ (0,1; 1; 10)? Wie viel Prozent spart eine Firma, wenn sie von Hotwire nach Compunet wechselt?
b) Berechnen Sie für jede Firma den Anteil der Kosten, den Gespräche unter einer Minute Dauer verursachen.

Zeit zu wiederholen

10 Die Abbildung zeigt den Graphen einer Funktion samt erster und zweiter Ableitung.
a) Ordnen Sie f, f′ und f″ einem Graphen zu. Erläutern Sie die Zusammenhänge.
b) Lesen Sie aus den Graphen ab:
$$f(1) \approx \ldots; \quad f'(1) \approx \ldots; \quad \int_2^4 f'(x)\,dx \approx \ldots$$

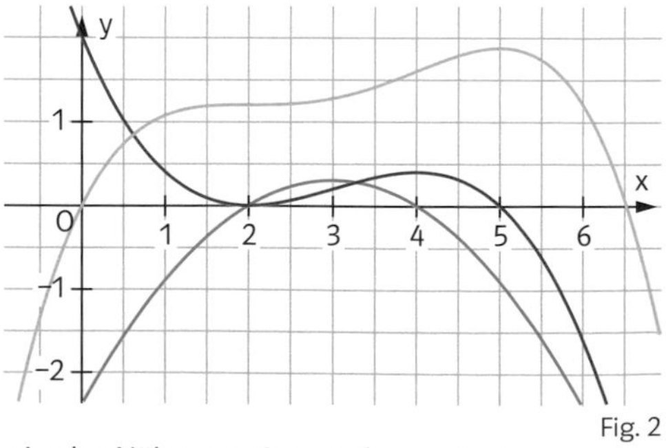

11 Für eine Funktion u gilt:
$u(3) > 0; \quad u'(3) < 0; \quad u''(3) > 0.$
Skizzieren und begründen Sie, wie der Graph von u in der Nähe von 3 aussehen müsste.

Fig. 2

Exkursion

Die Exponentialverteilung im Schwimmbad

- Man kommt aus dem Schwimmbecken. Nur wenige Leute sind im Umkleideraum, aber „fast immer" haben „fast alle", die sich umziehen, ihre Schränke direkt neben Ihrem.
- Das Gleiche bei den Geburtstagen: Das Jahr hat 365 Tage, aber oft liegen die Geburtstage der Freunde so nahe beieinander, dass man gar nicht alle mitfeiern kann.
- Man wartet schon seit Tagen auf wichtige Anrufe oder Mails – und dann kommen „alle auf einmal".

Sicher fallen Ihnen ähnliche Situationen ein, bei denen sich Dinge scheinbar zufällig häufen. Dahinter steckt „ein System", dem Sie durch Untersuchung realer Daten, mit Karten- und Computersimulation und mit etwas Analysis auf die Schliche kommen können. Die folgenden Forschungsaufträge bearbeiten Sie unabhängig voneinander, am besten in Gruppen.

1 Warten auf den nächsten Geburtstag (reale Daten)

Fig. 2 zeigt einen Ausschnitt aus dem Geburtstagskalender für eine Jahrgangsstufe zusammen mit der Wartezeit $X \geq 1$ in Tagen bis zum nächsten Eintrag. (Egal, wie viele Leute an einem Tag Geburtstag haben, es zählt nur die Differenz bis zum nächsten Datum.) Obwohl die Wartezeit eine ganzzahlige Zufallsvariable ist, scheint es, als könne man sie näherungsweise durch eine Exponentialverteilung beschreiben. Das soll untersucht werden.

a) Im Kalender in Fig. 2 sind 55 Tage durch Geburtstage „belegt". Die mittlere Anzahl $\overline{x}$ von

Abstand zwischen aufeinander folgenden Geburtstagen – und deren relative Häufigkeiten   Fig. 1

01.05.	Sarah	1
02.05.	Ann, Tim	2
03.05.		
04.05.	Jana	4
05.05.		
06.05.		
07.05.		
08.05.	Frank, Jim	3

Fig. 2

Tagen bis zum nächsten Geburtstag ist dann $\frac{365}{55} \approx 6{,}64$. Überschlagen Sie zur Kontrolle diesen Mittelwert aus der relativen Häufigkeitsverteilung von Fig. 1.

b) Da die Exponentialverteilung mit der Dichtefunktion f mit $f(x) = \lambda \cdot e^{-\lambda x}$ den Erwartungswert $\mu = \frac{1}{\lambda}$ besitzt, wird man für die Dichte den Parameter $\lambda = \frac{1}{\mu} \approx \frac{1}{\overline{x}} = 0{,}1507$ wählen. Vergleichen Sie die relativen Häufigkeiten aus Fig. 1 mit den Wahrscheinlichkeiten der Form

$$P(0 \leq X \leq 1) = \int_0^1 \lambda \cdot e^{-\lambda x} dx = [-e^{-\lambda x}]_0^1, \quad P(1 \leq X \leq 2) = \int_1^2 \lambda \cdot e^{-\lambda x} dx = [-e^{-\lambda x}]_1^2 \ldots$$

c) Erstellen Sie selbst einen Geburtstagskalender wie in Fig. 2 (etwa für Ihre Jahrgangsstufe). Erstellen Sie die relative Häufigkeitsverteilung der „Wartezeit X bis zum nächsten Geburtstag" wie in Fig. 1 und vergleichen Sie wieder mit einer geeigneten Exponentialverteilung.

2 Schwimmbadschränke
(„diskrete" Hand-Simulation)

Im Umkleideraum stehen n = 100 Schränke, von denen k = 20 zufällig belegt sind. Nach dem Schwimmen wollen Sie sich umziehen. Wie groß ist der Abstand zum nächsten belegten Schrank?

a) Simulieren Sie diese Situation mehrfach mit Zetteln oder Zufallszahlen.

b) Untersuchen Sie, ob die Abstände zum jeweils nächsten Schrank annähernd exponentialverteilt sind.

… schließlich kann man auch die Binomialverteilung durch die Normalverteilung annähern …

⑯ Excel
Geburtstagsabstand.xls und
Schrankabstand.xls

Zu b) Vergleichen Sie Ihre Häufigkeitsverteilung mit den Wahrscheinlichkeiten, die zur Exponentialverteilung $f(x) = \lambda \cdot e^{-\lambda x}$ mit $\lambda = \frac{k}{n}$ gehören.

3 Abstand zwischen Zufallsdezimalzahlen („stetige" Computersimulation)

Wenn man 100 Zufallszahlen aus dem Intervall [0; 1] der Größe nach sortiert, erhält man 99 Abstände (Differenzen). Wie sieht die zugehörige Verteilung aus?

a) Erzeugen Sie eine Liste (L1) aus 100 solcher Zufallszahlen; sortieren Sie diese. Bilden Sie hieraus die Liste (L2) der Abstände aus je zwei aufeinanderfolgenden Zahlen und stellen Sie die Häufigkeitsverteilung der Abstände mit Säulenbreite 0,005 graphisch dar. Kommentieren Sie dies.

b) Bei 100 sortierten Zahlen im Intervall [0; 1] ist der Erwartungswert des Abstandes $\mu = 0{,}01$. Ermitteln Sie Mittelwert $\bar{x}$ und empirische Standardabweichung s der Differenzen in Ihrer Liste L2. Ist das Ergebnis mit der Annahme einer Exponentialverteilung, die theoretisch gleiche Werte für μ und σ besitzt, vereinbar?

c) Berechnen Sie – unter Annahme einer Exponentialverteilung – die Wahrscheinlichkeit, dass der Abstand zweier aufeinanderfolgender Zahlen mehr als 0,01 beträgt. Vergleichen Sie mit Ihrem experimentellen Ergebnis.

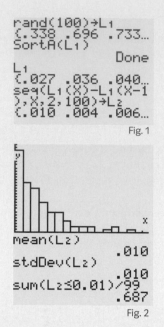

```
rand(100)→L₁
{.338 .696 .733...
SortA(L₁)
            Done
L₁
{.027 .036 .040...
seq(L₁(X)−L₁(X−1
),X,2,100)→L₂
{.010 .004 .006...
```
Fig. 1

```
mean(L₂)
            .010
stdDev(L₂)
            .010
sum(L₂≤0.01)/99
            .687
```
Fig. 2

Für Einstellung der Säulenbreite 0,1 nutzen Sie die Einstellung Xscl im Window-Menü.

```
WINDOW
 Xmin=0
 Xmax=.05
 Xscl=.005
 Ymin=0
 Ymax=50
 Yscl=5
 Xres=5
```
Fig. 3

4 Ein wenig Theorie: Exponentialverteilung

> **Satz:** Wenn auf einer Zahlengeraden Zufallszahlen gleichmäßig so verteilt sind, dass im Mittel auf eine Einheit n Zahlen kommen, dann sind die Abstände zwischen benachbarten Zahlen exponentialverteilt mit der Dichte $f(x) = \lambda \cdot e^{-\lambda x}$, wobei für den Parameter gilt: $\lambda = n$ bzw. $\mu = \frac{1}{n}$.

Zur Erinnerung bzgl. e^x: Erklären Sie folgende Aussage durch ein Zahlenbeispiel mit einem TR: Wenn man ein Kapital mit dem Prozentsatz p (dem Wachstumsfaktor $x = 1 + p$) statt nur einmal im Jahr stetig („sekündlich") verzinsen würde, dann würde es in einem Jahr nicht um das x-Fache, sondern um das e^x-Fache anwachsen.
$$\left(1 + \frac{x}{n}\right)^n \xrightarrow[n \to \infty]{} e^x$$
Vgl. auch Info und Aufgabe 11 auf Seite 181.

Dieser Satz soll am Beispiel $n = 100$ in drei Schritten begründet werden.

Schritt 1: Lassen Sie in Gedanken 100 Zufallszahlen zufällig auf das Intervall [0; 1] „fallen". Nehmen Sie in Gedanken eine beliebige Stelle des Intervalls heraus. Begründen Sie: Die Wahrscheinlichkeit, dass im Intervall [a; a + x] keine Zufallszahl liegt, ist $(1 - x)^{100}$.

Schritt 2: Nun lässt man 200 Zufallszahlen auf das Intervall [0; 2] „fallen".

Begründen Sie: Die Wahrscheinlichkeit, dass im Intervall [a; a + x] keine Zufallszahl liegt, ist nun $\left(1 - \frac{x}{2}\right)^{2 \cdot 100}$ ... und wenn man $n \cdot 100$ Zufallszahlen auf das Intervall [0; n] fallen lässt, liegen mit Wahrscheinlichkeit $\left(1 - \frac{x}{n}\right)^{n \cdot 100} \approx e^{-100x}$ keine Zahlen in [a; a + x].

Schritt 3: Folgern Sie hieraus: Wenn eine Zahlengerade gleichmäßig von Zufallszahlen mit der Dichte „100 Zahlen je Einheit" bevölkert ist, dann ist der Abstand zwischen zwei aufeinanderfolgenden Zahlen exponentialverteilt mit der Dichte $f(x) = \lambda \cdot e^{-\lambda x}$, wobei für den Parameter gilt: $\lambda = 100$ bzw. $\mu = \frac{1}{100}$. Zeigen Sie dazu: $P(0 \le X \le x) = 1 - e^{-100x}$.

5 Theorie und Praxis

Machen Sie mit dem Satz aus Aufgabe 4 die Ergebnisse der Forschungsaufträge 1 bis 3 plausibel.

Rückblick

Binomialverteilung

Eine Zufallsvariable X mit den Werten 0; 1; ...; n heißt binomialverteilt mit den Parametern n und p, wenn X sich als Trefferzahl bei einer Bernoulli-Kette der Länge n und Trefferwahrscheinlichkeit p beschreiben lässt. Es gilt dann

$P(X = r) = B_{n;p}(r) = \binom{n}{r} \cdot p^r (1 - p)^{n-r}$; $0 \le r \le n$ (Bernoulli-Formel)

Der **Erwartungswert** von X ist $\mu = n \cdot p$.
Die **Standardabweichung** von X ist $\sigma = \sqrt{n \cdot p \cdot (1 - p)}$.

X: Anzahl der Wappen beim 50-maligen Werfen einer Münze. X ist binomialverteilt mit den Parametern n = 50 und p = 0,5.
Für genau 25-mal W: $P(X = 25) = 0,1123$.
Für höchstens 25-mal W: $P(X \le 25) - 0,5561$.
Erwartungswert $\mu = 25$.
Standardabweichung $\sigma = \sqrt{\frac{50}{4}} \approx 3,5$.

Sigma-Regeln: (Näherung brauchbar, falls $\sigma > 3$)
1. $P(\mu - \sigma \le X \le \mu + \sigma) \approx 68,3\%$
2. $P(\mu - 2\sigma \le X \le \mu + 2\sigma) \approx 95,4\%$
3. $P(\mu - 3\sigma \le X \le \mu + 3\sigma) \approx 99,7\%$

Sigma-Intervall: $[\mu - \sigma; \mu + \sigma] = [22; 28]$
mit Sigma-Regel: $P(22 \le X \le 28) \approx 68,3\%$
exakt: $P(22 \le X \le 28) = 0,6777... \approx 67,8\%$

Signifikanztest

Ein Signifikanztest ist ein Verfahren zum Entscheiden für oder gegen eine Hypothese. Er liefert aber keine Aussage über die Richtigkeit einer Hypothese oder über die Wahrscheinlichkeit, mit der sie gilt.

Beim **zweiseitigen Test** der Nullhypothese H_0: $p = p_0$ legt man den **Stichprobenumfang** n, das **Signifikanzniveau** α (z.B. 5%) fest und bestimmt den **Annahmebereich** [a; b] wie folgt:
– Man sucht die kleinsten ganzen Zahlen a und b mit $P(X \le a) > 2,5\%$ und $P(X \le b) > 97,5\%$ heraus.
– Man führt eine Stichprobe vom Umfang n durch. H_0 wird angenommen, wenn X im Annahmebereich liegt, sonst wird H_0 verworfen.
Beim **linksseitigen Test** hat der Annahmebereich die Form [a; n], wobei a die kleinste Zahl mit $P(X \le a) > 5\%$ ist.
Beim **rechtsseitigen Test** hat der Annahmebereich die Form [0; b], wobei b die kleinste Zahl mit $P(X \le b) > 95\%$ ist.

Von einer Münze wird behauptet, dass Wappen und Zahl nicht mit gleicher Wahrscheinlichkeit fallen. Nullhypothese: p = 0,5 (d.h.: Die Wahrscheinlichkeit für Wappen und Zahl ist gleich.).
1. Stichprobenumfang n = 200 und Signifikanzniveau 5% werden festgelegt.
2. X = Zahl der Wappen, n = 200 und p = 0,5.
3. Annahmebereich [86; 114], a = 86 und b = 114 sind die kleinsten Zahlen, sodass $P(X \le a) > 2,5\%$ und $P(X \le b) > 97,5\%$.
4. Ergibt die Stichprobe z.B. 110 Wappen, so wird die Nullhypothese beibehalten.

Eine Funktion f heißt **Wahrscheinlichkeitsdichte** über einem Intervall I, z.B. $I = [a; b]$ oder $I = (a; b)$, wenn gilt:

(1) $f(x) \ge 0$ für alle x aus I und (2) $\int_a^b f(x)\,dx = 1$.

Eine reellwertige Zufallsvariable X mit Werten im Intervall I heißt stetig verteilt mit der Wahrscheinlichkeitsdichte f, wenn für alle r, s aus I gilt:

$P(r \le X \le s) = \int_r^s f(x)\,dx$.

Bei **stetig verteilten Zufallsvariablen** haben einzelne Werte die Wahrscheinlichkeit 0. Für Erwartungswert μ und Standardabweichung σ gilt:

$\mu = \int_a^b x f(x)\,dx$ und $\sigma = \sqrt{\int_a^b (x - \mu)^2 \cdot f(x)\,dx}$.

Für eine binomialverteilte Zufallsvariable X mit den Parametern n und p gilt mit $\mu = n \cdot p$ und $\sigma = \sqrt{n \cdot p \cdot (1 - p)}$:

$P(r \le X \le s) \approx \int_{r-0,5}^{s+0,5} \varphi_{\mu;\sigma}(x)\,dx$.

Dichte der Normalverteilung

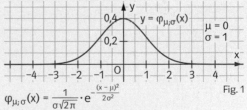

$\varphi_{\mu;\sigma}(x) = \frac{1}{\sigma\sqrt{2\pi}} \cdot e^{-\frac{(x-\mu)^2}{2\sigma^2}}$

Fig. 1

Dichte der Exponentialverteilung

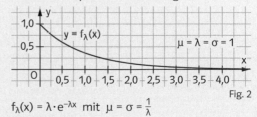

$f_\lambda(x) = \lambda \cdot e^{-\lambda x}$ mit $\mu = \sigma = \frac{1}{\lambda}$

Fig. 2

Prüfungsvorbereitung ohne Hilfsmittel

1 Gegeben ist eine Binomialverteilung mit den Parametern $n = 36$ und $p = 0,5$.
a) Berechnen Sie den Erwartungswert und die Standardabweichung.
Beschreiben Sie die Bedeutung dieser Kenngrößen.
b) Skizzieren Sie den Graphen. Verwenden Sie dabei, dass das Maximum 0,13 beträgt.
Erläutern Sie an dem Graphen die Sigma-Regeln.
c) Wie ändert sich der Graph, wenn Sie n vergrößern und p beibehalten?
d) Wie ändert sich der Graph, wenn Sie p verändern und n beibehalten?

2 Wahr oder falsch? Begründen Sie.
Bei einer binomialverteilten Zufallsvariablen X mit den Parametern n und p sowie dem Erwartungswert μ und der Standardabweichung σ
a) ist μ immer eine ganze Zahl. b) ist μ proportional zu n (falls p konstant ist).
c) ist σ proportional zu $\sqrt{n}$, wenn p beibehalten wird.
d) beträgt die Wahrscheinlichkeit, dass ein Wert von X in das Intervall $[\mu - \sigma; \mu + \sigma]$ fällt, etwa 68 %.
e) verläuft die Gauß'sche Glockenkurve, also der Graph von $\varphi_{\mu;\sigma}$, genau durch die oberen Mittelpunkte des Säulendiagramms der Binomialverteilung.

3 Welcher der Graphen I, II oder III könnte zu einer Wahrscheinlichkeitsdichte gehören, welcher nicht? Begründen Sie.

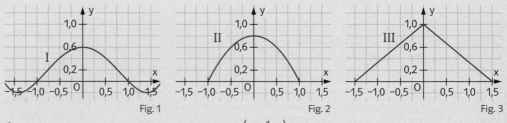

Fig. 1   Fig. 2   Fig. 3

4 Gegeben ist die Funktion f_a mit $f_a(x) = a \cdot \left(1 - \frac{1}{4}x^2\right)$, $x \in [-2; 2]$.
a) Zeigen Sie: Für $a = \frac{3}{8}$ ist f eine Wahrscheinlichkeitsdichte auf dem Intervall $[-2; 2]$
b) X sei die Zufallsvariable, welche die Wahrscheinlichkeitsdichte f mit $f(x) = \frac{3}{8} \cdot \left(1 - \frac{1}{4}x^2\right)$,
$x \in [-2; 2]$ besitzt. Bestimmen Sie $P(X = 0)$, $P(X \leq 0)$, $P(-1 < X < 1)$ und $P(X \geq 1)$ sowie den Erwartungswert von X.
c) Geben Sie möglichst viele Eigenschaften der Funktion F mit $F(x) = \int_{-2}^{x} f(t)\,dt$ an.

5 Die Zufallsvariable X gibt an, wie viele Jahre die Elektronik in einem Auto fehlerfrei funktioniert. Für X gilt erfahrungsmäß näherungsweise: $P(X \leq t) = \int_{0}^{t} \frac{1}{5} e^{-\frac{1}{5}x}\,dx$.
Geben Sie Wahrscheinlichkeitsdichte von X an. Bestimmen Sie $P(X \leq 3)$ und $P(X > 5)$;
geben Sie Ihre Ergebnisse mithilfe der Euler'schen Zahl an.
Bestimmen Sie eine Formel für die „Halbwertszeit" T_H, für die gilt: $P\left(X \leq T_H\right) = 50\,\%$.

Der Anteil der Muslime in Stuttgart beträgt 11,3 Prozent. Zum katholischen Glauben bekennen sich 26 Prozent und zum protestantischen Glauben etwa 30 Prozent. Der Rest gehört anderen Religionen an oder ist konfessionslos.

6 Es soll ein Signifikanztest durchgeführt werden, der die Behauptung „Der Anteil der Muslime in Stuttgart ist im Vergleich zur Angabe aus der Zeitungsmeldung gestiegen" untersucht.
a) Beschreiben Sie, wie man einen solchen Test durchführen kann. Geben Sie dabei die Nullhypothese, die Alternative und die Testvariable an.
b) Was leistet der Test, was kann er nicht leisten?
c) Diskutieren Sie die Rolle des Signifikanzniveaus.
d) Formulieren Sie eine Behauptung so, dass man einen zweiseitigen Test durchführen würde.
e) Wieso muss man bei einem Signifikanztest das Signifikanzniveau und den Stichprobenumfang bei der Veröffentlichung der Testdaten mit angeben?

Prüfungsvorbereitung mit Hilfsmitteln

1 Bei einem Reißnagel beträgt die Wahrscheinlichkeit 60%, dass er auf dem Kopf landet. Hanna wirft 100 Reißnägel. Die Zufallsvariable X zählt die Reißnägel, die auf dem Kopf landen.
a) Begründen Sie, dass X binomialverteilt ist.
b) Bestimmen Sie den Erwartungswert μ und die Standardabweichung σ von X.
c) Berechnen Sie $P(X \le 60)$; $P(X > 50)$; $P(50 \le X \le 60)$ sowie $P(\mu - 2\sigma \le X \le \mu + 2\sigma)$.
d) Bestimmen Sie die kleinste Zahl a so, dass $P(\mu - a \le X \le \mu + a) \ge 80\%$.

2 Für eine unbekannte Wahrscheinlichkeit soll die Hypothese H_0: p = 0,4 gegen die Alternative H_1: p > 0,4 auf dem Signifikanzniveau 5% getestet werden.
a) Welcher Annahmebereich ergibt sich bei einem Stichprobenumfang von n = 200?
b) Erläutern Sie den Begriff Irrtumswahrscheinlichkeit und bestimmen Sie sie.
c) Angenommen, in Wirklichkeit beträgt p = 0,5. Wie groß ist dann die Wahrscheinlichkeit, dass die Stichprobe einen Wert liefert, der im Annahmebereich des Tests liegt?

3 Klinische Tests für ein Medikament haben gezeigt, dass es den Anteil p der behandelten Patienten heilt. Die Zufallsvariable X zählt die geheilten Patienten, wenn n Patienten mit dem Medikament behandelt werden.
a) Es sei p = 0,9 und n = 60. Wie groß ist $P(X \ge 50)$?
b) Es sei n = 60. Wie groß muss p – gerundet auf ganze Prozent – mindestens sein, damit $P(X \ge 50) \ge 0,5$?
c) Es sei p = 0,9. Wie groß muss n mindestens sein, damit mit mehr als 99% Wahrscheinlichkeit mindestens 50 Patienten geheilt werden?

4 X ist binomialverteilt mit den Parametern n = 75 und $p = \frac{1}{3}$. Berechnen Sie jeweils exakt und mit der Gauß-Näherung.
a) $P(X \le 20)$ b) $P(X < 20)$ c) $P(X = 25)$ d) $P(X > 20)$ e) $P(X \ge 20)$

5 Fig. 1 zeigt den Graphen einer „Dreiecksfunktion" f, die für x = 0 bis x = 1 linear von c auf Null fällt und dann für x = 1 bis x = 2 von Null auf d linear steigt.
a) Bestimmen Sie für den Fall c = d die Parameter c und d so, dass die Funktion f auf dem Intervall [0; 2] eine Wahrscheinlichkeitsdichte ist. Stellen Sie f abschnittsweise dar. Bestimmen Sie den Erwartungswert und die Standardabweichung der zugehörigen Zufallsvariablen.
b) Lösen Sie Teilaufgabe a), falls c = 0,5 und d von c verschieden ist.

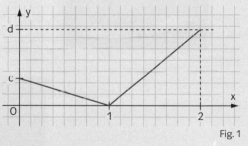

Fig. 1

6 Das Gewicht von Kartoffeln einer Sorte ist normalverteilt mit dem Erwartungswert μ = 210 und der Standardabweichung σ = 20.
a) Berechnen Sie die Wahrscheinlichkeit dafür, dass eine zufällig ausgewählte Kartoffel zwischen 190 und 230 Gramm, zwischen 209 und 211 Gramm bzw. genau 210 Gramm wiegt.
b) Wie ändern sich die in Teilaufgabe a) berechneten Wahrscheinlichkeiten, wenn bei gleichem Erwartungswert die Standardabweichung nur den Wert 10 hat?

7 Die Lebensdauer einer Seifenblasensorte ist exponentialverteilt. 50% der Seifenblasen sind nach 30 Sekunden schon geplatzt. Mit welcher Wahrscheinlichkeit lebt eine neue Seifenblase länger als eine Minute?

Sachthema: **GPS – Dem Navi auf der Spur**

GPS-Dateien
735301-3881

Ein Lernzirkel mit 8 Stationen

Alle Stationen können ohne eigene Navigationsgeräte durchgeführt werden, da unter dem Online-Link (s.o.) Daten in zahlreichen Dateien zur Verfügung gestellt werden.

Das Global Positioning System (GPS) nutzt Satelliten, die synchronisierte Zeitsignale aussenden. GPS-Empfänger (Auto- oder Trekking-Navigationsgeräte) berechnen aus den unterschiedlichen Laufzeiten, die die Signale von den verschiedenen Satelliten bis zur Erdoberfläche benötigen, die Position (Längengrad „Longitude" und Breitengrad „Latitude") des Standortes. Viele Navigationsgeräte lassen sich so einstellen, dass gefahrene Strecken als „Tracks" abgespeichert werden. Tracks enthalten im Sekundenabstand aufgezeichnete Positionen mit Uhrzeit und oft Geschwindigkeit, Anzahl der Satelliten und Messgenauigkeit. Sie lassen sich in Tabellenkalkulations-Dateien umwandeln und als Fahrspuren in Landkarten – z.B. den verschiedenen Google-Maps und dreidimensional in Google-Earth – darstellen.

Unter dem Online-Link befinden sich neben den Excel-Dateien mit den aufgezeichneten Daten auch noch Ergänzungen zu einzelnen Stationen.

Im Folgenden sollen diese Daten (Excel-Dateien unter dem Online-Link) untersucht werden. Dies geschieht an „Arbeits- und Forschungsstationen", die unterschiedliche Schwerpunkte und Schwierigkeitsgrade aufweisen und unabhängig voneinander zu bearbeiten sind. Dabei werden zentrale Aspekte von Trigonometrie, Analysis, Vektorrechnung und Stochastik, so wie sie in diesem Buch erarbeitet wurden, lebendig. Die Arbeitsergebnisse einer jeden Station sollen abschließend der ganzen Lerngruppe präsentiert werden. Die einzelnen Stationen haben die folgenden thematischen Schwerpunkte:

Station 1:
Track-Dateien und ihre Darstellung in Google-Maps (teilweise unter dem Online-Link)

Welche Informationen speichern GPS-Navigationsgeräte, wie wandelt man die Informationen in für Tabellenkalkulationsprogramme lesbare Formate um und wie stellt man sie in Landkarten dar?

Station 2:
Koordinatenumwandlung von der Kugel in die Ebene

Wie wandelt man die vom Navigationsgerät aufgezeichneten Kugelkoordinaten (geografische Länge λ / Breite φ, beide angegeben in Grad) in ebene xy-Koordinaten (beide in km) um? Wie zeichnet man Landkarten bzw. Fahrspuren mithilfe eines Tabellenkalkulationsprogramms?

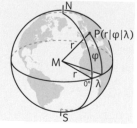

Station 3:
Grafisch integrieren und differenzieren

Zeit → Weg-, Zeit → Geschwindigkeits- und Weg → Geschwindigkeits-Diagramme. Die vom Navigationsgerät aufgezeichneten Daten werden visualisiert, die grundlegenden Zusammenhänge der Differenzial- und Integralrechnung werden lebendig.

Station 4:
Numerisch integrieren und differenzieren

Aus den Positionsangaben des Navigationsgeräts wird die zurückgelegte Wegstrecke, die Momentangeschwindigkeit und die momentane Beschleunigung mithilfe eines Tabellenkalkulationsprogramms berechnet und mit den direkt vom Navigationsgerät aufgezeichneten Daten verglichen. Ergänzend kann man erforschen, wie ein Navigationsgerät arbeitet, wenn der Satellitenkontakt kurzzeitig abreißt (Tunnel) bzw. ganz unterbrochen wird (Halten in einer Station).

Sachthema: **GPS – Dem Navi auf der Spur**

Station 5:
Fahrtrichtung als Integral der Drehgeschwindigkeit (teilweise unter dem Online-Link)

Mittels des Vektorproduktes „benachbarter" Geschwindigkeitsvektoren kann man die Drehgeschwindigkeit (Winkelgeschwindigkeit in $\frac{Grad}{s}$) und durch
Integration die aktuelle Kursrichtung berechnen. Wer das Vektorprodukt (fakultatives Thema) nicht kennt, erforscht anhand der Kreiseldaten, wie man mit dem GPS Flächen beliebiger geschlossener Kurven misst.

Station 6:
Brems- und Querbeschleunigung beim Kurvenfahren – Das Skalarprodukt in Aktion

Wenn man in der Ebene Geschwindigkeit und Beschleunigung als vektorielle Größen deutet, kann man beim Kurvenfahren die Querbeschleunigung berechnen und prüfen, ob die Reifen ins Quietschen kamen.

Station 7:
Luft- und Rollwiderstand – Das GPS ersetzt den Windkanal (unter dem Online-Link)

Wenn man ein mit hoher Geschwindigkeit fahrendes Auto oder Fahrrad auf ebener Strecke ausrollen lässt, kann man den Luftwiderstand und den Rollwiderstand bestimmen, indem man die Messdaten mit den Daten von Modellrechnungen vergleicht. Auch der Cw-Wert für die Windschnittigkeit lässt sich ermitteln.

Das Gewicht des Fahrrads muss für die Berechnung bestimmt werden.

Station 8:
Wenn Gauß ein GPS gehabt hätte – Normal- und Exponentialverteilung

Man lässt ein Navigationsgerät eine längere Zeit an einem festen Ort liegen. Wegen der Messfehler (wandernde Satelliten, Einflüsse der Atmosphäre, Reflexionen der GPS-Signale an Gebäuden …) streuen die Angaben zur gemessenen Position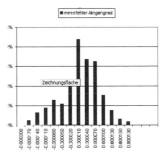
(Längen- und Breitengrad). Sind die Abweichungen von der wahren Position normalverteilt?

Selbst experimentieren!

Unter dem Online-Link finden sich die folgenden Fahrtprotokolle mit Anregungen (in *gps-aufgaben-Zusatzdateien.pdf*) für eigene Forschungen:

01-nürburgring-nordschleife

02-ice-rb-siegburg-stuttgart-münchen-ohlstadt

03-ice-mainz-bonn-rheinstrecke

04-fahrrad-sportplatz

05-berfahrt-oberau-ettal

06-autobahn-kleeblatt

07-kleinlaster-ausrollversuch

08-messfehler

09-flug-köln-berlin-köln

Sie wurden mit einem preiswerten Auto-Navigationsgerät aufgezeichnet. Wer selbst experimentieren möchte, findet in der Datei *GPS-Tipps.doc* technische Hinweise – auch zu geeigneten Geräten und Links mit weitergehenden Informationen sowie aktuelle Dateien von Rennstrecken.

Sachthema: **GPS – Dem Navi auf der Spur**

GPS-Dateien ↗
Station-1-lkw-bonn-köln.trk
GPS-Tipps.doc
735301-3881

Gängige Track-Formate
sind .gpx, .nmea, .trk …

Seit 2005 stellt die Firma
Google ihre Landkarten
privaten Nutzern im Netz
zur Verfügung.

Station 1:
Track-Dateien und ihre Darstellung in Google-Maps – Aufzeichnen, Umwandeln und Visualisieren von Fahrtprotokollen

GPS-Navigationsgeräte speichern Fahrspuren in einer Vielzahl geräteabhängiger Formate. Alle Formate kann man so umwandeln, dass sie von Tabellenkalkulationsprogrammen gelesen werden (siehe dazu Erweiterungen zur Station 1 unter dem Online-Link). Fig. 1 zeigt den Ausschnitt einer solchen Datei. Es gibt Freeware-Programme und Webseiten, die nicht nur die Umwandlung kostenlos erledigen, sondern die Track-Dateien in beliebiger Vergrößerung auch als Spuren auf Landkarten (Google-Maps) darstellen. Fig. 2 zeigt eine Lkw-Fahrt von Bonn nach Köln mit einem gezoomten Ausschnitt am Autobahnkreuz Köln Süd (Fig. 3).

	A	B	C	D	E	F	G	H
1	Index	Lat	Lon	Distance (km)	Speed (km/h)	Time	HDOP	Satellites
170	168	50.712035	7.031783	0.582289	40.540298	20.12.08 21:13	1.3	9
171	169	50.711995	7.031935	0.593892	42.151501	20.12.08 21:13	1.3	9
172	170	50.711955	7.032095	0.606017	43.633099	20.12.08 21:13	1.4	8
173	171	50.711917	7.032265	0.618725	45.096199	20.12.08 21:13	1.3	9
174	172	50.711882	7.032438	0.631527	46.151798	20.12.08 21:13	1.3	9
175	173	50.711848	7.03262	0.644903	47.7075	20.12.08 21:13	0.9	10

Fig. 1: Ergebnis der Formatumwandlung

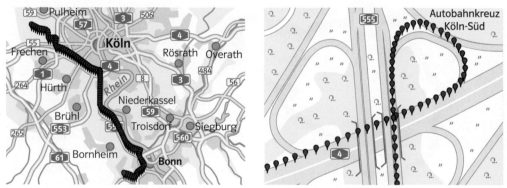

Fig. 2, 3: Von Bonn nach Köln mit Ausschnitt am Kreuz Köln Süd von der A 555 auf die A4 (Datei *Station-1-lkw-bonn-köln.trk*)

www.gpsvisualizer.com
eignet sich hervorragend
zur Formatumwandlung
zum Zeichnen von
Karten.
Weitere Hinweise finden
sich in der Datei *GPS-
Tipps.doc* unter dem
Online-Link.

1 a) Wandeln Sie die Datei *Station-1-lkw-bonn-köln.trk* in eine Tabellenkalkulationsdatei um.
b) Stellen Sie die gesamte Fahrspur oder auch Teile davon als Landkarte dar.
c) Vergrößern Sie ein besonders interessant erscheinendes Wegstück.

2 a) Beschreiben Sie, was Sie der Fig. 4 (Kölner Hbf. Gleis 12) entnehmen können.
b) Bei „rasant genommenen Kurven" scheinen die Fahrspuren neben den sichtbaren Fahrbahnen zu liegen (Fig. 3). Spekulieren Sie über mögliche Hintergründe.
c) Zeichnen Sie eine Fahrt mit dem Navi auf. Erproben Sie die Formatumwandlung und Darstellung eines Details in einer Landkarte.
d) Wie verhält sich das Navigationsgerät bei fehlendem Satellitenkontakt, wenn Sie z.B. durch eine Unterführung fahren?

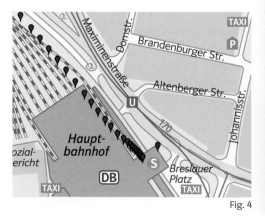

Fig. 4

Station 2:
Koordinatenumwandlung: Von der Kugel in die Ebene – Grad in km

GPS-Dateien
Station-2-lkw-bonn-köln.xls
735301-3881

Jeder Punkt P auf der Erdoberfläche lässt sich durch seine geografische Länge (Longitude) λ und seine geografische Breite (Latitude) φ beschreiben. So muss man vom Äquator $\varphi = 50{,}7°$ nach Norden und vom Nullmeridian, auf dem der Londoner Vorort Greenwich liegt, $7{,}0°$ nach Osten gehen, um in die Nähe von Bonn zu gelangen.

Diese „Kugelkoordinaten" $(\varphi; \lambda)$ speichern Navis im Sekundenabstand, woraus sich die Fahrspuren („Tracks") ergeben.

Lokal sieht die Erde aus wie eine Ebene, deren Punkte sich durch x-Koordinaten (Richtung Osten) und y-Koordinaten (Richtung Norden)

Fig. 1: Modellvorstellung:
Erde als Kugel mit Radius $r = 6\,370\,000\,\mathrm{m}$,
$r_0 = r \cdot \cos(\varphi)$

$\frac{1}{60}$ von 1° nach Norden entspricht einer Bogenminute und wird als Seemeile (1,852 95 km) bezeichnet.

beschreiben lassen. Wenn man sich von P aus um 1° nach Norden bewegt, entspricht das stets der Strecke $\Delta y = \frac{2\pi r}{360} = 111177\,\mathrm{m}$.

Wenn man sich um 1° nach Osten bewegt, entspricht das (abhängig vom Breitengrad φ) der Strecke $\Delta x = \frac{2\pi r_0}{360} = \cos(\varphi) \cdot 111177\,\mathrm{m}$ ($\approx 71{,}369\,\mathrm{km}$ bei Bonn).

Am Äquator entspricht 1° nach Osten 111177 m, am Nordpol 0 m.

Landkarten mit Excel zeichnen

Fig. 2 zeigt, wie die Umrechnung und das Karten-Zeichnen mit Excel gelingt. Man lädt die Datei (hier das Blatt *kreuz-köln-süd* aus der Datei *Station-2-lkw-bonn-köln.xls*) mit den gemessenen Kugelkoordinaten in den Spalten B und C. In die Zellen I3 und J3 werden die Länge und die Breite des ersten Messpunktes kopiert. Dort soll der Ursprung der Landkarte liegen. In Zelle I2 trägt man den Erdradius ein. In Zelle J2 berechnet man den Radius des aktuellen Breitenkreises =cos(bogenmass(J3))*I2.

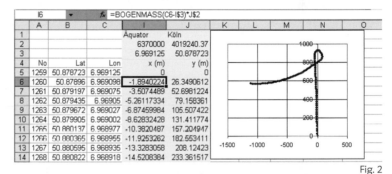

Fig. 2

Die x- und y-Koordinaten ergeben sich dann durch Kopieren der Formeln =bogenmass(C6-I$3)*J$2 (Zelle I6) und =bogenmass(B6-J$3)*I$2 (Zelle J6) „nach unten". Wie man sieht, werden die x-Koordinaten langsam kleiner (negativ), die y-Koordinaten rasch größer. Man fährt also mit hoher Geschwindigkeit nach Norden und ein wenig nach Westen. Das zeigt auch die Karte, die man nun als Punktdiagramm aus den Spalten I und J gewinnt.

1 Zeichnen Sie entsprechende Excel-Landkarten für die Datei *Station-2-lkw-bonn-köln.xls*
a) zum Start (2 Minuten ab Messwert No=0),
b) zur Auffahrt Bonn Nord (2 Minuten ab Messwert 298).

2 Laden Sie die in Aufgabe 1 visualisierte .xls- oder .trk-Datei hoch auf www.gpsvisualizer.com/map_input. Vergleichen Sie Excel-Landkarte und Google-Map.

Ambitionierte Excel-Freunde können Schieberegler zum „Zoomen" (vergrößern/verkleinern) und „Shiften" (verschieben) der Karten ein bauen, genau wie bei den Karten im Internet. Im Netz gibt es viele Anleitungen, die beschreiben, wie man Schieberegler in Excel einbaut.

Alternative: Arbeiten Sie mit einer selbst aufgezeichneten Datei.

GPS-Dateien ↗
Station-3-s-bahn-
weiden-köln.xls
735301-3881

Station 3:

Grafisch integrieren und differenzieren – Fahrtprotokolle

Die Datei *Station-3-s-bahn-weiden-köln.xls* enthält Daten einer S-Bahnfahrt von Köln Weiden nach Köln Hbf.

	A	B	C	D	E	F	G	H
1	Index	Lat	Lon	Distance (km)	Speed (km/h)	Time	HDOP	Satellites
60	58	50.940942	6.815568	0.021346	6.61164	7:37:35	0.9	9
61	59	50.940945	6.815603	0.023824	10.5008	7:37:36	0.9	9
62	60	50.940953	6.815658	0.027783	15.5012	7:37:37	0.9	9
63	61	50.940967	6.815728	0.032935	19.0756	7:37:38	0.9	9
64	62	50.940978	6.815812	0.038953	22.4648	7:37:39	0.9	9
65	63	50.940992	6.815907	0.045797	25.8354	7:37:40	0.9	9
66	64	50.94101	6.816013	0.053497	30.1506	7:37:41	0.9	9
67	65	50.941032	6.816157	0.063891	36.225101	7:37:42	0.9	9
68	66	50.94105	6.816312	0.074946	40.151402	7:37:43	0.9	9
69	67	50.94107	6.816482	0.087077	43.799801	7:37:44	1	8
70	68	50.941092	6.816663	0.100007	48.318699	7:37:45	1.2	7
71	69	50.941118	6.816877	0.115294	53.337601	7:37:46	1.1	8
72	70	50.941142	6.8171	0.131163	56.3008	7:37:47	0.9	9
73	71	50.941168	6.81734	0.148245	60.2826	7:37:48	0.9	9
74	72	50.941198	6.817598	0.166648	65.227402	7:37:49	0.9	9
75	73	50.941227	6.817867	0.185791	68.820297	7:37:50	1	8
76	74	50.941257	6.81815	0.20592	72.431702	7:37:51	1	8
77	75	50.941288	6.818447	0.227037	75.765297	7:37:52	1	8

Bahnhof/ Haltestelle	Zeit
Köln Weiden West	ab 07:36
Lövenich	ab 07:38
Köln Müngersdorf Technologie- park	ab 07:41
Köln Ehren- feld	ab 07:44
Köln Hansaring	ab 07:48
Köln Hbf.	ab 07:50

Fig. 1: Protokoll einer S-Bahnfahrt von Köln Weiden nach Köln Hbf.
… und der Fahrplan zum Vergleich

1 Fassen Sie möglichst viele Informationen in Worte, die Sie dem
Ausschnitt des Protokolls aus Fig. 1 entnehmen können. Versuchen Sie, nur anhand dieser Tabelle eine Antwort auf die Frage: „Wie schnell beschleunigt die S-Bahn von 0 auf 100?" zu finden.

TRIPINFO
Höchstgeschwindigkeit:
120 km/h
Durchschnittsgeschw.:
50 km/h
Gefahrene Strecke:
9,8 km
Fahrzeit:
0:11 h

Fig. 2

2 a) Fig. 3 zeigt den Weg s (in km) und die aufgezeichnete Geschwindigkeit v $\left(\text{in } \frac{km}{h}\right)$ in Abhängigkeit von der Fahrzeit t (in s) und die Geschwindigkeit in Abhängigkeit von der zurück-gelegten Strecke. Erläutern Sie, wie die t → s-, t → v-Diagramme und wie die t → v- und s → v-Diagramme miteinander zusammenhängen.
b) Wie viel Prozent der Fahrzeit hätte man schätzungsweise sparen können, wenn der Zug ohne Zwischenhalte durchgefahren wäre?
c) Wieso passt die letzte Abbildung in Fig. 3 nicht zu dieser Fahrt? Wie müssten die richtigen Angaben lauten?
d) War die S-Bahn pünktlich? Vergleichen Sie die Fahrtprotokolle mit dem Fahrplan aus Fig. 1.

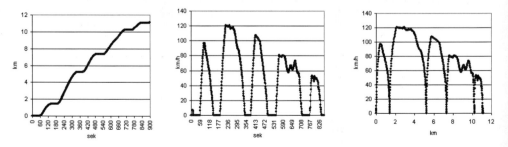

Fig. 3: S-Bahn mit den Stationen Weiden – Lövenich – Industriepark – Ehrenfeld – Hansaring – Hbf.

3 Eine „klassische" Aufgabe wird an der Realität überprüft

Die folgende Aufgabe stammt aus einer Zeit, in der es noch kein GPS gab. Lösen Sie diese Aufgabe und beurteilen Sie unter Rückgriff auf Fig. 2, Seite 392, ob die Angaben zu den Funktionstermen realistisch sind.

Triebwagenzüge von U-Bahnen und S-Bahnen fahren besonders wirtschaftlich, wenn sie in einer Anfahrphase konstant beschleunigt werden, dann ausrollen und schließlich abgebremst werden. In diesem Fall kann die Geschwindigkeit v in Abhängigkeit von der Zeit t durch eine stückweise lineare Funktion beschrieben werden, z.B. mit

$$v(t) = \begin{cases} 3{,}6\,t & \text{für } 0 \le t < 20 \quad \text{(Anfahrphase)} \\ -0{,}2\,(t-20)+72 & \text{für } 20 \le t < 30 \quad \text{(Ausrollphase)} \\ -4\,(t-30)+70 & \text{für } 30 \le t \quad \text{(Bremsphase)} \end{cases} \quad \text{mit t in Sekunden und v in } \tfrac{km}{h}.$$

a) Zeichnen Sie den Graphen der Funktion $t \mapsto v(t)$. Lesen Sie ab, nach wie vielen Sekunden der Zug wieder hält. Berechnen Sie den genauen Wert dieser Nullstelle.

b) Aufgrund einer Verspätung beschleunigt der Triebwagenführer 24,5 s lang und bremst dann sofort ab. Zeichnen Sie den Graphen der zugehörigen Zeit-Geschwindigkeits-Funktion. Lesen Sie ab, wie viele Sekunden der Zeitgewinn etwa beträgt. Versuchen Sie, den zugehörigen Energiemehraufwand abzuschätzen.

4 Sprint- und Brems-Parabeln

Es sieht so aus (Hypothese), als würde die Geschwindigkeit beim Anfahren linear mit der Zeit ansteigen und beim Bremsen linear abfallen. In beiden Fällen müsste der Weg dann quadratisch (parabelförmig, vgl. Fig. 1 und 2) von der Zeit abhängen.

a) Begründen Sie diesen theoretischen Zusammenhang mithilfe von Integralen.

b) Untersuchen Sie die Hypothese mit detaillierten Ausschnitten aus dem Fahrtprotokoll, z.B. an der Haltestelle Industriepark.

Der Bremsvorgang bei Köln-Lövenich ist in der Excel-Datei zwischen den Datensätzen in Zeile 88–145 protokolliert, der folgende Beschleunigungsvorgang im Bereich von Zeile 186–211.

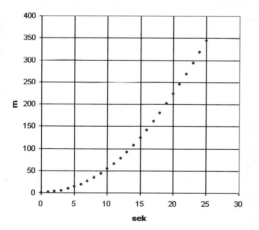

Fig. 1: Beschleunigen bei Ausfahrt aus Köln-Lövenich

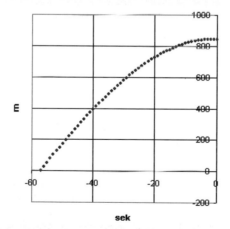

Fig. 2: Bremsen bei Einfahrt in Köln-Lövenich

GPS-Dateien ↗
Station-4-straßenbahn-
linie-13.xls
735301-3881

Station 4:
Numerisch integrieren und differenzieren – Weg, Geschwindigkeit und Beschleunigung aus Positionsdaten selbst berechnen

Die Datei *Station-4-straßenbahn-linie-13.xls* enthält im Arbeitsblatt *neusser-amsterdamer* das Protokoll einer Straßenbahnfahrt zwischen den Haltestellen Neusser Straße und Amsterdamer Straße in Köln (Fig. 1). Dabei sind die Koordinaten der Messpunkte mit Ursprung in der ersten Haltestelle in den Spalten I und J verfügbar.

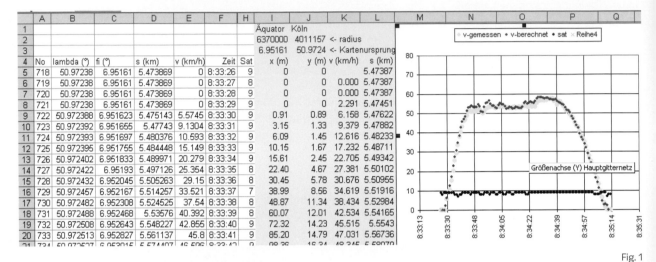

Fig. 1

1   Integrieren, Differenzieren

Sie können die angegebenen xy-Landkartenkoordinaten (m) nutzen. Wie man sie aus gemessenen Kugelkoordinaten berechnen kann, ist Gegenstand von Station 2.

a) **Numerisch integrieren:** Um 08:33:30 Uhr ist der Fahrgast schon 5,475 km gefahren (Fig. 1, Zeile 8 Spalte L). Berechnen Sie aus den Positionsangaben von Zeile 8 und 9, Spalten I, J, die Strecke, die in der nächsten Sekunde hinzukommt (Satz des Pythagoras), und die neue Fahrstrecke (Zelle L10). Ergänzen Sie Fahrstreckenangaben in Spalte L. Stellen Sie den zurückgelegten Weg in Abhängigkeit von der Zeit als Punktdiagramm dar und vergleichen Sie mit der direkt vom Navigationsgerät abgespeicherten Wegstrecke (Spalte D) und den Angaben aus Fig. 1.

b) **Numerisch differenzieren:** Berechnen Sie in Spalte K die Geschwindigkeiten als Differenzenquotient „zurückgelegter Weg/verstrichene Zeit". Stellen Sie den Geschwindigkeitsverlauf als Punktdiagramm wie in Fig. 1 dar und vergleichen Sie Ihre berechneten mit den vom Navigationsgerät abgespeicherten Geschwindigkeiten. Alternativ kann man die Geschwindigkeiten auch aus den Positionen eine Sekunde vorher und eine Sekunde nachher berechnen.

c) **Zweite Ableitung:** Berechnen Sie die momentanen Beschleunigungen als Differenzenquotient „Geschwindigkeitszunahme/verstrichene Zeit" und stellen Sie auch die Beschleunigungen als Punktdiagramm dar.

d) Erläutern Sie den Zusammenhang zwischen den Graphen aus den Teilaufgaben a) bis c) aus der Perspektive der Analysis.

2 Fahrtrichtung

Berechnen Sie aus den xy-Koordinaten die Fahrtrichtung der Straßenbahn an der Neusser und an der Amsterdamer Straße, (0° = Osten, 90° = Norden).
Vergleichen Sie Ihr Ergebnis mit der Landkarte in Fig. 2.

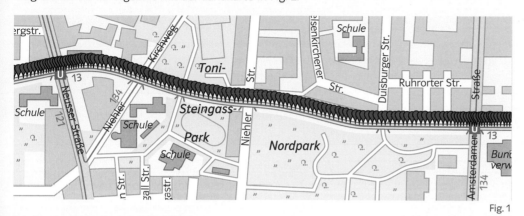

Fig. 1

3 Ein komplettes Fahrtprotokoll

Öffnen Sie in *Station 4 straßenbahn-linie-13.xls* das Kalkulationsblatt *navidaten*, das zu der kompletten Straßenbahnfahrt gehört.
Erstellen Sie

a) ein komplettes Zeit → Weg-Diagramm,

b) ein komplettes Zeit → Geschwindigkeits-Diagramm und stellen Sie

c) die Verbindung zwischen den beiden Diagrammen her.

d) Wie viele Haltestellen hat die Straßenbahn angefahren? Wie lange hat sie insgesamt gehalten, wie groß war die Durchschnittsgeschwindigkeit?

e) Um wie viel Prozent hätte sich die Fahrzeit verkürzt, wenn die Bahn hätte durchfahren können ohne anzuhalten?

f) Untersuchen Sie, ob die Straßenbahn fahrplanmäßig fuhr.

Fig. 2

Aachener Str./ Gürtel	5:01
Oskar-Jäger-Str./ Gürtel	5:02
Weinsbergstr./ Gürtel	5:03
Venloer Str./ Gürtel	5:05
Subbelrather Str./Gürtel	5:07
Nußbaumerstr.	5:08
Escher Str.	5:10
Geldernstr./ Parkgürtel	5:12
Neusser Str./ Gürtel	5:14
Amsterdamer Str./Gürtel	5:16

... fährt alle 10 Minuten

4 ... und wenn das Navi keinen Peil hat – Messfehler

Erläutern Sie, wie das Navigationsgerät reagiert,

a) wenn der Satellitenkontakt kurz unterbrochen wird (Unterfahren einer Gleisanlage am Bahnhof Ehrenfeld, Messpunkte 25 – 45),

b) wenn der Kontakt zu den Satelliten ganz abreißt (die Bahn in eine längere überdachte Haltestelle einfährt, Messpunkte 587 – 704).

c) Zeichnen Sie Google-Maps zu den „Tunneldaten" aus Zeile 25 – 45 und 587 – 704.

GPS-Dateien ⬈

Station-5-kreisel-frechen.xls
735301-3881

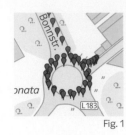

Fig. 1

Eine Linksdrehung zählt positiv, eine Rechtsdrehung negativ.

Station 5:
Fahrtrichtung als Integral der Drehgeschwindigkeit beim Kurvenfahren – Das Vektorprodukt in Aktion

Die Datei *Station-5-kreisel-frechen.xls* stammt von einer Kreiselfahrt (Fig. 1). Sie enthält die xy-Track-Koordinaten mit Ursprung im Startpunkt (Fig. 2). Da man aus der Fahrtrichtungsangabe α (in °) nicht nur die Himmelsrichtung (O = 0°, N = 90°) ablesen möchte, sondern auch entnehmen möchte, wie oft man den Kreisel durchfahren hat, muss man die (orientierten) kleinen Richtungsänderungen von einem Messpunkt zum nächsten aufaddieren. Daraus resultieren Winkelangaben über 360°. Wenn man die Winkeländerung je Sekunde als Drehgeschwindigkeit – man spricht auch von der Winkelgeschwindigkeit ω $\left(\text{in } \frac{\circ}{s}\right)$ – deutet, erhält man die momentane Fahrtrichtung $\alpha(t)$ aus der Startrichtung $\alpha(0)$ durch Integration: $\alpha(t) = \alpha(0) + \int_{0}^{t}\alpha(\tau)\,d\tau$.

Diese Integration wird nun mit Excel durchgeführt, der zeitliche Richtungsverlauf visualisiert.

		N7	▼		f_x	=ARCSIN((K6*L8-K8*L6)/(M6*M8))/PI()*180/2							
	A	B	C	D	E	F	G	H	I	J	K	L	M	N	O
1									Äquator	Köln					
2									6370000	4016444.27	<- radius				
3									6.829772	50.911133	<- Kartenursprung		startrichtung ->	221.383
4	No	Lat	Lon	s (km)	(km/h)	Zeit	HDOP	Sat	x (m)	y (m)	vx (m/s)	vy (m/s)	v (m/s)	d-alpha (°)	alpha (°)
5	0	50.91113	6.829772	0	0	19:40:04	1	10	0	0					
6	1	50.91113	6.829772	0	0	19:40:05	1	10	0	0	-0.315	-0.278	0.420		221.383
7	2	50.91113	6.829763	0.0008	7.686	19:40:06	1	10	-0.63090159	-0.55588737	-1.893	-0.556	1.973	-12.874	208.510
8	3	50.91112	6.829718	0.004	10.63	19:40:07	0.9	11	-3.78540955	-1.11177473	-2.979	-0.834	3.094	-8.184	200.326
9	4	50.91111	6.829678	0.0071	11.28	19:40:08	0.9	11	-6.58941662	-2.22354947	-3.715	0.000	3.715	-17.107	183.219
10	5	50.91112	6.829612	0.0118	19	19:40:09	0.9	11	-11.2160283	-1.11177473	-5.293	1.779	5.584	-10.333	172.886
11	6	50.91115	6.829527	0.0183	25.34	19:40:10	0.9	11	-17.1745433	1.33412968	-6.484	2.446	6.930	3.177	176.063
12	7	50.91117	6.829427	0.0257	26.41	19:40:11	0.9	11	-24.184561	3.78003409	-7.185	1.556	7.352	11.203	187.266

Fig. 2

1 Fahrtrichtung im zeitlichen Verlauf

a) **Startrichtung:** Bestimmen Sie die Startrichtung $\alpha(0)$ zu Anfang der Fahrt aus den ersten Track-Punkten. Nach Fig. 2 muss der Wert über 180° liegen. Vergleichen Sie mit Zelle O3.

b) Richtungsvektor: Bestimmen Sie zu jedem Zeitpunkt t den Fahrtrichtungsvektor

$$\vec{v_t} = \begin{pmatrix} v_x \\ v_y \end{pmatrix} = \frac{1}{2}\left(\overrightarrow{P_{t-1}P_{t+1}}\right)$$ aus den Positionen eine Sekunde vorher bzw. eine Sekunde später.

Vergleichen Sie Ihre Ergebnisse mit den Inhalten der Spalten K und L.

c) **Geschwindigkeitsvektor:** Begründen Sie: Der Betrag von $\vec{v_t}$ gibt die Geschwindigkeit $\left(\text{in } \frac{m}{s}\right)$ an. (Deswegen wird $\vec{v_t}$ auch Geschwindigkeitsvektor genannt.)

d) **Winkelgeschwindigkeit:** Bestimmen Sie zu jedem Zeitpunkt t die Winkelgeschwindigkeit $\left(\text{Geschwindigkeit der Richtungsänderung } \left(\text{in } \frac{\circ}{s}\right)\right)$, indem Sie den Winkel zwischen den Fahrtrichtungsvektoren eine Sekunde vorher und eine Sekunde nachher bestimmen und durch die verstrichene Zeit (2 s) teilen. Tipp: Den Winkel dα zwischen den Vektoren $\vec{v_1}$ und $\vec{v_3}$ nach der Formel

$$\sin(\alpha) = \frac{\vec{v_1} \times \vec{v_3}}{|\vec{v_1}| \cdot |\vec{v_3}|}$$ berechnen. Vgl. die markierte Zelle N7 in Fig. 2.

e) **Kursberechnung:** Berechnen Sie zu jedem Zeitpunkt die Fahrtrichtung (in °), indem Sie die Richtungsänderung (Spalte N) zu der vorherigen Richtung (Spalte O) addieren. Visualisieren Sie die Winkelgeschwindigkeit und den Kurs. Kommentieren Sie den Zusammenhang aus dem Blickwinkel der Differenzial- und Integralrechnung.

2 Eigene Untersuchungen

Führen Sie Fahrtrichtungsuntersuchungen (nach dem Vorbild der Aufgabe 1) an einer selbst aufgezeichneten Datei durch. Bereiten Sie eine Präsentation der Forschungsergebnisse vor. Statt selbst zu messen, können Sie auch eine der folgenden Dateien auswerten: *04-fahrrad-sportplatz.xls, 05-bergfahrt-oberau-ettal.xls, 06-autobahn-kleeblatt.xls.*

Auch wenn Sie das Vektorprodukt nicht kennen, können Sie die Datei nutzen. Man kann nämlich aus den GPS-Daten der geschlossenen Spur den Inhalt der umfahrenen Fläche bestimmen, mit dem Kreisumfang vergleichen und sogar die Kreisflächenformel prüfen.

Dazu enthält die Excel-Datei ebenso eine Anleitung wie zur Berechnung des Krümmungsradius bei beliebigen Kurvenfahrten.

GPS-Dateien ⬈

Weitere Aufgaben zu Station 5 finden Sie unter dem Online-Link 735301-3881. Bei den ersten beiden Dateien sind auch Flächenmessungen möglich.

Sachthema: GPS – Dem Navi auf der Spur

GPS-Dateien
Station-6-lkw-köln-süd. xls
735301-3881

Station 6:
Brems- und Querbeschleunigung beim Kurvenfahren – Das Skalarprodukt in Aktion

Bevor man mit dem Auto in eine (Rechts-) Kurve geht, drosselt man die Geschwindigkeit. Da die Bremsbeschleunigung entgegen der Fahrtrichtung wirkt, „fliegt" man wegen der Trägheit nach vorne. Gleichzeitig wirkt eine Querbeschleunigung nach rechts – durch die Trägheit wird man nach links gedrückt. Mithilfe von Vektoren lassen sich Brems- und Querbeschleunigung berechnen. Wie das geht, kann man am Beispiel einer Fahrt mit einem Kleinlaster durch das Kölner Südkreuz erschließen. In dem Kalkulationsblatt (Fig. 1, Seite 398) sind die Daten der Fahrt abgespeichert.

Im Info-Kasten wird erläutert, wie man einen Beschleunigungsvektor in die Komponenten der Tangential- und Querbeschleunigung (Normalbeschleunigung) zerlegen kann.

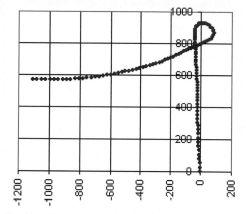

Fig. 1: Spur durch das Kreuz Köln Süd
… je langsamer, desto dichter liegen die Punkte beieinander …

Tangential- und Querbeschleunigung

Die Geschwindigkeit kann in der xy-Ebene als zweidimensionaler Vektor aufgefasst werden. Er hat bei der Fahrt in Fig. 1, Seite 398, um 21:32:45 Uhr (Zeile 50) den Wert

$$\vec{v} = \begin{pmatrix} v_x \\ v_y \end{pmatrix} = \begin{pmatrix} 1,4 \\ 9,78 \end{pmatrix}.$$

Das Auto fährt mit $1,4\,\frac{m}{s}$ in x-Richtung (Osten) und mit $9,78\,\frac{m}{s}$ in y-Richtung (Norden).

Der Betrag dieses Vektors

$$\vec{v} = \sqrt{v_x^2 + v_y^2} = 9,88\left[\frac{m}{s}\right] = 36,688\left[\frac{km}{h}\right]$$

ist die „Tachogeschwindigkeit" (Spalte E).

Der zugehörige Einheitsvektor $\vec{v_0} = \frac{\vec{v}}{|\vec{v}|} = \begin{pmatrix} 0,142 \\ 9,990 \end{pmatrix}$ gibt die Fahrtrichtung an.

Orthogonal „links" zur Fahrtrichtung steht der Normalen-Einheitsvektor $\vec{n_0} = \begin{pmatrix} -0,990 \\ 0,142 \end{pmatrix}$.

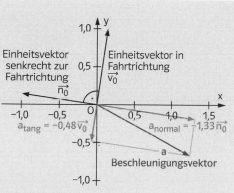

Fig. 2

Auch die **Beschleunigung** ist als „Geschwindigkeitsänderung/verstrichene Zeit" bei ebenen Bewegungen ein **Vektor**. In Zeile 50 ergibt sich, wenn man die Geschwindigkeitsvektoren eine Sekunde nachher und vorher voneinander subtrahiert und die Differenz (wegen der 2-s-Zeitdifferenz) halbiert, $\vec{a} = \frac{1}{2}(\vec{v_{51}} - \vec{v_{49}}) = \begin{pmatrix} a_x \\ a_y \end{pmatrix} = \begin{pmatrix} 1,25 \\ -0,67 \end{pmatrix}.$

Das Auto beschleunigt in x-Richtung mit $1,25\,\frac{m}{s^2}$ und bremst in y-Richtung mit $-0,67\,\frac{m}{s^2}$.

$$a_{tang} = \frac{\vec{a_{50}} \cdot \vec{v_{50}}}{|\vec{v_{50}}|} = -0,48\left[\frac{m}{s^2}\right]$$

$$a_{normal} = \frac{\vec{a_{50}} \cdot \vec{n_{50}}}{|\vec{v_{50}}|} = -1,33\left[\frac{m}{s^2}\right]$$

Nach der Newton-Formel $\vec{F} = m\vec{a}$ wird ein 50 kg schwerer Fahrer mit $-50 \cdot 0{,}48 = -24\,[\text{N}]$ nach vorne und mit $50 \cdot 1{,}33 = 66{,}5\,[\text{N}]$ in Richtung Fahrertür gedrückt.

Tangential- und Normalbeschleunigung erhält man hieraus, indem man diesen Beschleunigungsvektor zerlegt in eine Komponente in Fahrtrichtung $\vec{v_0}$ und eine in Richtung $\vec{n_0}$ senkrecht dazu. Dazu projiziert man den Beschleunigungsvektor auf diese Einheitsvektoren.
Man erhält die Tangentialbeschleunigung $a_{tang} = \vec{a} \cdot \vec{v_0} = -0{,}48 \left[\frac{m}{s^2}\right]$:
Das Auto reduziert seine Geschwindigkeit sekündlich um $0{,}48\,\frac{m}{s}$. Die Normalbeschleunigung ist mit $a_{normal} = \vec{a} \cdot \vec{n_0} = -1{,}3 \left[\frac{m}{s^2}\right]$ mehr als doppelt so groß wie die Bremsbeschleunigung. Wegen des negativen Vorzeichens liegt eine Rechtskurve vor.

	I50	▼	f_x	=(G51-G49)/2											
	A	B	C	D	E	F	G	H	I	J	K	L	M	N	O
4	No	Lat	Lon	s (km)	v (km/h)	Zeit	x (m)	y (m)	vx (m/s)	vy (m/s)	v (m/s)	ax (m/s²)	ay (m/s²)	a-tang	a-normal
48	1302	50.886470	6.968543	28.658063	43.355301	21:32:43	-40.8267051	861.291886	-0.39	11.90	11.90	0.54	-1.08	-1.10	-0.51
49	1303	50.886572	6.968542	28.669418	38.7253	21:32:44	-40.8968541	872.631988	0.32	10.73	10.73	0.89	-1.06	-1.03	-0.93
50	1304	50.886663	6.968552	28.679573	36.688099	21:32:45	-40.1953643	882.749138	1.40	9.78	9.88	1.25	-0.67	-0.48	-1.33
51	1305	50.886748	6.968582	28.689267	35.780602	21:32:46	-38.090895	892.199224	2.81	9.39	9.80	1.49	-0.44	0.00	-1.56
52	1306	50.886832	6.968632	28.699255	36.595501	21:32:47	-34.5834461	901.538131	4.38	8.89	9.92	1.60	-0.64	0.13	-1.71
53	1307	50.886908	6.968707	28.709221	36.947399	21:32:48	-29.3222728	909.987619	6.00	8.12	10.09	1.51	-0.86	0.20	-1.73
54	1308	50.886978	6.968803	28.719525	37.243698	21:32:49	-22.5879709	917.770043	7.40	7.17	10.31	1.54	-1.45	0.10	-2.11

Fig. 1: Berechnung von Tangential- und Querbeschleunigung …

4	vx (m/s)	vy (m/s)	v (m/s)	ax (m/s²)	ay (m/s²)	a-tang	a-normal
	I	J	K	L	M	N	O
48	=(G49-G47)/2	=(H49-H47)/2	=WURZEL(I48^2+J48^2)	=(I49-I47)/2	=(J49-J47)/2	=(L48*I48+M48*J48)/K48	=(L48*(-J48)+M48*I48)/K48
49	=(G50-G48)/2	=(H50-H48)/2	=WURZEL(I49^2+J49^2)	=(I50-I48)/2	=(J50-J48)/2	=(L49*I49+M49*J49)/K49	=(L49*(-J49)+M49*I49)/K49
50	=(G51-G49)/2	=(H51-H49)/2	=WURZEL(I50^2+J50^2)	=(I51-I49)/2	=(J51-J49)/2	=(L50*I50+M50*J50)/K50	=(L50*(-J50)+M50*I50)/K50

Fig. 2: … und die dahinter stehenden Excel-Formeln

1 a) Begründen Sie, dass die in Fig. 2 sichtbaren Excel-Formeln die Komponenten der Geschwindigkeits- und Beschleunigungsvektoren korrekt berechnen.
b) Begründen Sie: Die Formeln in den Spalten N und O realisieren die im Text des Info-Kastens dargelegte Zerlegung des Beschleunigungsvektors in eine Tangential- und eine Normalkomponente.
c) Programmieren Sie das Kalkulationsblatt nach der Vorlage aus Fig. 1 und Fig. 2 und visualisieren Sie den zeitlichen Verlauf von Tangential- und Querbeschleunigung bei der Durchfahrt durch das Autobahnkreuz wie in Fig. 3.

Alternative: Arbeiten Sie mit einer selbst aufgezeichneten Datei.

d) Rainer bezweifelt, dass das Diagramm aus Fig. 3 mit den Tangential- und Normalbeschleunigungen zur Kurvenfahrt aus Fig. 1 gehören kann. Interpretieren Sie dieses Diagramm und nehmen Sie Stellung.

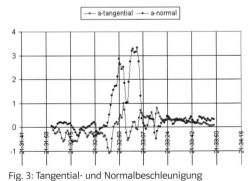

Fig. 3: Tangential- und Normalbeschleunigung

2 Eigene Untersuchungen
a) Führen Sie Beschleunigungs-Untersuchungen nach dem Vorbild aus den Aufgaben 1 und 2 an einer der folgenden Dateien durch.
– *01-nürburgring-nordschleife.xls* – *06-autobahn-kleeblatt.xls* – *03-fahrrad-sportplatz.xls*
Untersuchen Sie dabei die Fahrten auch auf quietschende Reifen $\left(\text{ab ca. } 4\,\frac{m}{s^2}\right)$.
b) Bereiten Sie eine Präsentation Ihrer Arbeitsergebnisse vor.

GPS-Dateien ✍
Station 7 finden Sie unter dem Online-Link 735301-3881.

Sachthema: GPS – Dem Navi auf der Spur

GPS-Dateien ✎
Station-8-ruhendes-navi.xls
735301-3881

Station 8:

Wenn Gauß ein GPS gehabt hätte – Normal- und Exponentialverteilung

Man lässt ein Trekking-Navi an einem Ort liegen. Wegen der Messfehler streuen die Positionsangaben. Die Abweichungen vom Mittelwert (der angenommenen „wahren" geografischen Länge bzw. Breite) zeigt Fig. 1.

Auto-Navis „frieren die Positionsangaben ein", wenn sie sich nicht schnell bewegen.

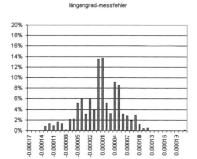

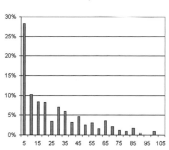

Fig. 1a: Abweichungen der gemessenen geografischen Breite vom „wahren" Wert 6,836 840 209°;
ठ = 0,000 049 7°;
dabei gilt 0,000 01° ≙ 1,11 m.

Fig. 1b: Abweichungen der gemessenen geografischen Länge vom „wahren" Wert 50,933 6591°; ठ = 0,000 034 5°;
dabei gilt 0,00001° ≙ 0,7 m.

Fig. 1c: Verteilung der Abstandsquadrate d^2 (in m^2) der gemessenen von den wahren Positionen – Exponentialverteilung mit Mittelwert 27

1 Normalverteilung, Exponentialverteilung

a) Prüfen Sie mit den 1σ- und 2σ-Regeln, ob die Annahme einer Normalverteilung haltbar ist.

b) Das Navi zeigt während der Messung eine Messgenauigkeit von 8 m an. Wie beurteilen Sie diese Angabe unter Bezug auf Fig. 1?

c) Prüfen Sie (Fig. 1c), ob die Abstandsquadrate der Messpunkte von der „wahren Position" exponentialverteilt sind, indem Sie die Wahrscheinlichkeiten der Exponentialverteilung mit $\mu = 27$, $\lambda = \frac{1}{\mu}$ mit den relativen Häufigkeiten vergleichen.

d) Eigene Untersuchung: Stellen Sie die Messwerte der Datei *Station-8-ruhendes-navi.xls*, der Datei *08-messfehler.xls* oder einer selbst aufgezeichneten Datei wie in Fig. 1 dar. Untersuchen Sie analog zu Teilaufgabe a) und c), ob die Längen- und Breitenkreis-Messwerte in dieser Datei normalverteilt und die Abstandsquadrate der Messpunkte exponentialverteilt sein könnten.

e) Die Standardabweichung ist bei den Längengrad-Werten in Fig. 1 um den Faktor 0,69 kleiner als bei den Breitengrad-Messungen. Jan meint, das könnte damit zusammenhängen, dass die Breitenkreise zum Nordpol hin immer kleiner werden (und am Messort mit cos (50,93°) der Breitenkreis nur 0,63-mal so lang ist wie der Längenkreis). Nehmen Sie Stellung – auch unter Bezug auf Ihre eigene Datenerhebung.

Wandernde Satelliten, Einflüsse der Atmosphäre und Reflexionen der GPS-Signale an Gebäuden verursachen Messfehler. Präzisere Signale stellen die USA nur für militärische Zwecke zur Verfügung.

Fig. 2

2 Drift

Obwohl die Verteilung der Messfehler (Fig. 1a, b) glockenförmig ist, schwanken die einzelnen Messwerte bei dem in Fig. 1 untersuchten Navi nicht zufällig von Sekunde zu Sekunde. Sie steigen und fallen kontinuierlich, sie „driften", wie Fig. 3 zeigt. Das wird auch an der Spur aus Fig. 2 deutlich. Untersuchen Sie die Messwerte in *08-messfehler.xls* auf Drift.

Fig. 3

Abituraufgaben ohne Hilfsmittel

1 a) Leiten Sie ab.

$f(x) = 3e^{2x}$; $g(x) = \dfrac{x^2+1}{x^2}$; $h(x) = x \cdot \cos(x)$

b) Geben Sie jeweils eine Stammfunktion an.

$f(x) = 5x^2 - 8x$; $g(x) = (8x - 2)^3$; $h(x) = \sin(8x)$; $i(x) = \dfrac{5}{(2+8x)^3}$; $k(x) = e^{8x}$

2 Gegeben sind die Funktionen f und g mit $f(x) = 3e^{2x+1}$ und $g(x) = 3\sin(0{,}5x - \pi) + 2$.
a) Leiten Sie f und g einmal ab.   b) Geben Sie eine Stammfunktion von f und g an.

3 Lösen Sie die Gleichung.
a) $4e^x + 2 = 12e^{-x}$ b) $35e^x - 12e^{2x} + e^{3x} = 0$ c) $(x^3 + 27)(e^{2x} - 5e^x + 6) = 0$

4 Gegeben ist die Funktion f mit $f(x) = 1{,}5x - 4$.

a) Berechnen Sie das Integral $\displaystyle\int_0^4 (1{,}5x - 4)\,dx$.

Veranschaulichen Sie es durch eine Skizze und interpretieren Sie Ihr errechnetes Ergebnis.
b) Geben Sie eine Stammfunktion der Funktion f an, deren Graph durch den Punkt $P(1\,|\,0{,}75)$ geht.

5 Geben Sie zwei verschiedene Funktionen an mit $\displaystyle\int_0^4 f(x)\,dx = 0$.

6 Eine Maus springt in einem Tunnel hin und her. Der Graph ihrer Geschwindigkeit ist in der Abbildung dargestellt. Dabei bedeutet positive Geschwindigkeit, dass sich die Maus auf das rechte Tunnelende zu bewegt. Die Maus startet zur Zeit $t = 0$ in der Mitte des Tunnels.
a) Wann ändert die Maus ihre Richtung?
b) Wo befindet sich die Maus nach 6 Sekunden?
c) Wann ist die Maus zum ersten Mal wieder in der Mitte des Tunnels?
Welchen Weg hat sie bis zu diesem Zeitpunkt zurückgelegt?
d) Welche anschauliche Bedeutung hat
$\displaystyle\int_2^4 v(t)\,dt$; $v'(4)$; $v(4)$; $\displaystyle\int_0^{10} v(t)\,dt$; $\displaystyle\int_0^{10} |v(t)|\,dt$?

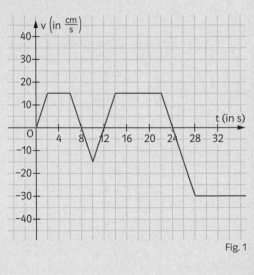

Fig. 1

7 Die Funktion f hat den nebenstehenden Graphen. Die Integralfunktion J_0 ist gegeben durch

$J_0(x) = \displaystyle\int_0^x f(t)\,dt$.

a) Entnehmen Sie der Zeichnung einen Näherungswert für $J_0(1)$.
b) Wie viele Nullstellen hat J_0 im Intervall $[0; 3{,}8]$? Geben Sie diese näherungsweise an.
c) Wie unterscheiden sich die Graphen von $J_0(x)$ und $J_1(x)$?

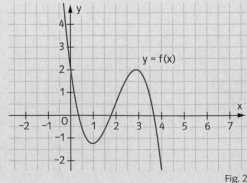

Fig. 2

Abituraufgaben ohne Hilfsmittel

8 In einer Formelsammlung findet man folgende Ableitungsregel:

> *7.2.1*   Hat die Funktion f die Ableitung f', so hat die Funktion g mit $g(x) = \frac{1}{f(x)}$ die Ableitung $g' = -\frac{f'}{f^2}$
> für alle x mit $f(x) \neq 0$.

a) Bestimmen Sie damit die Ableitung der Funktion g mit $g(x) = \frac{1}{\sin(x)}$.
b) Begründen Sie die Ableitungsregel mithilfe der Kettenregel.

9 a) Wie entsteht der Graph der Funktion f mit $f(x) = 0{,}5\sin(2x + 1)$ aus dem Graphen der
Funktion h mit $h(x) = \sin(x)$?
b) Geben Sie zwei verschiedene Sinusfunktionen an, deren Amplitude 5 und deren Periode $\frac{\pi}{8}$ ist.

10 Gegeben sind die Funktionsterme der Funktionen f_1 bis f_6. Ordnen Sie jedem der unten abgebildeten Graphen eine der Funktionen f_1 bis f_6 zu. Begründen Sie Ihre Wahl.

$f_1(x) = x + 2 - \frac{3}{x + 1}$ $f_2(x) = \frac{2}{3}x^4 - 2x^2 + 2$ $f_3(x) = 2\sin(2x) + 2$

$f_4(x) = \frac{2}{3}x^3 - 2x^2 - \frac{2}{3}x + 2$ $f_5(x) = 1{,}5\sin(\pi \cdot x) + 2$ $f_6(x) = x - 1 - \frac{3}{x - 1}$

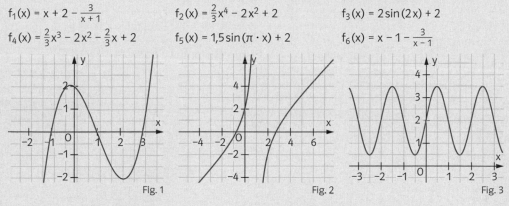

Fig. 1   Fig. 2   Fig. 3

11 Gegeben sind die Graphen einer Funktion f, ihrer Ableitung f' und einer Stammfunktion F
von f. Ordnen Sie jeweils einen Graphen einer der Funktionen f, f' und F zu und begründen Sie
Ihre Entscheidung.

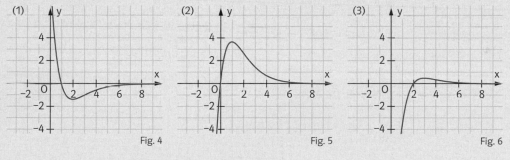

Fig. 4   Fig. 5   Fig. 6

12 Gegeben ist eine Funktion f mit den Eigenschaften:
(1) $f'(x) > 0$ für alle $x \in \mathbb{R}$,   (2) $f''(x) < 0$ für alle $x \in \mathbb{R}$,   (3) $f(1) = 5$; $f'(1) - 2$.
Ist es möglich, dass
a) $f(2) = 6$ ist?   b) $f'(2) = 2{,}5$ ist?   c) $f(2) = 8$ ist?
Begründen Sie Ihre Antwort.

13 In einer Formelsammlung findet man u.a. folgende trigonometrischen Beziehungen:

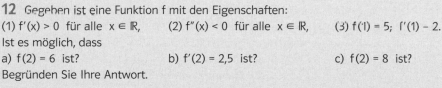

5.15 Funktionen für Winkelvielfache   *5.13 Beziehungen zwischen den Winkelfunktionen*

> *5.15.1* $\sin(2x) = 2\sin(x)\cos(x)$ *5.13.1* $\sin^2(x) + \cos^2(x) = 1$

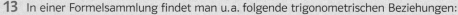

Für einen Winkel x sei $\sin(x) = \frac{5}{13}$. Berechnen Sie den exakten Wert für $\sin(2x)$.

14 Skizzieren Sie den Graphen einer Funktion f, der die folgenden Bedingungen erfüllt.

$f(x) < 0$ für alle x mit $-2 \le x < 0$ $f(x) > 0$ für alle x mit $0 < x \le 4$

$f'(x) > 0$ für alle x mit $-2 \le x \le 4$ $f''(x) < 0$ für alle x mit $-2 \le x < 1$

$f''(x) > 0$ für alle x mit $1 < x \le 4$

15 Der Graph einer ganzrationalen Funktion f dritten Grades schneidet die x-Achse in den Punkten $A(-3|0)$, $B(0|0)$, $C(2|0)$ und geht durch den Punkt $D(1|-2)$.
Bestimmen Sie den Term der Funktion f.

16 Geben Sie für die beiden Graphen die Terme der zugehörigen Funktionen an.

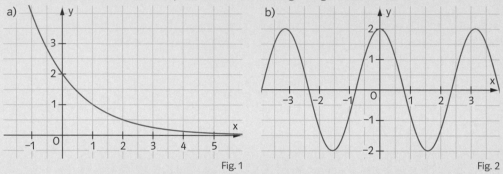

a)   b)

Fig. 1   Fig. 2

Dieses Gesetz wurde von Isaac Newton entdeckt. Es gilt, wenn die Temperaturdifferenz nicht sehr groß ist.

17 Bringt man einen Körper mit der Anfangstemperatur T_0 in einen Raum mit der konstanten Temperatur T_R, so ist die momentane Änderungsrate seiner Temperatur $T(t)$ zu jedem Zeitpunkt t proportional zur Differenz der Raumtemperatur T_R und der Temperatur $T(t)$ des Körpers.
Dabei wird $T(t)$ in °C und t in Minuten angegeben.

a) Beschreiben Sie dieses physikalische Gesetz mithilfe einer Differenzialgleichung.

b) Für $T_R = 20$ und $T_0 = 0$ gilt $T(t) = 20 \cdot (1 - e^{-k \cdot t})$ mit einer Konstanten k.

Skizzieren Sie für $k = 1$ den Graphen von T.

Diskutieren Sie, wie sich der Graph ändert, wenn k verkleinert wird.

Es gelte $T(4) = 10$. Bestimmen Sie k.

c) Weisen Sie nach, dass für die Funktion T mit der Gleichung $T(t) = 20 \cdot (1 - e^{-t})$ das Newton'sche Gesetzt gilt.

d) Wie ändert sich die Gleichung von Aufgabenteil b) für T, wenn $T_0 = 40$ ist?

18 Gegeben ist das LGS $5x_1 - x_2 - x_3 = -3$
                                    $x_1 - x_2 + x_3 = -9$.

a) Bestimmen Sie die Lösungsmenge des LGS.

b) Geben Sie jeweils eine Lösung an, bei der x_1; x_2; x_3 nur positive bzw. nur negative Zahlen sind.

19 Wahr oder falsch? Geben Sie bei falschen Aussagen ein Gegenbeispiel an.

a) Zwei Vektoren im Raum sind immer linear unabhängig.

b) Drei Vektoren in der Ebene sind immer linear abhängig.

c) Wenn $f''(x_0) = 0$ ist, dann ist x_0 eine Wendestelle von f.

d) Wenn $f'(x_0) < 0$, dann liegt der Punkt $P(x_0|f(x_0))$ unterhalb der x-Achse.

e) Ein LGS mit mehr Gleichungen als Variablen hat immer genau eine Lösung.

f) Ein LGS mit mehr Variablen als Gleichungen kann unendlich viele Lösungen haben.

20 Eine Untersuchung der gegenseitigen Lage einer Ebene E und einer Geraden g führt auf die folgende Gleichung: $2 \cdot (4 + 2t) - 3 \cdot (-1 + t) + 2 - t = 8$.

a) Geben Sie je eine Gleichung für die Ebene E und die Gerade g an.

b) Was kann man über die gegenseitige Lage von E und g aussagen?

Abituraufgaben ohne Hilfsmittel

21 Veranschaulichen Sie zeichnerisch, dass für drei Vektoren $\vec{a}, \vec{b}, \vec{c}$ gilt:
$(\vec{a} + \vec{b}) + \vec{c} = \vec{a} + (\vec{b} + \vec{c})$.

22 Gegeben sind die Ebenen E und F mit

$E: 2x_1 - 4x_2 + x_3 = 1$ und $F: \vec{x} = \begin{pmatrix} 2 \\ 1 \\ 9 \end{pmatrix} + u \cdot \begin{pmatrix} 3 \\ 1 \\ 2 \end{pmatrix} + v \cdot \begin{pmatrix} 2 \\ -1 \\ 0 \end{pmatrix}, u \in \mathbb{R}, v \in \mathbb{R}$.

a) Untersuchen Sie die gegenseitige Lage der Ebenen E und F.
b) Bestimmen Sie den Schnittpunkt der Ebene E mit der x_2-Achse.
c) Bestimmen Sie die Schnittgerade der Ebene E mit der $x_1 x_3$-Ebene.

23 Ist folgende Aussage wahr? Begründen Sie.
Ersetzt man bei der Berechnung des Schnittwinkels zwischen zwei Geraden einen Richtungsvektor durch seinen Gegenvektor, so erhält man den Nebenwinkel des Schnittwinkels.

24 Gegeben sind eine Gerade g und eine Ebene E.
Die Gerade g wird an der Ebene E gespiegelt.
Beschreiben Sie, wie man eine Gleichung der gespiegelten Geraden ermitteln kann.

25 Die Seitenflächen eines Tetraeders sind mit den Zahlen 1; 2; 3; 4 beschriftet. Es gilt die Zahl als geworfen, auf der er liegen bleibt. Der Tetraeder wird zweimal geworfen.
a) Geben Sie die Wahrscheinlichkeit folgender Ereignisse an:
A: Im 1. Wurf wird die 4 geworfen.
B: Die Summe der beiden geworfenen Zahlen ist gerade.
C: Die Summe der beiden geworfenen Zahlen ist höchstens 7.
D: In keinem Wurf tritt die 3 auf.
b) Man zahlt einen Einsatz von 1 €. Wenn der zweite Wurf eins mehr ergibt als der erste, erhält man 5 €. Wie groß ist der Erwartungswert für den Gewinn pro Spiel? Interpretieren Sie die Bedeutung des Ergebnisses.

26 Bei einer Umfrage in einer Schule wurden 100 Schüler, die in der Mensa zu Mittag gegessen hatten, gefragt, ob sie mit dem heutigen Mensaessen zufrieden waren. Von den 46 befragten Jungen antworteten 33 mit „Ja". Von den befragten Mädchen antworteten 29 mit „Ja".
Bestimmen Sie die Wahrscheinlichkeit, dass
a) ein zufällig ausgewählter männlicher Mensabesucher nicht mit dem Essen zufrieden war,
b) ein zufällig ausgewählter weiblicher Mensabesucher nicht mit dem Essen zufrieden war,
c) ein zufällig ausgewählter Mensabesucher nicht mit dem Essen zufrieden war.

27 a) Eine Münze wird 200-mal geworfen.
Für die Wahrscheinlichkeit für genau r Treffer bei einer Bernoulli-Kette der Länge n und der Trefferwahrscheinlichkeit p schreibt man auch $B_{n;\,p}(r)$ statt $P(X = r)$.
Mit welchem Term kann berechnet werden, mit welcher Wahrscheinlichkeit genau 90-mal Wappen geworfen wird?

(1) $B_{90;\,0,5}(200)$ (2) $B_{290;\,0,5}(90)$ (3) $B_{110;\,0,5}(200)$
(4) $B_{200;\,0,5}(90)$ (5) $B_{110;\,0,5}(90)$ (6) $B_{200;\,0,5}(110)$

b) Skizzieren Sie den Graphen der in Teilaufgabe a) bestimmten zugehörigen Binomialverteilung mithilfe folgender Angaben: $P(X = 100) = 0,056$; $P(80 \leq X < 120) = 0,996$.

Abituraufgaben mit Hilfsmitteln

1 Für jedes $t \in \mathbb{R}$ sei eine Funktion f_t gegeben mit $f_t(x) = tx + (t + 1) \cdot \frac{1}{x}$; $x \in \mathbb{R}\backslash\{0\}$; $t \in \mathbb{R}\backslash\{-1\}$.
a) Für welche Werte von t hat der Graph von f_t keinen Punkt mit waagerechter Tangente?
b) Wie viele Punkte mit waagerechter Tangente kann der Graph von f_t höchstens haben? Begründen Sie Ihre Antwort.

2 In einem Gezeitenkraftwerk strömt bei Flut das Wasser in einen Speicher und bei Ebbe wieder heraus. Die momentane Durchflussrate des Wassers in den Speicher kann gemessen werden.
a) An einer Messstelle ergaben sich folgende Messwerte:

Zeit t in h	0	0,5	1	1,5	2	2,5	3	3,5
Momentane Durchflussrate in $\frac{m^3}{h}$	300	290	260	212	150	77,6	0	−78

Führen Sie eine Funktionsanpassung für die Durchflussrate mithilfe einer Sinusfunktion durch.
b) Zu Beginn der Messung befanden sich $120\,m^3$ Wasser im Speicher. Um wie viel m^3 verändert sich das Wasservolumen im Speicher in den ersten beiden Stunden nach Beobachtungsbeginn? Wie viel Wasser befindet sich nach fünf Stunden im Speicher?

3 Für jedes $t \in \mathbb{R}$ ist eine Funktion f_t gegeben durch $f_t(x) = (t - x)e^x$; $x \in \mathbb{R}$.
a) Skizzieren Sie den Graphen von f_t für $t = 2$.
Welche reellen Zahlen können als Funktionswerte von f_2 vorkommen?
Begründen Sie Ihre Antwort.
b) Bestimmen Sie die Koordinaten der Hochpunkte der Graphen von f_t.
Begründen Sie, dass alle Hochpunkte oberhalb der x-Achse liegen.

4 Für jedes $t \in \mathbb{R}^+$ ist eine Funktion f_t gegeben durch $f_t(x) = t - e^{t - x}$; $x \in \mathbb{R}$.
a) Skizzieren Sie die Graphen von f_t für $t = 1$ und $t = 2$ in ein gemeinsames Koordinatensystem.
b) Wie entsteht der Graph von f_1 aus dem Graphen der Funktion g mit $g(x) = e^{-x}$?
c) Weisen Sie nach, dass f_t streng monoton wachsend ist.
d) Bestimmen Sie die Achsenschnittpunkte des Graphen von f_t und die Asymptoten.
e) Bestimmen Sie die Gleichung der Tangente an den Graphen von f_1 in einem beliebigen Kurvenpunkt $P(u \mid f_1(u))$.
Wo schneidet die Tangente die Asymptote von f_1? Wie kann man mithilfe dieses Schnittpunktes die Tangente an den Graphen im Punkt P konstruieren?

5 Auf einem Gelände sollen zwei gleiche Lagerhallen mit jeweils $250\,m^2$ Grundfläche gebaut werden. Der Abstand zwischen den beiden Hallen und der Abstand zum Rand des Geländes muss aus Sicherheitsgründen mindestens 10 m betragen (siehe Fig. 1).
Architekt A schlägt vor, die beiden Hallen jeweils 25 m lang und 10 m breit zu bauen.
Architekt B will Länge und Breite so wählen, dass das benötigte Gelände möglichst klein ist.
Welche Maße für die Hallen muss Architekt B wählen?
Wie groß ist die Fläche, die er damit im Vergleich zu A einspart?

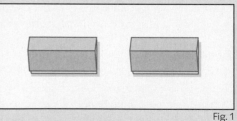
Fig. 1

Abituraufgaben mit Hilfsmitteln

6 An einer Messstelle wird die Schadstoffbelastung der Luft in der Nähe einer Fabrik gemessen. Im Laufe der Jahre ergaben sich folgende Messwerte.

Jahr	1960	1965	1970	1975	1980	1985	1990	1995	2000	2005
Schadstoffkonzentration in ppm	3,1	4,0	5,5	7,1	9,3	11,9	15,9	21,1	27,2	35,4

a) Modellieren Sie den Verlauf der Schadstoffkonzentration unter der Annahme, dass exponentielles Wachstum vorliegt.
Zeigen Sie, wie Sie dabei vorgehen.
b) Wie groß wird laut Modellannahme in Teilaufgabe a) die Schadstoffkonzentration im Jahr 2020 bzw. 2040 sein?
Um bleibende Umweltschädigungen zu verhindern, wäre es akzeptabel, wenn sich die Schadstoffkonzentration langfristig gemäß der Funktion f mit

$$f(t) = \frac{139,5}{3,1 + 41,09 \cdot e^{-0,084t}} \quad \text{(t in Jahren ab 1960; f(t) in ppm)}$$

entwickeln würde.
c) Wie groß wird laut dieser Modellannahme die Schadstoffkonzentration im Jahr 2020 bzw. 2040 sein?
Bestimmen Sie den Grenzwert von f.
d) Ab welchem Zeitpunkt ist der Anstieg der Schadstoffkonzentration nach dem neuen Modell geringer als $0,1 \frac{ppm}{Jahr}$?

7 Gegeben sind die Punkte $A(2|3|-1)$, $B(4|0|5)$ und $C(5|3|-2)$ sowie die Gerade g mit der

Gleichung g: $\vec{x} = \begin{pmatrix} 3 \\ 6 \\ -8 \end{pmatrix} + t \cdot \begin{pmatrix} 2 \\ -3 \\ 6 \end{pmatrix}$; $t \in \mathbb{R}$.

a) Weisen Sie nach, dass die Gerade g parallel zur Geraden durch A und B ist und durch den Punkt C geht.
b) Bestimmen Sie einen Punkt D so, dass das Viereck durch die Punkte A, B, C und D ein Parallelogramm ist.
c) Bestimmen Sie zwei Punkte C_1 und D_1 auf der Geraden g so, dass das Viereck ABC_1D_1 ein Rechteck ist.
d) Untersuchen Sie, ob es Punkte C_2 und D_2 auf der Geraden g gibt, sodass das Viereck ABC_2D_2 eine Raute ist.
e) C_t und D_t sind Punkte auf der Geraden g, die zusammen mit den Punkten A und B ein Parallelogramm bilden.
Begründen Sie, dass alle Parallelogramme ABC_tD_t $(t \in \mathbb{R})$ denselben Flächeninhalt haben.
Berechnen Sie diesen Flächeninhalt.

8 In einem Viereck ABCD sei $\overrightarrow{AD} = \overrightarrow{BC}$ und $|\overrightarrow{AC}| = |\overrightarrow{BD}|$.
Für dieses Viereck gilt:

$$\overrightarrow{AC}^2 = \overrightarrow{BD}^2$$
$$(\overrightarrow{AB} + \overrightarrow{BC})^2 = (-\overrightarrow{AB} + \ldots)^2$$
$$(\overrightarrow{AB} + \overrightarrow{AD})^2 = \ldots$$
$$\overrightarrow{AB}^2 + 2\overrightarrow{AB} \cdot \overrightarrow{AD} + \overrightarrow{AD}^2 = \ldots$$

usw.

a) Erstellen Sie eine geeignete Skizze und ergänzen Sie die obigen Überlegungen. Um was für ein spezielles Viereck handelt es sich?
b) Formulieren Sie den hergeleiteten Sachverhalt in Worten.

9 Gegeben sind die Punkte O(0|0|0), A(6|6|0), B(3|9|0), S(4|6|8) und die Gerade g mit der

Gleichung g: $\vec{x} = \begin{pmatrix} 3 \\ 3,5 \\ 8 \end{pmatrix} + t \cdot \begin{pmatrix} 2 \\ 5 \\ 0 \end{pmatrix}$; $t \in \mathbb{R}$.

a) Das Dreieck OAB ist Grundfläche einer dreiseitigen Pyramide mit Spitze S. Zeichnen Sie die Pyramide in ein geeignetes Koordinatensystem ein.
Berechnen Sie die Innenwinkel des Dreiecks OAB.
b) Berechnen Sie das Volumen der Pyramide.
Zeigen Sie, dass die Spitze S auf der Geraden g liegt.
Begründen Sie folgende Aussage: Bewegt sich der Punkt S auf der Geraden g, so ändert sich das Volumen der Pyramide nicht.
Gibt es weitere Lagen der Pyramidenspitze, die das Volumen der Pyramide nicht verändern?

c) In Richtung des Vektors $\begin{pmatrix} 5 \\ -3 \\ -8 \end{pmatrix}$ fällt parallel Licht ein. Dabei wirft die massive Pyramide einen

Schatten auf die x_1x_2-Ebene.
Berechnen Sie die Koordinaten des Schattenpunktes S* der Pyramidenspitze. Zeichnen Sie den Schatten in das vorhandene Koordinatensystem ein.
Aus welcher Richtung muss das Licht einfallen, damit der Schattenpunkt S** auf der x_1-Achse liegt und das Schattendreieck OS**A rechtwinklig mit einem rechten Winkel bei S** ist?

10 Gegeben sind die Punkte P(3|1|2) und Q(−1|3|2) und die Ebene E: $x_1 + 2x_2 + 2x_3 = 9$.
a) Bestimmen Sie die Spurpunkte S_1, S_2 und S_3 der Ebene E mit den Koordinatenachsen. Zeichnen Sie die Ebene E in einem geeigneten Koordinatensystem.
b) Berechnen Sie den Abstand des Ursprungs O von der Ebene E.
Der Punkt O wird an der Ebene E gespiegelt. Bestimmen Sie die Koordinaten des Spiegelpunktes.
c) Die Punkte P, Q und S_1 bilden ein Dreieck.
Berechnen Sie die Innenwinkel des Dreiecks PQS_1.
d) Bestimmen Sie eine Gleichung der Schnittgeraden g der Ebene E mit der x_1x_2-Ebene.
Der Punkt R_t bewegt sich auf der Geraden g. Unter den zugehörigen Dreiecken PQR_t gibt es zwei gleichschenklige Dreiecke mit Basis R_tQ.
Bestimmen Sie für beide Dreiecke die Koordinaten des jeweils zugehörigen Punktes R_t.

11 Die Lage der vier Städte A, B, C und D lässt sich folgendermaßen beschreiben:
A liegt direkt am Meer,
B liegt 240 km östlich und 70 km nördlich von A auf 500 m über der Meereshöhe,
C liegt 400 km östlich und 190 km nördlich von A auf 600 m über der Meereshöhe,
D liegt 360 km östlich und 200 km nördlich von A auf 1000 m über der Meereshöhe.
a) Ein Sportflugzeug überfliegt um 13:00 Uhr die Stadt A in 2000 m Höhe mit einer Geschwindigkeit von $200\frac{km}{h}$ in Richtung der Stadt B.
Bestimmen Sie den Zeitpunkt, an dem das Flugzeug die Stadt B überfliegt, wenn es seine Geschwindigkeit und seine Flughöhe nicht verändert.
b) Über der Stadt B ändert das Flugzeug bei gleichbleibender Höhe seine Richtung so, dass es direkt auf die Stadt C zufliegt.
Bestimmen Sie den Winkel zwischen der ursprünglichen und der neuen Flugrichtung.
c) Das Flugzeug fliegt weiterhin in 2000 m Höhe über dem Meeresspiegel mit der Geschwindigkeit $200\frac{km}{h}$.
Beschreiben Sie die Position, an der es sich um 14:45 Uhr befindet.
d) Bestimmen Sie die Uhrzeit und die Position des Flugzeugs, bei der es zu der Stadt D die kürzeste Entfernung hat.

Abituraufgaben mit Hilfsmitteln

12 Eine Firma produziert Energiesparlampen. Aus langer Erfahrung weiß man, dass 98 % der produzierten Lampen fehlerfrei sind.

a) Aus der laufenden Produktion wird eine Stichprobe von 100 Energiesparlampen getestet.
Wie groß ist die Wahrscheinlichkeit, dass davon genau 98 Lampen fehlerfrei sind?
Wie groß ist die Wahrscheinlichkeit, dass davon höchstens 98 Lampen fehlerfrei sind?

b) Bestimmen Sie den Erwartungswert μ für die Anzahl fehlerfreier Lampen bei einer Lieferung von 1000 Lampen. Wieso sind $P(X \leq \mu - 10)$ und $P(X \geq \mu + 10)$ so klein?

c) Wie groß dürfte eine Stichprobe sein, wenn sie mit mindestens 90 % Wahrscheinlichkeit keine defekte Lampe enthalten soll?

d) Der Anteil p fehlerfreier Lampen soll erhöht werden. Es soll bei einer Stichprobe von 50 Lampen mit mindestens 90 % Wahrscheinlichkeit keine defekte Lampe dabei sein. Wie groß muss p dann mindestens sein?

e) Ein Elektrogeschäft hat bei der Firma 500 Energiesparlampen bestellt. Diese liefert vorsichtshalber 10 zusätzliche Lampen. Wie groß ist die Wahrscheinlichkeit, dass das Elektrogeschäft damit weniger als 500 fehlerfreie Lampen erhält?
Der Verkaufsleiter schlägt vor: „Wir liefern ein paar zusätzliche Lampen und bezahlen eine Entschädigung von 200 €, wenn von der Gesamtlieferung weniger als 500 Lampen in Ordnung sind." Jede zusätzlich gelieferte Lampe verursacht Kosten von 8 €. Sind die zu erwartenden Kosten für zusätzliche Lampen und eventuelle Entschädigungszahlung bei 10 oder bei 15 zusätzlich gelieferten Lampen kleiner?

13 a) Dr. O., der überwiegend Kopfschmerzpatienten behandelt, geht aufgrund langfristiger Erfahrung davon aus, dass 40 % derjenigen Patienten, die Kopfschmerzmittel nehmen, auch bei einem Scheinmedikament („Placebo") eine Abnahme des Schmerzes verspüren.
Wie groß ist die Wahrscheinlichkeit, dass von 100 behandelten Patienten mindestens 35 nach Einnahme von Placebos eine Abnahme des Schmerzes verspüren? Skizzieren Sie die zugehörige Wahrscheinlichkeitsverteilung.

b) Dr. W. behauptet, dass der beobachtete Anteil von 40 % erhöht werden kann, wenn die Patienten zusätzlich eine Behandlung mit Entspannungstechniken durchführen. Diese Behauptung wird mit einem Test der Nullhypothese H_0: p = 0,4 auf dem Signifikanzniveau 5 % überprüft. An dem Test nehmen 80 Patienten teil.
Erläutern Sie, was das Verwerfen der Nullhypothese bedeutet.
Wie entscheiden Sie, wenn 40 Patienten eine Abnahme des Schmerzes verspüren?

14 Ein Glücksrad ist in zwei Sektoren mit den Zahlen 2 und 1 eingeteilt (vgl. Fig. 1).

a) Das Glücksrad wird dreimal gedreht.
Wie groß ist die Wahrscheinlichkeit für die folgenden Ereignisse:
A: Die Zahl 1 tritt genau zweimal auf.
B: Es ergibt sich dreimal dieselbe Zahl.
C: Die Summe der Zahlen ist 5.

b) Das Glücksrad wird so oft gedreht, bis die Summe der Zahlen mindestens 4 beträgt. Wie oft muss man im Mittel drehen?

Fig. 1

c) Bei einem Glücksspiel wird das Glücksrad zweimal gedreht. Erscheint dabei zweimal die Zahl 1, so erhält man 2 €, erscheint zweimal die Zahl 2, so erhält man 1 €. Der Einsatz pro Spiel beträgt 1 €. Wie hoch ist der Erwartungswert für den Gewinn?
Damit das Spiel fair ist, sollen die Sektoren neu eingeteilt werden. Mit welcher Wahrscheinlichkeit p muss dazu die Zahl 2 erscheinen?
Kommentieren Sie die beiden Lösungen.

Lösungen

Abituraufgaben ohne Hilfsmittel, Seite 400

1

a) $f'(x) = 6e^{2x}$; $g'(x) = -\frac{2}{x^3}$; $h'(x) = \cos(x) - x \cdot \sin(x)$

b) $F(x) = \frac{5}{3}x^3 - 4x^2$; $G(x) = \frac{1}{32}(8x-2)^4$; $H(x) = -\frac{1}{8}\cos(8x)$;

$J(x) = -\frac{5}{16}\frac{1}{(2+8x)^2}$; $K(x) = \frac{1}{8}e^{8x}$

2

a) $f'(x) = 6 \cdot e^{2x+1}$; $g'(x) = \frac{3}{2}\cos\left(\frac{1}{2}x - \pi\right)$

b) $F(x) = \frac{3}{2} \cdot e^{2x+1}$; $G(x) = -6\cos\left(\frac{1}{2}x - \pi\right) + 2x$

3

a) $x = \ln(1{,}5)$

b) $x_1 = \ln(5)$; $x_2 = \ln(7)$

c) $x_1 = -3$; $x_2 = \ln(2)$; $x_3 = \ln(3)$

4

a) $\int_0^4 (1{,}5x - 4)\,dx = \left[\frac{3}{4}x^2 - 4x\right]_0^4 = -4$

Skizze:

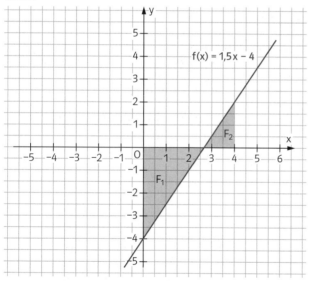

Der Inhalt der Fläche F_1 ist größer als der Inhalt der Fläche F_2, also ist das Integral negativ.

b) $F(x) = \frac{3}{4}x^2 - 4x + c$; $c \in \mathbb{R}$. $F(1) = 0{,}75$ liefert $c = 4$.

5

Z.B. $f(x) = (x-2)^3$; $g(x) = x - 2$

6

1 Kästchen entspricht $10\,\text{cm}$.

a) $t_1 = 8$; $t_2 = 12$; $t_3 = 24$ (in s)

b) 7,5 Kästchen: Sie befindet sich $75\,\text{cm}$ rechts von der Tunnelmitte.

c) $t_4 = 33$ (in s)

48 Kästchen: Gesamtstrecke $480\,\text{cm}$

d) $\int_2^4 v(t)\,dt$: zurückgelegter Weg im Zeitraum $2 \le t \le 4$ (in s).

$v'(4)$: Geschwindigkeitsänderung zum Zeitpunkt $t = 4$ (s)
(= Beschleunigung)

$v(4)$: Momentangeschwindigkeit zum Zeitpunkt $t = 4\,\text{s}$

$\int_0^{10} v(t)\,dt$: Entfernung von der Tunnelmitte zum Zeitpunkt $t = 10$ (s)

$\int_0^{10} |v(t)|\,dt$: zurückgelegter Weg nach $10\,\text{s}$ seit Beginn der Messung

7

a) $J_0(1) \approx -0{,}4$

b) Zwei Nullstellen: $x_1 \approx 0{,}7$; $x_2 \approx 2{,}5$

c) $J_0'(x) = J_0(1) + J_1(x)$

Der Graph von $J_0'(x)$ entsteht aus dem Graphen von $J_1(x)$ durch eine Verschiebung in y-Richtung um $J_0(1)$.

8

a) $g'(x) = -\frac{\cos(x)}{(\sin(x))^2}$

b) $g(x) = (f(x))^{-1}$; $g'(x) = -1(f(x))^{-2} \cdot f'(x) = -\frac{f'(x)}{(f(x))^2}$

9

a) $f(x) = 0{,}5\sin\left(2\left(x + \frac{1}{2}\right)\right)$

Streckung Faktor $\frac{1}{2}$ in x-Richtung

Streckung Faktor $\frac{1}{2}$ in y-Richtung

Verschiebung um $-\frac{1}{2}$ in x-Richtung

b) z.B. $g(x) = 5\sin(16x)$; $h(x) = 5\sin(16x) + 2$

10

Fig. 1: Ganzrationale Funktion mit Grad 3: f_4

Fig. 2: Gebrochenrationale Funktion, $x_1 = 1$ ist Definitionslücke: f_6

Fig. 3: Trigonometische Funktion, $p = 2$: f_5

11

F: Graph (2): $F'(1) = 0$, Hochpunkt $H(1|F(1))$

f: Graph (1): $f(1) = 0 = F'(1)$; $f'(2) = 0$; $N(1|0)$, $(1|2)$

Tiefpunkt $T(2|f(2))$

$g = f'$: Graph (3): $g(2) = 0 = f'(2)$; $N(2|0)$

12

a) Ja, f ist streng monoton wachsend (1) und $f(1) = 5$ (3), also: $f(1) < f(2) = 6$ ist möglich.

b) Nein, $f''(x) = (f')'(x) < 0$ (2), d.h., die Steigung des Graphen nimmt ab, also $f'(1) > f'(2)$.

c) Nein, da $f''(x) < 0$ ist, ist der Graph rechtsgekümmt, d.h., es ist $f(2) \le f(1) + 1 \cdot 2 = 7 \ne 8$.

Skizze:

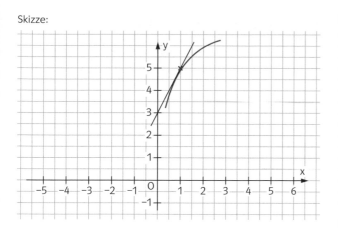

13

Es ist $\sin(2x) = 2\sin(x)\cdot\cos(x) = 2\cdot\sin(x)\cdot\sqrt{1 - \sin^2(x)}$, also

$\sin(2x) = 2\cdot\frac{5}{13}\cdot\sqrt{1 - \left(\frac{5}{13}\right)^2} = \frac{10}{13}\cdot\sqrt{\frac{144}{169}}\ \left(= \frac{120}{169}\right)$

14

Mögliche Lösung:

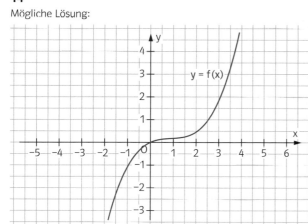

15

Ansatz: $f(x) = a\cdot(x + 3)\cdot x\cdot(x - 2)$

$f(1) = -2$ ergibt $a = 0{,}5$;

damit ist $f(x) = 0{,}5\cdot x\cdot(x + 3)\cdot(x - 2)$.

16

a) $f(x) = 2\cdot 0{,}5^{-x}$

b) $f(x) = 2\cdot\cos(2x)$

17

a) Das Gesetz kann durch die Differenzialgleichung $T' = k\cdot(T_R - T)$ beschrieben werden, welche beschränktes Wachstum beschreibt.

b) Siehe Fig.

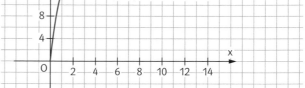

Wenn k kleiner wird, geht e^{-kx} langsamer gegen 0, also T langsamer gegen T_R. Bei $k = 1$ erfolgt die Annäherung an die Raumtemperatur relativ schnell. Es könnte z. B. sein, dass der Körper eine dünne Metallplatte ist, die in einem Wasserbad von Raumtemperatur bewegt wird.

$T(4) = 20\cdot(1 - e^{-k\cdot 4}) = 10$

$1 - e^{-k\cdot 4} = 0{,}5$

$e^{-k\cdot 4} = 0{,}5$

$-4k = \ln(0{,}5) = -\ln(2)$

$k = \frac{1}{4}\ln(2)$

c) Die momentane Änderungsrate der Temperatur, also die Ableitung, ergibt $T'(t) = 20\cdot e^{-t}$.

Die Differenz der Raumtemperatur T_R und der Temperatur $T(t)$ des Körpers ist $20 - 20\cdot(1 - e^{-t}) = 20e^{-t}$.

Beide Terme sind gleich (also proportional mit der Proportionalitätskonstanten 1).

d) Wenn $T_0 = 40$, ist die Gleichung $T(t) = 20\cdot(1 + e^{-k\cdot t})$.

T nähert sich „von oben" an T_R an.

18

a) $L - \{(t;\ 3t + 6;\ 2t - 3)\ |\ t \in \mathbb{R}\}$

b) z. B. $t = 2$: $(2;\ 12;\ 1)$; $t = -3$: $(-3;\ -3;\ -9)$

19

a) Falsch, z. B. $\vec{u} = \begin{pmatrix} 1 \\ 2 \\ 3 \end{pmatrix}$, $\vec{v} = \begin{pmatrix} 2 \\ 4 \\ 6 \end{pmatrix}$ sind linear abhängig.

b) Wahr.

c) Falsch, z. B. $f(x) = x^4$; $x_0 = 0$; $f''(0) = 0$, aber x_0 ist keine Wendestelle.

d) Falsch, z. B. $f(x) = x^2$; $x_0 = -1$; $f'(-1) = -2$; $f(-1) = 1$; $P(-1|1)$ liegt oberhalb der x-Achse.

e) Falsch, z. B. $\begin{cases} x_1 + x_2 = 1 \\ 2x_1 + 2x_2 = 2 \\ 4x_1 + 4x_2 = 4 \end{cases}$ hat unendlich viele Lösungen.

f) Wahr.

20

a) Z. B.: $E: 2x_1 - 3x_2 + x_3 = 8$

$g: \vec{x} = \begin{pmatrix} 4 \\ -1 \\ 2 \end{pmatrix} + t\cdot\begin{pmatrix} 2 \\ 1 \\ -1 \end{pmatrix}$, $t \in \mathbb{R}$

b) $E \parallel g$, g liegt nicht in E.

21

Zum Beispiel:

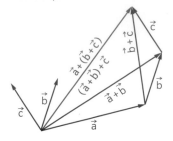

22

a) $\vec{n_1} = \begin{pmatrix} 2 \\ -4 \\ 1 \end{pmatrix}$, $\vec{n_2} = \begin{pmatrix} 2 \\ 4 \\ -5 \end{pmatrix}$; $\vec{n_1}$, $\vec{n_2}$ sind linear unabhängig, also

schneiden sich die beiden Ebenen.

b) $x_1 = x_3 = 0$ liefert $S\left(0 \middle| -\frac{1}{4} \middle| 0\right)$.

c) $x_2 = 0$ liefert g: $\vec{x} = \begin{pmatrix} 0 \\ 0 \\ 1 \end{pmatrix} + t \cdot \begin{pmatrix} 1 \\ 0 \\ -2 \end{pmatrix}$, $t \in \mathbb{R}$

23

Sind $\vec{u_g}$ bzw. $\vec{u_h}$ Richtungsvektoren der Geraden g bzw. h, so gilt
für den Schnittwinkel α von g und h:

$\cos(\alpha) = \dfrac{|\vec{u_g} \cdot \vec{u_h}|}{|\vec{u_g}| \cdot |\vec{u_h}|}$; es ist $\cos(\beta) = \dfrac{|-\vec{u_g} \cdot (-\vec{u_h})|}{|-\vec{u_g}| \cdot |-\vec{u_h}|} = \dfrac{|\vec{u_g} \cdot \vec{u_h}|}{|\vec{u_g}| \cdot |\vec{u_h}|} = \cos(\alpha)$.

Man erhält ebenso den Schnittwinkel α.

24

Man spiegelt zwei Punkte P und Q der Geraden g an der Ebene E.
Man erhält die Spiegelpunkte P* und Q*. Die gespiegelte Gerade
geht durch P* und Q* und hat z.B. die Gleichung
g*: $\vec{x} = \vec{p^*} + t \cdot (\vec{q^*} - \vec{p^*})$, $t \in \mathbb{R}$.

25

a) $P(A) = \frac{1}{4}$; $P(B) = \frac{1}{2}$; $P(C) = \frac{15}{16}$; $P(D) = \frac{9}{16}$

b) $P(12; 23; 34) = \frac{3}{16}$; $-1 \text{€} + \frac{3}{16} \cdot 5 \text{€} = -\frac{1}{16} \text{€}$.

Auf lange Sicht wird man durchschnittlich $\frac{1}{16}$ € verlieren.

26

	J	M	
Ja	33	29	62
Nein	13	25	38
	46	54	100

a) $P(J; N) = \frac{13}{46}$ b) $P(M; N) = \frac{25}{54}$ c) $P(N) = \frac{38}{100} = \frac{19}{50}$

27

a) Term (4)

---

b) Kontur des Graphen:

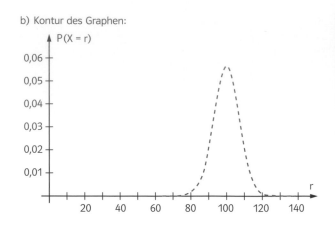

Abituraufgaben mit Hilfsmitteln, Seite 404

1

a) $f'_t(x) = t - (t + 1) \cdot \frac{1}{x^2}$;

kein Punkt mit waagerechter Tangente für Graphen mit $-1 < t \le 0$.

b) Maximal zwei Punkte, da die Bedingung $f'_t(x) = 0$ liefert

$x_{1,2} = \pm\sqrt{\dfrac{t+1}{t}}$.

2

a) $f(t) = 300{,}86 \cdot \sin(0{,}52\,t + 1{,}57) - 0{,}77$

b) Änderung: $\displaystyle\int_0^2 f(t)\,dt \approx 496{,}34 \ (m^3)$

Nach 5 h: $120 + \displaystyle\int_0^5 f(t)\,dt \approx 405{,}57 \ (m^3)$

3

a) Skizze:

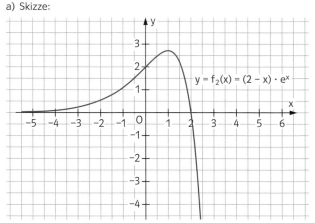

Hochpunkt $H(1 \mid e)$, $N(2 \mid 0)$

$f'(x) = e^x(1 - x)$

Für $x < 1$ ist f streng monoton wachsend;

für $x < 2$ ist $f(x) > 0$.

Für $x > 1$ ist f streng monoton fallend:

$H(1 \mid e)$ ist absoluter Hochpunkt.

Für $x \to +\infty$ geht $f(x) \to -\infty$, also:

$W = (-\infty; e]$ oder $-\infty < f(x) \le e$.

b) $H(t - 1 \mid e^{t-1})$; $e^{t-1} > 0$ für alle $t \in \mathbb{R}$

4

a) Skizze:

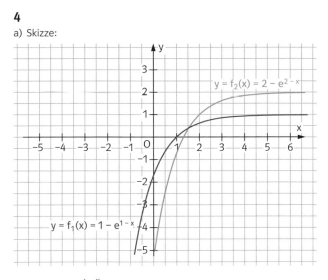

b) $f_1(x) = 1 - e^{-(x-1)}$
Spiegelung an der x-Achse,
Verschiebung um 1 in x-Richtung, Verschiebung um 1 in y-Richtung.
c) $f_t'(x) = e^{t-x} > 0$ für alle $x \in \mathbb{R}$, $t \in \mathbb{R}$, also ist f_t streng monoton wachsend.
d) $N(t - \ln(t) | 0)$; $y = t$; $S(0 | t - e^t)$
e) Tangente in $P(u | 1 - e^{1-u})$, $f_1'(u) = e^{1-u}$
t: $y = e^{1-u}(x - u) + 1 - e^{1-u}$
$S(1 + u | 1)$
Konstruktion der Tangente in P:
Zeichne $P(u | f(u))$ und $S(1 + u | 1)$; die Gerade durch P und S ist die Tangente in P.

5

Ansatz: $A = (2x + 30)\left(\frac{250}{x} + 20\right) \to$ max.

B: Breite: 13,69 m; Länge: 18,26 m. Gesparte Fläche: 204,6 m².

6

a) $g(t) = 3,12 \cdot e^{0,0542t}$
b) 2020: $g(60) \approx 80,63$ (ppm); 2040: $g(80) \approx 238,37$ (ppm)
c) 2020: $f(60) \approx 41,44$ (ppm); 2040: $f(80) \approx 44,29$ (ppm)
$\lim\limits_{t \to \infty} f(t) = 45$ (ppm)
d) $f'(t) < 0,1$ für $t > 73,35$; also im Laufe des Jahres 2033.

7

a) g_{AB}: $\vec{x} = \begin{pmatrix} 2 \\ 3 \\ -1 \end{pmatrix} + t \cdot \begin{pmatrix} 2 \\ -3 \\ 6 \end{pmatrix}$; $t \in \mathbb{R}$, die Richtungsvektoren sind
linear abhängig, also ist $g \parallel g_{AB}$.
Punktprobe von C auf g liefert mit $t = 1$: $C \in g$.
b) $D(3 | 6 | -8)$
c) $D_1(5 | 3 | -2)$, $C_1(7 | 0 | 4)$
d) Die Gleichung $|\overrightarrow{AB}| = |\overrightarrow{AC_t}|$ hat 2 Lösungen, also gibt es 2 Punktepaare C_2, D_2 bzw. C_3, D_3.
e) Grundseite $|\overrightarrow{AB}| = 7$
Höhe: Abstand der parallelen Geraden, $h = \sqrt{10}$
$A = 7\sqrt{10}$ gilt für alle möglichen Parallelogramme.

8

a) Skizze:

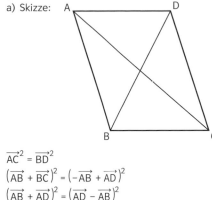

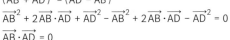

$\overrightarrow{AC}^2 = \overrightarrow{BD}^2$
$\left(\overrightarrow{AB} + \overrightarrow{BC}\right)^2 = \left(-\overrightarrow{AB} + \overrightarrow{AD}\right)^2$
$\left(\overrightarrow{AB} + \overrightarrow{AD}\right)^2 = \left(\overrightarrow{AD} - \overrightarrow{AB}\right)^2$
$\overrightarrow{AB}^2 + 2\overrightarrow{AB} \cdot \overrightarrow{AD} + \overrightarrow{AD}^2 - \overrightarrow{AB}^2 + 2\overrightarrow{AB} \cdot \overrightarrow{AD} - \overrightarrow{AD}^2 = 0$
$\overrightarrow{AB} \cdot \overrightarrow{AD} = 0$
Es handelt sich um ein Rechteck.
b) Wenn in einem Viereck ein Paar gegenüberliegender Seiten gleichlang und parallel ist und die Diagonalen gleich lang sind, dann ist das Viereck ein Rechteck. Oder: Ein Parallelogramm mit gleich langen Diagonalen ist ein Rechteck.

9

a) Zeichnung:

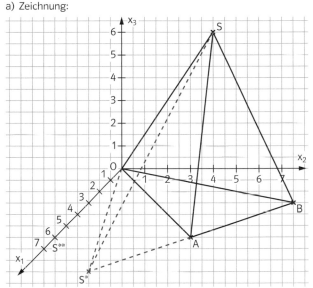

$\sphericalangle$ BAO = 90°; $\sphericalangle$ AOB = 26,6°; $\sphericalangle$ OBA = 63,4°
b) $A = 18$; $V = 48$. Punktprobe für S auf g liefert: $S \in g$. g ist parallel zur x_1x_2-Ebene, in der die Grundfläche liegt. Bewegt sich S auf g, so bleibt die Höhe konstant. Da die Grundfläche unverändert ist, ist auch V konstant. S kann sich in der Ebene $x_3 = 8$ bzw. $x_3 = -8$ bewegen, ohne dass sich V ändert.
c) Lichtstrahl s: $\vec{x} = \begin{pmatrix} 4 \\ 6 \\ 8 \end{pmatrix} + t \cdot \begin{pmatrix} 5 \\ -3 \\ -8 \end{pmatrix}$; $t \in \mathbb{R}$
$S^*(9 | 3 | 0)$; $S^{**}(6 | 0 | 0)$; Richtung des Lichteinfalls: $\vec{v} = \begin{pmatrix} 2 \\ -6 \\ -8 \end{pmatrix}$
(siehe Abbildung bei Teilaufgabe a.)

10

a) $S_1(9|0|0)$, $S_2(0|4,5|0)$, $S_3(0|0|4,5)$. Zeichnung:

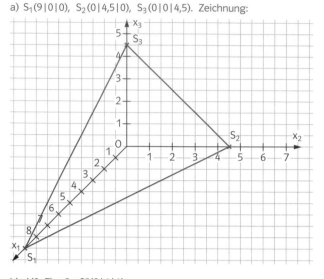

b) $d(0; E) = 3$; $O^*(2|4|4)$

c) $\sphericalangle S_1PQ \approx 155,2°$; $\sphericalangle QS_1P \approx 10,2°$; $\sphericalangle PQS_1 \approx 24,6°$

d) $g: \vec{x} = \begin{pmatrix} 9 \\ 0 \\ 0 \end{pmatrix} + t \cdot \begin{pmatrix} -2 \\ 1 \\ 0 \end{pmatrix}$

$R_1(0,6|4,2|0)$; $R_2(7|1|0)$

11

a) 14:15 Uhr   b) $\varphi \approx 20,6°$

c) 320 km östlich und 130 km nördlich von A, auf 2000 m Höhe

d) Ca. 15:07 Uhr: 379,2 km östlich von A, 174,4 km nördlich von A auf 2000 m Höhe

12

X: Anzahl fehlerfreier Lampen; $p = 0,98$.

a) $P(X = 98) = 0,2734$; $P(X \le 98) = 0,5967$

b) $\mu = n \cdot p = 1000 \cdot 0,98 = 980$

$P(X \le 970) = 0,0207$; $P(X \ge 990) = 0,0102$

Die Werte um den Erwartungswert haben die größte Wahrscheinlichkeit. Werte, die relativ weit von μ entfernt liegen, haben nur eine sehr geringe Wahrscheinlichkeit.

(Genauer: Die Standardabweichung $\sigma = \sqrt{n \cdot p \cdot (1 - p)} = 4,43$ ist ein Maß für die Streuung der Werte um μ:

$P(\mu - \sigma \le X \le \mu + \sigma) \approx 70\%$; $P(\mu - 2\sigma \le X \le \mu + 2\sigma) \approx 95\%$.

Daher haben außerhalb des 2σ-Intervalls gelegene Werte weniger als 5 % Wahrscheinlichkeit.)

c) Es muss gelten: $0,98^n \ge 0,9$ (n: Stichprobenumfang).

Das ist für $n \le \frac{\log 0,9}{\log 0,98}$, also für $n \le 5$ der Fall.

d) Es muss gelten: $p^{50} \ge 0,9$; $p \ge 0,9979$.

e) $n = 510$; $P(X \le 499) = 0,4422$

10 zusätzliche Lampen ergeben Kosten von

$10 \cdot 8 € + 0,4422 \cdot 200 € = 168,44 €$.

15 zusätzliche Lampen ergeben Kosten von

$15 \cdot 8 € + 0,0851 \cdot 200 € = 131,61 €$.

Also ist die Lieferung von 15 zusätzlichen Lampen günstiger.

13

X: Anzahl der Patienten, die bei Behandlung mit einem Placebo eine Abnahme des Kopfschmerzes spüren.

a) $n = 100$; $P(X \ge 35) = 1 - P(X \le 34) = 0,8697$

Skizze mit folgenden Werten: ($\sigma = \sqrt{100 \cdot 0,4 \cdot 0,6} \approx 4,9$)

$P(X = 40) \approx 0,08$; $P(X = 45) \approx 0,05$; $P(X = 35) \approx 0,05$;

$P(X = 50) \approx 0,01$; $P(X = 30) \approx 0,01$

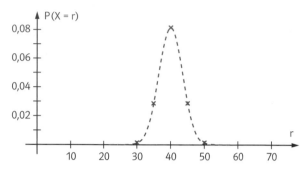

b) Signifikanztest: $\alpha = 5\%$; $n = 80$; $k = 40$ (rechtsseitig)

Annahmebereich $A = [0; b]$, wobei b die kleinste Zahl ist mit $P(X \ge b) > 0,95$. Aus der Tabelle der Binomialverteilung mit $n = 80$ und $p = 0,4$ ergibt sich $b = 39$. Die Nullhypothese ist also bei $k = 40$ zu verwerfen.

Das bedeutet, dass die Hypothese von Dr. W. bestätigt wird.

14

a) $P(A) = 3 \cdot \left(\frac{1}{3}\right)^2 \cdot \frac{2}{3} = \frac{2}{9}$; $P(B) = \left(\frac{1}{3}\right)^3 + \left(\frac{2}{3}\right)^3 = \frac{1}{3}$;

$P(C) = 3 \cdot \frac{1}{3} \cdot \left(\frac{2}{3}\right)^2 = \frac{4}{9}$

b) Bis die Augensumme mindestens 4 ist, sind 2, 3 oder 4 Drehungen möglich mit den Wahrscheinlichkeiten in der Tabelle:

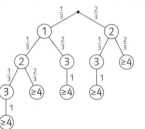

Die Kreise enthalten die erzielten Augensummen.

Drehungen	2	3	4
zugehörige Wahrscheinlichkeit	$\frac{4}{9}$	$\frac{14}{27}$	$\frac{1}{27}$

Erwartungswert für die Zahl der Drehungen ($\hat{=}$ mittlere Zahl der Drehungen): $2 \cdot \frac{4}{9} + 3 \cdot \frac{14}{27} + 4 \cdot \frac{1}{27} = \frac{70}{27} \approx 2,59$.

c) Erwartungswert für Gewinn: $\frac{1}{9} \cdot 1 € + \frac{4}{9} \cdot 0 € + \frac{4}{9} \cdot (-1 €) = -\frac{1}{3} €$.

p sei die Wahrscheinlichkeit für die „2" bei Erwartungswert 0. Dann muss gelten: $(1 - p)^2 \cdot 1 € + p^2 \cdot 0 € + \left(1 - p^2 - (1 - p)^2\right) \cdot (-1 €) = 0$.

$3p^2 - 4p + 1 = 0$; $p_1 = 1$; $p_2 = \frac{1}{3}$. Die erste Lösung ist nicht sinnvoll, weil sonst das Glücksrad nur den Sektor 2 hat. Das wäre kein Glücksrad mehr. Bei der Lösung $p = \frac{1}{3}$ wären die Sektoren mit der „1" und der „2" zu vertauschen in Fig. 1, Seite 407.

7

a)

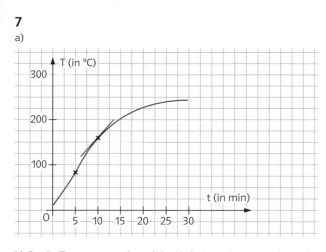

b) Da die Temperatur während des Vorheizens immer zunimmt, ist $T'(t) > 0$.

c) $T(5) = 80$ bedeutet: Fünf Minuten nach Beginn des Vorheizens beträgt die Temperatur im Herd 80 °C. $T'(10) = 2$ bedeutet: Zehn Minuten nach Beginn des Vorheizens beträgt die momentane Temperaturzunahme 2 °C pro Minute, d.h., bei gleichbleibender Temperaturzunahme würde die Temperatur in der nächsten Minute um 2 °C steigen.

8

a)

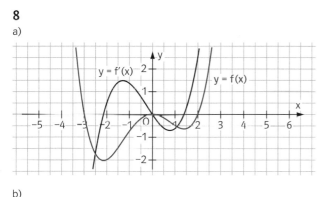

b)

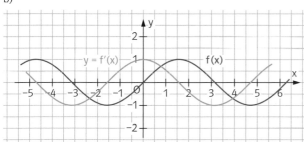

5

a) $f'(x) = 3x^2 + 6x - 17$; $f''(x) = 6x + 6$

b) $f_t'(x) = 3tx^2 + 6tx - 17$; $f_t''(x) = 6tx + 6t$

c) $f'(x) = \frac{1}{4}x^{-\frac{3}{4}}$; $f''(x) = -\frac{3}{16}x^{-\frac{7}{4}}$

d) $f'(x) = -2x^{-2}$; $f''(x) = 4x^{-3}$

e) $f(x) = 1 + x^{-2}$; $f'(x) = -2x^{-3}$; $f''(x) = 6x^{-4}$

f) $f'(x) = \frac{1}{3}x^{-\frac{2}{3}} + 2\cos(x)$; $f''(x) = -\frac{2}{9}x^{-\frac{5}{3}} - 2\sin(x)$

6

a) $P_1(1|-2)$; $P_2(-1|0)$ b) $P\left(\frac{\pi}{2}\middle|0\right)$

13

a) $x = 4$ b) $x = 5$ c) $x = 1,5$ d) $x = 4$

e) $x = 1,5$ f) $x = 3$ g) $x = -2$ h) $x_1 = 2$; $x_2 = -2$

14

a) $10^x = 100$; $x = 2$ b) $10^x = 0,1$; $x = -1$ c) $x = 10^{1000}$

d) $10^x = 10^a$; $x = a$ e) $x = 5$

8

a) Aus der Zeichnung entnimmt man:
Rechtskurve für $x < 1$; Linkskurve für $x > 1$.

b) $f''(x) = 2x - 2$. $f''(x) > 0$ für $x > 1$; der Graph von f ist eine Linkskurve; $f''(x) < 0$ für $x < 1$; der Graph von f ist eine Rechtskurve.

9

a) $f''(x) = 6x$; $f''(x) > 0$ für $x > 0$; der Graph von f ist eine Linkskurve; $f''(x) < 0$ für $x < 0$; der Graph von f ist eine Rechtskurve.

b) $f''(x) = 6(x - 2)$; $f''(x) > 0$ für $x > 2$; der Graph von f ist eine Linkskurve; $f''(x) < 0$ für $x < 2$; der Graph von f ist eine Rechtskurve.

c) $f''(x) = 12x^2 - 12$; $f''(x) > 0$ für $x < -1$ oder $x > 1$; der Graph von f ist eine Linkskurve; $f''(x) < 0$ für $-1 < x < 1$; der Graph von f ist eine Rechtskurve.

7

a) $H(0|1)$; $T(1|0)$ b) $H(1|1)$; $T(2|0)$ c) $T(2|0)$

8

a) Für $x < -2$ und $x > 2$ ist f streng monoton wachsend; für $-2 < x < 0$ und $0 < x < 2$ ist f streng monoton fallend. An der Stelle $x = -2$ hat f ein lokales Maximum, an der Stelle $x = 2$ ein lokales Minimum und an der Stelle $x = 0$ ist $f'(0) = 0$ ohne VZW, hat also keine Extremstelle.

b)

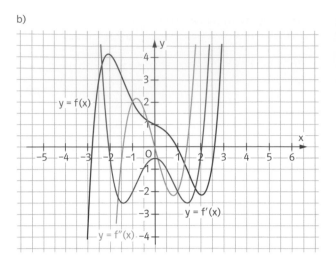

Kapitel I, Zeit zu überpüfen, Seite 30

6

a) $W(0\,|\,0)$; $t: y = 0$

b) $W_1(-0{,}8165\,|\,1{,}111)$; $t_1: y = -2{,}177x - 0{,}667$

$W_2(0{,}8165\,|\,1{,}111)$; $t_2: y = 2{,}177x - 0{,}667$

c) $W_1(-0{,}949\,|\,0{,}844)$; $t_1: y = -3{,}05x - 2{,}05$

$W_2(0{,}949\,|\,-0{,}844)$; $t_2: y = -3{,}05x + 2{,}05$

$W_3(0\,|\,0)$; $t_3: y = x$

7

a) Bei $x \approx -1{,}4$ hat f ein lokales Maximum und bei $x \approx 1{,}4$ ein lokales Minimum. f hat eine Wendestelle bei $x = 0$.

b)

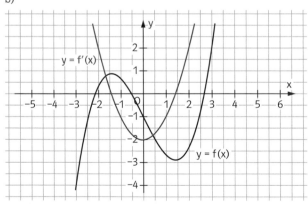

Kapitel I, Zeit zu überprüfen, Seite 33

5

a) $t: y = -5x - 4$; $n: y = \frac{1}{5}x + 6{,}4$

b) $t: y = -\frac{1}{4}x + 4$; $n: y = 4x - 13$

6

$t: y = 4ux - 2u^2 - 3$

a) $A(2\,|\,-3)$ ergibt $0 = 8u - 2u^2$ mit $u_1 = 0$ und $u_2 = 4$ und den Tangenten $t_1: y = -3$ und $t_2: y = 16x - 35$.

b) $A\left(2\,\middle|\,-\frac{9}{8}\right)$ ergibt $0 = 2u^2 - 8u + 1{,}875$ mit $u_1 = 3{,}75$ und $u_2 = 0{,}25$ und den Tangenten $t_1: y = 15x - 31{,}125$ und $t_2: y = x - 3{,}125$.

c) $A(1\,|\,1)$ ergibt $2u^2 - 4u + 4 = 0$. Da diese Gleichung keine Lösungen besitzt, existiert die gesuchte Tangente nicht.

Kapitel I, Zeit zu überprüfen, Seite 37

5

a) $v(0) = 0$; $v(10) = 20$ mit $v'(t) > 0$ für $0 \le t \le 10$

b) $v'(t) < 0$ für $30 \le t \le 35$ (v' entspricht der Beschleunigung)

c) $v''(15) = 0$ und $v'(15) > 0$. Die Zunahme (bzw. Änderung) der Geschwindigkeit entspricht der Beschleunigung $\left(\text{Einheit } \frac{m}{s^2}\right)$.

6

a) Mit $O'(t) = -\frac{1}{100}(t^2 - 24t + 108)$ und $O''(t) = \frac{1}{50}(12 - t)$ erhält man $H(18\,|\,19)$ und $T(6\,|\,16{,}12)$.

b) Die Steigung gibt die Größe der Veränderung der Temperatur zu diesem Zeitpunkt an ($O'(12) = 0{,}36$).

Kapitel I, Zeit zu überprüfen, Seite 41

10

Oberfläche: $O = x^2 + 4xy$ mit $x, y \ge 0$; Nebenbedingung:

$V = x^2 \cdot y$; Zielfunktion: $O(x) = x^2 + \frac{160}{x}$. Globales Minimum für $x \approx 4{,}31$ und $y \approx 2{,}15$.

11

Durchmesser x (in dm), Höhe h (in dm);

Länge der Nahtlinie (in dm): $N = \pi x + h$.

Nebenbedingung:

Volumen $V = \frac{\pi}{4}x^2 \cdot h = 2$ liefert $h = \frac{8}{\pi x^2}$ mit $x > 0$.

Zielfunktion: $N(x) = \pi x + \frac{8}{\pi x^2}$

Lokales Minimum $x \approx 1{,}175$ (GTR)

$N'(x) = \pi - \frac{16}{\pi x^3} = 0$ liefert $x_1 = \left(\frac{16}{\pi^2}\right)^{\frac{1}{3}} \approx 1{,}175$.

Da $N'(x) < 0$ für $0 < x < x_1$ und $N'(x) > 0$ für $x > x_1$, ist aufgrund des Monotoniesatzes die Funktion N für $0 < x < x_1$ streng monoton fallend und für $x > x_1$ streng monoton wachsend. Damit besitzt N genau einen Extremwert. Bei absolut kürzester Schweißnaht muss der Durchmesser des Topfes etwa 11,8 cm, seine Höhe 18,5 cm sein.

Kapitel I, Zeit zu wiederholen, Seite 42

20

Es gilt: $\frac{\alpha}{360°} = \frac{b}{2\pi}$.

a) $180°$, $\sin(180°) = 0$ b) $90°$, $\sin(90°) = 1$

c) $60°$, $\sin(60°) = \frac{1}{2}\sqrt{3} \approx 0{,}8660$ d) $45°$, $\sin(45°) = \frac{1}{2}\sqrt{2} \approx 0{,}7071$

21

a) $\frac{\pi}{2}$; $\sin\left(\frac{\pi}{2}\right) = 1$; $\cos\left(\frac{\pi}{2}\right) = 0$

b) $\frac{\pi}{3}$; $\sin\left(\frac{\pi}{3}\right) = \frac{1}{2}\sqrt{3} \approx 0{,}8660$; $\cos\left(\frac{\pi}{3}\right) = \frac{1}{2}$

c) $\frac{4}{9}\pi$; $\sin\left(\frac{4}{9}\pi\right) \approx 0{,}9848$; $\cos\left(\frac{4}{9}\pi\right) \approx 0{,}1736$

d) $\frac{11}{9}\pi$; $\sin\left(\frac{11}{9}\pi\right) \approx -0{,}6428$; $\cos\left(\frac{11}{9}\pi\right) \approx -0{,}7660$

22

a) $y = \frac{5}{\sin(58°)} \approx 5{,}90$ (in cm), $x = y \cdot \cos(58°) \approx 3{,}12$ (in cm), also $\beta = 32°$

b) $b = \sqrt{20{,}5^2 - 12{,}3^2} = 16{,}4$ (in m), $\sin(\alpha) = \frac{12{,}3}{20{,}5}$, also $\alpha \approx 36{,}87°$, $\beta \approx 53{,}13°$

c) $c = \sqrt{3^2 + 4^2} = 5$, $\sin(\alpha) = \frac{4}{5}$, also $\alpha \approx 53{,}13°$, $\beta \approx 36{,}87°$

23

a) $\tan(\alpha) = 0{,}12$, also $\alpha \approx 6{,}84°$

b) $h = 2800 \cdot \sin(6{,}84°) \approx 333{,}6$ (in m)

c) $2{,}8$ cm

Kapitel I, Zeit zu wiederholen, Seite 46

11

a) und b)

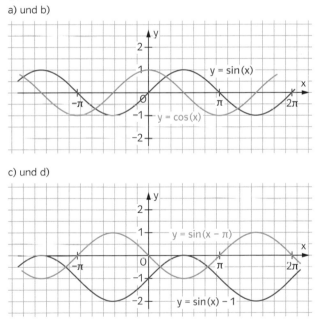

c) und d)

12

Periode $p = 2\pi$, Amplitude $a = 2$, $f(x) = 2 \cdot \cos(x)$

Kapitel I, Prüfungsvorbereitung ohne Hilfsmittel, Seite 52

1

a) $f(x) = x^2 - 1$

$f'(x) = 0$ liefert:

$f'(0) = 0$; $f''(0) = 2 > 0$.

Minimum bei $x_0 = 0$, $T(0\,|-1)$

$f''(x) = 2 \neq 0$, keine Wendestellen.

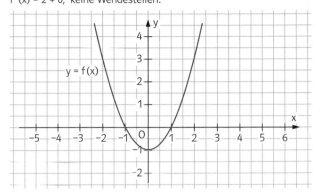

b) $f(x) = \frac{1}{x} = x^{-1}$; $x \neq 0$

$f'(x) = -x^{-2}$; $f''(x) = 2x^{-3}$

$f'(x) \neq 0$ für alle x, keine Extremstellen.

$f''(x) \neq 0$ für alle x, keine Wendestellen.

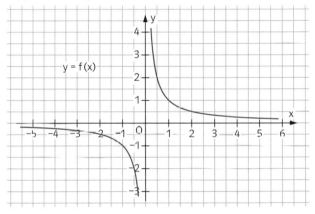

c) $f(x) = 0{,}5x^3$

$f'(x) = 1{,}5x^2$; $f''(x) = 3x$; $f'''(x) = 3$

$f'(x) = 0$ liefert:

$f'(0) = 0$; $f''(0) = 0$ und kein VZW an der Stelle $x_0 = 0$, keine Extremstelle.

$f''(0) = 0$; $f'''(0) = 3 \neq 0$, Wendestelle bei $x_0 = 0$, $W(0\,|\,0)$, W ist ein Sattelpunkt.

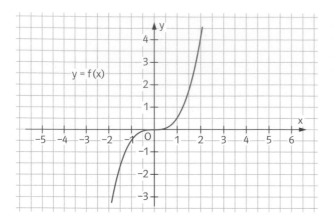

d) $f(x) = 2\sin(x)$

$f'(x) = 2\cos(x)$; $f''(x) = -2\sin(x)$; $f'''(x) = -2\cos(x)$

$f'(x) = 0$ liefert: $x_1 = \frac{\pi}{2}$; $x_2 = \frac{3\pi}{2}$.

$f''\left(\frac{\pi}{2}\right) = -2 < 0$, Maximum bei $x_1 = \frac{\pi}{2}$.

$f''\left(\frac{3\pi}{2}\right) = 2 > 0$, Minimum bei $x_2 = \frac{3\pi}{2}$.

$f''(x) = 0$ liefert $x_3 = 0$; $x_4 = \pi$; $x_5 = 2\pi$.

$f'''(0) = f'''(2\pi) = -2 \neq 0$; $f'''(\pi) = 2 \neq 0$.

$H\left(\frac{\pi}{2}\Big|2\right)$; $T\left(\frac{3\pi}{2}\Big|-2\right)$; $W_1(0\,|\,0)$; $W_2(\pi\,|\,0)$; $W_3(2\pi\,|\,0)$

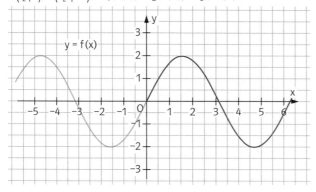

2

a) $f(x) = 3x^5 + 4\cos(x)$; $f'(x) = 15x^4 - 4\sin(x)$;

$f''(x) = 60x^3 - 4\cos(x)$

b) $f(x) = 2x^4 + \sqrt{x} + 1$; $f'(x) = 8x^3 + \frac{1}{2\sqrt{x}}$; $f''(x) = 24x^2 - \frac{1}{4x\sqrt{x}}$

c) $f(x) = \sqrt[3]{x} + 2x^{-1}$; $f'(x) = \frac{1}{3}x^{-\frac{2}{3}} - 2x^{-2}$; $f''(x) = -\frac{2}{9}x^{-\frac{5}{3}} + 4x^{-3}$

3

a) Falsch. $f'(-2) > 0$; f kann an der Stelle $x = -2$ kein Maximum haben (f hat eine Wendestelle).

b) Richtig. An den Stellen $x_1 = -2$ und $x_2 = 1$ hat f' Extrema und somit f genau an diesen Stellen zwei Wendepunkte.

c) Falsch. Für $0 < x < 4$ ist $f'(x) < 0$, also ist f monoton fallend, es gilt: $f(0) > f(4)$.

d) Richtig. Im sichtbaren Bereich ist $f'(x) > 0$ für $x > 4$.

4

$f(x) = \frac{3}{x} + 3$ $(x \neq 0)$, $f'(x) = -\frac{3}{x^2}$

a) $P(1\,|\,6)$; $f'(1) = -3$. $t: y = f'(u)(x - u) + f(u) = -3(x - 1) + 6$;

$t: y = -3x + 9$.

b) Schnitt mit der x-Achse $y = 0$: $-3x + 9 = 0$, somit $x = 1$. In $S(3\,|\,0)$ schneidet t die x-Achse.

5

a) $f(x) = x^4 - 4x^3$; $f'(x) = 4x^3 - 12x^2$; $f''(x) = 12x^2 - 24x$;

$f'''(x) = 24x - 24$.

$f'(x) = 0$ liefert: $4x^2(x - 3) = 0$ und somit $x_1 = 0$ und $x_2 = 3$.

An den Stellen $x_1 = 0$ mit $P_1(0\,|\,0)$ und $x_2 = 3$ hat der Graph f Punkte mit waagerechter Tangente, also insbesondere auch im Ursprung.

$f''(x) = 0$: $12x(x - 2) = 0$ liefert $x_1 = 0$ und $x_2 = 2$. Aus $f'''(0) = -12 \neq 0$ folgt, dass der Graph von f an der Stelle $x_1 = 0$ auch einen Wendepunkt hat.

b) $g(x) = x^4 - 4x^3 + 2$; $g'(x) = 4x^3 - 12x^2$; $g''(x) = 12x^2 - 24x$;

$g'''(x) = 24x - 24$.

Es ist $g''(x) = f''(x)$, somit hat g die gleiche Wendestelle wie f. Die Wendetangente an den Graphen von g im Wendepunkt $W(0\,|\,0)$ hat die Steigung $g'(0) = 2$.

6

Es ist $A(x) = 2xy + \frac{1}{2}\pi x^2 \approx 2xy + 1{,}5x^2$ und $U(x) = 2y + 2x + \pi x$

$\approx 2y + 2x + 3x = 2y + 5x$. Da der Umfang $28\,\text{m}$ beträgt, gilt (ohne Einheiten): $2y + 5x = 28$ bzw. $y = \frac{28 - 5x}{2} = 14 - 2{,}5x$.

Diese Gleichung in $A(x)$ eingesetzt liefert:

$A(x) = 2x(14 - 2{,}5x) + 1{,}5x^2 = -3{,}5x^2 + 28x$.

Suche nach Extremwerten: $A'(x) = -7x + 28$; $A''(x) = -7$.

$A'(x) = 0$ liefert $-7x + 28 = 0$ und $x = 4$. Da $A''(4) = -7 < 0$ ist, liegt an der Stelle $x = 4$ ein Maximum vor. Mit $y = 14 - 2{,}5x$ und $x = 4$ ergibt sich $y = 4$. Ein Lkw mit $4{,}1\,\text{m}$ Höhe kann diesen Tunnel also nicht befahren.

7

$f(x) = -\frac{1}{2}x^4 + 3x^2$; $f'(x) = -2x^3 + 6x$; $f''(x) = -6x^2 + 6$;

$f'''(x) = -12x$

a) Nullstellen: $f(x) = 0$ liefert $x^2\left(-\frac{1}{2}x^2 + 3\right) = 0$ und $x_1 = 0$;

$x_2 = \sqrt{6}$; $x_3 = -\sqrt{6}$.

Lokale Extremstellen: $f'(x) = 0$ liefert $x(-2x^2 + 6) = 0$ und $x_1 = 0$; $x_4 = \sqrt{3}$ und $x_5 = -\sqrt{3}$.

Es ist $f''(0) = 6 > 0$; $f''(\sqrt{3}) = -12 < 0$ und $f''(-\sqrt{3}) = -12 < 0$.

Somit Minimum bei $f(0) = 0$, Maximum bei $f(\sqrt{3}) = 4{,}5$ und $f''(-\sqrt{3}) = 4{,}5$.

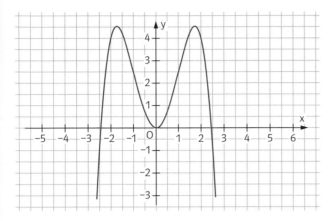

b) Bestimmung der beiden Wendestellen:
$f''(x) = 0$ liefert: $-6x^2 + 6 = 0$ und $x_6 = -1$; $x_7 = 1$. Da
$f'''(-1) = 12 \neq 0$ und $f'''(1) = -12 \neq 0$ sind $f(-1) = 2{,}5$ und
$f(1) = 2{,}5$ Wendestellen des Graphen. Mit $f'(-1) = -4$ und
$f'(1) = 4$ ergeben sich $t_1: y = -4x - 1{,}5$ und $t_2: = 4x - 1{,}5$. Der
Schnittpunkt S der Wendetangenten ist $S(0 \mid -1{,}5)$.

8

a) Zum Beispiel:

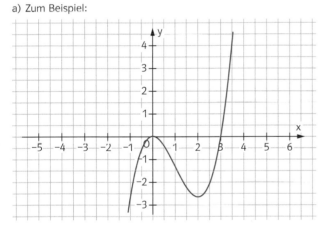

Weitere Eigenschaften: Maximum an der Stelle $x_1 = 0$;
zwei Nullstellen: $x_1 = 0$ und $x_2 = 3$; eine Wendestelle ($x_3 = 1$).
b) Zum Beispiel: f Funktion vierten Grades, zwei Wendestellen und
hier drei Nullstellen.

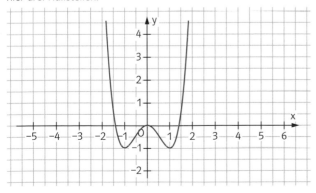

9

a) Falsch. Der Graph im Bild unten von f wächst streng monoton
($f'(x) > 0$), es ist aber $f''(x) < 0$ (Rechtskurve).
b) Richtig. $f'(x) = 0$ ist eine notwendige Bedingung für lokale
Extremstellen.
c) Richtig. Ganzrationale Funktionen streben für $|x| \to \infty$ immer
gegen $\pm\infty$, haben an den Rändern also keine Extremstellen. Wenn
es globale Extremstellen gibt, so sind diese unter den lokalen
Extremstellen zu finden.

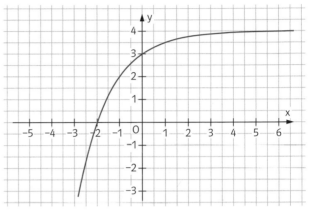

Kapitel I, Prüfungsvorbereitung mit Hilfsmitteln, Seite 53

1

a) $W(2 \mid 4)$; $t: y = -12x + 28$
b) $W_1(0 \mid 0{,}5)$; $t_1: y = 0{,}5$; $W_2(1 \mid 0)$; $t_2: y = -x + 1$
c) $W(0 \mid 1)$; $t: y = -x + 1$

2

Allgemeiner Punkt von f: $P_u(u \mid u^2 - 2u - 6)$.
Abstand Ursprung zu P_u: $d(O, P_u) = \sqrt{u^2 + (u^2 - 2u - 6)^2}$. Mit dem
GTR ermittelt man das Minimum bei $u \approx -1{,}59$. Der Punkt
$P_{-1{,}59}(-1{,}59 \mid -0{,}29)$ hat den kleinsten Abstand zum Ursprung.

3

a) $f(x) = -x^3 + x^2 + cx$; $f'(x) = -3x^2 + 2x + c$.
Notwendige Bedingung: $f'(x) = 0$, d.h. $-3x^2 + 2x + c = 0$, also
$x_{1,2} = \frac{-2 \pm \sqrt{4 + 12c}}{-6}$.
Genau eine mögliche Extremstelle für $4 + 12c = 0$, also für
$c = -\frac{1}{3}$. Keine Lösung für $4 + 12c < 0$, also für $c < -\frac{1}{3}$.
Zwei mögliche Extremstellen für $4 + 12c > 0$, also für $c > -\frac{1}{3}$.
b) $f(x) = -x^3 + cx^2 + x$; $f'(x) = -3x^2 + 2cx + 1$.
Notwendige Bedingung: $f'(x) = 0$, d.h. $-3x^2 + 2cx + 1 = 0$, also
$x_{1,2} = \frac{2c \pm \sqrt{4c^2 + 12}}{-6}$.
Da $4c^2 + 12 > 0$ ist, hat die Funktion f für alle $c \in \mathbb{R}$ zwei mög-
liche Extremstellen.
c) $f(x) = cx^3 + x^2 + x$; $f'(x) = 3cx^2 + 2x + 1$.
Notwendige Bedingung: $f'(x) = 0$, d.h. $3cx^2 + 2x + 1 = 0$, also
$x_{1,2} = \frac{-2 \pm \sqrt{4 - 12c}}{6c}$ für $c \neq 0$.
Genau eine mögliche Extremstelle für $4 - 12c = 0$, also für $c = \frac{1}{3}$.

Keine Lösung für $4 - 12c < 0$, somit $c > \frac{1}{3}$.

Zwei mögliche Extremstellen für $4 - 12c > 0$, also für $c < \frac{1}{3}$ und $c \neq 0$. (Für $c = 0$ ist $f(x) = x^2 + x$ und hat als quadratische Funktion genau eine Extremstelle.)

d) $f(x) = -x^3 + cx^2 + cx$; $f'(x) = -3x^2 + 2cx + c$.

Notwendige Bedingung: $f'(x) = 0$, d.h. $-3x^2 + 2cx + c = 0$, also $x_{1,2} = \frac{-2c \pm \sqrt{4c^2 + 12c}}{-6}$.

Genau eine mögliche Extremstelle für $4c^2 + 12c = 0$, also für $c = 0$ oder $c = -3$.

Keine Lösung für $4c^2 + 12c < 0$, also für $-3 < c < 0$.

Zwei mögliche Extremstellen für $4c^2 + 12c > 0$, also für $c > 0$ oder $c < -3$.

4

Man wählt einen Punkt auf dem Rand: $P(u \mid f(u) = 4 - u^2)$ mit $0 < u < 4$. Es ergibt sich für den Flächeninhalt des Rechtecks $A(u)$:

$A(u) = (4 - u)(6 - (4 - u^2)) = (4 - u)(2 + u^2)$.

Mit dem GTR findet man ein Maximum für $u \approx 2{,}4$. Dieses u liegt aber außerhalb des Definitionsbereichs.

Die Untersuchung der Ränder ergibt für $u = 0$: $A(0) = 8$; für $u = 4$: $A(2) = 12$. Damit ist es am sinnvollsten, so zu schneiden, dass man einen Punkt auf dem Rand $P(2 \mid 0)$ wählt.

5

a)

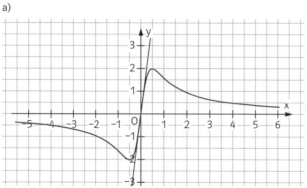

b) $f'(x) = \frac{-8(4x^2 - 1)}{(4x^2 + 1)^2}$

$f'(x) = 1 : -8(4x^2 - 1) = (4x^2 + 1)^2$

$-32x^2 + 8 = 16x^4 + 8x^2 + 1$

$0 = 16x^4 + 40x^2 - 7$

Diese biquadratische Gleichung löst mit mithilfe einer Substitution: $u = x^2$: $16u^2 + 40u - 7 = 0$.

Lösungen $u_1 = -\frac{5}{4} + \sqrt{2}$; $u_2 = -\frac{5}{4} - \sqrt{2}$ (< 0).

Beim Rücksubstituieren liefert u_1 zwei Lösungen für x; u_2 keine, da $u_2 < 0$ ist. Es gibt genau zwei Lösungen der Gleichung $f'(x) = 1$ und somit genau zwei Tangenten mit der Steigung 1.

c) Die Tangenten in den beiden Extrempunkten haben die Steigung null. Da es sich um absolute Extremwerte handelt, schneiden sie den Graphen von f kein weiteres Mal. Die Tangente im Wendepunkt $O(0 \mid 0)$ durchsetzt den Graphen und schneidet kein weiteres Mal. Alle anderen Tangenten schneiden den Graphen von f mindestens ein weiteres Mal.

6

Da der Berührpunkt auf dem Graphen von K nicht bekannt ist, wird $B(u \mid f(u))$ als allgemeiner Punkt auf K gewählt. Mit diesem wird die allgemeine Tangentengleichung t_u an K bestimmt:

t_u: $y = f'(u)(x - u) + f(u)$. Mit $f'(u) = u^3$ und $f(u) = \frac{1}{4}u^4$ folgt t_u: $y = u^3(x - u) + \frac{1}{4}u^4$. Der Punkt $A(1 \mid 0)$ soll auf dieser Geraden liegen, deshalb Punktprobe mit A: $0 = u^3(1 - u) + \frac{1}{4}u^4$. Auflösen nach u liefert $u^3\left(1 - \frac{3}{4}u\right) = 0$ und die Lösungen $u_1 = 0$; $u_2 = \frac{4}{3}$.

Einsetzen in $B(u \mid f(u))$ und man erhält die Berührpunkte $B_1(0 \mid 0)$ und $B_2\left(\frac{4}{3} \mid \frac{64}{81}\right)$.

Setzt man u_1 bzw. u_2 in t_u ein, so erhält man die Tangentengleichungen: t_1: $y = 0$ (die x-Achse) und t_2: $y = \frac{64}{27}x - \frac{64}{27}$.

7

a) Bei maximalem Pegel ist die Wasseroberfläche 10 Meter breit.

b) Die Tangente an den Graphen von f im Punkt $Q(u \mid 1{,}6)$ mit $u > 0$ muss für $x = 10$ einen kleineren y-Wert als 5 besitzen: Mit $f(u) = 1{,}6$ folgt: $u = 3{,}56$.

Gleichung der Tangente in $Q(3{,}56 \mid 1{,}6)$:

t: $y = 0{,}3125x + 0{,}4875$. Für $x = 10$ ist $y = 3{,}6 < 5$, somit ist die gesamte Breite einsehbar.

c) Steigung der Tangente: $m = \tan(180° - 165°) \approx 0{,}268$.

Es muss $f'(x) = 0{,}268$ sein: $\frac{1}{2} \cdot \frac{1}{\sqrt{x - 1}} = 0{,}268$ liefert $x \approx 4{,}48$.

Ansatz für kritischen Pegel: $f(4{,}48) \approx 1{,}87$. Der kritischer Pegel liegt bei $h \approx 1{,}9$ m.

8

a) $K'(x) = 6x^2 - 90x + 380$. Es handelt sich um eine nach oben geöffnete Parabel mit Scheitel in $P(7{,}5 \mid 42{,}5)$. K hat somit keine Extremstellen, dies ist zu erwarten, da die Kosten typischerweise pro produzierter Einheit steigen.

$U(x) = 150x$; mit $x \in [0; 25]$; $U(x)$ in $1000 \, €$.

b) Mit dem GTR wird das Intervall bestimmt, für das $G(x) > 0$ gilt: $8{,}52 < x < 14{,}27$. Die Gewinnzone liegt zwischen 9 und 14 hergestellten Mengeneinheiten.

c) Das Maximum der Funktion G liegt bei $x = 11{,}7$. Am sinnvollsten ist es also, 12 Mengeneinheiten herzustellen. Der Gewinn beträgt dann $194\,000 \, €$.

d) Für einen Verkaufspreis von unter $120\,000 \, €$ gilt $G_{neu}(x) < 0$ für alle $x > 0$. Die Einheiten können nur noch mit Verlust produziert werden.

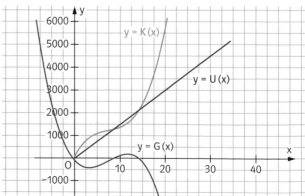

Kapitel II, Zeit zu überprüfen, Seite 58

7

a) $u(v(x)) = (2x + 7)^3$; $v(u(x)) = 2(x + 7)^3$

$u(x) \cdot w(x) = (x + 7)^3 \cdot \sin(x^2 + 1)$

$u(w(x)) = (\sin(x^2 + 1) + 7)^3$

$w(v(x)) = \sin((2x)^2 + 1) = \sin(4x^2 + 1)$

b) Verkettung: $u(x) = f(g(x))$, z.B. $f(x) = x^3$, $g(x) = x + 7$

Produkt: $u(x) = f(x) \cdot g(x)$, z.B. $f(x) = (x + 7)^2$, $g(x) = x + 7$

Summe: $u(x) = f(x) + g(x)$, z.B. $f(x) = (x + 7)^2 \cdot x$, $g(x) = 7 \cdot (x + 7)^2$

Kapitel II, Zeit zu überprüfen, Seite 61

7

a) $f'(x) = \frac{1}{2}x + 5$

b) $f'(x) = \frac{-2}{(2x - 3)^2}$

c) $f'(x) = -6\sin(2x - 1)$

d) $f'(x) = -\frac{1}{\sqrt{1 - 2x}}$

8

a) $P(1|1)$, $f'(1) = 6$

b) $Q(2|1)$

c) Ja, im Punkt $R(0|1)$ ist $f'(0) = 0$.

Kapitel II, Zeit zu überprüfen, Seite 63

5

a) $f'(x) = 2 \cdot \cos(x) - (2x - 3) \cdot \sin(x)$

$g'(x) = (1 - x)^2 - 2x(1 - x) = (1 - x)(1 - 3x)$

$h'(x) = 18x \cdot (2x - 3)^2 + 3 \cdot (2x - 3)^3 = (2x - 3)^2(24x - 9)$

$i'(x) = -\frac{1}{x^2} \cdot \sin(x) + \frac{1}{x} \cdot \cos(x)$

b) $P(1|0)$, $Q\left(\frac{1}{3}\middle|\frac{4}{27}\right)$

c) $R\left(\frac{3}{2}\middle|0\right)$, $h'\left(\frac{3}{2}\right) = 0$, $S(0|0)$, $h'(0) = -81$

Kapitel II, Zeit zu überprüfen, Seite 65

7

$f'(x) = \frac{3}{(4x + 1)^2}$; $g'(x) = \frac{2}{(2 - x)^3}$; $h'(x) = \frac{2 \cdot \sin(x) - 2x\cos(x)}{(\sin(x))^2}$;

$k(x) = \frac{1}{x^2} - \frac{3}{2x^3}$; $k'(x) = -\frac{2}{x^3} + \frac{9}{2x^4}$

8

a) $f'(x) = \frac{x(0,5x + 1)}{(x + 1)^2}$

$f'(x) = 0$ für $x_1 = 0$, $x_2 = -2$, also $P(0|0)$, $Q(-2|-2)$

b) $g'(x) = \frac{-2}{(x - 1)^2}$; $P(2|4)$, $g'(2) = -2$

Tangente in P: $y = -2x + 8$

c) $h(x) = \frac{1}{x} - x$, $h'(x) = -\frac{1}{x^2} - 1$

$h'(x) = -5$ für $x_1 = \frac{1}{2}$, $x_2 = -\frac{1}{2}$

Kapitel II, Zeit zu überprüfen, Seite 68

7

a) $f'(x) = -6e^{3x}$

b) $f'(x) = 3 - 2e^{-2x}$

c) $f'(x) = e^{0,3x}(1 + 0,3x)$

d) $f'(x) = \frac{e^{4x}(4x - 5)}{(x - 1)^2}$

8

Tangentengleichung $y = e^2x - e^2$, Schnittpunkt $S(1|0)$

Kapitel II, Zeit zu überprüfen, Seite 70

6

a) $\ln(e^2) = 2$

b) $e^{\ln(3)} = 3$

c) $3 \cdot \ln(e^{-1}) = -3$

d) $\ln(e^{4,5} \cdot e^2) = 6,5$

7

a) $x = \ln(12) \approx 2,485$

b) $x = 3$

c) $x = \frac{1}{2}\ln(4,5) \approx 0,752$

d) $x = 2 \cdot (\ln(4) + 3) \approx 8,773$

Kapitel II, Zeit zu wiederholen, Seite 71

14

a) 23,9	b) 50	c) 0,06
d) 0,36	e) 32	f) 25
g) 4,1	h) 0,8	i) 0,6
j) 0,4	k) 0,00123	l) 4,7

Kapitel II, Zeit zu überprüfen, Seite 74

5

a)

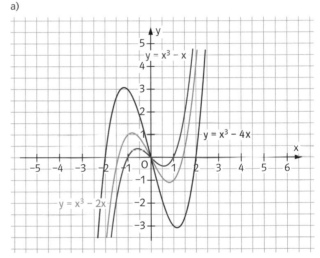

Erhöhung des Parameters t: Die Nullstellen rücken symmetrisch zum Ursprung weiter auseinander, der Hochpunkt liegt höher, der Tiefpunkt liegt tiefer, die Steigung im Ursprung wird betragsmäßig größer.

b) $t = 4$

c) Steigung im Ursprung $f_t'(0) = -t$

d) $t = 4$

Kapitel II, Zeit zu wiederholen, Seite 78

10

Fig. 3 zeigt die Ableitungsfunktion der Funktion, die in Fig. 2 dargestellt ist.

Fig. 1 zeigt die Ableitungsfunktion der Funktion, die in Fig. 4 dargestellt ist.

Begründung: Die vier Funktionen, die in Fig. 1, 2, 3, 4 dargestellt sind, seien mit f_1, f_2, f_3, f_4 bezeichnet.

Die Ableitung von f_1 hat bei ca. ±0,7 eine Nullstelle. Das hat keine der vier Funktionen. Also muss f_1 Ableitungsfunktion von einer der anderen drei Funktionen sein. Diese Funktion muss bei Null einen Extremwert haben. Das ist nur für f_4 der Fall.

Die Funktion f_2 hat die Nullstelle 3 mit Vorzeichenwechsel. Wäre sie die Ableitungsfunktion von f_3, so müsste f_3 bei 3 ein Minimum haben. Dies ist offensichtlich nicht der Fall. Also muss f_3 die Ableitungsfunktion von f_2 sein.

11

Der Hubschrauber fliegt zunächst mit ca. 500 $\frac{m}{min}$ nach oben. Dann steigt er weiterhin, aber die Höhe nimmt immer langsamer zu, bis er sich einer Endhöhe nähert.

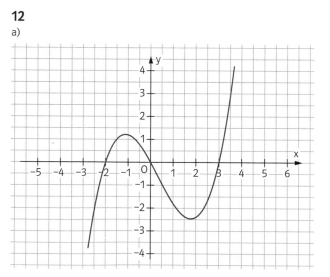

12
a)

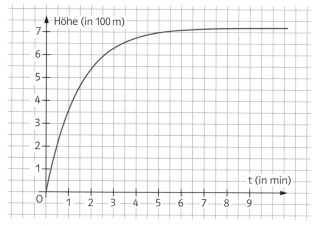

b)

	A	B	C	D	E	F
f(x)	0	−	−	−	−	−
f'(x)	−	0	0	−	0	+
f''(x)	+	+	−	0	+	+

c) $(-\infty; -1)$ Linkskurve;
  $(-1; +1,5)$ Rechtskurve;
  $(1; +\infty)$ Linkskurve

Kapitel II, Prüfungsvorbereitung ohne Hilfsmittel, Seite 84

1

a) $f'(x) = x \cdot e^{-3x} \cdot (2 - 3x)$

b) $f'(x) = 2x \cdot \sin(-3x) - 3x^2 \cos(-3x)$

c) $f'(x) = 2 \cdot (x + e^x) \cdot (1 + e^x)$ d) $f'(x) = -x \cdot e^{-x}$

2

$(u \cdot v)(x) = \sin(x) \cdot \frac{1}{x}$, $(u \cdot v)'(x) = \cos(x) \cdot \frac{1}{x} + \sin(x) \cdot \left(-\frac{1}{x^2}\right)$

$(v \cdot u)(x) = \frac{1}{x} \cdot \sin(x)$, $(v \cdot u)'(x) = \left(-\frac{1}{x^2}\right) \cdot \sin(x) + \frac{1}{x} \cdot \cos(x)$,

$(u \cdot w)(x) = 0,5 \cdot \sin(x)(4 - 7e^x)$,

$(u \cdot w)'(x) = 0,5 \cdot \cos(x) \cdot (4 - 7e^x) - 3,5 \cdot \sin(x) \cdot e^x$;

$\left(\frac{u}{w}\right)(x) = \frac{0,5 \cdot \sin(x)}{4 - 7e^x}$,

$\left(\frac{u}{w}\right)'(x) = \frac{0,5 \cdot \cos(x) \cdot (4 - 7e^x) + 3,5 \cdot \sin(x) \cdot e^x}{(4 - 7e^x)^2}$,

$\left(\frac{w}{u}\right)(x) = \frac{4 - 7e^x}{0,5 \cdot \sin(x)}$,

$\left(\frac{w}{u}\right)'(x) = \frac{-3,5 \cdot e^x \cdot \sin(x) - (4 - 7e^x) \cdot 0,5 \cdot \cos(x)}{0,25 \cdot (\sin(x))^2}$;

$(u \circ v)(x) = u(v(x)) = 0,5 \cdot \sin\left(\frac{2}{x}\right)$, $(u \circ v)'(x) = -\frac{1}{x^2} \cdot \cos\left(\frac{2}{x}\right)$,

$(v \circ w)(x) = v(w(x)) = \frac{2}{4 - 7e^x}$,

$(v \circ w)'(x) = v(w(x)) = \frac{14e^x}{(4 - 7e^x)^2}$

3

a) $x_1 = 0$, $x_2 = \frac{3 + \sqrt{5}}{2}$, $x_3 = \frac{3 - \sqrt{5}}{2}$

b) $x = \frac{1}{2} \cdot \ln(5)$

c) $x = \ln(5)$

d) $x = -2$

4

a) $x = 3$ b) $x = 0$ c) $x = 1$ d) $x = \frac{1}{2} \ln(2)$

e) $x_1 = 0$; $x_2 = 4$; $x_3 = -3$ f) $x_1 = \frac{1}{3} \cdot \ln(2)$, $x_2 = -2$

5

a) f ist streng monoton fallend auf den Intervallen $(-\infty; -2)$, $(-2; +2)$ und $(+2; +\infty)$.

b) $f'(x) = -\frac{16 + 4x^2}{(x^2 - 4)^2}$; $f''(x) = \frac{8x(x^2 + 12)}{(x^2 - 4)^3}$; $f''(x) = 0$ hat nur 0 als Lösung. f'' hat bei 0 einen Vorzeichenwechsel von − nach +. Also ist $W(0 | 0)$ Wendepunkt.

c) $y = -x$

6

a) $T(-1|-e^{-1})$ b) $y = -x$ c) $W(-2|-2 \cdot e^{-2})$

7

a) $y = -2x + 6$ b) $y = -x + 0,5$ c) $y = -4ex - 2e$

8

a) G gehört zu f, da $f(0) = 0$.

b) Zu C: $g(x) = 3 \cdot (x + 2) \cdot e^{-(x + 2)^2}$.

Zu K: $h(x) = 3 \cdot (x - 1) \cdot e^{-(x - 1)^2}$.

c)

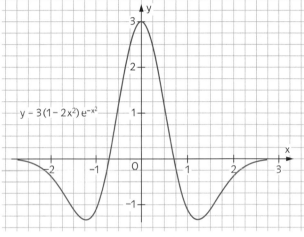

$$y - 3(1 - 2x^2)\,e^{-x^2}$$

d) $g(x) = 3 \cdot (x + t) \cdot e^{-(x + t)^2}$

9

a) Wenn $u(x) = ax + b$, $v(x) = cx + d$ $(a, b, c, d \in \mathbb{R})$

$(u \circ v)(x) = u(v(x)) = a(cx + d) + b = (ac)x + (ad + b)$,

also ist $u \circ v$ linear.

b) $a = 0,5$

10

(A) ist falsch: f' hat an den beiden Extremstellen von f eine Null-stelle.

(B) ist falsch: f hat drei Wendestellen: ca. $-2,5$; 0 und ca. $+2,5$.

(C) ist richtig: Bei $x = 0$ geht der Graph von f von einer Linkskur-ve in eine Rechtskurve über. Also ist 0 eine Maximumstelle von f'.

(D) ist falsch: Der Graph von f' ist in diesem Bereich achsensym-metrisch zur y-Achse.

1

a) $H(0|1)$

b)

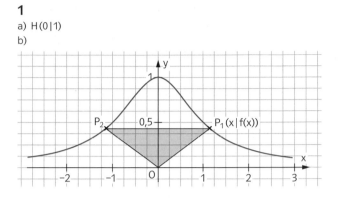

Flächeninhalt Dreieck: $A(x) = x \cdot f(x)$ ist maximal für $x = 1$, also $P_1(1|0,5)$. Es handelt sich dabei um ein globales Maximum.

2

a)

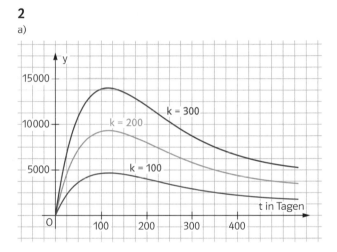

Bei $k = 200$ rechnet man langfristig mit 3000 Modellen pro Tag. Zunächst wächst der tägliche Verkauf (z.B. durch Werbung) stark an, nach 115 Tagen wird ein Maximum erreicht, danach sinkt die täglich verkaufte Anzahl, da es neuere Modelle am Markt gibt. Sie stabilisiert sich bei täglich $k \cdot 15$ verkauften Handys.

b) Ca. 366 Tage wird ein Gewinn erzielt.

Ein dauerhafter Gewinn wird erzielt, wenn $k \cdot 15 \geq 4500$; k muss also mindestens 300 sein.

$f'_k(t) = k \cdot e^{-0,01t} \cdot (1,15 - 0,01t)$, f'_k wird nur 0 für $t = 115$. Bei $t = 115$ hat f'_k einen Vorzeichenwechsel von + zu −, also liegt immer bei 115 ein Maximum der Verkaufszahl vor.

c) Für $t > 115$ ist $f'_k(t) < 0$, also sinken die täglichen Verkaufs-zahlen. $f''_k(t) = k \cdot e^{-0,01t} \cdot 0,01 \cdot (0,01t - 2,15)$. f''_k wird nur 0 für $t = 215$. Bei $t = 215$ hat f''_k einen Vorzeichenwechsel von − zu +, also sinken die Verkaufszahlen bei 215 am stärksten. Die maximale tägliche Verkaufszahl ist $f_k(115) = k \cdot (100 \cdot e^{-1,15} + 15) \approx k \cdot 46,66$. Somit ist $k \leq \frac{13\,000}{46,66} \approx 278,6$.

d) Gesamtzahl $g(x) = f_{100}(x) + f_{200}(x - 100)$ ist maximal für $x \approx 200$ mit ca. 13 257 Handys täglich.

3

a) Nach 2,31 h ist die Konzentration maximal mit ca. $11{,}81\frac{mg}{l}$.
Das Medikament wirkt ca. 5,6 Stunden.

b) K' hat für $t = 0$ ein Randmaximum, also höchste Aufnahmerate
für $t = 0$.
Die Ausscheidungsrate ist maximal für $t = 4{,}62$ Stunden.
Aufnahmerate für $t = 0$ ist $K'(0) = ac$, unabhängig von b.

c) Bei $a \neq b$ muss b die Bedingung $\frac{\ln(a) - \ln(b)}{a - b} = 1{,}5$ erfüllen.
Für $a = 0{,}8$ ist also $b \approx 0{,}549$.

Kapitel III, Zeit zu überprüfen, Seite 90

4

a) 1 Karo entspricht einer Höhe von 5 m. 1 FE entspricht einer
Höhe von 1 m.

Zeitpunkt	10 s	20 s	30 s	40 s
Höhe	410 m	430 m	440 m	435 m

b) Nach insgesamt 90 s.

Kapitel III, Zeit zu überprüfen, Seite 94

5

a) $\int_{0}^{6} \frac{1}{2} x \, dx = 9$

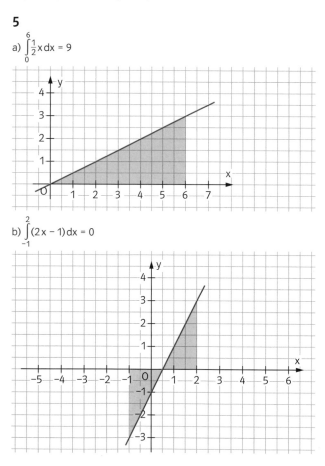

b) $\int_{-1}^{2} (2x - 1) \, dx = 0$

c) $\int_{-10}^{0} -0{,}5 \, dt = -5$

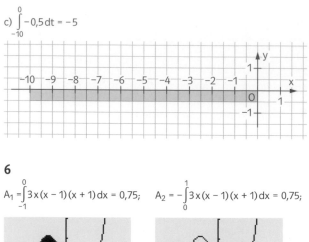

6

$A_1 = \int_{-1}^{0} 3x(x-1)(x+1) \, dx = 0{,}75;$ $A_2 = -\int_{0}^{1} 3x(x-1)(x+1) \, dx = 0{,}75;$

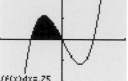

Fig. 1   Fig. 2

$A_3 = \int_{1}^{1{,}2} 3x(x-1)(x+1) \, dx = 0{,}145$

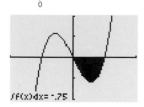

Fig. 3

Kapitel III, Zeit zu überprüfen, Seite 98

8

$F'(x) = 0{,}4 x^3 = \frac{2}{5} x^3 = h(x);$ F ist eine Stammfunktion von h.

$G'(x) = \frac{8}{20} x^3 = \frac{2}{5} x^3 = h(x);$ G ist eine Stammfunktion von h.

9

a) $\int_{-2}^{5} x^2 \, dx = \left[\frac{1}{3} x^3\right]_{-2}^{5} = \frac{1}{3} 5^3 - \left(\frac{1}{3} \cdot (-2)^3\right) = \frac{125}{3} + \frac{8}{3} = \frac{133}{3} = 44\frac{1}{3}$

b) $\int_{-2}^{-1} -\frac{1}{2} x^4 \, dx = \left[-\frac{1}{10} x^5\right]_{-2}^{-1} = -\frac{1}{10}(-1)^5 - \left(-\frac{1}{10} \cdot (-2)^5\right) = \frac{1}{10} - \frac{32}{10}$

$= -\frac{31}{10} = -3{,}1$

Kapitel III, Zeit zu wiederholen, Seite 98

15

a) $x_1 = 2;\ x_2 = -1$ b) $x = -\frac{3}{2}$

c) $x = -1$ d) $x_1 = 0;\ x_2 = \frac{1}{2}$

e) $x = \ln(3) \approx 1{,}099$ f) $x_1 = 2;\ x_2 = -2;\ x_3 = 3;$
$\qquad\qquad\qquad\qquad\qquad\qquad\qquad\qquad x_4 = -3$

g) $x_1 = 0;\ x_2 = -1;\ x_3 = -9$ h) $x = \ln(1) = 0$

16

a) $x_1 = 2 - \frac{\sqrt{18}}{2} \approx -0{,}121$; $x_2 = 2 + \frac{\sqrt{18}}{2} \approx 4{,}121$

b) $x_1 = -3$; $x_2 = -1$

c) $x_1 = 0$; $x_2 = 3$; $x_3 = -3$ d) $x_1 = 1{,}5$; $x_2 = -0{,}5$

e) $x = 2$ f) $x = \frac{1}{2}\ln(5) \approx 0{,}805$

Kapitel III, Zeit zu überprüfen, Seite 102

8

a) $F(x) = \frac{1}{30}x^3 + \frac{2}{x}$ b) $F(x) = \ln|x-2|$

c) $F(x) = 8\sin\left(\frac{1}{2}x - 1\right)$

9

a) $\int_0^1 \frac{1}{2}e^{2x}\,dx = \left[\frac{1}{4}e^{2x}\right]_0^1 = \frac{1}{4}e^2 - \frac{1}{4} \approx 1{,}597$

b) $\int_{-1}^0 \frac{1}{(2x-1)^2}\,dx = \left[\frac{-1}{2(2x-1)}\right]_{-1}^0 = \frac{1}{2} - \frac{1}{6} = \frac{1}{3}$

c) $\int_0^{2\pi} 2\sin(0{,}5x)\,dx = \left[-4\cos(0{,}5x)\right]_0^{2\pi} = 8$

10

A ist wahr, da $F'(x) = f(x)$ für $0 < x < 2$ negativ ist.

B ist falsch.

C ist wahr, da $F'(-1) = f(-1) = 0$ ist und $F' = f$ an der Stelle $x = -1$ einen Vorzeichenwechsel von $-$ nach $+$ hat.

D ist falsch. (Es kann zwar eine Stammfunktion F geben, für die D zutrifft, aber für eine beliebige Stammfunktion ist D falsch.)

E ist wahr, da $F''(1{,}2) = f'(1{,}2) = 0$ ist und $F'' = f$ an der Stelle $x = 1{,}2$ einen Vorzeichenwechsel hat.

Kapitel III, Zeit zu überprüfen, Seite 105

5

$\int_1^x \frac{1}{t}\,dt = \left[\ln|t|\right]_1^x = \ln|x| = 2$; $x = e^2 \approx 7{,}389$

Mit GTR:

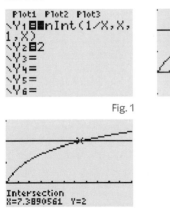

Fig. 1   Fig. 2

Fig. 3

6

Durch näherungsweise Bestimmung von orientierten Flächeninhalten unter dem Graphen von f erhält man eine Wertetabelle der Integralfunktion $J_{-4}(x)$.

x	-4	-3	-2	-1	0
$J_{-4}(x)$	0	$0{,}5$	$0{,}75$	$1{,}1$	$0{,}7$

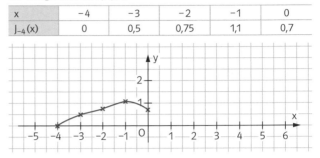

7

Integralfunktion J_0 zur unteren Grenze 0:

$$J_0(x) = \int_0^x (t^2 - 2t)\,dt = \left[\frac{1}{3}t^3 - t^2\right]_0^x = \frac{1}{3}x^3 - x^2$$

Integralfunktion J_1 zur unteren Grenze 1:

$$J_1(x) = \int_1^x (t^2 - 2t)\,dt = \left[\frac{1}{3}t^3 - t^2\right]_1^x = \frac{1}{3}x^3 - x^2 + \frac{2}{3}$$

Integralfunktion J_{-1} zur unteren Grenze -1:

$$J_{-1}(x) = \int_{-1}^x (t^2 - 2t)\,dt = \left[\frac{1}{3}t^3 - t^2\right]_{-1}^x = \frac{1}{3}x^3 - x^2 + \frac{4}{3}$$

Kapitel III, Zeit zu überprüfen, Seite 110

6

$$A = \int_0^4 (-x^2 + 4x)\,dx = \left[-\frac{1}{3}x^3 + 2x^2\right]_0^4 = 10\frac{2}{3}$$

7

a) $A = \int_0^2 (f(x) - g(x))\,dx = 1\frac{1}{3}$

b) $A = \int_2^4 f(x)\,dx - \int_2^3 g(x)\,dx = 5\frac{1}{3} - 2\frac{3}{4} \approx 2{,}58$

c) $A = 8 - \int_0^2 f(x)\,dx = 8 - 5\frac{1}{3} = 2\frac{2}{3}$

Kapitel III, Zeit zu wiederholen, Seite 110

12

a) D muss der Graph von g sein, da g als einzige eine ganzrationale Funktion vierten Grades ist und somit drei Extremstellen haben kann. Die anderen Funktionen sind Funktionen dritten Grades und können höchstens zwei Extremstellen haben.

f hat die Nullstellen $x_1 = 0$; $x_2 = 1$; $x_3 = -1$.

h hat die Nullstellen $x_1 = 0$; $x_2 = 2$ und $h(x) \to +\infty$ für $x \to +\infty$.

i hat die Nullstellen $x_1 = 0$; $x_2 = 2$ und $i(x) \to -\infty$ für $x \to +\infty$.

Demnach gehört A zu f; C zu h; B zu i.

b) $j(0) = -2$; der Punkt $P(0\,|-2)$ gehört zu keinem der abgebildeten Graphen.

4

$A(z) = \int\limits_{0,5}^{z} \dfrac{4}{x^3} dx = \left[-\dfrac{2}{x^2} \right]_{0,5}^{z} = \dfrac{-2}{z^2} + 8$

$A(z) \to 8$ für $z \to +\infty$.

Die Fläche hat den endlichen Inhalt $A = 8$.

5

a) Man zeichnet eine Parallele zur x-Achse so, dass die gefärbten Flächen denselben Inhalt haben. $\bar{v} \approx 19 \frac{m}{s}$

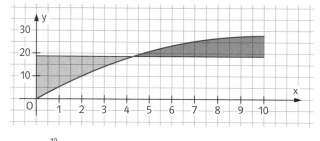

b) $\bar{v} = \dfrac{1}{10} \int\limits_{0}^{10} v(t)\,dt \approx 18{,}52 \frac{m}{s}$

c) $s = \int\limits_{0}^{10} v(t)\,dt \approx 185{,}2\,m$; oder $s = 10 \cdot 18{,}52 = 185{,}2\,m$

8

a) $V = \pi \int\limits_{1}^{4} (g(x))^2 dx \approx 31{,}81\,cm^3$

b) $V = \pi \int\limits_{0}^{4} (f(x))^2 dx - \pi \int\limits_{1}^{4} (g(x))^2 dx \approx 54{,}454 - 31{,}808 \approx 22{,}646\ cm^3$

19

a)

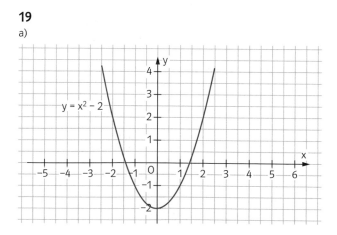

b)

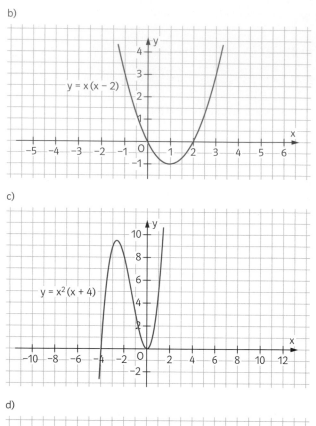

c)

d)

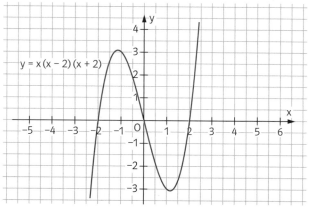

20

a) Richtig. Dieser Koeffizient der Potenz mit dem höchsten Exponenten 4 ist negativ, also gilt: $f(x) \to -\infty$ für $x \to +\infty$ und für $x \to -\infty$.

b) Richtig. Entweder gilt $f(x) \to +\infty$ für $x \to +\infty$ und $f(x) \to -\infty$ für $x \to -\infty$ oder $f(x) \to -\infty$ für $x \to +\infty$ und $f(x) \to +\infty$ für $x \to -\infty$. Wegen der Differenzierbarkeit von f muss f mindestens eine Nullstelle haben.

c) Falsch. Gegenbeispiel: f mit $f(x) = x^2 + 1$ hat den Grad $n = 2$ und keine Nullstelle.

21

a) 270 b) 5 400 000 c) 0,045 d) 400
e) 0,030 f) 20 000 000 g) 132 h) 700

Kapitel III, Prüfungsvorbereitung ohne Hilfsmittel, Seite 128

1

a) $\int_{-2}^{2} x(x-1)\,dx = \int_{-2}^{2} x^2 - x\,dx = \left[\frac{1}{3}x^3 - \frac{1}{2}x^2\right]_{-2}^{2} = \frac{8}{3} - \frac{4}{2} - \left(-\frac{8}{3} + \frac{4}{2}\right) = \frac{4}{3} = 1\frac{1}{3}$

b) $\int_{1}^{10} x^{-1}\,dx = \int_{1}^{10} \frac{1}{x}\,dx = \left[\ln|x|\right]_{1}^{10} = \ln(10) - \ln(1) = \ln(10) \approx 2{,}30$

c) $\int_{0}^{\ln 4} e^{\frac{1}{2}x}\,dx = \left[2e^{\frac{1}{2}x}\right]_{0}^{\ln 4} = 2 \cdot 2 - 2 = 2$

2

a) $f(x) = x^{-4} - \cos(4x)$; $F(x) = -\frac{1}{3}x^{-3} - \frac{1}{4}\sin(4x) = \frac{-1}{3x^3} - \frac{1}{4}\sin(4x)$

b) $f(x) = 2(5x-1)^{-2}$; $F(x) = -\frac{2}{5}(5x-1)^{-1} = \frac{-2}{5(5x-1)} = \frac{2}{5(1-5x)}$

3

a) $f(x) = x^2 - 1$; $F(x) = \frac{1}{3}x^3 - x + \frac{8}{3}$

b) $J_{-1}(x) = \int_{-1}^{x} t^2 - 1\,dt = \left[\frac{1}{3}t^3 - t\right]_{-1}^{x} = \frac{1}{3}x^3 - x - \frac{2}{3}$

4

Für $z \geq 1$ gilt: $A(z) = \int_{1}^{z} \frac{10}{x^4}\,dx = \left[-\frac{10}{3}x^{-3}\right]_{1}^{z} = -\frac{10}{3}z^{-3} + \frac{10}{3}$;

$\lim_{z \to \infty} A(z) = \frac{10}{3}$.

Die Fläche hat den endlichen Inhalt $A = \frac{10}{3}$.

5

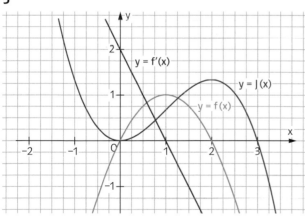

Die Integralfunktion zu c) ist mit J bezeichnet. J ist gleichzeitig eine Stammfunktion von f (Teilaufgabe b)).

6

a) $g(2)$ entspricht der Steigung des Graphen von G an der Stelle 2; $g(2) \approx -0{,}5$.

b) Nach dem Hauptsatz gilt $\int_{1}^{4} g(x)\,dx = G(4) - G(1) \approx 0{,}5 - 1{,}5 = -1$.

7

A ist falsch. Es ist $f(x) \geq 0$ für $x \in [-1; 0]$, also ist F streng monoton steigend.

B ist richtig. Es ist $f(0) = F'(0) = 0$ und $f = F'$ hat an der Stelle 0 einen VZW von + nach −. An der Stelle 0 hat der Graph von F einen Hochpunkt.

C ist falsch. F kann an der Stelle 0 eine Nullstelle haben, muss aber nicht.

D ist richtig. Es ist $f'(1) = F''(1) = 0$ und $f' = F''$ hat an der Stelle 1 einen VZW von − nach +.

8

a) Die Ableitung der Funktion h nach der Zeit t ergibt die Vertikalgeschwindigkeit v.

Die Funktion h ist eine Stammfunktion der Funktion v.

Jede Integralfunktion $\int_{u}^{x} v(t)\,dt$ von v zur unteren Grenze u ist eine Stammfunktion von v.

Die Integralfunktion $\int_{0}^{x} v(t)\,dt$ gibt die Höhenveränderung zum Zeitpunkt x gegenüber dem Zeitpunkt 0 an.

b) Der Ballon fliegt nie unterhalb der Starthöhe.

c) Der orientierte Flächeninhalt unter jedem möglichen Graphen von v über dem Intervall $[0; 30]$ ist 0.

9

f_a hat die Nullstellen $x_1 = -1$ und $x_2 = 1$. $f_a(x) \geq 0$ für $-1 \leq x \leq 1$, die gesuchte Fläche liegt also oberhalb der x-Achse.

$A = \cdot -1{:}1{:}f(x)\,dx = \left[-\frac{1}{3}ax^3 + ax\right]_{-1}^{1} = -\frac{1}{3}a + a - \left(\frac{1}{3}a - a\right) = \frac{4}{3}a$

Aus $\frac{4}{3}a = 4$ folgt $a = 3$.

10

a) Der Rotationskörper wird durch Rotation der Fläche unter dem Graphen von f mit $f(x) = e^{0,5x}$ über dem Intervall $[0; 1]$ erzeugt.

b) $V = \pi \int_{0}^{1} e^x\,dx = \pi[e^x]_{0}^{1} = \pi(e - 1)$

Näherungslösung:

$V \approx 3 \cdot (3 - 1) \approx 6$ oder $V \approx 3{,}1 \cdot (2{,}7 - 1) \approx 3{,}1 \cdot 1{,}7 \approx 5{,}3$
(genauer Wert auf eine Dezimale gerundet: $V = 5{,}4$)

Kapitel III, Prüfungsvorbereitung mit Hilfsmitteln, Seite 129

1

a) Mit dem GTR: Nullstellen von f: $x_1 = -2$; $x_2 = 2$; $x_3 = 0$

$A_1 = -\int_{-2}^{2} \left(0{,}5x^2(x^2 - 4)\right)dx \approx 4{,}27$ (Berechnung mit dem GTR)

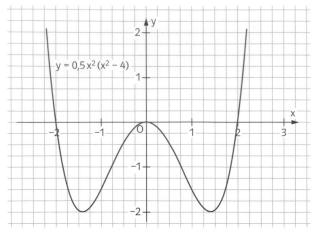

b) Die Tiefpunkte des Graphen von f sind $T_1\left(-\sqrt{2}\,\middle|-2\right)$ und $T_2\left(\sqrt{2}\,\middle|-2\right)$. Für den Inhalt A_2 gilt:

$$A_2 = \int_{-\sqrt{2}}^{\sqrt{2}} \left(f(x) - (-2)\right)dx \approx 3{,}02 \ \text{(GTR)}.$$

c) $V = \pi \int_{-2}^{2} (f(x))^2\,dx \approx 20{,}43 \ \text{(GTR)}$

2

a) J_0 ist die Stammfunktion von f mit $J_0(0) = 0$;
$J_0(x) = \frac{1}{3}(x-2)^3 + \frac{8}{3}$.

J_2 ist die Stammfunktion von f mit $J_2(2) = 0$; $J_2(x) = \frac{1}{3}(x-2)^3$.
Die nachfolgende Figur zeigt die Graphen von f, J_0 und J_2.

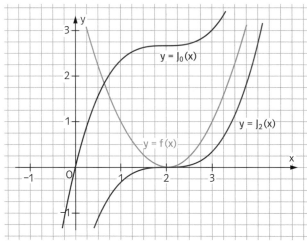

b) J_a ist eine Stammfunktion von f. Also gilt $J_a'(x) = f(x)$ und $J_a''(x) = f'(x)$.
Bedingungen für eine Extremstelle von J_a bei x_0:
$f(x_0) = 0$ und f hat einen Vorzeichenwechsel an der Stelle x_0. Es gilt aber $f(x) = (x-2)^2 \geq 0$ für $x \in \mathbb{R}$; also hat f keinen VZW. J_a hat keine Extremstellen.
Bedingungen für eine Wendestelle von J_a bei x_0:
$f'(x_0) = 0$ und f' hat einen VZW bei x_0. Mit $f'(x) = 2(x-2)$ gilt: Die notwendigen Bedingungen sind nur für die Stelle $x_0 = 2$ erfüllt.

3

a) Es gilt $f(t) = 0{,}1e^{-0{,}1t} > 0$ für $t > 0$, also ist die momentane Zuflussrate positiv, die Ölmenge nimmt zu.
b) Ölmenge g(T) im Behälter zur Zeit T:

$$g(T) = 2 + \int_0^T 0{,}1e^{-0{,}1t}dt = 2 + \left[-e^{-0{,}1t}\right]_0^T = 2 - e^{-0{,}1T} + 1 = 3 - e^{-0{,}1T}.$$

Es gilt: $\lim\limits_{T \to \infty} g(T) = 3$. Die Ölmenge kann maximal $3\,\text{cm}^3$ betragen.

c) $\overline{m} = \frac{1}{10}\int_0^{10} g(t)\,dt \approx 2{,}368\,\text{cm}^3$

4

a) Um 6 Uhr ist am meisten Wasser im Speicher. Um 18 Uhr ist am wenigsten Wasser im Speicher.
b) Schnellste Volumenveränderung um 0 Uhr und 12 Uhr. Langsamste Volumenveränderung um 6 Uhr und 18 Uhr.
c) Die Volumendifferenz ΔV ist z.B. zwischen 6 Uhr und 18 Uhr maximal.

$$\Delta V = -\int_6^{18} g(t)\,dt \approx 152\,789\,\text{m}^3$$

d) Es ist $G'(t) = \frac{240}{\pi} \cdot \left(-\sin\left(\frac{\pi}{12}(t-6)\right)\right) \cdot \frac{\pi}{12} = g(t)$.

Es ist $G(0) = \frac{240}{\pi}\cos\left(-\frac{1}{2}\pi\right) = 0$. Das Volumen des Sees wird durch die Funktion H mit

$H(t) = 500 + G(t) = 500 + \frac{240}{\pi}\cos\left(\frac{\pi}{12}(t-6)\right)$ beschrieben
(t in h; H(t) in Tausend m^3).

5

a) Der Querschnitt des Kanals lässt sich beschreiben durch f mit
$f(x) = \frac{1}{8}x^2$. Inhalt der Querschnittsfläche $A = 16 - \int_{-4}^{4} \frac{1}{8}x^2\,dx = 10\frac{2}{3}$.
b) $V = 10\frac{2}{3} \cdot 2000 = 21\,333\frac{1}{3} \approx 21\,333$
c) Querschnittsfläche zur halben Höhe

$$A^* = 2\sqrt{8} - \int_{-\sqrt{8}}^{\sqrt{8}} \frac{1}{8}x^2\,dx = \frac{8}{3}\sqrt{2} \approx 3{,}771$$

$V^* = \frac{8}{3}\sqrt{2} \cdot 2000 \approx 7542$.

Im bis zur halben Höhe gefüllten Kanal befinden sich etwa 35 % der Wassermenge des gefüllten Kanals.

Kapitel IV, Zeit zu überprüfen, Seite 133

3

a) Der Graph von f ist punktsymmetrisch zum Ursprung.
b) Der Graph von f ist achsensymmetrisch zur y-Achse.
c) Der Graph von f ist punktsymmetrisch zum Ursprung.
d) Der Graph von f ist weder achsensymmetrisch zur y-Achse noch punktsymmetrisch zum Ursprung.

Kapitel IV, Zeit zu überprüfen, Seite 136

5

a) Definitionslücke bei $x = 3$; $f(x) \to -\infty$ für $x \to 3$ und $x < 3$; $f(x) \to \infty$ für $x \to 3$ und $x > 3$; senkrechte Asymptote: $x = 3$.
b) Definitionslücke bei $x = 3$; da $3 - 2 = 1 \neq 0$ und $(3-3)^2 = 0$

ist, hat f bei $x = 3$ eine Polstelle und der Graph bei $x = 3$ eine senkrechte Asymptote. Für $x \to 3$ gilt $f(x) \to \infty$.

c) Definitionslücke bei $x = 0$; da $e^0 = 1 \neq 0$ und $e^0 - 1 = 0$ ist, hat f bei $x = 0$ eine Polstelle und der Graph bei $x = 0$ eine senkrechte Asymptote. Für $x \to 0$ und $x < 0$ gilt $f(x) \to -\infty$; für $x \to 0$ und $x > 0$ gilt $f(x) \to \infty$.

6

Mögliche Lösung: $f(x) = \dfrac{1}{x^2 - 4}$

Kapitel IV, Zeit zu überprüfen, Seite 139

8

a) Senkrechte Asymptote: $x = 1$, waagerechte Asymptote: $y = \frac{1}{2}$;
$\lim\limits_{x \to \pm\infty} f(x) = \frac{1}{2}$

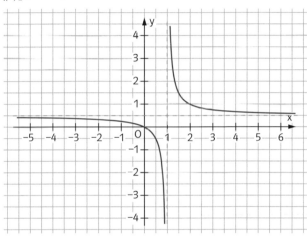

b) Senkrechte Asymptote: $x = 0$; waagerechte Asymptote: $y = 4$;
$\lim\limits_{x \to \pm\infty} f(x) = 4$

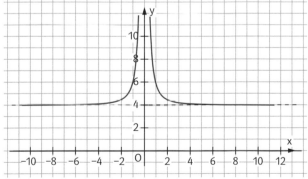

c) Keine senkrechte Asymptote, waagerechte Asymptote: $y = 0$;
$\lim\limits_{x \to -\infty} f(x) = 0$; $f(x) \to \infty$ für $x \to \infty$.

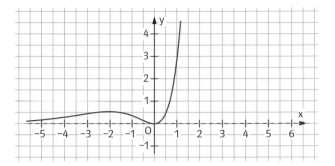

Kapitel IV, Zeit zu überprüfen, Seite 143

6

a) Nullstellen: 0 und 1; Extremstelle: $\frac{1}{2}$

b) Nullstellen: 0 und 1; Extremstellen: $\dfrac{3 + \sqrt{5}}{2}$ und $\dfrac{3 - \sqrt{5}}{2}$

c) Nullstelle: $\ln(2)$; Extremstelle: $\dfrac{\ln\left(\frac{3}{2}\right)}{2}$

Kapitel IV, Zeit zu überprüfen, Seite 147

8

a) Mögliche Vermutungen:
- $D_f = \mathbb{R} \setminus \{-1\}$
- Für $x \to -\infty$ gilt $f(x) \to 0$, für $x \to \infty$ gilt $f(x) \to \infty$.
- f hat keine Extremstellen.

b) Nachweis der Vermutungen:
Definitionsmenge: $x + 1 = 0$ für $x = -1$
Verhalten für $x \to \pm\infty$: $f(x) = e^x \cdot \dfrac{x}{x + 1} = e^x \cdot \dfrac{1}{1 + \frac{1}{x}}$
$f(x) \to \infty$ für $x \to +\infty$
$f(x) \to 0$ für $x \to -\infty$
Extremstelle: $f'(x) = e^x \cdot \dfrac{x}{x + 1} + e^x \cdot \dfrac{1}{(x + 1)^2}$
Der 2. Summand ist immer ungleich Null, d. h., es gibt kein x, für das gilt $f'(x) = 0$.

9

a)

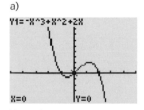

Vermutungen:
- f hat drei Nullstellen.
- f hat ein lokales Minimum.
- f hat ein lokales Maximum.
- f hat eine Wendestelle.
- Für $x \to -\infty$ gilt $f(x) \to \infty$, für $x \to \infty$ gilt $f(x) \to -\infty$.

Nachweis:
- Nullstellen: $f(x) = -x^3 + x^2 + 2x = 0$
$$-x(x^2 - x - 2) = 0$$
$x_1 = -1$; $x_2 = 0$ und $x_3 = 2$

- Extremstellen: $f'(x) = -3x^2 + 2x + 2 = 0$

$x_4 = \frac{1+\sqrt{7}}{3}$ und $x_5 = \frac{1-\sqrt{7}}{3}$

- Wendestellen: $f''(x) = -6x + 2 = 0$

$x_6 = \frac{1}{3}$

- Verhalten für $x \to \pm\infty$: Der Term $-x^3$ dominiert.

b)

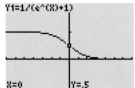

Vermutungen:
- f hat zwei Nullstellen.
- f hat ein lokales Maximum.
- f hat ein lokales Minimum.
- f hat zwei Wendepunkte.
- Für $x \to -\infty$ gilt $f(x) \to 0$, für $x \to \infty$ gilt $f(x) \to \infty$.

Nachweis:
- Nullstellen: $f(x) = e^x(x^2 - x) = 0$

$(x^2 - x) = 0$ ($e^x > 0$ für alle x)

$x_1 = 0$; $x_2 = 1$

- Extrempunkte: $f'(x) = e^x(x^2 + x - 1) = 0$

$(x^2 + x - 1) = 0$ ($e^x > 0$ für alle x)

$x_3 = \frac{-1-\sqrt{5}}{2}$ und $x_4 = \frac{-1+\sqrt{5}}{2}$

- Wendepunkte: $f''(x) = e^x(x^2 + 3x) = 0$

$(x^2 + 3x) = 0$ ($e^x > 0$ für alle x)

$x_5 = 0$; $x_6 = -3$

- Verhalten für $x \to \pm\infty$: Der Term e^x dominiert.

c)

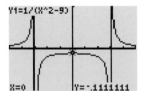

Vermutungen:
- f hat keine Nullstellen.
- f hat ein lokales Minimum.
- Für $x \to -\infty$ gilt $f(x) \to 0$, für $x \to \infty$ gilt $f(x) \to \infty$.

Nachweis:
- Nullstellen: $f(x) = \frac{e^x}{x} \neq 0$ (für alle x), da $e^x > 0$ für alle x.
- Extrempunkte: $f'(x) = \frac{e^x(x-1)}{x} = 0$

$e^x(x-1) = 0$

$x_1 = 1$

- Verhalten für $x \to \pm\infty$:

Der Term e^x dominiert über x für $x \to \pm\infty$.

d)

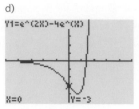

Vermutungen:
- f hat eine Nullstelle.
- f hat ein lokales Minimum.
- f hat eine Wendestelle bei $x = 0$.
- Für $x \to -\infty$ gilt $f(x) \to 0$, für $x \to \infty$ gilt $f(x) \to \infty$.

Nachweis:
- Nullstellen: $f(x) = e^{2x} - 4e^x = 0$

$x_1 = \ln(4)$

- Extrempunkte: $f'(x) = 2e^{2x} - 4e^x = 0$

$x_2 = \ln(2)$

- Wendepunkte: $f''(x) = 4e^{2x} - 4e^x = 0$

$x_3 = \ln(1) = 0$

- Verhalten für $x \to \pm\infty$:

$f(x) = e^{2x} - 4e^x = e^{2x}\left(1 - \frac{4}{e^x}\right)$ verhält sich für $x \to \pm\infty$ wie e^{2x}.

e)

Vermutungen:
- f hat keine Nullstellen.
- f hat ein lokales Maximum.
- f ist symmetrische zur y-Achse.
- Für $x \to \pm\infty$ gilt $f(x) \to 0$.

Nachweis:
- Nullstellen: $f(x) = \frac{1}{(x^2 - 9)} \neq 0$ (für alle x)
- Extrempunkte: $f'(x) = \frac{-2x}{(x^2 - 9)^2} = 0$

$x_1 = 0$

- f ist symmetrisch zur y-Achse:

$f(-x) = \frac{1}{((-x)^2 - 9)} = \frac{1}{(x^2 - 9)} = f(x)$

- Verhalten für $x \to \pm\infty$: $\frac{1}{(x^2 - 9)} \to 0$ für $x \to \pm\infty$.

f)

Vermutungen:
- f hat einen Wendepunkt.
- Für $x \to -\infty$ gilt $f(x) \to 1$, für $x \to \infty$ gilt $f(x) \to 0$.

Nachweis:
- Wendepunkt: $f''(x) = \frac{e^x(e^x - 1)}{(e^x + 1)^3} = 0$

$(e^x - 1) = 0$ ($e^x > 0$ für alle x)

$x_1 = 0$

- Verhalten für $x \to \pm\infty$:

$\dfrac{1}{e^x + 1} \to 0$ für $x \to \infty$

$\dfrac{1}{e^x + 1} \to 1$ für $x \to -\infty$, da $e^x \to 0$ für $x \to -\infty$.

Kapitel IV, Zeit zu überprüfen, Seite 150

8

a) $f_t(0) = \dfrac{-2 \cdot 0}{t} \cdot e^{t \cdot 0} = 0$

b)

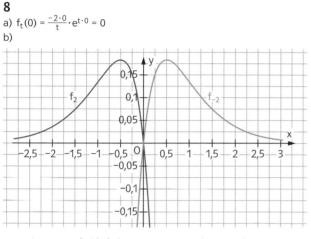

c) Hochpunkt: $H\left(-\dfrac{1}{t}\,\middle|\,\dfrac{2}{e \cdot t^2}\right)$, Wendepunkt: $H\left(-\dfrac{2}{t}\,\middle|\,\dfrac{4}{e^2 \cdot t^2}\right)$

d) Ortskurve der Wendepunkte: $y = \dfrac{x^2}{e^2}$

Kapitel IV, Zeit zu wiederholen, Seite 151

15

a) Da die prozentuale Änderung bei jedem Zeitschritt gleich groß ist, liegt exponentielles Wachstum vor.

b) Nach zwei Wochen beträgt die Fläche der Bakterienkultur etwa $19\,\text{cm}^2$, drei Tage vor Beginn der Messung betrug die Fläche etwa $3,76\,\text{cm}^2$.

c) Da die absolute Änderung bei der zweiten Bakterienkultur bei jedem Zeitschritt gleich groß ist, liegt bei ihr lineares Wachstum vor. Nach etwa 19,6 Tagen sind die von den beiden Bakterienkulturen bedeckten Flächen etwa gleich groß.

Kapitel IV, Zeit zu überprüfen, Seite 154

5

a) Amplitude: 3; Periode: 4π

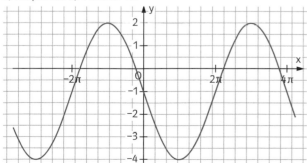

b) Amplitude: 1; Periode: π

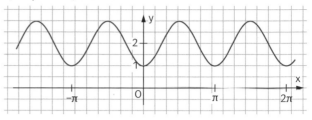

c) Amplitude: 2; Periode: $\dfrac{2\pi}{3}$

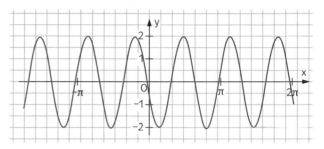

Kapitel IV, Zeit zu wiederholen, Seite 157

5

a) Beschränktes Wachstum

b) Lineares Wachstum

c) Exponentielles Wachstum

6

a) Jährliche Senkung um 5800:

Jahr	0	1	2	3	4	5
Grundstückswert (in €)	190 000	184 200	178 400	172 600	166 800	161 000

Jahr	6	7	8	9	10
Grundstückswert (in €)	155 200	149 400	143 600	137 800	132 000

Jährliche Steigerung um 5,8 %:

Jahr	0	1	2	3	4	5
Grundstückswert (in €)	190 000,00	201 020,00	212 679,16	225 014,55	238 065,40	251 873,19

Jahr	6	7	8	9	10
Grundstückswert (in €)	266 481,83	281 937,78	298 290,17	315 591,00	333 895,28

b) Im ersten Fall liegt lineares Wachstum und im zweiten Fall exponentielles Wachstum vor.

7

a) Die Schranke des beschränkten Wachstums ist $S = 4800$.

b) $B(1) = 2325$; $B(2) = 2943,75$ und $B(3) = 3407,8125$.

c) Für $n = 5$ ist der Bestand mit $B(5) \approx 4017$ erstmals über 4000.

15

a) $B(10) = 131$ b) $B(10) = 3\,145\,728$ c) $B(10) = 6125,8$

16

a) Geht man davon aus, dass jeder Schüler bzw. Schülerin und jeder Lehrer bzw. Lehrerin höchstens ein T-Shirt kaufen, so liegt die Schranke bei $S = 1035$. Wegen der Werbeaktion kann man davon ausgehen, dass die absolute Änderung der Verkaufszahlen proportional zur Differenz $S - B(n)$ ist.

b) Nach der achten Woche wird man mit den gemachten Annahmen etwa 698 T-Shirts verkauft haben.

Kapitel IV, Prüfungsvorbereitung ohne Hilfsmittel, Seite 168

1

a) Nullstellen: $x_1 = 0$; $x_2 = -1$ b) Nullstelle: $x = 0$

c) Nullstelle: $x = 0$ d) Nullstellen: $x_1 = -3$; $x_2 = 2$

2

a)

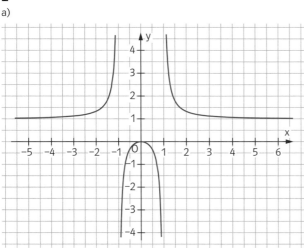

b)

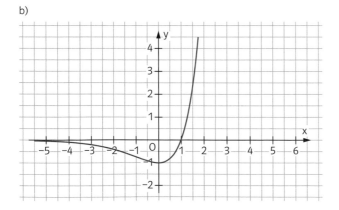

c)

d)

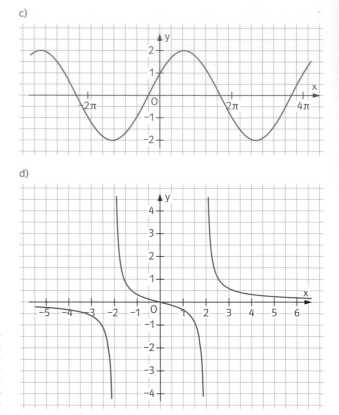

3

a) $f'(x) = -\frac{3}{(x+1)^2}$; $F(x) = 3 \cdot \ln|x+1|$

b) $f'(x) = 8\,e^{2x} + \frac{1}{x^2}$; $F(x) = 2\,e^{2x} - \ln|x|$

c) $f'(x) = 3\sin(2-x) + 1$; $F(x) = -3\sin(2-x) + \frac{x^2}{2}$

4

Mögliche Lösung:

Da die Funktionswerte von g und i nicht negativ werden können, gehören zu diesen beiden Funktionen die Graphen K_1 und K_2; die Graphen K_3 und K_4 müssen entsprechend zu den Funktionen f und h gehören. Da der Faktor x^4 im Funktionsterm von i für $x < -1$ größer als der Faktor x^2 von g ist, gehört K_1 zu i und K_2 zu g. In gleicher Weise erhält man, dass K_3 zu f und K_4 zu h gehören.

5

Mögliche Lösung:

a) Da f_t die Nullstelle t hat, gehört K_d zu f_0 und K_e zu f_2.

b) Mit $f'_t = e^{-x}(-x + t + 1)$ und $f''_t = -e^{-x}(-x + t + 2)$ erhält man den Extrempunkt $P(t+1\,|\,e^{-t-1})$. Aus $x = t + 1$ folgt $t = x - 1$ und damit die Ortskurve $y = e^{-t-1} = e^{-(x-1)-1} = e^{-x}$.

c) Mit $e^{-x} \cdot (x - t_1) = e^{-x} \cdot (x - t_2)$ erhält man $x - t_1 = x - t_2$ bzw. $t_1 = t_2$. Wenn die Funktionswerte von zwei Funktionen der Funktionenschar f_t an einer Stelle gleich sind, dann müssen die beiden Funktionen identisch sein. Daher haben die Graphen der Funktionenschar keine gemeinsamen Punkte.

6

a) Zu Beginn beträgt die Abflussrate $38\frac{l}{min}$.

b) Nach 76 Minuten fließt kein Wasser mehr aus dem Tank.

c) Es dauert zwei Minuten, bis sich die Abflussrate gegenüber dem Anfangswert halbiert hat.

7

Mögliche Gleichung von f: $f(x) = \frac{x^2 - 3x}{x^2 - 4}$.

8

a) $f(x) = 1{,}5 \cdot \sin\left(\frac{\pi}{2}(x - 1)\right) + 1$

b) $f(x) = -6 \cdot \sin\left(\frac{\pi}{8}(x + 4)\right) + 4$

Kapitel IV, Prüfungsvorbereitung mit Hilfsmitteln, Seite 169

1

a) $p = 4\pi$

b) $f(-x) = 3 \cdot \sin(0{,}5(-x - \pi)) - 1 = 3 \cdot \sin(-0{,}5x - 0{,}5\pi) - 1$
  $= 3 \cdot \cos(-0{,}5x) - 1 = 3 \cdot \cos(0{,}5x) - 1$
  $= 3 \cdot \sin(0{,}5x - 0{,}5\pi) - 1 = 3 \cdot \sin(0{,}5(x - \pi)) - 1$
  $= f(x)$

c) Der Flächeninhalt beträgt etwa 9,48 (LE)^2.

2

a) Schnittpunkt mit der x-Achse: $N(-1|0)$.
Waagerechte Asymptote: $y = 0$, senkrechte Asymptoten: $x = 1$ und $x = 4$.

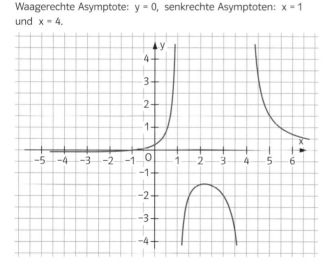

b) Gleichung der Tangente: $y = 0{,}1x + 0{,}1$. Weiterer Schnittpunkt der Tangente mit dem Graphen von f: $P(6|0{,}7)$.

3

a) Für a erhält man 200. Auf lange Sicht kann das Betriebsrestaurant mit 100 Besuchern rechnen.

b) Am zehnten Tag essen 109 Personen im Betriebsrestaurant. Am vierten Tag essen erstmals 90 Personen im Betriebsrestaurant.

c) In den ersten zwei Wochen konnte das Betriebsrestaurant 1276 Gäste bewirten.

4

a)

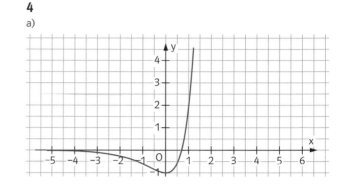

Waagerechte Asymptote: $y = 0$. Der Graph hat keine senkrechte Asymptote und ist nicht symmetrisch. Damit f eine Nullstelle hat, muss entweder $e^x = 0$ oder $e^x = 2$ sein. Da $e^x = 0$ für kein $x \in \mathbb{R}$ möglich ist, hat f nur die eine Nullstelle $x = \ln(2)$.

b) Eigenschaften, die sich übertragen:

– f hat nur eine Nullstelle bei $x = \ln(k)$.

– f hat eine Extrem- und eine Wendestelle.

– Für $x \to -\infty$ gilt $x \to 0$, für $x \to -\infty$ gilt $x \to \infty$;

Extrempunkt $P\left(\ln\frac{k}{2}\middle| -\frac{k^2}{4}\right)$.

Gleichung der Ortskurve der Extrempunkte: $y = -e^{2x}$.

5

a) $a = 5$; $b = 8$

b) Schnittpunkte mit der x-Achse: $P(-1|0)$ und $Q(-0{,}6|0)$; Extrempunkt $T\left(-\frac{3}{4}\middle| -\frac{1}{3}\right)$; Wendepunkt $W(-1{,}125|0{,}259)$; waagerechte Asymptote: $y = 5$; senkrechte Asymptote: $x = 0$

c) Schnittpunkte: $S_1(-1{,}5|1)$ und $S_2(-0{,}5|1)$

6

a) In der zweiten Woche wurden in der Bäckerei die meisten Brötchen verkauft.

b) Auf lange Sicht kann die Bäckerei mit 2500 verkauften Brötchen pro Woche rechnen.

c) In den ersten acht Wochen wurden näherungsweise 27267 Brötchen verkauft.

7

a) $a = 0{,}78125$; $b = \ln(25)$

b) Die halbe Grenzgeschwindigkeit wird nach etwa 0,215 Sekunden erreicht.

Kapitel V, Zeit zu überprüfen, Seite 174

6

Die ersten fünf Glieder sind 0; 2; 6; 12; 20 (Graph siehe Abb.). Die Werte der Folge werden zunehmend größer und wachsen unbegrenzt.

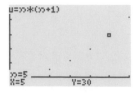

7

a) Rekursiv: $a(n) = a(n-1) + 3$; $a(0) = -2$; explizit: $a(n) = 3n - 2$

b) Rekursiv: $a(n) = 0{,}1\,a(n-1)$; $a(0) = 1$; explizit: $a(n) = 0{,}1^n$

Kapitel V, Zeit zu überprüfen, Seite 176

5

Mit dem GTR erstellt man einen Graphen oder eine Tabelle und erkennt daraus eine Vermutung, die man nachweist.

a) $a(n+1) - a(n) = (n+1)^2 - (n+1) - (n^2 - n) = 2n \geq 0$, also ist a monoton wachsend (aber nicht streng monoton wachsend, da $a(0) = a(1)$).

b) Untere Schranke ist 0, denn n^2 ist immer mindestens so groß wie n, da n eine natürliche Zahl ist. a ist nicht nach oben beschränkt, weil $n^2 - n = n \cdot (n-1)$, wobei beide Faktoren über alle Schranken wachsen.

6

a) $a(n) = 1 - \frac{5}{2n}$, also ist 1 eine obere Schranke, da immer etwas Positives abgezogen wird. Da $\frac{5}{2n}$ mit wachsendem n immer kleiner wird, ist $\frac{5}{2n} \leq \frac{5}{2} = 2{,}5$. Es wird also höchstens 2,5 von 1 subtrahiert: $a(n) \geq 1 - 2{,}5$, d.h., $-1{,}5$ ist eine untere Schranke. Da $\frac{5}{2n}$ mit wachsendem n immer kleiner wird, ist a außerdem streng monoton wachsend.

b) Da $a(0) = 1000$ und $a(n-1)$ immer mit der positiven Zahl $\frac{8}{9}$ multipliziert wird, ist $a(n)$ immer positiv und wird immer kleiner, denn $\frac{8}{9} < 1$. Also ist 0 eine untere und 1000 eine obere Schranke. Außerdem ist $a(n)$ streng monoton fallend.

c) Bezeichnet $K(n)$ die Folge der Geldbeträge in €, so gilt $K(n) = 0{,}8\,K(n-1)$. Also werden wegen $K(0) = 1000$ die Geldbeträge immer kleiner, d.h., K ist monoton fallend. K ist nach oben beschränkt durch den Anfangswert $K(0) = 1000$ und nach unten durch 0, weil immer nur 20 % entnommen werden und somit immer etwas übrig bleibt.

Kapitel V, Zeit zu überprüfen, Seite 180

5

a) Für $n \to \infty$ gilt: $\frac{4n+1}{4n} = 1 + \frac{1}{4n} \to 1$, da $\frac{1}{4n} \to 0$. Also ist $g = 1$.

b) Für $n \to \infty$ gilt: $1 + \left(\frac{1}{2}\right)^n \to 1$, da $\left(\frac{1}{2}\right)^n \to 0$. Also ist $g = 1$.

c) $g = 0$. Begründung: Da ein Folgenglied immer mit 0,1 multipliziert wird, um das folgende zu erhalten, und da $f(0) = 10$ ist, kann man die explizite Formel $f(n) = 10 \cdot 0{,}1^n$ angeben. Da $0{,}1^n$ für $n \to \infty$ gegen 0 geht, ist der Grenzwert 0.

6

a) $\frac{n^2}{2n^2 + 1} = \frac{n^2}{n^2\left(2 + \frac{1}{n^2}\right)} = \frac{1}{2 + \frac{1}{n^2}} \to \frac{1}{2}$, da $\frac{1}{n^2} \to 0$ für $n \to \infty$.

Also hat die Folge den Grenzwert $\frac{1}{2}$.

b) Die Folge ist unbeschränkt, der Abstand aufeinanderfolgender Folgenglieder ist jeweils mehr als 0,9, ihr Abstand zu einem möglichen Grenzwert kann daher nicht beliebig klein werden. Also hat sie keinen Grenzwert.

c) Da ein Folgenglied immer um 0,1 vergrößert wird, um das folgende zu erhalten, und da $c(0) = 0$ ist, kann man die explizite Formel $c(n) = 0{,}1n$ angeben. Der Abstand aufeinanderfolgender Folgenglieder ist jeweils 0,1. Ihr Abstand zu einem möglichen Grenzwert kann nicht beliebig klein werden, also hat die Folge keinen Grenzwert.

Kapitel V, Zeit zu überprüfen, Seite 184

6

a) Ansatz für die Bevölkerungszahl $B(n)$ in Milliarden Einwohnern im Jahre n (1950 $\triangleq n = 0$): $B(n) = B(0)e^{kn}$ mit $B(0) = 2{,}5$; $B(30) = 4{,}5$ ergibt $2{,}5\,e^{30k} = 4{,}5$ mit der Lösung $k = 0{,}01959$ (alle Werte gerundet). Damit erhält man: $B(n) = 2{,}5\,e^{0{,}01959n}$. Eine Regression mit dem GTR für die zwei Datenpunkte $(0 \,|\, 2{,}5)$ und $(30 \,|\, 4{,}5)$ liefert dasselbe Ergebnis.

Verdopplungszeit $T_V = \frac{\ln 2}{k} \approx 35$ Jahre. Unter der Annahme exponentiellen Wachstums auf der Basis der Jahre 1950 und 1980 verdoppelt sich die Weltbevölkerung alle 35 Jahre. Auf Dauer ist allerdings eher zu erwarten, dass diese Zeit zunimmt (knappere Ressourcen etc.).

b) 2005 $\triangleq n = 55$; $B(55) = 7{,}3$; der Wert ist etwas zu hoch im Vergleich zum wahren Wert; das Bevölkerungswachstum hat sich wohl etwas abgeschwächt.

1920 $\triangleq n = -30$; $B(-30) = 1{,}4$; der Wert ist etwas zu gering im Vergleich zum wahren Wert; das Bevölkerungswachstum war wohl vor 1950 etwas geringer (z.B. wegen des Zweiten Weltkrieges).

c) 2050 $\triangleq n = 100$; $B(100) = 17{,}7$; die Prognose auf der Basis der Entwicklung von 1950 bis 1980 ist also viel höher als die der Experten der Vereinten Nationen. Offenbar gehen die Experten von begrenzenden Effekten aus, z.B. stärkere Geburtenkontrolle.

d) Mit der Funktionsdarstellung $f(x) = 2{,}5\,e^{0{,}01959x}$ ergibt sich $f'(x) = 0{,}048975\,e^{0{,}01959}$; $f'(50) = 0{,}130$. Im Jahr 2000 betrug nach dem Modell aus a) die Wachstumsgeschwindigkeit etwa 130 Millionen Einwohner pro Jahr.

Kapitel V, Zeit zu wiederholen, Seite 185

9

$(1 \,|\, 1)$, $(-1{,}5 \,|\, 0)$ und $(-4 \,|\, -1)$

10

Die Lösungen stellen Geraden dar. Um diese zu zeichnen, löst man am besten die Gleichungen nach y auf:

a) $y = 2x - 3$

b) $y = -\frac{3}{4}x$

c) $y = -\frac{2}{3}x + \frac{5}{3}$

d) $y = \frac{2}{3}x - \frac{4}{3}$

Dann zeichnet man erst den y-Achsenabschnitt (die Zahl ohne x) und erhält einen ersten Punkt. Von diesem geht man dann 1 nach rechts und die Steigung (die Vorzahl von x) nach oben bzw. unten (bei negativer Steigung). Ist die Steigung ein Bruch, geht man besser den Nenner nach rechts und den Zähler nach oben bzw. unten. So erhält man einen zweiten Punkt. Die gesuchte Gerade verläuft durch die beiden gezeichneten Punkte. Zur Kontrolle kann man die Geraden am GTR zeichnen (Einheiten sind jeweils 1):

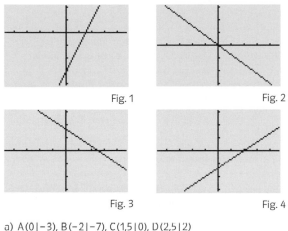

Fig. 1   Fig. 2

Fig. 3   Fig. 4

a) $A(0\,|-3)$, $B(-2\,|-7)$, $C(1,5\,|\,0)$, $D(2,5\,|\,2)$

b) $A(0\,|\,0)$, $B(-2\,|\,1,5)$, $C(0\,|\,0)$, $D\left(-\frac{8}{3}\,\middle|\,2\right)$

c) $A\left(0\,\middle|\,\frac{5}{3}\right)$, $B(-2\,|\,3)$, $C(2,5\,|\,0)$, $D(-0,5\,|\,2)$

d) $A\left(0\,\middle|-\frac{4}{3}\right)$, $B\left(-2\,\middle|-\frac{8}{3}\right)$, $C(2\,|\,0)$, $D(5\,|\,2)$

11

a) $x = 1$, $y = 3$ b) $x = 2$, $y = 2$

c) $x = 0$, $y = -2$ d) $x = -\frac{1}{2}$, $y = -\frac{5}{4}$

Zur Lösung mit dem GTR löst man wie in Aufgabe 10 beschrieben zunächst beide Gleichungen nach y auf und gibt sie als Formeln ein. Als Graphen erhält man zwei Geraden. Man bestimmt deren Schnittpunkt. Seine Koordinaten sind die Lösung des Gleichungssystems.

Alternativ kann man die Koeffizienten im Matrix-Editor eingeben, wie an Beispiel c) gezeigt wird:

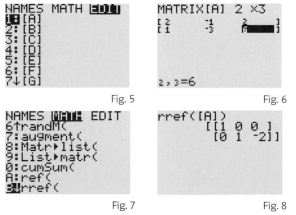

Fig. 5   Fig. 6

Fig. 7   Fig. 8

Mithilfe der Funktion rref wird die Matrix so umgeformt, dass man die Lösung in der letzten Spalte ablesen kann.

Kapitel V, Zeit zu überprüfen, Seite 188

7

a) Die Quotienten $Q(n) = \frac{B(n) - B(n-1)}{S - B(n-1)}$ sind immer (etwa) 0,4, also ist die Änderung des Bestandes zur Differenz $S - B(n-1)$ proportional. Proportionalitätskonstante ist $p = 0,4$.

b) Rekursiv: $B(n) = B(n-1) + 0,4(S - B(n-1))$ oder (da für alle n gilt, dass $S < B(n-1)$): $B(n) = B(n-1) - 0,4(B(n-1) - S)$.
Explizit: $B(n) = S + (B(0) - S)e^{-kn}$, wobei $S = 80$, $B(0) = 500$, $k = -\ln(1 - p) = 0,5108$ (gerundet), also $B(n) = 80 + 420\,e^{-0,5108n}$.

c) $B(15) = 80,2$, also etwa 80; $B(x) = 200$ hat die Lösung $x = 2,45$ (gerundet). Also beträgt der Bestand nach etwa 2 Stunden und 27 Minuten 200.

8

Ansatz: $f(x) = S - (S - f(0))e^{-kx}$ (x in Monaten, $f(x)$ in Prozent) mit $S = 30$, $f(0) = 0$ und $f(1) = 10$. Eingesetzt: $f(x) = 30 - 30\,e^{-kx}$. Die Bedingung $f(1) = 10$ ergibt die Gleichung $10 = 30 - 30\,e^{-k}$ mit der Lösung $k = -\ln\frac{2}{3}$, also $k \approx 0,4055$. Damit erhält man für f die Gleichung $f(x) = 30 - 30\,e^{0,4055x}$.
Die Gleichung $f(x) = 25$ hat die Lösung $x = 4,41$. Also ist bereits nach 5 Monaten der Marktanteil auf über 25 % gestiegen.
$f'(x) = -30 \cdot (-0,4055)e^{-0,4055x} = 12,165\,e^{-0,4055x}$; $f'(6) = 1,07$. Nach einem halben Jahr beträgt die Zunahmegeschwindigkeit etwa 1,1 % pro Monat. Die Lösung kann man auch mit dem GTR bestimmen:

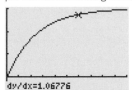

dy/dx=1.06776

Kapitel V, Zeit zu überprüfen, Seite 191

7

a) Das ist eine Differenzialgleichung für exponentielles Wachstum, also $f(x) = 1000\,e^{-0,25x}$.

b) Man erkennt eine Funktion, die beschränktes Wachstum mit der Schranke $S = 50$ und $k = 0,25$ beschreibt, und folgert daraus: $f'(x) = 0,25(50 - f(x))$. Die momentane Änderungsrate von f ist proportional zur Differenz von 50 und $f(x)$.
Alternative:
$f'(x) = 2,5\,e^{-0,25x}$; $0,25f(x) = 12,5 - 2,5\,e^{-0,25x} = 12,5 - f'(x)$; also:
$f'(x) = 12,5 - 0,25f(x)$ oder durch Ausklammern von 0,25:
$f'(x) = 0,25(50 - f(x))$.

8

a) Differenzialgleichung $f'(t) = 90 - 0,06f(t)$ mit $f(0) = 0$.
Man formt die Gleichung durch Ausklammern von 0,06 so um, dass man eine Differenzialgleichung für beschränktes Wachstum erhält: $f'(t) = 0,06(1500 - f(t))$.
Lösung der Differenzialgleichung $f(t) = 1500 - 1500\,e^{-0,06t}$.
Da $S = 1500$, können sich höchstens (eigentlich weniger als) 1500 Liter Abwasser im Becken befinden.

b) Es muss gelten $f(t) = 1000$ und $f'(t) = 90 - 0,06\,f(t)$. Daraus ergibt sich $f'(t) = 30$. Da $f'(t) = 90\,e^{-0,06t}$, ist die Gleichung $90\,e^{-0,06t} = 30$ zu lösen; Lösung $t = 18,3$.

Wenn in dem Becken 1000 Liter Abwasser enthalten sind, sind etwa 18 Minuten vergangen und die momentane Zunahmerate des Abwassers beträgt dann 30 Liter pro Minute.

Kapitel V, Zeit zu überprüfen, Seite 195

7

a) Anfangs nimmt die Zahl der „Wissenden" immer stärker, etwa exponentiell zu, wenn man annimmt, dass die Zahl derjenigen, die das Gerücht erfahren, proportional ist zu der Zahl der Wissenden. Mit der Zeit kennen immer mehr das Gerücht. Daher ist die Zahl derjenigen, die das Gerücht erfahren, nur noch etwa proportional zur Zahl derer, die es noch nicht kennen. Die Zahl der Wissenden wächst dann nur noch beschränkt.

b) $S = 500$, $B(0) = 2$. Die Anzahl der „Wissenden" wird mit $B(n)$ bezeichnet. Wegen $B(1) = 4$ ergibt sich aus der rekursiven Darstellung $B(1) = B(0) + q \cdot B(0) \cdot (S - B(0))$ für den Proportionalitätsfaktor q die Gleichung $4 = 2 + q \cdot 2 \cdot (500 - 2)$ mit der Lösung $q = \frac{1}{498}$. Damit ergibt sich die rekursive Darstellung $B(n) = B(n-1) + \frac{1}{498} \cdot B(n-1) \cdot (500 - B(n-1))$ und damit die Tabelle (gerundete Werte).

n	0	1	2	3	4	5	6	7	8	9	10
B(n)	2	4	8	16	31	61	114	203	324	438	493

8

a) Anfangshöhe $f(0) = 5\,(\text{cm})$, Höhe nach langer Zeit etwa $S = 100\,(\text{cm})$.

b) Die Gleichung $\frac{100}{1 + 19 \cdot e^{-0,2x}} = 50$ hat die Lösung $x = 14,72$ (gerundet). Nach knapp 15 Wochen ist die Hecke 50 cm hoch.

c) $f'(x) = 380 \cdot \frac{e^{-0,25x}}{(1 + 4\,e^{-0,25x})^2}$ ist maximal bei $x = 14,72$ (GTR), $f'(14,72) = 5$. Die Wachstumsgeschwindigkeit ist mit 5 cm pro Woche am größten nach knapp 15 Wochen. Vergleich mit b): Bei halber Höhe ist die Wachstumsgeschwindigkeit am größten, denn dort liegt beim Graphen der Wendepunkt.

Kapitel V, Zeit zu wiederholen, Seite 201

13

$y = -\frac{1}{2}x + 2$; $y = \frac{1}{3}x - 1$. Schnittpunkt $S(3,6 \,|\, 0,2)$.

14

a) Koordinatengleichung: $y = -\frac{3}{2}x + 4$ oder

Vektorgleichung: $\vec{x} = \begin{pmatrix} 2 \\ 1 \end{pmatrix} + t \cdot \begin{pmatrix} 2 \\ -3 \end{pmatrix}$

b) Koordinatengleichung: $y = 1$ oder

Vektorgleichung: $\vec{x} = \begin{pmatrix} 2 \\ 1 \end{pmatrix} + t \cdot \begin{pmatrix} 1 \\ 0 \end{pmatrix}$

c) Koordinatengleichung: $x = 2$ oder

Vektorgleichung: $\vec{x} = \begin{pmatrix} 2 \\ 1 \end{pmatrix} + t \cdot \begin{pmatrix} 0 \\ 1 \end{pmatrix}$

d) Koordinatengleichung nicht möglich;

Vektorgleichung: $\vec{x} = \begin{pmatrix} 2 \\ 1 \\ 3 \end{pmatrix} + t \cdot \begin{pmatrix} 2 \\ -3 \\ -3 \end{pmatrix}$

15

a) P (setze $t = -2$) und Q (setze $t = -1$) liegen beide auf g.

b) g: $\vec{x} = \begin{pmatrix} -5 \\ -3 \\ 8 \end{pmatrix} + t \cdot \begin{pmatrix} 8 \\ 4 \\ -12 \end{pmatrix}$; P (setze $t = \frac{1}{4}$) und Q (setze $t = \frac{1}{2}$) liegen beide auf g.

Bemerkung: Die Geraden bei a) und b) stimmen also überein.

c) Nur Q liegt auf g, da Q dieselben x_1- und x_3-Koordinaten hat wie R.

16

a) Gleichsetzen (mit verschiedenen Parametern!)

$\begin{pmatrix} 1 \\ 0 \\ -1 \end{pmatrix} + s \cdot \begin{pmatrix} 2 \\ 1 \\ -3 \end{pmatrix} = \begin{pmatrix} -3 \\ -3 \\ 16 \end{pmatrix} + t \cdot \begin{pmatrix} 1 \\ 0 \\ 4 \end{pmatrix}$ führt auf das LGS $\begin{array}{r} 2s - t = -4 \\ s = -3 \\ -3s - 4t = 17 \end{array}$

mit der Lösung $s = -3$ und $t = -2$. Die Geraden schneiden sich daher in $S(-5 \,|\, -3 \,|\, 8)$.

b) Z.B. $\begin{pmatrix} 2 \\ 0 \\ 8 \end{pmatrix}$ als Richtungsvektor von g.

Kapitel V, Prüfungsvorbereitung ohne Hilfsmittel, Seite 208

1

a) Rekursiv: $a(n) = \frac{1}{2}a(n-1)$, $a(0) = 3$;

explizit: $a(n) = 3 \cdot \left(\frac{1}{2}\right)^n$

b) Aus der rekursiven Darstellung erkennt man, dass a streng monoton abnimmt. Daher ist $a(0) = 3$ eine obere Schranke. Außerdem sind alle Folgenglieder positiv, daher ist 0 eine untere Schranke.

c) Die Folge hat einen Grenzwert, weil sie monoton und beschränkt ist. Der Grenzwert ist 0.

2

a) $\frac{4n - 6}{3n} = \frac{4}{3} - \frac{2}{n} \to \frac{4}{3}$ (Grenzwert), da $\frac{2}{n} \to 0$ für $n \to \infty$.

b) $a(n) - a(n-1) = \frac{4}{3} - \frac{2}{n} - \left(\frac{4}{3} - \frac{2}{n-1}\right) = \frac{2}{n-1} - \frac{2}{n}$

$= \frac{2n - (2n - 2)}{(n-1) \cdot n} = \frac{2}{(n-1)n}$.

3

Man erhält in Zweitagesschritten die Folge (in cm^2): 256, 128, 64, 32, 16, … Nach 4 Halbwertszeiten, also nach 8 Tagen, nimmt die Fläche auf 16 cm^2 ab.

4

$B(n) - B(n-1) = (10 - 10 \cdot 2^{-n}) - (10 - 10 \cdot 2^{-(n-1)})$

$= 10(2^{-n+1} - 2^{-n}) = 10 \cdot 2^{-n}$;

$10 - B(n-1) = 10 - (10 - 10 \cdot 2^{-n+1}) = 20 \cdot 2^{-n}$, also

$B(n) - B(n-1) = \frac{1}{2}(10 - B(n-1))$, d.h.:

Die Änderung von B ist zum Sättigungsmanko $S - B$ proportional, die Folge beschreibt beschränktes Wachstum mit der Schranke $S = 10$.

Alternative: Man erkennt an der expliziten Darstellung die „Bauart" $B(n) = S - ca^n$ (mit $S = 10$, $c = 10$ und $a = 2^{-1} = \frac{1}{2}$) und erkennt daran, dass die Folge beschränktes Wachstum beschreibt. Daher gilt, dass die Änderung von B zum Sättigungsmanko $S - B$ proportional ist, also, dass $B(n) - B(n-1)$ zu $10 - B(n-1)$ proportional ist.
Die Differenz $S - B(n) = 10 \cdot 2^{-n}$ ergibt die Folge 10; 5; $\frac{5}{2}$; $\frac{5}{4}$; $\frac{5}{8}$; ... Also ist ab dem Folgenglied Nummer 4 der Abstand von $B(n)$ zu S kleiner als 1 (Zählung beginnt bei Nummer 0).

5

Graph in Fig. 1: Gleichung II, weil logistisches Wachstum vorliegt.
Graph in Fig. 2: Gleichung IV, weil (monoton wachsendes) beschränktes Wachstum mit $S = 5$ vorliegt. Bei III liegt monoton fallendes beschränktes Wachstum mit $S = 5$ vor. Bei V liegt kein beschränktes Wachstum vor, weil e^x und damit auch $5 - 4e^x$ unbeschränkt ist.
Graph in Fig. 3: Gleichung VI, weil (monoton wachsendes) exponentielles Wachstum vorliegt, bei Gleichung I nimmt der zugehörige Graph monoton ab.

6

a) Man erkennt, dass die Differenzialgleichung exponentielles Wachstum beschreibt, da die momentane Änderungsrate zum Bestand $f(x)$ proportional ist. Daher gilt $f(x) = 3e^{0,6x}$.
b) Nach a) gilt $f(1) = 3e^{0,6}$. Also ist $a = \frac{f(1)}{f(0)} = e^{0,6}$.

7

a) Da der Luftdruck beim Anstieg um 1000 m immer um den gleichen Faktor abnimmt, kann man den Luftdruck mit exponentiellem Wachstum modellieren.
Ansatz: $p(x) = p_0 a^x$ mit $p_0 = 1013$. Wenn x die Höhe in km angibt, ist $a = 0,88$, also $p(x) = 1013 \cdot 0,88^x$.
b) Es gilt bei exponentiellem Wachstum allgemein: $p'(x) = k\,p(x)$. Hier speziell: $p(x) = p_0 a^x = p_0 e^{kx}$, also $k = \ln a$.
Bedeutung: Die momentane Änderungsrate von p ist zu p proportional.
c) Die Halbwertshöhe h ist die Höhe, bei der der Luftdruck am Boden auf die Hälfte abnimmt. Geht man aus einer beliebigen Höhe x um die Halbwertshöhe h nach oben, so sinkt der Luftdruck von $p(x)$ ebenfalls um die Hälfte.
Formel: Bezeichnet h die Halbwertshöhe, so muss gelten:
$1013 \cdot 0,88^h = 1013 \cdot \frac{1}{2}$. Daraus folgt: $0,88^h = \frac{1}{2}$, also
$h \cdot \ln(0,88) = \ln\left(\frac{1}{2}\right)$, also $h = \frac{\ln\left(\frac{1}{2}\right)}{\ln(0,88)}$.

8

a) Die Grafik legt auf den ersten Blick die Modellierung durch exponentielles Wachstum nahe, aber Vorsicht: Die Werte nähern sich nicht 0 (s.u.), sondern eher einer positiven Sättigungsgrenze, vielleicht etwa 5 Millionen. Daher ist eine Modellierung durch beschränktes (monoton abnehmendes) Wachstum sinnvoll.
Eine Modellierung kann für Prognosen verwendet werden. Eine Gewerkschaft kann dann z.B. abschätzen, wie viel Geld durch Mitgliedsbeiträge zu erwarten ist.

b) Wenn man die „y-Werte" unten nicht abschneidet, sieht man, dass die Abnahme nicht so groß ist, wie die Grafik suggeriert, und nicht gegen Null geht. Solche „falschen" Grafiken werden oft verwendet, um bestimmte Aspekte besonders drastisch erscheinen zu lassen.

Kapitel V, Prüfungsvorbereitung mit Hilfsmitteln, Seite 209

1

Man untersucht mit dem GTR die Wertetabelle oder den Graphen und vermutet (Begründungen in Klammern):
a) a ist streng monoton fallend
$\left(\text{es ist } a(n+1) - a(n) = \frac{-(n^2 + n + 100)}{10n(n+1)} < 0\right)$, nicht beschränkt und hat keinen Grenzwert (für große n gilt $a(n) \approx -\frac{n}{10}$, weil der erste Term gegen Null geht).
b) a ist streng monoton fallend $\left(\text{man formt um: } a(n) = 2 + \frac{1}{2n},\right.$ daran erkennt man, dass der zweite Term monoton abnimmt$\Big)$, beschränkt nach unten durch 2 und nach oben durch 2,5 (da $a(1) = 2,5$) und hat den Grenzwert 2 $\left(\text{da } a(n) = 2 + \frac{1}{2n} \text{ und } \frac{1}{2n} \to 0 \text{ für } n \to \infty\right)$.
c) a ist nicht monoton (abwechselnd Abnahme und Zunahme), beschränkt (Kosinuswerte liegen nur zwischen 0 und 1) und hat keinen Grenzwert (weil die Werte unregelmäßig zwischen 1 und 1 schwanken).
d) a ist streng monoton wachsend (denn da e^{-n} monoton abnimmt, werden im Nenner die Werte immer kleiner, der Bruch also immer größer; alternative Begründung: Die Funktionswerte gehören zu einer Funktion, die logistisches Wachstum beschreibt), beschränkt (nach unten durch 0, weil nur positive Werte vorkommen, nach oben durch 4, weil der Nenner größer als 1 ist) und hat den Grenzwert $S = 4$ (da $e^{-n} \to 0$ für $n \to \infty$ bzw. da die Funktionswerte zu einer Funktion gehören, die logistisches Wachstum mit $S = 4$ beschreibt).

2

Modellierung durch exponentielles Wachstum:
$f(x) = 45,022 \cdot 1,008^x$ (x in Jahren seit 2004, $f(x)$ in Millionen Fahrzeugen).
Bestand im Jahre 2025: $f(21) = 53,2$.
Verdopplungszeit: $f(x) = 2 \cdot 45,022$ hat die Lösung $x = 87$ (gerundet).

3

a) Ansatz: $f(x) = 500 a^x$ (x in Jahren seit Anlagen des Teichs, $f(x)$ in Fischen). $f(3) = 900$ hat die Lösung $a = 1,216$ (gerundet), Wachstumskonstante $k = \ln(a) = 0,196$;
$f(x) = 500 \cdot 1,216^x = 500 e^{0,196x}$. $f(7) = 1972$ (gerundet). Nach sieben Jahren beträgt der Fischbestand etwa 1972.
b) Nach vier Jahren beträgt der Bestand $f(4) = 500 e^{0,196 \cdot 4} = 1095$. Schreibt man t für die Jahre ab $x = 4$ und g für die „neue" Wachstumsfunktion, so gilt für $t \geq 0$: $g(t) = f(4)e^{-0,15t}$.
Bestand nach sieben Jahren: $g(3) = 698$.
$g(t) = 500$ hat die Lösung $t = 5,2$ (gerundet). Also ist nach etwa 9,2 Jahren (gerechnet vom Einsetzen der Fische) der Bestand auf etwa 500 Fische abgesunken.

4

a) Anfangs ist die Zunahme der Infizierten nahezu proportional zur Zahl der Infizierten, weil die Infizierten fast nur auf Nichtinfizierte treffen und davon einen bestimmten Prozentsatz anstecken. Später sind schon viele infiziert und können auch bei Kontakt nicht nochmals infiziert werden. Die Zunahme der Infizierten ist dann also etwa proportional zur Zahl der noch nicht Infizierten.

Ansatz: $f(x) = \frac{S}{1 + a \cdot e^{-k \cdot x}}$ (x: Tage seit Rückkehr der Reisegruppe, f(x): Anzahl der Infizierten); man kennt $S = 20\,000$ und $f(0) = 10$. Daraus ergibt sich $a = 1999$. Die Gleichung $f(15) = 10\,000$ hat die Lösung $k = 0,5067$ (gerundet). Damit ergibt sich die Modellfunktion: $f(x) = \frac{20\,000}{1 + 1999 \cdot e^{-0,5067 \cdot x}}$.

Die Zahl der nach zwei Wochen Infizierten beträgt $f(14) = 7520$, also 37,6% der Bevölkerung. Die Gleichung $f(x) = 0,95 \cdot 20\,000$ ergibt $x = 20,8$. Nach drei Wochen sind etwa 95% infiziert.

b) Die Zahl der nach 10 Tagen kranken Einwohner beträgt $f(10) - f(5) = 1350$ (gerundet). Die Gleichung $f(x) - f(x - 5) = 10$ gibt den Zeitpunkt an, nach dem weniger als 10 Einwohner krank sind. Lösung (mit GTR): $x = 34,8$ (gerundet). Ab etwa 35 Tagen seit Rückkehr der Reisegruppe sind weniger als 10 Personen krank.

5

a) Es gilt $g(t) < 0$ für alle t, d.h., dass der Kaffee monoton abkühlt. Da $g'(t) = 1,008\,e^{-\frac{3}{25}t} > 0$, ist g streng monoton wachsend. Die Abkühlung geht daher immer langsamer vor sich, denn $g(t) < 0$.

b) $h(t) = 90 + \int_0^t g(x)\,dx = 20 + 70\,e^{-\frac{3}{25}t}$.

$h(t) = 45$ hat die Lösung $t = 8,58$. Nach gut 8,5 Minuten ist die Temperatur auf 45°C gesunken.

c) $h'(t) = g(t)$; $20 - h(t) = -70\,e^{-\frac{3}{25}t}$.

$\frac{h'(t)}{20 - h(t)} = \frac{3}{25}$, also gilt $h'(t) = \frac{3}{25}(20 - h(t))$.

Anmerkung: Diese Differenzialgleichung zeigt, dass bei der Temperaturabnahme beschränktes Wachstum vorliegt.

d) $\int_0^z g(t)\,dt = h(z) - h(0) = 70\,e^{-\frac{3}{25}z} - 70$, da h eine Stammfunktion von g ist. Daher gilt: $\lim\limits_{z \to \infty} \int_0^z g(t)\,dt = \lim\limits_{z \to \infty} h(z) - h(0) = -70$.

Der Kaffee kühlt insgesamt um 70°C ab.

Kapitel VI, Zeit zu überprüfen, Seite 214

7

a) $(-5; -1; -1)$ b) $\left(\frac{3}{7}; -\frac{6}{7}; -\frac{23}{7}\right)$ c) $(9,5; 10,5; 5,5)$

Kapitel VI, Zeit zu wiederholen, Seite 215

13

Man würde bei Uranus kaufen.

Kapitel VI, Zeit zu überprüfen, Seite 218

6

a) $L = \{(4; -2; -2)\}$ b) $L = \{\}$ c) $L = \left\{\left(-\frac{3}{2} - \frac{1}{2}t; \frac{1}{2} + \frac{1}{2}t; t\right) \middle| t \in \mathbb{R}\right\}$

7

a) $L = \{(-444,5; -570,5; 385)\}$ b) $L = \left\{\left(\frac{129}{23}; -\frac{359}{23}; \frac{4}{23}\right)\right\}$

c) $L = \{\}$

Kapitel VI, Zeit zu überprüfen, Seite 220

7

$f(x) = -0,25\,x^3 + 0,75\,x^2 + 0,5\,x + 4$

8

Aus der Symmetrie zur y-Achse folgt, dass im Funktionsterm nur gerade Exponenten von x vorkommen.

Aus $H(1|-3)$ Hochpunkt folgt: $f(1) = -3$ und $f'(1) = 0$.

Schnittpunkt mit der y-Achse bei $y = -1$ liefert die Bedingung: $f(0) = -1$.

Die Lösung des LGS ergibt: $f(x) = 2\,x^4 - 4\,x^2 - 1$.

Der Graph dieser Funktion hat aber an der Stelle $x = 1$ einen Tiefpunkt. Es gibt somit keine ganzrationale Funktion vierten Grades mit den geforderten Eigenschaften.

Kapitel VI, Zeit zu überprüfen, Seite 224

4

a) 1. Variablen einführen: Anteil A: x_1
                             Anteil B: x_2
                             Anteil C: x_3

2. Gleichungen aufstellen:
$$x_1 + x_2 + x_3 = 1$$
$$0,5\,x_1 + 0,4\,x_2 + 0,6\,x_3 = 0,5$$

3. Lösung: $x_1 = 1 - 2\,x_3$; $x_2 = x_3$

4. Ergebnis interpretieren:

Da $x_1; x_2; x_3 \geq 0$ sein muss, folgt $x_3 \leq 0,5$. Es können höchstens 500 cm³ der Sorte C verwendet werden.

b) Gleichungen aufstellen:
$$x_1 + x_2 + x_3 = 1$$
$$0,5\,x_1 + 0,4\,x_2 + 0,6\,x_3 = 0,5$$
$$0,05\,x_1 + 0,1\,x_2 + 0,3\,x_3 = 0,2$$

Lösung: $x_1 = 0$; $x_2 = 0,5$; $x_3 = 0,5$

Ergebnis interpretieren:

Mit je 500 cm³ der Sorten B und C kann man 1 l PLOP mit 20% Maracujaanteil mischen.

5

1. Variablen einführen: Anzahl A: x_1
                          Anzahl B: x_2
                          Anzahl C: x_3

2. Gleichungen aufstellen:
$$5\,x_1 + 10\,x_2 + 7\,x_3 = 75$$
$$40\,x_1 + 30\,x_2 + 30\,x_3 = 400$$
$$5\,x_1 + 10\,x_2 + 13\,x_3 = 75$$

3. Lösung: $x_1 = 7$; $x_2 = 4$; $x_3 = 0$

4. Ergebnis interpretieren:

Um seinen täglichen Nahrungsbedarf zu decken, benötigt ein Erwachsener 7 Würfel A und 4 Würfel B.

9

a) $\begin{pmatrix} 5 \\ 3 \\ 0 \end{pmatrix}$ b) $\begin{pmatrix} 10 \\ -5 \\ -3 \end{pmatrix}$

10

a) Die Geraden g und h sind windschief.

b) Die Geraden g und h schneiden sich im Punkt $S(4|6|-4)$.

Kapitel VI, Prüfungsvorbereitung ohne Hilfsmittel, Seite 234

1

a) $L = \{(11; 1; 3)\}$ b) $L = \{(0; 6; 2)\}$ c) $L = \{(-2; 3; 4)\}$

2

a) $L = \left\{\left(-\frac{14}{9} + t; \frac{43}{9} - t; t\right) \middle| t \in \mathbb{R}\right\}$ b) $L = \{(1 - t; 2 + 2t; t)\}$

c) $L = \left\{\left(2 - \frac{5}{4}t; -1 - \frac{7}{4}t; t\right) \middle| t \in \mathbb{R}\right\}$

3

a) $L = \{(-1; 2)\}$ b) $L = \{\}$ c) $L = \{(3 - 1{,}5t; t)\}$

4

a) $L = \left\{\left(\frac{18}{5} + \frac{14}{5}r; \frac{18}{5} + \frac{24}{5}r; 6 + 4r\right)\right\}$

b) $L = \{(5 - r; -6 + 4{,}5r; -16 + 12{,}5r)\}$

c) $L = \left\{\left(2 + r; -\frac{10}{7} - \frac{6}{7}r; -\frac{4}{7} - \frac{1}{7}r\right)\right\}$

5

a) LGS:
$$\begin{aligned} \alpha + \beta + \gamma + \delta &= 360° \\ \alpha - \gamma &= 0° \\ \alpha - 2\beta &= 0° \\ \beta - 2\gamma + \delta &= 0° \end{aligned}$$
Lösung: $\alpha = 90°$; $\beta = 45°$; $\gamma = 90°$; $\delta = 135°$

b) LGS:
$$\begin{aligned} \alpha + \beta + \gamma + \delta &= 360° \\ \alpha - \gamma &= 0° \\ \alpha - \beta &= -40° \\ \beta - 4\gamma + \delta &= 0° \end{aligned}$$
Lösung: $\alpha = 60°$; $\beta = 100°$; $\gamma = 60°$; $\delta = 140°$

6

$f(x) = 2x^2 + 8x - 3$; Scheitelpunkt: $S(-2|-11)$

7

Ansatz: $f(x) = a_2x^2 + a_1x + a_0$

LGS:
$$\begin{aligned} a_2 - a_1 + a_0 &= 4 \\ 16a_2 - 4a_1 + a_0 &= 5 \\ -2a_2 + a_1 &= 0 \end{aligned}$$
Lösung: $a_2 = \frac{1}{9}$; $a_1 = \frac{2}{9}$, $a_0 = \frac{37}{9}$; $f(x) = \frac{1}{9}x^2 + \frac{2}{9}x + \frac{37}{9}$

Der Graph dieser Funktion hat aber an der Stelle $x = -1$ einen Tiefpunkt, also gibt es keine solche Funktion.

8

a) Ansatz: $f(x) = a_3x^3 + a_2x^2 + a_1x + a_0$

LGS:
$$\begin{aligned} 27a_3 + 9a_2 + 3a_1 + a_0 &= -8 && \text{(Punkt } (3|-8)) \\ a_0 &= 0 && \text{(Punkt } (0|0)) \\ 27a_3 + 6a_2 + a_1 &= 0 && \text{(Extremstelle, } f'(3) = 0) \\ 2a_2 &= 0 && \text{(Wendestelle, } f''(0) = 0) \end{aligned}$$
Lösung: $a_3 = \frac{4}{27}$; $a_2 = 0$; $a_1 = -4$; $a_0 = 0$; $f(x) = \frac{4}{27}x^3 - 4$

Der Graph dieser Funktion hat an der Stelle $x = 3$ einen Tiefpunkt.

b) Ansatz: $f(x) = a_3x^3 + a_2x^2 + a_1x + a_0$

LGS:
$$\begin{aligned} 8a_3 + 4a_2 + 2a_1 + a_0 &= 23 && \text{(Punkt } (2|23)) \\ 64a_3 + 16a_2 + 4a_1 + a_0 &= 19 && \text{(Punkt } (4|19)) \\ 12a_3 + 4a_2 + a_1 &= 0 && \text{(Extremstelle, } f'(2) = 0) \\ 48a_3 + 8a_2 + a_1 &= 0 && \text{(Extremstelle, } f'(4) = 0) \end{aligned}$$
Lösung: $a_3 = 1$; $a_2 = -9$; $a_1 = 24$, $a_0 = 3$; $f(x) = x^3 - 9x^2 + 24x + 3$

9

Z.B.:
$$\begin{aligned} x_1 + x_2 + x_3 &= 1 \\ x_1 + x_2 + x_3 &= 2 \end{aligned}$$

10

a) Die Aussage ist falsch. Zum Beispiel:
$$\begin{aligned} x_1 + x_2 &= 0 \\ x_1 + x_2 &= 1 \end{aligned}$$
Das LGS hat keine Lösung.

b) Die Aussage ist falsch.

Zum Beispiel:
$$\begin{aligned} x_1 + x_2 - x_3 &= 1 \\ 2x_1 + 3x_2 - x_3 &= 4 \\ x_1 - x_2 + x_3 &= 1 \\ x_1 + x_2 + x_3 &= 3 \end{aligned}$$
Das LGS hat keine Lösung.

11

a) $L = \{(t; 3 - 2t) \mid t \in \mathbb{R}\}$, $x_1 = t$, $x_2 = 3 - 2t$

Ersetzt man den Parameter t, so erhält man: $x_2 = -2x_1 + 3$.

Der Graph ist eine Gerade mit der Steigung -2 und dem Achsenabschnitt 3.

b) Jede der beiden Gleichungen hat für sich eine Lösungsmenge, die sich als Graph einer Geraden veranschaulichen lässt. Da die Geraden unterschiedliche Steigungen haben (2 und -2), existiert ein Schnittpunkt. Dessen Koordinaten entsprechen der eindeutigen Lösung des LGS.

Ein Gleichungssystem mit zwei Variablen hat keine Lösung, wenn die zu zwei seiner Gleichungen gehörenden Geraden parallel sind (oder die Geraden bei mehr als zwei Gleichungen verschiedene Schnittpunkte haben).

Die Lösung ist eindeutig, wenn die zu den Gleichungen gehörenden Geraden alle durch einen gemeinsamen Punkt gehen.

Die Lösungsmenge ist unbegrenzt, wenn alle Gleichungen die gleiche Gerade darstellen.

1

a) $f(x) = 2x^3 - 4x^2 - 2x + 4$ b) $f(x) = 4x^3 - 4x^2 - 36x - 4$

2

$f(-2) = 3$; $f'(-2) = 0$; $f(2) = 1$; $f'(2) = 0$

Man erhält: $f(x) = \frac{1}{16}x^3 - \frac{3}{4}x + 2$.

3

a) Ansatz: $f(x) = a_3x^3 + a_2x^2 + a_1x + a_0$

LGS:

$-a_3 + a_2 - a_1 + a_0 = 0$ (Nullstelle $x = -1$)

$6{,}75a_3 + 3a_2 + a_1 = 0$ (Extremstelle, $f'(1{,}5) = 0$)

$\frac{8}{27}a_3 + \frac{4}{9}a_2 + \frac{2}{3}a_1 + a_0 = -\frac{11}{3}$ $\left(\text{Punkt } \left(\frac{2}{3} \mid -\frac{11}{3}\right)\right)$

$4a_3 + \frac{4}{3}a_2 = 0$ $\left(\text{Wendestelle, } f''\left(\frac{2}{3}\right) = 0\right)$

$\frac{4}{3}a_3 + \frac{4}{3}a_2 + a_1 = -\frac{34}{3}$ $\left(\text{Steigung der Wende-tangente, } f'\left(\frac{2}{3}\right) = -\frac{34}{3}\right)$

Lösung: $L = \{\ \}$

Eine Funktion mit den gegebenen Eigenschaften gibt es nicht.

b) Ansatz: $f(x) = a_3x^3 + a_2x^2 + a_1x + a_0$

LGS:

$8a_3 + 4a_2 + 2a_1 + a_0 = 4$ (Punkt $(2 \mid 4)$)

$-\frac{1}{8}a_3 + \frac{1}{4}a_2 - \frac{1}{2}a_1 + a_0 = 6{,}5$ (Punkt $(-0{,}5 \mid 6{,}5)$)

$12a_3 - 4a_2 + a_1 = 0$ (Hochpunkt, $f'(-2) = 0$)

$-3a_3 + 2a_2 = 0$ (Wendepunkt, $f''(-0{,}5) = 0$)

Lösung: $L = \{(2; 3; -12; 0)\}$; $f(x) = 2x^3 + 3x^2 - 12x$

Der Graph der Funktion f hat an der Stelle $x = -2$ einen Hochpunkt.

4

$n = 7454$

5

Für f mit $f(t) = a \cdot t \cdot e^{-kt}$ erhält man mithilfe der Produkt- und Kettenregel: $f'(t) = a \cdot e^{-kt} - a \cdot k \cdot t \cdot e^{-kt} = (1 - kt) \cdot a \cdot e^{-kt}$.

Aus den Angaben folgt: $f(3) = 27$ und $f'(3) = 0$.

Damit ergibt sich: (I) $3 \cdot a \cdot e^{-3k} = 27$ und (II) $(1 - 3k) \cdot a \cdot e^{-3k} = 0$.

Da $a > 0$ und $e^{-3k} > 0$ folgt aus (II) $1 - 3k = 0$ und daraus $k = \frac{1}{3}$.

Aus (I) folgt damit $a = 9e$.

Damit ergibt sich $f(t) = 9 \cdot e \cdot t \cdot e^{-\frac{1}{3}t}$. Der Graph von f hat an der Stelle $t = 3$ das geforderte Maximum.

6

a) LGS: $a - 36b = 350$

$6a - 702b = 1160$

Lösung: $a \approx 419{,}63$; $b \approx 1{,}93$

Wähle $a = 420$ und $b = 2$. $f(x) = \frac{(420x - 10)}{(2x - 10)}$;

$f(15) = 157{,}75$; man würde für die 15. Woche etwa 157 verkaufte Stücke erwarten.

b) LGS: $3a - 237b = 780$

$4a - 376b = 930$

Lösung: $a \approx 404{,}83$; $b \approx 1{,}83$

Wähle $a = 405$ und $b = 2$. $f(x) = \frac{(405x - 10)}{(2x - 10)}$;

$f(15) = 152{,}13$; man würde für die 15. Woche etwa 152 verkaufte Stück erwarten. Dies entspricht etwa 96,81 % des Wertes aus a).

7

a) x_1; x_2; x_3 sind die Prozentangaben für die Sorten A, B und C.

LGS: $96x_1 + 93x_2 + 93{,}2x_3 = 95$

$2{,}5x_1 + 4x_2 + 3{,}9x_3 = 3$

$x_1 + x_2 + x_3 = 1$

Lösung: $L = \left\{\left(\frac{2}{3} - \frac{1}{15}t; \frac{1}{3} - \frac{14}{15}t; t\right) \mid t \in \mathbb{R}\right\}$. Für t gilt: $0 \le t \le \frac{5}{14}$.

b) x_1; x_2; x_3 sind die Prozentangaben für die Sorten A, B und C.

LGS: $96x_1 + 93x_2 + 93{,}2x_3 = 95$

$2{,}5x_1 + 4x_2 + 3{,}9x_3 = 3$

$1{,}1x_1 + 1{,}4x_2 + 1{,}2x_3 = 1{,}2$

$0{,}4x_1 + 1{,}6x_2 + 1{,}7x_3 = 0{,}8$

Lösung: $L = \left\{\left(\frac{2}{3}; \frac{1}{3}; 0\right)\right\}$.

Kapitel VII, Zeit zu überprüfen, Seite 245

7

$|\vec{a}| = \sqrt{16 + 5 + 4} = 5$; $\vec{a_0} = \frac{1}{5} \cdot \begin{pmatrix} 4 \\ \sqrt{5} \\ 2 \end{pmatrix}$

8

$\overline{PQ} = \sqrt{(6{,}5 - 1)^2 + (2 - 1)^2 + (5 - 1)^2} = \sqrt{47{,}25} \approx 6{,}9$

9

Der Punkt $S(3 \mid 3 \mid 3)$ hat von den Ecken des Würfels den Abstand $3 \cdot \sqrt{3}$.

Kapitel VII, Zeit zu überprüfen, Seite 249

8

a) Z.B.: E: $\vec{x} = \begin{pmatrix} 1 \\ 0 \\ 0 \end{pmatrix} + r \cdot \begin{pmatrix} -1 \\ 1 \\ 0 \end{pmatrix} + s \cdot \begin{pmatrix} -1 \\ 0 \\ 1 \end{pmatrix}$;

E: $\vec{x} = \begin{pmatrix} -1 \\ 1 \\ 1 \end{pmatrix} + r \cdot \begin{pmatrix} -2 \\ 2 \\ 0 \end{pmatrix} + s \cdot \begin{pmatrix} -3 \\ 0 \\ 3 \end{pmatrix}$

b) Die Punkte P und Q liegen nicht in der Ebene E.

Kapitel VII, Zeit zu überprüfen, Seite 252

11

$\vec{a}$ und $\vec{c}$ sind zueinander orthogonal.

$\vec{a}$ und $\vec{d}$ sind zueinander orthogonal.

$\vec{b}$ und $\vec{d}$ sind zueinander orthogonal.

$\vec{b}$ und $\vec{e}$ sind zueinander orthogonal.

$\vec{c}$ und $\vec{d}$ sind zueinander orthogonal.

12

a) Das Viereck ABCD ist ein Rechteck.

b) Das Viereck ABCD ist kein Rechteck.

13

$$\vec{x} = t \cdot \begin{pmatrix} 1 \\ 3,5 \\ -0,25 \end{pmatrix}$$

Kapitel VII, Zeit zu wiederholen, Seite 253

20

Formel (I): Prismen (d.h. auch Quader, Würfel), Zylinder
Formel (II): Kegel, Pyramide

21

$$V_{Wasser} = \frac{2}{3} \cdot 10\,cm^2 \cdot 15\,cm = 100\,cm^3$$

Kapitel VII, Zeit zu überprüfen, Seite 256

5

a) $\left[\vec{x} - \begin{pmatrix} 0 \\ 3 \\ 0 \end{pmatrix} \right] \cdot \begin{pmatrix} 2 \\ 3 \\ 1 \end{pmatrix} = 0$ b) $\left[\vec{x} - \begin{pmatrix} 4 \\ 0 \\ 0 \end{pmatrix} \right] \cdot \begin{pmatrix} 1 \\ 1 \\ 0 \end{pmatrix} = 0$

c) $\vec{x} \cdot \begin{pmatrix} 1 \\ -1 \\ 0 \end{pmatrix} = 0$

6

Z.B.: E: $10x_1 - 2x_2 + 5x_3 = 10$

Kapitel VII, Zeit zu überprüfen, Seite 259

5

Zum Beispiel:

E: $\vec{x} = \begin{pmatrix} 0 \\ 1 \\ 0 \end{pmatrix} + r \cdot \begin{pmatrix} 2 \\ -1 \\ 1 \end{pmatrix} + s \cdot \begin{pmatrix} 0 \\ -1 \\ 3 \end{pmatrix}$

E: $\left[\vec{x} - \begin{pmatrix} 0 \\ 1 \\ 0 \end{pmatrix} \right] \cdot \begin{pmatrix} 1 \\ 3 \\ 1 \end{pmatrix} = 0$

E: $x_1 + 3x_2 + x_3 - 3$

6

Zum Beispiel:

E: $\vec{x} = \begin{pmatrix} 6 \\ 0 \\ 0 \end{pmatrix} + r \cdot \begin{pmatrix} -1 \\ 1 \\ 0 \end{pmatrix} + s \cdot \begin{pmatrix} -1 \\ 0 \\ 1 \end{pmatrix}$

Kapitel VII, Zeit zu überprüfen, Seite 261

6

Die Ebene E in Fig. 3 ist parallel zur x_1x_3-Ebene und es gilt
E: $x_2 = 3$.
Die Ebene E in Fig. 4 ist parallel zur x_3-Achse und es gilt
E: $5x_1 + x_2 = 5$.

7

a)

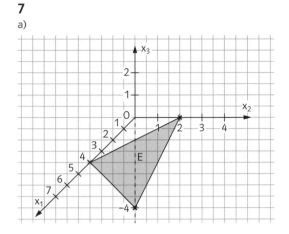

b)

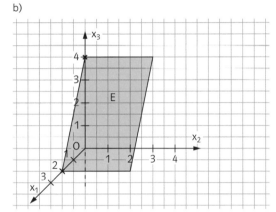

c)

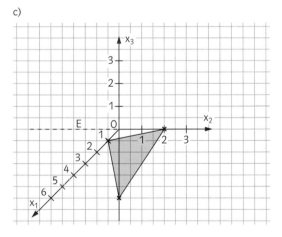

d) Die Ebene E ist die x_1x_3-Ebene.

8

Zum Beispiel:

E: $\left[\vec{x} - \begin{pmatrix} 0 \\ 0 \\ 3 \end{pmatrix} \right] \cdot \begin{pmatrix} 3 \\ 6 \\ 4 \end{pmatrix} = 0$ E: $3x_1 + 6x_2 + 4x_3 = 12$

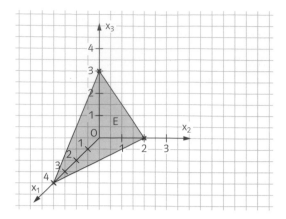

1

a) Die Geraden schneiden sich im Punkt $S\left(-27\frac{4}{9}\big|26\frac{5}{9}\right)$.

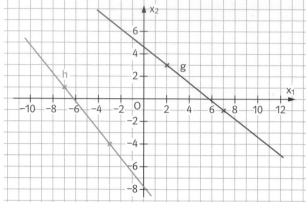

b) Die Geraden sind zueinander windschief.

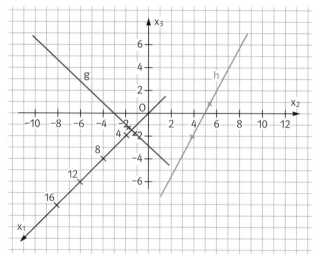

Kapitel VII, Zeit zu überprüfen, Seite 263

3

a) $S\left(2\frac{6}{13}\big|2\frac{12}{13}\big|-2\frac{8}{13}\right)$

b) Die Gerade g und die Ebene E haben keine gemeinsamen Punkte, sie sind zueinander parallel.

c) Die Gerade g liegt in der Ebene E.

d) $S\left(\frac{3}{4}\big|-\frac{1}{2}\big|-7\frac{3}{4}\right)$

e) $S(1|0|-7)$

f) $S(1|0|-7)$

4

Die Gerade g und die Ebene E haben keine gemeinsamen Punkte, sie sind zueinander parallel.

Kapitel VII, Zeit zu überprüfen, Seite 267

4

a) Die Ebenen schneiden sich.

Eine Gleichung für die Schnittgerade ist $\vec{x} = \begin{pmatrix} -17 \\ 0 \\ 7 \end{pmatrix} + t \cdot \begin{pmatrix} 1 \\ 1 \\ 0 \end{pmatrix}$.

b) Die beiden Ebenen haben keine gemeinsamen Punkte, sie sind zueinander parallel.

c) Die Ebenen schneiden sich.

Eine Gleichung für die Schnittgerade ist $\vec{x} = \begin{pmatrix} 2\frac{2}{3} \\ -1 \\ 0 \end{pmatrix} + t \cdot \begin{pmatrix} \frac{3}{2} \\ \frac{1}{4} \\ -1 \end{pmatrix}$.

Kapitel VII, Zeit zu wiederholen, Seite 272

20

Kreisteil: $A = r^2 \cdot (\pi - 0,5); \ A \approx 5,9\,\text{cm}^2$

Parallelogrammteil: $A = 2\,\text{cm} \cdot \left(4\,\text{cm} - \frac{2,5\,\text{cm} + 1\,\text{cm}}{2}\right); \ A = 4,5\,\text{cm}^2$

21

a) Parallelogramme (d.h. auch Rechtecke, Quadrate)

b) Dreiecke

2

Die Raumdiagonalen schneiden sich im Punkt $S(3|2|1)$.

Der Punkt S hat von den Kantenmitten die Abstände $\sqrt{5}$, $\sqrt{10}$ und $\sqrt{13}$.

3

Geradengleichung: $\vec{x} = \begin{pmatrix} 1 \\ 1 \\ 1 \end{pmatrix} + r \cdot \frac{1}{\sqrt{29}} \begin{pmatrix} -2 \\ 4 \\ -3 \end{pmatrix}$

a) $P\left(1 - \frac{10}{\sqrt{29}}\big|1 + \frac{20}{\sqrt{29}}\big|1 - \frac{15}{\sqrt{29}}\right); \ Q\left(1 + \frac{10}{\sqrt{29}}\big|1 - \frac{20}{\sqrt{29}}\big|1 + \frac{15}{\sqrt{29}}\right)$

b) $P\left(1 - \frac{5}{\sqrt{29}}\big|1 + \frac{10}{\sqrt{29}}\big|1 - \frac{7,5}{\sqrt{29}}\right); \ Q\left(1 + \frac{5}{\sqrt{29}}\big|1 - \frac{10}{\sqrt{29}}\big|1 + \frac{7,5}{\sqrt{29}}\right)$

c) $P\left(1 - \frac{40}{\sqrt{29}}\big|1 + \frac{80}{\sqrt{29}}\big|1 - \frac{60}{\sqrt{29}}\right); \ Q\left(1 + \frac{40}{\sqrt{29}}\big|1 - \frac{80}{\sqrt{29}}\big|1 + \frac{60}{\sqrt{29}}\right)$

4

a) $E: \vec{x} = \begin{pmatrix} 3 \\ 0 \\ 2 \end{pmatrix} + r \cdot \begin{pmatrix} 2 \\ -1 \\ 5 \end{pmatrix} + s \cdot \begin{pmatrix} -3 \\ -2 \\ -2 \end{pmatrix}$

b) $E: \vec{x} = \begin{pmatrix} 1 \\ 0 \\ 3 \end{pmatrix} + r \cdot \begin{pmatrix} 0 \\ 3 \\ -3 \end{pmatrix} + s \cdot \begin{pmatrix} 0 \\ -3 \\ -3 \end{pmatrix}$

c) $E: \vec{x} = \begin{pmatrix} 2 \\ 1 \\ 7 \end{pmatrix} + r \cdot \begin{pmatrix} -9 \\ -2 \\ -5 \end{pmatrix} + s \cdot \begin{pmatrix} -1 \\ -2 \\ -6 \end{pmatrix}$

d) $E: \vec{x} = \begin{pmatrix} 2 \\ 1 \\ 3 \end{pmatrix} + r \cdot \begin{pmatrix} -7 \\ 6 \\ -1 \end{pmatrix} + s \cdot \begin{pmatrix} 4 \\ 1 \\ 0 \end{pmatrix}$

5

a) $A(1|1|0)$; $B(0|1|0)$; $C(0|1|1)$; $D(1|1|1)$

b) $A(1|1|0)$; $B(0|1|0)$; $C(-1|1|1)$; $D(0|1|1)$

6

$\vec{a}$ und $\vec{c}$ sind zueinander orthogonal.
$\vec{b}$ und $\vec{c}$ sind zueinander orthogonal.
$\vec{d}$ und $\vec{e}$ sind zueinander orthogonal.

7

a) Koordinatengleichung $E: x_1 + x_2 + x_3 = 1$

Normalengleichung $E: \left[\vec{x} - \begin{pmatrix} 1 \\ 0 \\ 0 \end{pmatrix} \right] \cdot \begin{pmatrix} 1 \\ 1 \\ 1 \end{pmatrix} = 0$

Der Punkt D liegt nicht in der Ebene E.

b) Normalengleichung $E: \left[\vec{x} - \begin{pmatrix} 2 \\ -1 \\ 7 \end{pmatrix} \right] \cdot \begin{pmatrix} -2 \\ 1 \\ -\frac{5}{8} \end{pmatrix} = 0$

Koordinatengleichung $E: -2x_1 + x_2 - \frac{5}{8}x_3 = -1\frac{3}{8}$

Der Punkt D liegt nicht in der Ebene E.

8

a) Die Ebenen E_1 und E_3 sind zueinander parallel. Die Ebenen E_2 und E_4 sind zueinander parallel.

b) $E: \left[\vec{x} - \begin{pmatrix} 2 \\ 3 \\ 7 \end{pmatrix} \right] \cdot \begin{pmatrix} 3 \\ -5 \\ 1 \end{pmatrix} = 0$

9

a) Die Gerade g ist zur Ebene E orthogonal.

b) Die Gerade g ist zur Ebene E nicht orthogonal.

10

An der Koordinatengleichung kann man einen Normalenvektor der Ebene ablesen.

Ist der Richtungsvektor der Gerade nicht orthogonal zum Normalenvektor der Ebene, dann schneidet die Gerade die Ebene.

11

a) Die Gerade und die Ebene schneiden sich im Punkt $S\left(2\frac{14}{17} \middle| 2\frac{3}{17} \middle| 2\frac{4}{17}\right)$.

b) Die Gerade und die Ebene schneiden sich im Punkt $S\left(1\frac{3}{5} \middle| 3\frac{2}{5} \middle| \frac{2}{5}\right)$.

c) Die Gerade und die Ebene schneiden sich im Punkt $S(2|3|1)$.

12

$E_1: 20x_1 + 12x_2 + 15x_3 = 60$; $E_2: 3x_1 + 2x_2 = 12$; $E_3: x_2 = 3$

Kapitel VII, Prüfungsvorbereitung mit Hilfsmitteln, Seite 277

1

Wählt man die hintere linke Ecke als Koordinatenursprung, so ergeben sich als mögliche Ebenengleichungen

$E_1: \vec{x} = \begin{pmatrix} 6 \\ 0 \\ 2 \end{pmatrix} + r \cdot \begin{pmatrix} -6 \\ 0 \\ 0 \end{pmatrix} + s \cdot \begin{pmatrix} -6 \\ 4 \\ 4 \end{pmatrix}$ und $E_2: \vec{x} = \begin{pmatrix} 6 \\ 6 \\ 2 \end{pmatrix} + u \cdot \begin{pmatrix} -6 \\ 0 \\ 0 \end{pmatrix} + v \cdot \begin{pmatrix} -6 \\ -4 \\ 4 \end{pmatrix}$.

Eine Gleichung der Schnittgeraden ist $g: \vec{x} = \begin{pmatrix} 1,5 \\ 3 \\ 5 \end{pmatrix} + t \cdot \begin{pmatrix} -6 \\ 0 \\ 0 \end{pmatrix}$.

2

Wählt man die hintere linke Ecke als Koordinatenursprung, so liegt das Dreieck BDE in der Ebene K mit der Gleichung

$\vec{x} = r \cdot \begin{pmatrix} 1 \\ 1 \\ 0 \end{pmatrix} + s \cdot \begin{pmatrix} 1 \\ 0 \\ 1 \end{pmatrix}$.

Ein Normalenvektor dieser Ebene ist $\begin{pmatrix} 1 \\ -1 \\ -1 \end{pmatrix}$.

Die Gerade g mit der Gleichung $\vec{x} = \begin{pmatrix} 0 \\ 1 \\ 1 \end{pmatrix} + t \cdot \begin{pmatrix} 1 \\ -1 \\ -1 \end{pmatrix}$ geht durch den Punkt G und ist orthogonal zur Ebene K. Die Gerade g schneidet K im Punkt $S\left(\frac{2}{3} \middle| \frac{1}{3} \middle| \frac{1}{3}\right)$.

Der Abstand des Punktes G von der Ebene K beträgt $\frac{2}{3} \cdot \sqrt{3}$.

Der Flächeninhalt des Dreiecks BDE beträgt $\frac{1}{2} \cdot \sqrt{2} \cdot \frac{1}{2} \cdot \sqrt{6} = \frac{1}{2} \cdot \sqrt{3}$.

Das Volumen der Pyramide beträgt somit $\frac{1}{3} \cdot \frac{1}{2} \cdot \sqrt{3} \cdot \frac{2}{3} \cdot \sqrt{3} = \frac{1}{3}$.

3

a) $x_1 = 7$ b) $\overline{AB} = 7$ und $\overline{AD} = 7$

c) $C(7|7|7)$ d) $S(7|3,5|3,5)$

4

a)

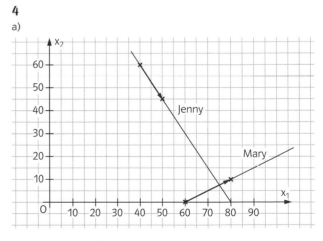

b) Die beiden Schiffe sind ca. 63,246 km voneinander entfernt.

c) Ja.

d) Position der Mary: $M(160|50)$; Position der Jenny: $J(90|-15)$; Entfernung: ca. 95,525 km.

441

5

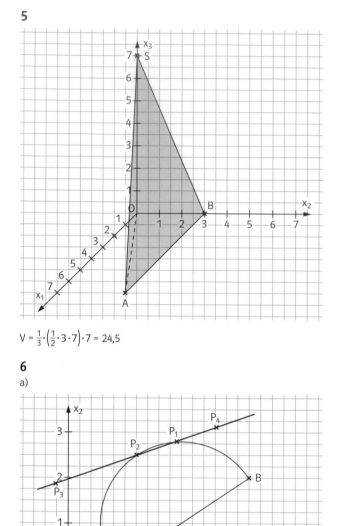

$V = \frac{1}{3} \cdot \left(\frac{1}{2} \cdot 3 \cdot 7\right) \cdot 7 = 24{,}5$

6

a)

b) $P_1(2{,}4 \,|\, 2{,}8)$; $P_2(1{,}5 \,|\, 2{,}5)$; $P_3\left(-\frac{3}{11} \,\middle|\, 1\frac{10}{11}\right)$; $P_4\left(3\frac{3}{11} \,\middle|\, 3\frac{1}{11}\right)$

7

Die erste Kugel erreicht ihren Zielpunkt nach 5 Zeiteinheiten. Die zweite Kugel befindet sich zu diesem Zeitpunkt im Punkt $U\left(0 \,\middle|\, 3 - \frac{15}{\sqrt{58}} \,\middle|\, \frac{35}{\sqrt{58}}\right)$ und hat somit den Abstand $\approx 1{,}9$ von der ersten Kugel.

Kapitel VIII, Zeit zu überprüfen, Seite 282

6

$d = \frac{15}{\sqrt{35}} = \frac{3\sqrt{35}}{7}$

7

$P_1(2 \,|\, 8 \,|\, {-7})$, $P_2({-2} \,|\, {-4} \,|\, 11)$

Kapitel VIII, Zeit zu wiederholen, Seite 282

13

a) $x = 5$ b) $x = 6$ c) $x = 6$ d) $x = 6$

14

a) 2^{3+x} b) e^{2x} c) 64^x d) 9^{x+5}

Kapitel VIII, Zeit zu überprüfen, Seite 285

5

a) $d(A; E) = \frac{2}{3}$; $d(B; E) = 0$; $d(C; E) = 3$
(der Punkt C hat die größte Entfernung)
b) $d(A; E) = 0$; $d(B; E) = \frac{12}{\sqrt{35}} \approx 2{,}03$; $d(C; E) = \frac{14}{\sqrt{35}} \approx 2{,}37$
(der Punkt C hat die größte Entfernung)
c) $d(A; E) = 1$; $d(B; E) = 0$; $d(C; E) = 3$
(der Punkt C hat die größte Entfernung)

Kapitel VIII, Zeit zu überprüfen, Seite 288

5

a) $P(1 \,|\, 1 \,|\, 0)$ b) $P\left(\frac{8}{3} \,\middle|\, \frac{10}{3} \,\middle|\, \frac{5}{3}\right)$

Kapitel VIII, Zeit zu überprüfen, Seite 290

4

a) $d = 19$ b) $d = 11$

5

$G(0 \,|\, 3 \,|\, 4)$, $H(7 \,|\, 7 \,|\, 0)$

Kapitel VIII, Zeit zu überprüfen, Seite 294

5

$\sphericalangle\, ROP = 14{,}8°$; $\sphericalangle\, OPQ = 137{,}5°$; $\sphericalangle\, PQR = 54{,}8°$; $\sphericalangle\, ORQ = 67{,}9°$
$\overline{OP} = \sqrt{38}$; $\overline{PQ} = \sqrt{14}$; $\overline{QR} = \sqrt{26}$; $\overline{RO} = 7\sqrt{2}$

Kapitel VIII, Zeit zu überprüfen, Seite 297

5

a) $84{,}8°$ b) $67{,}2°$ c) $7{,}4°$

Kapitel VIII, Zeit zu wiederholen, Seite 299

20

a) $H = 15\,\text{m}$
b) Rote Strecke: $l = 3\sqrt{3}\,\text{m} \approx 5{,}2\,\text{m}$
c) $V_{Gesamt} = \frac{1}{3} \cdot 36 \cdot 15\,\text{m}^3 = 180\,\text{m}^3$
$V_{Spitze} = \frac{1}{3} \cdot 16 \cdot 10\,\text{m}^3 = \frac{160}{3}\,\text{m}^3$; $V_{Stumpf} = \frac{380}{3}\,\text{m}^3$;   Anteil: $70{,}4\,\%$

21

a) Man zeichnet einen Kreis k mit Radius r. Man wählt einen beliebigen Punkt P_1 auf dem Kreis k und zeichnet um P_1 einen Kreis mit Radius r. Die Schnittpunkte P_2 und P_3 des neuen Kreises mit dem

Kreis k ergeben Mittelpunkte für weitere Kreise. Man fährt fort, bis man 6 Schnittpunkte auf dem Kreis k markiert hat. Diese Punkte sind die Eckpunkte des regelmäßigen Sechsecks.

b) Mit der Formel w = 180°·n − 360° kann man die Winkelsumme w für ein n-Eck berechnen.

Man erhält: Fünfeck: 540°; Sechseck: 720°; Achteck: 1080°.

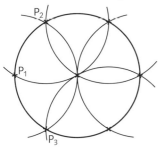

Kapitel VIII, Zeit zu überprüfen, Seite 302

4

a) $g': \vec{x} = \begin{pmatrix} -4 \\ 2 \\ -3 \end{pmatrix} + t \cdot \begin{pmatrix} 1 \\ -5 \\ 2 \end{pmatrix}$
b) $g': \vec{x} = \begin{pmatrix} 4 \\ -2 \\ 3 \end{pmatrix} + t \cdot \begin{pmatrix} \frac{10}{7} \\ -\frac{29}{7} \\ \frac{23}{7} \end{pmatrix}$

c) $g': \vec{x} = \begin{pmatrix} 4 \\ -2 \\ 3 \end{pmatrix} + t \cdot \begin{pmatrix} 5 \\ -1 \\ 2 \end{pmatrix}$

Kapitel VIII, Zeit zu wiederholen, Seite 309

25

a) $\alpha_2 = \beta = 58°$; $\gamma_1 = 61°$; $\gamma_2 = \gamma_3 = 29°$

b) Ist S der Schnittpunkt der beiden Geraden, dann kann man den Winkel bei S über die Winkelsumme im Dreieck SBC berechnen: 93°. Somit sind die Geraden nicht senkrecht.

c) 120°

Kapitel VIII, Prüfungsvorbereitung ohne Hilfsmittel, Seite 314

1

a) Der Abstand eines Punktes P von der Ebene E ist die kleinste Entfernung des Punktes P zur Ebene E. Dieser Abstand ist gleich der Länge des Lotes von P auf E.

b) Lotfußpunkt $F\left(-\frac{8}{3} \mid \frac{10}{3} \mid \frac{13}{3}\right)$. Abstand $d = |\overrightarrow{RF}| = 1$.

HNF: $d = \left| \frac{2 \cdot (-2) - 1 \cdot 3 + 2 \cdot 5 - 0}{\sqrt{2^2 + (-1)^2 + 2^2}} \right| = 1$.

2

Der Richtungsvektor der Geraden ist orthogonal zum Normalen-

vektor der Ebene, denn $\vec{u} \cdot \vec{n} = \begin{pmatrix} 1 \\ 1 \\ 0 \end{pmatrix} \cdot \begin{pmatrix} -6 \\ 6 \\ 7 \end{pmatrix} = 0$. Also ist die Gerade g

parallel zur Ebene E.

Der Abstand der Geraden g zu E ist gleich dem Abstand des Punktes P(4|4|6) der Geraden g von der Ebene E. Es gilt d(P; E) = 3.

3

Z.B.: $P_1(2|2|6)$, $P_2(2|2|-6)$, $P_3(-2|2|-2)$, $P_4(-2|2|-14)$, $P_5(-2|-2|-10)$, $P_6(-2|-2|-22)$

4

a) Unter dem Abstand eines Punktes R von einer Geraden g versteht man die kleinste Entfernung von R zu den Punkten der Geraden g.

b) Die Gerade g ist parallel zur x_2-Achse. Deshalb ist der gesuchte Abstand gleich dem Abstand des Punktes P(3|4|4) der Geraden g von der x_2-Achse. Es gilt: $d(P; x_2\text{-Achse}) = 5$.

5

a) $E: 2x_1 − 2x_2 + x_3 = 13$
b) d = 6

6

A(3|2|0), B(0|2|−3), C(2|0|−2)

a) und b) $\overrightarrow{AB} = \begin{pmatrix} -3 \\ 0 \\ -3 \end{pmatrix}$; $\overrightarrow{AC} = \begin{pmatrix} -1 \\ -2 \\ -2 \end{pmatrix}$; $\overrightarrow{BC} = \begin{pmatrix} 2 \\ -2 \\ 1 \end{pmatrix}$.

Es ist $|\overrightarrow{AC}| = |\overrightarrow{BC}|$, also ist das Dreieck gleichschenklig.

Wegen $\overrightarrow{AC} \cdot \overrightarrow{BC} = 0$ besitzt das Dreieck einen rechten Winkel bei C. Die anderen beiden Winkel sind somit 45° groß.

c) $\overrightarrow{OD} = \overrightarrow{OB} + \overrightarrow{CA} = \begin{pmatrix} 0 \\ 2 \\ -3 \end{pmatrix} + \begin{pmatrix} 1 \\ 2 \\ 2 \end{pmatrix} = \begin{pmatrix} 1 \\ 4 \\ -1 \end{pmatrix}$. Somit D(1|4|−1).

7

Für den Winkel α zwischen g und E gilt:

$$\sin(\alpha) = \frac{\left| \begin{pmatrix} -2 \\ 3 \\ 8 \end{pmatrix} \cdot \begin{pmatrix} 1 \\ 0 \\ 2 \end{pmatrix} \right|}{\left| \begin{pmatrix} -2 \\ 3 \\ 8 \end{pmatrix} \right| \cdot \left| \begin{pmatrix} 1 \\ 0 \\ 2 \end{pmatrix} \right|} = \frac{14}{\sqrt{77} \cdot \sqrt{5}}.$$

Für den Winkel β zwischen h und E gilt:

$$\sin(\beta) = \frac{\left| \begin{pmatrix} -8 \\ 2 \\ 3 \end{pmatrix} \cdot \begin{pmatrix} 1 \\ 0 \\ 2 \end{pmatrix} \right|}{\left| \begin{pmatrix} -8 \\ 2 \\ 3 \end{pmatrix} \right| \cdot \left| \begin{pmatrix} 1 \\ 0 \\ 2 \end{pmatrix} \right|} = \frac{2}{\sqrt{77} \cdot \sqrt{5}}.$$

Es ist also $\sin(\alpha) > \sin(\beta)$. Da die Sinusfunktion zwischen 0° und 90° monoton steigt, gilt damit auch $\alpha > \beta$. Die Gerade g bildet also den größeren Schnittwinkel mit der Ebene E.

8

a) Die x_2-Koordinate aller drei Punkte ist −2. Also liegt das Dreieck in der Ebene $x_2 = -2$. Es ist parallel zur x_1x_3-Ebene. Wegen $\overrightarrow{AB} \cdot \overrightarrow{AC} = 0$ hat das Dreieck ABC bei A einen rechten Winkel.

b) Da das Dreieck rechtwinklig ist, gilt für den Flächeninhalt A: $A = \frac{1}{2} |\overrightarrow{AB}| \cdot |\overrightarrow{AC}| = 150$.

c) $E: x_2 = -2$. d(D; E) = 8

d) $V = \frac{1}{3} \cdot A \cdot d(D; E) = 400$

9

a) A'(−2|1|3)

b) Man fällt das Lot vom Punkt P auf die Gerade g und erhält so den Lotfußpunkt F. Für den Ortsvektor des Bildpunktes P' gilt dann: $\overrightarrow{OP'} = \overrightarrow{OF} + \overrightarrow{PF}$.

10

$P'(-p_1|p_2|p_3)$

Kapitel VIII, Prüfungsvorbereitung mit Hilfsmitteln, Seite 315

1

a) $E: 5x_1 - 2x_2 + 3x_3 = -7$

b) Lotfußpunkt $F(0,5 \,|\, 1 \,|\, -2,5)$; $d = \sqrt{28,5} \approx 5,34$

c) Radius des Kegels: d (siehe b))

Höhe des Kegels: $h = \left| \overrightarrow{FQ} \right| = \sqrt{152}$

Volumen des Kegels: $V = \frac{1}{3}\pi \cdot 28,5 \cdot \sqrt{152} \approx 367,96$

Punkt Q': $\overrightarrow{OQ'} = \overrightarrow{OF} - 2 \cdot \begin{pmatrix} 5 \\ -2 \\ 3 \end{pmatrix} = \begin{pmatrix} 0,5 \\ 1 \\ -2,5 \end{pmatrix} - \begin{pmatrix} 10 \\ -4 \\ 6 \end{pmatrix} = \begin{pmatrix} -9,5 \\ 5 \\ -8,5 \end{pmatrix}$

$Q'(-9,5 \,|\, 5 \,|\, -8,5)$

2

a) $S_a\left(-\frac{3}{a-8} \,\middle|\, 1 - \frac{3a}{a-8} \,\middle|\, 1 - \frac{6}{a-8}\right)$.

Es gibt keine Lösung für $a = 8$. Die Gerade g_8 ist parallel zur Ebene E.

b) Für $a = 14$ liegt der Schnittpunkt in der x_1x_2-Ebene: $S_{14}(-0,5 \,|\, -6 \,|\, 0)$.

3

a) $A'(-1 \,|\, -1 \,|\, 6)$, $B'(1 \,|\, -1 \,|\, 6)$, $C'\left(\frac{5}{3} \,\middle|\, \frac{5}{3} \,\middle|\, 4\right)$, $D'\left(-\frac{5}{3} \,\middle|\, \frac{5}{3} \,\middle|\, 4\right)$

b) Die Schnittfläche ist ein Trapez.

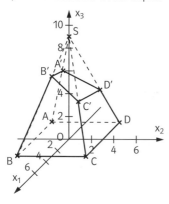

c) $A = \frac{80}{9}$

d) $d = 3$

e) Pyramide: $V = 108$; Spitze: $V = \frac{80}{9}$; Restkörper: $V = \frac{892}{9}$

4

a) Siehe Abbildung.

b) Die Länge des Stahlseils ist gleich dem Abstand des Punktes $P'(18 \,|\, 13 \,|\, 15)$ von der „Hangebene" E. $d(P'; E) = \frac{195}{11} \approx 17,73$.

Das Stahlseil ist etwa 17,73 m lang.

c) Der Schatten der Spitze des Maibaums $S(18 \,|\, 13 \,|\, 20)$ trifft die Ebene E im Punkt $S'(15 \,|\, 1 \,|\, 2)$ und den Boden (die x_1x_2-Ebene) „theoretisch" im Punkt $S''\left(\frac{44}{3} \,\middle|\, -\frac{1}{3} \,\middle|\, 0\right)$.

Spurgerade der Ebene E in der x_1x_2-Ebene: $g_1: \vec{x} = \begin{pmatrix} 27 \\ 0 \\ 0 \end{pmatrix} + t \cdot \begin{pmatrix} -27 \\ 9 \\ 0 \end{pmatrix}$

Gerade durch die Punkte P und S": $g_2: \vec{x} = \begin{pmatrix} 18 \\ 13 \\ 0 \end{pmatrix} + t \cdot \begin{pmatrix} \frac{10}{3} \\ \frac{40}{3} \\ 0 \end{pmatrix}$.

Schnittpunkt der beiden Geraden: $S'''\left(\frac{204}{13} \,\middle|\, \frac{49}{13} \,\middle|\, 0\right)$

Der Schatten verläuft vom Fuß des Baums (Punkt P) solange entlang der Strecke $\overline{PS}$'', bis diese Strecke die Spurgerade s_{12} der Ebene E mit der x_1x_2-Ebene schneidet (Punkt S'''). Von S''' verläuft der Schatten auf der Hangebene zum Punkt S'.

Länge: $\left| \overrightarrow{PS'''} \right| + \left| \overrightarrow{S'''S'} \right| = \sqrt{\frac{15\,300}{169}} + \sqrt{\frac{2053}{69}} \approx 13,00$

Der Schatten ist etwa 13 m lang.

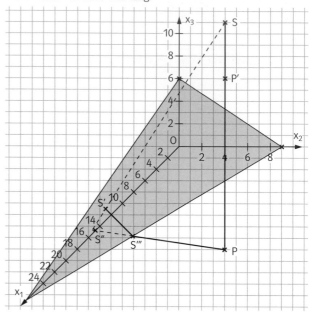

5

a) Es ist $\left| \overrightarrow{OA} \right| = \left| \overrightarrow{OB} \right| = \left| \overrightarrow{AB} \right| = a$. M liegt auf der Seitenhalbierenden s_a und drittelt diese. Ferner ist s_a parallel zur x_1-Achse. Man erhält daher die Koordinaten von M aus denen von A, indem man die erste drittelt und die übrigen beibehält.

b) Die Ebene durch O, B und S hat als einen Normalenvektor

$\vec{n_1} = \begin{pmatrix} -h \\ 0 \\ \frac{a}{6}\sqrt{3} \end{pmatrix}$. Die Ebene durch O, A und S hat als einen Normalenvektor $\vec{n_2} = \begin{pmatrix} h \\ -h\sqrt{3} \\ \frac{a}{3}\sqrt{3} \end{pmatrix}$. Aus $\vec{n_1} \cdot \vec{n_2} = 0$ folgt $h = \frac{a}{6}\sqrt{6}$.

Kapitel IX, Zeit zu überprüfen, Seite 320

4

Voraussetzung:

ABCD ist Parallelogramm $\qquad \overrightarrow{AD} = \overrightarrow{BC}$ und $\overrightarrow{AB} = \overrightarrow{DC}$

P_1, P_2, P_3 vierteln $\overline{CD}$ $\qquad \overrightarrow{DP_1} = \overrightarrow{P_1P_2} = \overrightarrow{P_2P_3} = \overrightarrow{P_3C} = \frac{1}{4}\overrightarrow{DC}$

M halbiert $\overline{AB}$ $\qquad \overrightarrow{AM} = \overrightarrow{MB} = \frac{1}{2}\overrightarrow{AB}$

Behauptung:

$\overrightarrow{AP_1}$ parallel zu $\overrightarrow{MP_2}$ $\qquad \overrightarrow{AP_1} = \overrightarrow{MP_3}$

Beweis:

$\overrightarrow{AB} = \vec{a}$, $\overrightarrow{AD} = \vec{b}$

$\overrightarrow{AP_1} = \vec{b} + \frac{1}{4}\vec{a}$

$$\overrightarrow{MP_3} = \tfrac{1}{2}\vec{a} + \vec{b} - \tfrac{1}{4}\vec{a} = \tfrac{1}{4}\vec{a} + \vec{b}$$
$$\Rightarrow \overrightarrow{AP_1} = \overrightarrow{MP_3} \quad \text{q.e.d.}$$

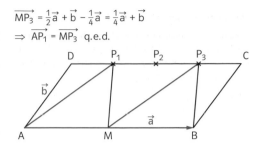

Kapitel IX, Zeit zu überprüfen, Seite 323

6

a) $r \cdot \begin{pmatrix} -2 \\ 4 \\ 1 \end{pmatrix} = \begin{pmatrix} 4 \\ -8 \\ -3 \end{pmatrix}$

$\begin{aligned} -2r &= 4 & \Rightarrow r = -2 \\ 4r &= -8 & \Rightarrow r = -2 \\ r &= -3 & \Rightarrow r = -3 \end{aligned}$

Somit sind die Vektoren linear unabhängig.

b) Linear unabhängig.

c) $a \cdot \begin{pmatrix} 1 \\ 1 \\ 1 \end{pmatrix} + b \cdot \begin{pmatrix} -4 \\ -2 \\ 2 \end{pmatrix} + c \cdot \begin{pmatrix} -7 \\ -2 \\ 8 \end{pmatrix} = \begin{pmatrix} 0 \\ 0 \\ 0 \end{pmatrix}$

$a - 4b - 7c = 0$
$a - 2b - 2c = 0$
$\underline{a + 2b + 8c = 0}$

$a = -3t; \quad b = -\tfrac{5}{2}t; \quad c = t; \quad t \in \mathbb{R}$

Somit sind die Vektoren linear abhängig.

d) $a \cdot \begin{pmatrix} 4 \\ -1 \\ 2 \end{pmatrix} + b \cdot \begin{pmatrix} 1 \\ 4 \\ 1 \end{pmatrix} + c \cdot \begin{pmatrix} -2 \\ 3 \\ -1 \end{pmatrix} = \vec{0}$

$a = b = c = 0$. Somit sind die Vektoren linear unabhängig.

7

a) $\vec{a}$, $\vec{b}$, $\overrightarrow{AH}$ sind linear abhängig.
Die Vektoren liegen mit einem gemeinsamen Startpunkt (z.B.: A) in einer Ebene. $\overrightarrow{AH} = \vec{b} - 2\vec{a}$.

b) $\vec{a}$, $\vec{b}$, $\overrightarrow{DG}$ sind linear unabhängig.
Die Vektoren liegen mit einem gemeinsamen Startpunkt (z.B.: A) nicht in einer Ebene. Kein Vektor kann aus den beiden anderen Vektoren durch Linearkombination erzeugt werden.

Kapitel IX, Zeit zu wiederholen, Seite 324

12

a) $P(X = 8) = 0{,}000\,07$; $P(X \leq 8) = 0{,}999\,99$
b) $P(X \geq 5 \text{ und } X \leq 7) = P(X = 5) + P(X = 6) + P(X = 7) = 0{,}0327$
c) Ab $a = 4$ ist $P(X \leq a) \geq 0{,}9$.

13

a) $p = 0{,}004$; $n = 5$; $x = 1$
$P(X \geq 1) = 1 - P(X = 0) = 1 - 0{,}9802 = 0{,}0198$
Die Wahrscheinlichkeit beträgt etwa 2 %.

b) $1 - P(X = 0) \geq 0{,}5$
$\quad 1 - 0{,}996^n \geq 0{,}5$
$\qquad 0{,}5 \geq 0{,}996^n$
$\quad \dfrac{\log(0{,}5)}{\log(0{,}996)} \geq n$

Man muss mindestens 173 Glühlampen entnehmen.

14

a) $8x + 4$ b) $12x$ c) x^2 d) $1 - x$

15

x	-5	1	3	5
$(2x + 1)^2 - 2x(2x + 2)$	1	1	1	1

Kapitel IX, Zeit zu überprüfen, Seite 326

5

$\overline{AB}$ ist die Grundseite des Dreiecks ABC.
M ist Mittelpunkt von $\overline{AB}$.
$\overline{CM}$ ist die Seitenhalbierende von $\overline{AB}$.
$\overline{CA}$ und $\overline{CB}$ sind gleichlang.

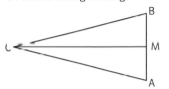

Festlegung: $\overrightarrow{CA} = \vec{a}$; $\overrightarrow{CB} = \vec{b}$
Voraussetzung: $|\vec{a}| = |\vec{b}|$ gleichschenkliges Dreieck
Beweis: $\overrightarrow{AB} = \vec{b} - \vec{a}$

$\overrightarrow{CM} = \vec{a} + \tfrac{1}{2}(\vec{b} - \vec{a}) = \tfrac{1}{2}\vec{a} + \tfrac{1}{2}\vec{b}$

$\overrightarrow{AB} \cdot \overrightarrow{CM} = (\vec{b} - \vec{a}) \cdot \left(\tfrac{1}{2}\vec{a} + \tfrac{1}{2}\vec{b}\right)$

$= \tfrac{1}{2}\vec{a}\,\vec{b} - \tfrac{1}{2}|\vec{a}|^2 + \tfrac{1}{2}|\vec{b}|^2 - \tfrac{1}{2}\vec{a}\,\vec{b}$

$= 0$

Somit sind $\overline{AB}$ und $\overline{CM}$ zueinander orthogonal.

Kapitel IX, Zeit zu überprüfen, Seite 328

5

a) $|\overrightarrow{AT}| = \left\| \begin{pmatrix} -1 \\ -2 \\ 0 \end{pmatrix} \right\| = \sqrt{5}$

$|\overrightarrow{TB}| = \left\| \begin{pmatrix} -5 \\ -10 \\ 0 \end{pmatrix} \right\| = 5\sqrt{5}$

$\dfrac{a}{b} = \dfrac{|\overrightarrow{AT}|}{|\overrightarrow{TB}|} = \dfrac{\sqrt{5}}{5\sqrt{5}} = \dfrac{1}{5}$

b) $\dfrac{\overline{AT}}{\overline{TB}} = \dfrac{1}{1}$

6

a) $\overrightarrow{AB} = \begin{pmatrix} +6 \\ +3 \\ -12 \end{pmatrix}$; $\tfrac{2}{3}\overrightarrow{AB} = \begin{pmatrix} -4 \\ +2 \\ -8 \end{pmatrix}$; $T(-4 \mid 0 \mid -1)$

b) $T\left(\tfrac{1}{4} \mid \tfrac{17}{4} \mid \tfrac{22}{4}\right)$

Kapitel IX, Zeit zu überprüfen, Seite 331

5

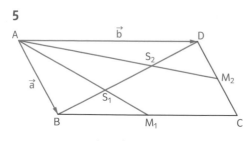

Voraussetzung: $\overrightarrow{AB} = \overrightarrow{DC} = \vec{a}$; $\overrightarrow{AD} = \overrightarrow{BC} = \vec{b}$

Teilverhältnis für S_1:

$\overrightarrow{AS_1} + \overrightarrow{S_1B} + \overrightarrow{BA} = \vec{o}$

$k \cdot \overrightarrow{AM_1} + r \cdot \overrightarrow{DB} + \overrightarrow{BA} = \vec{o}$

$k \cdot \left(\vec{a} + \frac{1}{2}\vec{b} \right) + r \cdot (\vec{a} + \vec{b}) - \vec{a} = \vec{o}$

$(k + r - 1) \cdot \vec{a} + \left(\frac{1}{2}k - r \right) \cdot \vec{b} = \vec{o}$

$k + r + 1 = 0$

$\frac{1}{2}k - r = 0$

$r = \frac{1}{3}$; $k = \frac{2}{3}$

S_1 teilt $\overrightarrow{BD}$ im Verhältnis $\frac{1}{3}$.

Teilverhältnis für S_2 analog. S_2 teilt die Strecke $\overline{BD}$ im Verhältnis $\frac{2}{1}$.
S_1 und S_2 dritteln die Strecke $\overline{BD}$.

Kapitel IX, Prüfungsvorbereitung ohne Hilfsmittel, Seite 338

1

a) $\begin{pmatrix} 1 \\ 3 \\ -2 \end{pmatrix} \perp \begin{pmatrix} -2 \\ 4 \\ 5 \end{pmatrix}$
b) $\begin{pmatrix} -2 \\ -4 \\ 1 \end{pmatrix} \perp \begin{pmatrix} 7 \\ -8 \\ -18 \end{pmatrix}$

c) $\begin{pmatrix} -1 \\ 1 \\ -1 \end{pmatrix} \perp \begin{pmatrix} -1 \\ -3 \\ -2 \end{pmatrix}$; $\begin{pmatrix} -1 \\ -3 \\ -2 \end{pmatrix} \perp \begin{pmatrix} 4 \\ -2 \\ 1 \end{pmatrix}$

2

a) $(\vec{a} + \vec{b})(\vec{b} + \vec{c}) = \vec{a} \cdot \vec{b} + |\vec{b}|^2 + \vec{a} \cdot \vec{c} + \vec{b} \cdot \vec{c}$

$= 0 + |\vec{b}|^2 + 0 + 0$

$= |\vec{b}|^2$

Somit sind die Vektoren nicht orthogonal zueinander.

b) $(2\vec{a} + \vec{b} - \vec{c})(\vec{a} + 2\vec{c}) = 2|\vec{a}|^2 + \vec{a} \cdot \vec{b} - \vec{a} \cdot \vec{c} + 4\vec{a} \cdot \vec{c}$

$\qquad\qquad + 2\vec{b} \cdot \vec{c} - 2|\vec{c}|^2$

$= 2|\vec{a}|^2 + 0 - 0 + 0 + 0 - 2|\vec{c}|^2$

$= 0$

Somit sind die Vektoren orthogonal zueinander.

c) $(\vec{a} - \vec{b})(\vec{a} + \vec{b} + \vec{c}) = |\vec{a}|^2 - \vec{a} \cdot \vec{b} + \vec{a} \cdot \vec{b} - |\vec{b}|^2 + \vec{a} \cdot \vec{c} - \vec{b} \cdot \vec{c}$

$= |\vec{a}|^2 - 0 + 0 - |\vec{b}|^2 + 0 - 0$

$= 0$

Somit sind die Vektoren orthogonal zueinander.

3

$M(2\,|\,3\,|\,2)$

$\overrightarrow{SM} = \begin{pmatrix} 3 \\ 2 \\ -6 \end{pmatrix}$; $\vec{d_1} = \overrightarrow{AC} = \begin{pmatrix} 4 \\ 6 \\ 4 \end{pmatrix}$; $\vec{d_2} = \overrightarrow{BD} = \begin{pmatrix} -4 \\ 6 \\ 0 \end{pmatrix}$

$\overrightarrow{SM} \cdot \vec{d_1} = 12 + 12 - 24 = 0 \Rightarrow \overrightarrow{SM} \perp \vec{d_1}$

$\overrightarrow{SM} \cdot \vec{d_2} = -12 + 12 + 0 = 0 \Rightarrow \overrightarrow{SM} \perp \vec{d_2}$

$\Rightarrow \overrightarrow{SM}$ ist Höhe der Pyramide.

4

a) linear abhängig

$\begin{pmatrix} 3 \\ -2 \\ 1 \end{pmatrix} = 3 \cdot \begin{pmatrix} 1 \\ -1 \\ 1 \end{pmatrix} + 2 \begin{pmatrix} 0 \\ \frac{1}{2} \\ -1 \end{pmatrix}$

b) linear unabhängig

c) linear abhängig

$\begin{pmatrix} 4 \\ -8 \\ -4 \end{pmatrix} = 0 \cdot \begin{pmatrix} 4 \\ -1 \\ 2 \end{pmatrix} - \frac{4}{3} \begin{pmatrix} -3 \\ 6 \\ 3 \end{pmatrix}$

5

a) $\begin{pmatrix} -2 \\ 2 \\ 0 \end{pmatrix}$
b) $\begin{pmatrix} 5 \\ 2 \\ -4 \end{pmatrix}$
c) $\begin{pmatrix} -2 \\ -2 \\ -1 \end{pmatrix}$

d) Es gibt keinen orthogonalen Vektor.

6

a) $T\left(6\,\big|\,\frac{1}{2}\,\big|\,6\right)$
b) $T(-1\,|\,1\,|\,2)$

7

a) $\frac{3}{4}$
b) $\frac{2}{5}$

8

$\overrightarrow{F_1B} = \vec{b} - \frac{1}{2}\vec{a} - \frac{1}{2}\vec{c}$

$\overrightarrow{M_2F_3} = \frac{1}{2}\vec{c} - \vec{a}$

$\overrightarrow{F_2M_1} = \frac{1}{2}\vec{b} - \vec{a}$

9

$\vec{u}, \vec{v}, \vec{w}$ linear unabhängig – Gerade schneidet die Ebene.
$\vec{u}, \vec{v}, \vec{w}$ linear abhängig – Gerade liegt in der Ebene oder verläuft parallel zur Ebene.

10

a) $2r + 3s = 0$

$r - s + 1 = 0$

$r = -\frac{3}{5}$ und $s = \frac{2}{5}$

b) $2s - r + 2 = 0$

$r + 2s = 0$

$r = 1$ und $s = -\frac{1}{2}$

11

a) linear unabhängige Vektoren
b) linear abhängige Vektoren

1

a) Voraussetzung: $\overrightarrow{AC} = 0{,}3\,\overrightarrow{AB} + \overrightarrow{AD}$

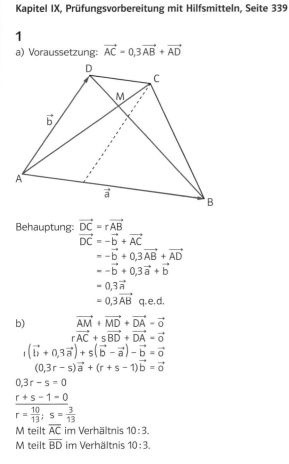

Behauptung: $\overrightarrow{DC} = r\,\overrightarrow{AB}$

$\overrightarrow{DC} = -\vec{b} + \overrightarrow{AC}$

$\quad = -\vec{b} + 0{,}3\,\overrightarrow{AB} + \overrightarrow{AD}$

$\quad = -\vec{b} + 0{,}3\,\vec{a} + \vec{b}$

$\quad = 0{,}3\,\vec{a}$

$\quad = 0{,}3\,\overrightarrow{AB}$ q.e.d.

b) $\qquad \overrightarrow{AM} + \overrightarrow{MD} + \overrightarrow{DA} = \vec{o}$

$\qquad r\,\overrightarrow{AC} + s\,\overrightarrow{BD} + \overrightarrow{DA} = \vec{o}$

$r\left(\vec{b} + 0{,}3\,\vec{a}\right) + s\left(\vec{b} - \vec{a}\right) - \vec{b} = \vec{o}$

$\quad (0{,}3r - s)\,\vec{a} + (r + s - 1)\,\vec{b} = \vec{o}$

$0{,}3r - s = 0$

$r + s - 1 = 0$

$r = \frac{10}{13}; \ s = \frac{3}{13}$

M teilt $\overline{AC}$ im Verhältnis $10:3$.

M teilt $\overline{BD}$ im Verhältnis $10:3$.

2

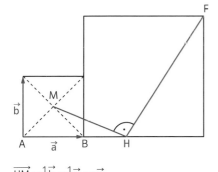

$\overrightarrow{HM} = \frac{1}{2}\vec{b} - \frac{1}{2}\vec{a} - r\,\vec{a}$

$\overrightarrow{HF} = (2 - r)\,\vec{a} + 2\vec{b}$

$\overrightarrow{HM} \cdot \overrightarrow{HF} = \left[\frac{1}{2}\vec{b} - \left(\frac{1}{2} + r\right)\vec{a}\right]\left[(2 - r)\vec{a} + 2\vec{b}\right]$

$\quad = \underbrace{\frac{1}{2}(2 - r)\,\vec{a}\cdot\vec{b}}_{=\,0} - \left(\frac{1}{2} + r\right)(2 - r)\,|\vec{a}|^2 + |\vec{b}|^2 - \underbrace{2\left(\frac{1}{2} + r\right)\vec{a}\cdot\vec{b}}_{=\,0}$

$0 = \left(-\frac{1}{2} - r\right)\cdot(2 - r)\,|\vec{a}|^2 + |\vec{b}|^2$

$0 = -2 - 2r + \frac{1}{2}r + r^2 + 1$

$0 = r^2 - \frac{3}{2}r - 1$

$\overrightarrow{OH} = \overrightarrow{OA} + r\,\vec{a} \qquad\qquad 0 \le r \le 3$

$\overrightarrow{OM} = \overrightarrow{OA} + \frac{1}{2}\vec{a} + \frac{1}{2}\vec{b}$

$\overrightarrow{OF} = \overrightarrow{OA} + 3\vec{a} + 2\vec{b}$

$\overrightarrow{HM} = \overrightarrow{OM} - \overrightarrow{OH} = \frac{1}{2}\vec{a} + \frac{1}{2}\vec{b} - r\,\vec{a}$

$\overrightarrow{HF} = \overrightarrow{OF} - \overrightarrow{OH} = 3\vec{a} + 2\vec{b} - r\,\vec{a}$

$0 = \overrightarrow{HM}\cdot\overrightarrow{HF} = \left[\left(\frac{1}{2} - r\right)\cdot\vec{a} + \frac{1}{2}\vec{b}\right]\cdot\left[(3 - r)\cdot\vec{a} + 2\vec{b}\right]$

$\quad = \left(\frac{1}{2} - r\right)\cdot(3 - r)\cdot|\vec{a}|^2 + |\vec{b}|^2$

$0 = \left(\frac{3}{2} - 3r - \frac{1}{2}r + r^2\right)\cdot|\vec{a}|^2 + |\vec{b}|^2$

$\quad = \frac{5}{2} - \left(3 + \frac{1}{2}\right)\cdot r + r^2$

$\quad = r^2 - \frac{7}{2}r + \frac{5}{2}$

$r_1 = 1; \ r_2 = \frac{5}{2}$

H_1 entspricht $r = 1$. Der Punkt H_1 entspricht B.

H_2 entspricht $r = \frac{5}{2}$. Der Punkt H_2 liegt $\frac{5}{2}\vec{a}$ von A entfernt auf $\overrightarrow{AE}$.

Der Punkt H_1 teilt die Strecke $\overline{AE}$ im Verhältnis $1:2$.

Der Punkt H_2 teilt die Strecke $\overline{AE}$ im Verhältnis $5:1$.

3

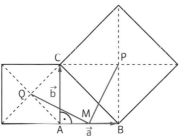

Voraussetzung: $\overrightarrow{AB} = \vec{a}$; $\overrightarrow{AC} = \vec{b}$; $|\vec{a}| = |\vec{b}|$; $\vec{a}\cdot\vec{b} = 0$

a) Behauptung: $\left|\overrightarrow{MQ}\right| = \left|\overrightarrow{MP}\right|$

$\left|\overrightarrow{MQ}\right| = \sqrt{\overrightarrow{MQ}\cdot\overrightarrow{MQ}}$

$\quad = \sqrt{\frac{1}{4}\left|\vec{b}\right|^2 - \vec{a}\,\vec{b} + |\vec{a}|^2}$

$\quad = \sqrt{\frac{1}{4}\left|\vec{b}\right|^2 + |\vec{a}|^2}$

$\quad = \sqrt{\frac{5}{4}}\,|\vec{a}|$

$\left|\overrightarrow{MP}\right| = \sqrt{\frac{1}{4}|\vec{a}|^2 + \vec{a}\,\vec{b} + \left|\vec{b}\right|^2}$

$\quad = \sqrt{\frac{1}{4}|\vec{a}|^2 + |\vec{a}|^2}$

$\quad = \sqrt{\frac{5}{4}}\,|\vec{a}|$ q.e.d.

b) Behauptung: $\overrightarrow{MQ} \perp \overrightarrow{MP}$ oder $\overrightarrow{MQ}\cdot\overrightarrow{MP} = 0$

Beweis: $\overrightarrow{MQ} = -\vec{a} + \frac{1}{2}\vec{b}$

$\qquad\quad \overrightarrow{MP} = \frac{1}{2}\vec{a} + \vec{b}$

$\overrightarrow{MQ}\cdot\overrightarrow{MP} = \left(-\vec{a} + \frac{1}{2}\vec{b}\right)\left(\frac{1}{2}\vec{a} + \vec{b}\right)$

$\quad = -\frac{1}{2}|\vec{a}|^2 + \frac{1}{4}\vec{a}\,\vec{b} - \vec{a}\,\vec{b} + \frac{1}{2}\left|\vec{b}\right|^2$

$\quad = -\frac{1}{2}|\vec{a}|^2 + \frac{1}{2}\left|\vec{b}\right|^2$

$\quad = 0$ q.e.d.

4

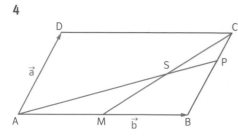

Voraussetzung: $\overrightarrow{AB} = \overrightarrow{DC} = \vec{b}$; $\overrightarrow{AD} = \overrightarrow{BC} = \vec{a}$

$$\overrightarrow{AM} = \overrightarrow{MB} = \tfrac{1}{2}\vec{b}$$
$$\overrightarrow{BP} = \tfrac{2}{3}\overrightarrow{BC} = \tfrac{2}{3}\vec{a}$$

Berechnung: Teilverhältnisse von $\overline{AP}$ und $\overline{MC}$ durch den Punkt S.

$\overrightarrow{AS} + \overrightarrow{SM} + \overrightarrow{MA} = \vec{o}$

$r \cdot \overrightarrow{AP} - s \cdot \overrightarrow{MC} + \overrightarrow{MA} = \vec{o}$

$r \cdot \left(\vec{b} + \tfrac{2}{3}\vec{a}\right) - s \cdot \left(\tfrac{1}{2}\vec{b} + \vec{a}\right) - \tfrac{1}{2}\vec{b} = \vec{o}$

$\left(\tfrac{2}{3}r - s\right) \cdot \vec{a} + \left(r - \tfrac{1}{2}s - \tfrac{1}{2}\right) \cdot \vec{b} = \vec{o}$

Da $\vec{a}$ und $\vec{b}$ linear unabhängige Vektoren:

$\tfrac{2}{3}r - s = 0$

$r - \tfrac{1}{2}s - \tfrac{1}{2} = 0$

$r = \tfrac{3}{4}$; $s = \tfrac{1}{2}$

Der Punkt S teilt $\overline{AP}$ im Verhältnis 3:1 und $\overline{MC}$ im Verhältnis 1:1.

5

a)

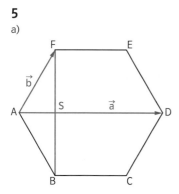

Voraussetzung: $\overrightarrow{AF} = \overrightarrow{CD} = \vec{b}$; $\overrightarrow{AB} = \overrightarrow{ED}$; $\overrightarrow{BC} = \overrightarrow{FE} = \tfrac{1}{2}\overrightarrow{AD} = \tfrac{1}{2}\vec{a}$

Berechnung: Teilverhältnisse von $\overline{AD}$ und $\overline{BF}$ durch den Punkt S.

$\overrightarrow{AF} + \overrightarrow{FS} + \overrightarrow{SA} = \vec{o}$

$\vec{b} + r \cdot \overrightarrow{FB} - m \cdot \overrightarrow{AD} = \vec{o}$

$\vec{b} + r \cdot \left(-2\vec{b} + \tfrac{1}{2}\vec{a}\right) - m \cdot \vec{a} = \vec{o}$

$\left(\tfrac{1}{2}r - m\right) \cdot \vec{a} + (1 - 2r) \cdot \vec{b} = \vec{o}$

da $\vec{a}$ und $\vec{b}$ linear unabhängig

$\tfrac{1}{2}r - m = 0$

$1 - 2r = 0$

$r = \tfrac{1}{2}$; $m = \tfrac{1}{4}$

Der Punkt S teilt $\overline{AD}$ im Verhältnis 1:3 und $\overline{BF}$ im Verhältnis 1:1.

b)

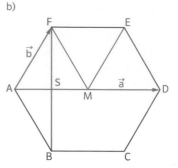

Voraussetzung: AMF ist ein gleichseitiges Dreieck.
$\overrightarrow{AF} = \overrightarrow{ME} = \overrightarrow{CD} = \vec{b}$; $\overrightarrow{AB} = \overrightarrow{FM} = \overrightarrow{ED}$; $\overrightarrow{BC} = \overrightarrow{FE} = 2\overrightarrow{AD} = \vec{a}$
Behauptung: $\overrightarrow{AD} \cdot \overrightarrow{BF} = 0$

$\overrightarrow{AD} = \vec{a}$

$\overrightarrow{BF} = 2\vec{b} - \tfrac{1}{2}\vec{a}$

$\overrightarrow{AD} \cdot \overrightarrow{BF} = \vec{a} \cdot \left(2\vec{b} - \tfrac{1}{2}\vec{a}\right)$

$\qquad = 2\vec{a} \cdot \vec{b} - \tfrac{1}{2}|\vec{a}|^2$

$\qquad = 2|\vec{a}| \cdot |\vec{b}| \cdot \cos(60°) - \tfrac{1}{2}|\vec{a}|^2$

$\qquad = |\vec{a}|^2 \cos(60°) - \tfrac{1}{2}|\vec{a}|^2$

$\qquad = \tfrac{1}{2}|\vec{a}|^2 - \tfrac{1}{2}|\vec{a}|^2$

$\qquad = 0 \Rightarrow \overrightarrow{AD} \perp \overrightarrow{BF}$ q.e.d.

Kapitel X, Zeit zu überprüfen, Seite 344

6

a) $P(X = 4) = 0{,}0208$; $P(X \leq 10) = 0{,}7304$; $P(X < 8) = 0{,}2814$;
$P(X \geq 8) = 0{,}7186$; $P(6 \leq X \leq 10) = 0{,}6538$

b) $\mu = 9$, $P(X = \mu) = 0{,}1573$ ist die größte aller möglichen Wahrscheinlichkeiten $P(X = r)$ für $r = 0, \ldots, 30$.

7

a) Bei jedem Wurf werden nur die zwei Ergebnisse „Treffer" und „kein Treffer" betrachtet. Bei einer so kleinen Anzahl von Würfen kann man davon ausgehen, dass die einzelnen Würfe sich nicht beeinflussen, die Ergebnisse sind also unabhängig voneinander. Als Trefferwahrscheinlichkeit verwendet man die Trefferquote 0,7. Da man 10 Würfe hat, ist $n = 10$. Die Trefferzahl X ist daher binomialverteilt mit den Parametern $n = 10$ und $p = 0{,}7$.

b) $\mu = 7$; $P(X = 7) = 0{,}2668$. $P(X = 7 - 4) = 0{,}009$. Der Spieler erzielt am wahrscheinlichsten 7 Treffer. Dass er nur 3 Treffer erzielt, ist sehr unwahrscheinlich (es wird nur in etwa 0,9 % solcher Trainingsrunden mit je 10 Würfen vorkommen).

c)

r	0	1	2	3	4	5
P(X = r)	0,0000	0,0001	0,0014	0,0090	0,0368	0,1029

r	6	7	8	9	10
P(X = r)	0,2001	0,2668	0,2335	0,1211	0,0282

Graph mit GTR und Skizze: einige Tabellenwerte übertragen, Kontur zeichnen, durch Stricheln andeuten, dass eigentlich nur ganzzahlige Werte auftreten.

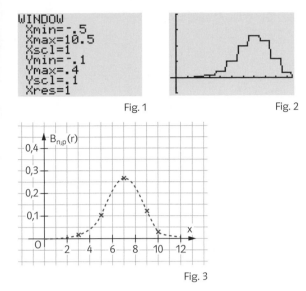

Fig. 1 · Fig. 2

Fig. 3

Kapitel X, Zeit zu überprüfen, Seite 347

6

Die Zahl J der Jungengeburten ist binomialverteilt mit den Parametern $n = 8000$ und $p = 0,51$.

a) $P(J \geq 4000) = 1 - P(J \leq 3999) = 0,9641$

$P(4000 \leq J \leq 4200) = P(J \leq 4200) - P(J \leq 3999) = 0,9606$

b) Es muss gelten $P(J \geq 15) \geq 0,99$ bzw. $P(J \leq 4) \leq 0,01$. Aus der Tabelle der Funktion y1=binomcdf(x,0.51,4) liest man ab, dass die Zahl n der Geburten mindestens 19 betragen muss.

7

X: Anzahl der falsch übertragenen Zeichen; X ist binomialverteilt mit $n = 100$ und unbekanntem p. Es muss gelten: $P(X > 3) \leq 0,01$ bzw. $P(X \leq 3) \geq 0,99$. Man bestimmt den Schnittpunkt der Graphen der Funktionen y1=binomcdf(100,x,3) und y2=0,99. Man erhält $p \leq 0,0083$ (siehe Fig. 5).

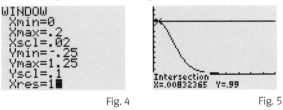

Fig. 4 · Fig. 5

Kapitel X, Zeit zu überprüfen, Seite 350

6

a) X ist binomialverteilt mit $n = 60$ und $p = 0,4$.
Erwartungswert: $\mu = np = 24$.
Standardabweichung: $\sigma = \sqrt{n \cdot p \cdot (1 - p)} = 3,79$.

b) 2σ-Intervall: $[16,41; 31,59] = [17; 31]$ (Beachten Sie, dass hier nur ganzzahlige Grenzen sinnvoll sind.)
$P(X \geq 17 \text{ und } X \leq 31) = 0,9529$. Der Wert liegt nahe bei dem Wert $0,954$ aus der 2σ-Regel.

7

a) Standardabweichung: $\sigma = \sqrt{n \cdot p \cdot (1 - p)} \approx 11,18$. Die Standardabweichung ist ein Maß für die Breite der Glockenkurve, die man als Kontur über den Graphen einer Binomialverteilung zeichnen kann. Sie gibt den Abstand der Wendestellen der Glockenkurve zum Erwartungswert an.

b) Im Intervall $[\mu - \sigma; \mu + \sigma]$ liegen nach der Sigma-Regel etwa 68 % der Werte einer Binomialverteilung. Hier ergibt sich mit $\mu = 250$ das Intervall $[239; 261]$.
Probe: $P(X \geq 239 \text{ und } X \leq 261) = 0,6963$. Man erhält eine gute Übereinstimmung mit der Sigma-Regel.

Kapitel X, Zeit zu überprüfen, Seite 354

6

a) Die Testvariable X zählt die Treffer und ist binomialverteilt mit den Parametern $n = 200$ und $p = 0,3$.
5-%-Annahmebereich: $[48; 73]$;
Irrtumswahrscheinlichkeit:
$1 - P(48 \leq X \leq 73) = 1 - (P(X \leq 73) - P(X \leq 47)) = 0,0450$
1-%-Annahmebereich: $[44; 77]$;
Irrtumswahrscheinlichkeit:
$1 - P(44 \leq X \leq 77) = 1 - (P(X \leq 77) - P(X \leq 43)) = 0,0085$

b) Beispiel: Aus einer Schale mit 10 Kugeln mit den Nummern 1 bis 10 werden mit Zurücklegen Kugeln gezogen. „Treffer" sind alle Kugeln mit den Nummern 3, 6 oder 9. Es wird behauptet, dass die Kugeln mit diesen Nummern zu oft oder zu selten gezogen werden.

7

Nullhypothese: Die Zahl 1 kommt mit 20 % Wahrscheinlichkeit vor; H_0: $p = 0,2$.
Stichprobenumfang $n = 500$;
Testvariable X: Anzahl der Einsen mit den Parametern $n = 500$ und $p = 0,2$.
Annahmebereich: $[83; 118]$

a) 115 liegt im Annahmebereich, also wird die Nullhypothese akzeptiert.

b) 81 liegt nicht im Annahmebereich, also wird die Nullhypothese verworfen.

Kapitel X, Zeit zu wiederholen, Seite 355

14

a) $\dfrac{x - 2}{2x}$ b) $\dfrac{x^2 + 2}{x^2}$ c) $\dfrac{2x - 1}{x \cdot (x - 1)}$ d) $\dfrac{x}{x + 1}$

15

a) $x \to +\infty$: $f(x) \to +\infty$; $x \to -\infty$: $f(x) \to -\infty$
b) $x \to +\infty$: $f(x) \to 1$; $x \to -\infty$: $f(x) \to 1$
c) $x \to +\infty$: $f(x) \to 0$; $x \to -\infty$: $f(x) \to -\infty$
d) $x \to +\infty$: $f(x) \to 1$; $x \to -\infty$: $f(x) \to 0$

16

Die Funktion f gehört zu dem Graphen in Fig. 1, weil sie die einzige ist, die für x in [0; 2] negative Funktionswerte hat (Testwert x = 1);

die Funktion g gehört zu dem Graphen in Fig. 3, weil sie sich nahe 0 wie x^2 verhält und vermutlich keine Nullstelle für x > 0 hat;

die Funktion h gehört zu keinem der Graphen;

die Funktion k gehört zu dem Graphen in Fig. 2, weil für sie bei x nahe 6 (eigentlich 2π) eine Nullstelle zu vermuten ist.

Kapitel X, Zeit zu überprüfen, Seite 359

7

a) Als Testvariable X verwendet man die Trefferzahl für die Parameter n = 250 und p = 0,3. Alternative ist H_1: p > 0,3. Man sucht aus der Wahrscheinlichkeitsverteilung von X die kleinste Zahl b mit der Eigenschaft $P(X \le b) > 95\%$ heraus: b = 87. Annahmebereich ist dann das Intervall [0; 87].

b) Die Nullhypothese wird beibehalten bzw. akzeptiert.

c) Die Irrtumswahrscheinlichkeit beträgt

$P(X > 87) = 1 - P(X \le 87) = 0,0437$.

Mit dieser Wahrscheinlichkeit fällt das Stichprobenergebnis in den Ablehnungsbereich, wenn die Nullhypothese richtig ist.

8

Nullhypothese ist H_0: p = 0,25; Testvariable X: Anzahl der Ausgänge mit „Blau"

a) Parameter n = 150; p = 0,25. Es wird linksseitig getestet (Alternative H_1: p < 0,25), weil Yannick sich bestätigt sieht, wenn sich eine relativ kleine Anzahl für „Blau" ergibt.

Annahmebereich ist [29; 150]; bei weniger als 29-mal „Blau" sieht sich Yannick bestätigt.

b) Parameter n = 300; p = 0,25; Annahmebereich [63; 300]. Bei „64-mal Blau" wird die Nullhypothese beibehalten und Yannick sieht sich nicht bestätigt.

c) Parameter n = 600; p = 0,25; Annahmebereich [133; 600]. Bei „128-mal Blau" wird die Nullhypothese verworfen und Yannick sieht sich bestätigt.

Kapitel X, Zeit zu überprüfen, Seite 364

8

a) k = 4   b) P = 0,0585

c) $\mu = 0,533$; $\sigma = 0,2211$

9

a) $P(0,15 \le X < 0,25) = \int_{0,15}^{0,25} 1\,dx = 0,1$; analog

$P(0,195 \le X < 0,205) = 0,01$ und $P(0,1995 \le X < 0,205) = 0,001$

b) Die Wahrscheinlichkeiten halbieren sich bei Verwendung von 2*rand, sie verdoppeln sich bei Verwendung von 0,5*rand.

Kapitel X, Zeit zu überprüfen, Seite 368

6

a), b), c)

Der Extrempunkt ist M(12 | 0,265), die Wendepunkte sind W(12 ± 1,5 | 0,1613).

Den Graphen und den Wert des Integrals entnimmt man der folgenden Abbildung:

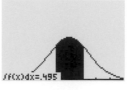

Kapitel X, Zeit zu überprüfen, Seite 371

7

a)

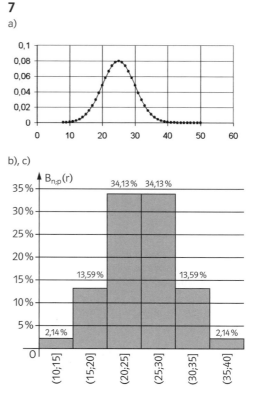

b), c)

Kapitel X, Zeit zu wiederholen, Seite 382

10

a) Gelb: f; rot: f; blau: f. An den Stellen, an denen der Graph von f ansteigt, ist f positiv. An den Stellen, an denen der Graph von f rechtsgekrümmt ist, ist f negativ.

b) An den Stellen, an denen f rechtsgekrümmt ist, ist f" negativ.

$f(1) = 1,08$; $f'(1) = 0,4$; $\int_{2}^{4} f'(x)\,dx = 0,4$

11

Die Funktion verläuft an der Stelle 3 oberhalb der x-Achse, fällt dort und ist linksgekrümmt.

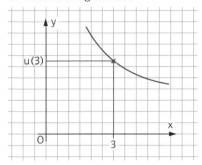

Kapitel X, Prüfungsvorbereitung ohne Hilfsmittel, Seite 386

1

a) $\mu = n \cdot p = 18$; $\sigma = \sqrt{n\,p\,(1-p)} = 3$

b) Bei μ ist die Wahrscheinlichkeit am größten, im Bereich zwischen $\mu - \sigma = 15$ und $\mu + \sigma = 21$ beträgt nach der Sigma-Regel die Wahrscheinlichkeit etwa 70 % (das entspricht dem Flächenanteil unter dem Graphen im Vergleich mit der gesamten Fläche unter dem Graphen). Der Wert bei μ beträgt 0,13, wie im Aufgabentext angegeben.

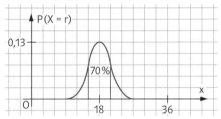

c) Wenn man n bei konstantem p vergrößert, wird der Graph flacher und breiter, sein Maximum wird nach rechts wandern.
d) Wenn man p bei konstantem n verkleinert, wird der Graph höher und schmaler, sein Maximum wird nach links wandern. Wenn man p bei konstantem n vergrößert, wird der Graph höher und schmaler, sein Maximum wird nach rechts wandern.

2

a) Falsch, z.B. ist $\mu = 3,5$ für $n = 7$ und $p = 0,5$.
b) Richtig, denn $\mu = n \cdot p$.
c) Richtig, denn $\sigma = \sqrt{n\,p\,(1-p)} = c \cdot \sqrt{n}$, wobei c nur von p abhängt.
d) Richtig nach der Sigma-Regel (wenn σ genügend groß ist, mindestens etwa 3).
e) Falsch, das gilt nur angenähert.

3

Graph I kann nicht zu einer Wahrscheinlichkeitsdichte gehören, da nicht für alle x $f(x) \geq 0$ gilt.
Graph II kann zu einer Wahrscheinlichkeitsdichte gehören, da $f(x) \geq 0$ für alle x gilt und der Flächeninhalt unter dem Graphen

und damit das Integral zwischen den Nullstellen etwa 1 beträgt. Graph III kann nicht zu einer Wahrscheinlichkeitsdichte gehören, da der Flächeninhalt unter dem Graphen und damit das Integral zwischen den Nullstellen größer als 1 ist.

4

a) Es gilt $\int_{-2}^{2} a \cdot \left(1 - \frac{1}{4}x^2\right)dx = a \cdot \left[x - \frac{1}{12}x^3\right]_{-2}^{2} = \frac{8}{3}a$.

Das ergibt nur für $a = \frac{3}{8}$ den Wert 1.
Außerdem gilt für alle x in $[-2; 2]$, dass $f(x) \geq 0$ gilt.
b) $P(X = 0) = 0$ (Eine isolierte Stelle hat bei einer stetigen Verteilung immer die Wahrscheinlichkeit 0.)
$P(X \leq 0) = 0,5$ (wegen der Symmetrie)

$$P(-1 < X < 1) = \int_{-1}^{1} \frac{3}{8} \cdot \left(1 - \frac{1}{4}x^2\right)dx = \frac{3}{8} \cdot \left[x - \frac{1}{12}x^3\right]_{-1}^{1} = \frac{11}{16}$$

$$P(X \geq 1) = \int_{1}^{2} \frac{3}{8} \cdot \left(1 - \frac{1}{4}x^2\right)dx = \frac{3}{8} \cdot \left[x - \frac{1}{12}x^3\right]_{1}^{2} = \frac{5}{32}$$

oder mit den vorhergehenden Ergebnissen:

$P(X \geq 1) = \frac{1}{2} \cdot \left(1 - \frac{11}{16}\right) = \frac{5}{32}$.

Erwartungswert von X ist 0, da die Funktion $x \rightarrow x \cdot \left(1 - \frac{1}{4}x^2\right)$ punktsymmetrisch zum Ursprung ist und sich damit beim Integrieren über das Intervall $[-2; 2]$ der orientierte Inhalt 0 ergibt. Alternativ kann man den Erwartungswert auch berechnen:

$$\mu = \int_{-2}^{2} \frac{3}{8} \cdot x \cdot \left(1 - \frac{1}{4}x^2\right)dx = \left[-\frac{3}{128}x^4 + \frac{3}{16}x^2 - \frac{3}{8}\right]_{-2}^{2} = 0.$$

c) F ist Integralfunktion von f im Intervall $[-2; 2]$. Daher gilt z.B.:
$F(-2) = 0$; F ist eine Stammfunktion von f (aus Teilaufgabe b);
$F(x)$ gibt den orientierten Flächeninhalt unter dem Graphen von f im Intervall $[-2; x]$ an.
$F(2) = 1$; die Werte von F liegen zwischen 0 und 1; F ist streng monoton wachsend.

5

X hat die Dichtefunktion f mit $f(x) = \frac{1}{5}e^{-\frac{1}{5}x}$.

$$P(X \leq 3) = \int_{0}^{3} \frac{1}{5}e^{-\frac{1}{5}x}dx = \left[-e^{-\frac{1}{5}x}\right]_{0}^{3} = 1 - e^{-\frac{3}{5}}$$

$$P(X > 5) = \int_{5}^{\infty} \frac{1}{5}e^{-\frac{1}{5}x}dx = \left[-e^{-\frac{1}{5}x}\right]_{5}^{\infty} = e^{-1}$$

$$P(X \leq T_{1/2}) = \int_{0}^{T_{1/2}} \frac{1}{5}e^{-\frac{1}{5}x}dx = \left[-e^{-\frac{1}{5}x}\right]_{0}^{T_{1/2}} = 1 - e^{-\frac{T_{1/2}}{5}} = 0,5$$

$e^{-\frac{T_{1/2}}{5}} = 0,5$; $-\frac{T_{1/2}}{5} = \ln(0,5)$; $T_{1/2} = -5\ln(0,5) = 5\ln(2)$

6

a) Als Nullhypothese verwendet man H_0: $p = 0,113$, in Worten: „Der Anteil der Muslime in Stuttgart ist so groß, wie die Zeitungsmeldung besagt". Als Testvariable nimmt man die Zahl X der Muslime bei einer Stichprobe von n (zufällig ausgewählten) Stuttgartern. Ein „Treffer" liegt vor, wenn ein Befragter Muslim ist.
Man testet rechtsseitig (Alternative H_1: $p > 0,113$, weil man die Nullhypothese erst ablehnen wird, wenn deutlich mehr als 11,3 % der Befragten Muslime sind.

b) Mit dem Test kann man eine begründete Entscheidung für die Nullhypothese oder die Alternative „Der Anteil der Muslime in Stuttgart ist im Vergleich zur Angabe aus der Zeitungsmeldung gestiegen" fällen. Man kann aber nicht sagen, ob die Entscheidung richtig ist.

c) Das Signifikanzniveau bestimmt die Grenzen des Annahmebereichs der Nullhypothese. Je kleiner das Signifikanzniveau, desto größer der Annahmebereich der Nullhypothese. Bei einem kleinen Signifikanzniveau wird die Nullhypothese nur bei sehr großen Abweichungen vom Erwartungswert verworfen.

d) Bei der (neutralen) Behauptung „Der Anteil der Muslime in Stuttgart hat sich im Vergleich zur Angabe aus der Zeitungsmeldung geändert" wird man zweiseitig testen.

e) Das Signifikanzniveau und der Stichprobenumfang müssen bei der Veröffentlichung der Testdaten mit angegeben werden, damit man nachvollziehen kann, wie die Entscheidung gefällt wurde.

Kapitel X, Prüfungsvorbereitung mit Hilfsmitteln, Seite 387

1

a) X lässt sich beschreiben als Bernoulli-Kette mit $n = 100$ Durchführungen, da die Reißzwecken unabhängig voneinander mit der Wahrscheinlichkeit von 60% auf dem Kopf landen. Als Treffer kann man z.B. „Zwecke landet auf dem Kopf" definieren. Trefferwahrscheinlichkeit ist dann $p = 0,6$.

b) $\mu = n \cdot p = 60$; $\sigma = \sqrt{n\,p(1-p)} = 4,90$

c) $P(X \le 60) = 0,5379$;
$P(X > 50) = 1 - P(X \le 50) = 0,9729$;
$P(50 \le X \le 60) = P(X \le 60) - P(X \le 49) = 0,5212$;
$P(\mu - 2\sigma \le X \le \mu + 2\sigma) = 0,9481$

d) Aus der Tabelle (siehe Fig. 1 und Fig. 2):
$P(\mu - a \le X \le \mu + a) = 0,7386$ für $a = 5$,
$P(\mu - a \le X \le \mu + a) = 0,8158$ für $a = 6$,
also ist $a = 6$ die Lösung.

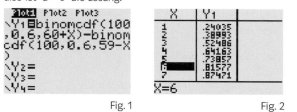

Fig. 1   Fig. 2

2

a) Der Annahmebereich ist ein Intervall der Form $[0; b]$, da rechtsseitig getestet wird. Dabei ist b die kleinste Zahl b mit $P(X \le b) > 95\%$. Aus der Tabelle der Werte $P(X \le r)$ entnimmt man $b = 91$. Also ist $[0; 91]$ der Annahmebereich.

b) Die Irrtumswahrscheinlichkeit ist die Wahrscheinlichkeit, dass die Stichprobe einen Wert liefert, der nicht im Annahmebereich liegt, obwohl H_0 zutrifft, also hier die Wahrscheinlichkeit $P(X \ge 92) = 0,0492$ (sie ist höchstens so groß, wie es das Signifikanzniveau angibt).

c) Falls in Wirklichkeit $p = 0,5$, so ist die Wahrscheinlichkeit, dass die Stichprobe einen Wert liefert, der im Annahmebereich liegt,

$P(X_{0,5} \le 91) = 0,1146$. Der Index 0,5 bei X bedeutet, dass statt mit $p = 0,4$ nun mit $p = 0,5$ zu rechnen ist.

3

a) $P(X \ge 50) = 1 - P(X \le 49) = 0,9658$

b) Man sucht in einer Tabelle für kumulierte Wahrscheinlichkeiten $P(X \ge 50)$ mit variablem p das kleinste p, sodass $P(X \ge 50) \ge 0,5$. Man liest ab: $p = 0,83$.
Alternative (grafische Lösung mit dem GTR): Man bestimmt den Schnittpunkt der Graphen von Y1=1−binomcdf(60,X,49) und Y2=0,5 (siehe Fig.).

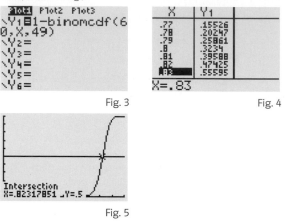

Fig. 3   Fig. 4

Fig. 5

c) Man sucht in einer Tabelle für kumulierte Wahrscheinlichkeiten $P(X \ge 50)$ mit variablem n das kleinste n, sodass $P(X \ge 50) \ge 0,99$. Man liest ab: $n = 62$.

4

Man bestimmt zunächst $\mu = 25$ und $\sigma = 4,08$.

a) $P(X \le 20) = 0,1344 \approx \int_{-0,5}^{20,5} \varphi_{\mu,\sigma}(x)\,dx = 0,1350$

b) $P(X < 20) = P(X \le 19) = 0,0868 \approx \int_{-0,5}^{19,5} \varphi_{\mu,\sigma}(x)\,dx = 0,0888$

c) $P(X = 25) = 0,0973 \approx \int_{24,5}^{25,5} \varphi_{\mu,\sigma}(x)\,dx = 0,0975$

d) $P(X > 20) = 1 - P(X \le 20) = 0,8656 \approx \int_{20,5}^{75,5} \varphi_{\mu,\sigma}(x)\,dx = 0,8650$

e) $P(X \ge 20) = 1 - P(X \le 19) = 0,9132 \approx \int_{19,5}^{75,5} \varphi_{\mu,\sigma}(x)\,dx = 0,9112$

5

a) Die Fläche $\frac{c}{2} + \frac{d}{2} = c$ der beiden Dreiecke muss 1 sein, also $c = d = 1$.

Es gilt $f(x) = \begin{cases} 1 - x, & x \le 1 \\ x - 1, & x > 1 \end{cases}$.

Erwartungswert $\mu = \int_0^2 x \cdot f(x)\,dx = 1$.

Standardabweichung $\sigma = \sqrt{\int_0^2 (x-1)^2 \cdot f(x)\,dx} = \sqrt{\frac{1}{2}} \approx 0,71$.

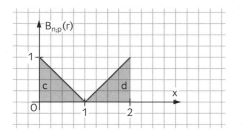

b) Die Fläche $\frac{c}{2} + \frac{d}{2} = \frac{1}{4} + \frac{d}{2}$ der beiden Dreiecke muss 1 sein, also

$d = \frac{3}{2}$. Es gilt $f(x) = \begin{cases} \frac{1}{2} - \frac{1}{2}x, & x \le 1 \\ \frac{3}{2}x - \frac{3}{2}, & x > 1 \end{cases}$.

Erwartungswert $\mu = \int\limits_{0}^{2} x \cdot f(x)\,dx = \frac{4}{3}$.

Standardabweichung $\sigma = \sqrt{\int\limits_{0}^{2}\left(x - \frac{4}{3}\right)^2 \cdot f(x)\,dx} = \sqrt{\frac{7}{18}} \approx 0{,}62$.

6

X sei das Gewicht einer Kartoffel in Gramm.

a) $P(190 \le X \le 230) = \int\limits_{190}^{230} \varphi_{\mu,\sigma}(x)\,dx = 0{,}6827$ (σ-Intervall);

$P(209 \le X \le 211) = \int\limits_{209}^{211} \varphi_{\mu,\sigma}(x)\,dx = 0{,}0399$; $P(X = 210) = 0$

b) $P(190 \le X \le 230) = \int\limits_{190}^{230} \varphi_{\mu,\sigma}(x)\,dx = 0{,}9545$ (2σ-Intervall);

$P(209 \le X \le 211) = \int\limits_{209}^{211} \varphi_{\mu,\sigma}(x)\,dx = 0{,}0797$; $P(X = 210) = 0$

7

Nach jeweils 30 Sekunden platzt die Hälfte der Seifenblasen. Nach 60 Sekunden lebt also nur noch $\frac{1}{4}$ aller Seifenblasen. Man kann auch den Parameter λ ausrechnen und erhält mit

$\int\limits_{30}^{\infty} \lambda e^{-\lambda x}\,dx = e^{-\lambda \cdot 30} = 0{,}5$ den Wert $\lambda = \frac{\ln(2)}{30}$.

Damit ergibt sich $P(X > 60) = e^{-\lambda \cdot 60} = e^{-2 \cdot \ln(2)} = \frac{1}{4}$.

Register

f	Funktion
$f(x)$	Funktionsterm
$y = f(x)$	Gleichung des Graphen der Funktion f
D	Definitionsmenge der Funktion f
$f'(x_0)$	Ableitung der Funktion f an der Stelle x_0
$f'(x)$	Ableitungsfunktion der Funktion f
$\int_a^b f(x)\,dx$	Integral der Funktion f über [a; b]
$[F(x)]_a^b$	Kurzform der Differenz $F(b) - F(a)$
$\int_a^x f(t)\,dt$	Integralfunktion von f zur unteren Grenze a
$\mathbb{N}$	Menge der natürlichen Zahlen
$\mathbb{Z}$	Menge der ganzen Zahlen
$\mathbb{Q}$	Menge der rationalen Zahlen
$\mathbb{R}$	Menge der reellen Zahlen
O	Koordinatenursprung
LGS	Lineares Gleichungssystem
$(u_1; \ldots; u_n)$	n-Tupel reeller Zahlen, z.B. Lösung eines LGS
$P(p_1 \mid p_2)$	Punkt in der Ebene mit den Koordinaten p_1, p_2
$P(p_1 \mid p_2 \mid p_3)$	Punkt im Raum mit den Koordinaten p_1, p_2, p_3
$\overline{PQ}$	Strecke mit den Endpunkten P und Q
$\overline{PQ}$	Länge der Strecke PQ
$\overrightarrow{AB}$	Vektor
$\vec{a}, \vec{b}, \ldots, \vec{x}, \vec{y}$	Variable für Vektoren
$\vec{a} + \vec{b}$	Summe der Vektoren $\vec{a}$ und $\vec{b}$
$r \cdot \vec{a}$	r-Faches des Vektors $\vec{a}$
$-\vec{a}$	Gegenvektor von $\vec{a}$
$\vec{o}$	Nullvektor
$\vec{a}_0$	Einheitsvektor (Vektor der Länge 1)
$|\vec{a}|$	Betrag (Länge) des Vektors $\vec{a}$
$\vec{a} \cdot \vec{b}$	Skalarprodukt der Vektoren $\vec{a}$ und $\vec{b}$
$\vec{a} \times \vec{b}$	Vektorprodukt von $\vec{a}, \vec{b} \in \mathbb{R}^3$
$\perp$	Orthogonalität von Vektoren, Geraden, Ebenen
$\parallel$	Parallelität von Vektoren, Geraden, Ebenen
$\begin{pmatrix} a_1 \\ a_2 \end{pmatrix}, \begin{pmatrix} a_1 \\ a_2 \\ a_3 \end{pmatrix}, \ldots, \begin{pmatrix} a_1 \\ \vdots \\ a_n \end{pmatrix}$	Vektor aus $\mathbb{R}^2, \mathbb{R}^3, \ldots, \mathbb{R}^n$
$\begin{pmatrix} a_1 & b_1 \\ a_2 & b_2 \end{pmatrix}$	Matrix
$d(P, E)$	Abstand des Punktes P von der Ebene
$d(P, g)$	Abstand des Punktes P von der Geraden g
$d(g, h)$	Abstand der Geraden g und h
$\sphericalangle(g, h)$	Schnittwinkel der Geraden g und h
$\sphericalangle(g, E)$	Schnittwinkel der Geraden g und der Ebene E
$\sphericalangle(E_1, E_2)$	Schnittwinkel der Ebenen E_1 und E_2

Textquellen

S. 27: „Die Population P einer Wildtierherde …" nach: D. Hughes-Hallet, A. Gleason u. a.: Calculus, Single Variable. John Wiley & Sons Inc., 1998, S. 112, A. 32 - **S. 35.1:** „Der Begriff Nullwachstum …" aus: www.wikipedia.de, Stichwort: Nullwachstum, 04.01.2009, **S. 35.2:** „Euphemismus bezeichnet Wörter …" aus: www.wikipedia.de, Stichwort: Euphemismus, 01.03.2009 - **S. 38.1:** „Klimakollaps - Trendwende muss geschafft werden" aus: Weltklimarat der UNO, 2008 - **S. 38.2:** „Musikindustrie sieht Trendwende" aus: Financial Times Deutschland, Autor unbekannt, 13.03.2008 - **S. 38.3:** „In April 1991, the Economist carried …" aus: D. Hughes-Hallet, A. Gleason u. a.: Calculus, Single Variable. John Wiley & Sons Inc., 1998, S. 121, A. 11 - **S. 44:** „Der Nullstellensatz sagt doch aus, dass …" aus: www.matheboard.de, Forum: Schulmathematik - Analysis - Stetigkeit von Funktionen, 22.03.2005 - **S. 120:** „The Quabbin Reservoir in the western part of …" aus: D. Hughes-Hallet, A. Gleason u. a.: Calculus, Single Variable. John Wiley & Sons Inc., 1998, S. 298, A. 18 - **S. 134:** Einstieg Schwarze Löcher: Gregor Milla, Reutlingen, beraten von Prof. Dr. Ute Kraus, Universität Hildesheim, und Lorenz Milla, Dossenheim. - **S. 170:** „Wachstum ist das …" aus: www.wikipedia.de, Stichwort: Wachstum, 02.03.2009 - **S. 203:** Tabelle Fig. 6: „Anteil der Lebensmitteldiscounter am Einzelhandel" nach: Süddeutsche Zeitung, Autor und Erscheinungsdatum unbekannt - **S. 359:** „Wo bleibt der faire Zufall?" aus: Badische Zeitung, Lutz Kosbach, 19.01.2002 - **S. 371:** „Wie schlau sind die Deutschen …" nach: Express, Autor unbekannt, 03.09.2001 - **S. 372:** „An den Kölner Theken …" nach: Express, Autor unbekannt, 07.06.2001

Bildquellen

Cover 1 Getty Images (Takeshi Daigo), München; **Cover 2** Getty Images (Joao Paulo), München; **12.1** Alamy Images RM, Abingdon, Oxon; **12.2** VISUM Foto GmbH (Thies Raetzke), Hamburg; **12.3** Getty Images (Alexander Hassenstein), München; **13.1; 13.2** Alamy Images RM, Abingdon, Oxon; **14.1** FSA - CNES - ARIANESPACE/Photo Service Optique Vidéo CSG; **28.1** Tack, Jochen, Essen; **28.2** Corbis (David LeBon), Düsseldorf; **33.1** VISUM Foto GmbH (Aufwind-Luftbilder), Hamburg; **35.1** laif, Köln; **36.1** Bilderberg (JOHN GRESS), Hamburg; **37.1** Bildzitat; **37.2** Das Luftbild-Archiv, Wenningsen; **38** Statistisches Bundesamt, Wiesbaden; **39.1** Jens Schicke, Berlin; **40.1** Corbis (Gregor Schuster/zefa), Düsseldorf; **47.1** Picture-Alliance (maxppp), Frankfurt; **48.1** Deutsches Museum, München; **54.1** Andreas Staiger Büro für Gestaltung B2 (Andreas Staiger), Stuttgart; **54.2; 54.2b** Andreas Staiger Büro für Gestaltung B2, Stuttgart; **55.1** Fotolia LLC (Jean-Marc Angelini), New York; **55.2** Alamy Images RM (David R.), Abingdon, Oxon; **55.3** VISUM Foto GmbH (A. Vossberg), Hamburg; **56.1** Picture-Alliance, Frankfurt; **56.2** Getty Images, München; **68.1** Mauritius Images (Rossenbach), Mittenwald; **69.1** Picture-Alliance, Frankfurt; **71.1** blickwinkel (allover), Witten; **71.2** Wikimedia Foundation Inc., St. Petersburg FL; **72.1** Harald Lange Naturbild, Bad Lausick; **72.2** Fotolia LLC (Bronwyn), New York; **72.3** Klett-Archiv (Max Huber), Stuttgart; **74.1** GOODSHOOT (Goodshoot), Annecy-Le-Vieux; **75.1** creativ collection Verlag GmbH, Freiburg; **75.2** A1PIX, Taufkirchen; **77.1** Reuters AG (Stringer), Berlin; **77.2** iStockphoto (Steve Maehl), Calgary, Alberta; **80.1** Fotolia LLC (Ewe Degiampietro), New York; **86.1** Corbis (Matthias Kulka), Düsseldorf; **87.1** Corbis (W. Cody), Düsseldorf; **87.2** arturimges (Paul Raftery), Essen; **90.1** Picture-Alliance, Frankfurt; **96.1** Corbis (Bettmann), Düsseldorf; **96.2** BPK (RMN/Popvitch), Berlin; **123.1** AKG, Berlin; **124.1** f1 online digitale Bildagentur, Frankfurt; **125.1** Picture-Alliance, Frankfurt; **126.1** Interfoto, München; **130.1; 130.2** Biosphoto (Gunther Michel), Berlin; **131.1** Corbis (Stephen Frink), Düsseldorf; **131.2** Corbis (Andy Rouse), Düsseldorf; **134.1** Picture-Alliance, Frankfurt; **147.1** PantherMedia GmbH (Jasper Grahl), München; **151.1** Reinhard-Tierfoto, Heiligkreuzsteinach; **151.2** PantherMedia GmbH (Günter Fischer), München; **152.1** HAMEG Instruments GmbH, Mainhausen; **157.1** Action Press GmbH (HONK-PRESS), Hamburg; **159.1** Alamy Images RM (FI PA), Abingdon, Oxon; **164.1** Picture-Alliance, Frankfurt; **165.1** AKG, Berlin; **165.2** Bildzitat; **165.3** Deutsches Museum, München; **169.1** f1 online digitale Bildagentur, Frankfurt; **170.1** Getty Images (Natphotos), München; **170.2** the tables first appeared in the Global Environment Outlook 4, published by the United Nations Environment Programme in 2007; **171.1** UNEP (Andreas Staiger), Nairobi; **171.3** the tables first appeared in the Global Environment Outlook 4, published by the United Nations Environment Programme in 2007; **177.1** f1 online digitale Bildagentur, Frankfurt; **181.1** AKG, Berlin; **182.1** Keystone, Hamburg; **183.1** Fotosearch Stock Photography, Waukesha, WI; **184.1** Statistisches Bundesamt, Wiesbaden; **185.2** Klett-Archiv, Stuttgart; **196.1** Jupiterimages GmbH (BCI, Norman Owen Tomalin), Ottobrunn/München; **197.1** Badischer Verlag GmbH & Co. KG (Zeitung), Freiburg; **198.1** Institut für Demoskopie, Allensbach; **200.1; 200.2** Fotolia LLC; **200.3** www.blikk.it/angebote/primarmathe/medio.htm, Bozen; **208.1** DGB, Berlin; **209.1** Mauritius Images, Mittenwald; **210.1** Olaf Kowalzik, Hamburg; **211.1** FOCUS, Hamburg; **211.2** Fuchs, Kurt, Erlangen; **221.1** Hochtief AG, Essen; **222.1** iStockphoto (Loretta Hostettler), Calgary, Alberta; **230.1** AKG, Berlin; **237.1** Corbis (Ryan Pyle), Düsseldorf; **238.1** Aer Lingus, Mörfelden-Walldorf; **246.1** Interfoto, München; **254.1** Klett-Archiv (Simianer & Blühdorn, Stuttgart), Stuttgart; **260.1** Klett-Archiv (Simianer & Blühdorn, Stuttgart), Stuttgart; **278.1** Corbis, Düsseldorf; **278.2** Peter Arnold images.de (Malcolm S. Kirk/Peter Arnold), Berlin; **279.1** plainpicture GmbH & Co. KG (Pat Meise), Hamburg; **279.2** FOCUS (Steve Allen), Hamburg; **280.1** Mauritius Images, Mittenwald; **283.1** Deutsches Museum, München; **300.1** Klett-Archiv (Zuckerfabrik digital), Stuttgart; **316.1** arturimges, Essen; **317.1; 317.2; 317.3** Eric Gjerde (Eric Gjerde), Minneapolis; **335.1** Corbis (Matthias Kulka/zefa), Düsseldorf; **340.1** Das Fotoarchiv, Essen; **340.2** Flora Press (Gaby Jacob), Hamburg; **341.1** Corbis, Düsseldorf; **341.2** VISUM Foto GmbH (Philip Quirk/Wildlight), Hamburg; **341.3** VISUM Foto GmbH, Hamburg; **345.1** Interfoto (Science Museum/SSPL), München; **356.1** Avenue Images GmbH (Corbis RF BlendImages), Hamburg; **358.1** Corbis, Düsseldorf; **360.1** Klett-Archiv (Wolfgang Riemer), Stuttgart; **363.1** Klett-Archiv (Wolfgang Riemer), Stuttgart; **366.1** Ullstein Bild GmbH, Berlin; **375.1** DLR, Köln-Porz; **375.2** Avenue Images GmbH (Corbis/RF), Hamburg; **378.1** Corbis, Düsseldorf; **379.1** Fotolia LLC (Leonid Nyshko), New York; **379.2** Mauritius Images, Mittenwald; **383.1** Klett-Archiv (Wolfgang Riemer), Stuttgart; **388.1; 388.2** Klett-Archiv (Wolfgang Riemer), Stuttgart; **389.1** Klett-Archiv (Wolfgang Riemer), Stuttgart; **389.2** Klett-Archiv (Wolfang Riemer), Stuttgart; **395.1** Klett-Archiv (Wolfgang Riemer), Stuttgart; **Online-Link 1.1** Corbis GmbH RM; **Online-Link 1.2** Fotosearch Stock Photography; **Online-Link 2** Klett-Archiv (Cira Moro); **Online-Link 3** Wikimedia Foundation Inc.; **Online-Link 4** Universitätsbibliothek Basel

Nicht in allen Fällen war es uns möglich, den Rechteinhaber der Abbildungen ausfindig zu machen. Berechtigte Ansprüche werden selbstverständlich im Rahmen der üblichen Vereinbarungen abgegolten.